"泰山学者"建设工程专项经费重大项目资助

"'是''在'""'诚''成'"的哲学

——交汇点上的塑造论哲学

中

张全新 著

山东人民出版社
国家一级出版社 全国百佳图书出版单位

目录

第二篇　关于"'诚''成'"的哲学

第二篇

关于“‘诚’‘成’”的哲学

第十一章　“成”和“诚”的早期出现

第一节　古中国早期文字及《易》中的“成”和“诚”

在中国思想史中，“成”“诚”非常重要。这里的无“言”字偏旁的“诚”与有“言”字偏旁的“成”，在中国古文字中有通借（通假、借代）的关系。

“成”字的甲骨文是“”，金文是“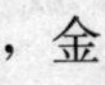”。这是以斧子的象形与一个小竖构成，表示斧子向下砍。在演变初期，人们是用其表示杀牲取血盟誓。到篆文“成”字写为“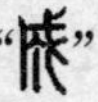”。这与之前相比，斧子的象形演化成“戊”，这仍是斧子的像形；而原来表示斧子向下砍的那一小竖，加上了箭头成为“丁”字，这是“钉子”的形象。这引申表示，斧子成就了新的结合。整字的意思强化了表示一方与另一方结合在一起，所以体现了双方用斧子砍牲口而歃血为盟的意思。汉字隶定时经简化大体形成了现在的写法。

“诚”在篆文中写为“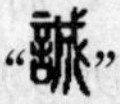”这是由“言”和“成”构成的。如前所说，“成”字曾表示歃血为盟，而“诚”字由“言”和“成”一起构成，更加强了成盟有信的意思。也就是说，这个字

的整个意思在“成”的基点上，强调了“言”，这是盟誓的语言。写上“言”字，便涉于带有“言”与“行”一致的意思；带“言”偏旁的“诚”与“成”为“行为”一致，那“诚”才是真心实意的。

在中国历史上“诚”与“信”是紧紧联系在一起的。许慎的《说文解字》在解释“诚”时就写到：“诚者，信也”，“信者，诚也”。于是，“诚”与“信”同一个意思。在中国，“成”及与之相关的诚、诚信等等的概念由来已久。在中国文化中，历来重视“诚信”之说。

可以讲，中国哲学史中，“诚”“成”“信”，一直贯串于其中而形成一系列哲学体系的演讲。

对于中国古代的哲学思想，通常特别注意到关于“易”的学说。

《易》书中有“形而上者谓之道，形而下者谓之器”的命题。《易》书一直不忽视讲“成”，与此联系讲到“诚”，讲到“信”，讲到“成德为行”。

《易传》《系辞上》一开始就写有：“天尊地卑，乾坤定矣”。所以，“生生之谓易，成象之谓乾，效法之谓坤”。“在天成象，在地成形，变化见矣”。“乾道成男，坤道成女。乾知大始，坤作成物”。“天下之理得，而成位乎其中矣。”“备物致用，立成器，以为天下利”。《说卦》中又有：“山泽通气，然后能变化，即成万物也”。《系辞》还讲：“一阴一阳之谓道，继之者善也，成之者性也”。“默而成之，不言而信，存乎德行”。《文言》讲，“君子以成德为行，曰可见之行也”。《系辞》又讲，“成性存存，道义之门”。《象下》讲，“天地节，而四时成”。“观乎人文，以化成天下”。“凡天地之数……此所以成变化而行鬼神也”。《说卦》讲，“《易》六画而成卦”。《系辞》又讲，“四营而成易，十有八变而卦”。“八卦成列，象在其中矣。”“成天下之亹亹者，莫大乎蓍龟”。“天地设位，圣人成能”。“通其变，遂成天下之文”。如此等等。孔子（前551—前479）曰：“八卦之序成立，则五气变形。故人生而应八卦之体，得五气以为五常，仁义礼智信是也。”

这里举出《易》书一开始对“乾”的解释为例。周易曰：“乾：元亨，利贞。”王弼注孔颖达疏的《周易正义》特别讲到：“乾卦本以象天，天乃积诸阳气而成天，故此卦六爻皆阳画成卦也。”[①] 王弼（226—249）注孔颖达（574—648）疏的《周易正义》就《周易》一开始的“乾”之经文，这样写道：“《说卦》云：‘乾，健也。’言天之体，以健为用。……天以健为用者，运行不息，应化无穷，此天之自然之理，故圣人当法此自然之象而施人事，亦当应物成务，云为不已”。这讲到“应物成务”。《系辞》有云：“夫《易》圣人之所以极深而研几也。唯深也，故能通天下之志。唯几也，故能成天下之务。”正因为这样，《系辞》中提出：“夫《易》，何为首也？夫《易》开物成务，冒天下之道，如斯而已者矣。”这点出对“开物成务”何以可能的追问。这可认为是《易》书的主题。对以上追问的实现，体现在关于周易一系列的卦象和系辞之中。

《周易》“乾”之经文首先是“初九：潜龙勿用。”《文言·乾》就此写道：“‘潜’之为言也，隐而未见，行而未成，是以君子弗用也。”东汉郑玄（127—200）曾就孔子由此而言“龙德而隐者也，不易乎世，不成其名，遁世无闷，不见是而无闷，乐则行之，忧则违之，确乎其不可拔，‘潜’龙也”；在《集解》中注曰：“当隐之时，以从世俗，不自殊异，无所成名也。”《程氏易传》就此又这样写道，“德之成，其事可见者行。德成而后

① 王弼注孔颖达疏：《周易正义》“周易兼义上经乾传卷一”。

可施于用。初方潜隐未见，其行未成。未成，未著也，是以君子弗用也。”既然系“潜龙”，那么“潜之为言，隐而未见，行而未成”，这样德之幽隐而未宣见，所以行未可成就；“既然行而未成”，那么君子于时不用。有所谓“德出于已，在身之内，故云：‘成’；行被于人，在外之事，故云为‘行’”。可见，“行而未成”实际上反称出“行亦称成”。所以说，“君子以成德为行，曰可见之行也”。这样，成德为行者，即君子成就道德使以为其行。明清之际张尔岐（1612－1677）于此解释时，强调了要“不事表暴以求成乎名”，要避免“不成乎名而不见是于人，更易至于闷”。

《周易》“乾”之经文其次是“九二：见龙在田，利见大人。”《文言·乾》中说，“龙德而正中者也。庸言之信，庸行之谨，闲邪存其诚”。这里讲到了“诚”。“庸”谓“中庸”，“庸”，常也。常言信实，常行谨慎，言防闲邪，当自存，其诚实也。所以才有了以守“中道”来存其“诚”的思想。所以才有“忠信可以进德也”。对于“闲邪存其诚”，孔颖达疏：“言防闲邪恶，当自存其诚实也。”《礼记·学记》中有“今之教者，呻防闲邪恶，多其讯，言及于数，进而不顾其安。使人不由其诚，教人不尽其材。”孔颖达疏：“诚，忠诚”。

《周易》“乾”之经文再就是“九三：君子终日乾乾，夕惕若厉，无咎。”王弼注孔颖达疏的《周易正义》对此说，“‘终日乾乾’，无时懈倦，所以因天象以教人事”。这才有：“修辞立其诚，所以居业也。”这里的“辞”谓文教，诚为“诚成”，外修理文教，内立其诚成，内外相成，则有功业可居，故云“居业”也。郑玄（127－200）曰：“三于三才为人道。有乾德而在人道，‘君子’之象。虞翻曰：谓阳息至三，二变成离。离为‘日’，坤为‘夕’。”东汉荀爽（128－190）曰：“‘日’以喻君，谓三居下体之终，而为之君。承乾行乾，故曰‘乾乾’。‘夕惕’

以喻臣。谓三臣于五，则疾修柔顺，危去惕行，故曰‘无咎’”晋时。干宝曰：“故君子以之忧深思远，朝夕匪懈。仰忧嘉会之不序，俯惧义和之不逮，反复天道，谋始反终，故曰‘终日乾乾’。此盖文王反国，大厘其政之日也。凡无咎者，忧中之喜，善补过者也。文恨早耀文明之德，以蒙大难，增修柔顺，以怀多福，故曰‘无咎’矣。”“爻以气表，繇以龙兴，嫌其不关人事，故著“君子”焉。阳在九三，正月之时，自泰来也。阳气始出地上而接动物，人为灵，故以人事成天地之功者，在于此爻焉”。

张尔岐（1612－1677）在《周易说略》则讲，“主乎中者，无一念不诚，自能渐渐充满，日新不已，是即所以进德也。”

《周易》“乾”之经文还有“九四：或跃在渊，无咎。”崔憬曰：“言君子进德修业，欲及于时。犹龙自试跃天，疑而处渊。上下进退，非邪离群，故‘无咎’。”干宝曰：“阳在九四，二月之时，自大壮来也。四虚中也。跃者，暂起之言，既不安于地，而未能飞于天也。四以初为应，‘渊’谓初九甲子，龙之所由升也。‘或之者，疑之’也。此武王举兵孟津，观衅而退之爻也。守柔顺，则逆天人之应；通权道，则违经常之教。故圣人不得已而为之，故其辞疑矣。”

《周易》“乾”之经文又有“九五：飞龙在天，利见大人。”郑玄曰：“五于三才为天道。天者清明无形，而龙在焉，飞之象也。”虞翻曰：“谓四已变，则五体离。离为‘飞’，五‘在天’，故‘飞龙在天，利见大人’也。谓若庖牺观象于天，造作八卦，备物致用，以利天下。故曰‘飞龙在天’，天下之所利见也。”干宝曰：“阳在九五，三月之时，自夬来也。五在天位，故曰‘飞龙’。此武王克纣正位之爻也。圣功既就，万物既睹，故曰‘利见大人’矣。”

《周易》“乾”之经文另有“上九：亢龙有悔。”王肃曰：

“穷高曰‘亢’。知进忘退，故‘悔’也。”干宝曰：“盈而不反，必陷于‘悔’。案：以人事明之，若桀放于南巢，汤有渐德，斯类是也。”“阳在上九，四月之时也。亢，过也。乾体既备，上位既终。天之鼓物，寒暑相报；圣人治世，威德和济；武功既成，义在止戈。”

“乾”之经文最后是“用九：见群龙，无首，吉。”《彖曰》：“大哉乾元！万物资始，乃统天。云行雨施，品物流行，大明终始，六位时成，时乘六龙，以御天。乾道变化，各正性命。”关于“云行雨施，品物流行”，三国时的虞翻（164－232）曰：“已成既济，上坎为‘云’，下坎为‘雨’，故‘云行雨施’。乾以云雨流坤之形，万物化成，故曰‘品物流行’也。”关于“大明终始，六位时成”，这二句总结乾卦之德。此是讲，以乾之为德，大明晓乎万物终始之道，始则潜伏，终则飞跃，可潜则潜，可飞则飞，是明达乎始终之道，故六爻之位，依时而成。东汉荀爽（128－190）曰：“六爻随时而成乾”。

另外《易》书中还使用了许多相当于“诚”的词。例如“信”。《易》书中有：“覆公悚，信如何也”；“信以发志也”（象上）；“天之所助者，顺也；人之所助者，信也”。“神而明之存乎其人，默而成立，不言而信，存乎德行。”（系辞上）；“往者屈也，来者信也，屈信相感，而利生焉”（系辞下）；“覆公悚，信如何也”；“信以发志也”（象上），如此等等还有很多。

《文言》曰：元者，善之长也。亨者，嘉之会也。利者，义之和也。贞者，事之干也。君子体仁足以长人，嘉会足以合礼，利物足以和义，贞固足以干事，君子行此四德者，故曰‘乾元亨利贞’。”对于其中的“君子体仁足以长人”，郑玄在《文选·陆机〈赠顾交阯公真诗〉》注里，注曰：“体，生也。”郑玄训“体”为“生”，清张惠言在《周易郑注·文言第九》中则说：“谓生仁不辞。荀爽、京房之本，‘仁’皆作‘信’，或疑郑本

‘仁’作‘人’也。”近人曹元弼在其《补释》中又认为，此“生”当读为“性”。他说：“郑训‘体’为‘生’者，‘生’读为‘性’。《论语》：‘仁者安仁。’包氏曰：‘惟性仁者，自然体之。’《孟子》曰：‘君子所性，仁义礼智，性之，故体之。’诸家‘仁’作‘信’。信者，仁之守。《中庸》‘肫肫其仁’，郑云：‘肫肫，恳诚貌。’此体信之义。”我国当代易学家林忠军先生就此指出，曹氏训“生”为“性”极有见地。按：《左传》昭公十九年：“民乐其性。”《疏》：“性，生也。”又证之以帛书《周易》、帛书《易传》中，凡言“性”者多作“生”。如帛书《系辞》云：“成之者，生也。”《易之义》云：“穷理尽生而至于命”，“本生仁义。”故郑氏的“生仁”即“性仁”。[1]

作为“乾”之“元亨利贞，”言其于“体”，不论训“体”为“生”，还是训之于“信”，还是训之为“性”，或者按郑氏所讲此为“生仁”“性仁”，而总起来说，既然“本生仁义”，而“成之者，生也”“信者诚也”“诚者信也”，所以，可同意当代尚秉和所著《周易尚氏学》所言：“然则元亨利贞四字。究以何解为当乎。曰其在乾确为四德。《彖传》之所释，宏深透闢，于四德各有推阐，而以天道变化，各正性命，保合大和，释贞之原理，尤幽隐难识。故《文言》曰，君子此四德，盖四德缺一，即不成为天时，不成为人事。”进而，书中对“闲邪存其诚”、对“修辞立其诚，所以居业也”，作了进一步的解析；总之“诚者法则也。居者蓄也、积也，业以积而高大也。”“其境至高，识其高而必达其境。故曰可与言几。《说文》：‘几，微也’。《系》云，‘几者动之微，吉之先见者也。”“其道正穷，识其穷而必赴之。故曰可与存义。义者宜也。”[2]

---

① 林忠军：《周易郑氏学阐微》，上海古籍出版社 2005 年版，第 233 页。

② 尚秉和：《周易尚氏学》，中华书局 1979 年版，第 14 页、第 23～24 页。

从历史发生上说，"易"起源于古人对自己将要采取行为的预测。而在古代这种预测主要是依赖于占卜。很早，占卜的方法主要有两种：龟卜和占筮。龟卜是人将龟腹骨和兽骨钻孔火烤，周围出现裂纹，以此为卜来断定人事。占筮是人取蓍草，在树木的变化中分组，据分组后余数的奇偶得爻画，积爻成卦，再参考卦辞爻辞判定人事。其中取向特别在于"人事"的"诚""成"。显然这里已经在依托某种东西：或者是龟骨裂纹或者是蓍草数目等等，来取得一种可作为符号的形式系统。据讲，在殷人中是多用龟卜，而到周人那里则主要用占筮了。这本身就是一个进步。因为经火烤出现裂纹是一次成形的，固然人看过去把它作为自己理解的某种联系形式，但局限性很大；而手取而成的蓍数，这里已有人去数（动词 shǔ）蓍和蓍有数（名词 shù）的相互映照，其中已有丰富变化的数的系统，人再看过去把它作为自己理解的某种联系形式，在数的系统中所统摄的事情，就更带系统性了。当然，人去取蓍草时任意分为二的行为似乎带有很大的随意性和偶然性。用王夫之的话讲是出于"无心"。由现在人们通常的科学认识角度来说，凭此来作为预示世事的根据简直像是无稽之谈。但是，在其中却在人行为中作出了一个很值得注意到的事情，如刚才所说，里面有人在数的关系中取出来去数（动词 shǔ）的行为，这就使蓍草有了数（名词 shù）。这是被数（shǔ）成了数（shù）的形式关系。可见，人为的关系和不知道是什么样的一种关系在里面潜存着。难怪王夫之在说到此时区分了这样两个概念：他认为筮法是数的法则求得卦象，这是"人谋"；而任意分而为二出于无心，属于"鬼谋"。[①] 到底是为什么会有"'鬼'使'人'差"或者"'人'使

① 王夫之：《周易内传》，《系辞上传》。

‘鬼’差”，早期古人确实难以明白，反正是对于蓍草这样的东西如此取，如此分分合合了；由取着的分分合合后所画出来的爻和卦象都放在那里了。而画出来的爻卦象又可在阴阳对应中以“—”“--”表示出来。这是在没有文字或者说在缺乏成熟的语言系统之前，就可以简单做出的。这便成了人们理解许多事情的符号单元和形式系统。而“辞”则是远古人们占卜和世事发生的记录和解释，人们便依此去想许多事情，并用于说明和引导人们对世事的处理行为。

在中国历史上有种较为流传的说法：认为伏羲氏画八卦，周文王演为六十四卦并作卦辞和爻辞。但应当认为，伏羲氏与燧人氏等等一样是指某个氏族，如果说燧人氏也许是最早用火熟食的氏族名称，那么伏羲氏或许是最早豢养牲畜的氏族的名称，固然有可能是这个氏族的首领，但也是指这整个氏族，并不只是指哪一个“圣人”。而后人所讲到的那时的“圣人”，对于某氏族来讲是有代表性的。周文王推演八卦实际上也不是他一个人的工作，有可能是那个时期对以往已经有了的加以认真总结整理罢了，讲周文王，只不过以他为代表而已。

据《周礼·春宫·大卜篇》记载，易有三种，或曰三个系统。即夏代之易曰《连山》，商代之易曰《归藏》，周代之易曰《周易》。夏易和商易现失传；而周易则经过历代许多人的记录、整理、解释，流传至今，即所谓的《周易》或《易经》。

由此可以看出，后人见到的周易是经过一系列发展形态才形成的，在这种发展中构成着一种与人之处理行为直接相关的符号系统，并且伴随着语言文字系统的产生。

因为早期人类还不能使用很好的文字，往往用种种记号来承担文字所要承担的任务。这里可能有这样几项在人们行为中交叉进行的符号化过程，这成为“易”形成的重要因素。

一是结绳与土圭。

结绳是以绳之小结的组合、大结的组合、小结和大结的共同组合来记录事情。进而人们便能用圆圈和黑点把不同的结刻划出来；或者是画出来，或者可以刻在石头上。

据考伏羲氏以前的智能人还创造了一种土圭符号。这是由远古人在地面堆土立竿以其影来表示日子及时间之所源。“圭”这个字本身就是堆土立竿即“”的象形。我们知道，日出日落之时，竿影很长很远无法作出记号，可以在日中杆影最短最近时加以记录。从我国所处的北半球上看，当太阳在南回归线上即午时竿影最长，当太阳在北回归线上即午时竿影最短。竿影总是在这最长最短两点之间往复变化，这种变化在连续中连成一条线，它正显示着那条被后来所称谓的子午线。从竿影最长到最短的区间可看作阴阳变化区间。从竿影最长之日起在每天的竿影所到之处插一小棍，插至竿影最短之日止，可插 183 根或 182 根。从竿影最短之日起在每天竿影所到之处插一小棍，插之竿影最长之日止，可插 182 根或 183 根。一个来回往复可插 365 根或 366 根，正好是一个冷热寒暑变化周期，于是定 365 或 366 天为一年，定竿影最长之日为冬至日即年初，定竿影最短之日为夏至日即年中，定竿影至半之日为春分或秋分。这就是四季，再分便有了八节。

于是有人在阴阳变化区间内画上记号，作为分度，并将阴影阳迹变成两个基本符号表示阴阳，组合成若干符号表示阴阳变化。“若干符号中就有八卦符号，不过当时不叫八卦，而叫八圭，因为堆土立竿观察日影掌握阴阳变化规律，远古人叫圭，后人叫土圭，八圭就是土圭阴阳变化区间的八分度，也叫八分圭或八圭，叫八卦是八圭用于占卜后的名称。八圭在远古表示一年之中的四季八节，也表示天地之间的四方八位。有了八圭符号，远古人才有了最初的历法和方位法”。[①]

远古人正是根据这种简单的历法进行农业生产的。半坡村文化遗址、河姆渡文化遗址的发掘显示那时农业已很发达。远古无文字，没有以真正意义上文字写成的历书，却有了土圭的阴阳记录，这对安排农业是很有用的。可是用插棍数棍的方法毕竟太麻烦，由此才产生了在阴阳变化区间内画道分度，才产生了画出来的、更为细致的分度法和符号标示记录。

“圭”加上“卜”即为“八卦”的“卦”字。“圭”的记录与八卦展示种种组合变化是相合的。据说八卦占卜就用着这种八圭符号。“卦”字由“圭”和“卜”组成，由此有明显的体现。即古人以“圭”的符号系统来占“卜”。这足以见得，八圭形成与卦的符号系统形成大有关系。

二是天地盘与河洛图。

远古人外出采集渔猎时，往往在地上划出个十字架指示4个方向，再用一个表示4个方向的交叉十字架，借一立枝插在地上十字架的中央，使之转动、观其重合情况决定可否去哪一方向。后来由此产生了天地盘占卜器。这种器具，以两个圆盘代替上下两个十字架，中心以一个立柱支撑转动。因为当时尚无文字，盘上以圆点加以刻度。上盘表示天称为“天盘”，下盘表示地称为“地盘”；表示天数用白点，表示地数用黑点，分别分布在天、地盘的相立方位上。地盘放准地上的方向，转动天盘进行占卜。

由这天地盘，把它用以表示不同数的白点、黑点记录的方位画出来，便是“河图”。如同李友仁先生指出的，“河图是尚无文字之时的创作，用黑点白点表示数，合乎当时的实际，画

① 李友仁：《易学通解》，辽宁人民出版社1995年版，第34～35页。

成平面方图、表示的是立体空间”。①“天地盘方位模型，大概在画成河图之后又有改进。因为天地盘方位模型只有4方5位，有用的是4方，4方各占圆周的1/4，对于出行方向的指示过于粗略……于是将天盘落下，使天盘4方十字架与地盘4方十字架交错为米字架，变找方5位为8方9位，天数1仍示东方，地数2改示东南，天数3仍示南甲方，地数4改示西南，天数5仍示中央，地数. 石改示东北，天数7仍示北方，地数8改示西北，天数9仍示西方，地数10弃而不用。中央立柱上另设旋转指针，占卜出行方向”（就像现在常看到的一种赌盘那样）。由此模型“大概是在伏羲氏时期以后，也画成图式，称为‘洛图’”②。总之，“洛书”是将只有天地4方位的“河图”的天盘落下，与地盘上的4方位交叉成8位，使方位划分更精细。

“河图”关于数的排列影响了“洛书”乃至“八卦”中关于数的排列。“由于八卦只有8数，各数又要符合一年春夏秋冬、一月朔望上下弦的阴阳变化，故各数的所在方位有所不同，又仿河图的天地盘设上下八卦，用于占卜”。③

“河图”“洛书”既然是产生于尚无真正意义上的文字系统之时，那么显然是经过很长时间的口耳相传；到了可认为是有了真正意义上的文字系统，之后才有文字记载，而记载的开始又多为传说；当时“河图”“洛书”当时未必有此名称，乃后人称谓。于是对“河图”“洛书”的产生，便出现了诸如“河龙图发，洛龟书感”、“河出图，洛出书，圣人则之”④ 的说法。这就是传说中讲的，伏羲时龙马于出于黄河，其背有旋毛如星点称

① 李友仁：《易学通解》，辽宁人民出版社1995年版，第634页。

② 李友仁：《易学通解》，辽宁人民出版社1995年版，第5页。

③ 李友仁：《易学通解》，辽宁人民出版社1995年版，第635页。

④ 《易传·系辞上》。

作龙图，伏羲取其法以画八卦生着法；夏禹治水时有神龟出于洛水背有裂纹如字，禹取其法而作《尚书·洪范九畴》；等等。

这使河图、洛书带上了不知何时出现也不知怎么出现的神秘性。但是，从史书上看，河图在很早就有，是可以肯定的。据《尚书·顾命》记载，在周成王去世的时候，进行祭典的场合中。在东面陈设着几件重要的宝物，其中就有河图，即所谓“大王、夷王、天球、河图在东序”。还有传说“洛书”是大禹治水时，由动用大量土石方而发现的。“河图”是武王伐殷商时，周得殷的战利品。足见这些东西在当时已属从前人及各方实际活动中得到的一种记有某种信息的宝物。

三是太极圆和卦辞。

由《尚书·顾命》的上述记载可知，与河图同样作为重要宝物的还有“大玉、夷王、天球”。许多人认为这“天球”即是用玉作成的“太极球”。当然这是很难加以考证的。但有学者考证，作为讲“易”时不可不论到的“太极球”、“太极圈”、“乾坤圈”，或者说作为“太极圆”的“太极图”的确是在很早就有了。

《易学通解》一书中写道：“太极球、太极圈、乾坤圈三种模型的发明创造，是在尚无文字也无图画的原始时期，也许当在传说中的燧人氏之前，因为三国魏易博士淳于浚曰：‘包牺（伏羲氏）因燧皇（燧人氏）之图，乃则象而作易（八卦）’淳于俊之说，当有传说或记载传说的文字资料为据。在燧人氏时，有了图画，三种模型变成了太极图，是完全可能的。伏羲氏时，参照燧人氏时的太极图画出八卦，也比较合乎情理。因为八卦和太极图的阴阳变化一致，是太极图的符号化。”

这里虽说了“当有”“文字资料为据”却并没能举出更扎实的文字资料出自何文献，这主要涉于有文字可考的东西实在难以找到。但是，《易学通解》作者的以下论述却是可供参考的：

“仰韶文化阶段的中．国社会已发展到以农业为主，渔猎为辅，能制作红色陶器和彩色陶器的阶段，农业生产需要掌握季节气候变化规律，渔猎活动需要知道东南西北方位，能够制作陶器就有了制作模型的技能。于是就有人根据日常所见的天地日月，昼夜寒暑，阴阳明暗，设想自己是生活在一个大球之中的小球上，因而发明创造了象征这个大球和小球的太极球模型。后来又根据日月运行，斗转星移，昼夜交替，冷热循环，认为天地既是个球，又是个不停旋转的大圆圈和小圆圈，因而发明创造了象征这个大圈和小圈的太极圈模型。”

“一般圆球在光源和视线一致的情况下，只能看到光明面和外廓圆，是为圆球正面；在光源和视线相对的情况下，只能看到阴暗的球面和外廓圆，是为圆球反面。如果光源和视线成九十度角相交，看到的就是一半光明一半阴暗的球面和外廓圆……如果圆球是不断旋转的，光源在视线的左方，圆球向左旋转，就能看到光明面在球面上不断向右前进，阴暗面在球面上不断向右后退。如光源相反或旋转相反，就能看到光明面和阴暗面在球面上的前进后退也相反。这种现象自有天地日月以来就存在，远古人自然会在无意有意中发现”。[①]

《易学通解》的作者只论到去看“圆”这一点，可是真正能实现对太极球的领悟，关键是把圆拿到手中。大自然当中天生的较为标准之圆球是有的，如地球等天体，但这得站在地球以外去看，或站在地球上遥望，作为远古时期的人很难想象能把这样的圆拿到手中。但是，他们可以想到作为有些果实等等那样的圆，但总不那么标准。可以想象人们真正领悟到圆还是从能够用他们的手打制或说磨出圆来开始。可能是人们从果实等

① 李友仁：《易学通解》，辽宁人民出版社 1995 年版，第 33～34、36～37 页。

等的圆球之形式引发出去磨制圆，但又似乎难以理解的是人去磨制圆球到底是出于什么样的目的。不知像轮子这样的东西是从何时产生，但人们在运东西时，总会在拖拉东西时垫上的圆木中受到启发，但圆木还不是圆球．可能正是在这种种东西形式化地给了人之过程中，才使人能用手去造出了圆球。

人磨制出了这种圆球，这圆便更直接地成为人观念上的圆外化了，并加强了观念圆的形式化。

这样，就使由土上观察日光在地面上的阴阳变化，从实际上已接触的子午线分度刻划，到有了附着在圆上的刻画，进而又使八卦的序列有了附着在圆上的刻画，也使河图洛书中表现出来的最早由天地盘而生成的各方位组合有了附着在圆上的刻划。

河图用一至十数表示了大地的四方五位，这里的四方与子午线上的四季对应，五位又与五行对应。这个五的产生与五位有关也与人手五指双手为十有关。当然土金木水火的五行应当说出现较晚，因为有金只能在有了青铜冶炼出现金属之后才产生。这样，由很早就人们就能接触到的土木水火四行加上金成为五行。当这四行加一行的五行与四方五位对应，又在圆上的上下左右中对应起来，才有会出现表现在太极图上的“天一生水，地六成之；地二生火，天七成之；天三生木，地八成之；地四生金，天九成之；天五生土，地十成之”成为相生相克的循环圈。这是关于天地“成”的生成变化的循环圈。

在“占筮”之中，形成着“大衍之数”，操作中有所谓“大衍之数五十。其用四十有九。分而为二以象两；挂一以象三；揲之以四以象四时；归奇于扐以象闰；五岁再闰，故再扐而后挂。”[①] 论及于此，人们对古人为什么在占筮时重视用五十根蓍进行演算，而且在实际演算之前，取出一根蓍不用，而由四十九根始，一直解释不一。后来《汉书·律历志》中有云，“是始元始有象一也，春秋二也，三统三也，四时四也，合而为十，成五体，以五乘十，大衍之数也，而道据其一，其余四十九，所当用也”。从中可以看出，这里不能不说与对可能与由人有五指合而为十而形成的十进位记数中对五的重视有关。这里讲到了“成五体”并进而形成大衍之数的机理。一直到如同王夫之关于“一、二、三、四”那样的解释。

作为体现“大衍之数”的一系列数目是可以用“—”“- -”这样的与阴阳对应的不断组合表示出来的，于是十进位的记数又实际上能与二进位的记数对应。

再让这些组合，与体现蓍草占筮得出的种种数字组合、与体现记绳和土圭得出的种种数字组合、与体现天地盘和河洛图上记下的种种数字组合、以及与阴阳五行的种种变化综合在一起，在太极圆上刻划出来，这就形成了一个以特定方式构成的体现种种数的形式规律并似乎与天地万物同构的大的形式系统。

并且，文字的形成使得对历代占卜和世事行为加以记录成为可能，这就形成了诸如：天为乾三连、地为坤六段、水为坎中满、火用离中虚、风为巽下断、泽为兑上缺、山为艮覆碗、雷为震仰盂，等等的概括。在这样的框架中的记录内容，形成系辞。这样，描述种种情况的符号组合与记录种事情的系辞内容，形成了一个与世界上种现象相联系的易的系统。

由于这种系统是在人与对象相互作用中形成，它内在地体现着数的组合与人之行为及世间事物的同构性和同律性。排除

① 《易传·系辞上》。

人们对之带猜想式的解释，正如人们后来所看到的，“周易”数的形式结构，能与在科学发展中得到广泛运用的数学运算相对应。在17世纪末，德国哲学家、数学家莱布尼兹通过传教士看到了《伏羲六十四卦次序图》和《伏羲六十四卦方位图》，看到卦象的阳爻—和阴爻--用1和0代替，与他关于数学的二进制的想法相合。后来发展起来的布尔代数、组合数学中的许多东西可以与八卦的组合相对应。现代的美国高能物理学家F·卡普拉认为，太极图的运动变化原理与某种动力学模型相一致，同时八卦也同强子的八重态相对应。英国科学史家李约瑟认为，《易经》的太极图显示了宇宙动力场正极和负极的作用。还有许多学者在研究生物遗传密码时，将太极八卦的推算程序有效地运用起来，等等。

但是，周易产生以后，在中国并没有真正地或很好地把它作为数学符号的形式系统来对待，而多在说明人的世事方面进行了大量解释。即便是用来说明才与天体时也对之加上了人间世事的说明。但总起来说，人们的确在早期注意到了易与世界人事的同律性，由此映衬了潜意识的必然性。

（三）以上我们用许多文字追溯了“易”之产生渊源，意在说明其产生的出发点的确在于为了事之所“成”，而且离不开“诚”。

这不仅可从易书经典的内文论述中看得出来，而且由“周易”这两个字的含义，也能说明一些问题。

关于什么是“易”，学者们作了许多不同的解释。易书上有“生生之谓易”的说法。有人还由文字考证：按金文“易”字写作“”形；其右旁是“O”，象征日，即太阳，故后人写“阳”字从日；其左旁有“”，即象雨点又有云气之态，故后人

写“陰”从“云”；中间有一曲线“∫”，既把阴阳隔开为二，又体现阴阳合一运动。所以许多人讲“易”字既有“阴阳”之形，又具“转易”之性。这应着前人所讲“夫易者，变化之总名，改换之殊称”。[①] 关于《周易》的“周”，大多数人同意因现有文献的易为周代之易所传，故称周易。但对“周”这个字，人们注意到：《诗·小雅·都人士》中有“行归于周”；《礼记·缁衣》又有：“诗云：人之好我，示我周行”；《尚书·太甲》则有“自周有终”。《周易正义·序》引郑玄释《周礼》：“《周易》者，言《易》道周普，无所不备。”显然人们对于“周”，充分注意到人之行为之周全圆满这才是能“成”“诚”。这就指向了人之行为伦理的问题：孔《传》谓，“周，忠信也”；《论语·为政》则讲，“君子周而不比”。这说明，“周”是带“忠信”之义的；而忠信，紧紧联系于“诚信”；这就很明显地与中国哲学在追问伦理形而上时所提出的“仁”、“义”以及作为“诚”的“成”的内涵有了深刻联系。

第二节　“成允成功”“享于克诚”，“物和则嘉成”

一、“成允成功”“享于克诚”

在历史上，作为“上古之书”又称为“书经”的《尚书》，其开始篇的“虞书”“尧典”一起头就讲：“曰若稽古。帝尧曰放勋。钦明文思安安。允恭克让，光被四表，格于上下。克明俊德，以亲九族。九族既睦，平章百姓。百姓昭明，协和万邦，

① 王弼注孔颖达疏：《周易正义》，“论易之三名”。

黎民於变时雍。”这里面“允恭克让”中的“允”即“诚信”；关于“恭”，郑玄说：“不懈于位曰恭”；“克”，能够；“让”，让贤。《左传》上有，“夏书曰：“‘成允成功’。”[1] 杜预注：“允，信也。言信成然后有成功”。

《尚书》记载，商汤就号称“成王”。这里用了“成”这个重要的词。成王是商代的开国之君，在位三十三年。这就是有所谓“成商”，亦即“成汤”。成王是契的后代，子姓，名履，又称天乙；《史记·殷本纪》上记有：“天乙立，是为成汤。”历史上通认的是：夏桀无道，汤伐之，遂有天下，国号商，都于亳。《尚书·仲虺之告》又这样记载：“成汤放桀于南巢，惟有惭德。”孔传写道：“汤伐桀，武功成，故以为号”。对此，陆德明释文：“汤伐桀，武功成，古号成汤；一云：成，谥也。”《逸周书·史记》上也记有：“成商伐之，有洛以王”。朱右曾校释：“成商，成汤也”。《尚书·太甲》还记载伊尹通过评论殷王太甲“兹乃不义。可与性成”，力求使殷王太甲“克终允德”，即能够成就诚信的美德；并宣称：能成就“皇天眷佑有商，俾嗣王克终阙德，实万世无疆之休！”这是讲，上天顾念帮助着商，使嗣王能成就君德，实在是商之万代无疆之美。于是伊尹讲：“惟天无亲，克敬惟亲；民罔常怀，怀于有仁；鬼神无常享，享于克诚。天位艰哉！”

周代也有个成王，即周成王，谥号为“庸”。周成王系周武王之子，即位时年幼，周公摄政，“营东都，兴礼乐，立制度”；在位三十七年。[2] 史书上有所谓“昊天有成命，二后（文王、武王）受之”[3]。这为后人要求君王“受之”。史称，周成王与周康

① 《左传·襄公五年》。
② 见《史记》四。
③ 《礼记·昊天有成命》。

王之时，天下安宁，刑拷不用，故称"成王之世"即"至治之世"。侯外庐等著《中国思想通史》有这样的述评："'成'写与'城'字一义，故镐京名'成周'，'成周'即'周城'。成王又名'庸'，'庸'即'城'之始义，似'成'字由城国之基已立，后转为奠定之义"。①

以上可见，在中国从远古始，就注意到强调"成""诚""信"："成"通"允"，"成允成功"，"允"即"诚信"，"享于克成"即"享于能成"，强调"享于成诚"。同时，"成"又往往与"诚"字一义，"成周"即"周城"，"城"之始义为"庸"。因其"成"由城围之基立，带奠定"成"之义。后来的"中庸"，由"中城"实可通于"中成""中诚"方面来理解。

二、"物和则嘉成"

据《国语·周语下》及《左传·昭公二十一年》记载，公元前六世纪，伶州鸠就用"五行"的观点，以"阴阳"之气，解释音律的生成及与其相关的问题，并由此打通物成、乐成，与人成、政成之间的关系。

《国语·周语下》这样记载：周景王二十三年（即公元前522年），"王铸无射而为之大林。……问之伶州鸠。对曰：臣闻之：琴瑟尚宫，钟尚羽，石尚角，匏竹利制，大不逾宫，细不过羽。夫宫，音之主也。第以及羽，圣人保乐而爱财，财以备器，乐以殖财。故乐器重者从细，轻者从大。是以金尚羽，石尚角，瓦丝尚宫，匏竹尚议，革木一声。"夫政象乐，乐从和，夫政象乐，乐从和，和从平。声以和乐，律以平声。金石以动之，丝竹以行之，诗以道之，歌以咏之，匏以宣之，瓦以赞之，

① 侯外庐、赵起彬、杜国庠：《中国思想通史》第1卷，人民出版社1957年版，第90页。

革木以节之，物得其常曰乐极，极之所集曰声，声应相保曰和，细大不逾曰平。如是，而铸之金，磨之石，系之丝木，越之匏竹，节之鼓而行之，以遂八风。于是乎气无滞阴，亦无散阳，阴阳序次，风雨时至，嘉生繁祉，人民龢利，物备而乐成，上下不罢，故曰乐正。今细过其主妨于正，用物过度妨于财，正害财匮妨于乐，细抑大陵，不容于耳，非和也。听声越远，非平也。妨正匮财，声不和平，非宗官之所司也。夫有和平之声，则有蕃殖之财。于是乎道之以中德，咏之以中音，德音不愆，以合神人，神是以宁，民是以听。若夫匮财用，罢民力，以逞淫心，听之不和，比之不度，无益于教，而离民怒神，非臣之所闻也。”对曰：“上作器，民备乐之，则为和。今财亡民罢，莫不怨恨，臣不知其和也。且民所曹好，鲜其不济也。其所曹恶，鲜其不废也。故谚曰：‘众心成城，众口铄金。’”

在伶鸠州关于“乐”的一系列谈话中既谈到了“阴阳”，又谈到了“五行”；而且很明显的是将“中音”、“中声”或“平和之声”、“中和之声”作为“乐”的核心问题提出来。音律和谐，燮理阴阳五行、促成人神平和等等，从而使物成、人成、政成，这都是由“中和”产生。伶州鸠认为“立均出度”的乐器制作，首先就必须遵循事物处于正常状态的规律。“考中声而量之以制”，即音量大的乐器应当小（“乐器重者从细”），音量小的乐器应该大（“轻而从大”），以天地之“中”的黄钟为“宫”立数，以为“音之主”，使“大不过宫，细不过羽”，“细大不逾曰平”；由乐器演奏时，“乐”的真正美的集中表现，便是使事物保持状态的“中声”：“物得其常曰乐极，极之所集曰声”；而五声本身也有自己正常的规律，要使五声各自保持其既不偏高又不偏低，达到相互协调，不失律度，这就叫“和”（“声应相保曰和”）。只有“中和”或“平和之声”，最能体现事物处于正常状态规律的音律，才可以调理自然界的“八风”及阴阳之气，使其不窒滞，流畅变动而不是其正常状态和秩序，从而使"风雨时至，嘉生繁祉，人民和利"等等，可以使政清人和，"道之以中德"，"以合神人，神是以宁，民是以听"，并有"益于教"，从而"众心成城"。

《国语·周语下》又这样写道："为之六间，以扬沈伏，而黜散越也。元间大吕，助宣物也。二间夹钟，出四隙之细也。三间仲吕，宣中气也。四间林钟，和展百事，俾莫不任肃纯恪也。五间南吕，赞阳秀也。六间应钟，均利器用，俾应复也。""律所以立均出度也。古之神瞽考中声而量之以制，度律均钟，百官轨仪，纪之以三"。这里的"三"是指：天、地、人。古纪声合乐，以舞天神、地祇、人鬼，故能人神以和。因此才有："平之以六，成于十二，天之道也，夫六，中之色也，故名之曰黄钟，所以宣养六气、九德也。由是第之：二曰太蔟，所以金奏赞阳出滞也。三曰姑洗，所以修洁百物，考神纳宾也。四曰蕤宾，所以安靖神人，献酬交酢也。五曰夷则，所以咏歌九则，平民无贰（贷）也。六曰无射，所以宣布哲人之令德，示民轨仪也。为之六间……律吕不易，无奸物也。细钧有钟无镈，昭其大也。大钧有镈无钟，甚大无镈，鸣其细也。大昭小鸣，和之道也。和平则久，久固则纯，纯明则终，终复则乐，所以成政也，故先王贵之"。① 这里讲的"律吕不易，无奸物也"，是强调，律吕不变易其正，才能顺之而"诚"，其无奸行，物无害生；这里讲的"纯明则终"，终即"成"也，由此联系"成政"等等。

《左传·昭公二十一年》则又这样记载，昭公二十年春，乐官州鸠就周景王所问，说道："夫乐，天子之职也。夫音，乐之

① 《国语·周语下》。

舆也。而钟，音之器也。天子省风以作乐，器以锺之，舆以行之。小者不窕，大者不槬，则和於物。物和则嘉成。故和声入於耳而和於心，心億则乐，窕则不咸，槬则不容，心是以感，感实生疾。今钟槬矣，王心弗堪，其能久乎?”这里特别讲到了“物和则嘉成”。

这里，与其说是“乐”与“成”的关系，不如说是“成”与“和”的关系。这是很有中国特点的。这里说起于：“气无滞阴，亦无散阳，阴阳序次，风雨时至，嘉生繁祉，人民龢利，物备而乐成”；强调了：“和于物”；“众心成城，众口铄金”；“物和则嘉成”。于是，“乐成”和于“物成、人成”，“和平则久，久固则纯，纯明则终（终，成也），终复则乐，所以成政也”。可见，这里讲的“乐成”涉及于“政成”。总之，在论“乐”的过程中，论到“物备而乐成”，论到“物和则嘉成”，论到“众心成城”，一直论到“成政”。

第三节 “阴阳五行”“成百物”，“诚信天下之结也”

一、“阴阳五行”“成百物”

（一）在中国早期思想史中，关于世界原初本根的讨论，重视对世界如何“成百物”进行解析。这固然也体现着对于世界基质本原的探究，而中国古代思想史中关于世界基质本原的见解与古希腊哲学有所不同，一开始十分薄弱；又不可否认，中国古代人们在生产中不能不与自然物打交道，也朦胧的涉及到自然的基质本原问题。但重要的是，一开始就重视其功能性及关系性，而且基本是从人事问题谈起。进而才在比附中涉及与大自然的物质构成有关的问题。

例如人们经常引用《国语》中记载的，周幽王的太史官史伯的一段话，依此强调古中国关于物质构成的见解与古希腊的元素构成论见解相似。实际上，这里有很大的差异。史伯的话是就回答郑桓公问他“周其弊乎?”这样的社会问题所云。史伯这样说：“殆於必弊者也。泰誓曰：‘民智所欲，天必从之’。今王弃高明昭显而好谗慝暗昧，恶角犀丰盈而近顽童究固，去和而取同。夫和实生物，同则不继。以他平他谓之和，故能丰长而物归之；若以同裨同，尽乃弃矣。故先王以土与金、木、水、火杂，以成百物。是以和五味以调口，刚四支以卫体，和六律以聪耳，正七体以役心，平八索以成人，建九纪以立纯德，合十数以训百体。出千品，具万方，计亿事，材兆物，收经入，行姟极”。这里讲到土、金、木、水、火通常被称之为“五材”，后来被叫作“五行”。这里似乎也是在谈世界本原问题，但和西方对这问题的见解有所不同。这里主要是从“成”“人事”出发来探讨根本。甚至可以这样说，前者注意的是“元素”的“在”，后者关注在于“五行”的“成”。

史伯的论证主旨在于恐怕周要衰落。他首先引泰誓所言：民所愿望的，天一定会依从它；然后讲周王用人处事，离开了和谐的原则而用取同的原则，是不对的。在此他强调，和谐原则即“以他平他”。他认为，结合许多不同的东西在一起使之平衡谓之和谐。例如，先王用“土跟金、木、水、火”相互结合起来造“成百物”，“平八索以成人”。由此，胃口、身体、六律、心思、人格德性百宫伦属，才和谐。这样才能“出千品”、“具万方”、“计亿事”、“材兆物”、“收经入”、行姟极。

在中国古代思想史中，“五行”与“阴阳”是联系在一起的。如《国语》上写到周幽王的大夫伯阳父论地震时，就联系到“阴”“阳”的问题。这被有人认为是中国哲学史上正式文献记载中出现“阴”“阳”概念的最早情况。伯阳父议论的是，地震预示着“周将亡矣!”原因在哪里？在于“天地之气”，是因为“失其序”、“过其序，民乱之”。地震就表示了“阳伏而不能出，阴迫而不能蒸”。[①] 讲“阴”和“阳”，涉及到了中国古人关于世界属性根本初期看法。可是这里与其说是物体的基质属性本原，不如说是人事的功能性及关系性根本。这里的作为阴性和阳性的属性，与物质结构的属性比较，是处于两个层次上的概念，带着很重的功能意义，实际上是从功能看过去的构成属性。

也就是说，史伯讲到“土与金、木、水、火”，与其说是要论物质构成的基质，不如说主要是以此为依托来论人事之“成”，特别是当把“五行”与“阴阳”联系起来，突出在于，注意的主要不是基质的结构，而是基质形成的功能；而且：主要不是从自然世界存在的角度看过去，而是从人事世界所成的角度看过去。

事实正是这样，后来在中国思想史上非常有影响的“阴阳五行”说，多是在社会伦理中来论“人”，在“天人关系”中来论“道德”。在这样的理论框架中展开学说体系。于此，处于“阴阳”之中的“五行”（即“五材”），已失却其单纯物质基质的材料形态意义而具有了系统中某种构成的功能符号意义。正是因此，沿着这种哲学思想，延伸于具体的部门学科，在中国形成的主要不是偏重于“原子论”“元素论”“解剖学”那样的物质对象结构理论，而是偏向于在人与客体的统一中关于对象构成的理论。例如，由此发展起来的多是像中医这样的偏重于揭示人体功能系统论而不注重人体结构解剖学的理论体系，并推广于兵法、推广于治国。

---

① 《国语·周语》。

（二）作为与《易经》并列，亦被称为上古奇书的《黄帝内经》，不仅在中国医学史上占有重要地位，而且在中国哲学史上、在中国文化史上占有重要地位。学者们指出，《黄帝内经》对中国文化史的最重要贡献，体现于阴阳五行学说。《黄帝内经》将“五行”（火、金、木、水、土）与人体“五脏”（心、肺、肝、脾、肾）相对应。《黄帝内经》由此提出了脏腑、脏象、经络、穴位、气运、气血以及辨证施治、养生健体等等的理论。另外中国古代的算命术、风水术等许多内容，除了由《易经》生发，也来自《黄帝内经》中的阴阳五行学说。《黄帝内经》整书离不开论人体何以“成”。《黄帝内经》中，“素问”第一篇即“上古天真论”第一句从黄帝之“成”讲起：“昔在黄帝，生而神是，弱而能言，幼而徇齐，长而敦敏，成而登天”。《黄帝内经》“素问”“阴阳应象大论”篇，进而讲：“阴阳者，天地之道也”，“阳化气，阴成形”。所以才有“补阴”“补阳”“阳阳平衡之说。”《黄帝内经》沿“五行”切入“五脏”，专门写了“五脏生成”篇；又在“调经论”篇中论述道：“心藏神，肺藏气，肝藏血，脾藏肉，肾藏志，而此成形。志意通，肉连骨髓，而成身形五脏”。基于这样一种依托于“五行”的“五脏生成”论，《黄帝内经》在“宣明五气”等篇中，延伸于“五味所入”、“五气所病”、“五精所并”、“五脏所恶”、“五脏化液”、“五味所禁”、“五病所发”、“五邪所乱”、“五邪所见”、“五脏所藏”、“五脏所主”、“五劳所伤”、“五脉应象”等等。“天元纪大论”篇概括说：“在天为气，在地成形，形气相感而化生万物矣。然天地者万物之上下也，左右者阴阳之道路也，水火者阴阳之征兆也，金木者生成之终始也”。

在中国古代，《黄帝内经》中的思想与兵法思想是相通的，正所谓，有“用药如用兵”的概括。如果说《黄帝内经》强调着何以“成身形五脏”，那么《孙子兵法》《孙膑兵法》则强调了何以用兵“成胜”，何以“巧能成事”。中国传统医学不仅与兵法相通，而且与治国相通。有所谓“不为良相则为良医”之说；而且有：五脏中，心为君主、肺为宰相、肝为将军、脾主管后勤、肾作强之官，如此对应。

（三）春秋战国时代，关于“成百物”的阴阳五行思想广泛流传，如“天生五材”[①]，“因地之性，用其五行”[②]，“五行”之官为“木正、火正、金正、水正、土正”[③]，“地之五行，所以生殖也”[④]。

不少学者根据后来编成的《管子》书来谈论中国古代思想史上关于世界本原或本根的早期理论。古代的管仲（约公元前725年—645年）曾提出过以水为万物本原的哲学见解，这比古希腊泰利士提出以水为万物本原的见解要早，而学界许多人认为二人的见解大体相当。然而，处于中国哲学早期的管子哲学是有其特点的。这特点就在于，在涉及世界基质本原的哲学论述中，出发点或面对的问题，多是就人事根本而言。

在哲学史上，不管是管仲还是泰利士，本人都没留下他的直接著作，学者们只是从后来成书的著作或后人著作对其言论记录和评述中，对其哲学思想加以研究。

研究泰利士有关“水是万物本原”言论，较早的可靠史料主要见诸于亚里士多德的著作。从亚里士多德以及后人的追述来看，泰利士的论点，主要是就世界基质的材料本原来谈“水”，是讲物出于水构成且可还原于水。这种情况与古希腊多从关于自然物的感性世界开始进行哲学考察的整个传统是相吻

① 《左传》襄公二十七年子罕语。

② 《左传》，昭公二十九年子大叔语。

③ 《左传》，昭公二十五年蔡墨语。

④ 《国语·鲁语上》，展禽语。

合的。

而管仲的情况就不同了。从后来的史料特别是从主要记录管子及其后来学派之言论的《管子》书中，可以看出，作者言"水"主要是言人事，是由人事谈及水。如《管子》书中的《水地》篇，尽管据考非管仲亲自所撰，但通常认为此系收拾当时管仲行事言语所编，可基本上视为管仲的思想。其中写道："水者何也？万物之本原也，诸生之宗室也。美恶贤不肖愚俊之所产也。何以知其然也？夫齐之水道躁而复故，其民贪粗而好勇。楚之水，流弱而轻，故其民轻果而贼。越之水，浊重而洎，故其民愚役而垢……是以世人之化世也，其解在水，故水一则人心正，水清则民心易。一则欲不污，民心易则行无邪。是以圣人之治于世也，不人告也，不户悦也，其枢在水"。①

固然，《管子》书在讲水时论证了它的普遍性：水"无不满无不居也"，"集于天地，而藏于万物；产于金石，集于诸生"，"人，水也。男女精气合，而水流行"以至人的五脏、九窍，甚至包括一切神灵都由水生。但是他主要在于由"水"引出某种他认为人事应符合的借喻性质。他认为"万物莫不尽其几，反其常者，水之内适度也"，这里强调了要"成"就要适度的原则。他认为，水很清静有洗垢去污的性能，这是水的"仁"性；水看起来很黑，实则很白，这是水的"精"性；量水，它至满而止，不可附加，这是它的"正"性；水方圆斜曲，无所不流，至平则止，这是它的"义"性；人们都喜高就，水则宁往低流，这是它的"谦卑"之性。

当然不可避免的是，这里面可能有后人集录时的发挥，但《管子》书言水重在言人事所成这一点是很清楚的。管子是从人事追溯

① 《管子·水地》。

到水，多是由水的功能意义言及它是原始基质，而且一开始就在很大程度上重视的是人的行为和客体的一致关系。这一点是十分明显的。这是对处理行为和行为客体一致才能“成”“诚”的一种论证。

这里很能说明问题的是，《管子》注重把“信”与“诚”联系起来。人们往往认为，作为齐国名相的管仲是在中国古代最早把“诚”与“信”连用的人。《管子》书中有许多著名的话，如：“诚信者，天下之结也。”[①]《管子》书中还写道：“贤者诚信以仁之”[②]；“先王贵诚信”[③]；“中情信诚则名誉美矣”[④]，等等。

这种思想在当时的齐地很有影响，并进而影响到春秋战国时期的诸多历史人物。例如，齐国贤相晏婴在政治实践中强调大臣“有信于诸侯”是忠诚于君主的“事君之道”。再例，齐国人孙武作为兵家代表，把“信”当作选拔将帅的“五德”之一。同样是齐国人的兵家代表人物孙膑，则更重地强调，“素信者昌”，“将者，不可不信，不信则令不行……故信者，兵之足也”，把将帅是否讲“诚信”看作是战争能取胜的关键。

---

① 《管子·枢言》。

② 《管子·势》。

③ 《管子·枢言》。

④ 《管子·形势篇》。

第十二章　孔子、墨子、老子学说中的“诚”与“成”

第一节　孔子的“诚命”与“成仁”“成人”之说

一、“诚命”与“成仁”“成礼”

孔子（公元前551年—前479年）一生的大量工作是整理、研究《周易》。有所谓“韦编三绝”，这里讲的是孔子读写易书把竹简都翻断了。学界认为，现存易书中有许多见解是孔子的整理和论述。

近年来，学者们从战国楚竹简中发现有许多涉及到孔子对“文王”与“天命”讨论的文字。例如第七号简及第二号简。其中有这样的话：“怀尔明德，何？诚谓之也。有命自天，命此文王，诚命之也，信矣。子曰：此命也夫！文王虽欲也，得乎？此命也，寺也，文王受命矣。”

研究者认为，这里的“怀尔明德”当为先秦时称为《诗》后被称为《诗经》之中的《大雅·皇矣》的引句。据对《诗经·大雅·皇矣》等文献的考证，应为：“帝谓文王，予怀尔明德”。这里的“予”，系天帝自谓；“尔”，指代文王；“明德”，郑玄笺“光明之德”；“怀”，《毛传》云“归也”，即归向、归心于，引申为赏识。孔颖达疏：“毛以为告语此文王曰：我当归于明德，以文王有明德，故天归之。”所以七号简的这段文字紧接着有：“何？诚谓之也。有命自天，命此文王，诚命之也，信矣！”这是讲，天帝为什么会赏识文王之“明德”在于“诚谓之”，亦即“谓之诚”，这是由文王之“诚”而使天帝“怀尔”即赏识他。这里的“有自命天，命此文王”是《大雅·文王之什·大明》中也有的句子。这里的“诚命之也”是对这句话的解释。就是说，文王之所以获得天命，关键在于他的“诚”。也就是说，文王为什么能获得天命呢？是文王之“诚”打动了天帝，从而将天命授予他。可见，在孔子讲来，“诚”是“明德”之所出，“诚”比“明德”更根本。与此相联系，这里特别强调了“信”。

关于孔子曰：“此命已夫！文王虽欲已，得乎？此命也，寺也，文王受命矣。”有学者讲，这里的“已”当为“也”。这句是说，文王虽然想受天命，能得到吗？深层意义在于，如果文王不“诚”，只是有想受天命的欲望，是不行的。对这里的最后一句有学者讲，“寺”应为“志”，此“志”字之义可训为“德”或“慕”。此是说，此天命是天帝由文王所具有的“诚”，所给予的。文王的“诚”才使他获得了难得的“天命”。有诚，才有天命授予他，有天命授予他，他才能“诚”。所以才有“诚命之也”，才有“诚谓之也”。这成为重要命题。可见在此种理论中，“诚”已被赋予极高的地位。与此相联系，涉及到了“信”、“志”、“德”等等范畴。关于“信”，孔子有许多精辟的论断。例如，子贡问政，孔子答曰：“足食、足兵，民信之矣。”子贡提出一个假设的问题：“必不得已而去，于斯三者何先？”孔子答：“去兵”。子贡再问：“必不得已而去，于斯二者何先？”孔子在《论语·颜渊》中的结论是：“去食。自古皆有死，民无信不立。”孔子在《论语·学而》中明确说：“道千乘之国，敬事而信，节用而爱民，使民以时。”这就为把“诚”解释为“仁之诚”即“至诚之仁”，即“成仁”；为由“诚”说明“礼之诚”

即"至诚之礼",即"成礼";奠定了理论基础。

二、"成礼"与"成仁""成事""成人"

孔子讲,"名不正则言不顺;言不顺,则事不成;事不成,则礼乐不兴;礼乐不兴,则刑罚不中;刑罚不中,则民无所措手足"。[①]

中国古代讲"名"与"言",历来注重与"辞"与"政"相联系。而且将此看作"事成"的关键。

从前面关于《周易》的论述中可以看出,《周易》与其说是重视符号结构,不如说是重视行为构成。沿此传统,在中国古人的观念中,"辞"一直与"政"相提并论。《尚书》中有:"政贵有恒,辞尚体要,不惟好异"。[②] 这种语用上的并列,指谓着有政或行长治久安的安必有语或辞的得体,而语或辞的得体表现着人际关系的和谐,成为国泰民安的表征。从这种含义上说,语言言语与治理为政,处于互为表里以至等同的状态。事实也正是如此,为政的典章、法规都是以语言以至广义的符号化的东西表现出来的。《周易·系辞》中就写道,"上古结绳而治,后世圣人易之以书契,百官以治,万民以察,盖取诸夬"(这里的"巽"是《易》之卦名)。《尚书·序》中有,"古者伏羲氏之王天下也始画八卦,造书契,以代结绳之政,由是文籍生焉"。这就出现了所谓,史有"结绳之政"、"八卦之政"、"书契之政"等等的说法。

《左传·庄公二十二年》中有:"以君成礼,弗纳于淫,仁也";这里强调了"成礼",是说使礼完备地确立起来,才能成"仁"。孔子充分重视了"正名"与"礼"、与"仁"的关系,因

① 《论语·子路》。
② 《尚书·毕命》。

而提出了他的正名说。而如何正名？他认为要“克己复礼”。关于“礼”，正如许慎《说文》讲：“礼，履也，所以神事致福也。从示，从豊”。在历史上，礼之名起源于事神，引申之凡礼仪之称，礼本身就是人的行为的形式。孔子由对礼的重视提出“克己复礼为仁”，这本身就实现着一种对于“礼”这种行为规范的进一步具体化。

关于“仁”，正如人们所说的，“仁”字从“人”从“二”标志着二人的关系。按照儒家对“仁”的解释，其纵向要求“孝”，横向要求“悌”，拓而广之移孝为“忠”，移悌为“恕”。从古代发生学上讲，这是以血缘关系为基础的人伦，涉及处世的一系列道德因素，诸因素相互依存、渗透、制约，从而自我调节，相互转换，使人际关系得以协调、稳定。孔子以前，重视“礼”，但缺乏对礼之所以的追问，而一追问便和天命相联系。而孔子讲“克己复礼为仁”，那仁即礼之所以，这样“仁”就成为礼之所以的根据。

孔子的重要贡献在于，实际上是把作为有“仁”的人或人之所“仁”当作其学说的核心，作为世事之根本。孔子甚至讲，“志士仁人，无求生以害人，有杀身以成仁。”[①] 孔子强调，离开了“仁”，礼就不成其为礼，有“仁”才有礼，重视“仁”才能“复礼”，这才可不违天命。孔子重在以仁释礼与他以前只是重在以“天”释“礼”相比，开始把注意力从仅仅以天命为准绳转向人自身的道德必然性问题，由只绝对强化地服从天到比较现实地说明服从自己的人之所以。史学界认为，这在中国古代思想史上具有一定的转折意义。

《周易·系辞》中有“显诸仁，藏诸用”的说法。讲到，仁

---

① 《论语·卫灵公》。

体现着一种显现于行为而藏着的东西。这东西是什么？我们不能设想处在当时历史中的孔子能够真正追问出作为“礼”之所以然的人之所以。而他强调了“成仁”，甚至可以这样说，“成仁”就是“成人”。孔子“曰：‘今之成人者何必然，见利思义，见危授命，久要不忘乎生之言，亦可以为成人矣。’”[①] 可见，孔子由“仁”追求着一种人的必然性。他在归结必然性时，是在“人”与“天”的关系中，来实现对于“成礼”“成事”的追问，来实现对于“成仁”“成人”的追问，来实现对于“成”“诚”的追问。

三、“成人”与“成身”“成于乐”

在孔子的学说中，有个重要方面，就是在论述“成人”与“成仁”“成礼”时，特别关注了此与“成身”、“成于乐”的关系，并拓展于“游于艺”。

孔子在回答曾子所问及的有关“仁”的问题时，讲到：“兴于诗，立于礼，成于乐”。[②] 在周文化中，有所谓“学诗之后，即学礼，继乃学乐。盖诗即乐章，而乐随礼以行，礼立而后乐可用也”。关于“兴于诗”，据何晏《集解》引包咸注：“兴，起也，言修身先当学诗”；朱熹注：“感发志意”。孔子还讲，“《诗》三百，一言以蔽之，曰：思无邪”。[③] 这样，“诗”是以“礼”“仁”为规范的。孔子特别强调了“成礼”，认为礼完备地确立起来，才能成“仁”。而孔子又经常把“礼”与“乐”联起来并提，称之为“礼乐”。对于“礼乐”与“成人”的关系，孔子自己曾专门做过说明：“子路问成人。子曰：若臧武仲之知，

① 《论语·宪问》。

② 《论语·泰伯》。

③ 《论语·为政》。

公绰之不欲，卞庄子之勇，冉求之艺，文之以礼乐，亦可以为成人矣。”[①] 所谓“文之以礼乐”，孔国安注：“加之以礼乐；文，成也。”这就是说，“成人”不能没有“礼乐”。孔子是个十分重视“乐”的人。《论语》记有这样一些话：“子与人歌而善，必使反子，然后和之”。[②] 他赞美鲁国的乐官师挚的演奏和《关雎》的乐奏，是“洋洋乎盈耳哉！”[③] 他讲到“吾自卫返鲁，然后乐正，《雅》《颂》各得其所”。[④] 再就是，“子语鲁太师曰：‘乐其可知也：始作，翕如也；从之，纯如也，皦如也，绎如也，以成。’”[⑤] 这里特别讲了“乐”与“成”。

孔子非常强调“成于乐”在“成仁”“成人”“成身”中的作用。在孔子看来，基于“仁”，通过感奋于诗，立足于“礼”，成于“乐”，使“诗”、“礼”、“乐”在“仁”的基础上融合为一，这样才能“成礼”、“成仁”、“成人”。孔子认为要使人们实行“仁”，最重要的是要使“仁”成为人们内心感情上的自觉要求，而不是依靠外部强制。孔子特别重视人的行为合乎天道与人情所能达到的境界。《礼记·哀公问》载孔子答鲁哀公问说：“古之为政，爱人为大，不能爱人，不能有其身，不能安土，不能乐天，不能乐天，不能成身”。对于这一思想，孔子总是不厌其烦地反复加以强调和阐明。他说：“知之者不如好之者，好之者不如乐知者。”[⑥] 这里的“乐”，既可指快乐，也指音乐。就是说，知道什么是“仁”，不如喜好“仁”，喜好“仁”，又不如以“仁”为快乐，而这恰恰在音乐中表现出来。因为“乐”是内心

---

① 《论语·宪问》。
② 《论语·述而》。
③ 《论语·泰伯》。
④ 《论语·子罕》。
⑤ 《论语·八佾》。
⑥ 《论语·雍也》。

情感的要求和满足，有所谓“好有盛衰，不如乐之深也”。这不只是认识、语言，不只是规范、善行，而且是美，艺术。所以孔子称许“贫而乐”[①]，赞美他最为得意的弟子颜回：“一箪食，一瓢饮，在陋巷，人不堪其忧，回也不改其乐。贤哉，回也！”[②]孔子在谈到自己的时候，他说：“饭疏食饮水，曲肱而枕之，乐亦在其中矣。不义而富且贵，于我如浮云。”[③] 然而孔子讲到，在世俗的生活中，他很少能看到以行仁德为快乐的人，他哀叹：“吾未见好德如好色者也。”[④] 那么，怎样才能使人像“好色”那样地去“好德”，把“好德”变成人的自然的心理欲求呢？怎样才能使人们做到“说（悦）之不以道，不说（悦）也”[⑤] 呢？为回答这一问题，孔子在讲“乐”时涉及了其中的“学道”与“成性”的关系。《论语·阳货》中有这样一段记述：“子之武城，闻弦歌之声。夫子莞尔而笑，曰：‘割鸡焉用牛刀？’子游对曰：‘昔者偃也闻诸夫子曰：君子学道则爱人，小人学道则易使也。’子曰：‘二三子！偃之言是也，前言戏之耳！’”在这里，孔子故意和他的学生开了一个小小的玩笑，提出治理一个小小的武城，还用得着“乐”这个东西吗？他的学生作出了使他满意的回答，重要的在于指出了“乐”同“学道”之间的关系。孔子论述中又体现出“学道”重要的在于“成性”。孔子有这样的见解：“兴于诗，立于礼，成于乐”，很大程度上在于“乐以成性”；在于“乐以制性，故能成性，成性亦修身也”。孔子认为乐能改变人的性情，感发人们的心灵，使人自觉地接受和实

---

① 《论语·学而》。
② 《论语·雍也》。
③ 《论语·述而》。
④ 《论语·子罕》。
⑤ 《论语·子路》。

行仁道。

孔子还专门讲到，达到“成性”“成仁”“成人”，并不能仅仅靠道德的教训，更不是刑法德强制所能做到。孔子一方面强调“礼乐”是刑罚的前提，在他《子罕》篇中说：“礼乐不兴，则刑罚不中；刑罚不中，则民无所措手足”。另一方面又强调不能以“刑罚”代替“成礼”“兴礼”。孔子对“齐之以刑”①，即单纯用刑法来迫使人们按照通知者的要求去行动的做，不满意。他主张“道之以德，齐之以礼”②，即用德政去引导感化人心，用礼去规范人们的行动。而从感化人心来说，“礼乐兴”才能使人们“乐”于行“仁”。总之，当“乐”作为外在之兴要转化为内在心灵的愉快和满足，外在和内在、社会与自然便在人身上获得了统一。这是“成仁”的最高境界，这就是“成人”的最高境界。

当然，孔子所讲的“礼乐”，是体现当时社会等级的。《左传》中记有襄公十一年魏绛曾这样说：“夫乐以安德，义以处之，礼以行之，信以守之，仁以厉之，而后可以殿邦国、同福禄、来远人，所谓乐也。”杜注：“五德皆备乃谓乐，非但金石。”当时按照周礼规定，不同政治地位的人应该享受与其等级制相应的乐，各种乐器的大小、数量、陈设演奏位置，也应按等级有极其繁琐的规定。例如《礼记·乐器》中讲：“庙堂之下，县鼓在西，应鼓在东”。郑注：“礼乐之器尊西也”。就是对此的说明。当孔子知道了鲁国的三家大夫（孟孙、叔孙、季孙）居然演唱了《周颂》中的《雍》乐时，孔子忍不住讥笑奚落说：“‘相维辟公，天子穆穆’，奚取三家之堂”。当孔子知道了鲁国的季氏不是用了按他的等级所应该用的“四佾”，而居然用了只

① 《论语·为政》。

② 《论语·为政》。

有天子才有权用的“八佾”“舞于庭”时，因为按周礼规定：天子八佾，诸侯六佾，大夫四佾，这个强调“温、良、恭、俭、让”的孔老夫子，愤愤地说：“是可忍也，孰不可忍也?”[①]。孔子十分崇尚古雅之乐，而轻视甚至排斥民间乐舞，《论语》中记有：“颜渊问为邦，子曰：行夏之时，乘殷之辂，服周之冕，乐则《韶》《舞》。放郑声，远佞人。郑声淫，佞人殆。”[②]“恶紫之夺朱也，恶郑声之乱雅乐也”。[③] 在这里，可以鲜明地看出孔子在礼乐观上对当时在社会构成上起作用的严格等级观念的维护；而在其一般意义上讲，则可以看出孔子对于“成于乐”“成于礼”及“成仁”“成人”社会意义的重视；对此我们可以由其“成”“诚”的思想去看待其在中国思想史上的地位。

这更体现于，孔子十分强调把“成于乐”寓于“游于艺”之中。他在《论语·述而》中讲：“志于道，据于德，依于仁，游于艺”。在孔子看来，君子要使自己成为一个完满的人，首先要以学道为志向；其次要遵循德，当时他指的主要是远古氏族的礼俗规范或习惯；再次要归依于仁；最后还要涉历游观各种艺事。这里所说的“游于艺”的“艺”，不仅指我们现在所说的艺术，而且有更多的内容。“游于艺”的“艺”，何晏认为是指“六艺”，即礼、乐、书、数、射、御。据孔安国和郑玄对《论语》中其他篇章中出现的“艺”这个词的注解和孔子自己的话，可认为这里的“艺”基本上是指“六艺”。按孔子所强调的，“六艺”是“成礼”“成仁”“成人”不可缺少的。

---

① 《论语·八佾》。

② 《论语·卫灵公》。

③ 《论语·阳货》。

第二节　《墨子》中的“义利”与“成”

大约与孔子同时代又晚生80多年的墨子（约公元前468—前370）名翟，其学说被认为代表当时小生产者及平民阶层。墨子的学说与孔子的儒家学说在当时同被认为是显学。墨子的书多为其学子记述整理，后来还发展出后期墨家学派。

一、“尚贤”与“功成”

墨子书中的《尚贤》，在墨子学说中具有重要地位。墨子指出，“古者圣王之为政，列德尚贤”，“非为贤赐也，欲其事之成。”文中列举了：“古者尧举舜于服泽之阳，授之政，天下平”，“禹举益于阴方之中，授之政，九州成”，以及“言务成之”，等等。他总结道，尚贤，“此固国家之珍而社稷之佐也”，“尚贤者政之本也”，于此“名立而功成”。这里强调了，由尚贤，才有事成，功成。

二、“义”与“宜”与“义利”

在墨家哲学的体系中，围绕事成、功成，把伦理规范及道德要求放在与物质生活直接的联系中，改造前人讲的“义”这个概念并使之与“利”紧紧联系在一起，从而把它作为根本范畴。在中国原初文字中“义”通“宜”。“宜”在甲骨文中形为切肉板。这样，“义”通“宜”，是讲合理地切割、宰杀以至杀人。而由于有利才有争夺，这就需要规范，所以要有“义”。“义”这个概念在孔子之前便被重视，孔子也重视这个概念，但却很少说“利”，孔子“罕言利”[①]，甚至把“义”和“利”完全对立起来，认为“放于利而行多怨”，“君子喻于义小人喻于利”[②]。在这种学说思想影响下，以至宋襄公在战争中唯“仁”是举，形成愚蠢的战争指挥。墨家哲学虽然也讲“仁”而更重视“义”，常常用“仁义”这个概念，认为“天下莫贵于义”[③]。墨家十分重视把“义”与“利”相联系，甚至把“利”与“义”相等同，强调“义，即利也”[④]。正如张岱年先生所讲的，“墨子哲学之出发点是利”。“自孔子以仁为人生之道，仁亦成了一般人的最高理想。墨子亦说仁，但以利言仁”。“墨子亦以利言义”，“在墨子，义也即是当然、应该的意思”。[⑤] 因此墨子说“所为贵良宝者，可以利民也。而义可以利人，故曰：义天下之良宝也”。[⑥]

既然“义”与“宜”相通，宜即“适宜”“合适”，这就与“当然”相联系了。“义”既涉及利己也涉及利人，很自然，墨子得出了这样的命题：“顺天意者，兼相爱，交相利，必得赏”，因此他强调“天意而不可不顺！”“反天意者，别相恶，交相贼，必得罚”。在此，墨子使用了“天意”这个概念，并确立了一种“天志”。这里带有天有意志的意思。但是如果在客观化的意义上来理解这个“顺天意”才能利人，显然包含着强调人的行为必须与人之行为处理的对象世界同律的意思。正如《墨子》书中所说：“子墨子言曰：我有天志，譬若轮人之有规，匠人之有矩。轮匠执其规矩，以度天下之方圆，曰：中者是也，不中者

① 《论语·子罕》。
② 《论语·里仁》。
③ 《墨子·墨义》。
④ 《墨子·经上》。
⑤ 张岱年：《中国哲学大纲》，中国社会科学出版社 1982 年版，第 270 页。
⑥ 《墨子·耕柱》。

非也。”“今天下之士君子之书，不可胜载，言语不可尽计，上说诸侯，下说列士，其于仁义则大相远也。何以知之？曰：我得天下之明法以度之”。[①] 墨子书中还举出禹、汤、文、武作为顺天意而得到奖赏的例证与反天意而得到惩罚的桀、纣、幽、历相对照，写道：“故天意曰，‘此之我所爱，兼而爱之；我所利，兼而利之。爱人者，此为博焉；利人者，此为厚焉’。”[②]

可见，他把“兼相爱，交相利”作为顺天意，也即义和仁的根本，而这里主要指向的就是利。反过来也就是说，要仁必须有义，义是应该、应然，即有义才成。这就要顺天意。这样，人的行为与所处世界的互利关系论题在墨家哲学体系中具有了重要地位。因此在其哲学体系中就不能不重视人面对自然如何行为才能有利的问题。孔子讲仁讲义也讲爱，但从论证上讲似乎是强调超功利的；而墨子讲仁讲义讲爱，则是以现实的功利为根本。他充分考虑了人和人在其中的自然，这是人与人、人与自然互利的义和仁。也正因为这样，墨家哲学在自然观方面有它特殊的论证，而且对于逻辑和技术的研究比当时其他的任何一个哲学体系都要充分。

第三节　《老子》中的“道”与“诚”“成”

在中国古代思想史上，有部重要的著作即《道德经》，共81章，6000余字，分上下篇。这部书相传为老子所作，故《道德经》也常被叫作《老子》书。关于老子的姓名，历来说法不一。有一说是姓李名耳，即李耳，字伯阳，字老聃（dān）。《庄子》

---

① 《墨子·天志》。
② 《墨子·天志》。

书中称他为老聃，把老子写为前辈。这是战国中晚期道家学派笔下的老子。当然，秦汉以后，对于老聃到底是谁，《老子》书是否为老聃所作，有不同说法，多有疑问。

一、“道”与“成”

《道德经》是充分论述“道”的。对现在成为通行本的《老子》书，多数学者认为形成于孔子、墨子之后，成书于战国中前期。王弼注本、傅奕本上篇言“道”下篇言“德”。1973年长沙马王堆汉墓出土的帛书《老子》甲、乙本，则上篇为“德篇”，下篇为“道篇”。在上下篇中的分章次第以及《道德经》的题名为后人所加。由此可见，“道德经”实为“德道经”；在古文中，“德”与“得”是通假字，那么“道德经”实际上是“得道经”，即关于“得道”如何成为可能之经。可以说，《老子》书实质上论的是“何以得道而成”。

《道德经》一开始，从强调“道可道，非常道；名可名，非常名”（一章）说起，后面有一系列关于“成”的论述：“有无相生，难易相成”（二章）。“万物作而弗始，生而弗有，为而弗恃，功成而弗居”（二章）。“是以圣人：退其身而身生，外其身而身存；不以其无私欤，故能其私”（七章）。“夫唯不盈，是以能敝复成”（十五章）。“功成事遂，百姓皆曰：我自然”（十七章）。“有物混成，先天地生”（二十五章）。“成功遂事，弗而名有”（三十四章）。“是以圣人之能成大也，以其不为大也，故能成大”（三十四章）。“大器晚成”（四十一章）。“夫唯道，善始且善成”（四十一章）。“大成若缺，其用不弊”（四十五章）。“弗为而成”（四十七章）。“道生之，德畜之，物形之，势成之”（五十一章）。“九成之台，起于累土”（六十四章）。“民之从事，恒于幾成而败之”（六十四章）。“是以圣人为而弗有，成功而弗居也”（七十七章）。如此等等。另外，还有一些相当于“成”

的词，如“功遂身退，天之道也”（九章）。王弼就此写道，“四时更运，功成则移”。郑玄注：“遂，成也”。

以上可见，与中国当时其他哲学所不同的是：首先，老子哲学使用的“道”这个概念，在把它纳入其哲学体系后已成了一个最高范畴。正如《道德经》所说的：“域中有四大”，“人法地，地法天，天法道，道法自然”。这里排列了一个“道——天——地——人”的次序，把道放在了天、地、人之上。其次，在老子哲学体系中，充分重视了“道”生万物中“成”的地位。这样，道才成为生化万物的根本。正如《道德经》中所写的：“道生一，一生二，二生三，三生万物。万物负阴而抱阳，冲气以为和”。“道生之，德畜之，物形之，势成之”。

二、“诚全而归之”

在老子书讲来，“道法自然”，“功成事遂”，“能成其大”，所以，“夫唯道，善始且善成”，“孔德之容，惟道是从。（二十一章）”这里，所谓“孔”，甚也，河上公注“孔，大也”；即“惟道是从”，才是“大德”。因而《道德经》由此论证了“诚”。

因为，“道可道，非常道；名可名，非常名”，这样，“道之为物，惟恍惟惚”（二十一章）。然而，“恍兮惚兮，其中有物。窈兮冥兮，其中有精；其精甚真，其中有信”（二十一章）。这样老子书具体涉及了“曲”与“全”，强调了“诚全而归之”。《道德经》这样写道：“古之所谓‘曲则全’者，岂虚言哉！诚全而归之。”（二十二章）

老书书论证说，“曲则全，枉则正，洼则盈，敝则新，少则多，多则惑。是以圣人执‘一’以为天下式。不自是故明；不见是故彰；不自伐故有功；不自矜故长。夫唯不争，故天下莫能与之争”（第四十六章），这才有所谓“曲则全”，而“诚全而归之”。可见，老子书强调的是：由“曲”到“全”，要归之于

"诚全";有"诚全"才能由"曲"到"全"。

老子书中除了讲到"诚",还有许多关于与"诚"相等同或者说是"诚"之延伸的"信"。其中有:"言,善信"(八章)。"信不足,焉有不信"(十七章、二十三章)。"精甚真,其中有信"(二十一章)。"忠信之薄,而乱之首也"(三十八章)。"得善矣。信者信之,不信者亦信之,得信之"(四十九章)。"信言不美,美言不信"(八十一章)。如此等等。老子书所强调的,这都属"诚全"之题中之义。

三、"得道"才能由"诚"而"成"

人们通常认为老子的"道"与赫拉克利特的"逻各斯"是个很相近的词。的确,它们都带有规律的意义。但有区别的是:赫拉克利特的"逻各斯"主要是由语言意义演变的,以"是"为解析的核心;而老子的"道"则主要是由行为意义演变的,以"成"为解析的核心。"道"这个词在中国古代出现比较早。据文字学考证,"道"作为一个字,所知最早(甲骨文未见)金文是这样写的""即"行"字中间夹着一个人头,后演变为"道"。正如《说文》所解:"道,所行道也,从行从首。"为什么从行从首呢?是因为在很古的时代,人们并不把首作为思维器官,只因为耳目长在头上,走路须借耳目辨方向,故"道,所行道也"。所以"道"这个字一开始便有人引导行路的意思,经借代、引申才出现了道路、秩序、规律以及道理、方法等含义;而且又紧紧与语言言语相联系,用"道"来表示"说话",如,"某某说道:……"等等。春秋前后人们已围绕于此在以上多重意义上使用这个"道"字。如《周易》中有"形而上谓之道,形而下谓之器";《论语》中有"道之以政,道之以德"。孔子常说"天下有道,天下无道"。《国语》中有"天道赏善而罚淫”。《国语》记公子张言殷高宗武丁“三年默以思道”[①]《左传》载惠伯曰“子无失道，何怨于人?”还有“天道福善祸淫降灾于夏”[②]“天道远，人道迩，灶亦焉知无道”[③]“圣人以神道设教”，等等。但在理论上真正能看出“道”已发展成比较成熟的哲学范畴，是从作为老子书的《道德经》中透露出来的。

老子哲学的确重视着从考察人的行为入手，主要由言人事之成而言哲学。从《道德经》成书结构上说，据新出土的较早文献，如前所说，是德经在前道经在后，可作为一种证明，实质在于行为者如何“得道”。另外常有些学者讲老子书是一部权术书、是一部兵书等等，也能说明一定的问题。书中的着眼点主要在于人的行为何以达“成”的问题上，是十分明显的。

重要的在于，老子哲学中当作根本的“道”是何以能成的运行本原，而并没像古希腊哲学那世界与“逻各斯”的同构中认真地去找是什么、有（存在）什么的基质本原。在一定意义上讲，如果说古希腊哲学注重着基质本原和逻各斯的关系，侧重点是对象结构，是物的“有”，而紧接着的是巴门尼德把关注焦点聚于统摄多种多样的“有”的“存在”；那么古中哲学则注重着运行本原和道的关系，侧重点是对象功能，是人的“成”，紧接着的则是子思把关注焦点聚于统摄多种多样的“成”的“诚”。

在古希腊哲学的发展中，赫拉克利特的“逻各斯”与之后的巴门尼德的“存在”相比较，前者只有运行本原的意义，基质本原是用另外概念表示的；而后者则力求把基质和运行都概括到于其中，由此来确立其哲学最高范畴的意义。与这种情况

① 《国语》，《楚语》上。

② 《左传》，《汤诰》。

③ 《左传》，《子产》。

相类似，老子哲学中的“道”与之后的子思哲学中的“诚”相比较，前者只偏重于运行本原的意义，一讲物的构成就损失其形而上的性质；而后者则把功能和运行都概括到了其中，由此来确立其哲学最高范畴的意义。

以上可见，从“道”到“诚”的发展史是合乎逻辑的，而且后者的产生是前一个哲学体系所形成的“洪水期”之继续奔流。因为如前所说，老子哲学由其哲学最高范畴“道”的缺陷而提出了一个“无”，这是在其哲学逻辑推演中不得已而产生的范畴。然而，这却已是某种新的最高范畴涌出并被确立的“洪水前期”。因为讲到“无”即“没有”（或“不成”），它的否定便是“有成”（或“诚”）。如果说，古希腊哲学是在其演进中由“逻各斯”进一步提出了一个自己规定自己并体现基质与运行统一的最高范畴，即巴门尼德的“存在”；那么，中国哲学则是在其演进中由“道”进一步提出了一个自己规定自己并体现功能与运行统一的最高范畴，即《中庸》里的“诚”。

第十三章　思孟的“诚者自成”“反身而诚”与《庄子》中的“道行之而成”“大人之诚”

第一节　子思的“诚者自成”“不诚无物”

《中庸》相传为战国初子思（公元前483年—前402年）所作。此人姓孔名伋，系孔子之孙，据说曾经业于曾子。人们通常基于《中庸》里的话，认为可能有后人相加，不一定是子思一人的著作，但对《中庸》的主要思想是战国时期的子思之儒的学说并无多少疑义。

《中庸》是这样来构成其哲学范畴体系的：同巴门尼德要突出“存在”这个形而上范畴，是基于把标志现象界的概念与标志统摄现象界的概念区分开来相仿佛，子思提出“诚”这个形而上范畴，首先是基于把“人之道”和“天之道”进一步区分开来。

一、“诚者天之道也，诚之者人之道也”

关于这种区别，子思前后已有所论。子产“天道远，人道迹”[1] 之说。孔子在其学说中总起来说是多讲人道，却也有“天志于道”的说法。老子书也则对天道与人道同时重视。他说：“天之道损有余而补不足，人之道则不然，损不足以奉有余”[2]。这里的天道人道都是道。而子思不仅区分了天之道人之道并以“诚”和已经与“人之道”相区别了的“天之道”相联系。子思哲学讲到，“诚者天之道也，诚之者人之道也”[3] 那这个“诚”的规定性是什么？任何别的东西都不规定它，其规定性唯在于它自身，即所谓“诚者，自成也”。这又如同巴门尼德的“存在”一样，存在唯在于它存在，别无其他东西能规定之。所不同的只是“存在”与“逻各斯”相比，重在对基质有“在”的概括，而“诚”与“道”相比则重在对功能有“成”的概括。因为这里的“自成”便是强调了它自己能够成为的功能。

子思哲学强调：“诚者，物之始终；不诚无物”。其所谓“不诚无物”，便是讲只有通过“诚”的功能才成就万物。由此“诚”也就带有了足够的普遍性。正如《中庸》所论：“故至诚无息。不息则久，久则征，征则悠远，悠远则博厚，博厚则高明。博厚，所以载物也；高明，所以覆物也；悠久，所以成物也。博厚配地，高明配天，悠久无疆。如此者，不见而章，不动而变，无为而成。”“天地之道：博也、厚也、高也、明也、悠也、久也。今夫天，斯昭昭之多，及其无穷也，日月星辰系焉，万物覆焉。”“至诚如神”，“诚则形，形则著，著则明，明则动，动则变，变则化。唯天下至诚为能化。”“唯天下至诚，为能尽其性；能尽其性，则能尽人之性；能尽人之性，则能尽物之性；能尽物之性，则可以赞天地之化育；可以赞天地之化

① 《左传·昭公十八年》。

② 《道德经》，第七十七章。

③ 《中庸》，第二十二章。

育，则可以与天地参矣。”[①] 总之，由至诚，展及万物，奇妙不可测度，有了“诚”，“天地之道可一言尽也”。

总之，在《中庸》的哲学体系里，“诚”这个最高的、达到“诚者，自成”的、似乎其规定性唯在于它自身的范畴，与西方哲学史上巴门尼德的“存在”这个最高的、达到“存在，唯在于它存在”的、似乎其规定只在于它自身的范畴相类似，在其哲学形而上性质方面，可以说是达到了相当高地形而上程度。

《中庸》对于“诚”的论证，特别体现着塑造论哲学的双面映照方法，其中由人的行为与对象世界的同律来影映心在形而上的情况是很明显的。“诚”这个概念在《中庸》里本身就是一个一语双关的概念。一方面，讲“诚”“自成”并与“道”“自道”联系故“诚者，天之道也”，它在“物之始终”，“不诚无物”；这是物能够成为的“诚”。另方面，讲“君子诚之为贵”强调“道不远人”并与“至诚之道，可以前知”相联系，故“诚之者，人之道也”，所以“诚之者，择善而固执之者也”[②]；这是人使之成为的“诚”。这里，“能够成为”的“诚”和“使之成为”的“诚”是一个问题的两个方面；“事物之成为”和“人事成之为”用一字概之；把两个方面溶为一个范畴看作是整个世界的根本；这不能不说是充分体现古代中国哲学特征的，绝妙的哲学思考。

二、“天下至诚”，“成己成物”

《中庸》正是基于这样一个“诚”，对以往及当时的重要哲学概念作了解释。例如，其中特别强调了“中庸”的问题。在

① 《中庸》，第二十五章、第二十六章、第二十四章、第二十三章、第二十二章。

② 《中庸》，第二十五章、第十三章、第二十四章、第二十章。

中国古代的文字中，“中”有中正、中和、不偏不倚；“庸”有平常、常道、用等等的含义。“中”“庸”在文献中合称，目前所知始于孔子《论语·庸也》：“中庸之为德也，其至矣乎!”《中庸》从诚出发托孔子的名义在答问中说，“诚者，不免而中，不思而得，从容中道；圣人也。”《中庸》的作者还直接结合对什么是“中”加以解释，提出了“中和”的概念，写道：“喜怒哀乐之未发，谓之中。发而皆中节，谓之和。中也者，天下之大本也；和也者，天下之达道也。致中和，天地位焉，万物育焉。”随之，书中以“子曰”的形式对中庸从各个角度进行了论述。联系如前所说“诚”的两方面意义，子思强调中庸无非是在强调：诚对于天之道来讲，在于适中；诚对于人之道来说，在于求中。

郭沫若在《十批判书·儒家八派的批判》中指出：“思孟学派与仁义礼智为配是‘天道’，‘天道’是什么呢？就是‘诚’，‘诚者天之道也，思诚者人之道也，至诚而不动者未之有也，不诚未有能动之也’其在《中庸》，则是说‘诚者天之道也，诚之者人之道也。不思而得，从容中道，圣人也’。”并认为“诚”是“中道”。由此可见，思孟学派所推崇的“诚”不仅体现“天道”，在人道中又与“中道”联系在一起。

作为易书的《文言·乾》中有：“龙德而正中者也。庸言之信，庸行之谨，闲邪存其诚，善世而不伐，德博而化。”《易》曰：“‘见龙在田，利见大人。’君德也。”《文言》释“诚”，旨在解释取象于天的《乾》卦，显然已将“诚”与天道联系在一起了，而“德而正中”及“庸言之信，庸行之谨”。《中庸》也讲“庸德之行，庸言之谨”，也是以守“中道”来存其“诚”的。“君子依乎中庸，遁世不见，知而不悔，唯圣者能之。”《文言·乾》中有：“不易乎世，不成乎名，遁世无闷，不见是而无闷，乐则行之，幽则违之，确乎其不可拔，潜龙也。”可见《中庸》发挥的思想与《文言》是十分一致的。

这种基于“诚”对“中庸”所作出的哲学论述，体现着人的行为与对象世界的同律，而且是既贯于主体又贯于客体。这与当时人们所重视的哲学范畴“仁”形成了很好的联结，因而与孔子哲学相比，由于子思哲学提出了一个更加形而上的范畴，从而加强了“仁”的更深厚哲学基础。对作为孔子哲学之核心的“仁”，《中庸》里写道：“君子诚之为贵”而“诚者，非诚已而已也，所以成物也。成己，仁也；成物，知也。性之德也，合内外之道也，故时措之宜也。”[①]“肫肫其仁！渊渊其渊！浩浩其天！苟不因聪明圣知达天者，其孰能知之？”“唯天下至诚，为能经纶天下之大经，知天地之化育。夫焉有所倚？”[②] 显然，这先是从人的角度来谈“诚”即“诚之者人之道”也就是“成己，仁也”。可是“诚者，非诚己而已”，还要“成物”，“不诚无物”，这就要“知也”。目的是“合内外之道”。因为《中庸》里讲过两方面的问题：一方面“道，自道也”；一方面“道不远人”。显然，只有“成己成物”结合，“内外之道”结合，“天之道人之道”结合，才符合“性之德也”，即出于本性的德。注意，这里的“德”是老子《道德经》意义上的“德”，是“天道”“人道”合一意义的“德”。可见在《中庸》里，“仁”只是“成己成物”“天之道人之道”中的一个方面，只有这一个方面是不能达到是“性之德”的。怎样才能达到“性之德”呢？这就内在地包含着一个问题：即这个“性之德”与“诚”到底是个什么关系。为此《中庸》抓住“性”这个概念进行了论述。

① 《中庸》，第二十五章。

② 《中庸》，第三十二章。

三、“自诚明”与“自明诚”

《中庸》论证道：“自诚明谓之性，自明诚谓之教。诚则明矣，明则诚矣。”[①] 而“天命之谓性，率性之谓教，修道之谓教”[②] 所以，“唯天下至诚，为能尽其性；能尽其性，则能尽人之性；能尽人之性，则能尽物之性；能尽物之性，则可以赞天地之化育；可以赞天地之化育，则可以与天地参矣。”至此，“成己”的“仁”与“成物”的“知”才得以统一。由“尽性”而达到的这种统一，是天之道人之道的“天人相与”的统一，也可认为是追求人与世界的统一，是世界“自成”与人“成之”的统一，是“无为”和“有为”的统一，是自然塑造人而“成”与人塑造自然而“成”的统一。在这种哲学追求中，体现着对人的行为与对象世界同律的揭示，而且在显意识中影映着潜意识的心在形而上。

从子思哲学确立“诚”为最高范畴，并以它规定了“天之道”“天之道”的区分以后，在中国古代思想史中道德的二重化意识被进一步明确起来。这种二重化意识越发展，就越要求对人在行为中所处的世界与其中的道德必然性，在一个概念体系中得到圆满自洽地说明。

《中庸》认为，实现这种必然性，关键是要“尽性”。“尽性”才能达到“成己”的“仁”与“成物”的“知”相结合，达到“天之道”“人之道”的合一。在一定意义上讲，《中庸》实际上强调了一种包含着人而且是从人说过去的世界本体通过“自成”和“诚之”来共同实现的世界本体的自我意识。

由“塑造论”的哲学观点看来，整个世界从没人类到有人

---

① 《中庸》，第二十一章。

② 《中庸》，第一章。

类，就物质的进化上说，是一个“自然的”过程。在这个意义上讲，自然本体的发展是“无意识”的。可以用《中庸》的话说，这是“自成”的。当出现了有意识的主体之后，就其体现必然性的潜意识运动也是在自然进化中被塑造而成的意义上说，它也是在必然性中自然发生的。对此也可以用《中庸》的话说，这也是“自成”的。而当有意识主体在潜意识支配下去意识，这便是显意识的。也用《中庸》的说法，这可谓是“诚之”。显意识与潜意识统一，有意识与无意识才能统一，这才成为超意识的。这可谓是“自成”和“诚之”的统一。

《中庸》论证“诚”时，在人的行为与对象世界的同律中影映着心在形而上。但它并没能把意识主体独立出来加以论证。因而尽管对作为“自成”和“诚之”的“诚”作为很具形而上性质的提升，但在其粗略的体系框架中由于缺少关于意识主体的专门范畴。这就带来许多问题。

讲“自成”的“诚”到底是无意识的还是潜意识的？如果讲世界的“自成”那是无意识的；而讲人心的“自成”，那就应当是潜意识的。讲“诚之”的“诚”，到底是无意识的还是显意识的？如果讲世界“诚之”，在无意识上的意义上讲，则无所谓“诚之”；如果讲人去“诚之”，这便是显意识的。

这样，《中庸》作了这样的界定：“诚者天之道也，诚之者人之道也”。而具体到这句话来论，如何才能实现二者的统一？《中庸》从总体上强调说要通过“尽性”，而如何才能“尽性”呢？所以书中才讲到，“自诚明谓之性，自明诚谓之教”。显然，对那种“诚自成”的“天之道”来说，只能是世界本体“尽”世界本体自己的“性”，自己意识自身，即所谓“自诚明”。可是，如果没有有意识的主体，世界怎么来意识自己？这里《中庸》把“诚”归结于内在作用，但却没论出主体作用。而对于那种“诚之者”的“人之道”来说，《中庸》明确指出要通过

“教”，告诉人们要通过“教”来达到“自明诚”，即“教化而诚”。这里涉及了意识主体但却这又失掉了“诚”的“自成”意义。这就使主体“诚”的必然性没有了内在的根据，根据被归结于外在的作用。如果是这样，道德本体还是外在地给与人的，形而上的道德本体在人身上并没有真正被确立起来。总之，只讲“诚自成”的“天之道”，虽然强调着内在作用，却没有意识主体的作用；而只讲“诚之者”的“人之道”，又虽有了意识主体的作用，却没了内在的作用。

看来，要使“自成”和“诚之”统一起来，一定得把作为意识主体的“心”确立起来。这已是很必要的了。孟子在这方面提出了他的哲学。孟子在论证“尽性”时，特别强调要“尽心”，这形成了他的哲学的突出特点。而在性的必然性方面，何以才能更加容纳活脱脱的人生性质，围绕于此又形成了庄子的哲学。

第二节　孟子的“反身而诚”

孟子（约公元前372—前289）的学说在中国古代思想史上通常被与子思哲学联系在一起而共同称之为“思孟学派”。孟子的学说的确与子思哲学有着密切联系。但孟子哲学经过一些范畴的改动，在体系上做出了新的处理。

一、“诚者天之道也，思诚者人之道也”

子思哲学在提出“诚”而区分出“天之道”“人之道”时讲的是：“诚者天之道也，诚之得人之道也”而孟子则把这改成了“诚者天之道也，思诚者人之道也”。“思诚”与“诚之”相比更强调了能思主体的“反身”意义。孟子哲学在展开其体系时恰恰体现了这一特点，孟子专门讲到并特别强调了“反身而诚”，而主要不在于“教化而诚”。这样孟子哲学就把具有思之功能的“心”摆到了其哲学的中心位置。

孟子讲，“心之官则思，思则得之，不思则得也。此天之所与我者”。[①] 由“思诚”而论，孟子哲学把“心”作为哲学范畴摆到了中心地位甚至也可以说是抬到了最高范畴的地位。整个地说，孟子哲学中的“思”固然有人之所“思”的含义，但又不仅仅是指由人来进行的那些“思”想活动。也就是说，在孟子看来这是那个能成为整个世事之本体的东西的自我反思。“心”固然有人思之“心”的含义，但又不是指作为人之生理器官的“心”，而是作为他认为是可成为整个世事本体的，承担了整个结构功能之性质的世事人性。这就使反思有了意识主体。这里的“心”和“思”都既是形而上的又是形而下的。因为孟子把“心”与“善”紧紧地联系在一起。这里的“善”似乎与亚里士多德体系中的“善”意义相近。孟子讲的“善”，与其说是人的善，不如说是融“人道”“天道”并“至诚”从而达到“天人合一”的“善”。因而这“善”不能对它仅仅理解为是人按照某种显现了的意识如某种思想理论或行为规则去“行善”；孟子是把它作为“天之道”“人之道”都概括于内的、带有潜意识性质的普遍人性看待的，即“性本善”。孟子哲学中强调，作为哲学主体的“本心”就是善的。这使孟子的哲学比起子思的哲学来说，把人之行为和对象世界同律的影映之光更加聚焦于心在形而上。

二、“同心”“存心”“尽心”

这样，孟子关于心的学说，首先有一个“同心”的观点。

---

① 《孟子·告子上》。

孟子曰：“乃若其情，则可以为善矣，乃所谓善也。若人不善非才之罪也。”“至于心，独无所同然乎？心之所同然者何也？谓理也，义也。圣人先得这心之所同然耳。”[①]“人皆有不忍人之心”[②]。“恻隐之心，人皆有之；羞恶之心，人皆有之；恭敬之心，人皆有之；是非之心，人皆有之”[③]“无恻隐之心，非人也；无羞恶之心，非人也；无辞让之心，非人也；无是非之心，非人也。”由此孟子认为“恻隐之性，仁之端也；羞恶之心，义之端也；辞让之心，礼之端也；是非之心，智之端也。人之有四端也，犹其有四体也。”[④] 这就是孟子有名的“四端”说。这就是人之相同的“本心”。

既然，性本善的作为“四端”的“心”人皆有之，孟子强调重要的在于“存心”。

孟子曰：“存其心，养其性，所以事天也。”[⑤]“存心”也就是把原本固有的“存”住，不要把它“放”掉。孟子举例说，牛山之木曾经茂美，因处都市之郊，总遭斧伐，怎能存其美？草木在日夜生息受雨露滋润并非不萌生，而接着又是牛羊牧之，因此仍光秃秃的。人见以为不曾长草木，“此岂山之性也哉？”由此孟子说：“虽存乎人者，岂无仁义之心哉，其所以放其良心者，亦犹斧斤之于木也，旦旦而伐之，可以为美乎？其日夜之所息，平旦之气，其好恶与人相近也者几希，则其旦昼之所为，有梏亡之矣。梏之反覆，则其夜气不足以存；夜气不足以存，则春禽兽不远矣。”可见，不能得以“存心”是由于“放其良

① 《孟子·告子上》。
② 《孟子·公孙丑上》。
③ 《孟子·告子上》。
④ 《孟子·公孙丑上》。
⑤ 《孟子·尽心上》。

心”“气不足以存”。于是孟子说，“放其心而不知求，哀哉！”人有鸡犬“放”走了还“知求之”，“有放心而不知求”岂不“哀哉”？所以孟子又讲：“学问之道无他，求其放心而已矣。”[①]

然而，仅“存心”作到把本善的心“存”住而不“放”走，还体现不出“反身而诚”的能动性，所以孟子提出了要“尽心”。

如前所述，子思哲学讲到，达到“诚”需“尽性”可是并没明提出一个具有意识功能的主体来“尽”这个“性”。孟子明确提出“心”这个主体，随之也就由强调“尽性”变为了“尽心”。这是从“尽性而诚”到“尽心而诚”。在孟子讲来，要“至诚”必要“思诚”。这里的“思”是心之反思，由反身而思才“知其性”，即所谓：“尽其心者知其性也，知其性则知天矣”。[②] 孟子曾谈到这样的例子，“欲贵者，人之同心也。人人有贵于己者，弗思耳矣”。[③] 是说愿尊贵为“人之同心”，但人对自己的可贵之处并不一定善于反思，老想着别人给自己以尊贵，而别人外在给与的尊贵“非良贵也”。孟子引用了《诗经》中“既醉以酒，既饱以德”的话，引申说：既然道德已经饱满，“言饱乎仁义也”，也就不羡慕“人之膏粱之味”了。这就像“令闻广誉施于身，所以不愿人之文绣”一样。可见，对人之“同心”“存”住，若“弗思”，即心不反身而思从而知其性以尽性至诚，并不一定能“既饱以德”。所以，“尽心”才能“知其性”并“尽”以“饱”满。

要能尽心就要把人的所有功能都发挥出来。对此孟子提出了这样一些概念：“良知”“良能”“爱和敬”“形色”等等。在

① 《孟子·告子上》。
② 《孟子·尽心上》。
③ 《孟子·告子上》。

孟子看来这都是人之固有的。“尽性”才能把其固有的本笥体现出来。孟子曰：“人之”“所不虑知者，其良知也”；“所不学而能者，其良能也”。“孩提之童无不知爱其亲者，及其长也，无不知敬其兄也”。[①]“形色，天性也；惟圣人然后可以践行。”[②]人发挥这种功能去“知”去“能”去“践行”，既发挥了其功能又实现其功能。

三、“养心”“反身而诚”，“万物皆备于我”

应当注意到的是，在孟子的“尽心”这个概念中的“心”是有双重意义的，既是去“尽”的主体又是被“尽”的客体。由此也就决定了“良知”“良能”“爱敬”“形色”等等也就既是去“尽”性主体的性质又是被尽“性”的客体的性质。尽了性“反身而诚”便能“万物皆备于我”[③]，实现主体客体的统一，天道人道的统一。所以，孟子认为，在“尽心”过程中要使之得以“扩充”，需要“养心”。

孟子讲，“凡有四端于我者，知皆扩而充之矣，若火之始然，泉之始达。苟能充之，足以保四海；苟不充之，不足以事父母”。[④]在孟子看来，在尽心过程中总不免受到某种“欲”的干扰，因而使心得不到扩充。“养其心”也就是“养其性”，才能“事天”。因此，“殀寿不贰，修身以俟之，所以立命也。”[⑤]孟子讲，“养心莫善于寡欲”，《孟子》书讲，“其为人也寡欲，虽有不存焉者，寡矣；其为人也多欲，虽有存焉者，寡矣。”人

① 《孟子》·尽心上》。
② 《孟子·尽心上》。
③ 《孟子·尽心上》。
④ 《孟子·公孙丑上》。
⑤ 《孟子·尽心上》。

们常常因为“动心”而不能“寡欲”。所以“养心”必须做到“不动心”。孟子曾结合自身体验论及这一点。有一次公孙丑问孟子，如果当上齐国的卿相，“如此则动心乎?”孟子曰：“否，我四十不动心”。而且讲到，“告子先我不动心”。在回答公孙丑提到的“不动心有道乎?”这一问题时，孟子特别讲到了“养”“气”的重要性。他说其长处就在于“我善养吾浩然之气”。对于“何谓浩然之气”，孟子曰：“难言也。其为气也，至大至刚，以直养而无害，则塞于天地之间。其为气也，配义与道；无是，馁也。是集义所生者，非义袭而取之也。行为不嫌于心，则馁矣。”在孟子看来，“气”既“至大至刚”又“配义与道”；它充“塞于天地之间”，却是“集义所生”；有“浩然之气”便可不动心，而心又是气之根本。这样，“气”就是内在于“配”道、“集义”的“心”之中的，不能看成是心之外的东西。因此，对“气”必须去培养它，即“必有事焉”，“而勿正”，即切勿停止，并且要做到“心勿忘”、“勿助长也”。若如“闵其不长而揠之者”，以外在的力量，拔苗助长，“非徒无益，而又害之”。在此孟子还讲到了：虽然“告子先我不动心”，但是“告子未尝知义，以其外之也”。孟子讲，“告子曰：‘不得于言，勿求于心；不得于心，勿求于气。’不得于心，勿求于气，可；不得于言，勿求于心，不可。”因为“夫志，气之帅也；气，体之充也。夫志至焉，气次焉；故曰：’‘持其志，无暴其气。”之所以既讲“心”“志”为至要之本，而“气次”之；又讲要保持住“心”“志”就得不乱其“气”，是因为“志壹则动气，气壹则动志也”，有如“今夫蹶者得趋者，是气也，而反动其心”一样。[①]这说明在孟子看来“心”和“气”是相辅相成互为作用的，而

① 《孟子·公孙丑上》。

又为本，可它以气来养。这里重要的是要养出“浩然之气”，只有这样才能排除“欲”的干扰而不动心，使本心扩而充之，“立命”“事天”“反身而诚”“万物备于我矣”。①

在孟子以上论述中体现着一种对潜意识和显意识的处理。心性一方面是潜意识的，它处于一种被反思的地位；另一方面心性去反思又是显意识的，它处于一种有意识地地去思考的地位。

孟子哲学是把心性的潜意识一面放在根本的地位，却把潜意识的心与本来处在自然塑造中的人之无意识意义上的生理需求完全对立起来。他强调“同心”、“存心”、“尽心”，“养心”，重点是必须“寡欲”，强调压抑收敛自己的欲望甚至完全排除欲望才能固住“本心”使之“饱”满并“扩”而充之，由此达到天人合一。

这里有一个问题值得研究。即关于“欲”的问题。对于“欲”，按我们现在的观点来看，它既包括人作为社会成员，其存在与发展要在社会联系中进行人际交往，要取得利益或取人认可，即所谓“利禄功名”方面的“欲”。也包括人作为自然生物，其生存与进化要在自然万物中进行物质交换，要新陈代谢繁衍生息，即所谓“饮食男女”方面的“欲”。

对于这些“欲”，由于人是社会关系的产物，所以它的实现不能离开社会中人的共生性。因此，要有一种在社会共生中形成的伦理道德必然性去引导、规范这些“欲”的实现，特别是人的道德意识外化成显意识时，会对人的这些“欲”形成约束力量。孟子由人之显意识来反思道德伦理的必然性，这是值得肯定的。但讲引导、规范这些“欲”，不等于说要完全去掉这些

① 《孟子·尽心上》。

“欲”。如果只讲“寡欲”，那就会完全否定人之生存的自然本性，会使人的活生生的性质出现缺失，这难免使关于伦理形而上的范畴不带普遍必然性。

第三节　《庄子》中的“道行之而成”“大人之诚”

庄子（约前369—前286）是老子之后道家的重要人物。《庄子》书的主要作者是庄子。庄子名周，字子休，战国早期宋国蒙城（今河南省商丘县东北）人。庄子的生平事迹历史资料不多，生卒年月更很难确切考定。最早记载庄子事迹的是司马迁的《史记》。《史记》上说庄子“与梁惠王、齐宣王同时”，据此马叙伦先生考定其生卒年代是周烈王七年至周赧王二十九年，即公元前369年至前286年，大体跟孟子同时期。

一、“道行之而成”，“大人之诚”

整个《庄子》书中，在全书头一篇那充满想象力和浪漫色彩而寄于顺自然、超脱现实的《逍遥游》之后，紧接着就是论“道”与“成”的《齐物论》。《庄子》书把“道”与“成”紧紧联系起来论，其中说：“道行之而成，物谓之而然。恶乎然？然于然。恶乎不然？不然于不然。物固有所然，物固有所可。无物不然，无物不可。”《庄子·天道》还讲到：“天道运行而无所积，故万物成”。这里的“积”即“停滞”，意思是说天道运行而不停滞，便有“万物”的“成”。所以《齐物论》又讲“道通为一。其分也，成也；其成也，毁也。凡物无成与毁，复通为一。”

《庄子》书在《庚桑楚》中又一次讲到“道通，其分也成也，其成也毁也。”《庄子·大宗师》引述了南伯子与女偊的对话，在对卜梁倚加以评论之后，讲到，道“其为物，无不将也，无不迎也；无不毁也，无不成也。其名为撄宁。撄宁也者，撄而后成者也”。撄宁即不受纷扰，保持心境的宁静，这里强调，“撄而后成者也”。庄子书由“撄宁”，使“成”与“诚”相联系，讲到“大人之诚”。《庄子》书在《徐无鬼》中进一步讲到：“君若勿已矣，脩（修）胸中之诚，以应天地之情而勿撄。”之后，书中由儒墨引出评论，“海不辞东流，大之至也；圣人并包天地，泽及天下，而不知其谁氏。”“夫大备矣，莫若天地；然奚求焉，而大备矣。知大备者，无求，无失，无弃，不以物易己也。反己而不穷，循古而不摩，大人之诚。”这是讲返归自己本然而无穷尽，遵循本然恒古而没有矫饰，这就是“大人之诚”。

《庄子·人世间》中通过记述一些人同孔子的对话，借他人语讲到：“凡事若小若大，寡不道以懽（欢）成。事若不成，则必有人道之患”；“若成若不成而后无人道之患，唯有德者能之”。这里渗透出这样的道理：若“道”使圣人“成”，使“德者”消除“人道之患”而使事“成”，重要的在于“心成”。《庄子·德充符》篇中记有，孔子面对学生常季所问：被砍掉一只脚的王骀“无形而心成者邪？”给了肯定的回答。孔子说，王骀“圣人也，丘也直后而未往耳。……丘将引天下而与从之”。这里讲了身残而“心成”，值得“从之”。这里的“心成”指向同于“诚”。《庄子》书论证了“心成”同时也论说了与之不同的“成心”。《庄子·齐物论》：“夫随其成心而师之，谁独且无师乎？……未成乎心而有是非，是今日适越而昔至也，是以无有为有。”唐成玄英疏：“夫域情滞著，执一家之偏见者，谓之成心。”《德充符》中通过讲述，卫灵公、齐桓公对他们分接触的身残而德行高之人，加以褒扬的故事，写道：“故德有所长而形有所忘，人不忘其所忘而忘其所不忘，此为诚忘。”这里借用对人“不忘”其德行而对其身残形体“有所忘”的故事，讲到“诚忘”，此为“心诚”之忘。这实质上是对“道行之而成”的补充论证。

二、“精诚之至”，“无为”而“成”

《庄子》讲了“诚”、“心成”，基于此，《庄子·齐物论》中还形成了其“成心”之论：“夫随其成心而师之，谁独且无师乎？奚必知代，而心自取者有之。愚者与有焉！未成乎心而有是非，是今日适越而昔至也。是以无有为有。无有为有，虽有神禹且不能知，吾独且奈何哉！”

于是，庄子学说形成了其“精诚”论。《庄子·渔父》篇里，叙述了一段孔子与渔父的对话。孔子曰：“请问何谓真？”客曰：“真者，精诚之至也。不精不诚，不能动人。”就此讲到：“功成之美，无一其迹矣。”这里涉及于“真”即“精诚之至”；“不精不诚，不能动人”；而“诚”才能“成”；“功成之美”是“精诚”的结果，故“无一其迹”。

在《庄子》书讲来，把“道”“成”“诚”统一起来，才谈得上“功求成”。《庄子·天地》记载子贡评论孔子：“吾闻之夫子，事求可，功求成。”《庄子·天道》则记有孔子在与老子对话时讲到：“君子不仁则不成”。《庄子·人间世》中还借孔子的话说：“无迁令，无劝成。过度，益也。迁令劝成殆事。美成在久，恶成不及改，可不慎与！且夫乘物以游心，托不得已以养中，至矣。何作为报也！”这里的“无迁令”“无劝成”强调的是“任其自成”。《庄子·知北游》中又说：“天地有大美而不言，四时有明法而不议，万物有成理而不说。圣人者，原天地之美而达万物之理，是故至人无为，大圣不作，观于天地之谓也”。

《庄子》书非常强调归于自然来谈“成”。《庄子》书《天下》篇，借用惠施所言讲，“天地一体也”，“至大无外，谓之大一；至小无内谓之小一”。《齐物论》写道：“古之人，其知所至矣。恶乎至?”这里的“至”可以认为是指“至大无外”，指“最高境界”。文中紧接着就此评论说：“至矣，尽矣，不可以加矣”。可是人们从对万事万物“未始有封”，即不区分界限；到以为“有封”“而未始有是非也”，即虽有区分界限而仍没有“是非”；再到“是非彰显”，即“是与非显露”，于此对“道”的理解也就出现亏损，这样也就出现偏好与憎恶，即“道之所以亏，爱之所以成”。

由此，文中反问：“果且有成与亏乎哉？果且无成与亏乎哉?”接着《庄子·齐物论》书借善琴者昭文“鼓琴”，凸显出矛盾：“有成与亏”才有所谓“邵氏鼓琴”之“成”，“无成与亏”那就无所谓邵氏鼓琴之“成”了。文中又说，如同“昭文之鼓琴”，另有“师旷之枝策”，“惠子之据梧”，“三者之知几乎!”即三者都可谓是极“盛者”。这样《庄子·齐物论》书中针对这种情况反问：“若是而可谓成乎？虽我亦成也。若是而不可谓成乎？物与我无成也。”此话的意思是，如果上述情况都被认为是有“成”的话，那即使“我”没什么“成”也可以说有“成”了，即“虽我无成也成也!”

所以《齐物论》中的结论是：“为是不用而寓诸庸，此之谓以明。”这里强调了“庸”。如前所说，“庸”带有常道、平常以及用的意思，庄子在这里强调的是在本然中保持自然之“庸”，这才能“明”。所以《庄子》书反复强调由“自然”而谈“成”。《达生》篇中讲，“天地者，万物之父母也，合则成体，散则成始。”《田子方》中以孔子的话讲：“日出东方而入于西极，万物莫不比方，有目有趾者，待是而后成功，是出则存，是入则亡。万物亦然，有待也而死，有待也而生。吾一受其成形，而不化以待尽，效物而动，日夜无隙，而不知其所终，薰然其成形。”文中还说，“两者交通成和而物生焉，成为之纪而莫见其形”。

《天地》篇中又讲，“物成生理，谓之形。”所以，《知北游》篇中讲，基于“道”，“六合为巨，未离其内；秋毫为小，待之成体。”但是，“天地有大美而不言，四时有明法而不议，万物有成理而不说。”另外，《山木》写道：“浮游乎万物之祖，物物而不物于物，则胡可得而累邪！此神农、黄帝之法则也”；“合则离，成则毁”；“其唯道德之乡乎！”这里讲的“物物而不物于物”是讲“役使外物却不被外物所役使”；之后讲的“合则离，成则毁”是讲聚合了则分离，成功了则会有毁败，是互相转化的；最后讲“其唯道德之乡”，是强调归向自然。

《庄子》书固然注重了论证人归于自然，但往往把人与自然完全混为一谈，甚至是把人的存在与不存在、生与死的界限都彻底去掉了，《庄子·齐物论》于此阐发了这样一些见解：“方生方死，方死方生；方可方不可，方不可方可；因是因非，因非因是”；“是亦彼也，彼亦是也”；“彼亦一是非，此亦一是非”。“何谓和之以天倪，曰：是不是，然不然。是若果是也，则是之异乎不是也亦无辩；然若果然也，则然之异乎不然也无辩。忘年忘义，振于无竟，故寓诸无意”。庄子把生归结到了无。既然，只有达到超脱的人才知道物通为一，并能忘掉生死、是非进入无穷无尽的境界而且把自己寓托于这无尽的境域；那么，反过来说，只有深知物通为一，忘生死、免是非，进入无尽境界的人才算得上得到了真正超脱的“成”，这是一种离开了尘世而与自然本体彻底融合的“成”。用庄子自己的体会说，他曾梦己为一只“栩栩然蝴蝶”，“自喻适志与！不知周也”。突然醒来方觉自己是庄周。可到底是“周之梦为胡蝶与，胡蝶之梦为周与?”搞不清楚了。而“周与胡蝶，则必有分矣。此之谓物化。”庄子说，这就叫作物我的交合与变化。依此，所以庄周其妻死了，他笑而歌；其国亡了，他也笑而歌。庄子借一个影子的寓言讲，有问：先前你行走现又停下，以往你坐着现又站起来，“何其无特操与”？影子曰：“恶识所以然？”“恶识所以不然？”这告诉人们，怎么做并不一定非得知道“有待而然”的遵循。

由此《庄子·大宗师》中论述了一个“真人”。他认为“有真人而后有真知”，因为“知天之所为，知人之所为者，至矣。知天之所为者，天而生也；知人之所为者，以其知之所知以养其知之所不知，终其天年而不中道夭者：是知之盛也。”固然“知有所待而后当”，然而“其所待者特未定也”。既然连认识的凭据都是不稳定的，“庸讵知吾所谓天之非人乎？所谓人之非天乎？”所以，“古之真人，不逆寡，不雄成，不谟士”；“过而弗悔，当而不自得也”；“登高不慄，入水不濡，入火不热”。“古之真人，其寝不梦，其觉无忧，其食不甘，其息深深”；不像众人那样，“息以喉”，而是“息以踵”。“古之真人，不知说生，不知恶死；其出不䜣，其入不距，翛然而往，翛然而来而已矣”；“不忘其所始，不求其所终，受而喜之，忘而复之”。“古之真人，其状义而不朋，若不足而不承；与乎其觚而不坚也，张乎其虚而不华也，邴邴乎其似喜乎，崔乎其不得已乎！”如此等等。总之，这样的人“其好之也一，其弗好之也一”，即喜好的与不喜好的都浑然为一，而且知道“其一也一，其不一也一”，即同一的差异的都浑一齐然；还能认为“其一与天为徒，其不一与人为徒”，“天与人不相胜也”，即同一和差异不过是与“天”与“人”的各自徒属，自然与人不再相互对立而相互超越。这样的人“是之谓真人”。①

① 《庄子·大宗师》。

三、“天下有道，圣人成焉”

对于“真人”，在《庄子》书中有时也叫作“大宗师”以及“神人”“至人”“圣人”等等，《庄子·人世间》中说，“天下有道，圣人成焉！”此成为《庄子》所追求的理想人格的代表。

与此相对照，《庄子》书曰，“自三代以下者，天下莫不以物易其性矣。小人则以身殉利，士则以身殉名，大夫则以身殉家，圣人则以身殉天下。故此数子者，事业不同，名声异号，其于伤性以身为殉，一也”；“伯夷死名于首阳之下，盗跖死利于东陵之上，二人者，所死不同，其于残生伤性均也”。由此《庄子·让王》哀叹：“今世俗之君子，多危身弃生以殉物，岂不悲哉！”《庄子·齐物论》写道：“一受其成形，不亡以待尽。与物相刃相靡，其行尽如驰，而莫之能止，不亦悲乎！终身役役而不见其成功，苶然疲役而不知其所归，可不哀耶！人谓之不死，奚益！其形化，其心与之然，可不谓大哀乎？人之生也，固若是芒乎？”

《庄子》书叹息“人为物役”可悲，所以提出了“不物于物”的呼声；而“不物于物”就得“不以物易其性”，不“残生伤性”，不“危身弃生以殉物”。在《庄子》书看来，此种自然个人的本体存在，才是摆脱了一切“物役”、获得了真正自由的、无限的存在。这是人之个体与世界自然在本体上融而为一的存在。正是由此，《庄子》书实际上竭力强调人们应从“显意识”行为中，从形而下的“物役”中，得以解脱，进入一种“无待”的状态。这种取向已不是象孟子哲学那样由“显意识”去影映一种内在的“潜意识”，而是完全否定“显意识”而诉诸“无意识”；是在潜意识与无意识一致的本然状态中影映潜意识必然性。但由于庄子哲学要去掉的，既包括显意识也包括潜意识，哲学取向是一种完全无意识的境界；然而无意识也就没了有意识的主体，也就无所谓心在形而上了，而直接是一个没被充分意识的关于存在的形而上，实际上它又是形而下的。

庄子哲学的最高本体正是由此而确立的，这就是庄子哲学中的“道”。庄子的道是形而上的，但又是与无意识的自然或本然贴在一起的。关于“道”这个概念，庄子之前的哲学已广为使用。如前所述，特别带特征意义的是老子哲学已把它确立为最高的形而上范畴。这成为道家学派的主要标志。而庄子哲学把道确立为最高范畴在其体系中与老子哲学有所不同。老子哲学更多是关心社会政治，虽然也讲“道恒无为”但重在于“为无为，则无不治矣”,① “故道恒无为而无不为”,② 是讲人动其术要合于“道”才能“治”，才能“无不为”，这里的合于“道”包含着社会潜意识运行的内容，从这个意义上说有与孟子哲学相通之处；而庄子哲学更多关心的是个体人生，讲“无为”重在于“自然无为”，是讲人要得“道”须“安时而顺”，这里的得“道”顺的是个体人生的自然，主要是一种无意识状态，这里去掉了人的有意识而与自然无意识贴在一起。老子追求的是达到符合于“道”的“真”，在规定性中提出“无”。而庄子哲学追求的是达到于“道”的“生”，在追求完全解脱中提出无。

回顾一下思想史，从老子到庄子，就道家学说的演变来说，可认为经过了三个阶段。第一阶段：老子哲学率先明确地把“道”作为哲学最高范畴确立下来，由此展开了一个以道为中心的哲学体系。第二阶段：杨朱发挥了老学中的“贵身防患”思想形成“为我之论”；田骈、慎到着重发挥了老学中“无私”、“勿矜”的思想；《慎子》强调“臣事事而君无事”从而形成了

① 《道德经》，第三章。

② 《道德经》，第三十七章。

一套为君之道，又从“公而不党出发”形成任法重势的主张实现由道家向法家的转化；宋钘、尹文着重发挥老子哲学中“知足反战”的思想，以“禁攻寝兵”为己任；另有关尹提出了旨在虚己接物、独立清静的思想，以及列子贵虚的思想。如此等等，都对老子哲学做了发挥。到《庄子》书可认为是道家学说进入第三阶段。因为，如果说以上这些人对老子的哲学只是部分发展，未能形成大的学派，那么庄子哲学可经说是已实现了对老子哲学的大的超越，由此形成了一个大的老庄道家学派，并以其鲜明的特色与儒、墨等哲学并驾齐驱且相互补充。后人基于这些思想又形成了道家学说发展的以后阶段。有的学者讲，“以庄子为代表的道家，实际上是对儒家的补充，补充了儒家当时还没有充分发展的人格—心灵哲学，从而也在后世帮助儒家抵抗和消化了例如佛教等外来的东西，构成中国传统文化—心理结构中的一个很重要的方面”。①

① 李泽厚：《中国古代思想史论》，人民出版社1985年版，第190页。

第十四章　荀子由“诚”论“礼”，韩非由“成”论“理”

第一节　荀子由“诚”“成”论“礼”

一、“物之所以成”

《荀子·天论》写道：“不为而成，不求而得，夫是之谓天职。”“列星随旋，日月递炤（照），四时代御，阴阳大化，风雨博施，万物各得其和以生，各得其养以成，不见其事而见其功，夫是之谓神。皆知其所以成，莫知其无形，夫是之谓天。”①

《荀子·天论》还说，“天职既立，天功既成，形具而神生，好恶喜怒哀乐臧（藏）焉，夫是之谓天情。耳目口鼻形能（态）各有接而不相能也，夫是之谓天官。心居中虚，以治五官，夫是之谓天君……”“原于物之所以生，孰与有物之所以成！故错人而思天，则失万物之情”。②

《荀子·正名》在列举了“后王之成名，刑名从商，爵名从周，文名从礼”的史事后，说：“迹长功成，治之极也”。而《荀子·解蔽》写到的对照情况是：“为之无益于成也，求之无

① 《荀子·天论》。

② 《荀子·天论》。

益于得也，休戚之无益于机也，则广焉能弃之日矣，不以自妨也，不少顷于之胸中”。“周而成，泄而败，明君无之有也。宣而成，隐而败，闇君无之有也。”

另外，《荀子》中还有“言之成理”之说。“非十二子”篇中讲到“持之有故，言之成理”。[①]

《荀子·正名》还讲到“名”之所以“成”的生活因素：“约定俗称谓之宜，异于约则谓之不宜。名无固实，约之以命实，约定俗成谓之实名。名有固善，径易而不拂，谓之善明”。重要的是，“状变而实无别而为异者，谓之化；有化而无别，谓之一实。此事之所以稽实定数也，此制名之枢要也。后王之成名，不可不察也。”[②] 当“累而成文，名之丽也”。[③] 这阐明：“名”是社会之物，是具有社会性的。荀子认为，“约定俗成”“名”才有“名”的效用。而“远方异俗之乡”之所以能因“曲期”“而为通”，也必须先有其“约定俗成”的“名”作为基础。这是“名”之所以“成”的社会因素。

《荀子》特别联系“礼”论“成”。如在“君道”篇中荀子写道：“取人之道，参之以礼”；“行义动静，度之以礼；知虑取舍，稽之以成”。

二、“君子养心莫善于诚”

关于“诚”，《荀子·不苟》有这样一段系统的论述：“君子养心莫善于诚，致诚则无它事矣，唯仁之为守，唯义之为行。诚心守仁则形，形则神，神则能化矣；诚心行义则理，理则明，明则能变矣。变化代兴，谓之天德。天不言而人推高焉，地不

① 《荀子·非十二子》。

② 《荀子·正名》。

③ 《荀子·正名》。

言而人推厚焉，四时不言而百姓期焉。夫此有常，以至其诚者也。君子至德，嘿然而喻，未施而亲，不怒而威：夫此顺命，以慎其独者也。善之为道者：不诚，则不独；不独，则不形；不形，则虽作于心，见于色，出于言，民犹若未从也；虽从必疑。天地为大矣，不诚则不能化万物；圣人为知矣，不诚则不能化万民；父子为亲矣，不诚则疏；君上为尊矣，不诚则卑。夫诚者，君子之所守也，而政事之本也。唯所居，以其类至；操之，则得之；舍之，则失之。操而得之，则轻；轻则独行；独行而不舍，则济矣。济而材尽，长迁而不返其初，则化矣。”①

（一）关于“至其诚”。

1.《荀子》书中讲，“君子养心莫善于诚，致诚则无它事矣，惟仁之为守，唯义之为行。”前面我们已涉及到，子思到孟子，由“尽性而诚”到“尽心而诚”。孟子曾特别说明“养心”对于“诚”“成”的重要意义。在孟子说来，“养心”重要的在于“寡欲”。孟子曰：“养心莫善于寡欲”。荀子，对此进行了纠正。他在《正名篇》中批评了“以寡欲”修身而“成”的思想：“凡语治而待去欲者，无以道欲而困于有欲者也。凡语治而待寡欲者，无以节欲而困于多欲者也。有欲无欲，异类也，生死也，非治乱也。欲之多寡，异类也，情之数也，非治乱也。”② 荀子强调，一个人为善还是为恶的基础，不在“欲”本身，而在于“心之所可”，在于“心之所可中理”，③ 这样，“君子之道于是乎就矣！”这才“是之谓诚君子”。④ 因此他强调：“君子养心莫善于诚。”因而，荀子认为，君子“致诚”是自始至终的。故“致

① 《荀子·不苟》。
② 《荀子·正名》。
③ 《荀子·正名》。
④ 《荀子·非十二子》。

诚则无它事”。总之，“以诚养心”，“诚”之切实用力处就在于行为主体在心志上努力贯彻仁义等道德准则，亦即《荀子》书中“王霸”篇所谓的“诚义乎志意”，这与《大学》“诚其意”是相通的；故云“唯仁之为守”、“唯义之为行”。

2.《荀子》书中讲，“诚心守仁则形，形则神，神则能化矣；诚心行义则理，理则明，明则能变矣。变化代兴，谓之天德。”这是讲，有了“诚心”而“守仁”外化出来而“神化”，“心之所可中理”“则明”，“明则能变”。此“化”“变”之说，本诸孔子风草之喻，言君子能以德感人，使之改其恶而迁于善也。君子之德发用流行，自然而然，不假勉强，不着行迹。“润物细无声”之语或可喻以状此“变”“化”之功。荀子强调，君子能“化”能“变”，又不假刻意、造作之勉强。犹之天道之生息万物，故云“天德”。

3.《荀子》书中讲，“天不言而人推高焉，地不言而人推厚焉，四时不言而百姓期焉。夫此有常，以至其诚者也。”《荀子》书之前的《论语》有“予欲无言”一章，其中记有：“子曰：‘予欲无言。’子贡曰：‘予如不言，则小子何述焉？’子曰：‘天何言哉？四时行焉，百物生焉，天何言哉？’”① 这两段文字都是在说明，天道有常，变化流行皆自然之事，非出于刻意造作，君子亦当取法于此。才能“至其诚”。

（二）关于“慎其独”“不诚则不独”即“诚其独”。

1.《荀子》书中讲，“君子至德，嘿然而喻，未施而亲，不怒而威：夫此顺命，以慎其独者也。”这里的“顺命”，指谓以天道为法而与之为一也，君子能“化”能“变”，“顺命”、顺天道，在于能“慎其独”。古文中“慎”的基本字义，除了解为：

① 《论语·阳货》。

慎之为谨，不烦训释，《尔雅·释诂》特别讲道：“慎，诚也。”“慎”字在《诗经》中凡四见，郑玄皆据《尔雅》训为“诚”。《荀子》言天道变化流行，“以至其诚也”，诚则真实无妄；在此就君子“顺命”，取法乎“天道”而言“慎”；显然“慎”取“诚”意自不待言。总之，荀子在此强调的是：“慎，诚也”。“慎其独”实为“诚其独”。

2.《荀子》书中讲，“善之为道者：不诚则不独，不独则不形，不形则虽作于心，见于色，出于言，民犹若未从也；虽从必疑。”如果说，“慎，诚也”；那么这里又突出强调，“不诚则不独”。不仅如此，我们应重视的是，《荀子》在这段文字中，排出了这样一个概念系列：“诚、独、形、心”。晚近出土的《郭店楚墓竹简》中“无形”篇反复讲“君子慎独也”；注家云：“独，即心也”。郑玄在据《尔雅·释诂》而注时讲到：“内心，内心于内，其独在内”，“少其性物，至诚悫（què 诚实）。”① 显然，《荀子》书中由“诚”论到“独”重要在于，“独”以“心”而言。这里的“不诚则不独”实为“不诚则不心”。《荀子》书写到此段话，讲“诚”与“独”，涉及到“形”与“心”，是说，没有“诚”则不“独”，“不独则不行”；这里重要的在于“心”，不然，“见于色，出于言，民犹若未从也；虽从必疑”。荀子强调“唯仁”“唯义”，“唯”者，“独”也，“一”也。于是，“诚”也就落实为“守仁”“行义”之“专一”。也因此，荀子有云：“凡治气、养心之术，莫径由礼，莫要得师，莫神一好。”（“修身”）“莫神一好”，王念孙注：“一好，谓所好不二也。”“一则不二”“一好”即“好仁”“好义”之好，亦即“养心”章所谓的“唯仁之为守，唯义之为行”。通观《荀子》文，强调专

① 朱彬：《礼记训纂》，中华书局1996年版，第367页。

“一”，是荀子很有特色的一个基本思想。除了上面所引“不苟”、“修身”的材料之外，荀子对“一”多有所论：“劝学”篇中叙述到，“骐骥一跃，不能十步；驽马十驾，功在不舍。锲而舍之，朽木不折；锲而不舍，金石可镂。螾无爪牙之利、筋骨之强、上食埃土，下饮黄泉，用心一也。蟹八跪而二螯，非蛇蟺之穴无可寄托者，用心躁也。……行衢道者不至，事两君者不容。目不能两视而明，耳不能两听而聪。螣蛇无足而飞，鼫鼠五技而穷。诗曰：‘尸鸠在桑，其子七兮。淑人君子，其仪一兮。其仪一兮，心如结兮。’故君子结于一也”。[①]“儒效”篇中又论：“注错习俗，所以化性也；并一不二，所以成积也。习俗移志，安久移质；并一不二则通于明，参于天地矣。”[②]“成相”篇还讲：“思乃精，志之荣，好而一之神成。精神相反，一而不贰，为圣人。”[③]“解蔽”篇中说：“天下无二道，圣人无两心。”“人何以知道？曰：心。心何以知？曰：虚一而静。心未尝不臧也，然而有所谓虚；心未尝不两也，然而有所谓壹；心未尝不动也，然而有所谓静。人生而有知，知而有志；志也者，臧也；然而有所谓虚；不以所已臧害所将受谓之虚。心生而有知，知而有异；异也者，同时兼知之；同时兼知之，两也；然而，有所谓一；不以夫一害此一谓之壹。心，卧则梦，偷则自行，使之则谋；故心未尝不动也；然而有所谓静；不以梦剧乱知谓之静。未得道而求道者，谓之虚壹而静。作之：则将须道者，虚则入；将事道者，壹则尽；尽将思道者，静则察。知道察，知道行，体道者也。虚一而静，谓之大清明。”[④]总之，这都是围

① 《荀子·劝学》。
② 《荀子·儒效》。
③ 《荀子·成相》。
④ 《荀子·解蔽》。

绕"独，心也"而论。

3.《荀子》书讲，"天地为大矣，不诚则不能化万物；圣人为知矣，不诚则不能化万民；父子为亲矣，不诚则疏；君上为尊矣，不诚则卑。"这里讲到了"诚"与"天地万物"、"圣人万民"、"父子"、"君臣"的关系。在中国古代的传统中，把父子、兄弟、夫妇、君臣、朋友列为五伦。荀子强调，就每一种人伦关系而言，都要归于"诚"。照《中庸》的讲法，即所谓"诚者物之终始，不诚无物"。"夫诚者，君子之所守也，而政事之本也，唯所居，以其类至。"按儒家的一贯思想，"治人"本于"修己"，于是，"诚"的意义也就从修身扩展到了为政。

（三）关于"诚者，君子之所守也，而政事之本也。"

1.《荀子》书中讲，"唯所居，以其类至；操之，则得之；舍之，则失之。"这是围绕"诚者"、"君子所守"、"政事之本"进一步说明，唯有立足于"诚"，以其为操守、根本，才能成。孟子曾引孔子之言："孔子曰：'操则存，舍则亡；出入无时，莫知其乡'。"荀子此处"操之则得之，舍之则失之"的讲法也是化用孔子之语。这里"操之""舍之"的两"之"即以"心"而言，"操之"就是以诚养心，"舍之"就是废弃以诚养心。操守住才"诚""则得"，舍掉了"诚"则失。

2. "操而得之，则轻；轻，则独行；独行而不舍，则济矣。"前面讲到，荀子强调"至诚"之路在于以心治性，然而，以心治性是否能"诚"，有一个心与性交相为胜，此消彼长的过程。操守住"诚"，舍掉种种影响"诚"的因素而"独行"，并且"独行不舍，则济"。"济"有渡、助、益、停、成种种的含义及延伸意义。"济"字与"齐"字有省借关系；"成"则"齐"，"齐者，成也"因此这里讲到的"独行而不舍，则济"，即"独行而不舍，齐也，成也"。

3."济而材尽，长迁而不返其初，则化矣。"这是说，达到

“诚”，才能“济”，当全部发挥出来而“成”，达于“成”而不返退于初，那么就“大化”而达到“成”的最高境界了。

三、“事无礼则不成”

《荀子·修身》云：“凡用血气、志意、知虑，由礼则治通，不由礼则勃乱提僈；食饮、衣服、居处、动静，由礼则和节，不由礼则触陷生疾；容貌、态度、进退、趋行，由礼则雅，不由礼则夷固僻违，庸众而野。故人无礼则不生，事无礼则不成，家无礼则不宁。《诗》曰：‘礼仪卒度，笑语卒获。’此之谓也。”所以，荀子提出“凡治气养心之术，莫径由礼”。[①]《荀子》书“不苟”篇又有：“推礼义之统，分是非之分，总天下之要，治海内之众，若使一人。”

荀子以独特的方式论证了“礼”的产生。他讲到，“礼起于何也？曰：人生而有欲，欲而不得，则不能无求；求而无度量分界，则不能不争。争则乱，乱则穷。先王恶其乱也，故制礼以分之，以养人之欲，给人以求。使欲必不穷乎物，物不穷乎欲，两者相持而长，是礼之所起也。”[②]

这里讲礼之所以，是以欲释礼，是从肯定“人生而有欲”说起。这显然承认着人的自然本性。《荀子》书中就曾讲到，“饥而俗食，寒而欲暖，劳而欲息，好利而恶害”“是人之所生而有”，“是无待而然者”；“目辨白黑美，耳辨音声清浊，口辨酸咸甘苦，鼻辨芬芳腥臊，骨体肤理辨寒暑疾养”；“是又人之所常生而有”“是无待而然者”[③]。因此，荀子认为“性者，天之就也；情者，性之质也；欲者，情之应也。以所欲为可得而求

① 《荀子·修身》。
② 《荀子·礼论》。
③ 《荀子·荣辱》。

之，情之所必不免也"，认为对此应"以为可而道之"；还说道，在这一点上不论对"守门"即地位最低贱的人还是对"天子"即地位最高的人都应一样地来看待，他举例说，"尧、舜之与桀、跖，其性一也；君子之与小人，其性一也"。为此，荀子批评了那种认为"人之情，欲寡""为欲多，是过"的观点。他说：那只能是要求人们"目不欲綦色，耳不欲綦声，口不欲綦味，鼻不欲綦臭，形不欲綦佚"；他反问："此五綦者，亦以人之情为不欲乎？"他的回答是："人之情欲是已"；他打比方说："以人之情为欲此五綦者而不欲多"，"譬之是犹以人之情为欲富贵而不欲货也，好美而恶西施也"。这实际上是针对诸如孟子的"寡欲"来说的。这造成了荀子哲学与孟子哲学的很大不同。

在承认人的属于"无意识"范围的自然本性方面，荀况哲学与庄周哲学似乎有相通之处。但荀况哲学与庄周哲学又有根本的不同。因为庄周哲学是把人之自然本性与"自然无为"的道合为一体形成一种形而上的人生哲学，作为"美"的境界来追求，要人们达到一种"无待"的超脱，这里虽从一定意义上讲肯定了人之自然个体存在的人格，可是既然要人们"无待"，那就否定了人的意识，那就又在一定意义上否定了人去得到自然本性所欲的满足，实际上又否定了人之自然所欲。荀子充分肯定人有自然所欲，却不是去掉人的意识，而是从中找到有意识的"礼"的必然性根据。

在此意义上，荀子哲学又似乎与孟子哲学相通。但现在所论的归结之处与孟子不同。孟子哲学由人之行为与人所处世界的同律，直接指向人潜在着的作为道德必然性的心在形而上，所以认为人"性本善"。而荀子哲学则在承认人之所欲之后，尖锐地批评了孟子的"性善是"说，明确指出人"为性恶也"。既然人"性本恶"，那么，要达到善就不是通过自我的内在反省了，而要以显意识的外在规范来管制这种恶。

因此，荀子虽在重视人的自然本性，但不像庄子那样在寻求人生的必然性时只是直接地把它与无意识的自然贴在一起论其同律，完全否定人的意识行为，即强调“去伪；而是从人的有意识行为这一层面上来考虑与自然的同律，他强调的是“起伪”。他说：“性者，本始材朴也；伪者，文礼隆盛也。无性，则伪之无所加；无伪，则性不能美”；并说“人之性恶，其善者伪也”。这里提出了一个“化性而起伪”的见解，即若没有“起伪”，性是不能“自美”的，不能有“善”的；“伪”才能使一种“理”隆盛起来。他充分肯定着人的有意识塑造作用。

荀子对于“化性而起伪”，充分在人与天或者说在人之行为和人所处世界的同律中来加以揭示。荀子说“天行有常，不为尧存，不为桀亡”，所以“应之以治则吉，应之以乱则凶”。

虽然，荀子抬高人之有意识的“伪”即人为的作用。但是，他讲到“天”，不是像孟子等人那样，力求在人的行为与“天”之必然性的同律中，为一种似乎是先验的潜意识伦理必然性找根据，而是在人的行为与“天”之必然性的同律中直接为那种后天所为的显意识必然性找根据。他强调的是人有后天所为即“化性起伪”才有与天同律的必然性。这样，荀子为了不使这个见解淹没在同样承认天之必然性决定作用的论证中，他一反思孟甚至包括老庄一直论证的“天之道”“地之道”与“人之道”合一的观点，直接强调“道者，非天之道，非地之道，人之所以道也，君子所以道也”。所以他与以往关于“天人合一”的说法不同的是，强调“天人相分”。荀子讲，“故明天人之分则可谓至人矣”。也就是说，真正有意识地明白天人之分的，即有意识的人，就在于能有意识地去塑造，这要遵循必然性，但却不是由天来“制”，而是“制天命而用之”，他强调人来“畜天”，强调人能够“戡天”。由“制天命而用之”来与“化性起伪”，与“礼”相联系，荀子“以欲释礼”得出的结论则是“制礼”

"养人之欲""给人以求"，把"礼"完全看作是为了管理社会人际而被人"显意识"制定的东西。他认为，面对"礼崩乐坏"，重要的是按照"制名指实"的原则制定新的礼制，这成为在社会制度变化的情况下积极推动社会变革的理论基础，为了确立这一见解，荀况围绕当时学者讨论比较多的"名""实"关系问题，在逻辑上加强他的论证。十分强调名是人所制造出来的人为之物，是用来表现"实"的。关于名实关系，狭义地说，主要是指语言符号与对象世界的关系；广义地说，涉及一系列人显意识制定出来的法规、制度等等是否符合实际的问题。荀子讲"制名指实"，重在强调，以上这些作为名的东西只是在显意识中后天制造的，作为"礼"和"法"也是如此。

荀子认为，作为人之无意识自然本性的"欲"是"人之所生而有"，人之性恶才产生了对道德的需要，可是，道德又是怎样产生，又怎么能产生呢？荀子也觉此为难题，他自问："人之性恶，则礼义恶生？"因此，他的结论是："凡礼义者，是生于圣人之伪，非故生于人之性也"。"古者圣王以人之性恶，以为偏险而不正，悖乱而不治，是以为之起礼义、制法度，以矫饰人之情性而正之，以扰化人之情性而导之也，使皆出于治，合于道也"。总之，礼只能是圣人所制，而且要通过外在的教育给与人。

把必然性完全归于处在显意识化了的东西，难免其中回避着后天显意识的东西很难证明必然性的方面，这使得礼的真正必然性何以证明这个问题并没有得到解决。

荀子为了抬高"礼"在其体系中的决定性地位，他讲："天地以合，日月以明，四时以序，星辰以行，江河以流，万物以昌，好恶以节，喜怒以当；以为下则顺，以为上则明。万变不乱，贰之则丧也。礼岂不至矣哉！立隆以为极，而天下莫之能损益也。"这样，"礼"不仅是人之根本，而成为整个世界之根本。由此看来，在写作哲学体系中，礼与道比起来，道并非天道也非地道，充其量不过是人之道，这样“礼”这个范畴就被摆到了“道”之上。有人说“礼”是荀子哲学的核心范畴或最高范畴，并不过分，然而，不可忘记的是，“礼”这个范畴在在荀子体系中是被显意识化了的，并不在形而上意义上具有根本性质。在此意义上，荀子哲学并没有在道德必然性方面作出很好论证，显然比思孟、老庄要逊色。在他讲的礼是人为所制方面，实际上带有人在显意识行为中加给自然的色彩。这与其对于“天”的论述既能协调又相矛盾。

相矛盾的是，荀子哲学的鲜明特点是十分确认天人相分，这似乎是在强调客观物质的自然实在性；相协调的是，荀子哲学确认天人相分又正是为了强调人为规范力量，所以才讲“制天命而用之”。

第二节　韩非强调“守成理用自然”“巧诈不如拙诚”

韩非的学术贡献重要的是其法治学说，由此人们常讲他是春秋战国时期的法家思想之集大成者。

一、“道”与“理”，“形”与“刑”

韩非哲学中有个重要的哲学命题，即“理定而后物可得道也”[①]。韩非论述说：“道者，万物之所然也，万理之所稽也。理者，成物之文也；道者，万物之所以成也。故曰：‘道，理之者

① 《韩非子·解老》。

也’。物有理，不可以相薄，故理之为物之制。万物各异理。万物名异理而道尽。稽万物之理，不得不化；不得不化，故无常操；无常操，是以死生气禀焉，万智斟酌焉，万事废与兴焉”①。这一论述总地是说，成就万物变化固然是由于“道”，而更重要的在于“理”。

张岱年先生讲：“在先秦时代，理的观念发生颇晚。《论语》及《老子》中无理的观念。《孟子》中单独的理字曾一见：‘心之所同然者何也？谓理也义也’（告子篇）其所谓理指当然准则。《孟子》书中又有所谓条理，云：‘始条理者智之事也；终条理者圣之事也。’（万章篇）至《庄子》《荀子》及《易传》。理字便屡见了。《韩非子》《解老篇》以理解释道”。②

史料表明，在先秦哲学（孟子哲学前）的传统作用中，“理”这个概念，并不像“道”那样的概念有很高的形而上学性质。关于“理”这个字。《说文》讲，“理，治玉也”；《段注》说，“理为剖析也，玉虽至坚，而治之得其鰓理，以成器不难，谓之理”。可见，理这个字就其本义来说是与“治”或“制”、与“成器”紧紧联系在一起的。中国早期文献大都在这一意义上引申使用。如《左传》有“先王疆理天下”。③ 对此有注：“理，正也”。《尚书》记载周成王即位后宣布官制之诰令的文字，在阐明周代设官、分职、居官的大法时，讲到“论道经邦”就得“燮理阴阳”④ 这里的“理”带有正理、整理、治理、制理的意思。在《孟子》书中则由“始条理者智之事”，“终条理者圣之事”来与“成”来联系，并且由此内在于“心”，讲到“心

① 《韩非子·解老》。

② 张岱年：《中国哲学大纲》，中国社会科学出版社 1982 年版，第 51～52 页。

③ 《左传·成公》。

④ 《尚书·周官》。

之所同然者何也？谓理也义也”，孟子讲到“始条理者”，是比喻孔子集圣人之大成犹如奏乐始于“金声”终于“玉振”是靠技巧和力量来条理的。这使“理”明显地带有“使之条理”的含义。这就与造成某种形式、规范某种形式、制定某种礼乐联系在了一起，甚至可引申于制定某些典章、法规、制度等等。这明显地内在着“成”。

有学者认为，在中国古代思想史上的“理”主要有二意谓。第一意谓是“形式”；第二意谓是“常则”或“规律”。我们认为，这两个涵义都是对“理”由“成”“诚”而作出的处理。

通常讲，作为“形式”，一是人来造成形式、制成形式、定成形式，或者说是理“成”形式；二是事物本来固有的形式，这又与通常说的“通则”或“规律”相通。这里有主客体两方面的照应：客体的形式由人来“稽”即考察才谈得上人之主体来把握的形式，人之主体理出或造成形式得按客体本身固有的形式来形成；这里主客体又服从统一的“能则”或“规律”。中国古代哲学很重要的论题是“天人关系”问题，而这里的“天”在实际上主要是透过社会的人事看过去的事世之天，这里的“人”实际上主要是联系事世之天来讲的社会的人。其实，哲学上的主客体都映照于人，很难找到完全撇开人的因素的单纯主客体鲜明界限。中国古代哲学在开始把“理”提升为哲学范畴时，多从“理”字直观接的“治成”“制成”的意义开始，特别把人的行为意义包含其中，这是从“行为处理”着手，是在此基础上才把“理”形而上学化的。实际情况往往是：起初从“理”字所包含的通过治理、条理、处理便可具有某种形式的涵义出发，后又使“理”干脆代表“形式”，再就是让“理”表示与“形式”大体同一系列的概念即“规律”，这就与“道”这个形而上范畴相近了。从先秦的文献资料可以看出：基于“理，治玉也”；到“先王疆理天下”；到“燮理阴阳”；到“始条理者""终条理者"。这里的"理"是指作为人之行为的"治理""条理""处理"。又到"物成生理谓之形"[①];到"形体色理以目异"[②],"足以见须眉而察理矣"[③];到韩非讲"理者成物之文也","凡理者方圆短长粗靡坚脆之分也","短长大小方圆坚脆轻重白黑之谓理"[④]。

由"理"是指"形式"。再到"依乎天理"[⑤],"尔将可与语大理矣";"未明天地之理";"论万物之理"[⑥];"析万物之理"[⑦],"万物殊理";[⑧]到"凡人之患,蔽于一曲,而暗于大理","可以知,物之理也"[⑨];又到韩非讲"万物各异理"[⑩]。这里的"理"就接近于指带普遍必然性的"通则"或"规律"了。当"理"字主要指"治理""条理""处理",这是一个表征人的处理行为的形而下的概念;当"理"字来指"形式",这已接近于形而上的概念;当"理"字代表"通则""规律",就可认为达到了一定的形而上程度了。先秦以后的哲学以"理"来代表带普遍必然性规律的情况日益突出,当从它影响到宋明理学以"理"为中心来建构哲学体系的意义上来讲时,"理"字的形而上学意味就相当浓厚了。

韩非哲学由"理"这个概念的原初意义生发,来发挥自己哲学主旨,既借助其可向"形式""规律"范畴延伸的一面,使

① 《庄子·外篇》。
② 《荀子·正名》。
③ 《荀子·解蔽》。
④ 《韩非子·解老》。
⑤ 《庄子·养生主》。
⑥ 《庄子·秋水》。
⑦ 《庄子·天下》。
⑧ 《庄子·则阳》。
⑨ 《荀子·解蔽》。
⑩ 《韩非·解老》。

之与当时哲学已充分形而上学化了的“道”相贴近；又强调了它所具有的制作形式并可引申于法治的意义一面，使之与法家哲学的“法”相贴近。韩非这样作可为其提出“法治”观点服务。因为强调“理定而后物可得道”，由此便可讲“理定而物易割”，因此才能说，“欲成方圆而随其规矩，则万事之功形矣。而万物莫不有规矩，议言之士，计会规矩也，圣人尽随于万物之规矩”。这成为确立其“法治”学说的重要理论根据。

再另有意味的是，韩非还提出了一个论断，“人主将欲禁奸，则审合刑名”。这里把当时常常争论“名实”关系时关注的“名”取过来进一步同“刑”字联系加以立论，也颇有双面映照的哲学技巧。因为在当时的文字上“刑”与“形”字通，还作“事”字解。这又就让“刑”既与主体客体相渗透的“形”（客体有成之形式、主体造成之形式）通，也与主体客体相渗透的“事”（客体本来之世事、主体所为之从事）通。而与“名”联系在一起来讲审合，这样就对“名”强调了：既要与客体有成之形式及客体本来之世事相合，又要与主体造成之形式及主体所为之从事相合；而且是要与客体有成之形式及主体造成之形式，与客体本来之世事及主体所为之从事，同时相合。这就在“名”上影映了主体与客体、形而上与形而下的统一。这同时是解决当时确立刑法中矛盾的很好根据。

二、“巧诈不如拙诚”与“积于信”

以上可见，韩非由“道”而讲“成”，如他所说，“道者，万物之所以成也”。韩非联系“自然”来讲“成”和“理”，他有句非常著名的话：“守成理，因自然”。韩非也讲到“诚”。他对照于“巧诈”强调，“巧诈不如拙诚”。韩非在《说林上》里的原话是这样的：“乐羊为魏将而攻中山，其子在中山。中山之君烹其子而遗之羹。乐羊坐于幕下而啜之，尽一杯。文侯谓堵师赞曰:'乐羊以我故而食其子之肉。'答曰:'其子而食之,且谁不食?'乐羊罢中山,文侯赏其功而疑其心。孟孙猎得麑使秦西巴持之归,其母随之而啼。秦西巴弗忍而与之。孟孙适至而求麑。答曰:'余弗忍而与其母'。孟孙大怒,逐之。居三月,复召以为其子傅。其御曰:'曩将罪之,今召以为子傅,何也?'孟孙曰:'夫不忍麑,又且忍吾子乎?'故曰:'巧诈不如拙诚'。乐羊以有功见疑,秦西巴以有罪益信。"① 在这段话中,韩非由两段历史故事论述了巧诈不如拙诚的道理。

在中国古典文字中"诚者,信也"。韩非紧紧把握这一点,在讲诚时,更多地讲"信"。用他的话说即:"小信成,则大信立,故明主积于信"。② 韩非主要是重在以"信"说"诚"、说"成"。

韩非在《外诸说左上》篇中列举许多历史故事对此加以论证。他写道:"晋文公攻原,裹十日粮,遂与大夫期十日。至原十日而原不下,击金而退,罢兵而云。士有从原中出者,曰:'原三日即下矣。'群臣左右谏曰:'夫原之食竭力尽矣,君姑待之。'公曰:'吾与士期十日,不去,是亡吾信也。得原失信,吾不为也。'遂罢兵而去。原人闻曰:'有君如被其信也,可无归乎?'乃降公。卫人闻曰:'有君如被其信也,可无从乎?'乃降公。孔子闻而记之曰:'攻原得卫者,信也。'"③ 他又例举说:"楚厉王有警,为鼓以与百姓为戍。饮酒醉,过而击之也,民大惊。使人止之,曰:'吾醉而与左右戏,过击之也。'民皆罢。居数月,有警,击鼓而民不赴。乃更令明号而民信之。"④

---

① 见王先慎:《韩非子集解》,中华书局2006年版,第178页。

② 见王先慎:《韩非子集解》,中华书局2006年版,第265页。

③ 见王先慎:《韩非子集解》,中华书局2006年版,第285~286页。

④ 见王先慎:《韩非子集解》,中华书局2006年版,第287页。

韩非基于“诚信”强调“赏罚敬信”。荀子有言：“与端诚信全之士为之则霸”①。韩非则说：“圣人之治也，审于法禁，法禁明著则官治；必于赏罚，赏罚不阿则民用，民用官治则国富兵强，而霸王之业成矣。”② 韩非说：“赏誉薄而谩者，下不用也；赏誉厚而信者，下轻死”③，“刑罚不必，则禁令不行”④。在韩非治道思想中主张君主“用术”，“对象主要是臣，但也偶用于百姓”⑤。韩非讲，“术者，藏之于胸中，以偶众端而潜御群臣者也。”⑥

韩非由“信”还讲到“信名”、“信事”、“信义”。韩非说：“信名，则群臣守职，善恶不逾，百事不怠；信事，则不失天时，百姓不逾；信义，则近亲劝勉而远者归矣。”⑦

三、“法”、“术”、“势”

在古代的希腊罗马，“法”是随着氏族灭亡、显族土地私有者的产生而出现的；在中国的古代，没有典型地形成梭伦式的变法，最初只是在氏族血缘纽带中出现了区别贵贱的礼制，有所谓“礼不下庶人”。“齐之于法”的制度，在氏族贵族专政的政体上是难以出现的。到春秋时代，随着氏族贵族制度的动摇，由“礼”制走向“法”制成为历史趋势。表现在理论上形成了“礼”与“法”的争论。在郑国，子产立刑书，遭晋国叔向贻书反对；在晋国，铸范宣子刑书于刑鼎，孔子听了非常不满。因

① 见王先谦：《荀子集解》，中华书局 2007 年版，第 209 页。
② 见王先慎：《韩非子集解》，中华书局 2006 年版，第 417 页。
③ 见王先慎：《韩非子集解》，中华书局 2006 年版，第 213 页。
④ 见王先慎：《韩非子集解》，中华书局 2006 年版，第 212 页。
⑤ 见王先慎：《韩非子集解》，中华书局 2006 年版，第 102 页。
⑥ 见王先慎：《韩非子集解》，中华书局 2006 年版，第 380 页。
⑦ 见王先慎：《韩非子集解》，中华书局 2006 年版，第 286 页

为虽然"礼"和"法"都是法权形式，但二者对经济与政治关系的维系不论内容上还是形式上都不同。"礼"在当时维护的是奴隶主氏族贵族制度，讲起来在于"别"，只讲上下尊贱之别而不讲在一个标准之下来"齐"；而"法"确立的主要在于否定奴隶主氏族贵族制度并建立封建制度，在制定时强调"齐"，即所谓"范天下之不一而归于一"。到了战国，土地财产关系由氏族贵族"公有"转向封建地主"私有"已是大势所趋。后来秦国正式实行了变法。

这些客观事实以及韩非之前的理论总结，为韩非哲学奠定着基础。先秦儒家基本上是强调"礼"的，强调以"正名"来"复礼"，而到荀子便开始脱离这个传统，强调"制名指实"并以礼释法。墨家没能明白地倡导法治，但也就名实之辨在反对礼制方面发挥了许多见解。至于前期法治派人物则在推行法制过程中形成了大量的主张，如李俚、吴起等人的理论观点。除以上所说的这些以外，特别有三个人的思想材料给韩非的法治学说提供了直接的借鉴，这就是商鞅、申不害、慎到讲到过的"法""术""势"思想。

商鞅在秦国变法中起了重要作用，其重"法"这是毫无疑问的。但韩非认为他"徒法而无术"①。因此虽使秦"国富而兵强，然而无术以知奸，则以其富强也资人臣而已矣"。所以韩非强调，"正明法，陈严刑，将以救群生之乱。去天下之祸，使强不凌弱，众不暴寡，耆老得遂，幼孤得长，边境不侵，君臣相亲，父子相保，而无死亡系虏之患。"②"人主虽使人，必以度量准之，以刑名参之……功当其言赏，不当则诛。以刑名收臣，

① 《韩非子·定法》。

② 见王先慎：《韩非子集解》，中华书局2006年版，第102页。

以度量准下，此不可释也”。[①]“明主之所导制其臣者，二柄而已矣。二柄者，刑德也。何谓刑德？曰：杀戮之谓刑，庆赏之谓德。为人臣者畏诛罚而利庆赏，故人主自用其刑德，则群臣畏其威而旧其利矣。”[②] 这样，就要说到“术”。韩非讲：“术者，藏之于胸中，以偶众端而潜御群臣者也”。[③]

对于申不害，《史记》讲他本于黄老，有学者认为他不能算作是法家人物，但他“主刑名”，其特点是重于言“术”。而韩非批评他“徒术而无法”。[④] 因此讲，他“虽十使昭侯用术，而奸臣犹有所谲其辞矣。故托万乘之颈韩十七年，而不至于霸王者，虽用术于上，法不勤饰于官之患也”[⑤]。于是韩非讲到，“术者，因任而授官，循名而责实，操生杀之柄，课群臣之能者也：此人主之所执也。法者，宪令著于官府，刑罚必于民心，赏存乎慎法，而罚加乎奸令者也：此臣之所师也。君无术则弊于上，臣无法则乱于下，此不可一无，皆帝王之具也。”[⑥] 这里强调了“法”和“术”的不可缺一的性质；同时确认了“法”和“术”的各自特点。

慎到曾为稷下先生，学黄老之术，《庄子·天下》从道家的学说肯定他的观点，许多人认为他基本是近于道家。也有人认为他是由道到法的过渡人物，他的思想具有道法两方面，其法家思想是由道家的天道观导出。慎子说，“天道，因则大，化则细。因也者，因人之情也。人莫不自为也，化而使之为我，则

① 见王先慎：《韩非子集解》，中华书局2006年版，第364页。

② 见王先慎：《韩非子集解》，中华书局2006年版，第39页。

③ 见王先慎：《韩非子集解》，中华书局2006年版，第380页。

④ 《韩非子·定法》。

⑤ 《韩非子·定法》。

⑥ 《韩非子·定法》。

莫可得而用矣。"[①] 这显然是注重天道与人事同律。《庄子》书《天下篇》写到：对于"古之道术"的内容，慎到等人"闻其风而悦之"；因此评论说，他们能"齐万物为首，曰：'天能覆之而不能载之，地能载之而不能覆之，大道能包之面不能辨之'。……是故慎到弃知云已，而缘不得已。冷汰于物，以为道理"。"无建己之患，无建己之累"，"故曰：'至于若无知之物而已，无用贤圣，夫块不失道'"。对此有的书这样评述说，"'大道能包之而不能辩（平）之'，故须'因'，'因则大'，故'能包之'而'无遗'，一任物之自然"。"应用于人事，就是一任人之自为，不欲'化而使之为我'。所以说：'选则不偏，教则不至，道则无遗者矣'，'齐万物以为首（道）'"。[②] 这就对慎子的"因则大""因也者，因人之情也"作出了解释。可见，在慎子看来，出于"化则细"而人又"莫不自为"，可"化而使之为我，则莫可得而用矣"。于是慎子从"天道"出发，肯定为之自然的"因"而否定人之自为的"化"。正因为这样，他主张"弃知去己而缘不得已""笑天下之尚贤"，他在言法的时候不反言"法"而且言"势"特别以言"势"见称。在韩非著作中曾引述了慎到这样一大段话曰："飞龙乘云，腾蛇游雾。云罢雾霁，而龙蛇与螾螘同矣，则失其所乘也。贤人而诎于不肖者，则权轻位卑也；不肖而能服于贤者，则权重位尊也。尧为匹夫，不能治三人；而桀为天子，能乱天下；吾以此知势位之足恃而贤智之不足慕也。""由此观之，贤者未足以服众，而势位足以御贤者也"。[③] 由此可见，韩非强调法术势相结合，实现"治道"，既

① 《慎子·因循》。

② 侯外庐等：《中国思想通史》第1卷，人民出版社1957年版，第601～612页。

③ 《韩非子·难势》。

要“用术”，又要有“诚信”。有学者指出，“这一议论”，出于“慎子，是很自然的。因为他注意古代公权制度的现实，自然会注意到‘势位’、‘威势’以及‘权’、‘柄’，因而不重视贤智或反对尚贤用智……他的主‘因’反‘化’的前提，又必然导出势治主义的结论，以与德治主义相对抗。这种主张，后来为韩非所接受”[①]。韩非是非常赞同慎子的“势论”的，并特别突出其在掌握政权的法治中应用。他强调，“法莫如显，而术不欲见”。[②] 他有一句十分经典的话，即“抱法处势则治，背法去势则乱”[③]。韩非由“物成生理谓之形”“理者成物之文也”对“法”“术”“势”进行了展开论证。

韩非不愧为法家思想之集大成者。其“法”“术”“势”相结合的学说是对当时法治观点的重要理论提高。在“法”“术”“势”的整体理论结构中，他力求实现形而下与形而上的统一。

① 侯外庐等：《中国思想通史》第1卷，人民出版社1957年版，第604页。
② 《韩非子·定法》。
③ 《韩非子·难势》。

第十五章　汉代董仲舒的"天瑞应诚而至""天道成"与王充的"成气而行之""务实诚"

第一节　董仲舒的"天瑞应诚而至""天道成"

中国历史发展到秦汉，建立了中央集权的封建王朝。此时非常需要能使这种政权得以巩固的意识形态。"天帝""神权"，从东周以来已发生动摇，而到秦汉以后又重新复兴起来。这不是历史的重复，而是吸取以往思想成就加以发挥来建立新的体系。当时，理论化了的思想材料主要保存在先秦留下来的"经学"（这里主要指古文经学）之中；同时，所谓的"纬学"（大量在民间当中生长流传）也被利用。

西汉的董仲舒（前197—前104）提出"独尊儒术"。董仲舒哲学的特点在于：既有对以往经典加以改造，充分利用先秦学说并把它神学化，使古文的子学走向新时期的经学，并在成为今文经学的过程中使之世俗化；又有对纬学内容加以吸收使之成为经学内容，以至形成谶纬之滥觞，使传统经学神学化。

一、"天瑞应诚而至"

董仲舒论述了一个"天人感应"的体系。董仲舒在其著名的《天人三策》中讲到：“春秋之中，视前世已行之事，以观天人相与之际，甚可畏也。国家将有失道之败，而天乃先出灾害以谴告之；不知自省，又出怪异以警惧之；尚不知变，而伤败乃至。以此见天心之仁爱人君而欲止其乱也。自非大亡道之世者，天尽欲扶持而全安之，事在强勉而已矣。……道者，所由适于治之路也，仁义礼乐皆其具也。……教化之情不得，雅颂之乐不成，故王者功成作乐，乐其德也。……孔子曰‘人能弘道，非道弘人’也。故治乱废兴在于己，非天降命，不可得反”，“天之所大，奉使之王者，必有非人力所能致而自至者，此受命之符也。天下之人，同心归之，若归父母，故天瑞应诚而至。书曰：白鱼入于王舟，有火复于王室，流为乌，此盖受命之符也。……及至后世，淫佚衰微，不能统理群生，诸侯背叛，残贼良民，以争壤土，废德教而任刑罚，刑罚不中则生邪气，邪气积于下，怨恶畜于上，上下不和，则阴阳缪戾而妖孽生矣，此灾异所缘起也”。①

董仲舒强调“天瑞应诚而至”，他由“道”而论，又论及“天心”“天志”。“天瑞应诚而至”实质上是对“天”之必然性的一种猜测。

二、“天道成”与“心中之诚”

在董仲舒的哲学体系中，首先的命题是对“春秋”之道进行陈述。这是围绕“天道施，地道化，人道义”② 所进行的论说。董仲舒写有：“天之道，有序而时”③。“天之道，春暖以生，夏暑以养，秋清以杀，冬寒以藏。暖暑清寒，异气而同功，皆

① 董仲舒：《天人三策》，《汉书·董仲舒传》。

② 董仲舒：《春秋繁露·天道施第八十二》。

③ 董仲舒：《春秋繁露·天容第四十五》。

天之所以成岁也。圣人副天之所行以为政，故以庆副暖而当春，以赏副暑而当夏，以罚副凉而当秋，以刑福寒而当冬。庆赏罚刑，异事而同功，皆王者之所以成德也。"[①]"天之道，出阳为暖以生之，出阴为清以成之。是故非薰也不能有育，非溧也不能有熟，岁之精也。知心而不省薰与溧孰多者，用之必与天戾。与天戾，虽劳不成。是自正月至于十月，而天之功毕。"[②] 就此，董仲舒论述了，"计其间""阴与阳各居几何"，"距物之初生，至其毕成"，"天降物固已皆成"；他讲到了"天之成功""功已毕成之后"，表现出的种种情况。[③]

董仲舒又讲到，"循天之道以养其身，谓之道也。天有两和，以成二中，岁立其中，用之无穷。""是故东方生而西方成，东方和生，北方之所起；西方和成，南方之所长。起之，不至于和之所，不能生；长之，不至于和之所，不能成。成于和，生必和也；始于中，止必中也。中者天地之所终始也，而和者天地之所生成也。"[④]

董仲舒把"三"当作"成数"，他将其作为定数，作为基准，强调"立成数以为植"[⑤]，"天以三成时，五以三自持。"[⑥] 他论述说："何谓天之大经？三起而成日，三日而成规，三旬而成月，三月而成时，三时而成功。寒暑与和，三而成物；日月与星，三而成光，天地与人，三而成德。由此观之，三而一成，天之大经也，以此为天制。是故礼三让而成一节，官三人而成一选……"；之后，对"取诸天之经"、"取诸天之时"、"取诸岁

① 董仲舒：《春秋繁露·四时之副第五十五》。
② 董仲舒：《春秋繁露·暖燠常多第五十二》。
③ 董仲舒：《春秋繁露·暖燠常多第五十二》。
④ 董仲舒：《春秋繁露·循天之道第七十七》。
⑤ 董仲舒：《春秋繁露·官制象天第二十四》。
⑥ 董仲舒：《春秋繁露·官制象天第二十四》。

之度”、“取之天之瑞”[1]，进行了拓展。

董仲舒强调“敬老阳而尊成功”[2]。他讲，“天之大数必有十，天地之数，十而毕举。旬，生长之功，十而毕成。”“天之所为，弗乍而成也。人之所为，亦当弗乍而极也”。[3] 他由此总结了历史上“成文武之制”[4]，“尊无以成功”“巍巍乎其有成功也”[5]，一系列的事情。

董仲舒还就“常一而不二，无之道”，强调了“事无大小，物无难易，反天道无成者。”他举例说“是以目不能二视，耳不能二听，一手不能二事。一手画方，一手画圆，莫能成。”所以“人为小易之物，而终不能成，反天之不可行如是。”[6] 董仲舒另外讲：“天道之常，一阴一阳。阳者天之德也，阴者天之刑也。亦阴阳终岁之行，以观天之所亲而任，成天之功，犹谓之空，空者之实也。”[7] 这里涉及于天道的运行，阴阳以成岁功。阳为主，因天道以春、夏、秋来生长，成熟万物；阴为辅，表现为天道以冬季来蓄藏、丧死万物。“天出阳，为暖以生之；地出阴，为清以成之。不暖不生，不清不成。”[8] 由“一阴一阳”“成天之功”，董仲舒进而又涉及“五行”。

董仲舒还引申论证了“气”和“五行”，并以之比附“五官”。他说，“天地之气，合而为一，分为阴阳，判为四时，列为五行。行者，行也，其行不同，故谓之五行。五行者，五官

① 董仲舒：《春秋繁露·官制象天第二十四》。
② 董仲舒：《春秋繁露·天辨在人第四十六》。
③ 董仲舒：《春秋繁露·基义第五十三》。
④ 董仲舒：《春秋繁露·三代改制质文第二十三》。
⑤ 董仲舒：《春秋繁露·奉本第三十四》。
⑥ 董仲舒：《春秋繁露·天道无二第五十一》。
⑦ 董仲舒：《春秋繁露·阴阳义第四十九》。
⑧ 董仲舒：《春秋繁露·基义第五十三》。

也，比相生而间相胜也。故为治，逆之则乱，顺之则治。"[①] 董仲舒利用五行相生，即木生火，火生土，土生金，金生水，水生木，以此来比附政事和官职，认为司农（木）、司马（火）、司空（土）、司徒（金）、司寇（水）这几个官职相互依存，共同促进。此乃是天人感应的重要内容。董仲舒还以五行配四时，认为五行中的木、火、土、金、水各有其德行。人的行为，顺应时节的德行则顺利，有祥瑞，背逆时节的德行，则会有灾异，造成灾患。即"逆之则乱，顺之则治"。

董仲舒又由"天道""五行"讲到"五事"。所谓"五事"指貌、言、视、听、思心。董仲舒以"五行"与"五事"相对应。他强调，这样会有"王者能敬"、"王者能治"、"王者能知"、"王者无失谋"，才会使"王者能圣"。相反，"王者心不能容，则稼穑不成"。[②]

董仲舒由"天道、地道、人道"，由"阴阳"、"五行"、"五事"，讲到"人之性"，讲到"成性""人之诚"。董仲舒讲，"天地之精所以生物者，莫贵于人。"[③] "人体之形，化天数而成"。[④] "天令之谓命，命非圣人不行；质朴之谓性，性非教化不成；下务明教化明，以成性也"。[⑤] 董仲舒讲到，"天令之谓命，命非圣人不行；质朴之谓性，性非教化不成；人欲之谓情，情非度制不节。是故王者上谨于承天意以顺命也，下务明教化民以成性也；正法度之宜，别上下之序，以防欲也。"[⑥] "常玉不琢，不成

① 董仲舒：《春秋繁露·五行相生第五十八》。
② 董仲舒：《春秋繁露·五行五事第六十四》。
③ 董仲舒：《春秋繁露·人副天数第五十六》。
④ 董仲舒：《春秋繁露·为人者天第四十一》。
⑤ 董仲舒：《天人三策》，《汉书》《董仲舒传》。
⑥ 董仲舒：《天人三策》，《汉书》《董仲舒传》。

文章；君子不学，不成其德”。[①]

关于命、性、情的问题。董仲舒又说：“命者天之令也，性者生之质也，情者人之欲也。或夭或寿，或仁或鄙，陶冶而成之，不能粹美，有治乱之所生，故不齐也。”[②] 他强调，“仁人者，正其道不谋其利，修其理不急其功”，“春秋之义，贵信而贱诈，诈人而胜之，虽有功，君子弗为也。”他反对“诈以成功”[③]

董仲舒由“仁”讲到“礼”，由“礼”讲到“成”“诚”：“应其治时，制礼作乐以成之。成者，本末质文皆已具矣。”[④]“敬宗庙，大礼也。……君子之祭也，躬亲之，致其中心之诚”。[⑤]

三、“深察名号”与“得人之诚”

另外，董仲舒还回绕着名号的起源问题，写了《深察名号》。董仲舒讲，“名者，大理之首章也。录其首章之意以窥其中之事，则是非可知。逆顺自著，其几通于天地矣。是非之正，取之逆顺；逆顺之正，取之名号；名号之正，取之天地。天地为名号之大义也”。

《深察名号》深入涉及到关于名号作为发声的物质现象和指号行为、命名行为的发生学问题。文中讲到，“謞而效天地谓之号，鸣而施命谓之名。名之为言鸣与命也，号之为言謞而效也”。[⑥] 这里的“謞”即大声“呼叫”或“嗥叫”，这里的“鸣”

① 董仲舒：《天人三策》，《汉书》《董仲舒传》。
② 董仲舒：《天人三策》，《汉书》《董仲舒传》。
③ 董仲舒：《春秋繁露·对江都王越大夫不得为仁第三十二》。
④ 董仲舒：《春秋繁露·楚庄王第一》。
⑤ 董仲舒：《春秋繁露·祭义第七十六》。
⑥ 董仲舒：《春秋繁露·深察名号第三十五》。

也是指发出的声音。也就是说，由大声呼叫效法着天地必然性这叫作“号”；以所发出的声音指谓对象就叫作“名”。名就是以“鸣”即由所发之声音加以命名；号就是在“謞”中，即在大声呼叫中效法着天地。董仲舒在这里实际上强调了它是遵循着一种必然性而发生的。因此，董仲舒说，“謞而效天地者为号，鸣而命者为名，名号异声而同本，皆鸣号而达天意者也”。[①]这里强调着，呼叫是效法着天地即遵循着某种必然性发生的。发声是命名行为，它们实际上是“同本”的，均为“达天意者也”。名号“达天意”显然体现着名号表现着必然性的思想，这实际上是说，那不说话的“天”让人来说出或体现出那带必然性的“天意”，即所谓“天不言，使人发其意；弗为，使人行其中；名则圣人所发天意，不可不深观也”。[②] 这里讲到天不说话而要人用语言体现其意；天不行为，但要人行为于其必然性之中。当然，董仲舒只强调“圣人所发天意”，但如果不把“天意”只归于“圣人”“所发”，而且用这“天意”指必然性，即认为人类的整个的“所发”积淀并体现着必然性，那人类所发“天意”，就是能成立的了。可以说，董仲舒立足于实现对于形而上之必然性的追问，强调对名号“不可不深观也”，并且提出了“随其名号以入其理”[③] 的关于“循名以得理”的见解。

董仲舒还讲，“正名号者于天地，天地之所生，谓之性情”[④]，并围绕于此，由“栣”（禁）论述了“心”与“名”的关系，进而论到“诚”。他说：“栣众恶于内，弗使得发于外者，心也，故心之为名栣也。人之受气苟无恶者，心何栣哉？吾以

① 董仲舒：《春秋繁露·深察名号第三十五》。

② 董仲舒：《春秋繁露·深察名号第三十五》。

③ 董仲舒：《春秋繁露·深察名号第三十五》。

④ 董仲舒：《春秋繁露·深察名号第三十五》。

心之名得人之诚。”[1] 这是说，从内部把一切罪恶禁制（衽），使之不发于外，这是由于心，所以心的得名是由“衽”（禁制）而来。如果人所秉的气质不含恶的话，心还禁制什么呢？董仲舒强调，“心之名”是符合于“人之诚”的。因为人有贪性有仁性，这两性都在人身上。董仲舒还讲，“孔子立新王之道，明其贵志以反和（利之误），见其好诚的灭伪，其有继同之弊，故若以也”（《春秋繁露》选 P33）这是说，孔子为新王立法，强调安贵“志”，要崇尚“诚”而反“伪”。这在周代发生的弊端之后，故若如此。

董仲舒强调“好诚”、“得人之诚”，认为有“诚”才得以“成”。即所谓，“王承天意以成民之性”，“民受未善于天而退受成教之性于王”。这成为韩非《诡使篇》里说的“夫立名号所以为尊也”的另一表述。在这样的体系里名号固定起来，并和法典形式相适应。

第二节　王充的“成气而行之”“务实诚”

在汉代，有这样一种情况影响着后来的思想史，即儒家思想与黄老思想，在对立、矛盾中，互补乃至融汇。对于这时的儒与道思想之间的关系，研究者总结了这样几个阶段：第一阶段，在汉初。儒道作为两种体系完全外在地对立着。有所谓，“世之绌老子者，则非儒学，儒学亦非老子。道不同，不相为谋”。两者的斗争，有时甚至达到白热化程度，这表现于如窦太后之与辕固生，以及赵绾、王藏之被罢黜等等；但同时也发生

① 董仲舒：《春秋繁露·深察名号第三十五》。

了相互影响，例如陆贾、贾谊、韩婴、董仲舒，就都吸取了黄老的思想，提出了不少儒道结合的命题。虽然如此，在总体上他们却是对黄老思想进行批判的。所以这一阶段可以称之为外在对立的阶段。第二阶段，在儒学定于一尊以后。虽然黄老和儒学的对立更加尖锐，但两者相互吸收融合的倾向却在继续发展。如《淮南子》的许多思想和命题、司马迁的许多思想观点，《道德指归》关于"天心"的观念等等。第三阶段，儒家思想吸收黄老的基本观念，成为自己体系的基石，而使儒学本身发生了重大变化。此时的杨雄、桓谭等人，钻研古文经学，又受黄老之学影响形成了兼融儒道思想的独特风格。这阶段的开端可先说到扬雄（公元前 53 年一公元 18 年）。对杨雄，《汉书》作扬雄，经清段玉裁考证，"扬"作"杨"。扬雄在其著作《太玄》的宇宙图式之中提出一个，其"玄"的观念，就是来自老子的。所以《太玄》能傲然独立于当时的谶纬迷信思潮而为崇尚自然，开辟出影响深远的道路。接着是桓谭（公元前 20一公元 56 年）。桓谭"遍习五经，皆诂训大义，不为章句"。[①] 汉成帝时仕为郎。王莽篡汉，为掌乐大夫，更始时为太中大夫，东汉光武时征为待诏，因反对谶纬，几遭处斩，被贬为六安郡丞。他反对谶纬迷信，认为"谶出《河图》《洛书》，但有兆朕，而不可知。后人妄复加增依托，称是孔丘，误之甚也"。[②] 桓谭在形神观上提出烛火之喻："精神居形体，犹火之然（燃）烛矣。""烛无，火亦不能独行于虚空。"[③] 他反对神仙长生，认为"无仙道，好奇

① 《后汉书・桓谭冯衍列传》。

② 桓谭：《启寤》。

③ 桓谭：《祛蔽》。

者为之。”① “生之有长，长之有老，老之有死，若四时之代谢矣。”② 其形神论为以后范缜《神灭论》的先导。他肯定“人抱天地之体，怀纯粹之精，有生之最灵者也。”③ 其思想对王充有一定影响。其形亡神灭的观点，后为王充所直接继承。

王充是东汉的重要思想家。王充（公元 27 年～约公元 100 年），字仲任，会稽郡上虞（今浙江上虞）人。祖、父辈以“农桑为业”、“贾贩为事”④ 其家族世代豪侠任气。“勇势凌人，末复与豪家丁伯等结怨，举家徙处上虞”⑤。王充做过著名学者班彪的学生，为学不守章句，“博通众流百家之言”。⑥ 王充的主要著作有《讥俗节义》《政务》《养性》和《论衡》。现存《论衡》之中，81 篇，其余已佚。

王充在其主要著作《论衡》之中，揭露经学和谶纬的虚妄，还对经书本身提出怀疑。他对儒家经书与诸子著作的关系提出一个非常大胆而新颖的看法：“书亦为本，经亦为末。”⑦ 王充认为圣贤虽然杰出，不可能一切看法都“得实”。而学问之道就贵在“得实”，所以“问难”是正当的，批评圣人的错误是必要的。王充认为当时经学统治和谶纬泛滥造成的错谬纷乱必须廓清。而这并不表明王充属于道家或属于法家。事实上，他在批评儒家的同时，又尊孔子为“百世之圣”⑧，赞成儒家的养德、用贤和礼义，还赞成“死生有命，富贵在天”的观点。他吸取

① 桓谭：《辨惑》。
② 桓谭：《袪蔽》。
③ 桓谭：《正经》。
④ 王充：《论衡·自纪》。
⑤ 王充：《论衡·自纪》。
⑥ 《后汉书·王充传》。
⑦ 王充：《论衡·书解》。
⑧ 王充：《论衡·别通》。

道家的"天道自然"思想，又反对道家的消极避世和神仙思想。同时，他又对法家的狭隘功利思想予以反对。他肯定墨子的感觉论，赞成薄葬，又反对墨子的"天志"、"明鬼"论。他肯定墨家的逻辑方法。后人评论说，王充的思想"乍出乍入，或儒或墨"①。《四库全书》将其列为杂家。应该说，王充是一位融合百家、具有独创精神的思想家。

一、"成气而行之"

王充哲学思想的核心或基本概念是元气自然论。②

"元气自然论"是由"元气"和"自然"两个概念组成的。"气"在中国思想史上是一个古老的范畴，在老子提出自然概念之前，气的范畴已经产生了。不过在先秦还没有"元气"这名。"元气"是汉代才提出的。西汉初，《春秋繁露》中就出现了元气思想。《春秋繁露·王道篇》说："王正则元气和顺，风雨时，景星见，黄龙下"。这一思想含着一种矛盾，"气"要么体现于作为物的"天地"，要么成为神灵的。关于前者，《淮南子·天文训》说："道始于虚霩，虚霩生宇宙，宇宙生元气（原无'元'字，依庄逵吉校补），元气（原无'元'字，依逵吉校补）有涯垠，清阳者薄靡而为天，重浊者凝滞而为地"。在此，元气被认为是天地由以产生的原始的气。后来，元气概念得到了广泛运用，成为哲学、天文学、医学、音乐等领域流行的用语。而谶纬则走着后一条路线，宣扬元气是由神产生的。两汉之际，杨雄和桓谭是批评谶纬迷信的代表人物。

王充则继承桓谭，给予汉代的神学目的论以有力的打击。王充认为，元气是世界的基元。天地间的一切，包括天上的日

① 《抱朴子：喻蔽》。

② 参阅任继愈主编：《中国哲学史》第2册，人民出版社1963年版。

月星辰，地上的飞潜动植，都是由元气构成的。[①] 他说：“夫日者，火之精也”[②]。“雷者，太阳之激气也”[③]。“虫，风气所生”[④]。“阴阳之气，凝而为人”[⑤]。“凡天地之间，阴阳所生，蛟（蚑）蛲之类，蜫蠕之属，含气而生”[⑥]。“万物之生，皆禀元气。”[⑦]“物随气变”。[⑧] 王充认为，在自然界中，某种事物的生长繁殖，一般地表现为“因气而生，种类相产”的特点。而各种事物之间的联系、变化，则表现出“殊气相革而相成”的规律。如他在《遣告》篇中说道：“凡物能相割截者，必异性者；能相奉成者，必同气者也。是故《离》下《兑》上曰革。革，更也。火金殊气，故能相革。如俱火而皆金，安能相成?”这就是说，能够使事物相互促进的，必是同一类事物；能够相互取长补短的事物，必是异质的事物。性质相反的事物可以“相革相成”，使一方的性质发生变化。《周易》革卦正是用离（☲）象征火，兑（☱）象征金来组成“革卦”。金在火上，火可烁金，这便是“革卦”的内蕴。如若同为火或俱为金，何革何成之有？那就成了“以水济水”，不能促使事物向新的方面发展。这样，殊气相革，实乃相成。革其过而成其德，纠其偏而正其行，使事物进入新的存在状态。王充还根据“殊气相革相成”的辩证矛盾思想，批判了天谴灾异来警告人君的说法。

---

① 参见，金春峰：《汉代思想史》，中国社会科学出版社 1987 年版，第 478～479 页。

② 王充：《论衡·感类》。

③ 王充：《论衡·雷虚》。

④ 王充：《论衡·商虫》。

⑤ 王充：《论衡·论死》。

⑥ 王充：《论衡·商虫》。

⑦ 王充：《论衡·言毒》。

⑧ 王充：《论衡·讲瑞》。

王充强调，人也是由气构成的。不过人具有精神和智慧。"人，物也，万物之中有智慧者也。其受命于天，禀气于元，与物无异"。[①] 王充认为人的精神智慧来源于精气，即一种精细的具有精神属性的气。王充说："夫人所以生者，阴阳气也。阴气主为骨肉，阳气主为精神。人之生也，阴阳气具，故骨肉坚、精气盛。精气为知，骨肉为强。故精神言谈，形体固守。骨肉精神，合错相持，故能常见而不灭亡也。"[②] 他从形神关系方面论证说："形需气而成，气需形而知，天下无独燃之火，世间安得有无体独知之精？""人死血脉竭，竭而精气灭，灭而形体朽，朽而成灰土，何用为鬼？"[③]

二、"务实诚"

王充在《论衡》中，多次强调"实诚"："实诚在胸臆，文墨著竹帛，外内表里，自相副称，意奋而笔纵，故文见而实露也。"[④] "圣人作经气，著传记，匡济薄俗，驱民使之归实诚也。"[⑤] 认为其作《论衡》也在于世人多不实诚；"又伤伪书俗文，多不实诚，故为《论衡》之书。"[⑥] "虚妄显于真，实诚乱于伪，世人不悟，是非不定，紫朱杂厕，瓦玉集糅，以情言之，岂吾心所能忍哉！"[⑦]

在王充《论衡》中很有特色的是其关于"九虚三增"的 12 篇。王充在说明这 12 篇论文的写作目的时说："汉有实事，儒

---

① 王充：《论衡·辨祟》。
② 王充：《论衡·订鬼》。
③ 王充：《论衡·论死》。
④ 王充：《论衡·超奇》。
⑤ 王充：《论衡·对作》。
⑥ 王充：《论衡·自纪》。
⑦ 王充：《论衡·对作》。

者不称，古有虚美，诚心然之，信久远之伪，忽近今之实，斯盖三增九虚所以成也。”[①] 这“九虚三增”中，批评的“九虚”是：“书虚”“变虚”“异虚”“感虚”“福虚”“祸虚”“龙虚”“雷虚”“道虚”；而王充批评的“三增”是：“语增”“儒增”“艺增”。这里的基本精神是本着“务实诚”“疾虚妄”的精神，对汉儒特别是董仲舒的“天人感应”论以及当时曾流行的谶纬神学进行批评。他特别强调说：“九虚三增，所以使世俗务实诚也。”[②]

王充在其《论衡》中有许多关于“成”“诚”的论述。

他在“物势篇”中讲到，“欲为之用，故气相贼害，贼害，相成也”；“不相贼害，不成为用，金不贼木，木不成用；火不炼金，金不成器”；“故之盾物相贼相利”。[③] 这里的意思是，互相侵害，具有相成的作用，不然就不成为用。这种互相侵害同时也就是相互有利。

王充又在“异虚篇”中讲，“天用成谷道，从天降而和，且犹谓之善，况能成之谷从雨下！”这是讲，天根据“成谷之道”，从天降下适合庄稼生长的风雨，作为对人事的应和，尚且还说它是吉兆，何况现成的谷物随雨而降呢？总之，“阴阳和则谷稼成”，“阴阳和者谷之道也”，“绦成帛，缕成布。”“赐人绦缕，犹为重厚，况遗人以成帛与织布乎！”[④]

在“命禄篇”中王充还讲道：“或施而功不立，或行而事不成，虽才智如孔子，犹无成立之功”。如果“信命不求”，难道“不作而自成，不行而自正?”他评论“春秋”时越王太子王翳

① 王充：《论衡·须颂》。
② 王充：《论衡·对作》。
③ 王充：《论衡·物势》。
④ 王充：《论衡·异虚》。

逃山中，不愿继承己位，是"至诚不愿"。①

再就是，王充在"无形篇"中讲："人禀元气于天，各受寿夭之命，以立长短之形"；"器形已成，不可小大；人体已定，不可减增。用气为性，性成命定。"所以他说，"人禀气于天，气成而形立，形命相须，以至相死"。② 另外，王充在"率性篇""奇怪篇"中，进而讲到："情性者，人冶之本，礼乐所由生也。故原情性之极，礼为之防，乐为之节。""礼以制，乐所为作者，情也性也"。"善渐于恶，恶化于善，成为性行。"③ 总而言之，"世间诚信，因以为然。"④

因为汉代儒生利用古代传说编造了许多宣扬天人感应的荒诞故事，例如：汤遭旱灾，自责祷雨，上天为他降雨；杞梁妻哭而城崩；晋景公素衣哭河，河水就流通了等等。这些荒诞故事，在当时影响很坏。王充在《论衡》"感虚篇"中列举了十五个典型事例，逐一加以驳斥。他继承荀况的天人相分思想，明确指出："日月行有常度"；"寒温自有时"；"雨雪皆由云气发于丘山"，"天地之有水旱，犹人之有疾病也，疾病不可以自责除，水旱不可以祷谢去"。就是说，自然界有自己的运动规律，决不因人的主观感情而改变。他对："儒者传书言：尧之时，十日并出，万物燋枯。尧上射十日，九日去，一日常出"，进行批评。他讲："此欲言尧以精诚射之，精诚所加，金石为亏，盖诚无坚，则亦无远矣。"王充认为，"天道自然无为"，自然界是无目的、无意识的，是不受人的"至诚"影响的。他说，"风者，气也"，"是亦无知"；"城，土也"，"安能为悲哭感恸而崩？使至

① 王充：《论衡·命禄》。

② 王充：《论衡·无形》。

③ 王充：《论衡·率性》。

④ 王充：《论衡·奇怪》。

诚之声能动城土，则其对林木哭，能折草破木乎？向水火而泣，能涌水灭火乎”？他坚持用世界本身说明世界，排斥超自然力量的干预。他说，河水被阻，是因为“山初崩，土积聚，水未盛”。河水流通了，是因为“三日之后，水盛土散，稍坏沮矣。坏沮水流，竟注东去”。王充强调，这绝不是上天的有意安排，绝不是人们有“精诚”就能造成的。他指出，即使儒生宣扬的这些事情是真的，也只能是人们的行动和自然的变化偶然巧合而已，与人的“精诚”“至诚”并无直接联系。王充强调，关键在于“务实诚”。所以在王充的论述中，用了许多诸如“实事”“知实”“实知”这样的概念。他不同意“天性”中便知，即“性知”，所以在《论衡》中专门写了《实知》篇。王充的这些批判性论述，在当时是很精辟的，后来为许多哲学家所借鉴。

第十六章 魏晋南北朝到隋唐:"玄学""道教""佛学"与"诚""成"

第一节 魏晋的"玄学"

汉到魏晋,出现魏晋玄学。魏晋玄学以重于讨论宇宙生成,论说名教与自然的关系,为其基本特征。关于这种"生成",作为老子书的《道德经》说:"天下万物生于有,有生于无。"①《庄子》书中则说"道行之成,物谓之而然";"(道)生天生地,成鬼成神"。这种生成论,强调着"道"在宇宙生成中的作用。

"魏晋玄学"中,突出有个"玄"字,《老子》书中有所谓"玄之又玄,众妙之门"之说。当时,先秦的《老子》《庄子》《周易》总称为"三玄"。而"三玄"这一名称真正写于史籍,现在始见于北齐颜之推的《颜氏家训》中:"洎于梁世,兹风复阐,《老》《庄》《周易》,总谓三玄。"魏晋玄学家们多由注释号称"三玄"的《周易》《老子》《庄子》来发挥自己的思想。前面说到,在汉代,有些学者为反对董仲舒的神学,为了反名教,曾把自然归于其认作是万物之初的元气(刘安、王充等),可是难以在形而上与形而下的关系方面阐明名教与自然的关系。所

① 《道德经》,第十四章。

以摆在玄学家们面前的任务是：设法把用以反对"名教"的"自然"，同"名教"结合起来。以此来为"成""诚"提供基础论证。

魏晋玄学的发展过程，大致经历了三个阶段：第一阶段，初始于汉魏的正始玄学，亦称正始之音，属"魏晋玄学"的产生或开创时期。其主要代表人物是何晏与王弼，此之谓"何王玄学"；哲学倾向主要是"贵无"。在何晏、王弼"贵无论"影响下，于魏晋之际出现阮籍、嵇康的"竹林玄学"。阮籍与嵇康为当时的"竹林七贤"之首领人物，所以他们的玄学亦往往被称为竹林之风。第二阶段，主要是西晋元康年间的郭象玄学。郭象的玄学是在魏晋之际的向秀《庄子注》思想基础上发展起来的，所以这一时期的玄学亦称之为向郭玄学。向郭玄学的哲学倾向主要是"崇有论"。第三阶段，是东晋玄学。东晋时代玄学的特点是调和玄学中"贵无"与"崇有"两派的思想。以张湛的《列子注》思想为代表。

所以魏晋玄学，就学派来讲，大体可分为关于"贵无论"的学派、关于"崇有论"的学派，以及对这二论进行调和的学派。

一、贵无论

东汉及魏，涌现出不少思想家、哲学家、文学家，以及政治家、军事家，诸多名士。如：曹操（155—220）、桓范（？—249）、刘廙（180—121）、荀彧（约 163—212）、徐干（171—218）、仲长统（180—220）、诸葛亮（181—234）、曹植（192—232）、荀粲（约 209—238）、刘邵（约 186—245）、杜恕（？—252）、夏侯玄（209—254）、何晏（190—249）、阮籍（210—263）等等。由以上名录，联系各个人物的活动和著述，即可体会出，玄学"贵无论"出现及其与"崇有论"争辩的历史环境及思想前提。

自东汉末，社会上的文人中出现一股清谈之风。这是魏晋玄学在汉末魏初清谈基础上，形成的一种风气。所以玄学也被叫作"玄谈"。汉末魏初的清谈，很大程度上在谈"玄"中论"有无"，进而偏重于对人物进行品题，这就是所谓"清议"。在这种谈"玄"、论"无"、"清议"中，渗透出对时政的抨击及对人物的看法。例如刘邵(约186－245）有个重要论题："调成五材，变化时节"。由此他说："凡有血气者，莫不含元一以为质，禀阴阳以立兴，体五行而著形。"① "老子曰：'夫唯不争，故天下莫能与之争。'……君子诚能睹争途之名险，独乘高于玄路，则光晖焕而日新，德声伦于古人矣"。②

（一）杜恕的"君子养心，莫善于诚"。

在东汉末年名教与自然论争孕育时，荀悦曾主张以"自然之应"来纠正名教中的虚伪。到曹魏时期，杜恕则进一步探索这个问题，以"诚"来论证。杜恕，字务伯，京兆杜陵（今陕西西安市东南）人，在曹魏时曾任散骑黄门侍郎、幽州刺史、加建威将军，使持节、护乌丸校尉等职。嘉平元年（249年），因故免为庶人。嘉平四年（252年），卒放徙所。杜恕著有《体论》，包括《君》《臣》《言》《行》《政》《法》《听察》《用兵》八篇。其书亡佚于唐末。清人严可均从《群书治要》《御览·六帖》《意林》诸书中录出校定为一卷。《隋书·经藉志》和《新唐书·艺文志》将《体论》归于儒家，后世不少学者均持这种看法。如章太炎认为杜恕"持论足次周汉儒家也"③。汤用彤等

① 刘邵：《人物志·九征》。

② 刘邵：《人物志·释争》。

③ 高俊林：《章太炎的魏晋六朝学术思想》，《咸阳师范学院学报》2005年第2期。

认为："杜恕作《体论》，乃儒家言，殊少法家趣味。"[①] 据说，在汉魏甚至整个魏晋南北朝之际，大概只有《体论》才是把儒家思想构筑成一个完整体系的著作。[②] 杜恕思想以儒家为主，盖因其家学之故。其父杜畿经明行修，其子则是撰《春秋左氏经传集解》的杜预。

杜恕认为，"礼要"以言行之"诚"来保障。关于言之诚，杜恕秉承《易传·乾卦·文言》"修辞立其诚，所以居业也"的说法，认为"君子之养其心，莫善于诚"。强调应诚实不欺，真诚无妄，才能建功立业。强调讷于言，不虚言，不浮言，要体现"诚"。[③] 关于行之诚，杜恕认为，义与利的取舍问题，是区分君子和小人的标准："由乎利则失为君子，由乎义则失为小人。吉凶荣辱之所由生，义利为之本母也。是以君子慎趣舍焉。"具体说，"夫君子直道以耦世，小人枉行以取容；君子掩人之过以长善，小人毁人之善以为功；君子宽贤容众以为道，小人徼讦怀诈以为智；君子下学而无常师，小人耻学而羞不能：此又君子小人之分界也"。这里的区别在于，"君子心有所定，计有所守；智不务多，务行其所知；行不务多，务审其所由；安之若性，行之如不及。小人则不然。心不在乎道义之经，口不吐乎训诰之言；不择贤以托身，不力行以自定；随转如流，不知所执，此又君子小人之分界也"。所以，"诚者，天地之大定，而君子之所守也。天地有纪矣，不诚则不能化育；君臣有义矣，不诚则不能相临；父子有礼矣，不诚则疏；夫妇有恩矣，

① 汤用彤：《汤用彤学术论文集》，中华书局 1983 年版，第 209 页。

② 任继愈主编：《中国哲学发展史（魏晋南北朝）》，人民出版社 1988 年版，第 65 页。

③ 杜恕：《体论·言第三》。载严可均辑：《全上古三代秦汉三国六朝文》卷四十二。见中华书局 1958 年版。

不诚则离；交接有分矣，不诚则绝。以义应当，曲得其情，其唯诚乎！"[①] 总之，言行至诚与否，关系到礼的实行与否。《太平御览》卷八三六引《体论》称："可以使鬼者，钱也。可以使神者，诚也"。"虚伪之态，与真实相似也。虚伪败而真实成"。[②]杜恕还认为，凡严刑峻法时代均是奸邪并生，叛乱丛生；凡刑法宽厚时代，均为治世。所以他痛斥那些"斥言以破律，诋案以成法，执左道以逢政"的断狱之官，认为此"皆王诛之所必加也"。杜恕还强调，君主之体，"以诚修身，以诚待臣"。他讲，"其求诸己也成，其化诸人也深"。[③]"以庸主之臣事贤主则从，以贤主之臣事庸主则凶，故之所以成其名者，皆度主而行者也"；"不以诚待其臣，而望其臣以诚事之，谓之愚"。[④] 他又讲，"君为无首，臣为股肱，期其相须而成也"。臣应以大地为榜样，大地"万物载焉而不辞其重，水渎污焉而不辞其下，草木殖焉而不有其功，此成功而不处，为臣之体也"。杜恕自己也基于"诚"践行这种为臣之体，史载其"推诚以质，不治饰，少无名誉。及在朝，不结交援，专心向公。每政有得失，常引纲维以正言。"[⑤]

正是由以上文化环境的土壤，学说生长，进而凸显，在魏正始年间，在名教与自然之辨中，出现了史称"正始之音"的

---

① 杜恕：《体论·行第四》，载严可均辑：《全上古三代秦汉三国六朝文》卷四十二，中华书局版。

② 杜恕：《体论·诚论》，载严可均辑：《全上古三代秦汉三国六朝文》卷四十二，中华书局 1958 年版。

③ 杜恕：《体论·听察第七》，载严可均辑：《全上古三代秦汉三国六朝文》卷四十二，中华书局 1958 年版。

④ 杜恕：《体论·君篇》，载严可均辑：《全上古三代秦汉三国六朝文》卷四十二，中华书局版 1958 年版。

⑤ 《三国志》卷十六《杜畿附杜恕传》。

"贵无论"。现在文献写于此，多是从夏侯玄着笔，之后是何晏、王弼的"何王玄学"，再后来出现了魏晋之际阮籍、嵇康等人的"竹林玄学"。

（二）从夏侯玄玄学到何王玄学。

1. 夏侯玄玄学。

夏侯玄（209—254），字太初，生于汉献帝建安十三年，于魏嘉平六年被司马氏杀害。其父夏侯尚，为曹魏重臣，官至征南将军领荆州刺史，假节都督南方诸军事，封昌陵乡侯。夏侯玄少时即有名气，"弱冠为散骑黄门侍郎"。正始初，曹爽辅政，"玄，爽之姑子也"，"累迁散骑常侍，中护军"。[①] 引《世语》说："玄世名知人，为中护军，拔用武官，参戟牙门，无非俊杰，多牧州典郡。立法垂教，于今皆为后式。"

关于夏侯玄的著作，据《魏氏春秋》说："玄尝著乐毅、张良及本无、肉刑论，辞典通远，咸传于世。"[②] 然乐毅、张良、本无、肉刑等论，皆已佚失。今中华书局出版的《三国志》，对这一段注的引文，作了新的标点："玄尝著乐毅、张良及本无肉刑论"，认为夏侯玄作的是《本无肉刑论》，而不是《本无论》，实误。查《文心雕龙·论说》："叔夜（嵇康）之辩声（指《声无哀乐论》），太初（玄）之本玄，辅嗣（王弼）之两例（《周易略例》与《老子指略》），平叔（何晏）之二论（指《道》《德》二论），并师心独见，锋颖精密，盖人伦之英也。"

据后来史籍的一些说法，夏侯玄曾作有《本玄论》一文。范文澜先生《文心雕龙·论说》注引《札》说："案《本玄论》，张溥辑《太初集》已佚。考《列子·仲尼篇》张注引夏侯玄曰：'天地以自然运，圣人以自然用。自然者，道也。道本无名，故

① 《三国志·魏志·夏侯玄传》。

② 《三国志·魏书·夏侯玄传》注引。

老氏曰强为之名，仲尼称尧荡荡无能名焉，云云。’与本无之义正合，疑即《本无论》之文，无无玄元，传写贸乱，遂成歧互尔。”对于《本玄论》，在玄学家看来，玄即是无，也即是道。所以人们认为本无与本玄应是同义的。由此可见，夏侯玄确作了《本无论》一文，但文已佚失，具体论述已不得而知。

夏侯玄的哲学思想，由于其著作《本玄论》（即《本无论》）已佚，仅能从何晏《无名论》一文中所引用的夏侯玄的一段话里，略知他重视讨论“道”“名”与“成功”的关系。何晏的引文是这样的：“夏侯玄曰：‘天地以自然运，圣人以自然用，自然者，道也。道本无名，故老氏曰强为之名。仲尼称尧荡荡无能名焉，下云巍巍成功，则强为之名，取世所知而称耳。岂有名而更当云无能名焉者邪？’”①

2. 何晏玄学。

魏晋时期的哲学家围绕“有”和“无”的问题展开论争。何晏作为“贵无”派，是与后来的“崇有”派相对立的。何晏(193—249)，字平叔，汉外戚何进的孙子，因其母嫁于曹操，成为曹操的假子。何晏在曹爽当政时，做过吏部尚书。后来司马氏和曹爽争夺政权，曹爽失败，何晏为司马懿所杀。何晏是魏晋玄学家的领袖人物。他通过对儒道两家典籍——《论语》《易经》《老子》的注解，来表达自己的哲学观点，并且企图把儒家的名教和道家的无为学说结合起来。何晏的哲学认为世界的本体是“无”，一切物质的存在都依靠“无”，“无”是最根本的。他的论点是，既然天地万物都无为而自然地变化着，而作为万物的本体又不是某种特殊具体的东西，所以世界的根源应该是超物质的虚静的实体——“无”。据《三国志》《魏书》《曹

① 何晏：《列子·仲尼篇》张湛注引。

爽传》说，何晏"好老庄言，作《道德论》及诸文赋著述凡数十篇"。他的哲学著作现在流传下来的有《论语集解》和《道论》《无名论》等的片段[①]。《无为论》，可能是当时或后人叙述他的学说而写成的，不一定是他原来的作品。何晏为了确立名教原本于自然的地位，他在《道论》《无名论》中突出论证了"有"和"无"的关系，显示了他的贵无论特色。

何晏哲学有个重要命题即："有""由无以成"。他说："有之为有，恃'无'以生，事而为事，由'无'以成。夫道之而无语，明之而无名，视之而无形，听之而无声，则道之全焉。故能昭音响而出气物，包形神而章光影。玄以之黑，素以之白，矩以之方，规以之圆。圆方得行，而此无形，白黑得名，而此无名也"。[②]

何晏基于"由无以成"的见解，讲："天地万物皆以无为本。无也者，开物成务，无往不存者也。阴阳恃以化生，万物恃以成形。贤者恃以成德，不肖恃以免身，故无之为用，无爵而贵矣。"这里的"无"，是用来表达天地万物的本体的名称，指无形、无名的本体，也即所谓"道"。何晏在《无名论》中说："夫道者，惟无所有者也。自天地以来，皆有所有矣，然犹谓之道者，以其能复用无所有也。""开物成务"语见《周易·系上》。开，开始。成，完成。开物成务，无往不存，是说，"无"在一切事物发生、成长变化的过程中是普遍存在的。成德，即使道德得以成。

3．王弼玄学。

学界通常认为，"正始之音"的首领人物虽说首推何晏，而从建立玄学哲学的理论体系来说，王弼大大超过了何晏。

---

① 保存在《列子》张湛注中。

② 何晏：《道论》，《列子天瑞篇注》。

王弼（226—249），字辅嗣。魏国山阳（今河南焦作）人。汉末著名氏族王粲的侄孙。少年即有盛名，好论儒道，通辩能言，曾与何晏、钟会讨论"圣人"有无喜怒哀乐问题，与荀融讨论《周易》大衍义等。深得当时名士的赏誉，何晏叹称"仲尼称后生可畏，若斯人者，可与言天人之际乎！"[①] 遂以弼补台郎。弼善谈玄理，而事功亦非所长。正始十年（249）因事免官，后病故，死时二十四岁。王弼把老子"有生于无"的思想引向"以无为本"，强调"贵无"而"贱有"，"天下之物，皆以有为生。有之所始，以无为本。将欲全有，必反于无也"。[②] 因此"天地虽广，以无为心"。[③] 但强调"无不可以无明，必因于有"[④]。同时，他又认为，作为万物之宗的"无"，不能独立自明，必须通过"有"，才能由天地万物的存在去明了"无"是万物之宗。他从本末、体用、动静、一多等关系论证了"以无为本"。王弼还认为孔子比老子高明，他口讲名教，实是"体无"；并提出圣人"以无为为君，不言为教，绵绵若存，而物得其真。与道同体，故曰同于道"。[⑤] 以援老人儒，融合儒道。

王弼的《老子指略》讲："以无形始物，不系成物，万物始以成，而不知其所以然也。""道以无形无名成及万物，故从事于道者，以无为君，不言为教。""物生而后畜，畜而后形，形而后成，何由而生，道也。""夫物之所以生，功之所以成，必生乎无形，由乎无名。无形无名者，万物之宗也；不温不凉，不宫不商；听之不可得而闻，视之不可得而彰；体之不可得而

① 《三国志·魏书·钟会传》注引。

② 王弼：《老子注·四十章》。

③ 王弼：《老子注·三十八章》。

④ 《系辞上》韩康伯注引《大衍义》。

⑤ 王弼：《老子注·二十三章》。

知，味之不可得而尝。故其为物也则混成，为象也则无形，为音也则希声，为味也则无呈，故能为品物之宗主，苞通天地，靡使不经也。"[①]

由此，王弼讲了"物生功成"。他论述道："是故天生五物，无物为用；圣行五教，不言为化。是以'道可道，非常道，名可名，非常名'也。五物之母，不炎不寒，不柔不刚；五教之母，不皦不昧，不恩不伤。虽古今不同，时移俗易，此不变也，所谓'自古及今，其名不去'者也。天不以此，则物不生；治不以此，则功不成。故古今通，终始同，执古可以御今，证今可以知古始，此所谓常也。无皦昧之状，温凉之象，故'知常曰明也'。物生功成，莫不由乎此，故'以阅众甫'也。"[②]

王弼联系"得德""尽成德"谈"成"。王弼在《老子注》中讲，"德者，得也。常得而无丧，利而无害，故以德为名焉。何以得德？由乎道也；何以尽德？以无为用。""是以上德之人，唯道是用，不德其德，无执无用，故能有德而无不为，不求而得，不为而成，故虽有德而无德名也。下德求而得之，为而成之，则立善以治物，故德名有焉。"王弼又写道："求而得之，必有失焉；为而成之，必有败焉；善名生，则有不善应焉；故下德为之而有为也。""不能不为而成，不兴而治，则乃为之，故有宏普博施仁爱之者；而爱之无所偏私，故上仁为之而无以为也。"王弼还说："故仁德之厚，非用仁之所能也；行义之正，非用义之所成也；礼敬之清，非用礼之所济也。载之以道，统之以母，故显之而无所尚，彰之而无所竞。用夫无名，故名以笃焉；用夫无形，故形以成焉。守母以存其子，崇本以举其末，则形名俱有而邪不生，大美配天而华不作。故母不可远，本不

① 王弼：《老子指略》，据王维校本。

② 王弼：《老子指略》。

可失。仁义，母之所生，非可以为母；形器，匠之所成，非可以为匠也。舍其母而用其子，弃其本而适其末，名则有所分，形则有所止，虽极其大，必有不周；虽盛其美，必有患忧；功在为之，岂足处也！"①

王弼把"成"与"诚"联系起来论，"夫载之以大道，镇之以无名，则物无所尚，志无所营，各任其贞，事用其成，则仁德厚焉，行义正焉，礼敬清焉。弃其所载，舍其所生，用其成形，役其聪明，仁则诚焉"。

这样，《老子指略》又指出："夫城高则冲生，利兴则求深。""既知不圣为不圣，未知圣之不圣也；既知不仁为不仁，未知仁之为不仁也；故绝圣而后圣功全，弃仁而后仁德厚。夫恶强，非欲不强也，为强则失强也；绝仁，非欲不仁也，为仁则伪成也。"由此，《老子指略》进一步论述了"闲邪在乎存成"："尝试论之曰：夫邪之兴也，岂邪者之所为乎？淫之所起也，岂淫者之所造乎？故闲邪在乎存诚，不在察善；息淫在乎去华，不在滋章；绝贪在乎去欲，不在严刑；止讼存乎不尚，不在善听。"王弼还对防止邪恶的"举本息末"方法进行论述：他说，"邪之兴非'邪者之所为'，淫之起非'淫者之所造'"，"故闲邪在乎存诚，不在察善；息淫在乎去华，不在滋章；绝盗在乎去欲，不在严刑；止讼存乎不尚，不在善听"；"竭圣智以治巧伪，未若见质素以静民欲；兴仁义以敦薄俗，未若抱朴以全笃实；多巧利以兴事用，未若寡私欲以息华竞。"②

（三）阮籍、嵇康与竹林玄学。

魏晋之际，在士大夫阶层中出现了一批任性放达、轻时傲世之名士，而为时人所推崇的"竹林七贤"就是这样一些人物。

---

① 王弼：《老子注》。

② 王弼：《老子指略》，楼宇烈《王弼集校释》上册，第196、197页。

其中尤以阮籍、嵇康最享盛名。阮、嵇一面不拘礼节、任性放达、不事王侯，一面又都有着自己的抱负，有着"济世之志"。他们既反对虚伪的礼仪教化，又真诚地想维护礼教，维护封建秩序。正如鲁迅先生所说："古代有许多人受了很大的冤枉。例如嵇、阮的罪名，一向说他们毁坏礼教。但据我个人的意见，这判断是错误的。……至于他们的本心，恐怕倒是相信礼教，……把礼教当作宝贝看待的。"[①]

1. 阮籍（210—263）字嗣宗，是"竹林七贤"之一，陈留尉氏（今属河南）人。他一生经历两次"禅代之局"。曾任从事郎中、东平相、步兵校尉等职，故世称"阮步兵"。他博览群籍，尤好老、庄，纵酒谈玄，蔑视礼法，与嵇康齐名。"籍本有济世志，属魏晋之际，天下多故，名士少有全者，籍由是不与世事，遂酣饮为常"[②]，不满司马氏政治集团，但态度谨慎。

阮籍与当时其他人相比，少谈"有无关系"而更直接地由名教与自然关系立论，强调"与道俱成"。阮籍认为，"天地生于自然，万物生于天地。自然者无外，故天地名焉；天地者有内，故万物生焉"。[③] 一切皆以"自然"为本，"自然一体，则万物经其常"。他指出人的形体和精神都是自然的产物，"人生天地中，体自然之形。身者，阴阳之精气也。性者，五行之正性也。情者，游魂之变欲也。神者，天地之所以驭者也"。还认为自然界与万物的关系和谐一致，"男女同位，山泽通气，雷风不相射，水火不相薄"，"一气盛衰，变化而不伤"[④]。他强调以"道"为自然，为世界宇宙之本原，说："道者法自然而为化，

① 鲁迅：《魏晋风度及文章与药及酒之关系》。

② 《晋书·阮籍传》。

③ 阮籍：《达庄论》。

④ 阮籍：《达庄论》。

侯王能守之，万物将自化。《易》谓之太极，《春秋》谓之元，《老子》谓之道。"[①] 他同意庄子的观点，认为"天地日月，非殊物也。故曰：自其异者视之，则肝胆楚、越也；自其同者视之，则万物一体也"[②]。嵇康写有《养生论》，认为一个人只要"导养得理"便可"上获千余岁，下可数百年"；他把"养生"与"形神"联系起来："形恃神以立，神须形以存"，养生要使"形神相亲，表里相济"。嵇康讲，"夫气静神虚者，心不存乎矜尚，体亮心达者……故能越名教而任自然"。[③] 他折中"自然"与"名教"，认为"君立而虐兴，臣设而贼生。坐制礼法，束缚下民"。他指斥一些维护"名教"的"士君子""外易其貌，内隐其情；怀欲以求多，诈伪以要名"，"何异夫虱之处裈中乎"，是"造音乱声，作色诡形"的伪君子。幻想一种无君无臣的社会，"无君而庶物定，无臣而万事理"[④]，他主张"定尊卑之制"，"在上而不凌乎下，处卑而不犯乎贵"[⑤]，认为"尊卑有分，上下有等"，"礼逾其制，则尊卑乖；乐失其序，则亲疏乱"[⑥]；认为完善的人格应是"超世绝群"，"遗俗独往"，无是非善恶之分，这样就可以"与造物同体，天地并生，逍遥浮世"，"与道俱成，变化散聚，不常其形"[⑦]。

阮籍重视以"成"论"礼"，论"礼乐"，论"天下治理"。

阮籍认为，治理天下，"礼"和"乐"相须而行，缺一不可。他指出："礼踰其制，则尊卑乖；乐失其序，则亲疏乱。礼

① 阮籍：《通易论》。
② 阮籍：《通易论》。
③ 阮籍：《释私论》。
④ 阮籍：《大人先生传》。
⑤ 阮籍：《通易论》。
⑥ 阮籍：《乐论》。
⑦ 阮籍：《大人先生传》。

定其象，乐平其心；礼治其外，乐化其内。礼乐正而天下平。""尊卑有分，上下有等，谓之礼；人安其生，情意无哀，谓之乐。车服旌旗，宫室饮食，礼之具也；钟磬鞞鼓，琴瑟歌舞，乐之器也。""刑教一体，礼乐外内也。刑驰则教不独行，礼废则乐无所立。"[①] "……是以'先王以建万国，亲诸侯'，收其心也。原而积之，畜而制之，是以上下和洽，'裁成天地之道，辅相天地之宜，以左右民'，顺其理也。……故先王'作乐'，'荐上帝'，昭明其道，以答天贶。于是万物服从，随而事之，子遵其父，臣承其君，临驭统一，'大观'天下"。[②]

阮籍还说："圣人立调适之音，建平和之声，制便事之节，定顺从之容，使天下之为乐者，莫不仪焉。……入于心，沦于气，心气和洽，则风俗齐一。……故'移风易俗，莫善于乐'也。"为此，他反对"淫声"与"奇音"。他又说："昔先王制乐，非以纵耳目之观，崇曲房之烟也。心通天地之气，静万物之神也；固上下之位，定性命之真也。故清庙之歌，咏成功之绩；宾飨之诗，称礼让之则；百姓化其善，异俗服其德。此淫声之所以薄，正乐之所以贵也。"阮籍认为，圣人"立调适之音，建平和之声"，使得上自君主下至庶人，都能心气和洽，风俗齐一，起到移风易俗的作用。所以说："先王之为乐也，将以定万物之情，一天下之意也。故使其声平，其容和，下不思上之声，君不欲臣之色，上下不争而忠义成。"[③] 所以《乐论》特别探讨了乐对于"成万物之性"的作用。阮籍说："夫乐者，天地之体，万物之性也。合其体，得其性，则和；离其体，失其性，则乖。昔者圣人之作乐也，将以顺天地之体，成万物之

① 阮籍：《乐论》。

② 阮籍：《通易论》。

③ 阮籍：《乐论》。

性也。"

2. 嵇康（223—262）继承以往学派关于"成人"、"成性"、"成理"、"功成"、"成百物"、"成于乐"等等的学说，从各个角度论述了"至理"、"至人"、"至物"、"至乐"、"至和"等等。

关于"至理"。嵇康讲，"'至理'诚微，善溺于世"。① 嵇康讲的"至理"与"常理"相对。他曾说"天下微事，……岂常理之所逮耶?"② 而"物全理顺，莫不自得"，"是以困而后学，学以自荣，计而后学，好以习成，有似自然"。③ 与此相关，嵇康论述了关于与普通的"知"与"识"有区别的"至明至胆"理论，形成了他的"明胆论"。其写道："唯'至明'能无所惑，'至胆'能无所亏尔。"④ 嵇康指出，"明以见物，胆以决断。专明无胆，则虽见不断；专胆无明，则违理失机。"⑤

关于"至人"。嵇康相对于"常人"来谈"至人"。他讲，"驰骋常人之域，故有一切之寿。"⑥ "唯至人特钟纯美，兼同外内，无不毕备。降此以往，盖阙如也。"⑦ 显然，嵇康讲的"至人"指"圣人"；不仅如此，也指"神仙"，他说"神仙似特受其气，秉之自然，非积学所能致也。"⑧ 嵇康所论"至人"，联系于他关于"才性四本论"的见解。这里，"才"指材质、才能，"性"指本性、操性。"才性四本"是三国魏末清谈命题之一，由此产生中国思想史上关于"才性之辩"的一次重要争论。在

① 嵇康：《答难养生论》。
② 嵇康：《难宅无吉凶摄生论》。
③ 嵇康：《难自然好学论》。
④ 嵇康：《明胆论》。
⑤ 嵇康：《明胆论》。
⑥ 嵇康：《养生论》。
⑦ 嵇康：《明胆论》。
⑧ 嵇康：《养生论》。

先秦诸子中，儒家主张以德为主，墨家主张才德并重，法家主张重才轻德，道家主张才德兼黜。汉代选才，侧重人的道德品质："行具而谓之贤，道修则谓之能。"[①] 汉末，群雄蜂起，用人重才，成为一时风气。曹操主张"唯才是举"。魏晋时期，才性之争又作为"清谈"的命题之一而展开，于是产生了"才性四本"的辩难。《世说新语·文学》注引《魏志》曰："四本者，言才性同，才性异，才性合，才性离也。尚书傅嘏论同，中书令李丰论异，侍郎钟会论合，屯骑校尉王广论离。""才性同"、"才性异"涉及才能与道德品质的关系："才性同"认为道德和才能不能分开，"才性异"主张才能比道德（行）更重要。《三国志·荀彧传》注引何劭《荀粲传》写有："夏侯玄亦尝谓（傅）嘏、（荀）粲等曰：'子等在世涂间，功名必胜我，但识劣我耳。'嘏难曰：'能盛功名者，识也。天下孰有本不足而末有余者耶？'"傅嘏的说法属于才性同，夏侯玄的论点属于才性异。才性异的首倡者为曹操，继之者有徐幹、刘劭。徐幹说："是故圣人贵才智特能立功立事盖于世矣"[②]，刘劭强调"智者，德之帅也"[③]。"才性合"、"才性离"涉及人的才能与天赋素质的关系。钟会主"才性合"，袁准也赞同此说，认为"贤不肖者，人之性也。贤者为师，不肖者为资，师资之材也。然则性言其质，才名其用明矣。"[④] 他们认为"性"作为天赋的素质，"才"作为作用的发挥；有什么样的素质，就会发挥什么样的作用。主张"才性离"者则认为才和性不是一回事，且两者没有任何关系。才性之辩实由东汉末年的人伦鉴识发展而来，作为魏晋清谈的

① 《魏志·傅嘏传》。
② 《中论·智行》。
③ 《人物志·八观》。
④ 《才性论》，《艺文类聚》卷二十一引。

重要内容之一，以品藻人物的形式出现，反映了当时对人的自我认识的深化。嵇康强调："夫五才存体，各有所生，明以阳曜，胆以阴凝。岂可谓有阳而生阴，可无阳邪？虽相须以合德，要自异气也。"①

关于"至物"。嵇康讲，"物情顺通，故大道无违，越名任心"；"是故言君子""以通物为美"。② 嵇康强调，"至物微妙，可以理知，难以目识。"③ 嵇康是基于"至理"特别是联系着"心"来论"至物"的。他说，"夫推类辨物，当先求之自然之理；理已足，然后借古义以明之耳。今未得之于心，而多恃前言以为谈证，自此以往，恐巧历不能紀耳。"④ 这里所谓"自然之理"是"得之于心"的师心之见（刘勰谓嵇康师心以遣论），所以他才讲，"夫至理诚微，善溺于世，然或可求诸身而后悟，校外物以知之。"⑤ 人们认为，这里的"求诸身"，是上文"得之于心"的同义语。在此基础上，求诸身，才能有所悟，校外物以知之。对于"至物微妙"，嵇康以为主要的并非"常理"而是"至理"。并非通过"目见"而是通过"较论"，并非通过"目识"而是通过"理知"。他说："况乎天下微事，言所不能及，数所不能分，是以古人存而不论。神而明之，遂知来物。故能独观于万化之前，收功于大顺之后。百姓谓之自然，而不知所以然。若此，岂常理之所逮邪?"⑥ 所以，"天地广远，品物多方，智之所知，未若所不知者众也。"⑦"夫神仙虽不目见，然记

① 嵇康：《明胆论》。

② 嵇康：《释私论》。

③ 嵇康：《养生论》。

④ 嵇康：《声无哀乐论》。

⑤ 嵇康：《答难养生论》。

⑥ 嵇康：《难宅无吉凶摄生论》。

⑦ 嵇康：《难宅无吉凶摄生论》。

籍所载，前史所傳，较而论之，其有必矣。"[①]"夫至物微妙，可以理知，难以目识。譬之豫章，生七年然后可觉耳。"[②]

关于"至乐"。嵇康由"天地""万物""五行之成"来立论。他说，"天地合德，万物资生。寒暑代往，五行以成。章为无色，发为五音。音声之作，其犹臭味在于天地之间，其善与不善，虽遭遇混乱，其体自若而无变也，岂以爱憎易操，哀乐改度哉！及宫商集比，声音克谐，此人心至愿，情欲之所钟。""言比成诗，声比成音。杂而咏之，聚而听之。心动于和声，情感于苦言。嗟叹未绝而泣涕流涟矣。"他又讲，"咸池六茎，大章韶夏，此先王之'至乐'，所以动天地感鬼神者也。……不可托之于瞽史，必须'圣人'理其弦管，尔乃雅音得全也"。[③]嵇康由"乐"说到"声"。关于"声"与心的关系，他通过反问这样来论："夫会宾盈室，酒酣奏琴，或忻然而欢，或惨尔而泣。非进哀于彼，导乐于此也。其音无变于昔，而欢戚并用，斯非吹万不同邪？夫唯无主于喜怒，亦应无主于哀乐，故欢戚俱见。若资不固之音，含一致之声，其所发明，各当其分。则焉能兼御群理，总发众情也？由是言之，声音以平和为体，而感物无常；心志以所俟为主，应感而发。然则声之与心，殊途异轨，不相经纬。焉得染太和于欢感，缀虚名于哀乐哉？"他还说，"琴瑟之清浊，不在操者之工拙。心能辨理善譚，而不能令内籥调利，犹瞽者能善其曲度，而不能令器必清和也。器不假妙瞽而良，籥不因慧心而调。"[④]

嵇康由此说到"诚""成"："心之与声，明为二物；二物诚

① 嵇康：《养生论》。

② 嵇康：《养生论》。

③ 嵇康：《声无哀乐论》。

④ 嵇康：《声无哀乐论》。

然，则求情者不留观于形貌，揆心者不借听声音也。察者欲因声以知心，不亦外乎！”在嵇康讲来，“声音自当以善恶为主，则无关于哀乐；哀乐自当以感情而后发，则无系于声音。”所以嵇康才写了后收入《嵇康集》的《声无哀乐论》，通过论述“声”（声音）、乐（音乐）、乐（哀乐）、情（感情）之间的关系，基于“心之于声，明为二物”，强调人们的“哀乐”是人的情感，声（自然界的声音）没有“哀乐”之情，乐（音乐）不过是“哀心藏于内，遇和声而后发”。这样，他针对人之所问的问题，“答曰：难云‘琵琶筝笛令人躁越’，又云‘曲用每殊而情随之变’，此诚所以使人常感也。”因此他说，“若上失其道，国丧其紀，男女奔随，淫慌无度，则风以此变，俗以好成。尚其所志，则群能肆之；乐其所习，则何以诛之？托于和声，配而长之，诚动于言，心感于和，风俗壹成，因而名之。”①

关于“至和”。嵇康由“至乐”论到“至和”，他写道：“理弦高堂，而欢戚并用者，直‘至和’之发滞导情，故令外物所感，得自尽耳。”“‘至和’之声，得于管弦。”所以，“‘无声之乐’，民之父母也；至八音会谐，人之所悦，亦总谓之乐。”由此，嵇康推而广之，“五味万殊，而大同于美；曲变虽众，亦大同于和。美有甘，和有乐。然随曲之情，尽乎和域；应美之口，绝于甘境；安得哀乐于其间哉！”②

嵇康进而把“和”与“成”联系起来论：“感而思室，饥而求食，自然之理也。诚哉是言！今不使不室不食，但欲令室食得理耳。夫不虑而欲，性之动也；識而后感，智之用也。性动者，遇物而当，足则无餘。智用者，从感而求，勧而不已。故世之所患，祸之所由，常在于智用，不在于性动。……君子識

① 嵇康：《声无哀乐论》。

② 嵇康：《声无哀乐论》。

智以无恒伤生，欲以逐物害性，故智用则收之以恬，欲动则纠之以和，使智止于恬，性足于和。然后神以默醇，体以和成，去累除害，与彼更生。所谓'不见可欲，使心不乱'者也。纵令滋味尝染于口，声色已开于心，则可以至理遣之，多算胜之。何以言之也？夫欲官不知君位，思室不拟亲戚，何者？知其所不得，则未当生心也。故嗜酒者自抑于鸩醴，贪食者忍饥于漏脯。知吉凶之理，故背之不惑，弃之不疑也。……由此言之，性气自和，则无所困于防闲；情志自平，则无鬱而不通。世之多累，由见之不明也。"①

嵇康基于前之论点讲到"大和"。他写道："若以大和为至乐，则荣华不足顾也，以恬淡为至味，则酒色不足钦也。苟得意有地，俗之所乐，皆粪土耳，何足恋哉！……故以荣华为生具，谓济万世不足以喜耳。此皆无主于内，借外物以乐之，、；外物虽丰，哀亦备矣。有主于中，以内乐外，虽无钟鼓，乐已具矣。……故被天和以自言，以道德为师友，玩阴阳之变化，乐长生之永久，因自然以托身，并天地而不朽者，孰享之哉！"②

综合"心"、"乐"、"声"、"言"、"礼"、"敬"、"和"一系列范畴，嵇康论到"化成"，"毕志一诚"。"乐之为体，以心为主"，"夫音声和比，人情所不能已者也。是以古人知情不可放，故抑其所遁；知欲不可绝，故自以为致。故为可奉之礼，制可导之乐。口不尽味，乐不极音，揆终始之宜，度贤愚之中，为之检，则使远近同风，用而不竭，亦所以结忠信，著不迁也。故乡校庠塾亦随之。使丝竹与俎豆并存，羽毛与揖让俱用，正言与和声同发。使听是声也，必闻此言；将观是容也，必崇此礼。礼犹宾主升降，然后酬酢行焉。于是言语之节，声音之度，

① 嵇康：《答难养生论》。

② 嵇康：《答难养生论》。

揖让之仪，动止之数，进退相须，共为一体。君臣用之于朝，庶士用之于家。少而习之，长而不怠，心安志固，从善日迁，然后临之以敬，持之以恒，久而不变，然后化成”。总之，“凡若此类，……毕志一诚”。这样才能实现超越。“以多同自减，思不出位”。“使奇事绝于所见，妙理断于常论；以言通变达微”。①

以上可见，阮、嵇论老庄之学不同于何晏、王弼论老子之学。何晏、王弼的思想属于玄学贵无论，而阮、嵇的思想虽说也受到何、王玄学思想的很大影响，但是他们的思想又不同于玄学贵无论。阮、嵇的思想是玄学发展中的一个重要环节。它上承何、王老子学的崇尚自然无为思想，又下开向、郭庄子学的任性逍遥学说。它讨论了玄学的一个重要问题，即自然与名教的关系问题。在这一问题上，王弼主张以自然为本、名教为末，主名教是自然的必然表现。这就抬高了自然的地位。阮、嵇正是从何、王的崇尚自然出发，走上了反名教的道路，提出了“越名教而任自然”的思想。后来向秀、郭象的名教与自然合二而一的学说则是力求调和阮、嵇在名教与自然问题上的矛盾。在玄学发展中，这起到了承上启下的作用。

二、崇有论

三国末至西晋，生发出一种对玄学贵无论进行批评的思潮。于此不能不先说一下杨泉、欧阳建及裴頠《崇有论》对贵无论的批评，之后再重点说到西晋元康年间的向、郭玄学，即向秀、郭象充分阐发的崇有论思想。

（一）杨泉、欧阳建的哲学。

① 嵇康：《答难养生论》。

杨泉，字德渊，梁国（今河南商丘市南）人；一生隐居著书，终身不仕；对天文、地理、历法、物候、农学、医学等均有研究。他由元气论"成天地"。杨泉写道："元气皓大，则称皓天。皓天，元气也。皓然而已，无他物也"；"所以立天地者，水也；成天地者，气也。"①

欧阳建（268—300），字坚石，西晋豪强大族石崇的外甥，做过冯翊太守。后来被赵王伦和孙秀所杀。欧阳建就"诚以礼得于心"论说了他在言意之辩中关于言意关系的见解。他写道："夫天不言，而四时行焉，圣人不言，而鉴识存焉。形不待名，而方圆已著，色不俟称，而黑白以彰。然则名之于物，无施者也；言之于理，无为者也。而古今务于正名，圣贤不能去言，其故何也？诚以理得于心，非言不畅；物定于彼，非名不辨。言不畅志，则无以相接。名不辨物，则鉴识不显。鉴识显而名品殊，言称接而情志畅。原其所以，本其所由，非物有自然之名，理有必定之称也。欲辨其实，则殊其名；欲宣其志，则立其称。名逐物而迁，言因理而变。此犹声发响应，形存影附，不得相与为二矣。苟其不二，则言无不尽矣。"②

魏晋玄学中，有所谓"三理"，即"声无哀乐"、"养生"、"言意之辩"。"言意之辩"是魏晋玄学中的一个重要课题。"言"与"意"这对概念，最早出现于先秦哲学中，被魏晋人称为"三玄"之一的《周易》书中说："子曰：'书不尽言，言不尽意。'然则圣人之意，其不可见乎？子曰：'圣人立象以尽意，设卦以尽情伪，系辞焉以尽其言，变而通之以尽利鼓之舞之以尽神。'"③《庄子·外物篇》也讨论过言与意的关系问题，它说：

① 杨泉：《物理论》。

② 欧阳建：《言尽意论》，引自《全晋文》卷一零九。

③ 《系辞上》。

“筌者所以在鱼，得鱼而忘筌；蹄者所以在兔，得兔而忘蹄；言者所以在意，得意而忘言。”《庄子》的“得意而忘言”之说与《系辞》的“言不尽意”的说法是相通的。言意问题虽说在先秦的《易传》与《庄子》中已经提出，但当时并没有为思想界所广泛重视，真正展开“言意之辩”的，则在魏晋时代。

魏晋时期的“言意之辩”发自汉末的名理学。汉末魏初社会上出现了一股清谈之风，其时的清谈常以品藻人物为中心，而品评人物往往就会碰到人的言语外貌与人的内心精神的矛盾问题。正如汤用彤先生所说：“汉末名家发现‘言意之辩’，由其知人论世，谓观人不能单观其言论、骨相，而必须观其全、观其神；知人常不能言传，而只能意会。”[①] 这样就产生了一个与名实问题有关的言意关系问题。言究竟能表达意呢？还是不能表达意呢？围绕这个问题思想界展开了论争。

在魏晋玄学“言意之辩”中，主要有两种意见：一是言不尽意论，为一般清谈家所主张，主要代表人物，先是王弼、荀粲和傅嘏、蒋济，后有钟会、张韩等；二是言尽意论，主要以欧阳建为代表。

就“言不尽意”论者的代表来讲，先是王弼。王弼（226—249）“得意忘言”之说起于“言不尽意”论已流行之后。王弼在《周易略例》“明象”中，提出了“忘言忘象”的理论，认为物象不足以表达义理，语言又不足以表达物象，主张“得意忘象，得象忘言”。“言不尽意”所贵者在意会；“忘言忘象”所贵在得意，此两说均轻言重意，所以说，就“言不尽意”讲，“言”几乎等于无用。而王弼则犹认为言象乃用以尽意，并谓“尽象莫若言”、“尽意莫若象”。然如“言不尽意”，则自可费

① 《魏晋玄学和文学理论》，引自《中国哲学史研究》创刊号，第37页。

言，故圣人无言，而以意会；王弼谓言象为工具，只用以得意，而非"意"本身，故不能以工具为目的，若滞于言象则反失本意。此则两说均终主得意废言。王弼强调"得意忘言"虽在解《易》，然而在天道人事之任何方面，悉以之为权衡，故能建树系统之玄学。

就"言不尽意"论者的代表来讲，再就是荀粲。荀粲（约209—238）字奉倩，荀彧之子，大体与王弼同时期，是魏国清谈家中的一位名士。何劭《荀粲传》说："粲诸兄（即指恽、俣、诜、顗四兄）并以儒术论议，而粲独好言道，常以为子贡称夫子之言性与天道，不可得闻，然则六籍虽存，固圣人之糠秕。粲兄俣难曰：'《易》亦云圣人立象以尽意，系辞焉以尽言，则微言胡为不可得而闻见哉?'粲答曰：'盖理之微者，非物象之所举也。今称立象以尽意，此非通于意外者也，系辞焉以尽言，此非言乎系表者也；斯则象外之意，系表之言，固蕴而不出矣。'及当时能言者不能屈也。"[①] 以此可见，在荀粲看来，"理之微者"，如"性与天道"之类，是不能用"言语"、"物象"来表达的。而《周易》中所说的"立象以尽意"则不是说能尽象外之意；"系辞焉以尽言"也不是说能尽系表之言。由荀粲看来，"象外之意"和"系表之言"都是指的"理之微者"，是不能用言象来表达的，言象表达的只是一些粗糙的糠秕而已，所以说"六籍虽存，故圣人之糠秕"尔。荀粲的这一"微理"不可言说的思想，实已经与何晏、王弼的"道之而无语，名之而无名"的思想相通。何劭《荀粲传》又说："太和初，（粲）到京邑与傅嘏谈。嘏善名理而粲尚玄远，宗致虽同，仓卒时或有格而不相得意。裴徽通彼我之怀，为二家骑驿，顷之，粲与假

① 《三国志·魏书·荀彧传》注引。

善。夏侯玄亦亲。”《世说新语·文学篇》亦有类同之记载。由此可见，荀粲谈尚玄远，与傅嘏所谈的很可能就是他的言不尽意论。他与夏侯玄关系亲密，足见他的思想已与玄学中的人物有了交往。荀粲与傅嘏（209－255）以及钟会（225－264）都是清谈中的人士。他们都讨论过才性问题，《三国志·魏书·傅嘏传》：“嘏常论才性同异，钟会集而论之”。可见，荀粲、傅嘏、钟会他们在论说自己的理论时，都援用了言不尽意之说。钟会也是“言不尽意”论者。钟会（225－264）字士季，颍川长社（今河南长葛东）人。钟会历官中书侍郎、黄门侍郎、司隶校尉，进为司徒；综典朝政，为司马昭心腹之任；曾构陷嵇康，遭世所讥；灭蜀后谋叛，为乱兵所杀。钟会“博学明识”、“精练名理”，对《老》《易》均有所及。钟会尝论《易》无互体，并注《老子》，提出体用问题，并与王弼相对立。认为有是体，无是用，“‘有’‘无’相资，俱不可废”；“‘体’‘用’相借，咸不可无”①。钟会还撰有才性《四本论》，主“才性合”说，认为“才”与“性”不能分离，主张“圣人”无喜怒哀乐。钟会另有《道论》《老子注》《周易无互体论》等，均佚《道藏》中辑有《老子注》部分佚文；明人辑有《钟司徒集》。再就是蒋济（？－249），他认为观察眸子（眼珠）就能足以知人，认为眼睛能传神，并著有《万机论》一文。

言不尽意论在西晋张韩那里又得到了进一步发挥。张韩生平已不可考（严可均认为他即是张翰，不知确否）。张韩著有《不用舌论》一文，文中说：“夫子之文章，可得而闻也；夫子之言性与天道，不可得而闻。是谓至精，愈不可闻。”② 张韩认为，至精之理（性与天道）是不可得而闻的，即不可以言说的。

---

① 《道德真经取善记》引钟会《老子注》。

② 张韩：《不用舌论》，引自《全晋文》。

所以他还说："论者以为心气相駈（駈同驱）因舌而言。卷舌翕气，安得畅理？余以留意于言，不如留意于不言；徒知无舌之通心，未尽有舌之必通心也。"① 这说明，与当时许多人认为"心气相驱""以言而畅理"不同的是，张韩认为留意于言，不如留意于不言，言不能畅理，理只能以心意相通。

正是面对以上诸"言不尽意"论者的看法，欧阳建提出了他的"言尽意"论。欧阳建说："世之论者，以为言不尽意，由来尚矣。至乎通才达识，咸以为然。若夫蒋公之论眸子，钟、傅之论才性，莫不以为谈证。"② 这里强调蒋济有论眸子，傅嘏、钟会言才性。"论眸子"与"言才性"皆名实之辩也。③

总之，欧阳建的言尽意论，是对魏晋时期"言意之辩"的一次批判性总结。自此以后，"言意之辩"作为较为集中的争论在我国哲学史上基本上告一段落。有学者指出："我们也应看到欧阳建的言尽意论也是有缺陷的，他比较强调的是言意之间的统一性，而忽视了它们之间的矛盾性，言确实存在有不能完全尽意的方面，这是一个矛盾，夸大这个矛盾得出言不尽意论显然是错误的，而忽视这个矛盾，只讲言尽意论也有其不全面的缺陷。言意关系应当是一对矛盾的统一体。"④

（二）裴頠的《崇有论》。

由前面所论，已体现出，西晋时期，当时占据思想论坛的贵无论，从一开始就有着内在的理论矛盾。如果提倡"以无为本"，强调道家的自然无为，势必在政治上贬低儒家的纲常名

① 张韩：《不用舌论》，引自《全晋文》。

② 欧阳建：《言尽意论》，引自严可均辑《全晋文》。

③ 汤用彤：《礼学·佛学·玄学》，北京大学出版社 1991 年版，第 319 页。

④ 以上见许杭生著：《三国两晋玄佛道简论》，齐鲁书社 1991 年版，第 109 页。

教。这是一个不可克服的矛盾。连身居高位的司徒王衍、河南尹乐广等也在贵无论的引导下，“口不论吉事，唯雅咏玄虚而已。”[①] 更有甚者，“至于裸裎，言笑忘宜。以不惜为弘士，行又亏矣”。玄学家“阐贵无之议，而必建贱有之论。贱有则必外形（把自己身体置之度外），外形则必遗制（遗弃一切礼制），遗制则必忽防（忽略防止人们越名教），忽防则必忘礼；礼制弗存，则无以为政矣”。[②] 这样，裴頠正式以《崇有论》为题，写了专题文章[③]，提出来他的“崇有论”。

裴頠（267－300），西晋玄，玄学家，字逸民，河东闻喜（今属山西）人，其父为著名学者裴秀。裴頠曾任太子中庶子、散骑常侍、国子祭酒、尚书左仆射等职，后被赵王司马伦所杀，年 34 岁。其著作流传下来的仅有《崇有论》一篇，保存在《晋书·裴頠传》中。《晋书·裴頠传》说：“頠深患时俗放荡，不尊儒术，何晏、阮籍素有高名于世，口谈浮虚，不遵礼法，尸禄耽宠，仕不事事。至王衍之徒，声誉太盛，位高势重，不以物务自婴，遂相放放，风教陵迟，乃著《崇有》之论以释其蔽。”

裴頠针对“以无为本”的观点，提出了“自生而必体有”的论断。他说：“夫至无者，无以能生。故始生者，自生也。自生而必体有，则有遗而生亏矣；生以有为己分，则虚无是有之所谓遗者也”。[④] 这里有两层意思：第一，关于“无”是什么，裴頠认为，“无”是相对于“有”而言，它只是“有”的消失或不存在的一种特殊形式。没有“有”也就没有“无”，离开

① 裴頠：《崇有论》。

② 裴頠：《崇有论》。

③ 见《世说新语》注引晋诸公赞所言。

④ 裴頠：《崇有论》，见《晋书·裴頠传》。

"有"而存在的"至无"是没有的。第二，关于"有生于无"，裴頠认为"至无"即绝对的无是什么也生化不出来的。万有的产生只能是自己生自己，并没有一个"无"使它产生。"形象著分，有生之体也；……是以生而可寻，所谓理也；理之所体，所谓有也"。[①]

在"万物生成"即在万物"自生"问题上，裴頠提出了"济有者，皆有也"的观点。《崇有论》中写道："济有者，皆有也，虚无奚益于已有之群生哉?"关于这里的"济"，荀子曾强调过，操守住"诚"，舍掉种种影响"诚"的因素而"独行"，并且"独行不舍，则济"。"济"有渡、助、益、停、成，种种的含义及延伸意义。"济"字与"齐"字有省借关系："成"则"齐"，"齐者，成也"，"济，成全也"。荀子讲，"济而材尽，长迁而不反其初，则化矣。"达到"诚"，才能"济"，当全部发挥出来而"成"，达于"成"而不反退于初，那么久"大化"而达到"成"的最高境界了。所以裴頠有言："众听眩焉，溺其成说；虽颇有异此心者，辞不获济，屈于所狎，因谓虚无之理，诚不可盖。"[②]

这样，裴頠又讲，"夫品而为族，则所禀者偏；偏无自足，故凭乎外资"。又说："有之所须，所谓资也；资有攸合，所谓宜也"。[③] 这是说，既然万有区分为不同的族类，各有自己的特点和不足，因而每一事物都是一偏。既然各类事物都有所偏，就必须凭借外在的条件而存在。但是外在的条件并不是"无"，而是"有"。他论证说："故养既化之有，非无用之所能全也；

① 裴頠：《崇有论》，见《晋书·裴頠传》。

② 裴頠：《崇有论》，见《晋书·裴頠传》。

③ 裴頠：《崇有论》，见《晋书·裴頠传》。

理既有之众，非无为之所能循也。心非事也，而制事必由于心，然不可以制事以非事，谓心为无也。匠非器也，而制器必须于匠，然不可以制器以非器，谓匠非有也。是以欲收重泉之鳞，非偃息之所能获也；陨高墉之禽，非静拱之所能捷也；审投弦饵之用，非无知之所能览也。由此而观，济有者皆有也，虚无奚益于已有之群生哉？”[①] 总之，万有的生成决不是突然地毫无条件地从“虚无”中产生，而是有所资有所待的。

裴頠由“崇有论”看来，“贤人君子，知欲不可绝”。[②] 人本身确实存在着各种物质欲望，追求外物的欲望是无可非议的自然本性，所以才“深患时俗放荡，不尊儒术”；但如果一味地迷恋外物，没有节制，不仅会给人带来祸害，甚至会有碍于人的生存。于是裴頠对“越名教而任自然”的思想进行了严厉的批评。他认为，当时由于轻名教，尚自然之风过烈，使许多知名人士“口谈玄虚，不尊礼法，尸禄耽宠，仕不事事”，整个社会“砥砺之风弥以陵迟，放者因斯，或悖吉凶之礼，而忽容止之表，渎弃长幼之序，混漫贵贱之级”。[③] 裴頠主张要把被轻视的名教提高到应有的地位。而且，他对名教的重视并不是停留于简单的疾呼，而是对之所以有名教的根据作了努力探索。在他看来，只要有人与人之间的关系，就必定有贵贱之分，长幼之序，就必须有各种礼教规范去维持人们之间的正常关系，“礼制弗存，则无以为政矣”。他认为，名教就是应世间本身要求而产生的，因而是合理的。人们之间只有“居以仁顺，守以恭俭，

① 裴頠：《崇有论》，见《晋书·裴頠传》。

② 裴頠：《崇有论》，见《晋书·裴頠传》。

③ 裴頠：《崇有论》，见《晋书·裴頠传》。

率以忠信，行以敬让，志无盈求，事无过用"[①]，才能协调相处，获得成功。

裴頠以"崇有论"批判"贵无论"，动摇了"贵无论"的基石。正如《晋诸公赞》所说："頠著二论以规虚诞之弊，文词精富，为世名论"。刘勰在《文心雕龙·论说》中亦评论道：裴頠与王衍等人关于有无之辩"独步当时，流声后代"。

（三）向秀郭象的崇有论。

向秀（227？－277），字子期，嵇康的好友，曾不愿仕进；嵇康被杀后向秀曾向晋文帝司马昭表示不再隐居。后来晋皇朝任他作黄门侍郎、散骑常侍等官职，但未就任。据《晋书·向秀传》，向秀曾作《庄子隐解》，于旧注外为解义，"发明奇题，振起玄风，读之者超然心悟，莫不自是一时。惠帝之世，郭象又述而广之"。目前，通常认为向秀注本佚，论述散见于刘义庆作、梁朝刘孝标注的《世说新语》、张湛的《列子注》、陆德明的《庄子释文》，以及《文选注》《经典释文》等著作中。另有《周易注》，已佚。唐李鼎祚《周易集解》存有部分佚文。现存的向秀完整文章，是在《嵇康集》中收录的《向子期难养生论》。向秀擅诗赋，曾著《思旧赋》以悼嵇康、吕安，载《文选》和《晋书》本传中。

郭象（252－312），字子玄，好辩论，东海王越曾引为太傅主簿，在职专权，重灼内外，后因病而死。郭象是继承发挥向秀思想的玄学崇有派哲学的集大成者，他建立了一个庞大的玄学哲学思想体系。人们往往说，他是魏晋玄学界的第二号重要人物，所以时人常称他为"王弼之亚"。[②]《晋书·向秀传》说郭

① 裴頠：《崇有论》，见《晋书·裴頠传》。

② 《世说新语·文学》注引。

象在向秀《庄子隐解》的基础上，“述而广之”，作《庄子注》。郭象著作除《庄子注》完整保存外，另外有《论语体略》《老子注》《致命由己论》等，均佚，仅部分佚文散见于皇侃《论语义疏》及《道藏》中。

向秀和郭象都喜好老庄学说，都以注解庄子著名。《晋书》中《向秀传》和《郭象传》记载，向秀先注《庄子》，其中《秋水》《至乐》两篇并未完成就死去了。后来郭象依据向秀注加以扩充，虽然有文献如《郭象传》中说此“窥（偷窥向秀注）以为已注”，而其中毕竟进而注了《秋水》《至乐》两篇，改注《马蹄》一篇，流传于世。向秀《庄子注》早已佚失，其中一些佚文散见在张湛《列子注》中。现在流传下来的郭象注与向秀注文义基本相同，可以代表两人的共同思想。向、郭《庄子注》，是魏晋玄学中的重要哲学文献，也是当时崇有派的代表作品，其中许多观点是与贵无派对立的。

向秀提出万物“自生”、“自化”、各任其性的主张，认为“吾之生也，非吾之所生，则生自生耳。生生者岂有物哉?”“吾之所化，非物之所化，则化自化耳。化化者岂有物哉?”否认有一“生生者”作为万物的主宰，认为万物是自生的。但同时又认为“明夫不生不化者，然后能为生化之本也”，[①] 最终承认有一个“不生不化”的“生化之本”，即自然：“同是形色之物耳，未足以相先也。以相先者，唯自然也。”他又作《难养生论》一文，认为“人含五行而生，口思五味，目思五色，感而思室，饥而求食”，这些都是“自然之理”，“但当节之以礼耳”。主张顺应“自然之理”，反对用压抑性情的办法求长生。这在当时具有调和“自然”与“名教”的倾向，反映了他“以儒道为一”

① 《列子·天瑞篇》张湛注引向秀注。

的态度。主张"君臣上下"，皆出于"天理自然"，不可因"逍遥"而违反"名教"。向秀的思想，由于史料的散佚而难见全貌。可仅就《列子》张湛注所引用的向秀材料对向秀观点作出概括。

一是"无心任自然"。向秀的《庄子注》说："唯无心者，独运耳。""得全于天者，自然无心，委顺至理也。""苟无心而应感，则与变升降，以世为量，然后足为物主，而顺时无极耳。""无心以随变也，泛然无所系。"有所谓"无为而为"，所以向秀说："变化颓靡，世事波流，无往不因，则为之非我，我虽不为，而与群俯仰。"如此，"萌然不动，亦不自止，与枯木同其不华，死灰均其寂魄"。①

二是"生自生、化自化""生化之本"。张湛在《列子·天瑞篇》注中引向秀注说："向秀注曰：吾之生也，非吾之所生，则生自生耳。生生者岂有物哉？故不生也。吾之化也，非物之所化，则化自化耳。化化者岂有物哉？无物也，故不化焉。若使生物者亦生，化物者亦化，则与物俱化，亦奚异于物？明夫不生不化者，然后能为生化之本也。"② 这段话的意思是说，物之生化，既不是物自己使之所生，亦不是它物为之所化，而是"生自生"、"化自化"。此乃"能为生化之本"。

三是"心之益""智之用"，"生则有情，情得自然得"，"节之以礼"。向秀说："夫人受形于造化，与万物并存，有生之最灵者也。异于草木，草木不能避风雨，辞斧斤。殊于鸟兽，鸟兽不能远网罗，而逃寒暑。有动以接物，有智以自辅，此有生之益，有智之功也。若闭而默之，则与无智同，何贵于有智哉？有生则有情，称情则自得，若绝而外之，则与无生同，何贵于

① 《列子·黄帝篇》张湛注引向秀注。

② 《列子·天瑞篇》张湛注引向秀注。

有生哉？且夫嗜欲、好荣、恶辱，好逸、恶劳，皆生于自然。”“夫人含五行而生，口思五味，目思五色，感而思室，饥而求食，自然之理也，但当节之以礼耳。”①

郭象所论是对向秀义之“广而述之”。郭象的玄学体系的总的骨架是：由反对无中生有说起，而提出自生无待说；进而由自生无待说推至独化相因说，并由独化说导至足性逍遥说；最后由足性逍遥说得出宏内游外，即名教与自然合一说，这成为其哲学的最后归宿。

1.“无不能生有”与“有之自生”。

郭象言：“此天籁也。夫天籁者，岂复别有一物哉？即众窍比竹之属接乎有生之类，会而共成一天耳。无既无矣，则不能生有；有之未生，又不能为生。然则生生者谁哉？块然而自生耳。自生耳，非我生也。我既不能生物，物亦不能生我，则我自然矣。自己而然，则谓之天然。天然耳，非为也，故以天言之，所以明其自然也，岂苍苍之谓哉！而或者谓天籁役物，使从己也。夫天且不能自有，况能有物哉！故天者，万物之总名也。莫适为天，谁主役物乎？故物各自生，而无所出焉，此天道也。”② 这里讲到“无”不能生“有”，而“有之未生，又不能为生”，那末“有”是怎样生成呢？回答是，“块然而自生”。块然者，无为而自然也。无为而自生，无有生生者也。那么还有没有“造物者”呢？郭象接着推论说：“请问造物者有耶？无耶？则胡能造物哉？有也，则不足以物众形。故明众形之自物，而后始可与言造物耳。”③ 所以郭注《庄子序》中，对郭象的思想这样概括：“上知造物者无物，下知有物之自造”。进而郭象

① 向秀：《难养生论》。

② 郭象：《庄子齐物论注》。

③ 郭象：《庄子齐物论注》。

对《庄子·知北游》的"天地常存,无未有之时"与"无古无今,无始无终"解释道:"非唯无不得化而为有也,有亦不得化而为无矣。是以夫(夫原作无,今依《世德堂》本改)有之为物,虽千变万化,而不得一为无也。不得一为无,故自古无未有之时而常存也。"又在解释"有先天地生者物耶?物物者非物,物出不得先物也,犹其有物也。犹其有物也,无已"时说:"谁得先物者乎哉?吾以阴阳为先物,而阴阳者即所谓物耳。谁又先阴阳者乎?吾以自然为先之,而自然即物之自尔耳。吾以至道为先之矣,而至道者乃至无也。既以无矣,又莫为先?然则先物者谁乎哉?而犹有物,无已,明物之自然,非有使然也。"[①] 这里,把"有之为物"归结于"物之自尔",归结于"自己而然",归结于"自然""天然",这一见解是很可贵的。他还说,"自生耳,非我生也。我既不能生物,物亦不能生我,则我自然矣。自己而然,则谓之天然。"[②] 郭象还由此对《庄子·在宥》中讲的"丧人之国也,一不成而万有余丧矣"[③] 作出说明:"己于天下,相因而成者也。今以一己而专制天下,则天下塞矣,己岂通哉!故一身既不成而万方有余丧矣"。[④]

2. "独化于玄冥之境"。

在郭象哲学体系中,"独化"是用来说明有无关系、生成、"成万物"的重要范畴。"独化于玄冥之境",是他的基本哲学命题。所谓"独化",含有双重意义:第一,郭象认为天地万物(有)不是由"无"所生、所成,而是"自造""自生"所成。他说:"万物万情,趣舍不同,若有真宰使之然也。起索真宰之

① 郭象:《庄子知北游注》。
② 郭象:《庄子齐物论注》。
③ 郭象:《庄子在宥注》。
④ 郭象:《庄子在宥注》。

朕迹，而亦终不得，则明物皆自然，无使物然也”。[1] 又说：“夫造物者有耶无耶？无也，则无能造物哉？有也，则不足以物众形”。“夫有之未生，以何为生乎？故必自有耳，岂有之所能有乎？〔必出乎无有。〕此所以明有之不能为有而自有耳，非谓无能为有也，若无能为有，则何谓无乎？〔而无有一无有。〕一无有，则遂无矣，无者遂无，则有自欻生明矣。”[2] 第二，郭象认为自生是“独生而无所资借”[3]，是“突然而自得此生矣”。郭象依此对有与无这对范畴作了新的解释。所谓“有”是“欻然自尔”，“掘然自得而独化”他说：“夫庄老之所以屡称无者，何哉？明生物者无物，而物自生耳”。[4] “庄子之所以屡称无于初者，何哉？初者，未生而得生，得生之难，而犹上不资于无，下不待于知，突然而自得此生矣”。[5]“外不资于道，内不由于乎己，掘然自得而独化也”。[6]

对于是从哪里“独化”出来的，郭象回答：“独化于玄冥之境”。[7] 这就是郭象关于“独化于玄冥之境”的“玄冥说”。什么是“玄冥之境”呢？郭象说：“玄冥者，所以名无而非无也”。[8]把握住“其旨玄妙。至至之道，融微旨雅。泰然遣放，放而不敖。故曰不知义之所适，猖狂妄行，而蹈其大方，含哺而熙乎澹泊，鼓腹而游乎混茫。至［仁］极乎无亲，孝慈终于兼忘，礼乐复乎已能，忠信发乎天光。用其光，则其朴自成。是以神

① 郭象：《庄子齐物论注》。
② 郭象：《庄子庚桑楚注》。
③ 郭象：《庄子知北游注》。
④ 郭象：《庄子在宥注》。
⑤ 郭象：《庄子天地注》。
⑥ 郭象：《庄子大宗师注》。
⑦ 郭象：《庄子序》。
⑧ 郭象：《庄子大宗师注》。

器独化于玄冥之境而源深流长也。故其长波之所荡，高风之所扇，畅乎物宜，适乎民愿"。[①]

3."名教即自然"，"足性逍遥"，"内圣外王"。

人们说，郭象哲学的特点是完成名教与自然的统一。在郭象哲学中，"有"是唯一的，没有什么"无"作为化生万物之本。以此来讲名教，名教是合理的，因为名教本身就是自然。他讲，"君臣上下，手足内外，乃天理自然，岂其人之所为者"。[②]"夫时之所贤者为君，才不应世者为臣，若天之自高，地之自卑，首自在上，足自居下，岂有递哉!"[③]"夫仁义自是人之情性，但当任之耳，恐仁义非人情而忧之者，真可谓多忧也"。[④]这就是说，现存的一套礼法制度、纲常名教，既不是人们按主观愿望营造的，也不是出于自然，而它本身就是自然。犹如天高地卑，头上脚下是不可倒置的自然秩序一样，世间的等级秩序也是自然的。只要人们懂得了"名教即自然"的道理，就会安于自己的处境。所以他说："若夫任自然而居当，则贤愚袭情，而贵贱履位，君臣上下，莫匪尔极，而天下无患矣"。[⑤]反之，"臣妾之才，如不安臣妾之任，则失矣"。[⑥]郭象由名教即自然的观点，进一步发挥了"足性逍遥"的理论，进而提出了著名的"内圣外王"的思想。

郭象在《庄子序》中讲《庄子》书"游谈乎方外哉!""言则至矣，通天地之统，序万物之性，达死生之变，而明内圣外

① 郭象：《庄子序》。
② 郭象：《庄子齐物论注》。
③ 郭象：《庄子骈拇注》。
④ 郭象：《庄子齐物论注》。
⑤ 郭象：《庄子在宥注》。
⑥ 郭象：《庄子齐物论注》。

王之道"。[1] 由此可见，郭象的"逍遥"并不是要超现实，越名教，是"圣人踞在庙堂之上，然其心无异于山林之中"，他尽可能"戴黄屋，佩玉玺"，"历山川，同民事"，且并不失之为把握了"至至之道"的"至至者"。这样，精于名教的贤圣与乐于自然的神人，在他笔下得到了统一。总之，在郭象看来，名教即自然、自然即名教，居山林之中就在庙堂之上，"内圣"才能"外王"，"外王"就要"内圣"。既继承了老庄"自然无为"的思想，又不废孔孟"道德教化"的理论。名教与自然之争，在郭象的体系中得到各自相安。

4."迹""所以迹"，"诚""成"。

被后来一些人认为是向秀"注"、郭象"窃"的《庄子注》中，特别体现着"诚"和"成"，论述了"迹"与"所以迹"的问题。《庄子注》对"大宗师"注有："仁者兼爱之'迹'，义者'成'物之动"。"胠箧"注则写道："夫圣人者，诚能绝圣弃知，而反'冥'物极。物极各冥，则其'迹'利物之'迹'也。器犹'迹'耳，可执而用曰器也。"《庄子注》中一方面讲"圣人无心，任世之自成。成之淳薄，皆非圣也。"[2] 另一方面又讲，"天下之物未必皆自成也，自然之理亦有须冶锻而为器者耳。[3]"《庄子注》还讲，"不能与至当俱往……未见能成其事也"。[4]"由乎尚无谓之'迹'也。若知'迹'之由乎无为而成，则绝尚去甚，反'冥'我极矣，尧桀将均于自得，君子小人奚辨哉?"[5] 因而，圣人"诚"。《庄子注》讲："夫圣人道同，而帝王殊迹

① 郭象：《庄子序》。
② 郭象：《庄子缮性注》。
③ 郭象：《庄子大宗师注》。
④ 郭象：《庄子人世间注》。
⑤ 郭象：《庄子德符注》。

者，诚世俗之惑不可解，故随而任之。"注者还特别讲到，"其朴自成，是以神器独化于玄冥之境而源流深长也。"[①]

《庄子》书中的许多文献涉及到"迹"及"所以迹"。《庄子》"外篇""天运篇"记有一段孔子与老聃的对话，原文是："孔子谓老聃曰：'丘治《诗》《书》《礼》《乐》《易》《春秋》六经，自以为久矣，孰知其故矣，以奸者七十二君，论先王之道，而明周召之迹，一君无所钩用。甚矣！夫人之难说也？道之难明邪？'老子曰：'幸矣，子之不遇治世之君也！夫六经，先王之陈迹也，岂其所以迹哉！今子之所言，犹迹也。夫迹，履之所出，而迹岂履哉？…'"由此，《庄子注》对于"迹"与"所以迹"作为重要的哲学范畴提出来，并论述他们之间的关系。

第一，关于"迹"。

《庄子注》解释说："工匠则有规矩之制，圣人则有可尚之'迹'"。[②]"法圣人者，法其'迹'耳。夫'迹'者已去之物，非应变之具也，奚足尚而执之哉？执成'迹'以御乎无方，无方至而'迹'滞矣，所以守国而为人守之也。"[③]"夫黄帝非为仁义也，直与物则冥，仁义之'迹'自见，'迹'自见则后世之心必自殉之，是亦黄帝至'迹'使物撄也。"[④] 这里所谓"帝王""圣人""黄帝""尧""舜"之迹，可谓之"名迹"，这一名迹，表现为六经，即所谓"先王之陈迹"；进而《庄子注》还围绕着"迹"对诗书礼爱以及法进行了说明："诗礼者，先王之陈'迹'也。苟非其人，道不虚行，故夫儒者乃有用之为奸，则'迹'

① 郭象：《庄子序》。
② 郭象：《庄子马蹄注》。
③ 郭象：《庄子胠箧注》。
④ 郭象：《庄子在宥注》。

不足恃也。”[①]“名法者，已过之‘迹’耳，而非适足也。”[②]“仁义发中，而还任本怀，则志得矣，志得矣，其‘迹’则乐也。信行容体，而顺乎自然之节文者，其‘迹’则礼也。”[③]“圣王之所以当功过，非以著劝畏也，故理致则遣之，然后至一可反也。而三代以下，遂寻其事‘迹’，故匈匈焉与‘迹’竞逐。”[④]“兼爱之‘迹’可尚，则天下之目乱矣。可以尚之‘迹’蒿令有患者而遂忧之，此为陷入于难而后拯之也。…自三代以上，实有无为之‘迹’，无为之迹，亦有为者之所尚也。尚之，则失其自然之素，故虽圣人有不得已也。”[⑤]“爱民之‘迹’，为民所尚，尚之为爱，爱已伪矣。”[⑥]归结起来，《庄子注》论了“迹”与“成”的关系。“仁者兼爱之‘迹’，义者成物之功。爱之非仁，仁‘迹’行焉，成之非义，义功见焉。”[⑦]

第二，关于“所以迹”。

《庄子》书讲到“陈迹”“迹”，还讲到“所以迹”。《庄子注》对“所以迹”谓之“冥”。在《庄子注》讲来，如果说“六经为迹”，是以“自然为履”“况今人之事”，那么“所以迹”“真性也”，是“任物之真性”。《庄子注》是这样写的“‘所以迹’者，真性也，夫任物之真性者。其‘迹’则六经也，况今人之事，则以自然为履，六经为迹。”《庄子注》“帝王”篇注又写道：“‘所以迹’者，‘无迹’也。‘无迹’者，乘群变，履万世。世有险事，故‘迹’有不及。”《庄子注》“胠箧”注又有：

① 郭象：《庄子外物注》。
② 郭象：《庄子则阳注》。
③ 郭象：《庄子缮性注》。
④ 郭象：《庄子在宥注》。
⑤ 郭象：《庄子骈拇注》。
⑥ 郭象：《庄子徐无鬼注》。
⑦ 郭象：《庄子大宗师注》。

"夫尧舜者，岂尧舜而已哉？是以虽有矜之貌，仁义之迹，而'所以迹'者故全也。"在郭象的解释中，"所以迹"，又是"无迹"，这在于"反任物性，而物性自一，故'无迹'"。[①]"而无迹，冥也；与物冥而无迹"。[②]"情复而混冥，'无迹'也"。[③]"此真浑沌也，故与世同波，而不自失，则虽游于世俗，而泯然'无迹'"。[④]"夫率自然之性，游'无迹'之途者，放形骸于天地之间，寄精神于八方之表"。[⑤]

对于作为"无迹"的"冥"，依《庄子注》的注言，可总结以下若干关系，把握其基本涵义。

"冥"与"极"的关系。（1）冥达"至极"。《庄子注》以"冥极"言"冥"达"至极"。《庄子注》曰："冥极者，任其至分而无毫铢之加"。[⑥] 至极，达到了极限，《庄子注》言："夫与物冥者，无多也。""冥然与时世为一，而后妙当可全。"[⑦]（2）冥即"无极"。《庄子注》写道："冥乎不死不生者，无极者也。"[⑧] 这有所谓："常以纯素，守乎至寂，而不荡于外，则'冥'也。"[⑨]（3）冥是"玄极"。《庄子注》中有："与物冥，未尝有对于天下也，此居其枢要而会其玄极，以应夫无方也"。[⑩]这里说到"枢要"。

"冥"与"理"的关系。（1）《庄子注》言："至理有极，但

① 郭象：《庄子缮性注》。
② 郭象：《庄子人间注》。
③ 郭象：《庄子天地注》。
④ 郭象：《庄子天地注》。
⑤ 郭象：《庄子知北游注》。
⑥ 郭象：《庄子养生之注》。
⑦ 《庄子骈拇注》。
⑧ 郭象：《庄子逍遥游注》。
⑨ 郭象：《庄子刻意注》。
⑩ 郭象：《庄子齐物论注》。

当'冥'之则得其枢要也。"[①] (2)《庄子注》又言:"欲以直理,'冥'之冀其'无迹'。"[②] (3)《庄子注》还言:"夫物有自然,理有至极,循而直往,则'冥'然自合,非所言也。"[③] "夫理有至极,外内相冥,未有极游外之致而不冥于内者也,未有能冥于内而不游于外者也。"[④]

"冥"与"通"的关系。(1)《庄子注》讲"夫唯与物冥而大变者,为能无待而常通。"[⑤] 这是因为,"体与物冥者","神全形具","虽涉至变,而未始非我。故荡然无蔕介于胸中也"。[⑥] "夫神全心具,则体与物冥,与物冥者,天下无[之]所不能远"。[⑦] (2)《庄子注》又讲,"苟能得中而'冥'度,则事事无不可也。"(3)《庄子注》还讲,"夫画地而使人循之,其'迹'不可掩矣;有其已而临物,与物不'冥'矣"。[⑧] "与物冥者,物萦亦萦,而未始不宁也"。[⑨] "凡得之不由于知,乃冥也"。[⑩] "知与变化俱,则无往而不'冥'"。[⑪]

第三,关于"迹"与"所以迹"的统一。

由以上所论,我们应这样认为:《庄子注》中所言及的"迹"是就昭昭之陈迹来讲,这是指向形而下的;"所以迹"是就冥冥之无迹而言,这是指向形而上的。联系于"成"与

① 郭象:《庄子徐无鬼注》。
② 郭象:《庄子德符注》。
③ 郭象:《庄子齐物论注》。
④ 郭象:《庄子大宗师注》。
⑤ 郭象:《庄子逍遥游注》。
⑥ 郭象:《庄子齐物论注》。
⑦ 郭象:《庄子德符注》。
⑧ 郭象:《庄子人间注》。
⑨ 郭象:《庄子大宗师注》。
⑩ 郭象:《庄子知北游注》。
⑪ 郭象:《庄子德符注》。

"诚"，就塑造论哲学来讲，"成""迹"指向形而下，它是指向显意识的；"所以迹""诚"指向形而上，它是指向潜意识的。而就形而上与形而下的结合来论，"诚者自成""不诚无物"；"诚"贯彻于"成"，"成"体现着"诚"；体现着"诚"而"自成"达于"成物"，"成"而"成物"内在着"诚"。这样，"玄"之"冥"在成物之中才"昭"为"明"，"冥冥之玄"成为"昭昭之明"；形而上之"所以迹"陈为形而下之"迹"，这才体现出《庄子注》又讲到的"所以明""所以名""所以依""所以游""所以得""所以动"。

《庄子注》中有这样一些话："得之于道，乃'所以明'其自得耳。…掘然自得耳独化也"。[①]"玄冥者，'所以名'无而非无"。[②]"子贡不闻性与天道，故见其'所依'，而不见其'所以依'也，夫'所以依'者不依也，世岂觉之哉?"[③] "问'所以游'外而共内之意"。[④]"'圣人'者物得性之名耳，未足以名其'所以得'也"。[⑤]"'黄帝'者功号耳，非'所以功'者也，故况功号于'所以功'，相去远矣"。[⑥]

《庄子注》还表明：如果只拘泥于形而下，就会失掉形而上；即《庄子注》中所讲到的，"这种寻其'迹'者，失其'所以迹'矣"；而人们总要由形而下向形而上提升。《庄子注》写道，"明物物者无物，而'物自物'耳；'物自物'耳，故冥也"。[⑦]《庄子注》要表达的意思是这样的：只拘泥于显于物，人

① 郭象：《庄子大宗师注》。
② 郭象：《庄子大宗师注》。
③ 郭象：《庄子大宗师注》。
④ 郭象：《庄子大宗师注》。
⑤ 郭象：《庄子逍遥游注》。
⑥ 郭象：《庄子田子方注》。
⑦ 郭象：《庄子知北游注》。

就会失掉物，这是因为只把自己等同于物；明物不是只陷于自然；因为要使“物”成为“明物之自然”。这不仅仅是“有”之使然，一定要知道“物自物”并非只陷于显现的“物自物”，真正的“物自物”在于其被统摄于作为“所以迹”而“无迹”的形而上之“冥”。当“与物冥而无迹”便使“可尚之迹”成为“无为之迹”。“尚之，则失其自然之素”，“无为之迹亦有为者之所尚也”。①“其所为，弗能不为也。”②

对于为实现形而下与形而上统一而由形而下向形而上的提升，《庄子注》写了这样的过程：“谁得先物者乎哉？吾以阴阳为先物；而阴阳者即所谓‘物’耳。谁又先阴阳者乎？吾以自然为先之；而自然即‘物之自’尔耳。吾以‘至道’为先之矣，而至道者乃自‘无’也。既以‘无’矣，又奚为先？然则先物者谁乎哉？而犹有物无已，明物之自然非‘有’使然也。”③这才达到“与物冥而无迹”。

“迹”与“所以迹”统一的实现，由《庄子注》的论述，其中有一个“遇之”、“因之”、“顺之”的范畴系列。

关于“遇之”。《庄子注》提出要达到：“不问所爱何物，‘遇之’而无不适也。”④“无理不通，故当任所‘遇’而直前耳。”⑤

关于“因之”。《庄子注》指出，所谓“因”，是“‘因’其自摇而摇之，则虽摇而非为也。‘因’其自荡而荡之，则虽荡而

① 郭象：《庄子骈拇注》。
② 郭象：《庄子德符注》。
③ 郭象：《庄子知北游注》。
④ 郭象：《庄子大宗师注》。
⑤ 郭象：《庄子人世间注》。

非动也。"[1] 这才有所谓"'因'而不作"。[2]

关于"顺之"。《庄子注》写道："明夫是非者，群品之所不能无，故至人两顺之"。[3] 这里重要的是，"偶，对也。彼是相对。而圣人'两顺'之。故无心者与物冥，而未尝'有对'于天下也，此居其枢要而会其玄极，以应夫无方也。"既然"有时"，重要的在于"得其'中'"。《庄子注》说："今以是非为环，而得其'中'者，无是无非也。无是无非，故能应夫是非，是非无穷，故应亦无穷。"[4]"忘善恶而'居中'，任万物之自为，闷然与至当为一，故刑名远已，而全理在身也。…苟得'中'而冥度，则事事无不可也"。[5] 由强调"苟得'中'而冥度"，所以《庄子注》推当"中庸"。《庄子注》写道："任理之必然者，'中庸'之符全矣，斯接物之至者也"。[6]

基于"遇"、"因"、"顺"，由此总起来应当认为，《庄子注》引申出的若干关系，是值得重视的。

第一，"两顺之"与"冥迹两会"。在《庄子注》的注者看来，由"两顺之"，便形成一种"无往而不因，无因而不可"之"冥迹相会"。这是比较简单的"直接的偶会"。而高级的"直接的偶会"：这是一种"静寂的委顺"，是"淡然自得、泊乎忘"的"偶会"。《庄子注》"应帝王"注写道："渊者静默之谓耳。夫水常无心，委顺外物，故虽流之与止……常渊然自若，未始失其静默也。夫至人用之则行，舍之则止，行止虽益，而玄默

---

① 郭象：《庄子天地注》。

② 郭象：《庄子齐物论注》。

③ 郭象：《庄子齐物论注》。

④ 郭象：《庄子齐物论注》。

⑤ 郭象：《庄子养生主注》。

⑥ 郭象：《庄子人间世注》。

以焉。……治乱纷如，居其极者常淡然自得，泊乎忘为也"。[①]"故虽天下之广，而无劳神之累"。"夫圣人因物之自行，故'无迹'，然则所谓圣者，我本'无迹'，故物得其'迹'，'迹'得而强名圣，则圣者乃"无迹"之名也"。[②] 这就没了"履"与"迹"间的痕迹，只是"物来即鉴，鉴不以心"的委顺，故"实冥"与"形迹"统一。

第二，"内外相冥"与"卓尔独化"。当"冥迹两会""新旧更移"，"今交一臂而失之，皆在冥中去矣。故向者之我，非复今我也，我与今具往岂常守故哉?"[③] 这就实现一种"超越"，也有人称之为"飞跃"，这相应于《庄子注》使用的"独化"一词。《庄子注》"大宗师"注中写道，"卓者独化之谓也。夫相因之功，莫若独化之至也。故人之所因者天也，天之所生者独化也。人皆以天为父，故尸夜之变，寒暑之节，犹不敢恶，随天安之，况乎卓尔独化，至于玄冥之竟，又安得而不任之哉?"[④]

第三，"独化于玄冥之境"，与"自成""诚"、"诚""自成"。"独化"即"超越"，达于此便使"见形而不及神者，天下之常累"得以改变，"夫理有至极，外内相冥，未有极游外之至而不冥于内者也，未有能冥于内而不游于外者也。故圣人常游外以宏（幂）内，无心以顺有。故虽终日挥（见）形，而神气无变，府仰万机，而谈自若。""是故睹其与群物并行，则莫能谓之遗物而离人矣；睹其体化而应物，则莫能谓之坐忘而自得矣。岂直谓圣人不然哉！乃谓之理之无比。"[⑤] 所以说，"至人

① 郭象：《庄子应帝王注》。
② 郭象：《庄子襄王注》。
③ 郭象：《庄子大宗师注》。
④ 郭象：《庄子大宗师注》。
⑤ 郭象：《庄子大宗师注》。

［仁］极乎无亲，孝慈终于兼忘，礼乐复乎已能，忠信发乎无光，用其光，则其朴自成，是以神器独化于玄冥之境而源远流长也。"[①]《庄子注》强调，"其朴自成"便"独化于玄冥之境而源远流长"，这里讲到"自成"。先秦《中庸》书中有："诚者自成"，"不诚无物"。可见，"自成""诚也""诚者，自成也"。达到"诚"于是其朴"自成"，"是以神器独化于玄冥之境"而"源流深长也"。这是《庄子注》著者为其书作序而言，应当认为，这成为对《庄子》书所注出的非常有特色的哲学取向。

三、"崇有"与"贵无"调和论

东晋时期，产生了张湛的玄学思想。张湛，字处度，高平（今山东金乡西北）。生活于东晋朝，生卒年不详。张湛"官至中书郎"[②]。据《世说新语·任诞》说："张湛好于斋前种松柏。时袁山松出游，每好令左右作挽歌。时人谓张'屋下陈尸'，袁'道上行殡'。"张湛不仅爱好植树，而且对医学亦颇有研究。张湛的著作现存的主要是《列子注》。据新旧《唐书》载，张湛还著有《养生要集》10卷和《延年秘录》12卷。又《文选》的《辩命论》李善注引用了《庄子》张湛注，由此而知，张湛可能注过《庄子》。关于张湛的著作我们现在可参阅杨伯峻先生的《列子集释》附录一《张湛事迹辑略》。[③]

张湛的《列子注》最能体现他的思想见解。关于历史上《列子》这本书的作者，有说是张湛，此不确。其实，《列子》原来就有，后多零散，而由张湛加工编定。故后人以为张湛所作。据现在所知，《列子》相传为春秋战国时的一位道家人物列

① 郭象：《庄子序》。

② 见《世说新语·任诞》注引《张氏谱》。

③ 许杭生：《三国两晋玄佛道简论》，齐鲁书社1991年版，第163～165页。

御寇所作。《汉书·艺文志》著录《列子》八篇。据刘向《列子新书目录》说，原得“内外书凡二十篇，以校除复重十二篇，定著八篇”。可见《汉书·艺文志》所著目录的八篇，是刘向整理而成的。刘向涉及此《目录》又说：“《穆王》《汤问》二篇，迂诞恢诡，非君子之言也。至于《力命》篇，一推分命；《杨子》之篇，唯贵放逸；二义乖背，不似一家之书。……孝景皇帝时贵黄老之术，此书颇行于世。及后遗落，散在民间，未有传者，且多寓言，与庄周相类，故太史公司马迁不为列传。”据此可知，《列子》书早在汉代散落，刘向所得的20篇其中就有12篇“复重”，可见其间必有许多是汉代人伪纂。这是《列子》书的第一次散失。之后在三国两晋时期又因战乱而再次散落。

现存的《列子》一书，其实是到了东晋，才由张湛根据其祖父从外舅王宏、王弼和他自己从王弼女婿赵季子家所得之书，拼合而成。张湛《列子序》涉及了这一成书过程。依其中说法，《列子》第二次散失是在西晋永嘉之乱以后。后来由张湛收集编纂而成现存的《列子》一书。《列子》经历了这样两次编纂，很难说保存了先秦原来著作的面目。现在的《列子》虽说也可能尚存先秦列子的思想，但很明显已大量加进了汉魏晋时期的思想。在这方面，许多学者已经做了大量的辨伪工作，就连张湛自己也承认《列子》“所明往往与佛经相参”。季羡林先生在《列子与佛典》一文中指出，《列子·汤问篇》关于偃师之巧的故事和西晋竺法护所译《生经》中的故事“内容完全相同”，可见《列子》已经吸收了西晋佛教的思想。[①] 佛教思想被引入《列子》一书，足见《列子》已为后人所伪纂。

作为《列子》书现存的文献的有八篇。按张湛的说法，八

① 见季羡林：《中印文化关系史论丛》，人民出版社1957年版。

篇一贯：第一篇说存亡变化；第二篇说顺生死；第三篇说无变化；第四、第五篇说玄照（智慧解脱）；第六篇说知命；第七篇说达生；第八篇说通变。张湛强调："其书大略明群有以至虚为宗，万品以终灭为验；神惠以凝寂常全，想念以著物自丧；生觉与化梦等情，巨细不限一域；穷达无假智力，治身贵于肆任，顺性则所至皆适，水火可蹈，忘怀则无幽不照，此其旨也。……大归同于老庄"。张湛虽说没有注释"三玄"，却注了《列子》，其思想显然属于魏晋老庄玄学。

张湛玄学思想的特点是力图调和玄学的贵无与崇有两派的思想。保持着魏晋玄学的哲学传统，张湛也以"有无"问题为其哲学的中心议题。张湛认为，"无"非"有"，故不生，故无形，无聚散、始终；而"有"非"无"，故有生，故有形，有聚散、始终。张湛说："聚则成形，散则为终，此世之所谓终始也。然则聚者以形实为始，以离散为终；散者以虚漠为始，以形实为终。"此中所论，体现着张湛对"无"的指认。这里的所谓"虚漠"即是说"元气"。依张湛见解，元气所成之物有始有终，而本身是无生死的、无尽、无限的，所以"元气"不是"物"。凡"物"皆有始有终，因其为元气之变化故也。张湛曰："生于此者或死于彼，死于彼者或生于此，而形生之主未尝暂无，是以圣人知生不常存，死不永灭，一气之变，所适万形。万形万化，而不化者存。"由此张湛讲到"成"："成者方自谓成，而已亏矣；生者方自谓生，潜已死矣"。

基于"有""无"及"成"，《列子》卷一中说到"太易"、"太初"、"太始"、"太素"。元气浑然，是为太易。"太易者未见气也"。而明物之自微至著变化相因袭也。张湛注曰："易者不穷滞之称，凝寂于太虚之域，将何所见耶。如《易系》之太极，老氏之浑成也"。其后始有气，是为太初。其后始有形，是为太始。其后始有质，是为太素。"太易为三者宗本"，"虽浑然一气不相离散，而三才之道实潜兆乎其中”，“太易之义，如此而已，故能为万物宗主”。所以说，“生化之本归于无”。

张湛讲“聚散”，讲“有形”，体现着对“有”的指认。张湛言：“谓之有（生）者，则不无；无者则不有（生）。故有无不相生，理既然矣，则有何由而生？忽尔而自生。”“以明有形之自形，无形以相形而。”①

张湛讲“无”讲“有”，讲“形”，注重以“生”“死”来论“成”与“毁”。张湛所论是这样的：物有生死，元气有显没而无生死。“生之不知死，犹死之不知生。故当其成也，莫知其毁；及其毁也，亦何知其成。此去来之验，成败之明征”。张湛在展开其注说时，一方面接受了郭象“崇有论”的“忽尔自生”之论，认为：“忽尔而自生，而不知其所以生；不知其所以生，生则本同于无。本同于无，而非无也。此明有形之自形，无形以相形也。天地无所从生，而自然生。”② 另一方面，张湛回到王弼的“贵无论”，认为“无不生有”，进而说：“有之为有，恃无以生，言生，故必由无，而无不生有”。同时，张湛调和崇有论与贵无论。他接着讲道：“此运通之功必赖于无，故生动之称，因事而立耳。”③ 他又说：“形、声、色、味，皆忽尔自生，不能自生者也。夫不能自生，则无为之本。无为之本，则无留于一象，无系于一味，故能为形气之主，动必由之者也”。④“至无者，故能为万变之宗主也”。⑤ 在这里，张湛一面讲“忽尔而自生”，以明无不能生有；一面又讲“忽尔生”“不能自生”，以

① 《列子·天瑞》注。
② 《列子·天瑞》注。
③ 《列子·天瑞》注。
④ 《列子·天瑞》注。
⑤ 《列子·天瑞》注。

明"有之为有""恃无以生""无为之本"。前者讲的是郭象思想，后者讲的是王弼思想。张湛总起来说是把崇有与贵无两派的思想糅合在一起。张湛玄学的这一点成为东晋时期玄学发展的一大特征。①

第二节　道教的"精诚"论

道教是一开始就在中国产生并在中国长期生长的宗教。道教在中国大体产生于东汉末年，从其产生的思想渊源来说，由其名称上冠之于"道"，就表明，它与先秦道家学说密切相关。另外，发展起来的道教把老子加以神学化推为主神也能说明问题。

一、《通玄真经》

后来被叫作《通玄真经》的《文子》书，是道教的较早文献。《汉书·艺文志》和《隋书·经籍志》皆著录《文子》（一说 9 卷，一说 12 卷），但对文子其人，皆无记述，仅称"老子弟子，与孔子并时"。北魏李暹将范蠡之师计然附会于文子。称文子"姓辛，葵丘濮上人，号曰计然，范蠡师事之。本受业于老子，录其遗言为十二篇"。道教沿用此说，并加神化。谓楚平王（系周平王之误）用其所言道德，而天下治。后南游越，不仕，隐于吴兴余英禹山，登云升天。现存《通玄真经》12 卷（篇），88 章，每章前皆冠以"老子曰"。主旨为释老子之"道"。宋濂《诸子辨》谓其乃《道德经》之义疏。书中对老子多所阐发。《道原》篇又说："真人者，知大己而小天下，贵治身而贱

① 参见，许抗生：《三国两晋玄佛道简论》，齐鲁书社 1991 年版。

治人，不以物滑和，不以欲乱情。隐其名姓，有道则隐，无道则见。……怀大道，包天心、嘘吸阴阳，吐故纳新。……无所乐，无所苦，无所喜，无所怒，万物玄同，无非无是。……其寝不梦，觉而无忧”。

《文子》作为道家的重要著作，其第二篇《精诚》对庄子提出的精诚思想加以发挥，构建了道家关于“诚”的哲学。这里，从天人关系看，道教注重强调，只有精诚发于内，才能感动天地，“故精诚内形，气动于天。景星见，黄龙下，凤凰至，醴泉出，嘉谷生，河不满溢，海不涌波①。”“精诚发于内，神气动于天也”②。从道论看，精诚就是道，“夫道者藏精于内，栖神于心，静漠恬淡，悦穆胸中，廓然无形，寂然无声……故总道以被民，而民弗从者，精诚弗至也”③。道的施行也离不开精诚，“怀自然，保至真，抱道推诚，天下从之，如响之应声，影之象形，所修者本也”④。“夫抱真效诚者，感动天地，神逾方外，令行禁止，诚通其道而达其意，虽无一言，天下万民、禽兽、鬼神与之变化”⑤。从个人修养看，精诚藏于内，“全性保真”，抱道含德，修已出诚。由此可见，《文子·精诚》的思想是一个完整的体系，以精诚为中心，讲道的施行，因顺自然，无为而治，要在抱道推诚。其思想上承老庄，下启道教，是道家道教诚信思想发展史的重要一环。

《文子》书说：“阴阳交接，乃能成和”；强调：“精诚发于内，神气动于天也。”“夫抱真效诚者，感动天地，神逾方外，

① 转引自李申：《道教本论》，上海文化出版社 2001 年版，第 47 页。

② 转引自熊铁基：《秦、汉新道家》，上海人民出版社 2001 年版，第 47～48 页。

③ 转引自熊铁基：《秦、汉新道家》，上海人民出版社 2001 年版，第 47～48 页。

④ 转引自熊铁基：《秦、汉新道家》，上海人民出版社 2001 年版，第 47～48 页。

⑤ 转引自熊铁基：《秦、汉新道家》，上海人民出版社 2001 年版，第 47～48 页。

令行禁止，诚通其道而达其意，虽无一言，天下万民、禽兽、鬼神与之变化"。这里注重讲"诚"，认为有道真人精诚内形，气动于天，因顺自然，抱道推诚，"调阴阳之气，和四时之节"，可感动天地，使瑞应骈臻。由此可见，道教的天人合一理论与道家基本相同，也认为天人一体，天与人有着相感相应的关系。人有诚心为善，清静专一，至诚感动天地，调和阴阳，召至瑞应。

《文子》认为道的施行离不开精诚，"故赏善罚暴者政令也，其所以能行者精诚也。令虽明不能独行，必待精诚。故总道被民，而民弗从者，精诚弗至也"。抱道推诚，移风易俗，也离不开诚，"悬法设赏而不能移风易俗者，诚心不抱也"[①]。

二、《老子想尔注》

被道教奉为经典的还有《老子想尔注》。《老子想尔注》是中国思想史上第一部站在宗教立场用神学注解《老子》的书，这开创了道教系统改造利用道家著作的传统，是老学与长生成仙说及民间道术合流的代表作，在早期道教发展史上有着特殊重要的意义。《老子想尔注》语言浅近，主要是讲给下层民众听的，其中讲了许多对教徒的要求——"道诫"，尤其重视诚信问题。如《老子》第八章"言善信"注云："人当常相教为善，有诚信"。[②] 此书对《老子》第十八章"国家昏乱，有忠臣"注云："道用时，臣忠子孝，国则易治，时臣子不畏君父也，乃畏天神。孝其行不得仙寿，故自至诚，既为忠孝，不欲令君父知，自嘿而行，欲蒙天报"。"此类外是内非，无至诚感天之行，故令国难治"。[③] 此书又对《道德经》第十九章"绝仁弃义，民复

① 转引自熊铁基：《秦、汉新道家》，上海人民出版社 2001 年版，第 47～48 页。

② 见饶宗颐：《老子想尔注校证》，上海古籍出版社 1991 年版，第 11 页。

③ 见饶宗颐：《老子想尔注校证》，上海古籍出版社 1991 年版，第 23 页。

孝慈"注云:"人为仁义,自当至诚,天自赏之,不至诚者,天自罚之;天察必审于人,皆知尊道畏天,仁义便至诚矣"。[①] 此书对《道德经》第二十四章"其在道"注云:"欲求仙寿天福要在信道,守诚守信,不为贰过"[②]。对第二十七章"善计不用筹策"注云:"至心信道者,发自至诚,不须旁人自劝"。"善结无绳约不可解"注云:"结志求生,务从道诚。至诚者为之,虽无绳约,永不可解。不至诚者,虽有绳约,犹可解也。"[③]《老子想尔注》反复强调"至诚"在信道和行道中的重要作用,认为只有出于"至诚"才能真正行善。"为善至诚"是指行善发自本心,真实无妄,而不是为了谋取名利虚诈行善。这表明早期道教已把"至诚"提升为最高道德规范,"为善至诚"是教徒感动天神,积善成仙的最佳途径。天道、天神无幽不察,无界弗明,赏善罚恶,人要免灾求福,必须至诚行善。《老子想尔注》的诚信观将道家、儒家的诚信思想宗教化,通过天神的监督,使诚信观念内化为道教徒的自我修养,从而达到推行教化的目的。

《老子想尔注》还曾反复宣扬天神明察秋毫,报应无爽,至诚可蒙天赏等思想:"臣子不畏君父,乃畏天神";吏民"不畏法律,乃畏天神"。人们欲求仙寿天福,关键在于至诚信道,以感天神,蒙获福报。"人为仁义,自当至诚,天自赏之;不至诚者,天自罚之,天察必审于人,皆知尊道畏天,仁义便至诚矣"。"会不能忠孝至诚感天,民治身不能仙寿,佐君不能至太平"。[④]"古之仙士,能守微妙,与天地通"。[⑤]

① 见饶宗颐:《老子想尔注校证》,上海古籍出版社1991年版,第24页。
② 见饶宗颐:《老子想尔注校证》,上海古籍出版社1991年版,第31页。
③ 见饶宗颐:《老子想尔注校证》,上海古籍出版社1991年版,第34页。
④ 见饶宗颐:《老子想尔注校证》,上海古籍出版社1991年版,第18页。
⑤ 见饶宗颐:《老子想尔注校证》,上海古籍出版社1991年版,第16页。

三、《太平经》

再要说到的《太平经》也是道教的早期经典。传汉时曾先后流传三种《太平经》：西汉成帝时齐人甘忠可造《包元太平经》12卷。东汉时于吉《太平清领书》170卷。《后汉书·襄楷传》："顺帝时，琅邪宫崇诣阙，上其师干吉于曲阳泉水上所得神书170卷，皆缥白素、朱介、青首、朱目，号《太平清领书》。"唐李贤注："神书，即今道家《太平经》也。其经以甲乙丙丁戊己庚辛壬癸为部，每部一十七卷也。"又唐孟安排《道教义枢》卷二《七部义》载，汉顺帝时，宫崇上其师于吉所得神书170卷，号《太平经》。另有张陵《太平洞极经》144卷。均已佚散。明《正统道藏》所收《太平经》，乃170卷本，今残存57卷。

《太平经》认为天地至诚与神相应，至诚是天地之道，"至诚所加，物有自然"。"天下之事，忠孝诚信为大，故勿得自放恣"。"天者纯为道，地者纯为德"，"道德至诚"，可以感动天地。天地之道真实无妄，人性得于天道而守其正亦真实无妄，诚在道教理论中也具有本体之意。

《太平经钞癸部》云："心中所欲，感动皇天，阴阳为移，言语至诚感天，正此也"。至诚之念"能动天地，和阴阳，合万物"[①]。卷一百八云："夫天地之性，自古到今，善者至善，恶者致恶……故人心端正清静，至诚感天，无有恶意，瑞应善物为其出"[②]。道教天下感应的中心内容是善恶报应思想，《太平经》反复阐述天神有簿书记人功过，赏善罚恶，"善自命长，恶自命短"的观点。至诚为善，天地感知，自有报应，卷一百二云："人尽习教为虚伪行，以相欺殆，我独教人为善，至诚信，天报

① 见王明：《太平经合校》，中华书局1960年版，第719页。

② 见王明：《太平经合校》，中华书局1960年版，第512～513页。

此人；人尽言天地无知，我独阴畏承事之，天报此人"。长寿之人之所以长寿，是因为他"有忠孝，不失天地之心，助四时生，助五行成，不敢毁当生之物。为善不行侵人，无所欺抵，诚信不敢有所负"。[①] 至诚感天的思想在《太平经》中比比皆是，贯彻始终，与道家思想不同的是，道教更强调天神赏善罚恶的功能，为善是否出于诚信，天会遣神查证记录最终报应在生命的长与短上。

道教注重"道"对于人的教化，《太平经》有"贪财色灾及胞中诫"、"衣履欲好诫"、"不孝不可久生诫"、"不承天书言病当解谪诫"、"天咎四人辱道诫"等道诫。

道家理论有一个形成和发展的过程，道家的诚信思想也有一个丰富和完善的过程。道家贯真，至真无伪就是诚，纯真自然近于道。天地至诚，化生万物，是自然之道；人性至诚，"法天贯真"，顺乎自然，"与道合真"；所以，道家把诚视为天道、人道之本。"怀自然，保至真，抱道推诚，天下从之"。道教继承了道家的理论，并将其向宗教化方向发展，对诚信思想也是既有继承延续，又有发展，其主旨是将道家诚信思想作为教诫教规贯彻到宗教活动中去。

《太平经》把历史分为上古、中古、下古、当今四个阶段，历史的治乱兴衰与诚信联系。卷九十六："神、真、仙、道、圣、贤、凡民、奴、婢，此九人有真信忠诚，有善真道乐，来为德君辅者，悉问其能而仕之，慎无署非其职也，亦无逆去之也"。[②] 卷十八至三十四云："行信，信星往守之。相去远，应之近。天人一体，可不慎哉?""守一明之法，长寿之根也。"[③] 卷

① 见王明：《太平经合校》，中华书局1960年版，第550页。
② 见王明：《太平经合校》，中华书局1960年版，第417页。
③ 见王明：《太平经合校》，中华书局1960年版，第16页。

四十三："天之所祐者，祐易教，祐至诚，祐谨顺，祐易晓，祐敕，天之于帝王最厚。"[①] 卷九十六："今人求道德及凡人行，当以何为急务哉？以何而得知之？以何而与天地响相应也？""善乎，子之问也。当以至诚，五内情实为之，乃可得也。如不以五内情实为之，是道德之所怨也，求善不可得也。神灵不应也。"[②] 又说："然夫至诚者，名为至诚，乃言其上视天行，像天道可为；俯视地而行，像地德而移。……心者，最藏之神尊者也。……故至诚于五内者，动神灵也"。[③] 卷一百十中说："天下之事，孝忠诚信为大，故勿得自放恣"。[④]

东汉末年，出现五斗米道（天师道）和太平道，标志着道教进入民间而生长。五斗米道是天师道的前身，按道教的传统说法是东汉张陵在蜀地创始，经张衡，到张鲁时使五斗米道得到了确立和发展。当时在巴汉一带的五斗米道早期领袖还有张修，按《典略》的说法，他的宗教活动大致于太平道相同，引人注目的思想是对道家理论的重视，在道教史上首次把《老子》书作为教徒必修的经典。《三国志·张鲁传》注引《典略》说："修法略与角同，加施静室，使病者处其中思过。又使人为奸令祭酒，祭酒主以《老子》五千文，使都习，号为奸令"。[⑤] 后张鲁袭杀张修，兼并其部众，遂在汉中建立地方政权，继续推行五斗米道的思想。据文献记载，张鲁曾为《老子》作注。《经典释文·序录》录有《老子想尔注》二卷，注云："不详何人。一云张鲁，或云刘表。鲁字公旗，沛国丰人，汉镇南将军、关内

① 见王明：《太平经合校》，中华书局1960年版，第100页。
② 见王明：《太平经合校》，中华书局1960年版，第425页。
③ 见王明：《太平经合校》，中华书局1960年版，第426页。
④ 见王明：《太平经合校》，中华书局1960年版，第543页。
⑤ 陈寿：《三国志·张鲁传》，中华书局1962年版，第264页。

侯"。[①]"想余"当系"想尔"之误。尽管文献记载不够肯定，但由于刘表"博求儒术"，不会用粗浅文字去注经，故学术界一般认为该书为张鲁所作。

据《三国志·张鲁传》记载："鲁遂居汉中，以鬼道教民，自号'师君'……皆教以诚信不欺诈，有病自首其过"。[②] 这表明张鲁以诚信教化民众的效果非常显著，"诚信不欺诈"给当时人留下了特别深刻的印象。

东汉末年五斗米道（又名天师道）和太平道的出现，标志着真正作为宗教形态的道教的正式产生。五斗米道信奉的经典是《老子》书，太平道信奉的经典是《太平经》（又名《太平清领书》）。五斗米道主要在巴蜀和陕南一带流行，太平道的教徒达数十万，遍及青、徐、幽、冀、荆、扬、兖、豫八州。中平元年（184），张角领导太平道发动了黄巾大起义，后被东汉王朝镇压。五斗米道与黄巾起义相呼应，该道创始人张陵的孙子张鲁在汉中建立了政教合一的政权。建安二十年（215），为曹操所灭。

"太平"是中国农民起义的一个理想，张角领导的黄巾起义所依托的宗教组织称为"太平道"，他们尊奉的宗教经典称为《太平经》。王明先生认为《太平经》"远的说，上承老子的遗教，近的说，受当代图谶神仙方术的影响。它的进步的思想部分，下对张角、张鲁辈也有所启发"。[③]《太平经》中有许多内容反映了早期道教的诚信观。卷一百二："人尽习教为虚伪行，以相欺殆，我独教人为善，至诚信，天报此人"。[④] 卷四十八："天

① 见饶宗颐：《老子想尔注校证》，上海古籍出版社 1991 年版，第 4 页。

② 陈寿：《三国志·张鲁传》，中华书局 1962 年版，第 263 页。

③ 见王明：《太平经合校》，中华书局 1960 年版，前言第 2 页。

④ 见王明：《太平经合校》，中华书局 1960 年版，第 465 页。

运使其时人真质朴，其人皆怀道，而信又专一；但流言相通，人人各欲至诚信，思称天心，乃无一相欺者也。"① 在《太平经》中，将"诚信"一词反复提出，这在道教典籍中还是首次。《太平经》吸收先秦儒家、道家伦理思想，提倡以忠、孝、顺、诚、信、仁、义、礼为内容的封建伦理道德，尤其强调诚信，反对欺妄，认为不诚信则不能感动天地，不能感动天地，天下便危亡。卷九十六中讲："子欲重知其大信效，天道神灵及人民相得意，相合于心，而至诚信不相得意则相欺。是故上古之人诚信相得意，故上下不相欺；中古之人半不相得意，故半相欺；下古之人纯不相信，故上下纯以相欺为事。故上古人举事悉中，中古半中，下古纯不中，故危亡。"②

两晋南北朝时期，是道教的进一步发展时期。这个时期的特点是道教由社会下层发展到社会上层，实现了道教的官方化。从西晋时期开始，到东晋时期，许多世家大姓，如琅邪王氏，陈郡谢氏、殷氏，会稽孔氏，高平郗氏，丹阳许氏、葛氏、陶氏，东海鲍氏等等，都信奉五斗米道，被称为天师道世家。著名道士葛洪撰《抱朴子》一书，集战国以来神仙思想与方术之大成，并将道教的神仙方术与儒家的名教纲常结合起来，认为道教徒应以儒家的伦理道德为本，从而为官方道教奠定了理论基础。与此同时，天师道在江东地区也盛行起来，又出现了由士族大姓信奉和支持的上清、灵宝、三皇等三个经法系统。《上清经》经系信奉的主要经书为《上清大洞真经》和《黄庭经》，尊崇的最高神为元始天王。《灵宝经》经系信奉的主要经书为《元始无量度人经》，尊崇的最高神为元始天尊。《三皇经》经系信奉的主要经书为《三皇文》和《五岳真形图》。这三大经法系

① 见王明：《太平经合校》，中华书局1960年版，第155页。
② 见王明：《太平经合校》，中华书局1960年版，第414页。

统，到南朝刘宋时由著名道士陆修静合而为一，后经萧梁陶弘景改造，形成了道教经箓派。道教在走向上层社会的同时，仍在民间以通俗的形式流行。后来早期道教便逐渐分化，一部分仍以通俗的形式传播于民间；一部分遁迹山林，服食修道，企图超脱尘世；另一部分则向社会上层发展。在道教分化过程中，不少士族贵族思想家也加入道教，他们丰富道教的思想，道书汇编成藏，完善道教修持方法，修订道教戒规仪范，使道教日臻成熟。以至有的朝代道士人数猛增，组织不断扩大，宫观遍布各地。

第三节　佛学的“成佛”论

一、佛学理论重要的在于论证成佛是何以可能的，即“佛”何以能“成”

（一）当人们没能把普遍必然性作为意识了的“存在”和“成”而理解，体现必然性的“在”和“成”是难以捉摸的。这种迷茫，与早期人类对图腾对神的迷茫是那么相似，而迷茫又伴随着仰畏、敬畏，甚至是一种迫于不能不服从的崇拜和畏惧。所以追求本体及根本的努力往往被逼得与相信至高无上的“神”的观念异曲同工。

特别是当人们在实际生活中，对于不得不服从的必然性规范与人的活生生性情的关系，难以恰当说明和把握；人们面对其间形成的一系列冲突，诸如欲求性和节制性、规范性和生动性、确定性和不确定等等得不到解决；因而在神学宗教体系中便形成了这样的情况：既然人在世俗世界中生动的欲求显得那么杂乱、污浊，而体现崇高的东西是完美的，于是诉诸超越杂乱、超越污浊的归结，这就是天、神仙、佛等等。在中国，天是可以与人合一的，神仙、佛界系统的秩序，实际就是人间秩序的神化，天意、神旨、佛性是可以在人身上的，而这种带超越性的东西似乎具有无限的力量，所有的人似乎都应遵循天或神仙或佛所体现的法则。由此才制定了种种礼教或戒规，这又可用来劝诫并约束世人。这里面既有把人所造成的显意识产物变成压抑潜意识的东西以至使人之有意识完全与无意识相对抗的一面；也有在对那些被当作宗教崇拜的东西加以阐发中实际上考虑着行为与所处世界的同律，因而在其中有显意识影映潜意识的一面。这样，对人与世界关系的探讨，便同对于人塑造出来的作为人格神的天、神仙、佛与世界诸关系的探讨，平行发展了。这种情况充分体现在佛教的发展之中。

（二）佛教最基本的理论就在于论证成佛何以可能，即佛何以能成。从佛教的最初教义来看，实际上原初就是释迦牟尼生活行为和言论的记录，是对人在世间遭遇的记录。据说佛教真实创始人名悉达多，姓乔达摩，出生于古印度的迦毗罗卫城（约在今尼泊尔离印度不远的边境地区），大约生活在公元前566年一前486年。释迦牟尼是佛教徒对他的尊称，意思是"释迦族的贤人"。这样，在后来的佛教中，教义中最高的"佛"和教义的最早创始者，被认为是释迦牟尼（Sakyamuni），亦译"释迦文"；释迦（Sakya）是种姓名，原意为"能"，牟尼（muni）也译"文"，系尊称，有"仁"、"儒"、"忍"、"寂"、"寂默"的含义。关于释迦牟尼的行为事迹，散见于佛教所流传的各种经典中。

释迦牟尼出身于刹帝利种姓，是迦毗罗卫国净饭王太子，少年时受婆罗门教的传统教育，学吠陀经典和五明（声明：音韵训诂之学；工巧明：工艺技术之学；医方明：医药之学；因明：逻辑推理之学；内明：宗乘大意之学）。相传，他经历了亡国灭族之惨祸，见到被杀"释种"，"积尸如莽，流血成池"。①他20岁离家，探索人生解脱之道。他出城漫游，曾到摩揭陀国王舍城附近跟随"数论"派先驱阿逻逻迦摩（Arada kalama）和乌陀迦罗摩（Udraka Ramaputra）学习禅定；后来到伽耶，坐在毕钵罗树（后称菩提树）下盘腿静坐，沉思默想，使自己大彻大悟，证得了"正觉"（大智慧），成为"佛陀"（大彻大悟的觉者），简称为佛。这里实现着"人成佛"的过程。

在传下来的一系列佛教经典中记录着：作为人生的遭遇及其总结，释迦牟尼提出了成为初始佛教最基本教义的"四谛"及其中还涉及的"十二因缘"、"八正道"等等。"四谛"，即"苦、集、灭、道"。"苦"指人生充满了痛苦。如生老病死、所欲不得、恩爱别离、怨憎仇恨等等。这都是苦。"集"指人由色、受、想、行、识五蕴集成，在"十二因缘"中缘起：由于生才"老死"，因为取才"有"，取之因是"爱"（贪欲，特别是性爱和食欲），爱之因是"受"（苦乐感受），受之因是"触"（接触），触之因是"六入"（眼耳鼻舌身意），六入之因是"名色"（肉体与精神），名色来自"识"（识神），识之因谓"行"（业之过程），行之缘是"痴"（愚昧无知），痴是人生和世俗世界的最后之缘。由此形成因果轮回。"灭"指熄灭了一切"烦恼"，贪、嗔（仇恨）、痴等永尽；也就有了"涅槃"。这是梵文音译，也称"灭度"、"圆寂"。"道"指通向涅槃之路；被总结为"八正道"即正见、正志、正语、正业、正命、正精进、正念、正定，这里的"定"即禅定，这是以离欲、静虑为前提而进行的修行方式。后来，佛教学说所关注、所研究的成佛之道，都没离开把以上这些方面作为基本的着眼之处。

---

① 玄奘：《大唐西域记》卷六，上海人民出版社1977年版，第134页。

释迦牟尼去世一百多年以后，大约在公元前4世纪左右，原始佛教分裂成许多教团，其总称为"部派佛教"。后来各教团主要分裂为"上座部"和"大众部"。作为进一步分：上座部又分化出"说一切有部"和"雪山部"，前者又分化出"法上部"等等，有的还进一步分化；大众部则分化出"一说部"、"说出世部"等等，有的再进一步分化，达20部之多。

大体讲，"上座部"认为，作为佛陀的释迦牟尼是一个历史上实实在在的人，其之所以"成佛"，在于他摆脱了尘世间即凡人、凡间的污浊的东西，达到了"心性本净"，在此意义上是达到"空"的；但思想行为的因果是实在的。因为按照"十二因缘"的缘起说，过去的思想行为产生结果，是由因而有果，既然因能生成果，那就说明因是实在的，果不能生成于空无。特别是，"上座部"中"说一切有部"的毗婆娑坚持认为，既然讲有过去、现在和将来，这就证明生成过去的"因"是实有的。

而"大众部"强调，人成佛，这指向着主张"超人间佛陀"或"超自然佛陀"，把释迦牟尼看作是一位抑情绝欲、神通广大的真正的"神"，这就为把佛与超凡的、超自然的存在看成同一的，开了先河。因此大众部偏重于讲空，至多也是只承认现在实有，主张过去和未来都是没有实体的。

由此可见，佛教从一开始便是围绕着何以"成佛"而展开的。也就是说，这里显然离不开就何以而"成"来展开佛学理论的构成。

公元前1世纪－前2世纪，在部派佛教的大众部中发展出了大乘佛教，他们为了争夺正统地位，把以前的佛教称为小乘佛教。乘是梵文yana的意译，原意是指运载工具，指乘载，比喻将众生从现实世界的此岸渡至佛的境界或"涅槃"的彼岸。大乘是意喻比小乘盛得多。可以说，乘实际的意义在于盛，指向于成。

如果说，小乘当时基本上还使释迦牟尼佛处于作为觉者、教祖的地位；那么，大乘则把佛既视为全智全能的人格神，又逐渐升华，成为一个被奉为超然存在的、彼岸世界的，能统摄现实此岸世界的“佛神”。

如果说，小乘当时基本上还是拘泥于佛说本身，倾向于认为佛说的都是实在的，虽然人没有独立的永恒实体，人是空的，而宇宙万有则不是空的，“法”是有的，即所谓“人空法有”；那么，大乘则对佛说解释、发挥得更为广泛，倾向于认为成佛后不仅人空，法也空，认为宇宙万有均没有独立的永恒的实体，一切都如影如幻如梦，“一切皆空”。

大乘很注意使自己的学说，使成佛理论，与社会世俗保持恰当的联系，力图使自己参与和干预社会的世俗生活，要求深入众生，救度众生，把“权宜”、“方便”提到与教义原则并重、甚或更高的地位。也就是说，其总是力求使其学说对实际生活有更广泛的统摄力。所以其适应性强，包容范围广，传播渠道多，发展速度快，内容也愈益繁杂；凡它影响所及之地，尽管带上该地域的或民族的特点，并产生相应的教化“门”；这些“法门”之间，尽管还缺乏内在的逻辑联系，甚至有些可以说是相互矛盾，而其总体影响力大大超过了小乘。

大乘佛教一般并不公开斥责早期佛教，对最早的派别尊称“声闻”，意为听闻佛陀言教的觉悟者，对不由佛陀的说教而自觉者尊称“缘觉”，亦作“独觉”，音译“辟支迦佛陀”、“辟支佛”。（关于此乘的解释纷纭，是佛教史上的重大悬案之一。）后来二者合称“二乘”。一般认为，早期佛教只是佛陀对浅根下愚者的权便之说，而非“究竟”之言，所以才在多数情况下，贬斥其为“小乘”、“小道”，而“大乘”自命为“大道”。后代学者习惯上也沿用“大乘”、“小乘”的称呼，但已经不具有褒贬之意了。

（三）而不论小乘还是大乘，其佛学经典，基本都是围绕

"成佛—成""信—信仰"而诚心诚意地信仰成佛理论而展开的。

举例一，关于《俱舍论》。

《俱舍论》的全书名原为《阿毗达摩俱舍论》。此论以《阿毗昙心论》和《杂阿毗昙心论》为纲要，概括罽宾有部（东方师）的《大毗婆沙论》，同时又采用经部思想批驳和纠正有部的旧说。它以"四谛"为中心，把小乘佛教对世间和出世间的基本观点规范化和系统化。

《俱舍论》把现实世界的构成分为两大类，即"有情世间"和"器世间"。"有情世间"相当于动物、人类和鬼神系统，所谓三界、五趣、四生、四有、五蕴、十二因缘等，以此解释"有情世间"实际存在的和宗教幻想的各种现象；"器世间"指有情世间所居的物质世界，包括这个世界的广度、厚度和形状，其构成和地理布局，以及它们生、住、灭的劫数和灾难等，由此形成了以须弥山为中心的三千大千世界构成学说，即佛教特殊的宇宙构成论。

在讨论世间及其差别的原因时，《俱舍论》将此归结为"业"与"随眠"。"业"指使意识起而造成功能的"思"；"随眠"指"贪、嗔、痴"等"烦恼"（惑）的潜在状况。《俱舍论》承认"心不缘无法"、"心必有境"，所谓有此心必有此境。有部众贤所著的《顺正理论》，既通过注释对《俱舍论》进行抨击，又进一步发展了《俱舍论》中的思想。《顺正理论》肯定，"所缘缘"先于"能缘"而存在，实际上承认客体先于主体；同时，《顺正理论》又认为，过去、未来虽然不是现实生成，但作为认识对象的法体是必定存在的，因为过去的认识是由它引生的，由它又形成未来在心中生成，仍须以存在为生成条件。

举例二，关于《成实论》。

《成实论》是印度小乘发展了的论著。书中涉及了当时大量部派佛教的思想。到今天，此书成为研究部派佛学的素材。那时的小乘主要有四大派，即大众部、上座部、有部和正量部。其中上座部主要流行于南方及东方；有部的据点在北部，也流行于中部和西部；正量部主要流行于西部和南方，中部与东部也有。对佛教发展影响较大的还有经部。《成实论》被视为小乘空宗的代表作。陈真谛断定它是经部的著作。此书在佛教史上被认为是由小乘空宗走向大乘空宗的一部重要的过渡性著作。按玄奘所说，经部原出自说一切有部的譬喻师，譬喻师是用寓言故事解释佛经的法师，如有部四大论师中法救所撰的《法句譬喻经》，就是譬喻师的代表作之一。"根本经师"的创始人拘摩罗多（童受）据说是譬喻师的著名开创者。拘摩罗多原在北印呾叉尸罗（在今巴基斯坦拉瓦尔品第附近）弘法，他作为北方一大家，与东方之马鸣、南方之提婆、西方之龙树齐名，在公元3世纪的佛教界，并称"四日照世"。后来朅盘陀国（在今我国新疆塔什库尔干）有个叫孔雀王的，胁迫拘摩罗多至朅盘陀，造伽蓝供养。汉译《大庄严经论》可能就是拘摩罗多的著作。拘摩罗多的弟子即四世纪的诃梨跋摩（Harivarman），意译师子铠或师子胄，原中印度人即中天竺人，初学数论。出家后随拘摩罗多学有部迦旃延的阿毗昙，学《发智论》，精读三藏。后不满于师说，转到华氏城，与兼学大乘的大众部某僧共同研究大乘学说，撰《成实论》；后到摩揭陀国，辩伏外道，被摩揭陀王奉为国师。

《成实论》（梵文 Satyasiddhisastra)，这里的"实"是指"四谛"，"成实"意味成立"四谛"的道理。论"成实"实际上是论"成四谛"。

《成实论》按"四谛"的结构组织起来，把人生诸苦和流转生死的最后根源归为"无明"，解脱的根本途径是用"真智"灭"无明"。所谓"无明"，它定义为"随逐假名"之心，即完全按名言概念支配自己全部行为的观念体系。假若能用"空心"（视名言概念为"空"的观念）灭除"假名心"，再用"灭空心"灭除"空心"，即可达到成涅槃的最高境界——"无余涅槃"。

《成实论》早期进入中国时，由后秦鸠摩罗什译成汉语20卷（或26卷）。鸠摩罗什译出《成实论》后，作为其门下的南朝宋僧导、北魏僧嵩对此研究并注疏，此后讲习很盛，其学者被称为"成实师"。这样，南北朝时期出现了专讲此论的"成实学派"。"成实宗"由此而得名。成实宗经诸僧人得以发展。僧导在寿春（今安徽寿县），门人有昙济、道猛；僧嵩在彭城（今徐州），门人有僧渊、昙度、惠纪、道登；南朝齐、梁时，弘传此学的僧人很多，著名的有开善寺智藏、庄严寺僧旻、光宅寺法云，称"三大法师"。至隋吉藏创三论学派，判《成实论》为小乘，以后衰微。现在成实论的旧疏已散佚，在隋慧远所著《大乘义章》内还保存一部分。

举例三，重要的是，关于《般若经》。

《般若经》作为在大乘中较早出现的经典，进入我国，较为集中的是唐玄奘所译编的《般若波罗蜜多经》，简称《大般若经》。这里的重要概念是"般若波罗蜜多"。

"般若"是梵语的音译，带有"智慧"的意思。详细说，对"般若"这个词如果在本来意义上理解，涉及到"有漏慧"和"无漏慧"这两个佛学上的概念。关于"有漏慧"。佛学中往往把不能断烦恼的、不一定是善的，或虽是善而力量不足以断烦恼的，称为有漏慧。这里的"漏"是烦恼的别名；这里的"慧"，佛家又称之为"世间慧"。关于"无漏慧"。佛学中往往是指不与烦恼并存。也就是说，对于不只可阻压烦恼，而且更有力量消灭烦恼的，便称为"无漏慧"。对此佛家又称之为"无漏智"或"出世间慧"、"出世间智"。所以，对于"般若"如果译作中文的"智慧"，往往使人对其中"有漏慧"既包含善慧也包括恶慧就难以体现出来；对其中的"无漏慧"是指纯善，也难以强调出来。而“般若”从广义上说，同时指有漏善慧和无漏慧；严格地说，重点指向无漏慧，这是能断除烦恼的智慧。所以要成就般若。

“波罗”，意为“彼岸”；“蜜多”，意思就是“完成”，也有人译作“到”。“波罗蜜多”直译是到“彼岸”的“完成”。“彼”与“此”相对，即是说由此岸到彼岸。总之，“‘般若波罗蜜多”义为“智慧”到“彼岸”或简译为“智度”，意思就是“智慧的完成”或智慧的“成”。

“此岸”，即生死流转的生命。今世为因，来世为果；来世为因，后世为果；因果相续，无有穷尽，谓之流转。这种状况亦似车轮转动一般，故又称轮回。“彼岸”，乃指菩提与涅槃。“菩提”是音译，意指觉悟。汉语中的“觉悟”一词并不特别强调善恶之分，而“菩提”强调着最高纯善的觉悟。“涅槃”，一般译作解脱。解除生死流转的束缚，就是解脱；又有译作圆寂的，意谓圆满寂静。“圆”有二义：一是周遍义，二是完全义；无所不在，遍满时空。“寂”是寂静。众生起烦恼，作有漏业，而成苦因；若修行至苦因灭时，苦果亦灭。苦因苦果不生即“寂”也。故“圆寂”即周遍圆满的寂静状态。所谓解脱、圆寂，仅指相状而已；而涅槃的本质即真如，在众生言，亦名佛性。本来自存的佛性，称为自性涅槃。修行至圆满的时候，烦恼全息，真如本体完全显现，个人生命与宇宙融为一体，我即宇宙，宇宙本质就是我，到此时天地与我合一。佛家说，不能自主恒存的“我”，那是“小我”；而“无我”非空虚一无所有。证涅槃是作为真如的佛性显现，体即真如，相名涅槃。菩提加涅槃就是佛果，佛果亦即是大菩提、大涅槃。固然涅槃的本质就是真如，但从不同角度观之，则有四涅槃之名。在此意义上，亦即“大完成”即所谓“大成”。这并非有四个涅槃，涅槃是一，角度不同则有四。或者说，由修养之不同，乃有四级。四涅槃有：（1）自性涅槃：自性乃本然而有的。众生的生命和宇宙万物皆真如所显现，故诸佛与众生成同一体，乃至成为无情物亦同一真如体。（2）有余依涅槃：精神所依的身体即"依者"，也就是说身体是精神所依住处；所以有余依即小乘人依四谛法修行，从知苦、断集、修道、证灭，由初果乃至四果，成阿罗汉；此时本有的自性涅槃显现，名证涅槃。（3）无余依涅槃：当残余的身躯灭后，个人的生命不复存在，唯有永恒的宇宙本质。小乘讲到两种情况：一种为定性小乘，修行至阿罗汉果位后入无余依涅槃而融成大我；另外一种则入有余依涅槃，直至肉身老死后，依愿力再起另一身体以修成佛之因。（4）无住处涅槃：既不住于众生有烦恼的有漏生死，又不住于无余依涅槃，故称为无住处涅槃。此成就为大乘菩萨，他不入涅槃，以救众生苦为主而修行，由初地至十地，具足圆满功德而证得大菩提，虽能入涅槃而不住于涅槃。此大菩提及大涅槃则成就于彼岸。凡夫的生死流转名为此岸。由生死流转的凡夫，渡过此生死的河流，而到达菩提涅槃的彼岸，故称为"到彼岸"。"到彼岸"一语亦指渡过生死河流而到达菩提涅槃的方法。这样，翻译梵文"波罗蜜多"一语，除可译为"到彼岸"之外，也可用文言，意译为"度"（即"渡"字）。所以，英国的 Edward Conze 将"波罗蜜多"意译为"完成（Perfection）"①。

佛学及佛教非常强调，成佛须有广大福智资粮，六度中前三度为福德资粮，般若为智慧资粮，精进、静虑二者则通福德、智慧。再就是六度中，前为方便（手段），后为目的（成佛）。以布施为方便，持戒为目的；持戒为方便，安忍为目的；再以安忍为方便，精进为目的；最后以静虑为方便，般若为目的。

① 参见，谈锡永主编：《〈金刚经·心经〉导读》，中国书店 2007 年版，第 169～172 页。

故学佛必以般若为最后目的，六度都是成就般若，成就最高的般若即是大菩提。般若在止观中属"观"的方面。行者修习止观，在第四禅中以有漏智慧先观境空，次观心空，再就是心境一时顿空，由此引发无漏的根本智，而后得智。由多修习此二智，最后引发金刚喻定，销毁一切有漏种子及劣无漏种子而证佛果，成就般若。

可见，大乘佛学以"般若"（prajna）思想为先导。最早结集的佛典，即是"般若"系列的经典。可以说，"般若"作为约在公元前后出现的经典，是当时在佛学中占主导的经典。虽然依照密乘的说法，至迟在公元1世纪便已有成"大圆满"（rdzogs pa chen po）法系的传授，而且关于"大圆满"的"如来藏"（tathagatagarbha）思想早在释迦时期已经确立，这都比"般若"经典的出现为早；而就整个系统而言，仍视"般若"为主导思想。

佛陀教示弟子修习般若波罗蜜多，后来结集成很多般若经典，例如《能断金刚般若波罗蜜多经》《大乘理趣六般若波罗蜜多经》《胜天王般若波罗蜜多经》等等。后来又将所有《般若波罗蜜多经》集合而成一大套，题其名为《大般若波罗蜜多经》。此经乃般若丛书，由唐朝玄奘法师翻译为中文，或译编，有六百卷之多。

在玄奘之前有好几个人将这经的一部分译成中文，而人们认为，后来姚秦的鸠摩罗什所译的最为畅达。他译出其中第二会二万五千颂为一百卷，名为《摩诃般若波罗蜜经》；第四会八千颂译成十卷，名为《小品般若波罗蜜经》；又将其第九会译成为《金刚般若波罗蜜经》，流传很广。[①] 再就是第二会（卷四百

① 谈锡永主编：《〈金刚经·心经〉导读》，中国书店2007年版，第173～174页。

零一至四百七十八）与西晋无罗叉和竺叔兰译《放光般若经》、竺法护译《光赞般若经》及后秦鸠摩罗什译《摩诃般若经》是同本异译；第四会（卷五百三十八至五百五十五）与东汉末支娄迦谶译《道行般若经》（即《般若道行品经》）、三国吴支谦译《大明度无极经》、鸠摩罗什译《小品般若经》是同本异译；第九会（卷五百七十七）与鸠摩罗什译《金刚般若经》、北魏菩提流支译《金刚般若经》等是同本异译。

由《般若经》形成了一系列佛学论著。

如，可看作"导论"内容的：除了有《小品般若经》，还有《大品般若经》。《小品般若经》的内容主要被编入第四会，《大品般若经》的内容则编入第二会，由鸠摩罗什于443年所译。又如，可看作"主论"内容的：有被认为是"最根本经"的《金刚经》、有被认为是"最早译经"的《道行般若经》。还如，可看作"精论"内容的：《般若波罗蜜多心经》。另如，可看作"广论"内容的：《大智度论》《现观庄严论》，以及《仁王般若经》《坛经》《宝积经》《贤愚经》等等。

再举例是，被看作"三大经中之王"的《华严经》《法华经》《楞严经》而形成的诸经系列。

1. 关于"华严经"系列。

《华严经》原是在古印度的佛教经典。由公元2－3世纪佛学传入中国内地而译出的佛经来看，先有《兜沙经》《本业经》《十住经》《渐备一切智德经》《如来兴显经》《罗摩伽经》等，后来又增添了许多新的内容，扩大编纂为《大方广佛华严经》，这总起来，简称《华严经》。其在5世纪初译成汉文60卷，世称"六十华严"。7世纪末，唐代又重译了一遍，增加了个别新品，成80卷，称为"八十华严"。

据说，《华严金师子章》为华严宗经义的简明叙述。据说，武则天叫法藏给她讲《华严经》，法藏以殿前金狮子为比喻，说明这个宗派的要点。武则天对此很是称赏。这便形成《华严金师子章》。按华严宗派所说，此派的传法系统，第一代大师是杜顺，作《华严法界观》，用两千多字，总括印度《华严经》的要点。杜顺传智俨，作《华严搜玄记》。智俨传法藏，作《华严探玄记》。法藏还作有《华严经旨归》，《华严义海百门》，《妄尽还源观》。华严宗也被称为贤首宗。它着重所谓法界观，所以又称法界宗。

《华严经》有许多特点，它强调，能够使人得以"成佛"的"诸佛真法"是作为本体的佛菩萨"法身"，佛法高于佛身；"法身"的体现者是《杂阿含经》中曾出现过的毗卢遮那佛，一切佛菩萨成为毗卢遮那佛的应化身；他们教化世间并拯救众生的善行，成为毗卢遮那佛秘密神力加被的结果。"毗卢遮那"带有"光明普照"的意思，是太阳的别名，毗卢遮那佛后又被意译为"大日佛"。他无形无质，无边无际，但遍及一切，感应五方，能发大光明，普照三界六道。这类思想，一方面出自佛徒对于佛陀的无限赞喻，另一方面可能受袄教和摩尼教对于光明崇拜的影响。就佛教信仰体系而言，《华严经》中的毗卢遮那佛的出现，标志着在信奉释迦牟尼为唯一教主的佛教体系中，又形成了一种全新的形态，这为大乘佛教创造成了一个新的或称作"佛日"的教主。

可见，当"佛"之所成，由人成神，在此情况下如何既成就一个全智全能的最高佛，又与活生生的人世间相联系，这是很重要的问题。这样就出现了由觉悟了的释迦牟尼扩展为三世佛、四世佛、七世佛等说。这在部派佛教那里已经开始。支娄迦谶译出的《兜沙经》，把世界分为十方，每方都是无量、无边际的；诸佛分布在这十方世界，有十方佛刹，其数亦无量无边；由此形成多佛主义、多佛世界。从修持的角度讲，这过程可分为"十住"、"十行"、"十无尽藏"、"十回向"、"十地"、"十定"六个十阶次，每一阶次都规定有为众生必做的功德和为自己应积累的福与智，由此体现自利利他和自觉觉人的大乘精神。就修行的目的讲，最终在于成佛，但成佛是异常艰辛的，是须经无数劫才有希望完成的漫长过程。

通常认为，后被编进大部《华严经》而成为其中《序分·名号品》的《兜沙经》，是《华严经》的最早提要。与此类多佛信仰相应，出现了有关佛身的经典。支娄迦谶译《佛说内藏百宝经》谓：“诸佛合一身，以经法为身。”意谓“佛身”由佛的“生身”，上升成为以佛经所说法为“身”的“法身”。它圆满、永恒、充塞于世界万物之中，并构成万物的普遍本质，平等仁慈地对待天地诸有，悦护一切众生。

与“法身”相对，是佛的“生身”，也被称作“色身”。当说到“色身”由“法身”而化成为满足众生信仰需要的一种示现，亦称“化身”，后来也有的称作“应身”。“化身”随民俗不同，众生构想不同，所成的形象各异，差别很大，但大多认为他们具有“十力”、“四无所畏”、“十八不共法”等超人的能力和“三十二相”、“八十种好”等超人的形体。由此构成的“化身”遍布三世十方。

在《维摩诘经》等经典中，还含有“报身佛”的思想。“报身”指佛自身应该享受的特殊国土和形体，据说，只有积得与该佛功德相同的菩萨，才能形成这种“报身”。

后来“法身”、“化身”、“报身”，成为佛的“三身”。“三身”使大乘佛教的偶像崇拜与哲学本体论的抽象结合起来，把佛塑造成至真至善、至高至尊、全知全能，具有拯救众生的救世主品格。这使佛教在宗教领域发生了重大变化。同时，在固有的自作自受的业报信条上，又增添了对外在神力的信仰；强调人的命运不仅决定于自己的业力，而且形成并被决定于佛加被的神力。[①]

《华严经》影响极大的另一个论点是：“所有诸法，皆由心造”，“三界五阴唯心”，如来菩萨也属心造，把握这个成佛的道理，才“真见佛”。这些说法，已经包含大乘佛教向唯识一派发展的基本倾向。

2. 关于《法华经》系列。

《法华经》全称《妙法莲华经》，这是大乘佛教的一部重要经典。《法华经》的汉译本共有三个，主要的是姚秦鸠摩罗什的译本。早有竺法护译出《正法华经》。又有阇那崛多、达摩笈多重勘梵本，补订鸠摩罗什译本，名为《添品妙法莲华经》。

《法华经》作为天台宗立说的主要依据，天台智者大师将《法华经》分为“迹门”与“本门”两部分。“迹门”是说一乘之因，先揭示了诸佛尊，唯以欲令众生，悟入佛之知见这一大事因缘而出现于世；后明了三乘之教（声闻、缘觉、菩萨）只是方便，并且开显了一乘成佛真实之教。经中讲述了佛陀引导以前的小乘弟子接受佛乘，并为之授记，也讲述应身释迦牟尼修因成佛的事迹。“本门”是说一乘之果，内容虽有与前半部经相同之处，但最重要的是发露普通人所见闻的释迦牟尼佛迹，只是久已成佛的释迦牟尼世被尊为“方便教化众生”而显化之身迹，而佛的寿分是无量的。

作为《法华经》全称的《妙法莲华经》，这里的“妙法”，即此经处处阐明的“一乘佛法”，即“一乘成佛”真实之教。这里讲：“唯一佛乘”才是实相妙法，这是直契诸佛本怀自证境界的真理。莲华即“莲花”，则是以“华”的美妙庄严来譬喻妙法。综合上述，《法华经》强调，释迦牟尼自证的实相妙法，唯

① 参见任继愈总主编，杜继文主编：《佛教史》，凤凰出版传媒集团、江苏人民出版社 2006 年版，第 79 页。

一佛乘。此即"一乘成佛"之教。

《法华经》在大乘佛教思想中，还提出了成佛中的"开权显实"说乘权乘实和成佛中的"开迹显本"说身权身实。人们认为研读《法华经》，务必掌握到这二大宗要，才可于修行之际，知所进退取舍，终将直趋无上佛道。

关于成佛的"开权显实"。《法华经》认为，"十方佛土中，唯有一乘法，无二亦无三，除佛方便说，但以假名字，引导于众生"①。这样，《法华经》论证了直示声闻、缘觉的果证只是方便说，二乘终究成佛。这里强调，一佛乘即菩萨乘是第一，缘觉乘第二，声闻乘第三。这都是从各方面去解说如何入佛乘而成佛。于此《法华经》讲到"佛种"，认为，既然一切法是常无自性即毕竟无自性空，所以一切法是从缘而起；"佛种"即成佛的种子也是从缘而起，即依善知识的劝发，而能知觉知本具佛种，进而修行成佛。《法华经》强调"开权显实"而"会三归一"。"开权显实"，无非揭示学佛的人须悉皆成佛之道，得"一佛乘"为成佛究竟，这是从大处着眼。"会三归一"，无非只是归小乘入大乘而已。② 有人这样譬喻：三河流，二小一大，三河相汇，归为一水。对此理解，要从大处着眼，从细处着手。

关于成佛的"开迹显本"。大乘经典中认为释迦牟尼出生成道于印度，只是示现的"迹"而已，其"本"才是佛的真实境界，《法华经》精妙地论证了此事。《法华经》中有所谓："我实成佛以来，无量无边百千万亿那由他劫……自从是来，我常在此娑婆世界说法教化，亦于余处百千万亿那由他阿僧祇国，导利众生……如是我成佛以来，甚大久远，寿命无量阿僧祇劫，

---

① 《法华经·方便品》。

② 可参见，Fujiat kotatsu（藤田宏达），"One Vehicle or Three?"（Leon Hurvitz 英译），收 Journal of Indian Philosophy3（1975）：79～166。

常住不灭……我本行菩萨道所成寿命，今犹未尽，复倍上数”。[①]此经直说分身众多、寿命久远，表示伽耶成佛及成涅槃，只是应机的方便而已，“本”佛与“法”则常住不灭，尽未来际而存在，显示出大乘佛教成佛思想的极则。

从上述《法华经》二大宗要来看，乘真实及身真实之理，二乘人乃至凡夫众生，只能以信心去领受。重于信仰，就有信仰的种种方便。可见，此经开出了“皆已成佛道”的方便，受持、供养、读诵、书写、解说、流通，乃至礼拜、合掌、举手、低头、一称南无佛、受持一句一偈等，皆已植下佛种，终成佛道。

3. 关于“楞严经”系列。

《楞严经》具名《大佛顶如来密因修证了义诸菩萨万行首楞严经》，这是我国大乘佛教的主要经典之一。自从唐代时由中印度人般剌蜜帝将它翻译成汉文后，它便被历代的佛教信众及学者所重视，并与《华严经》《法华经》一道，成为中土人士传诵大乘佛法的重要依据。

《楞严经》奥义深密精微，摄受显密，在大藏经中列为秘密部，在中国自宋而后盛行。明智旭《阅藏知津》中称此经为“宗教司南，性相总要，一代法门之精髓，成佛作祖之正印”。[②]

二、佛学以“成佛”的理论，来诠释“成”“诚”，而且这里的“诚”主要是通过与“诚”同义的“信”来论

在佛教中，很重要的是形成了“成佛—成”“信—信仰”的佛理和佛事系统。

（一）关于佛学讲的“成”，教义中很重要的在于，围绕

① 《法华经·如来寿量品》。

② 参见，张全新：《佛学理论文本与佛教符号行为》，山东友谊出版社 2008 年版，有关章节。

"成佛"讲到"六种成就"。"六成就"，即佛经往往在开首所列的"六事"。这里指：一是"信成就"，即"如是"，谓此事信实；二是"闻成就"，即"我闻"，谓结集者亲闻；三是"时成就"，即说法时间，如"一时"等；四是"主成就"，即说法之主，如作为说法者的佛等等；五是"处成就"，即说法处所，如王舍城等；六是"众成就"，即听众。

佛书中，例如《现观庄严论》中，有"八现观"之说。"八现观"又被解释为"八事"。这里的八事（八现观），可认为是讲的修习成佛过程。也就是说，依照论主的观点，般若经典并非只是陈说义理（根），而是为学佛的人提供实修之路（道），学人循此修习，至终极即能成佛（果）。

这其中很重要的是对于学佛、成佛所进行的论述。其中强调：一切经论都是修持的指导，如果不是为了指导学人修持，佛不必说法，菩萨也不必弘扬佛说的法义。各派论师于诠释法义之时，其实亦是以个人现证作为基础。各人现证的境界不同，有的偏重于一切的本质，有的偏重于一切法的生起；有的偏重于外境，有的偏重于内心。于是对释迦牟尼所说之法，便各有各的见地，由是形成部居宗派。我国藏地佛学者将龙树一派称为"深观派"，将实际上是无著一派的弥勒一派称为"广行派"。深观，是深刻地观一切法的空性，所说即为佛法的智慧；广行，是说范围广大的行持，亦即说由凡夫修习至成佛的现观次第。

《华严经》有所谓"三生成佛"。这是华严所立由听闻《华严经》圆教而顿证佛果之义。其中讲：于过去世卢舍那佛闻普贤法门成就金刚不坏佛种子之位，此次前生身、见佛闻法、植佛种子，称"见闻生"；于今生世全十信乃至十地解行，此生成至普贤位，即今生开圆解、修圆行，由十信位具足十地等觉妙行之位，称"解行生"；于来世证入佛果位，即因位究修潜同果海，称"证入生"。以"见闻生""解行生""证入生"而成佛，即"三生成佛"；这被强调为成佛之通途。《华严经》在讲"三生成佛"时强调着，对"三生"配于过去、现在、未来三世。固然这可理解为"约于下根之义"，即隔世之三生；若就"上根之机"来讲，则"三生"为示法门分位之语，即在一生一念之中也有"三生"，这样便可有"即生成佛"。也就是说，"见闻生""解行生""证入生"可"一生成佛"。华严经书中"随好品"记有，地狱天子于前生见闻华严大经之正法曾毁谤之；在地狱中，他为佛光所照，由前之见闻力即脱地狱之苦，而生于兜率天，于此一生成就十地解行逐得成佛。这是由"见闻"而"一生成佛"的例子。华严经书中"入法界品"又记有，善财童子于福城之东始见文殊，自此南询，最后见普贤菩萨，一切解行于此一生得圆满成就。这是由"解行"而"一生成佛"的例子。华严经书"入法界品"还记有，舍利佛等于逝多林使六千比丘观察文殊师利，文殊向他们说大法，使之证入法界。这是由"证入"而"一生成佛"的例子。①

华严宗还讲"顿成诸行"。这与以逐渐遍修诸行的"遍成诸行"相对；指出，依圆融法门修行，断一惑即断一切惑，修一行即具足一切行，能顿成满诸菩萨行。

"唯识学派"或叫"唯识宗"是佛教史上的重要教派，其因主张"万法唯识"故名。此派亦称"瑜伽行派"。主要阐述唯识论的著作有许多，如《二十唯识论》《三十唯识论》《唯实十大论师》等等；而更有诸多著作把"成"冠以书名首位，如：《成业论》《成唯识论》《成他相续论》《成唯识论述记》，在中国佛学典籍史上，《成唯识论掌中枢要》《成唯识论了义灯》《成唯识论演秘》被并称为"唯识三疏"。《成唯识论》是唯识宗的突出

① 见《华严大疏钞三》。

著作。之前，印度的天亲等人曾作《唯识三十颂》等等，后来有十余印度和尚作出解说。玄奘往印度取经，把这些经解带回来。玄奘的大弟子窥基在玄奘的指导下，用编译的方式把十家的解释汇合为一部书。窥基在说明这部书的题目时说："成乃能成之称，以成立为功。""唯谓简别遮，无外境；唯谓能了，诠有内心"。

说到"唯识论"到"成唯识论"，不能不了解"瑜伽行派"关于成佛的理论。佛学史上，作为"瑜伽行派"创建者的无著和世亲，大约是公元5世纪的北印度犍陀罗人，都从小乘佛教"说一切有部"出家，后改崇大乘。他们虽吸收了大乘中观学派的思想，但又认为，只讲"一切皆空"会导致否定成佛的主体以及三宝（佛、法、僧）和理想境界的存在，危及佛教自身的存在。因此提出，万物（境）是无（空），但识能变现万物，故识是有；识能变现万物，是众生轮回转生的主体，由此进一步提出"转依"，"转"为"转化"，"依"为"所依"，综合起来是指与生俱有而相续不断的意识状态（"藏识"），因而这成为"解脱"的代替词。方立天先生曾在介绍了以上种种情况后评论道："转依就是要在意识方面解决认识问题，也就是从人们与生俱来的相续不断的意识状态着眼，认为人们意识、认识的转变，会影响到行为，可以改变客观环境，主客观的不断地交互影响，就会使整个的认识行为和环境都发生转化。众生也随着这种转化而成为佛。"①

中国的唯识宗主要代表是唐代玄奘及其若干弟子。玄奘将前人唯识论中无著重于"法相学"世亲重于"唯识学"的立论进一步综合，形成了以"法相"为骨干内容的"唯识"论，或叫"法相唯识

① 方立天：《佛教哲学》，中国人民大学出版社1986年版，第24页。

论”。

法相唯识宗特别突出人“识”的“变现”对象的功能，这被分为三类，叫作“三能变”：第一能变即“阿赖耶识”，或曰“异熟能变”，据说它能“内变”为八识“种子”和人身器官，“外变”为器世间。第二能变属第七识，亦称“思量能变”，经常把阿赖耶识思量为“我”的那种体相。第三能变属前六识，亦称“了境能变”，所了之境，即是识的变现。这里被变现的对象被称为“似境”。

在唯识论看来，人及其周围世界，或是作为种子，或是作为现行，或是作为认识建立的对象，或是作为名相概念，都被纳入包括六识、末那识及阿赖耶识的八识的因果循环圈内。大乘修习者的目的，就是要充分把握诸法唯识性的真理，用清净法转换第八识中的污染成分，直到把污染的阿赖耶转变成为清净阿赖耶，此谓“转依”。这样，唯识学家明确提出，只有实现这种根本转变，才是成佛的唯一途径。

由此，法相唯识宗接纳作为印度法相学说创始人之一的陈那所提出的三分学说。这里很重要的在于，他认为作为变现之根本的阿赖耶识又分为三个部分，一是见分，即心具有能起认识作用的那部分；二是相分，即被心所认识的对象形相的部分；三是相分和见分所共同所依的自证分。而这里的相分，由于它是属于阿赖耶识的，又可分为种子、根身、器界。种子是第八识所藏，而不是第八识所变；根身似乎像今天所谓神经系统的东西，有人说它也是第八识所变；器界相当于通常所说的物质界，它只能是八识所变。看来，其中的种子又成了根本的东西。种子既各自独立又互相依赖，前者随灭后者随生。然而种子又可区别为：有漏的种子（染污的、恶的）、无漏的种子（至善的、纯的）。有漏种子是使人类陷于苦海的根本原因，只有根本断除有漏种子，才能使人免于轮回之苦，那就要消灭有漏种子。

为了排除有漏的种子，法相唯识宗才提出了"三性"说。一是"遍计所执性"，"谓依名言，假立自性，为欲随顺世间言说故"①。这是讲，若认为外界是真实的，这是一种偏执。二是"依他起性"，即"心心所及所变现，众缘生故，如幻事等，非有似有，诳惑愚夫，一切皆名依他起性"②。这是讲，接受了唯识的缘生关系学说，才不至于以幻为真。三是"圆成实性"，强调"云何圆成实自性？谓诸法真如。圣智所行，圣智境界，圣智所缘"③。这是讲，实现佛智所行、境界、所缘，也就达到了真如。从而达到"成佛"。

《大般涅槃经》则提出了一个后来影响很大的命题，这就是："一切众生皆有佛性"。强调了"佛性"为众生先天固有，无一例外，这是众生所以能够入佛而最终成佛的内在根据。在《大涅槃经》进入宋地以前，高僧道生看见了法显所译的六卷《泥洹经》（"涅槃"为梵文 Nirvana 的音译，旧译"泥日""泥洹"）后，经剖析经旨便竭力提倡"一阐提人皆得成佛"。

禅宗的基本要义在于，"我此禅宗，单传心印，不立文字，教外别传，直指人心，见性成佛。"禅宗由佛在心中，"心外无别佛，心亦净土"，"自性悟，众生即佛"，强调了可以顿悟成佛，人人皆能成佛。

中国密宗与天台宗、禅宗等相通融，形成中国特色，奠定了其宗之学的基础。所传分胎藏、金刚二部法，主张三密相应之持咒，修有相、无相二种瑜伽，以期"即身成佛"。

密宗将持咒当作"必成至觉道"④ 的捷径。要求人们根据清

---

① 《显扬圣教论》卷六。

② 《成唯识论》卷八。

③ 《瑜伽师地论》卷三十七。

④ 参见三国吴支谦译介：《微密持经》。

除覆障、现观自心本性的程度，感受"如来"相应的神变"加持"，才能达到预期的"苏悉地"（成就）。在这里，专门涉及到了"成就"。也就是说，"大日如来"遍照法界，能平等开发无量众生"种种善根"，这成为世间出世间一切"殊胜事业"。"如来"只是一种随缘感召才能体认到的因素，"缘谢则灭，机兴则生，即事而真，无有终尽"。因此，就个体修习者言，"菩提"才是真正成佛之"因"。据《大日经》，菩提是一种完全无规定性的心体，形同"虚空"，心、空、菩提三位无异，欲证菩提，当证自心，所以成佛之道，毕竟还在观心。这些观点，与中国禅宗的理论没有大的区别。但《大日经》不止于此，它在提出菩提心的同时，又强调"大悲为根本，方便为究竟"。"大悲"之旨在"救世"，不容个人孤证；由救世之心所生"曼荼罗"，能产生"我即本尊，本尊即我"的心理效果，在一定的仪轨导引下施作"神变"，说法度人，满足信众的各种愿望。所指"方便"，范围极广，随顺不同时间方所，无论出家在家，凡能吸引信徒的一切手段，均可称为"方便"。在密教佛事中，方便被当作"菩提"和"大悲"的表现，原来的手段也就变成了目的。一般来讲，佛教所倡的最高目标是成佛，而密教宣称，其要为成佛提供最快捷的方法。对此《大日经》称之为"即身成佛"。这其中，是把修行得果的全过程，概括为"三密"修持、"五相"成身。

这里的"三密"，即身密、语密、意密，要手结"契印"、口诵"真言"、意观"菩提心"。密宗认为，借此能够具备一种以"金刚心"和"金刚身"为特征的无上菩提，成为佛本尊。于是便有"五相成身"。这里的"五相成身"，又叫"五转成身"、"五法成身"。这是指，一通达菩提心，二修菩提心，三成金刚心，四证金刚身，五佛身圆满。成此五相之观便显得金刚界之佛身。也就是说，五相具备，方成就本尊身之观形。《金刚顶大教王经》说，一切义成就菩萨，悉多太子蒙诸佛警觉开示而修证五相之轨则。《十八会指归》曰，"毗卢遮那佛受用身，以五相现成等正觉。五相者，所谓通达本心、修菩提心、成金刚心、证金刚心、佛身圆满，此则五智通达。"此五相具备方可成就本尊身。所以说，此"五相成身"云者，谓五相之观成，即成就佛身之义。为此五相成身观用阿弥陀之妙观察智定。讲到"妙观察智"，有所谓：观诸法之如幻等观自心界之理；无识心三昧五相成身，借用阿弥陀之定印，故以之为妙观察智也。与"五相成身"相关联，出现过一系列关于"成佛"诸"相"的概括。例如：《守护国经·菩提心》只说第五之一相成身；《心地观经》则说，第一、第二、第三之三相成身；《摄真实经》又说到"十相成身"；另外还有立"八项成身"的。总之，"密宗"即"真言宗"，其所讲的"即身成佛"，谓肉身可以成佛。《菩提心》论曰："惟真言法中，即身成佛。是故说三摩地，于诸数中阙而不书"。又曰："若人求佛慧，通达菩提心；父母所生身，速证大觉位"。

另有"三种即身成佛"，简称"三种成佛"：一、具理之即身成佛。这是讲，一切众生之身心，本来为两部之体：身为五大，是胎藏界本有之理体；心为识大，是金刚界本有之智德；身心即为两部，故凡肉体之身以外，更无本觉之体性；肉身之当相当为大日法身，是曰具之理成佛。二、加持之即身成佛。这是讲，众生本觉之功德，与如来三密之加持力相应而成办一切佛事者，依加持之因而缘起而成佛，是曰加持之成佛。三、显得之即身成佛。这是讲，自身成就三密之修行而显现法性之万德者，是乃真实之证悟也。佛书有云：此三种配于通途之位，则理具成佛。显得成佛为初地以上乃至佛位；一切之凡夫，加持成佛为三信已上乃至十回向之行者；三种通为即身成佛者，犹如台家之六位，通云即成佛也。

又有"四种即身成佛"。《演奥钞四十三》曰:"即身成佛有四重:一修身即身成佛(世间成就品),二本有即身成佛(悉地出现品),三本修不二即身成佛(成就悉地品),四绝待即身成佛(转字轮品)。"

(二)佛学围绕"成佛"讲"成",体现于其理论中,重要的还有所谓"四满成佛"即"四种成佛"。一是信满成佛。这于"十信满足"之位,依"种性"之决定,决信本来成佛,信于诸法不生不灭、清净平等、无可愿求。二是"解满成佛"。这于"十住满足"之位,依"解行地",满解法性无造无作,不起生死之想,不起涅槃之想,心无所怖亦无所欣。三是"行满成佛"。这于"十地满足"之位,依究竟之"菩萨地",能解除一切无明法障,菩提之愿行,悉福智皆具足。四是"证满成佛"。这于"妙觉之佛地",依"净心地",得无分别之寂静法智,及不可思议胜妙之功德,证得一切佛果功德。

在佛学的以上概括中,首先讲到"信"。佛学十分重视论"信"。佛学理论中,"信"于诸法之实体。《唯识论》曰:"云何为信。于实德能信,忍乐欲,心净为性。对治不信乐善为业。"《俱舍论》曰:"信者令心澄净"。"颂疏"曰:"信者澄净也。如水精珠能澄浊水,心有信珠令心澄净。"《大乘义章》曰:"于三宝等净心不疑名信。"晋《严华经》曰:"信为道元功德母。长养一切诸善根。除灭一切诸疑惑。示现开发无上道。"《菩萨本业经》曰:"若一切众生,初入三宝海,以信为本。住在佛家。以戒为本。"《大智度论》曰:"佛法大海,信为能入,智为能度。……复以经中说信为手,如人有手入宝,山中自在能取。若无手不能有所取。有信人亦如是。入佛法无漏根力觉道禅定宝山中,自在所取"。这里喻"信"为"手",谓如人有手,入宝山中自在能取,无手则不能取,有信方能于佛法中获益。

佛学理论中于诸法之"实体"有所谓"二种信""三信"

"十信"等等。

先从关于"两种信"说起。"二种信"：一是"信解"，又曰"解信"。佛典中多处强调，对佛法的真正信必须建立在对佛法义理的理解、正解之上。《涅槃经》谓，"有信无解，增长无明；有解无信，增长邪见。"强调信解圆通方为修行之本。《大智度论》卷七二云："闻说而信者，此中不名为信，智慧知已，名为信。"谓自明见理，心无疑也。二是"深信"，（梵文 Sraddhā，"舍椤驮"意译），又曰"信仰"。谓信赖。此为心所法中善法之一。以深之心信法也。依人而信其言也。《成实论》卷七二云："未见自法，随贤圣语心得清净，是名为信。"并谓此信以"必定"（确信如此）为相。《大日经疏》三卷云："有大信解者。此信解，梵音 Abhimukh 阿毗目佉。谓明见是理，心无疑虑。如凿井已渐至泥，虽未见水，心知在近。故曰信解也。下言深信者，梵音舍攞驮是依事依人之信。如闻长者之言。或出常情之表。但以是人未曾欺诳故即便谛受依行，亦名为信。"《维摩经·佛国品》曰："深信坚固，犹如金刚。"

另外，又有初信、正信二种区分。与此相关强调了"正信"与"邪信"：与贪瞋痴三不善根相应之信为邪信，与无贪等三善根相应之信为正信。佛学许多论著把信根、精进根、念根、定根、慧根列为"五根"。"信根"为首。有所谓"此中五根中之信根，就正信而言，是佛徒通途之信心也。"再就是，"自力""他力"之二信：自发之信为自力信；依佛之大悲心而发之信为他力信。

佛学中讲"信"总与"心"相联系。道绰这样概括：信心深厚，谓之"淳心"；信心纯一，谓之"一心"；信心相续不杂舍念，谓之"相续心"。《安乐集》中有："淳心、一心、相续心之三者，谓之三信"。围绕此"三信"有"三不三信"之说。

对于"三不"具体说是：一，信心不淳；二，信心不一；

三，信心不相续。反之则曰：“三信”。《净土论注》曰：“一者信心不淳，若存若亡故。二者信心不一，无决定故。三者信心不相续，余念间故。”此“三信”相辅相成：念不相续，故不得决定信；不得决定信，故心不淳。信心不淳，故无决定；无决定，故念不相续。所以道绰承之才更阐明“三信”。《安乐集》曰：“若能相续则是一心，但能一心则是淳心。具此三心，若不生者，无有是处。”可见，“三信”，避免“三不”，即避免“不淳”、“不一”、“不相续”，与其说归结的是“信”，不如说归结的是“心”，可以说归结的是“信”和“心”的统一。

真宗《无量寿佛经》第十八愿有“至心”、“信乐”、“欲生”之说，强调于此俱为盖无杂之“信心”，故称为“三信”。《文类·信卷》曰：“明知至心即真实诚种之心，故疑盖无杂也。信乐即是真实诚满之心。……盖无杂也。欲生即是愿乐觉知之心。……盖无杂也。”这样，“信”和“心”又被强调为“深心”与“深信”之统一。《教行信·证信卷》曰：“深心即是深信；深信即是坚固深心”。另外，佛书还从其他角度提出“三心”。例如，《欢喜地》中有：一是“入心”，初入其地之时分也；二是“住心”，住于其地之时分也；三是“出心”，讲出其地入后地之时分也。《三分相见道》中则将“三心”与“空”相联系，说道：“谓真见道之后，更发后得智，以三心观二空之理之位也”。

佛教的教义中，与“心”相联系又有“十信”。佛教强调：“十信云者，入佛之教法先以信所以能入也”。而佛书中写出的这“十信”，与前面讲到的“三信”相类似，与其说是“十信”，不如说是“十心”。这里联系“十心”讲的“十信”是：一、“信心”：灭尽一切妄想而中道纯真之谓也。二、“念心”：真明了一切圆通，虽经几多生死亦不遗忘现前之习气也。三、“精进心”：以妙圆纯真之精明，进趣于真净也。四、“慧心”：心精观前，则纯真之智慧，自发起也。五、“定心”：执持智明，则周偏寂湛，心常凝于一境也。六、"不退心"：定光发明，则明性深入，唯知进而不退也。七、"护法心"：心进安然，则保持一切佛法而不失，与十方如来气分交涉也。八、"回向心"：觉明保持，则能以妙力，感佛光回然又向佛而安住也。九："戒心"：心光密回，则安住无为而无不遗失也。十、"愿心"：住戒自在，故能游于十方所作悉随愿也。这围绕着"心"的"十信"，主要旨在建立对大乘佛教的信解心。有所谓"十信道圆"，此为十信之位，果道圆满。当然，对其中的有些具体内容有不同解释。与此相联系，佛教专门讲到"圆信"，这里强调的是对佛法圆满的正信。《涅槃经·师子吼品》云，"深信佛法、众僧是常，十方诸佛方便示现，一切众生及一阐提悉有佛性、不信如来生老病死及修苦行、提婆达多真实破僧出佛身血、如来毕竟入于涅槃、正法灭尽，是名菩萨信心具足。"无台宗以信解本宗所立一念三千等圆极之理为圆信，强调此圆信为圆解、圆修之本。

佛教中讲，"十信"是初修菩萨道地之十阶位。所谓菩萨道地是大乘菩萨行者从初发"菩提心"到修行圆满而成佛的阶位。关于菩萨道地，诸经论以及诸宗所说，有种种表述。《胜天王般若经》说的是十地；《金光明经》说的是十地再加妙觉，共十一位；《成唯识论》等等说到十住、十行、十回向、十地，再加妙觉，共四十一位；《大智度论》在以上四十一位基础上又加"等觉"成为四十二位；重要的是，《仁王般若经》在以上四十二位之前加上了十信，成了五十一位。在此基础上，《华严经》《璎珞经》等成为五十二位。《秘藏经》又提出五十四位。《楞严经》则有五十五位。

这里，充分体现着由"信"论"心"或者说由"心"论"信"，指向的是"成"，"成佛"。这才有所谓，"十信云者，入佛之教法，先以'信'所以能入也"。《楞严经》卷八谓从初乾慧地至等觉经五十五位，始入金刚心中初乾慧地，"如是重重单复十二，方尽妙觉，成无上道。”《大日经疏》卷十五谓十地按秘密释，每一地皆分十心，如初地初心见道，至第四心超五通境界，称“度五通仙人地”，至第八心名“度二乘地”，从第九心一向行菩萨道，第十心名为成佛，即能分身于百佛土示现成佛。《华严经》所说初地功德；以后诸地亦各有十心，第四心度五通，第八心度二乘，第十心成佛，而其功德倍倍增广。天台宗分藏、通、别、圆四教道地，谓依别教，十信为凡位，初住断见惑，八住断思惑，九住至十回向断尘沙惑，为三贤位，入初地断一品无明惑，可于百世界现身成佛，入圣位；依圆教，则初信至十信为内凡，初信断见惑，七信断思惑，初住破一分无明惑，可于百世界示现成佛，因而强调“初发心时即成正觉”，以达到“信满成佛”。这里强调的“信满成佛”就是前面讲到的“四满成佛”

这在佛学《占察经》中有所说，华严宗特别倡导之。其中涉及“行位”，有“行布”“圆融”之两门。行布门，自十信至佛果，六位之此第不同；圆融门则得一位随得一切位。其义以六相圆融十玄缘起而知之，故经书中说“十信”之“满心”。胜进分上，得一切位指佛位。这才有所谓“十信云者，入佛之教法先以信所以能入也”。有小乘教、大乘始教、大乘终教、一乘圆教四种道地。依大乘教，十住十行十回向为三贤位，初地见道入圣位，八地断思惑，十地满足而后成佛；依大乘终教，初住断见惑，八住断思惑，初地断无明惑，初证佛性；依一乘圆教，则初信断见惑等。关于后一点，华严宗与天台宗圆教道地同。天台宗又有行布圆融无碍说，谓初发心时即成正觉，无所谓阶位，而又不妨有一一阶位，初住见佛性后一一阶位皆可成佛。

以上又可见，佛学由“成佛”讲“信”，很强调“发心”。例如，佛学“起信论”把“六成就”与“四种成佛”综合起来，讲了"三种发心"：一是"信成就发心"，这是指于初住第十住之位，强调使有信心成就之人，发菩提之心。二是"解行发心"，这是在十行及至十回向之位，解理行道之人，发菩提之心。三是"证法心"，这是在初地至第十地之位，证法性之人之菩提心。

（三）所以，佛学理论由"发心"，论"信"，总结出以"诚"为首的范畴。这是论"信"的延伸。如本书中前面所说，在中国思想史上，"信"同于"诚"。《说文解字》解："诚者，信也；信者，诚也"。佛学理论中有所谓"三心"：一是"至诚心"，二是"深心"，三是"回向发愿心"。于此，首推"至诚之心"。可以说，这里讲的"至诚之心"，指真诚"实愿"净土之心。这里讲的"深心"，指至诚"深愿"净土之心。这里讲的"回向发愿心"，指实诚回向所修之功德，"愿求往生"净土之心。具此三心者，必得往生。《无量寿经》曰："一者至诚心二者深心三者回向发愿心；具三心者，必生彼国"。这与《文类·信卷》所论"明知至心即真实诚种之心"之说，是相应的。

总起来说，论到"信"必讲到"诚"，这是题中必有之义。有"诚"有"信"才谈得上"成"以及"成佛"。佛书《教行信·证信卷》曰："私闚三心字训，三即合一。其意何者，至者即是真也、实也、诚也，心者即是种也、实也。言信乐者，信者即是真也、实也、诚也、满也……验也、宣也、忠也，乐者即是欲也、愿也、爱也、悦也、欢也、喜也、贺也、庆也。言欲生者，欲者即是愿也、乐也、觉也、知也，生者即是成也、作也、为也、兴也。""今案三字训，真实心而无间杂故是名乐。信心即是一心也，一心即是真实信心也。是故论主建言一心也。""明智至心，即是真实诚种之心，故疑盖无杂也。信乐即是真实诚满之心……欲愿爱悦之心、欢喜贺庆之心，故疑盖无杂也。欲生即是愿乐觉知之心成作为兴之心。……故疑盖无杂也"。这些论述，基于"心"以力求统一的"成""信""诚"，对佛理进行了阐发。

三、佛学在讲"成佛"及"成""信""诚"的理论中，特别论述了其所解释的"本体"

天台宗是中国佛教史上开创较早的一个宗派。此宗佛系有"东土九祖"之说。梁到隋代，作为天台宗重要开创者的智顗（538—597）常住天台，在南朝陈太建七年（575）后，率弟子慧辩等二十余人居山十年，创立天台宗。智顗在论佛理教义时，特别讲到"体"。他说："体即实相，无有分别。用即立一切法，差降不同。如大地一，生种种芽。非地无以生，非生无以显。寻流得源，堆用识体。用有显体之功故，称叹方便。"① 这里涉及了"本体"与"显体"的关系。

隋代属三论宗的吉藏（549—623）在讲"波若"（即般若）之体与方便之用的关系时说："波若与方便，本体是一，而随义有异。譬如金为种种物，此明权实一体，约义分二。金喻波若，波若为体；金上之巧，譬于方便，方便为用。问：波若何故为体，方便何故为用？答：实相为本，波若照实相故，波若亦为本，所以为体；诸法为末，方便照诸法故，方便为用。"② 这里讲到了般若与方便本来是同一的主体智慧，即"本体"是一；之所以义有差别，是从不同的方面去定义的缘故。他强调了"体用不二"。

中国人认识佛教，开始往往是以汉地自身的概念去解释传

---

① 见《妙法莲华经文句》卷三。载《大藏经》第34册，日本大正一切经刊行会1979年版，第38页。

② 见《大乘玄论》卷四，载《大正藏》第45册，日本大正一切经刊行会1979年版，第53～54页。

入的佛经。唐初的道世，在唐高宗显庆年间参与过玄奘译场。他在其编的《法苑珠林》中便称："一切地水是我先身，一切火风是我本体。故常行放生，生生受生。若见世人杀畜生时，应方便救护，解其苦难。"① 这里，他由中国传统的哲学思想来理解"本体"。

这期间，中国佛学家还往往直接接受佛经的一些概念，来说"本体"。如，唐代善无畏（673－735）等译《大日经》云："字门转成佛，亦利诸众生。犹如大日尊，瑜伽者观察。一身与二身，乃至无量身。同入于本体，流出亦如是。"② 这里讲的"字门"，在佛教中是由诸如"阿"字为门而入的，以了悟诸法之理，认为此是成佛和利益众生正途。在密宗中，除诵咒以外，当涉及"字门"，对于梵文字母有特别的解释。

在密教诵咒中，每个字母都象征教义里的一种道理。"阿"字是梵文字母表里的第一个母音。当梵文子音字母单独出现时，总是有一音缀；而这音缀的母音一律是"阿"。因为发音之始就有"阿"，每个单独字母里又都有它，所以密教对于"阿"这个字母特别赋以重大意义，用它来象征"万法本不生"，这里的"法"往往被赋予"成分"一类的意思；由"万法本不生"才有"本无一物"之谓。在密宗经典里常常要谈到"曼荼罗"，其中设佛和菩萨像，时常也以字母来代表，无形中字母成了神圣的符号。正因为这样，这成为被称作"悉昙"的字母。关于"悉昙"（siddhim），这个梵文词本身就带有"成就"的意思。据说在印度幼童学习拼音的缀字表前，总要写上带有这个词的一句吉祥话。义净也说："创学悉昙章，亦名悉地罗窣睹。斯乃小学

① 见《法苑珠林校注》卷六十五，周叔迦、苏晋仁校注，中华书局 2003 年版，第 1944 页。

② 见《大正藏》第 18 册，日本大正一切经刊行会 1979 年版，第 48 页。

标章之称，俱以成就吉祥为目的。”①“悉地罗窣睹”（Siddhirastu）就是“希望成功”的意思。

由于“阿”字在古印度悉昙字母中为第一字，往往凡开口必含有“阿”字之声。此一点有些像在汉语中的发声词那样。“阿”字初发声时处于意义皆无的语境，所以佛教认为此真实地体现了“本体”的“无”的蕴涵；即认为，“阿”字作为众声之母，一字能总持一切字入诸法实相即“本体”之中。在佛教中，“阿”字既有法界、法性、法身等义，又有菩提心、自心、本心等义。概括起来，不论是法性还是自心，都是本初究竟之“本体”。而“本体”与“形色”又是相互发明的。众生如果能够获知一切形色的内容、意义，就可以打通内外表里，故有“得与阿字本体、本色而相应也”之说，以至“粗妙等同，犹如瓦金齐观”。②在一定意义上说，本体与形色的关系，是佛教本体论思辨中的核心内容。

研究者认为，在佛教中，本体转虚的一个典型表现就是所谓“阿字”本体论。而“阿字本不生”，却又制动无穷，构成为以不动制动的本体论模式。一行（673－727）说：“不动者所谓是阿字菩提心也。……虽如是垂迹无穷尽，能实常住不动，亦无起灭之相，犹如车轮虽复运转无穷，而当中未曾动摇。由不动故，能制群动而无穷极也，此阿字亦复如是。以无生故，即无动无退，而生一切字轮转无穷，是故名不动轮也”。③在佛学讲来，“阿”字是常住不动、永恒无生灭的“本体”，是觅无上

① 《南海寄归内法传》四。

② 见《大毗卢遮成佛经疏》卷十二，载《大正藏》第39册，日本大正一切经刊行会1979年版，第704页。

③ 见《大毗卢遮成佛经疏》卷十四，载《大正藏》第39册，日本大正一切经刊行会1979年版，第725页。

正觉而成佛的智慧主体。菩提心自身不动又生一切动，迹象变化的无穷尽与"本体"的常住不动相互发明。由此又可以看出，一行所举车轮轮轴的不动制动之例，并不完全源于外来的佛教，它在一定程度上打上了老子、王弼以无制有、以静制动的印记，反映出玄学关于本体的论辩对佛教思想产生的影响。[①]

如果说，上述涉及到的"阿"字本体论是从语言的空无之性来谈"本体"，与此不同，还有一种"净名"本体说，注重进一步从体用关系入手，来阐明形而上的清净本体与声名彰显的形迹名言的关系。唐初王勃撰《释迦如来成道记》，称"观夫释迦如来之垂迹也，净法界身本无出没"。后道诚作《释迦如来成道记注》，其中曰："将纪化迹始末，乃先谈法身。夫法身者，即化身之本体，清净法界也。强名颇多，此不备叙。秦僧肇云：如来者，法界为体，形无不在，量出规矩之外，道超言议之表，凝然湛寂，非色非相，不生不灭，无来无去。故云本无出没。"[②]

到中唐的大珠慧海则承接僧肇（384—414）。僧肇论述"不真空"，而对"本无说"代之以"性空说"，论述了"净"的本体论意义并解析了"本体"与"迹用"的关系。慧海明确以本体与迹用的对偶范畴阐释体用关系。他说："莫向言语纸墨上讨意度，但会净名两字便得。净者，本体也；名者，迹用也。从本体起迹用，从迹用归本体。体用不二，本迹非殊。所以古人道：本迹虽殊，不思议一也。一亦非一。若识净名两字假号，更说什么究竟与不究竟？无前无后，非本非末，非净非名。"[③] 对此进行研究的学者

① 参见向世陵：《中国哲学的"本体"概念与"本体论"》，载《哲学研究》2010年第9期。

② 见《释迦如来成道记注》（卷上），道诚注，载《新纂续藏经》第75册，中华电子佛典协会2009年版，第1页。

③ 见《大珠慧海顿悟要门·诸方门人参问》，载李淼编著《中国禅宗大全》，长城出版社1991年版，第94～95页。

指出，按慧海的“本体”之论要求：一要从汉唐时期流行的用功于言语纸墨的窠臼中解脱出来，这说明佛教的经典研习与儒家的章句训诂会产生同样的弊病；二要理会净体、名用的相互发明关系，阐明双方本来为一；三要明白“净”、“名”两字亦是假号，贵在了悟佛教本来无所谓“究竟”、“不究竟”。①

以禅宗为代表的顿悟说在唐宋以后已成为佛学的基本理念。从哲学的层面说，顿悟之可能正在于体用不二的本体论辩为其提供了基本的理论预设。在这一预设的构架下，真性与假象、菩提与无明的名言对立，恰是互为条件已支持其理论。延寿（904—975）说：“古释云：头无得失者，头喻真性，无明迷时，性亦不失；无明歇时，亦不别得。歇即菩提者，但悟本体。五现量识、一切万行皆悉具足，即是菩提。如《涅槃经》云：一切众生，本来成佛；无漏智性，本自具足。又，顿从渐得名，俱称方便。古释云：若据说顿，亦是方便。若云渐顿俱是，亦谤于佛；俱不是，亦谤于佛。”②

这里强调了，真性或无漏智性并不受暗昧迷惑与否的主观状态的影响，这是成佛智慧生起或实现对本体的悟解必需的前提，否则，觉悟成佛及佛教的一切修炼活动都失去了意义。而，真性本体的超越性又是以对现实万象的依赖性为条件的，没有后者，前者同样也没有意义。

在延寿说来，修炼是以体感经验的方式实现对本体的证悟。佛教讲体用不二，在修炼功夫上有顿法与渐法，都是为方便的缘故，说到底只有一法，即相对于渐而说顿，这相对于顿而有

① 参见向世陵：《中国哲学的“本体”概念与“本体论”》，载《哲学研究》2010年第9期。

② 《宗镜录》卷十七，载《大正藏》第48册，日本大正一切经刊行会1979年，第505页上。

渐。那种认为二法俱是或二法俱不是的观点，由于违背了一体不二的根本原则，成为对佛法的毁谤。禅宗讲顿悟，也讲修炼，都指向着对本体的证悟。

延寿辞世于宋初，此时中国佛教的经典《坛经》已广泛流传于世。宋初《坛经》的两个重要编本，即惠昕本和契嵩本，都在唐法海本的"法以心传心，当令自悟（自解）"之后，加上了"自古佛佛唯传本体，师师密付本心"[①] 之说。这表明宋初的佛教学者，注重利用"本体"概念去宣示他们的心中所想。但对于"本体"，联系论述的上下文，直接是指佛佛相传之"衣"（袈裟）。其以"衣"与"心"相对应而论本体。这是从方便的角度，为"师师密付本心"提供必需的前提。既然体用不二为禅宗所信守，"衣"之重要，在于其成为传法之"信体"，借助于它才能体悟传心之秘诀。正因为如此，信体的作用尽在传心之中，体在用中而实现自身。所以，由传"衣"为载体，彰显的是"本体"与"本心"事实上合而为一。然而，体用不二并不意味体用的区分没有必要；事实上，既然谓之"体"、"用"，概念双方就必有自己哲学指向，哲学的思辨也就离不开本体和迹用的对偶范畴。沿着"本体"与"迹"，因此，契嵩（1007—1072）进一步地阐明："教化，迹也；道，本体也。窥迹，则宜其有大有常；极本，则皇与帝者宜一。孔氏可谓见其徼者也，乌足以知道渊邪？"[②] 这里讲的"大"与"常"指孔安国所谓三皇的大道与五帝的常道。契嵩认为这样的区分并没有太多的意义，因为它只留意了显于外的教迹而丢掉了藏于内的本体。问题在于，是只停留于浅表的教化迹象还是透过它们而进入到渊

① 参见郭朋：《〈坛经〉对勘》，齐鲁书社1981年版，第19～21页。

② 《镡津文集》，载《大正藏》第52册，日本大正一切经刊行会1979年，第672页中。

深之道或哲学本体。所以，契嵩讲他与孔安国的根本区别是，"彼孔氏者以迹其教化而目之也，吾本其道真而言之也"[1]。也就是说，"得在于心通，失在于迹较"[2]，只有在"心通"的前提下才有可能。对此，儒家学者也有共识。李翱当年已经论述过"以心通"达到"以事解"的问题。作为佛教儒学化大师的契嵩，有可能接触过李翱的学说。[3]

第四节　隋唐对《中庸》"诚"的重视

一、王通、孔颖达

（一）王通。

在隋代，进入哲学史而显赫的哲学家并不多。而隋朝的王通（584－617）却是要提到的。王通，字仲淹，门人私谥"文中子"，绛州龙门（今山西稷山县西）人，幼从父王隆受业，后广学儒家经典。隋文帝仁寿三年（603），王通西游长安，见隋文帝，献《太平十二策》，文帝因公卿反对而未采用。王通后来被授职于偏僻的蜀郡，任蜀王侍读等职，至大业初成。隋炀帝即位后，王通隐居河、汾之间，著书讲学，在学业上自立门户。"往来受业者，不可胜数，盖千余人"。王通作为隋末大儒，德高望重，门生弟子众多。《文中子·中说》卷一〇关朗篇云："门人窦威、贾琼、姚义受《礼》；温彦博、杜如晦、陈叔达受

① 《镡津文集》，载《大正藏》第52册，日本大正一切经刊行会1979年，第672页中。

② 《镡津文集》，载《大正藏》第52册，日本大正一切经刊行会1979年，第654页下。

③ 参见，向世陵：《中国哲学的"本体"概念与"本体论"》，载《哲学研究》2010年第9期。

《乐》;杜淹,房乔、魏征受《书》;李靖、薛方士、裴晞、王珪受《诗》;叔恬受《元经》;董常、仇璋、薛收、程元备闻六经之义。”唐初将相有大功于贞观之治者,如房玄龄、杜如晦、魏征、李靖、王珪、窦威等,均出于王通门下,受王通思想影响颇深。王通作为一个思想家,其著述颇丰,但流传下来的并不多。王通摹拟六经,著《续书》《续诗》等,俱已不存。记有王通思想的文献,今存有《文中子》。这由王通弟子私谥“文中子”而得名,亦称《中说》。此系王通和门人的问答笔记;体仿《论语》敷衍成书;后由王氏子孙定为天道、天地、事君、周公、问易、礼乐、述史、魏相、立命、关朗10篇问世。王通提倡儒学,在《文中子》中反复论述兴六经、倡儒学之重要。他以“申周公”“绍宣尼”的儒宗自命,说:“如有用我者,吾其为周公所为乎!千载而下,有申周公之事者,吾不得而见也;千载而下,有绍宣尼之业者,吾不得而让也。”王通竭力赞颂孔子和儒家的纲常伦理,“大哉乎!君君臣臣,父父子子,兄兄弟弟,夫夫妇妇,夫子之力也”。他也赞赏“上无为,下自足”的道家观点。他还鉴于北魏太武帝和北周武帝取缔佛教,结果反而“推波助澜、纵风止燎”的教训,主张吸取佛教。王通提出“三教于是乎可一”,倡导儒、佛、道合一,以调和三者之间的矛盾。

王通保留下来的著述中,多谈诚信。他基于元气、元形、元识区分天、地、人,以气、形、识分别作为天、地、人之特点。他说:“夫天者统元气焉,非止荡荡苍苍之谓也;地者统元形焉,非止山川丘陵之谓也;人者统元识焉,非止圆首方足之谓也。”王通在《中说·周公》中写到:“推之以诚,则不言而信”。“言而信,未若不言而信。行而谨,未若不行而谨。”[①] 王

① 王通:《中说·周公篇》,丛书集成初编本,第14页。

通认为"行道"存在于社会各个具体层面。他的弟子贾琼、薛收曾问曰:"道不行,如之何?"王通曰:"父母安之,兄弟爱之,朋友信之,施于有政,道亦行矣,奚谓不行。"[①] 王通又曰:"处贫贱而不慑,可以富贵矣;僮仆称其恩,可以从政矣;交游称其信,可以立功矣。"[②] 王通主张交友以信,重视诚信的交友原则。从贾琼与王通就"人事"的谈话中也可知,王通对诚信的作用是非常重视的。《中说·述史篇》云:"贾琼请绝人事。子曰:'不可'。请接人事。子曰:'不可'。琼曰:'然则奚若?'子曰:'庄以待之,信以从之,去者不追,来者不拒,泛如也。斯可矣。'"在诚信为政问题上,王通曰:"政猛宁若恩;法速宁若缓;狱繁宁若简;臣主之际,其猜也宁信。执其中者,惟圣人乎?"[③] 王通的弟子杜如晦问政。王通曰:"推尔诚,举尔类,赏一以劝百,罚一以惩众,夫为政而何有?"王通由"诚"、"诚信"说到德信。王通对于门人以德信为政特别赏识。如他的学生陈叔达为降郡守,下捕贼令曰:"无急也,请自新者原之,以观其后。"王通闻之曰:"陈守可与言政矣。上失其道,民散久矣。苟非君子,焉能固穷;导之以德,悬之以信,且观其后,不亦善乎?"可见,王通是主张以"德信"执政的。

王通在学术活中,常常以古人"生以救时,死以明道"的抱负来激励自己,企图通过著书立说以实现自己的抱负。他除著《中说》外,还在用八九年时间著成的《续六经》(已佚)中,宣传王道。他依据孟子的"仁政"学说,向统治者提出若干推行王道的原则,其中十分注重解决道与利、道与欲的关系。关于道与利,他认为是绝对对立的,二者只能取其一,只能取

① 王通:《中说·礼乐篇》,丛书集成初编本,第21页。
② 王通:《中说·问易篇》,丛书集成初编本,第18页。
③ 王通:《中说·关朗篇》,丛书集成初编本,第36页。

道而去利。与道、义之辩相一致，王通又提出了道与欲的绝对对立，主张存道寡欲。他说："恶衣薄食，少思寡欲，今人以为诈，我则好诈焉。"当时，上层社会以寡欲为不诚实，王通却不顾忌人们的讥讽，强调以"服俭"、"食俭"律己，"见利争让，闻义争为"。他希望统治者效法他，以救衰世。

（二）孔颖达。

作为唐代经学家的孔颖达（574－648）。字冲远，孔子三十二世孙，冀州衡水（今属河北）人。他曾从学于隋经学家、天文学家刘焯。隋大业（605－616）初年，孔颖达举明经高第，授河内郡（今河南沁阳）博士。隋炀帝召诸郡儒官集东都洛阳，诏国子秘书学士与论议，孔颖达为冠，并且年龄最小。老师宿儒耻出其下，暗遣人刺杀他未成。到唐代，历任国子博士、国子司业、国子祭酒等职。卒谥宪。

唐贞观（627－649）初年，唐太宗认为当时儒学师说多门，章句繁杂，命孔颖达主持编撰五经义训。孔颖达乃兼采南北经学义疏，以南学为主，编成《五经正义》。《五经正义》包括《周易正义》《尚书正义》《毛诗正义》《礼记正义》《春秋左传正义》，凡180卷。此系经学义疏的结集，偏重南学。《易》主王弼注，《书》主伪孔安国传，《毛诗》主毛公传、郑玄笺，《礼记》主郑玄注，《左传》主杜预解。唐太宗贞观十六年（642）编成。后经马嘉运校定，长孙无忌、于志宁等增损，于唐高宗永徽四年（653）颁行。凡士人应明经科，均须诵习儒经，义理全据《正义》所说。唐高宗永徽四年（653），颁《五经正义》于全国，自此时起至宋初，为考试经学的标准。

汉末以来，长期变乱，儒家典籍散佚，文理乖错，且师说多门，章句杂乱，为适应科举取士和维护全国政治统一的需要，《五经正义》应时而出，以求结束儒学内部宗派的纷争，此为古代经学发展史的重要环节。《五经正义》现存《十三经注疏》

中，流传版本以影印阮刻《十三经注疏》本为佳。

孔颖达的思想主要保存在《周易正义》和《礼记正义》之中。孔颖达继承儒家重礼的传统，说：“人之所生，礼为大也。非礼无以事天地之神，辨君臣长幼之位，是礼之时义大矣哉!”他还认为礼与“天地俱兴”。孔颖达以“无”为宇宙万物的本原，说：“万物之本，有生于无。”在解释“形而上者谓之道，形而下者谓之器”时说：“道是无体之名，形是有质之称，凡有从无而生，形由道而立，是先道而后形”。

孔颖达兼采南北之学，主张“疏不破注”，他的《礼记正义》中所涉及的《中庸》研究，可作为唐前期研究“《中庸》学”的代表。孔颖达在给《中庸》“在下位不获乎上……诚身有道，不明乎善，不诚乎身矣”作疏时说：“此明为臣为人皆须诚信于身，然后可得之事”。他强调把“诚”作为人的品质，认为“诚”应为人的修养方法。而且，他将“至诚之道”作为“天之性”，蕴含着“诚”的实现，“诚”是一种境界。他强调，作为天性的“至诚”和天道之“诚”一样，是“不为而诚，不思而得”的。同时他又说，“诚之者人之道也者，言人能勉励学此。至诚人之道也，不学则不得，故云人之道”。孔颖达围绕《中庸》中，“诚”是天之道又是人之道，对“至诚”进行了充分论述，这使得“诚”的内容进一步明确化。这一点，是为李翱及宋儒的《中庸》之“诚”思想研究所继承的。孔颖达的学术思想对宋代程朱理学影响颇大。

二、陆贽、韩愈

（一）陆贽。

陆贽（754－805）是中唐贤相。他是苏州嘉兴人，字舆，大历八年（773 年）进士，德宗即位召充翰林学士。贞元八年（792 年）出任宰相，两年后周与裴延龄有矛盾，被眨充忠州

(今重庆忠县)别驾(州主管官的佐吏),永贞元年卒于任所,谥号宣,称陆宣公。陆贽的文集,明靖以来刻本很多。今结《陆宣公翰苑集》24卷,有《四部丛刊》本,系据宋刊本影印;另有诗文别集15卷,已久佚不传;《全唐诗》存其诗3首;事迹可见《新唐书》《旧唐书》本传。

对于陆贽的思想,唐及后来诸朝,评价甚高,十分重视。《新唐书》说他的思想"可为后世法"。宋代,司马光非常推崇陆贽,在《资治通鉴》中引用陆贽的议论,涉及达39篇之多,长者近千言,基本上把《陆宣公文集》的主要内容都概括了。像这样连篇累牍地记录一个人的政治主张,在长达294卷的《资治通鉴》中是罕见的,可见陆贽言论"资治"作用之大。苏轼则说陆贽"才本王佐,学为帝师";"论深切于事情";"智如子记而文则过,辩如贾谊而术不疏,上以格君心之非,下以通天下之志,使德宗尽用其言,则贞观可得而复"。他把陆贽的奏议文集进呈给当朝皇帝说:"若陛下能自得师莫若近取诸贽。""圣言幽远如山海之崇深,难以一二而推择,而贽之论,开卷了然,聚古今之精英,治乱之龟鉴。"南宋也有人把陆贽的奏议进呈给皇帝,说:"斯皆治道之急务","无片言不合于理,靡一事或失于机,策之熟,见之明,若烛照";希望皇帝将之"置坐之隅",以引为鉴戒。明末清初的著名学者王夫之认为,"唐室为之再安,皆敬舆悟主之功也"。范文澜在《中国通史》中称"陆贽是唐朝中期卓越的政治家"。陆贽是著名儒学者,并以骈文擅名,其作为骈文大家对唐宋的散文也有着巨大的影响。

唐时,国家统治者对《中庸》十分重视。陆贽曾授引《中庸》中"至诚"的论述来规劝唐德宗以诚对待臣下,他强调,"'唯天下之至诚为能尽其性。能尽其性,则能尽物之性。'"若不尽于己而望尽于人,众必不从矣。'诚者,物之终始,不诚无物。'物者,事也,言不诚则无复有事矣。匹夫不诚,无复有事，况王者赖人之诚以自固。而可不诚于人乎?"①

陆贽曾是唐代许多有影响人士的老师。他很注意发现和培养人才。陆贽任宰相后，方使屡试不第的柳宗元得以湧现，其对柳宗元的为人和为文影响很大。贞元八年，陆贽主持进士科试，韩愈、欧阳詹、李观等八人登第，时称"龙虎榜"，誉为"天下第一"。陆贽作为韩愈等人的座师，在去世后，韩愈最早为他立传。

（二）韩愈。

韩愈（768—824），特别崇尚儒家学说，继承和发展了先秦儒家的诚信思想。

韩愈曾在参加省试时作《颜子不贰过论》，文中曾大量引用《中庸》，表现出他对《中庸》"诚"的见解："夫圣人抱诚明之正性，根中庸之至德，苟发诸中形诸外者，不由思虑，莫匪规矩，不善之心无自入焉，可择之行无自加焉，故惟圣人无过。所谓'过'者，非谓发于行、彰于言，人皆谓之过而后为过也。生于其心则为过矣，故颜子之过此类也。'不贰'者，盖能止之于始萌，绝之于未形，不贰之于言行也。《中庸》曰：'自诚明谓之性，自明诚谓之教。''自诚明'者，不勉而中，不思而得，从容中道，圣人也，无过者也。'自明诚'者，择善而固执之者也。不勉则不中，不思则不得，不贰过者也。故夫子之言曰：'回之为人也，择乎中庸，得一善则拳拳服膺而不失之矣。'又曰：'颜氏之子，其殆庶矣乎！'言犹未至也。而孟子亦云：'颜子具圣人之体而微者'，皆谓不能无生于其心，而亦不暴之于外，考之于圣人之道，差为过耳。"② 这篇文章为唐德宗贞元十

① 陆贽：《奉天请教对群臣兼许令论事状》，《四库全书》版。

② 韩愈撰，马其昶校注：《韩昌黎文集校注》，上海古籍出版社 1986 年版，第 72 页。

年（794）应博学宏词科所作，是韩愈早年的作品。主要是借《中庸》第二十章：“自诚明谓之性，自明诚谓之教”来阐发颜回何以“不贰过”。他认为“自诚明”者为圣人，圣人不会有过错。“自明诚”者为“不贰过”的贤人，从而展开论述颜回何以能“不贰过”。也就是说，他十分注重由“自诚明”和“自明诚”阐述他关于《中庸》“诚明”思想的见解。

韩愈由“诚”论“信”。他“以传尧、舜、禹、汤、文、武、周公、孔子、孟子之道为己任”，从孟子的“仁义礼智根于心”的思想出发，认为仁义礼智信是人应具有的基本道德原则。他认为：“性也者，与生俱来也；……其所以为性者五：曰仁，曰理，曰信，曰义，曰智”。[①]

对于“诚信”韩愈身体力行。《新唐书·韩愈传》记载：“愈性敏锐，不诡随。与人交，始终不少变。”韩愈把“诚信”作为处世和从政的原则。《旧唐书·韩愈传》记载，韩愈在监察御史任上，由于“政出多门，宰相不专机务，宫市之弊，谏官论之不听。”他上书德宗数千言极论之，德宗不听，怒贬其为连州阳山令。[②] 韩愈的直率常被时人误解，据《旧唐书》卷一六零《韩愈传》记载：愈自以才高，累被摈黜，作《进学解》曰：“先生之业，可谓勤矣。……先生之于儒，可谓有劳矣。……先生之为文，可谓闳其中而肆其外矣。少始知学，勇于敢为。长通于方，左右具宜。先生之于为人，可谓成矣。然而公不见信于人，私不见助于友，跋前踬后，动辄得咎。暂未御史，遂窜南夷。三为博士，冗不见治。命与仇谋，取败几时。冬暖而儿号寒，年丰而妻啼饥。头童齿豁，竟死何裨？不知虑此，

① 韩愈著，屈守元，常思春主编：《韩愈全集校注》《原性》，四川大学出版社1996年版，第2686页。

② 《旧唐书》卷一六零《韩愈传》，第4195页。

而反教人为”。[1] 韩愈的《进学解》谈的是增进业、行的方法，同时通过国子监与学生的问答，抒发了他长期不受重用屡遭贬黜的苦闷。文中所言“公不见信于人，私不见助于友”是借学生之口道出其不为时人所信的苦闷。而韩愈始终是一个正直不苟之士。他以“矫矫亢亢，恶圆喜方，羞为奸欺，不忍伤害”[2]自称。

韩愈把“诚信”作为评价人的原则。如韩愈的《与祠部官员外书》云：“……文章之尤者，有侯喜者，侯云长者。喜之家，在开元中衣冠而朝者兄弟五六人，及喜之父仕不达，弃官而归。喜率兄弟操耒耜而耕于野，地薄而赋多，不足以养其妻，则以其耕之暇，读书而为文，以干于有位者而取足焉。喜之文章，学西京而为也，举进士十五六年矣。云长之文，执事所自知。其为人淳重方实，可任以事，其文与喜相上下。有刘述古者，其文长于为诗，文丽而思深，当今举于礼部者，其诗无与为比，而又工于应主司之试。其为人温良诚信，无邪佞诈妄之心，强志而婉容，和平而有立，其趋事静以敏，其美名而负屈称者，其日已久矣。”[3] 这里，韩愈除了盛赞他们的文学才能外，特别注重他们的诚信。

三、欧阳詹、李翱

(一) 欧阳詹。

欧阳詹是韩愈年轻时的好友，曾专门写过《自明诚论》，讨论《中庸》的“诚明”问题。他说：“自性达物曰诚，自学达诚

---

① 《旧唐书》卷一六零《韩愈传》，第4196页。

② 韩愈著，屈守元、常思春主编：《韩愈全集校注》《送穷文》，第1822页。

③ 韩愈著，屈守元、常思春主编：《韩愈全集校注》《原性》，四川大学出版社1996年版，第4195页。

曰明。上圣述诚以启明，其次自明以得诚。苟非将圣，未有不由明而致诚者。文、武、周、孔，自性而诚者也，无其性，不可而及矣。颜子、游、夏，得诚自用者也，有其明，可得而至焉。从古而还，自明而诚者众矣。尹喜自明诚而长生，孙弘自明诚而为卿，张子房自明诚而辅刘，公孙鞅自明诚而佐嬴。明之于诚，犹玉待琢，器用于是乎成。故曰：'玉不琢，不成器；人不学，不知道。'器者，隐于不琢而见于琢者也；诚者，隐于不明而见乎明者也。无有琢玉而不成器，用明而不至诚焉。呜呼！既明且诚，施之身，可以正百行而通神明；处之家，可以事父母而亲兄弟；游于乡，可以睦闾里而宁讼争；行于国，可以辑群臣而子黎甿；立于朝，可以上下序据于天下，可以教化平。明之于诚，所恨不诚也。苟诚也，蹈水火其罔害，弥天地而必答，岂止君臣乡党之间乎？父子兄弟之际乎？大哉明诚也，凡百君子有明也，何不急夫诚！先师有言曰：'生而知之者上'，所谓'自性而诚者也'；又曰：'学而知之者次'，所谓'自明而诚者也'。'仁远乎哉，我欲仁，斯仁至矣。'夫然则'自明而诚'可致也；苟致之也，与'自性而诚'异派而同流矣，知之者知之。"[①] 欧阳詹对《中庸》的"诚明"问题作出了详细讨论。他强调了"自明诚"的重要性，认为通过学习是可以达到"自明其诚"的。他提出"学而知之"亦有达此境界的可能，重视"自明其诚"的看法，与其后北宋学者主张"圣人可学"、重视"自明诚"的观点，是相符的。

（二）李翱。

李翱是韩愈的学生。他秉承其师韩愈对"诚"的推崇，十分重视对《中庸》的研究。

---

① 欧阳詹：《自诚明论》，《四库全书》版。

李翱在描述《中庸》时说:"《中庸》之不焚者一篇存焉。于是此道废缺,其教授者,唯节行文章章句,威仪击剑之术相师焉。性命之源,则吾弗能知其所传矣。性命之书虽存,学者莫能明,是故皆入于庄列老释。不知者,谓夫子之徒不足以穷性命之道,信之者皆是也。有问于我,我以吾之所知而传焉。遂于书,以开诚明之源。而缺绝废弃不扬之道,几可以传于时。命曰《复性书》"。① 由此可看出,其一,李翱把《中庸》作为单独一篇来进行研究,且研究重心在性命之学上。其二,李翱倡导《中庸》的"性命之道",研究性命之学的目的是与佛道两教相抗衡。李翱认为,就是因为人们没有意识到儒学自身就具有完备的人性理论,才纷纷求助于佛教、道教;只有他,才发现了这个长期"缺绝废弃不扬之道",才作《复性书》,将儒学特别是《中庸》加以传播。其三,儒者要认识到对抗佛老需从自身的心性构建入手。而《中庸》因其自身有道德性命之理,自然成为不二的选择。李翱就是在把思孟学说归于心性论的基础上提出了"复性说",以发展《中庸》的思想。

这样,对于天道的具体内涵,李翱明确说:"道也者,至诚者。至诚者,天之道也。"② 他强调天道为"至诚",不仅是要对《中庸》思想直接继承,同时也是受到孔颖达等人的影响。由于人性为天所命,天道为"至诚",受天道所赐的人道也必与"诚"有关。李翱在《复性书》中所要"复"的"性",就是《中庸》所言"天命之谓性"的"性"。李翱之所以要"复性",是基于他认为"性善情恶"。他讲,"人之所以为圣人者,性也;人之所以惑其性者,情也。喜、怒、哀、惧、爱、恶、欲七者,皆情之所为也。情既昏,性斯匿矣"。而且,至关重要的是,性

① 李翱:《复性书》上,《唐李文公集》卷二,《四部丛刊》本。
② 李翱:《复性书》中,《唐李文公集》卷二,《四部丛刊》本。

和情又是息息相关的，"无性，则情无所生矣，是情由性而生；情不自情，因性而情；性不自性，由情以明"。圣人同一般的常人一样，也有"性"有"情"。一般人的"性"同圣人的"性"是相同的。而本静、本善的人性，才是"诚"："是故诚者，圣人性之也。寂然不动，广大清明，照乎天地，感而遂通天下之故。行止语默，无不处于极也。复其性者贤人，循之而不 者也，不已则能归其源矣。"这是说，能复其性的是贤人，能尽其性的是圣人。贤人由于归复自己的本性，也就可以成为圣人，圣人之所以为圣人，是因为其基于"性"，"寂然不动，不往而到，不言而神，不耀而光"，"虽有情也，未尝有情也"。常人虽然"与圣人之性弗差"，但不能像圣人那样；就是因为他们在情欲"交相攻伐"之下，为"情之所昏"，以至一辈子溺于情，"不自睹其性"，忘了根本。李翱认为，人人都可以成为圣人："人皆可以及乎此，莫之止而不为也。"[①] 而要达于此，关键在于"复性"。

所以，李翱对如何"复性"作了论述：首先要做到"无虑无思"。而要做到"无虑无思"，就必须归诸于"静"。但人不可能在接触外物时没有反应，于是他又提出要做到"动静皆离"，即保持心的"寂然不动"，这样才能够达到《中庸》所说的"至诚"的境界。由"至诚"而"复性"，进而便知"道"知"天命"。李翱在这里也借用了佛教学说来解释《中庸》，因为原来《中庸》中"诚"的内涵只有信、实等含义，李翱加入了"静"的内涵。《复性书》中多处以"寂照"讲"诚"，如"是故诚者，圣人性之也，寂然不动，广大清明，照乎天地，感而遂通天下之故，行止语默，无不处于极也"；[②]"寂然不动者，是至诚也。"

① 李翱：《复性书》上，《唐李文公集》卷二，《四部丛刊》本。
② 李翱：《复性书》上，《唐李文公集》卷二，《四部丛刊》本。

李翱对《中庸》《孟子》中的"诚"作出发挥时，将之推向天人合一的境界。李翱认为："诚者，圣人之性也。"[①] 他在《复性书上》说："子思曰：'唯天下之诚，为能尽其性，则能尽人之性；能尽人之性，则能尽物之性；能尽物之性，则可以赞天地之化育；可以赞天地之化育，则可以与天地参矣。……'圣人知人之性皆善，可以循之不息而至于也，故制礼以节之，作乐以和之。安于和乐，乐之本也；动而中礼，礼之本也。故在车则闻鸾和之声，行步则闻佩玉之音，无故不废琴瑟，视听言行，循礼法而动，所以教人忘嗜欲而归性命之道也。道者至诚也，诚而不息则虚，虚而不息则明，明而不息则照天地而无遗，非他也，此尽性命之道也。哀哉！人皆可以及乎此，莫之止而不为也，不亦惑耶？[②]"李翱在分析"致知在格物"时又曰："物者万物也，格者来也，至也。物至之时，其心昭昭然明辨焉，而不应于物者，是致知也，是知之至也。知至故意诚，意诚故心正，心正故身修，身修而家齐，家齐而国治，国治而天下平，此所以能参天地者也。"[③] 这是一种由上天通达于人事及万物的思维，一种将天地人合为一体的理论。

李翱讲"诚"，而且阐发了从政的"诚信"。李翱曰："臣闻国之所以兴者，主能信任大臣，臣能以忠正辅主。故忠正者，百行之宗也。大臣忠正，则小臣莫敢不为正矣。小臣莫敢不为正，则天下后进之士皆乐忠正之道矣。后进之士皆乐行忠正义道，是王化之本，太平之事也。……用忠正而不疑，则功德成"。[④] 国家兴亡的关键在于君王能够信任大臣，大臣是否能够

① 李翱：《复性书》上，《唐李文公集》卷二，《四部丛刊》本。
② 李翱：《复性书》上，《唐李文公集》卷二，《四部丛刊》本。
③ 李翱：《复性书》中，《唐李文公集》卷二，《四部丛刊》本。
④ 李翱：《疏用忠正》，《唐李文公集》卷九，《四部丛刊》本。

以忠正辅君。"忠正"是"百行之宗"。李翱还写了《疏屏奸佞》一文，指出奸佞的危害："奸佞之臣信用，大则亡国，小则坏法度而乱生矣。"建议帝王："……屏奸佞而不近，则视听聪明。"[①]

中唐以后，《中庸》受到儒家学者的关注，漆侠先生认为，韩愈虽然引用过《中庸》上的话，但真正关注《中庸》的是柳宗元和刘禹锡，柳宗元认为，在"文"、"道"关系基础上，把"道"放在主导的地位，写文章必须是"由大中而出"，"由大中而出"，的道就是中庸之道。刘禹锡在研读《中庸》时则借鉴佛学思想来领会。[②] 而把《中庸》地位提高的则是李翱的《复性书》。朱子于《中庸集解序》中说："汉之诸儒虽或擎诵，然既杂乎传记之间而莫之贵，又莫能明其所传之意者。至唐李翱，始至尊信其书，为之论说，然其所谓灭情以复性者，又杂乎佛老而言之。"[③] 基于韩愈、欧阳詹、柳宗元、刘禹锡对《中庸》的关注，李翱的《复性书》进一步把其提到儒家重要经典的地位上。有区别的是，韩愈大力提倡的是《大学》和《孟子》，柳宗元、刘禹锡明显地有融合儒释的倾向，两人在把《中庸》认作性命之书时，注重转向向佛教义理认求得对《中庸》加以理解。李翱的特点是，力求牢牢坚持站在儒家立场上来阐释《中庸》的"性命之道"，由此来关注《中庸》之"诚"。也就是说，李翱将《中庸》之"诚"归于"性命之道"；他强调这与佛教所讲之"性"不同。李翱强调的是由《中庸》之"诚"来"复性"。

---

① 李翱：《疏屏奸佞》，《唐李文公集》卷九，《四部丛刊》本。

② 此详见漆侠：《宋学的发展和演变》河北人民出版社 2002 版，第 121～125 页。

③ 见朱熹：《朱熹集》（第 7 册，卷七十五），四川教育出版社 1996 年版，第 3956 页。

总之，李翱与韩愈等人一起，成为我国思想史中承上启下的重要人物。他们上承两汉儒学，吸取玄学，面对佛学，使其哲学思想下启宋代学术。他们关于"诚"的论说，地位十分重要。

第十七章　宋元明："理学""心学"中的"诚"与"成"

宋元明哲学，横跨宋代元代明代。特别在宋和明，这是"理学"创立和占统治地位的时期。"理学"以"儒"为宗兼采"道"与"佛"，曾成为中国封建社会后期的官方哲学。

自汉到唐，儒家学者在经典解释中多注重训诂考订，而对经典的精神实质与思想内容却少有发掘。汉代经学的特点是讲究师法、宗传，门户森严；唐代颁布《五经正义》，经学统一又有穷理不深、讲道不切的问题。这种治学方式导致了儒学的日益僵化，失却其内在活力而受到扼制，这使以经世致用为旨归的儒学不能对当时的社会生活真正起到指导作用。为了挽救儒学的这一危机，宋初士人也的确采取了种种措施。他们变革治学方式，虽然对汉唐传注之学有过激批评，但并不否认传注对于理解儒家经典的必要性；他们进而希望通过重新阐释儒家经典，阐发其中义理以振兴儒学。

传统儒学的思想，其主旨是以宗法血缘、伦理亲情为出发点而延伸并且泛化。此理论的指向，旨在匡扶济世，侧重于政治、伦理和教化。儒学中虽也有思孟的心性学，曾不为大多数儒者所重视。魏晋以降，佛学传入，其具有精致的心性之学特点，再加上本土的道家，比当时流传着的儒学似乎更具有形而上的思辨色彩，致使释、老实夺儒之席，这扩大了佛道之学在社会生活各方面所产生的影响。其中佛教影响尤盛。当时尽管已有不少的儒者及士大夫排佛、道，其势虽激烈，但其范围无非在于强调儒学正统、伦常纲纪这些方面。这种作法导致他们的建树达不到应达到的理论深度，往往把问题看得过于简单，付诸实践并不能奏效。这期间发生了三次重大灭佛事件，即所谓“三武灭佛”。然而，从东晋南北朝开始，佛教思想家就非常注重心性理论的建构，佛教在中国的传播过程中，各宗派曾依据不同的佛教经典，提出和发挥其心性理论。这既有原印度佛教哲学的因素，更缘于中国本土社会及文化发展的要求，以形成儒、道、释文化相结合的思想体系，而便于在当时社会中得到传播和接受。①

“理学”开创于北宋，而这一学说的建立环境始于唐宋重视《中庸》研究。《中庸》原载于《礼记》之中。汉代时就已有将《中庸》从《礼记》中抽出而作研究的情况。唐宋后更形成对《中庸》独特研究，特别是北宋，重新重视对《中庸》研究的兴起，使关于“诚”的理论在思想史中的地位和意义得到凸显。这时，儒学面临佛道两教的挑战。儒学想要确保主导地位就必须迎接佛道心性学的挑战（特别是佛教），而作为儒家经典的《中庸》恰恰很具有心性学形而上思维的特点。这成为《中庸》研究此时被突出受到重视的主要学术原因。另一方面，佛教为了使自己在中土上生存，也不得不利用儒家经典《中庸》来阐明佛儒思想的一致性，并由此努力论证佛教义理的高明性。

余英时先生认为，《中庸》的发现与流传与南北朝以来的道家或佛教的关系十分密切。《中庸》最早受到重视是出于佛教讲“性空”及新道家“清谈”的需要。李翱重视其所读到的《中庸》大概很大程度上也是与来自佛教徒所传的系统有关。据

① 参见赖永海：《中国佛教文化论》，中国青年出版社1999年版，第147～156页。

《宋史·艺文志一》记载，宋代儒家专讲《中庸》之作以《胡先生中庸义》为最先，而胡瑗远在智圆之后。因此，他归结于《中庸》在北宋得到重视，是由于从佛家回流而重入儒门。① 北宋时期，佛教一些学者在儒、佛心性论的会通上又推进了一步，尤其注重用佛教心性学与儒家《中庸》相结合，由缘起性空逐渐转变到肯定人的"诚""成"。在佛和道的挑战与冲击下，儒学亟须强化其心性之学及形而上学体系。总体上，北宋时期的儒家对待外来佛学的传入已经不像前人那样采取"人其人，火其书，庐其居"的做法，儒者越来越认识到佛道久之不去的原因，意识到只有在思想体系上强化自身才能形成对佛道的有力抗击。于是心性之学也即性理之学成为当时各学派关注的中心问题。儒家学者吸收佛教心性学，通过对佛学的借鉴而回归先秦孔孟之学。儒家学者在借鉴佛教心性学时往往重视与《中庸》《论语》《孟子》等经典著作相结合。

与学术史发展中的种种情况交互影响，宋代统治者也十分重视《中庸》。当时朝廷举办的科举考试命题总是影响到准备参与考试的士人的心理，进而影响到学术的发展。《宋史·儒林列传·邢昺传》记载："入辞日，赐袭衣、金带。是日，特开龙图阁，诏近臣宴崇和殿，上作五、七言诗二首赐之，预宴者皆赋。昺视壁间《尚书》《礼记》图，指《中庸》曰：凡为天下国家有九经，因陈其大义，上嘉纳之。"② 由此足见当时《中庸》的部分内容恰好与君臣关心如何治国平天下的意图相合。且王应麟《玉海》记载："天圣五年四月辛卯，赐进士王尧臣等闻喜宴于琼林苑，中使赐御诗，又人赐《中庸篇》各一轴。自后遂以为

① 见余英时：《朱熹的历史世界：宋代士大夫政治文化的研究（上）》，三联书店2004年版，第86～96页。

② 《宋史》卷四三一，中华书局1977年版，第12797～12801页。

常。初上欲赐《中庸》，先命中书录本。既上，乃令宰臣张知白进读，至修身治人之道，必使反复陈之，上倾听终篇始罢。是岁进士三百七十人。"[①] 此外，《宋史·张知白传》也提到赐进士《中庸》，令张知白进读这件事。[②] 当时的情况是，仁宗时已将《中庸》赐予进士，又命令宰相张知白当众宣读。由此可见，朝廷对于《中庸》一书重视；重在于其中"凡为天下国家有九经"之论，也就是说，重视《中庸》已处于在外王事功这一层面上。[③]

在宋初，文人的学术重心在于对汉唐章句训诂进行批判，摆脱繁琐之学以与佛、道相抗衡，从而恢复儒学之道。这也就意味着，宋初学人的重心并没能放在儒家形上学体系的构建上，这也导致了作为理学先驱的《中庸》学说研究不可能具有系统性。而他们的作用在于营造了《中庸》学的研究氛围，提升了《中庸》一书的地位，但他侧重于经世的外王之道，而内圣之学的构建则留待后期儒者建立。在他们为数不多的遗留文献中，我们仍然可以发现他们对《中庸》"诚"思想的提倡和发展。例如宋初作为理学先驱的范仲淹、石介等。

范仲淹（989—1052），著作有《范文正公集》，南宋朱熹认为范仲淹是理学先驱之一。范仲淹曾劝作为北宋五子之一的张载读《中庸》一事广为人知。《横渠先生行状》记载："当康定用兵时，年十八，慨然以功名自许，上书谒范文正公。公一见知其远器，欲成就之，乃责之曰：'儒者自有名教，何事于兵！'

① 王应麟：《玉海》，上海古籍出版社1992年版。

② 《宋史》卷四三一，中华书局1977年版，第10187～10189页。

③ 参见，孟耕合：《北宋〈中庸〉之"诚"思想研究》，复旦大学硕士学位论文，2009年4月。

因劝读《中庸》。"[①] 康定是公元1040年。在宋太宗、真宗时代，曾有身在佛门、笃好儒学、优推崇《中庸》的智圆，字号就称"中庸子"，他曾作《中庸子传》。从现存文献看，智圆被认为可能是宋人表彰《中庸》的先驱。范仲淹虽然比起佛教名僧智圆推崇《中庸》一书要晚，而毕竟是北宋仁宗时较早先重视《中庸》的儒者之一。范仲淹特别劝说张载读《中庸》而不是读其他经典，其中颇有深意。为什么范仲淹将"儒者自有名教"与劝读《中庸》联系起来？这是与儒学在当时的复兴运动有关。范仲淹是"庆历改革"的核心人物，"庆历改革"本身是一个全面性的社会改革，除了政治改革之外，冲击最明显、影响最广泛的学术与文化方面，其中尤以经学的变化最大。建议读《中庸》是与儒家贯通"内圣"与"外王"的理念相一致的。这与后来二程等理学家所提倡的观点相符。在这个过程中，《中庸》的重要性被凸显出来，并且刻意加以强调，以范仲淹在当时的特殊地位而言，这种举动所可能产生的影响如何，是可以想见的。也正是从这个意义上说，范仲淹是理学先驱。

《范文正公集》收录有两篇与《中庸》有关的文章，其一，是《省试自诚而明谓之性赋》，这是范仲淹在真宗大中祥符八年(1015)参加进士礼部考试的赋题。据《范文公正集》所附《范文正公年谱》载："大中祥符八年，年二十七，登蔡齐榜，中乙科第九十七名，试置甲第第九十七名，试《置天下如置器赋》《君子以恐惧修省诗》。"余英时先生说，两赋名不同，当是一为省试题，一为殿试题，故有此异。当时进士科考出此赋题，可知命题的考官必是熟悉《中庸》的学说，刻意从《中庸》内容出题，有提倡此书之意。其二，是《南京府学生朱从道名述》，

① 吕大临等：《蓝田吕氏遗著辑校·文集佚存》，陈俊民辑校，中华书局1993年版，第586～587页。

范仲淹在这篇文章中，以《中庸》为论述基础，做了很大发挥，他说："然则道者何？率性之谓也；从者何？由道之谓也。臣则由乎忠，子则由乎孝，行己由乎礼，制事由乎义，保民由乎信，待物由乎仁。此道之端也。子将从之乎？然后可以言国，可以言家，可以言民，岂不大哉！若乃诚而明之，中而和之，揖让乎圣贤，蟠极乎天地，此道之致也。必大成于心，而后可言焉。"[①] 范仲淹在此逐步推出修身、齐家以至治国、平天下，达到儒家的理想。范仲淹标举"诚明"，认为"此道之致""必大成于心"。范仲淹明确说过："所以明乾坤之化育，见天人之会同者也。"他将"诚明"与"心性"说联系起来。对于范仲淹说的"必大成于心"，有学者认为"这句话有两层意思。一，德或性是由心来实现的，心是性的主体承担者，或者说，德或性内在于心而存在。二，德或性是由心完成的，心具有认识的能力，能够实现人性的自觉。"[②] 而范仲淹的"诚"结合着"性"、"心"来论，显然范仲淹所谓的"诚"已不仅仅是从致知上说的，"诚"已经有些本体的意味。

与当时名儒孙复、胡瑗一起被后人称为宋初"理学三先生"的石介（1005－1045），继承前人关于对"自诚明"和"自明诚"的思想，以此作为区分圣人和常人的标准。石介在评价士建中时说："其人能通明经术，不由注疏之说，其心与圣人之心自会；能自诚而明，不由钻学之至，其性与圣人之道自合"。[③] 尽管石介一生中真正的贡献不在理论方面，而他在对北宋理学

---

① 范仲淹：《范文正公集》卷六，第194～196页。

② 蒙元培：《范仲淹的哲学与理学的兴起》，载《北京社会科学》1992年第4期，第103页。

③ 石介：《租徕先生文集（卷十三〈上范思远书〉）》，陈植锷点校，中华书局1984年版，第151页。

思潮的实际推动是不可忽视的。如果说《中庸》一书地位的提升是与北宋理学思潮密切相关的，那么，理学先驱者对《中庸》学研究的贡献，就是对《中庸》一书的提倡。除了范仲淹，和身居太学教官之职的石介之外，其他的理学先驱，诸如胡瑗以及李觏等对《中庸》也有许多阐发。正是由于他们的提倡，才使得宋仁宗末年的嘉祐以后，伴随着理学思潮的迅速兴起，《中庸》一书的地位逐步提升，《中庸》关于"诚"及其整个思想的研究日趋完善。①

宋儒正是在诠释儒家经典过程中，一反汉儒偏重章句训诂的学风，以讲求儒学经义，探究名理兼谈性命为主，形成他们的"义理之学"。北宋张载说，"义理之学，亦须深沈方有造，非浅易轻浮之可得也"。② 宋儒理学家与以往哲学相比，形成了糅合儒、道、佛的特点，注重以传统的儒家思想为核心，同时吸收佛学和道家的理论作为补充。于此，以范仲淹等为先驱，孙复、胡瑗、石介开先河，创始人为周敦颐，奠基者为二程，南宋朱熹为集大成者，并形成与"心学"争论的，宋代理学思想史发展系列。

第一节　"诚""成"与"北宋五子"哲学

对于宋明理学，往往亦称之为"道学"。"道学"，通常被认为是继承儒家道统，而讲求"性命义理"之说的宋儒之学。道学之名，始见于北宋。北宋张载说："朝廷以道学政术为二事，

① 参见孟耕合：《北宋〈中庸〉之"诚"思想研究》，复旦大学硕士学位论文，2009年。

② 张载：《经学理窟·义理》。

此正自古之可忧者。”[①] 南宋朱熹称二程之学为“道学”：“夫以二先生为唱明道学于孔孟既没千载不传之后，可谓盛矣”。[②] 北宋“道学”的代表人物，按朱熹较早意见，是周敦颐、邵雍、张载、程颢、程颐、司马光“六先生”[③] 等人。而在乾道九年（1173 年），朱熹在其所撰阐述“道统”的《伊洛渊源录》中，因了洛学的门户之见，将司马光删去，所余五人即成为所称的“北宋五子”。“六先生”或“五子”，是北宋道学研究著述的重要人物，影响了一大批学子。由元代宰相脱脱总编的《宋史》，将周敦颐、程颢、程颐、张载、朱熹等二十余人，列于《道学传》之中。后来“道学”被用作“理学”的同义语。

至北宋中期，在哲学方面，人们往往归结有三个学派，一是张载的学派，因张载主要在陕西讲学，的以这一学派称之为关学。二是二程的学派。因二程主要在洛阳讲学所以这一学派的学说被称之为洛学。第三个学派是王安石的学派，因王安石在执政时颁布《三经新义》，所以这一学派的学派被称为“新学”。

一、周敦颐

周敦颐（1017—1073），《伊洛渊源录》卷对其介绍是：“名惇实，字茂叔，后避英宗归名，改惇颐。”《宋史》卷四二七《周敦颐传》中写作“敦颐”。张端义的《贵耳集》卷上写道：“周濂溪以舅官出仕，两改名。先名宗实，因英庙旧名改，后名惇颐，又以光宗御名改。”学界有人认为，应以《贵耳集》之说为是。我们这里按我国书籍的通常所写，仍用周敦颐之名。周

① 张载：《答范巽之书》。
② 朱熹：《程氏遗书后序》。
③ 朱熹：《六先生画像赞》。

敦颐系原居道州营道（今湖南道县）濂溪，因其筑书堂于庐山莲花峰下小溪旁，仿营道故居濂溪以名之，后人又称之为濂溪先生。因而，周敦颐的学说常被称为濂溪之学。

作为《宋元学案》作者之一的黄宗羲之子黄百家在评价周敦颐时说："孔孟而后，汉儒止有传经之学。性道微言已绝久矣。元公崛起，二程嗣之，又复横渠诸大儒辈出，圣学大昌，故安定、祖徕卓乎有儒者之矩范，然仅可谓有开之必先。若论阐发心性义理之精微，端数元公之破暗也。"[①] 这段话评价周敦颐在"阐发心性义理之精微"方面有"破暗"之功。他的著作主要有《太极图说》和《通书》。一般认为，《通书》是周敦颐思想成熟时期的作品。可以说，全书的核心思想是"诚"。其中还专有《诚上》《诚下》《诚几德》篇，专论"诚"。

在《通书》的首章，周敦颐论述了"诚之源"、"诚之立"、"诚之通"、"诚之复"，他讲"诚者，圣人之本。'大哉乾元，万物资始'，诚之源也。'乾道变化，各正性命'诚斯立焉，纯粹至善者也。故曰'一阴一阳之谓道，继之者善也，成之者性也'。元亨，诚之通；利贞，诚之复。大哉易也，性命之源乎！"[②] 这里周敦颐由《周易》关于"乾元""资始""乾道""性命""阴阳""善""成之者性也"等等的论说，把"诚"归结为天道。这就明确地把"诚"突出起来。

进而，周敦颐由"诚""万物资始""各正性命""性命之源"展开论述。在周敦颐讲来，"诚"，在这里面有个从"寂然不动"到"神也""几也"的过程。"寂然不动者，诚也；感而遂通者，神也；动而未形，有无之间者几也。……诚，神；几，

① 《廉溪学案》，《宋元学案》卷十一，中华书局1986年版，第482页。
② 周敦颐：《诚上》，《周子通书》，上海古籍出版社2000年版，第31页。

曰圣人"。所以，周敦颐认为，"诚，无为"[1]，"无思，本也"[2]。周敦颐认为，"动而无静，静而无动，物也；动而无动，静而无静，神也。动而无动，静而无静，非不动不静也。物则不通，神妙万物。"[3] 可见，有了"诚"的"寂然不动"，才有"无欲故静"；这才达到"神妙万物"的"诚"。

周敦颐又认为，"诚无为，几善恶。德，爱曰仁，宜曰义，理曰礼，通曰智，守曰信"。可见，周敦颐力求把关于"无为"的"诚"与关于善恶的"几"以及"诚""几"与"仁义礼智信"，加以贯通。因此，周敦颐指出，"圣，诚而已矣。诚，五常之本，百行之源也。静无而动有，至正而明达也。五常自行，非诚；非也，邪暗塞也。故诚则无事矣。"[4] 这里的"五常"即"仁义礼智信"五德；"百行"指人的行为。由此才谈得上"动有""静无"；"动有"指"太极"，"静无"指"无极"。周敦颐强调，"无极"的"静"是"至正"的，"太极"的"动"是"通明"的，这才有所谓"诚立通明"；"不正"即"邪"，不明即"暗"，不通达即"塞"，"无事"指"无欲无为"，所以他强调，"无妄则诚矣"，按朱熹的解释"诚者，至实而无妄之谓"。[5]

由这样的理论系统，周敦颐构造了他的"太极图"。其思想体现于其《太极图说》之中。关于"太极图"，有说是传自周敦颐以前的五代末宋初道士陈抟（？—999）。据传，其曾作关于宇宙生成图说的"无极图"和关于六十四卦图式的"先天图"。

---

① 周敦颐：《周濂溪集》，上海商务印务馆 1937 年版，第 81 页。

② 周敦颐：《周濂溪集》，上海商务印书馆 1937 年版，第 94 页。

③ 周敦颐：《动静》，《周子通书》十六章，上海古籍出版社 2000 年版，第 37 页。

④ 周敦颐：《动静》，《周子通书》十六章，上海古籍出版社 2000 年版，第 32 页。

⑤ 见周敦颐：《周濂溪集》，上海商务印书馆 1937 年版，第 74 页。

这演化成的太极图曾与道教练内丹之术有关。周敦颐把原是方术士画的练内丹过程的图，改造成体现他的思想的图。为解释这个"太极图"周敦颐写《太极图说》，其显著特点是首论"太极"，把"太极"作为根本。如果说他也延续了某些"道家"的思想，但他却不把道说成根本，而是把太极说成根本。周敦颐认为，五行是从阴阳二气来的，而阴阳二气统一于太极。

关于太极是什么？朱熹解释"极"字是道理之极致，所以说："总天地万物之理，便是太极"。"太极非有物耳"。是"无此形状而有此道理"。所以朱熹解释为"太极生阴阳，理生气也"。①

在周敦颐以前的象数理论中，有过言太极的。如在刘牧的象数系统中，太极在象数之先，而象数在形器之先。刘牧的"钩隐图"中，象是无，而形（五行）是有，形生于象，即有生于无。② 周敦颐吸取了这里面的思想，特别强调了"无极而太极"，他说："无极而太极。太极动而生阳，动极而静；静而生阴，静极复动。一动一静，互为其根，分阴分阳，两仪立焉。阳变阴合，而生水、火、木、金、土。五气顺布，四时行焉。五行，一阴一阳也；阴阳，一太极也；太极，本无极也。五行之生也，各一其性。无极之真，二五之精（'二'指阴阳二气，'五'指五行——引者注），妙合而凝。'乾道成男，坤道成女'二气交感，化生万物，万物生生而变化无穷焉。"③

许多人对于周敦颐讲的"无极而太极"，认为这是指太极之前有个无极，无极在先，太极在后。据宋代史馆所撰国史中的《周敦颐传》说，此句为"自无极而为太极"。然而朱熹所定

---

① 朱熹：《注<太极图说>》。

② 参阅刘牧：《钩隐图卷中》，《论中》。

③ 周敦颐：《太极图说》，载《周子通书》，上海古籍出版社 2000 年版。

《太极图说》的第一句确切就是"无极而太极"。朱熹认为不应有"自"、"为"二字。陆九渊说:"'无极'二字出于老子知其雄章,吾圣人之书所无也。老子首言'无名天地之始,有名万物之母'而卒同之,此老氏宗旨也。'无极而太极'即是此旨"。[①] 周敦颐说的是从太极开始,但他强调着作为初始的太极具有无亦即静的性质。

由此周敦颐提出了达到太极的方式,即必须通过"静"。既然是太极本无极,才有"太极动而生阳,动极而静;静而生阴,静极复动;一动一静互为其根",才有"两仪立","四时行","五气顺布","化生万物",变化无穷;所以"唯人也,得其秀而最灵,形即生矣,神发知矣,五性感动而善恶分,万事出矣"。[②] 周敦颐讲,在此"二气五行,化生万物,五殊二实,二本则一";"万为一,一实万分,万一名正,大小有定"。[③]

重要的是,在太极的动与静中,周敦颐强调:动而无静,静而无动,物也;动而无动,静而无静,神也。正因为这样,在人欲的动中,主静,归为一,才能达到太极。所以"圣人定之以中正仁义而主静(注'无欲故静')立人极焉"。[④] 他归于"诚"论证写到,既然"无,以阳生万物,以阴成万物;生仁也,成义也";"身端心诚之谓也。诚心,复其本,复其不善之动而已矣。不善之动,妄也;妄复则无妄而已矣,无妄则诚矣"。[⑤]"无妄则诚",这就要"养心"。周敦颐发展了孟子诉诸寡欲而养心之说,予以引申。他说:"予谓养心不止于寡而存耳,

---

① 陆九渊:《与朱元晦》,《象山先生全集》卷二。

② 周敦颐:《太极图说》,载《周子通书》,上海古籍出版社 2000 年版。

③ 周敦颐:《理性命》,载《周子通书》,上海古籍出版社 2000 年版。

④ 周敦颐:《太极图说》,载《周子通书》,上海古籍出版社 2000 年版。

⑤ 周敦颐:《家人睽復无妄》,载《周子通书》,上海古籍出版社 2000 年版,第 41 页。

盖寡焉以至于'无'，'无'则'诚'立通明"。[①]"诚心，圣人之本""圣人定之以中正仁义而主静，立人极焉"。[②]所以，只有由"诚"而"成""人极"，才能"大顺大化，不见其迹"，而"莫知其然之谓神"。由此他告诉人们"圣人可学乎？曰：可。曰：有要乎？曰：有。请闻焉！曰：一为要。一者，无欲也。无欲则静虚动直。静虚则明，明则通；动直则公，公则溥。明通公溥，庶矣乎！"[③]

显然，关于如何达到"诚"而"成，周敦颐强调了"虚静则明，明则通"。而要达于此，周敦颐说，"君子乾乾不息于诚，然必惩忿窒欲、迁善改过而后至"。[④]这里，关于"惩忿窒欲"，源于《易》《大象》的"山下有泽，损。君子以惩忿窒欲。"关于"迁善改过"，《通书》中多有论述，如"有语曰：'斯人有是之不善，非大恶也?'则曰：'孰无过，焉如不能改。改则为君子矣。不改为恶，恶者无恶之，岂无畏邪？乌知其不能改。'故君子悉有众善，无弗爱且敬焉。"[⑤]要注意，这里讲到了"敬"。

这是对宋前后所重视的何以达到圣人之道的问题，作出的一种回答。即圣学的最重要之点在于"无欲"、"主静"。如果能真正"无欲"，那便虚静，于是在致知上便能明理通达。这对后来的宋明理学产生很大影响。正因这样，朱熹推周敦颐为理学的先驱。

二、邵雍

（一）邵雍（1011－1077），字尧夫，生于宋真宗大中祥符

---

① 周敦颐：《养心亭说》，《文集》卷八。

② 周敦颐：《周濂溪集》，上海商务印书馆1937年版，第2页。

③ 周敦颐：《圣学》，《周子通书》，上海古籍出版社2000年版。

④ 周敦颐：《周子通书》，上海古籍出版社2000年版，第40页。

⑤ 周敦颐：《周子通书》，上海古籍出版社2000年版，第36～37页。

四年，卒于神宗熙宁十年。他祖上是河北范阳人。邵雍著有《皇极经世》和《击攘集》。事迹详见《宋史》卷四二七"道学传"及《宋元学案》卷九、十，"百源学案"。邵雍的哲学在《皇极经世》中论述较为集中。《皇极经世》今道藏本合为十二卷，其中有"观物内篇"和"观物外篇"。据说，内篇是邵雍亲著，外篇是其儿子邵伯温和其门弟子所记述。

如果说周敦颐主要依"太极图"来阐明自己的哲学观点，那么，邵雍则主要依"先天图"来阐明自己的哲学观点。如果说周敦颐的"太极图"主要侧重于以阴阳五行来构成；那么邵雍的"先天图"则主要侧重于以阴阳八卦来构成。如果说周敦颐认为要达到"本无极"的"太极"必须通过"静观"，那么邵雍则认为要达到作为"心"和"天道"的"太极"必须通过"反观"。

了解邵雍面对他前人理论而形成自己的哲学，比较注目的是他在前有"河图""洛书"的情况下，又特别论述了一个"先天图"。在邵雍说来，文王的八卦是后天之学，另外还有先天之学，这就是伏羲的八卦。这被称为"先天八卦图"或"先天图"。

在《皇极经世》中，可以看出邵雍对先天图的重视。他说："先天图，心法也。图虽无文，吾终日言而未尝离乎是，盖天地分物之理尽在中矣。"通常说，先天八卦图为邵雍所做；也有人说，邵雍的先天图传自陈抟。据《宋史》"朱震传"，朱震说："陈抟以先天图传种放，放传穆修，修传李之才，之才传邵雍。"《朱子语类》中也讲到："邵子发明先天图，图传自希夷（陈抟字），希夷又自有所传。盖方士技术用以修炼，《参同契》中所言是也。"可见邵雍的"先天图"渊源于道家，并且和专讲修炼的《参同契》有密切的关系。另外，邵雍又讲，"文中子（王通）谓佛为西方之圣人，不以为过，于佛老之学口未尝言，知之不言也"。[1] 同时邵雍的思想夹杂有解释经学并吸收纬学的成分。这是北宋学者较为普遍的现象。

（二）邵雍在其《皇极经世》"观物内篇"开始立论时，就写道："物之大者无若天地，然而亦有所尽也。天之大，阴阳尽之矣；地之大，刚柔尽之矣。阴阳尽而四时成焉。夫四时四维者，天地至大之谓也。凡言大者，无得而过之也，亦未始以大为自得，故能成其大，岂不谓至伟至伟者与!"《观物外篇》里还写有："气变而形化，形可分二神不可分。阳生阴，故水先成，阴生阳，故火后成。"[2] 按周易诸卦的次序，先坎后离。说卦以"坎"为水，"离"为火，所以说"水先成"，"火后成"。这样，邵雍在"观物内篇"强调，"天由道而生，地由道而成，物由道而形，人由道而行，天地人物则异矣，其于一道也。夫道也者道也，道无形，行之则见于事矣。"[3] 于是，"由直道，任至诚，则无所不通。"[4]

邵雍由"成"讲"诚"，这一点与《中庸》的思想是契合的。《观物外篇》中写有："言发于真诚，则心不劳而逸，久久而信之；作伪任数，一时或可以欺人，持久必败。天地日月，悠久而已。故人当存乎远，不可见其近。智数或能施于一朝，盖有时而穷，惟至诚与天地同久。天地无则至诚可息，苟天地

① 邵雍：《闻见前录》，《皇极经世书》，卫邵生注，中国古籍出版社2007年版。

② 邵雍：《观物内篇》，《皇极经世书》，卫邵生注，中国古籍出版社2007年版。

③ 邵雍：《观物内篇》，《皇极经书》，卫郡生校注，中国古籍出版社2007年版。

④ 邵雍：《观物外篇》，《皇极经书》，卫郡生校注，中国古籍出版社2007年版。

不能先，则至诚亦不息也。”①

邵雍对“诚”的思想发展还体现于他对“自诚明”和“自明诚”的解释。邵雍讲到“养心”时提出“任至诚”，这有点类似《中庸》所说的“自明诚”。“自诚明”和“自明诚”出自《中庸》第二十一章：“自诚明，谓之性；自明诚，谓之教”。人们认为，这里的“自诚明”和“自明诚”本来的含义是指达到天人合一的两种方式：“自诚明”是从天道到人道；“自明诚”是从人道到天道。邵雍讲，“资性，得之天也；学问，得之人也。资性由内出者也，学问由外入者也。自诚明，性也；自明诚，学也。”②他认为：“先天之学，心法也。故图皆自中起，万化万事生乎于心也。先天之学主乎诚，至诚可以神通明，不诚则不可以得道。”③《观物外篇》还说：“至理之学，非至诚则不至；物理之学或有所不通，不可以强通，虽通则有我，有我则失理，而入于术矣。”④这里，邵雍区分了“至理之学”和“物理之学”，而“至理之学”只能通过至诚才能达到。邵雍所说的“任至诚”，即从学问理会，从己心推达于天性。

邵雍的“先天图”，整体说是把周易六十四卦绘成方圆、圆圈和所谓伏羲八卦方位图以及配合一年二十四节气的卦气图等等。其渊源远出于汉代用象数研究易学的焦赣、京房。而邵雍以其“先天八卦图”，由“八卦”的“成”，一直说到“成章”“成物”的“数”和“象”的系统。

---

① 邵雍著：《观物外篇》，《皇极经世书》，卫郡生校注。中州古籍出版社2007年版，第529页。

② 邵雍：《伊川击壤集·心学》。

③ 邵雍：《观物外篇》，《皇极经世书》，卫郡生校注，中国古籍出版社2007年版，第518页。

④ 邵雍：《观物外篇》，《皇极经世书》，卫郡生校注，中州古籍出版社2007年版，第529页。

邵雍的学说认为，"太极既分，两仪立矣，阳下交于阴，阴上交于阳，四象生矣。阳交于阴，阴交于阳，而生天之四象；刚交于柔，柔交于刚，而生地之四象，于是八卦成矣。八卦相错然后万物生焉。是故一分为二，二分为四，四分为八，八分为十二，十二分为十六，十六分为三十二，三十二分为六十四。'故曰分阴分阳，迭用柔刚，故易六位成章也'十分为百，百分为千，千分为万。犹根之有干，干之有枝，枝之有叶。愈大则愈少，愈细则愈繁。合之斯为一，衍之斯为万。"[①] 此处，太极、两仪、四象是"象"，一至六十四或一至万是数。

3. 形成邵雍学说中的象数理论，是易学发展的产物。这形成着一个形式化体系。

刘蔚华教授说："现在《周易》分为经与传两部分。《易经》基本上是周初的作品，《易传》十篇文字则是由春秋中期至战国后期逐步形成的，传是对经的阐发和解释。在中国，凡言及数的起源，总是同伏羲氏创八卦联系起来。伏羲氏可谓是中国数字学的鼻祖，而易数则是古代数学的胚胎。关于易数，《汉书·律历志》云：'自伏羲画八卦，由数起。'"[②]《左传》云："龟，象也，筮，数也。物生而后有象，象而后有滋，滋而后有数。"[③]《易传》说：易卦中"号伍以变，错综其数。通其变，遂成天下之文，极其数，遂定天下之象。"认为凭借着易数就可以"极深而研几"，"以通天下之志，以定天下之业，以断天下之疑"。[④]

从易学发展来说，往往开始偏重于对易象的总结，随着历

① 邵雍：《观物外篇》，《皇极经世书》，卫邵生校注，中国古籍出版社 2007 年版。

② 刘蔚华：《谈易数之谜——中国古代的数理哲学》，《中国哲学》第 6 辑，第 1～2 页。

③ 《左传》，《僖公十五年》。

④ 《系辞上》。

史发展，对易数逐步构造出许多体系来。河图洛书中的数学结构，后被许多人所重视。邵雍作为北宋的学者，重视易学，又受道、佛的影响较多。他曾赞老子为"知易之体者"，为"明物理"；赞庄子为"善通物"。①

邵雍讲，"推类者必本乎生，观体者必由乎象。生则未来而逆推，象则既成而顺观。……推此以往，物奚逃哉?"这在"先天图"中便是，四象定天地之体，八卦定日月之体，重卦定万物之体，这便是从象定万物之体。在邵雍的论述中，不但强调着要从"象"来"顺观"，还强调着从"数"来"逆推"；他认为，由象数的顺逆两面的推衍，就能把握宇宙万物的生成和变化。邵雍在《皇极经世》中列举了大大小小的例子，以人事、四季、社会史、自然史等，来说明象数的普遍性。

邵雍把他的象数绝对化难免有以偏概全的情况。而且他还强调这种先天的秩序在冥冥中支配着社会和人们的时运，还由此推出了一套"元会运世"的历史循环论。这里面有许多属牵强附会。然而我们又应当说，邵雍讲述的"象数"继承着中国历史上的种种研究成果，实现着一种对带必然性形式结构的总结。

一方面，这里面包含着许多精彩的数学思想。正如许多人们所提示的：以其每一卦所含有的阴爻与阳爻数统计分类，恰好符合"杨辉三角形"的各项系数；卦序还与二进数相吻合；等等。另一方面，这指向着对于心在形上的追问。中国思想史上从早期的周易八卦走到邵雍的象数形式化，类似于西方哲学史上从早期的毕达哥拉斯走到笛卡尔、莱布尼茨的逻辑形式化，它们是带有数学特征的。这成为透视形而上的重要一环。

---

① 邵雍：《观物外篇》，《皇极经世书》，卫邵生校注，中国古籍出版社 2007 年版。

《皇极经世》里重视以"观物"命篇，可见"观物"是邵雍哲学中的重要术语。而此"观物"的"观"字，一语双关，其双重意义是：既"心法"，又讲"致知"。

关于"心法"。

邵雍把体现于先天图中的象数系统看成是一种先在的秩序，为了实现这种对必然性的追问，他把此归结到了"心法"。邵雍的"先天学"就是说"心法"，说"万化万事皆生乎心"。关于"心"，据邵雍说："心为太极"，又曰"道为太极"。"太极者，一也，不动；生二，二则神也。神生数，数生象，象生器"。《观物外篇》又说："太极不动，性也，发则神，神则数，数则象，象则器，器之变化复归于神也"。[①]

邵雍的这种象数理论与历史上如《左传》所记的僖公十年韩简说的"物生而后有象，象而后有滋，滋而后有数"的观点相比，形成鲜明的对照。邵雍认为"万化万事皆生乎心"，认为"天由道而生，地由道而成"，[②]"心"就是"道"，于是先天之学便归结成为"心法"。

"心"作为先天的，邵雍说："心为太极，又曰道为太极"。既然心为太极、道为太极，那么，循"天由道而生，地由道而成"，也就有"心法"。正因为这样，邵雍写《乐物吟》时评论说，"万物于人一身，反观莫不全备"。[③] 总之只要反观就能穷尽万物之理，"能循天理而动者，造化在我也"。[④]

关于"致知"。

① 邵雍：《观物外篇》，《皇极经世书》，卫邵生校注，中州古籍出版社 2007 年版。

② 邵雍：《皇极经世》。

③ 邵雍：《伊川击攘集》卷十九。

④ 邵雍：《观物外篇》，《皇极经世书》，卫邵生校注，中州古籍出版社 2007 年版。

又从邵雍将其主要著述定名为"观物篇"来看，便可见邵雍的哲学很大程度上由注重观物展开，这里关注着致知论。

邵雍是这样展开其论证的，他说："道之道尽之于天矣，天之道尽之于地矣，天地之道尽之于物矣，天地万物之道尽之于人矣"。他举出三皇、五帝、三五、五伯来说明：虽然他们之间有"同意"、"同言"、"同象"、"同数"、"同仁"、"同礼"、"同义"、"同智"、"同性"、"同情"、"同形"、"同体"、"同圣"、"同贤"、"同才"、"同术"；但是，又有着"异化"、"异教"、"异劝"、"异率"。由此讲到"人必尚行"、"人必尚言"。可因为"天由道而生，地由道而成，物由道而形，人由道而行"，这样，"天地人物则异也"。"其于由道一也"，所以邵雍强调，"夫道者道也，道无形，形之则见于事矣。如道路之道，坦然使千亿万年行之，人知其归者也"。①

那么人们何以有知呢？邵雍论道："天下之物，莫不有理焉，莫不有性焉，莫不有命焉。所以谓之理者，穷之而后可知也；所以谓之性者，尽之而后可知也；所以谓之命者，至之而后可知也。此三者，天下之真知也，虽圣人无以过也，而过之者，非所以谓之圣人也"。② 而圣人为什么能达到这一点呢？这是因为"圣人之能反观也"。③

关于"反观"。

邵雍在这里特别强调的"反观"，是指向主体必然性的。而这种主体必然性又是很难以证明的。邵雍是用其旨在把握天地物与人之行为同律的象数，来进一步向人之主体何以实现这种

① 邵雍：《观物内篇》，《皇极经世书》，卫邵生校注，中州古籍出版社2007年版。

② 《观物内篇》，《皇极经世书》，卫邵生校注，中州古籍出版社2007年版。

③ 《观物内篇》，《皇极经世书》，卫邵生校注，中州古籍出版社2007年版。

同律追问，这就不能不对致知论意义上的"观物"问题给出说明。

邵雍的论证方式是首先指出，"观物"如果不"反观"，"则蔽""则昏"。他论证说，镜子能"不隐万物之形"从而在一致性中显观之，这是"鉴之所以能为明者"；但是"鉴之能不隐万物之形，未若水之能一万物之形也。"这是说，水也能影映，而水不仅像镜子一样显现万物，而且盛在任何东西中都会变成与被盛物同样的形状，使自已与万物之形一致。可是，"水之能一万物之形，又未能若圣人能一万物之情也。圣人所以能一万物之情者，谓其圣人能反观也"。[1] 也就是说圣人之所以能反观，就在于圣人不只是像镜子一样，像水一样地与万物一致，而且在于他"能一万物之情"。于是邵雍同时又指出，"情"又往往影响着观物。即"任我则情，情则蔽，蔽则昏矣"。所以观物不能任我之情，以我观物；而必须以物观物，才能与物的性一致。他说"以物观物，性也；以我观物，情也。性公而明，情偏于暗"；"因物则性，性则神，神则明矣"。能"反观"根本在于"不我物则能物物，圣人利物而无我"。[2] 由此邵雍提出了个"无思无为"的问题。他说，"无思无为者，神妙致一之地也（所谓的一以贯之）。圣人以此洗心，退藏于密"。

这里显然与以往哲学中讲的务物不累于物，而要无我等等说法是相贯通的。由此邵雍又对反观作了这样的解说："所以谓之反观者，不以我观物也。不以我观物，以物观物之谓也"。这样，对于"观物"，邵雍又给了如下的明确界说："夫所以谓之观物者，非以目观也。非视之以目，而观之以心也。非观之以

---

① 《观物内篇》，《皇极经世书》，卫邵生校注，中州古籍出版社2007年版。

② 邵雍：《观物外篇》，《皇极经世书》，卫邵生校注，中州古籍出版社2007年版。

心，而观之以理也"。[1]

邵雍认为"无思无为"，才能"洗心，退藏于密"。因为在邵雍的理论中强调："顺理则无为，强则有为也"。"为学养心，患在不由直道，去利欲。由直道，任至诚，则无所不通。天地之道直观而已，当以直求之，若用智数由经以求之，是屈天地而循人欲也；不亦难乎？"[2] 邵雍正是在这里特别归结了"由直道，任至诚，则无所不通"。

邵雍讲以直求直的"顺理"，这很像禅学的直觉主义。反之，就不合于他谈的"以物观物"，而是有为的强"求"了。而之所以要通过以直求直的"顺理"来"以物观物"，就在于"天使我有是之谓命，命之在我之谓性，性之在物谓之理"。而这个理就是体现于"先天图"中的一整套象数形式。在这里邵雍讲了在"无为"中"反观"即"以直求之"，并与他的象数体系结合起来。

从邵雍哲学的整个记述看，他在总结先天图的象数系统的同时，总是力求去说明所观之物与去观主体的关系，其追问取向是寻找他们的一致性。不过在他当时的哲学水平上对于表述这种一致性，只能是采取一种非常粗浅简单的形式。

例如邵雍自己在界定了"反观"是"不以我观物"而是"以物观物"之后，紧接着问："以物观物又安有我于其间哉？"

为回答这个问题，邵雍突出强调了，"是知我亦人也，人亦我也，我与人皆物也"，"人亦物也，圣人亦人也。有一物之物，有十物之物……有兆物之物。生一一之物，当兆物之物者，岂

---

① 邵雍：《观物内篇》，《皇极经世书》，卫邵生校注，中州古籍出版社 2007 年版。

② 邵雍：《观物外篇》，《皇极经世书》，卫邵生校注，中州古籍出版社 2007 年版。

非人乎？有一人之人，有十人之人……有兆人之人。生一一之人，当兆人之人者，岂非圣乎？""物之至者，始得谓之物之物也；人之至者始得谓之人之人也。以一至物而当一至人，则非圣人而何？人谓之不圣，则吾不信也。何哉？谓其能以一心观万心，一身观万身，一物观万物，一世观万世者焉；又谓其能以心代天意，口代天言，手代天工，身代天事者焉。""此所以能用天下之目为己之目，其目无所不观矣；用天下之耳为己之耳，其耳无所不听矣；用天下之口为己口，其口无所不言矣；用天下之心为己心，其心无所不谋矣。夫天下之观，其于不见不亦广乎！天下之听，其于闻不亦远乎！天下之言，其于论其不亦高乎！天下之谋，其于乐不亦大乎！夫其见至广，其闻之远，其论至高，其乐至大。能为至广远至高至大之事而中无一为焉，岂不谓至神至圣者乎！"[①]

这种简单地把人与物说成是一个东西，来说明"以物观物"的反观，并用以证明唯有如此才有人与万物在象数系统中的一致，显然回避了许多东西。但是，他毕竟强调着这种统一性。正是由此才有主体必然性之广大。这大显然又是与张载的"大其心"是合拍的。

三、张载

作为"北宋五子"之一的张载（1020－1077），字子厚，凤翔郿县（今陕西眉县）横渠人，世称横渠先生。张载曾任著作佐郎、崇文院校书等。张载青年时喜论兵法，后求之于儒家"大经"。因其讲学常于关中，故其学派往往被称为"关学"。

由历史文献的记述可见，张载十分重视对《中庸》里思想

① 邵雍：《观物内篇》，《皇极经世书》，卫邵生校注，中州古籍出版社 2007 年版。

的研究，这散落在其《正蒙》及说易的一系列著作中。《横渠先生行状》和《宋史》中有两段意思大体相同的话语，记载了张载重视《中庸》的渊源。《横渠先生行状》有：张载“少孤自立，无所不学。与邠人焦寅游，寅喜谈兵，先生说其言。当康定用兵时，年十八，慨然以功名自许，上书谒范文正公。公一见知其远器，欲成就之，乃责之曰：‘儒者自有名教，何事于兵！’因劝读《中庸》。先生读其书，虽爱之，犹未以为足也，于是又访诸释老之书，累年尽究其说，知无所得，反而求之《六经》。”这段话揭示了张载思想的演变，由重视边防军事的经世之学转入儒学的《中庸》，然后“未以为足”而转入研读佛、道，最后又回归儒学，反求《六经》。[①] 张载通过对六经的研究，建立了“以《易》为宗，以《中庸》为体，以孔孟为法，黜怪妄，辨鬼神”[②] 的关学体系。

可以说，张载整个理论的指向是对“大其心”“大成性”作出论证。这些哲学思想很集中地体现于他的《正蒙》之中。“正蒙”这个词带有把模糊蒙昧、幼稚童蒙的思想加以明晰化的意思。

写为《正蒙》头篇的《太和篇》，一开始，从“太和”、“太虚”论到“气”，接着就论“诚明”，其中围绕着“大成性”。

张载写道：“太和所谓道，中涵浮沉、升降、动静、相感之性，是生絪缊、相盪、胜负、屈伸之始。”[③] 这来自《周易·乾卦·彖辞》的“保合太和”，指阴阳未分的气。由此，张载在后面对“道”下定义说“由气化，有道之名”，把“道”理解为

① 吕大临等著：《蓝田吕氏遗著辑校》，《文集佚存》，陈俊民辑校，中华书局1993年版，第586～587页。

② 《宋史》卷四二七，中华书局1977年版。

③ 张载：《正蒙·太和篇》。

“太和之气”变化流转的过程。所以张载在《正蒙》开始的《太和篇》中，紧接着讲，“太虚无形，气之本体”，“天地之气，虽聚散、攻取百涂，然其为理也，顺而不妄”。“太虚不能无气，气不能不聚而为万物，万物不能不散而为太虚”。“由太虚，有天之名；由气化，有道之名；合虚与气，有性之名；合性与知觉，有心之名。”“圣者，至诚得天之谓；神者，太虚妙应之目。”“造化所成，无一物相肖者，以是知万物虽多，其实一物；无无阴阳者，以是知天地变化，二端而已。”[①] 这样，《正蒙》《天道篇》又讲，“已诚而明，故能‘不见而章，不动而变，无为而成’。”“‘不见而章’已成而明也；‘不变而动’，神而化也；‘无为而成’，为物不贰也。”“天不言而信，神不怒而威；诚故信，无私故威。”[②] 进而，张载在《正蒙·神化篇》中写道：“中庸曰‘至诚为能化’，孟子曰‘大而化之’，皆以其德合阴阳，与天地同流而无不通也。”“无我而后大，大成性而后圣，圣位天德不可致知谓神。”[③]

在前面几篇的论述之后，张载在《正蒙》中专门写了“诚明篇”。其论述道：“诚明所知乃天德良知，非闻见小知而已。”“天人异用，不足以言诚；天人异知，不足以尽明。所谓诚明者，性与天道不见乎小大之别也。义命合一存乎理，仁智合一存乎圣，动静合一存乎神，阴阳合一存乎道，性与天道合一存乎诚。”“天所以長久不已之道，乃所谓诚。仁人孝子所以事天诚身，不过不已于仁孝而已。故君子诚之为贵。”张载又讲，“诚有是物，则有终有始；伪实不有，何终始之有！故曰‘不诚无物’。”由此张载讲到“自明诚”与“自诚明”。他说，“‘自明

① 张哉:《正蒙·太和篇》。
② 张载:《正蒙·天道篇》。
③ 张哉:《正蒙·神化篇》。

诚',由穷理而尽性也;'自诚明',由尽性而穷理也。"基于此,张载论了"诚"与"性"的关系。他说,"性者万物之一源,非有我之得私也。惟大人为能尽其道,是故立必俱立,知必周知,爱必兼爱,成不独成。彼自蔽塞而不知顺吾理者,则亦末如之何矣。""天能为[谓]性,人谋为[谓]能。大人尽性,不以天能为能而以人谋为能,故曰'天地设位,圣人成能'。""天本参和不偏,养其气,反之本而不偏,则尽性而天矣。性未成则善恶混,故亹亹而继善者斯为善矣。恶尽去则善因以亡[成],故舍曰善而曰'成之者性[也]'。""'屈信相感而利生',感以诚也;'情伪相感而利害生',杂以伪也。至诚则顺理而利,伪则不循理而害。"①

在《大心篇》《中正篇》等篇之中,张载围绕着"诚""成",展开了一系列论述。在《正蒙·大心篇》中,张载写道:"大其心则能体天下之物,物有未体,则心为有外。""成吾身者,天之神也。不知以性成身而自谓因身发智,贪天功为己力,吾不知其知也。民何知哉?因物同异相形,万变相感,耳目内外之合,贪天功而自谓已知尔。""体物体身,道之本也,身而体道,其为人也大矣。道能物身故大,不能物身而累于身,则藐乎其卑矣。""能以天体身,则能体物也不疑。""成心忘然后可与进于道。""化则无成心矣。成心者,意之谓与!""无成心者,时中而已矣。"②

在《正蒙·中正篇》中,张载写道:"中正然后贯天下之道,此君子之所以大居正也。""大中至正之极,文必能致其用,约必能感而通。未至于此,其视圣人恍惚前后,不可为之像,此颜子之欢乎!""可欲之谓善,志仁则无恶也。诚善于心之谓

---

① 张载:《正蒙·诚明篇》。
② 张载:《正蒙·大心篇》。

信，充内形外之谓美，塞乎天地之谓大，大能成性之谓圣，天地同流、阴阳不测之谓神。""高明不可穷，博厚不可极，则中道不可识，盖颜子之欢也。""君子之道，成身成性以为功者也；未至于圣，皆行而未成之地尔。""大而未化，未能有其大，化而后能有其大。"①

在《正蒙·至当篇》中，张载又写道："至当之谓德，百顺之谓福。""礼器则藏诸身，用无不利。礼运云者，语其达也；礼器云者，语其成也。达与成，体与用之道，合体与用，大人之事备矣。礼器不泥于小者，则无非礼之礼，非义之义，盖大者器则出入小者莫非时中也。子夏谓'大德不踰闲，小德出入可也'，斯之谓尔。""礼，器则大矣，修性而非小成者与！运则化矣，达顺而乐亦至焉尔。""'万物皆备于我'，言万物皆有素于我也；'反身而诚'，谓行无不慊于心，则乐莫大焉。""未能如玉，不足以成德；未能成德，不足以孚天下。'修己以安人'，修己而不安人，不行乎妻子，况可忾于天下。"②

在《正蒙·大易篇》中，张载还写道："乾之九五曰：'飞龙在天，利见大人'，乃大人造位天德，成性跻圣者尔。""九五，大人化矣，天德位矣，成性圣矣，故既曰'利见大人'，又曰'圣人作而万物覩'。""惟君子为能与时消息，顺性命、躬天德而诚行之也。精义时措，故能保合太和，健利且贞，《孟子》所谓始终条理，集大成于圣智者与！易曰：'大明终始，六位时成，时乘六龙以御天。乾道变化，各正性命。保合太和，乃利贞'，其此之谓乎！""成性则跻圣而位天德，乾九二正位于内卦之中，有君德矣，而非上治也。九五言上治者，[通] 言乎天之德，圣人之性，故捨曰'君'而谓之'天'，见大人德与位之皆

① 张载：《正蒙·中正篇》。
② 张哉：《正蒙·至当篇》。

造也。”“大而得易简之理，当成位乎天地之中，时舍而不受命，乾九二有焉。及夫化而圣矣，造而位天德矣，则富貴不足以言之。”“‘成德为行’，德成自信则不疑，所行日见乎外可也。”“乾九三修辞立诚，非继日待旦如周公，不足以终其业。九四以阳居阴，故曰‘在渊’，能不忘于躍，乃可免咎；‘非为邪也’，终其义也。”“至健而易，至顺而简，故其险其阻，不可階而升，不可勉而至。仲尼犹天，‘九五飞龙在天’，其致一也。”“‘坤至柔而动也刚’，乃积大势成而然也。”①

张载在《横渠易说》中对《易》书的译注中，大量写到了“成”与“诚”。对于《易》中所言：“初九曰‘潜龙勿用’，何谓也？子曰：‘龙德而隐者也’。不易乎世，不成乎名，遁世无闷，不见是而无闷，乐则行之，忧则违之，确乎其不可拔，潜龙也。”张载注曰：“《孔子》喜弟子之不仕，盖为德未成则不可以仕，是行而未成者也。故潜勿用，龙德而未显者也。不成名，不求闻也，养实而已，乐行忧违，不可与［无］德者语也。‘用则行，舍则藏，惟我与尔有是夫！’《颜子》龙德而隐，‘故遁世不见知而不悔’，（圣）与圣者同（能）。”

对于《易》《上经》《乾》中所写的“九二曰‘见龙在田，利见大人’，何谓也？子曰：龙德而正中者也。庸言之信，庸行之谨，闲邪存其诚，善世而不伐，德溥而化。《易》曰‘见龙在田，利见大人’，君德也。”张载注曰：“庸言庸行，盖天下经德达道，大人之德施于是溥矣，天下之文明于是著矣。然非穷变化之神以时措之宜，则或陷于非礼之礼，非义之义，此颜子所以求龙德正中，乾乾进德，思处其极，未敢以方体之常安吾止也。”“颜氏求龙德正中而未见其止，故择中庸得一善则拳拳服

① 张载：《正蒙·大易篇》。

膺，欢夫子［之］忽焉前后也。""乾三四，位过中重刚，时不可舍，庸言庸行不足以济之，虽大人之盛有所不安，外趋变化，内正性命，故其危其疑，艰于见德者，时不得舍也。九五，大人化矣，天德位矣，成性圣矣，故既曰'利见大人'"，又曰'圣人作而万物睹'。亢龙以位画为言，若圣人则不失其正，何亢之有！"

对于《易》《上经》《乾》中所写的："九三曰'君子终日乾坤，夕惕若，厉无咎'何谓也？子曰：君子进德修业。忠信，所以进德也；修辞立其诚，所以居业也。"张载评注写道："乾九三修辞立诚，非继日待旦如周公，不足以终其业。忠信所以进德，学者止是一诚意耳，若不忠信，如何进德！不骄，德当至也；不忧，业当终也。适在不安之位，故曰因其时。"

对于《易》《上经》《乾》中所讲："'潜龙勿用'下也。'见龙在田'时舍也。'终日乾乾'，行事也。'或跃在渊'，自试也。'飞龙在天'，上治也。'亢龙有悔'，穷之灾也。'乾元用九'，天下治也。"张载评注道："居大中安止之地，至于三四则不得所安也。圣人神其德，不私其身，故乾乾自强，所以成之于天耳。"

对于《易》《上经》《乾》中所讲："'潜龙勿用'，阳气潜藏。'见龙在田'，天下文明。'终日乾乾'，与时偕行。'或躍在渊'，乾道乃革。'飞龙在天'，乃位乎天德。'亢龙有悔'，与时偕极。"张载评注写道："颜子未成性，是为潜龙，亦未肯止于见龙，盖以其德其时则须当潜。颜子与孟子时异，颜子有孔子在，可以不显，孟子则处师道，亦是已老，故不得不显耳。""位天德，大人成性也。九三、九四大体相似，此二时处危难之大，圣人则事天爱民，不恤其他，诞先登于岸。九五'大人造也'，造，成就也，或谓造为至义亦可。大人成性则圣也化，化则纯是天德也。""进德修业，欲成性也，成性则心皆天也。所以成性则谓之圣者，如夷之清，惠之和，不必勉勉。彼一节而成性，若圣人则于大以成性。”

对于《易》《上经》《乾》中所讲：“君子以成德为行，日可见之行也。”张载评注说：“‘成德为行’，德成自信而不疑，所以日见于外可也。”

对于《易》《上经》《乾》中所讲：“潜之为言也，隐而未见，行而未成者，是以君子弗用也。君子学以聚之，问以辩之，宽以居之，仁以行之。”张载评注道：“君子之道，成身成性以为功者也，未至于圣，皆行未成之地耳。颜子之徒，隐而未见，行而未成，故曰‘吾闻其语矣，未见其人也’。‘龙德而隐’，圣修而未成者也，非如学者之未成。凡言龙，喻圣也，若颜子可以当之，虽伯夷之学犹不可言龙。龙即圣人之德，颜子则术正也。”①

对于《易》《上经》《乾坤》中所讲：“含章可贞，或从王事，无成有终。《象》曰：‘含章可贞’，以时发也。‘或从王事’，知光大也。”张载评注道：“以阴居阳，不独有柔顺之德，其知光大，含蕴文明，可从王事者也。然不可动以躁妄，故可静一以俟时；不可有其成功，故无成乃有终也。”②

对于《易》《系辞上》中所讲：“一阴一阳之谓道”，“继之者善也，成之者性［也］”。张载评注道：“一阴一阳是道也，能继继体此而不已者，善也。善，（之）犹言能继此者也；其成就之者，则必俟见性，是之谓圣。仁者不以其仁，（始）［姑］谓之仁；知者不以其知，（方）［姑］谓之知；（此）是［谓］致曲，曲能有诚也，诚则有变，（化）必仁知会合乃为圣人也。（前）所谓圣人者，于一节上成性也。夷惠所以亦得称圣人，然

① 张载：《横渠易说·上经·乾》。

② 张载：《横渠易说·上经·坤》。

行在一节而已。'百姓日用而不知'，盖所［以］用莫非在道。饮食男女皆性也，但已不自察，由旦至暮，凡百举动，莫非感而不之知。今夫心又不求，感又不求，所以醉而生梦而死者众也。""言继继不已者善也，其成就者性也。仁知各以成性，犹（仁礼以成性）勉勉而不息，可谓善成，而存存在乎性。仁知见之，所谓'曲能有诚'者也。不能见道，其仁知终非性之有也。性未成则善恶混，故亹亹而继善者斯为善矣。恶尽去则善因以（亡）［成］，故舍曰善而曰'成之者性也'。"

对于《易》《系辞上》中所讲："知崇礼卑，崇效天，卑法地，天地设位而易行乎其中矣。成性存存，道义之门。"张载评注说："'知崇礼卑'，叩其两端而竭也，崇既效天，卑必法地。""非知，德不崇；非礼，业不广。""知崇，天也，形而上也。通昼夜之道而知，其知崇矣。知及之而不以礼性之，非己有也，故知礼成性而道义出，如天地设位而易行。天地位定而易行乎其中，知礼成性而道义出。夫《易》，圣人所以崇德广业，以知为德，以礼为业也，故知崇则德崇矣。此谕《易》书之道，而圣人亦所以教人。'天地设位而易行乎其中'，比下文'成性存存道义之门'而言也。天地设位，故易行乎其中，知礼成性，则道义自此出也，道义之门盖由仁义行也。""圣人亦必知礼成性，然后道义从此出，譬之天地设位则造化行乎其中。知则务崇，礼则惟欲乎卑，成性须是知礼，存存则是长存。知礼亦如天地设位。"

对于《易》《系辞下》中所讲："天地絪緼，万物化醇男女构精，万物化生。"张载评注道："虚则受，盈则亏，阴阳之义也。故阴得阳则为溢，以其虚也；阳得阴则为损，以其盈也。艮三索而得男，乾道之所以成也；兑三索而得女，坤道之所以成也。故三之与上，有天地絪缊、男女构精之义者此也。""阴虚而阳实，故阳施而阴受；受则益，施则损，盖天地之义也。艮三索而得男，兑三索而得女，乾坤交索而男女成焉，故三之与上，所以有细缊构精之义。夫天地之细缊、男女之构精，其致一至矣。是理也，可以意考，而言之所不能喻也。以乾之三而索于坤，则是三人行而损一人也；索之而男女成焉，是得其友也。乾坤合而损益之义著，非致一其孰能与于此!”

对于《易》《说卦》中所写：“昔者圣人之作《易》也，将以顺性命之理。是以立天之道，曰阴与阳；立地之道，曰柔与刚；立人之道，曰仁与义。”张载评述道：“阴阳、刚柔、仁义，所谓‘性命之理’。《易》一物而三才备：阴阳气也，而谓之天；刚柔质也，而谓之地；仁义德也，而谓之人。”“一物而两体者，其太极之谓欤！阴阳天道，象之成也；刚柔地道，法之效也；仁义人道，性之立也；三才两之，莫不有乾坤之道也。《易》一物而合三才，天［地］人一，阴阳其气，刚柔其形，仁义其性。”

张载在《经学理窟》《礼乐》中，还写道：“‘礼反其所自生，乐乐其所自成’。礼别异不忘本，而后能推本为之节文；乐统同，乐吾分而已。礼天生自有分别，人须推原其自然，故言‘反其所自生’；乐则得其所乐即是乐也，更何所待！是‘乐其所自成’。”

在《经学理窟》《气质》中，张载又写道：“欲事立须是心立，心不钦则怠惰，事无由立，况圣人诚立，故事无不立也。道义之功甚大，又极是尊贵之事。”“道要平旷中求其是，虚中求出实，而又博之以文，则弥坚转诚。不得文无由行得诚。”

在《经学理窟》《学大原上》中，张载进而写道：“‘忠信所以进德’者何也？闲邪则诚自存，诚自存斯为忠信也。如何是闲邪？非礼而勿视听言动，邪斯闲矣。”张载还由此提出了他所强调的四句教：“为天地立心，为生民立命，为往圣继绝学，为万世开太平"。

综合张载的论述，我们要强调的是，张载围绕着"诚""成"，基于气，形成了他的气一元论的哲学，形成了一个较前人更加成熟的理论体系。

第一，由"太虚无形，气之本体，其聚其散，变化之客形尔"论到"知太虚即气，则无无。"[①]

这就针对着那种把世界归于无的观点；也正是在这种论证中，张载把那种追求世界根本所归结的最高形而上，论证为，人在追求这种最高形而上时必须达到"成心忘，然后可与进于道"[②]。

第二，由"天""道""性""心"，论到"闻见之知"与"德性之知"。

张载强调"理不在人皆在物"，[③] 这样，他指出"万物皆有理，若不知穷理，如梦过一生。"[④] 由此他批评道："释氏便不穷理，皆以为见病所致。"[⑤] 另外他还在《正蒙·大心篇》中讲到："释氏不知天命，而以心法起灭天地：以小缘大，以末缘本，其不能穷而谓之幻妄，真所谓疑冰者与？"[⑥]"释氏妄意天性，而不知范围天用，反以六根之微，因缘天地；明不能尽，则诬天地日月为幻妄，蔽其用于一身之小，溺其志于虚空之大；所以语大语小，流遁失中：其过于大也，尘芥六合；其蔽于小也，梦幻人世。谓之穷理可乎？"[⑦]

---

① 张载：《正蒙》，《太和篇》。
② 张载：《正蒙》，《大心篇》。
③ 张载：《张子语录》中。
④ 张载：《张子语录》下。
⑤ 张载：《张子语录》上。
⑥ 张载：《正蒙·大心篇》。
⑦ 张载：《正蒙·大心篇》。

张载基于他的观点形成了关于"天之名"、"道之名"、"性之名"、"心之名"的范畴体系。

张载说,"由太虚,有天之名"。这里认为"天"就是太虚。

张载说,"由气化,有道之名"。《太和篇》的第一句话就讲,"太和所谓道"。所以"阴阳合一存乎道"。

张载又说,"合虚气,有性之名"。也就是说,太虚与气统一起来便有了性。张载又把"性"区分了两层:一是天地之性,二是气质之性。天地之性是太虚湛一之性,即气之本性,乃是世界中本来就有的;气质之性则是人有"形而后"因其特殊形体而有的性。张载在《正蒙·诚明篇》中讲到,"性者,万物之一源","天性在人,正犹水性之在冰,凝释虽异,为物一也,受光有大小昏暗,其照纳不二也。""性于人无不善,系其善反不善反而已,过天地之化,不善反者也;命于人无不正,系其顺与不顺而已,行险以侥幸,不顺命者也"。所以张载进阶于此又写道:"形而后有气质之性,善反之则天地之性存焉。故气质之性,君子有弗性者焉"。①

于是张载进一步说到了"合性与知觉,有心之名"。这里张载把能去致知的主体之"心"突出起来了。为了实现对心之必然性的追问,张载把心分了两层:一是:"见闻之知",二是:"德性所知"。

张载由"天之名"、"道之名"。论到"性之名",以至论到"心之名",形成了一个从太虚之气到心的论证,似乎是顺理成章的。可是,这"心"在知中如何有必然性呢?这就触及到追问必然性最难的问题了、论到这里时,张载在《正蒙》之外的"语录"中非常卓越地向人们揭示了一个问题。张载揭示道,

① 张载:《正蒙·诚明篇》。

“人本无心，因物为心。若只以闻见为心，但恐小却心。今盈天地之间皆物也，如只据已之见闻，所接几何，安能尽天下之物?”“恐以闻见为心则不足以尽心”。[①]“闻见之心不足于尽物，然又须要他”。[②] 于是，他对于心加以规定时强调把握两个方面，即“合性与知觉”，[③]“心统性情者也”。[④] 他说“人谓已有知，由耳目有受也，人之有受，由内外之合也”。“耳目虽为性累，然合内外之德，知其为启之之要也”。[⑤] 要实现这一点，就要发挥“德性所知”的先在性。张载区分说，“闻见之知，乃物交而知，非德性所知。德性所知，不萌于见闻”。[⑥] 这才能避免“徇象丧心。”[⑦] 有“德性所知”，才能克服“人病其以耳目见闻累其心而不务尽其心”[⑧]

张载在哲学追问的道路上有一个重要之点，即试图把不带必然性的“见闻之知”与带必然性的“德性之知”区分开。这利于把追问焦点集中到对带必然性的“心”何以能成立的问题。如前所说，尽管他没能也不可能对这一问题作出全面细致的回答。但是，他却提出了一个由“大其心”来是实现这一点的看法。

第三，由“诚明”“大其心，则能体天下物”，论“无我而后大，大成性而而后圣”。

张载强调，要真正达到作为“德性所知”的“天德良知”，

① 张载:《张子语录》下。

② 张载:《张子语录》下。

③ 张载:《正蒙》,《太和篇》。

④ 张载:《性理拾遗》。

⑤ 张载:《正蒙·大心篇》。

⑥ 张载:《正蒙·大心篇》。

⑦ 张载:《正蒙·大心篇》。

⑧ 张载:《正蒙·大心篇》。

就要“尽性”达到“至诚”。他讲，因为“天大无外，故有外之心，不足以合天心”。[①] 所以他才说，“诚明所知，乃天德良知，非闻见小知而已。”[②] 张载云：“天人异用，不足以言诚；天人异知，不足以尽明；所谓诚明者，性与天道不见乎大小之别也”。“诚是有物，则有终有始；伪实不有，何终始之有？故曰‘不诚之物’”。在这里，诚明即天人合一的境界。张载又说：“性者万物之一源，非有我之得私也，惟大人为能尽其道，是故立必俱立，知必周知。”[③]

这样，张载强调指出：“‘自明诚，由穷理而尽性也；’‘自明诚’由尽性而穷理也。”[④] 这里由至诚论到了穷理，也就是说：如果是由穷理而尽性，那么“穷理亦当有渐，见物多，穷理多，从此就约，尽人之性，尽物之性。”[⑤] 如果是由尽性而穷理，那么“尽其心者，必知心所从来而后能”。[⑥] 也就是说尽心才能大其心，才能知道心是性与知觉的合体，性是太虚与气化的合体，而太虚就是天。这样就可见心之所来，才可以发挥其所能，使之大到与至大无外的“天心”相结合。

张载由此提出了一个关于“民胞物与”的宇宙人生境界。他讲到：“故天下之塞吾其体，天下之帅吾其性。民吾同胞，物吾与也。”[⑦] 这样，自己成为宇宙的一个必要部分，万物与自己息息相关，人与万物与宇宙成为一个整体。

“大其心”是张载对心追问的归结，他说，“大其心，则能

---

① 张载：《正蒙·诚明篇》。

② 张载：《正蒙·诚明篇》。

③ 张载：《正蒙·诚明篇》。

④ 张载：《正蒙·诚明篇》。

⑤ 张载：《横渠易说·八卦》。

⑥ 张载：《正蒙·大心篇》。

⑦ 张载：《正蒙·诚明篇》。

体天下之物。物有未体，则心为有外。世人之心，止于闻见之狭；圣人尽性，不以见闻梏其心，其视天下，无一物非我。"①这使心与万物合为一体了，这便能"无我而后大，大成性而后圣。"②

四、程颢、程颐

程颢、程颐同属于北宋五子。程颢（1032－1085）字伯淳，人称明道先生。程颐（1033－1107）字正叔，因后来迁居伊川求学，人称伊川先生，从事讲学和著述三十余年。其二人为兄弟，宋博野（今属河南洛阳）人。程颢出生之年系宋仁宗赵祯明道元年，他去世之年系宋神宗赵顼元丰八年。他于嘉祐年进士，曾任鄠县主簿，宋仁宗熙宁元年（1068 年）由吕公著荐，任太子中允，监察御史里行，后改任签书镇宁军判官等。程颐出生之年系宋仁宗明道二年，去世之年系宋徽宗大关元年。他曾任汝州团练推官、京国子监教授和崇政殿说书等职。程颢、程颐都反对过王安石新政。程颢曾向仁宗陈述"治述十事"，提出一套改革主张，但成为空谈。程颐在哲宗时被列为奸党贬至四川涪州。程颢与程颐都曾从学于周敦颐。朱熹把程颢和程颐的著作合编为《河南程氏遗书》及《外书》，其中属于程颢的有《语录》《明道文集》；其中属于程颐的有《语录》《伊川文集》《经说》和《易传》。此外又有杨时编的《二程粹言》；后人将程颢、程颐的著作合编为《二程全书》；1981 年中华书局校勘出版《二程集》。二人事迹详见《宋史》卷四二期《道学传》及《宋元学案》卷一三《明道学案》和《伊川学案》。

前已涉及到，先秦思孟对于"诚"，由"天之道"、"人之

---

① 张载：《正蒙·大心篇》。

② 张载：《正蒙·神化篇》。

道",论说了"诚之"及"思诚"。魏晋以来,伴随着清谈,《中庸》从《礼记》中抽出单独成篇;随着佛教传入,《中庸》虽被重视,在阐发《中庸》思想时有与佛道思想相交错的倾向。中唐的李翱倡《中庸》并赋予"诚"新的内涵,指出"诚"具有"不动"、"静"的特点,显然有佛道思想的影响。周敦颐进一步由"无极"、"太极"讲了"天道"与"诚"的关系,"诚""静"与作为"无极""太极"着眼点的"立人极"的关系,并构造了其形式化的"太极图"。他关于"无极"归于"静"的观点有杂于佛老之嫌。他并未将天道、人道真正打通。邵雍由"先天之学""后天之学"论"自诚明"与"自明诚",问题在于,"先天之学"主乎"诚",而于"后天之学"怎么体现,缺乏论证。张载讲"太虚即气",贯通"天""人",其主旨在于论"大其心而能体天下物",而他将"自诚明"看作"穷理"、"尽性"相分的两事,其理论仍不够圆融。二程的辈分略晚于周敦颐、邵雍、张载,他们赋予"天理"以新的内涵,并且将"诚"提向"天理",认为"诚"就是"理"。当然,程颢和程颐对"诚"的看法和论说也略有不同。在程颢那里,"诚"既是本,也是修养功夫;而程颐则更侧重于道德实践的可行性方面,因此在修养功夫上重"敬",更重地将"诚"看为"敬"所达到的境界。程门后学及欧阳修、苏轼又围绕《中庸》进行过许多研究及争论。

现存《河南程氏经说》中有《中庸解》一卷;晁公武《郡斋读书志》的《礼类》目录中有程颢《中庸解》一卷,其中说:"皇朝程颢撰。陈瓘得志江涛,江涛得之曾天隐,天隐得之传才孺,才孺云:'李丙所藏也'。"[1] 这表明《中庸解》为程颢所作。《宋志》中记有"《中庸》一卷",《经义考》里也写有"《中庸

① 见《郡斋读书志》卷一上。

解》一卷"，特注明："存，疑即《二程全书》中所载本。"据考，《二程全书》中的《程氏经说八》中确载有此书。胡宏则认为《中庸解》是吕与书所作，他说："靖康元年，河南门人河东侯仲良师圣自三山避乱来荆州，某兄弟得从之游。议论圣学，必以《中庸》为主。有张涛者，携所藏明道先生《中庸解》以示之，师圣笑曰：'得传之误！此吕与叔晚年所为也。'涛亦笑曰：'涛得之江涛家，其子弟云然。'……虽然，道一而已，言之是，虽阳虎之言，孟轲氏犹有取焉，况与叔亦游河南之门大本不异者乎？尊信诵习，不敢须臾忘勇哉"。[①] 后朱熹在《中庸集解序》中也力辩《中庸解》是吕与叔所作。[②] 其实，程颐的确曾写过研究《中庸》方面的专著，但因不满意而销毁。[③] 应当认为，二程不论是否直接系统地读过《中庸》这本书，而他们在《中庸》研究史上的地位是不可磨灭的。胡安国就说："夫圣人之道，所以垂训万世，无非中庸，非有甚高难行之说，此诚不可易之至论也。然《中庸》之义，不明久矣，自颐兄弟始发明之，然后其义可思而得。不然，则或谓高明所以处已，中庸所以接物，本末上下，析为二途，而其义愈不明矣。"胡安国点出《中庸》在儒学中有很高的地位，是圣人对后世的垂训。然而《中庸》自问世经汉唐，并未真正有人认识到其意义和价值。《中庸》之意义得力于二程的提倡，即胡安国所说的"始发明之"，这就凸显出二程在《中庸》学史上的地位。二程认为"《中庸》乃孔门传授心法"，认为"《中庸》之言，放之则弥六

① 见《胡宏题吕与叔中庸解》，《胡宏集》，189～190页。

② 见《朱子语类》卷六十二。

③ 程颢、程颐著：《二程集》，王孝鱼点校，中华书局1981年版，第175页。

合，卷之则退藏于密”。[①] 我们可以在二程现留存下来的一系列文献中，看出他们关于《中庸》的见解，看出他们关于《中庸》“诚”的思想的阐述。

二程受学于周敦颐，而程颢得意地说：“吾学虽有所接受，‘天理’二字却是自家体贴出来”的。[②]

那什么是天理？二程说：“莫之为而为莫之致而致更是天理”。[③]“天理之者，这是一个道理更有甚穷已！不为尧存，不为尧亡，故大行不加，穷居不损。这上头来更怎么说得存之加减？是佗元无小欠，百理具备”。“万事皆出于理”。[④]

由天理出发，二程提出“天人一本”，弥合以往关于“天人合一”论、“天人感应”论的不足，他说：“天人本无二，不必言合”。“有道有理，天人一也，更不分别。”[⑤]“知道”，这个“道”即“理”。“问：天道如何？曰：只是天理，理便是无道也”。[⑥] 二程不同意把穷理、尽性看成是前后相接的观点。二程认为：“‘穷理尽性以至于命’，三事一时并了，元无次序，不可将穷理作之事。若实穷得理，即性命亦可了”。[⑦]“穷理尽性至

---

① 程颢、程颐：《二程集》，王孝鱼点校，中华书局1981年版，第348～349页、第411页、第130页。

② 程颢、程颐：《外书》卷十二，《二程集》，王孝鱼点校，中华书局1981年版，第424页。

③ 程颢、程颐：《遗书》卷十八，《二程集》王孝鱼点校，中华书局1981年版，第189页。

④ 程颢、程颐：《遗书》卷二上，《二程集》，王孝鱼点校，中华书局1981年版，第33页。

⑤ 程颢、程颐：《遗书》卷二上，王孝鱼点校，中华书局1981年版，第20页。

⑥ 程颢、程颐：《遗书》卷二十二上，《二程集》，王孝鱼点校，中华书局1961年版，第290页。

⑦ 程颢、程颐：《二程集》，王孝鱼点校，中华书局1981年版，第15页。

命，只是一事。才穷理便尽性，才尽性变至命"。[①] 在二程看来，"心、性、天只是一理"。

通过引入"理"，二程对"形而上""形而下"作了比张载更为明确的论说。二程说。"形而上者谓之道，形而下者谓之器。若如或者以'清、虚、一、大'为天道，则乃以器言，而非道也"。[②] 这里批评张载以为气化过程就是天道，指出这实际上是形而下之器，而非形而上之道。程颢同时又指出，"形而上为道，形而下为器，须著如此说。器亦道，道亦器，但得道在，不论今与后，己与人。"[③] 二程认为，虽然道与器不容分割，但不能以器为道。程颐说："气是形而下者，道是形而上者。形而上者则是密也"。[④] 这里的"密"即《易传》所说的"通藏于密"之"密"。"密者，用之源"[⑤]，指无声无嗅的本原。

冯友兰先生在其《中国哲学史》中指出，"理气二观念，在道学中占甚至要之地位。在道学家中确立气在道学中之地位者，为张横渠……至于理则濂溪《通书理性命章》已提出。康书《观物篇》亦言物之理。横渠《正蒙》亦言：'天地之气，虽聚散攻取百涂然其为理也，顺二不妄'。不过此诸家虽已言及理，而在道学家中确立理在道学中之地位者，为程氏兄弟"。[⑥]

涉于在记载二程言论的《遗书》中，许多语录没注明到底

---

① 程颢、程颐：《二程集》，王孝鱼点校，中华书局1981年版，第193页。

② 程颢、程颐：《遗书》卷十一，王孝鱼点校，中华书局1981年版，第33页。

③ 程颢、程颐：《遗书》卷一，王孝鱼点校，中华书局1981年版，第33页。

④ 程颢、程颐：《遗书》卷十五，《二程集》，王孝鱼点校，中华书局1981年版，第162页。

⑤ 程颢、程颐：《遗书》卷十五，《二程集》，王孝鱼点校，中华书局1981年版，第162页。

⑥ 冯友兰：《中国哲学史》下册，中华书局1961年版，第869～870页。

是二程中哪位所讲，冯友兰总地摘引了二程关于“理”的许多说法。由此可见二程在抬高“理”一点上是一致的。但同时冯友兰又指出，它们所论之倾向也由有差别，即“至少有一点可确定者，即《遗书》中言及天理或理诸条，其表明为明道所说，不言理离物而独存；其表明为伊川所说者则颇注重此点”：“伊川所谓之理，略如希腊哲学中之概念或形式。……气为质而理为式……质在时空之内为具体的事物之原质，可以有变化成毁。式则不在时空之内，无变化而永存”。由此形成了：“明道以后心学之先驱，伊川乃以后理学之先驱也。兄弟二人，开一代思想之二大派”。[①]

既然“理”有上述所说的性质，那如何来实现对“理”成立之必然性的追问呢？于此，程颢提出了“定性—诚敬”说，程颐提出了“涵养—主敬”说。

程颢强调“定则明”“诚则敬”，所以提出“定性—诚敬”说。程颐认为气分阴阳，相互作用、一开一阖，而有种种变化，都是形而下者，二其所以然之理，则是形而上者。他说“有理则有气”，“道则自然生万物”。[②] 由此他论证了，应从“理”和“气”的关系来讨论“性”。他认为“天命之性”就是理，而“生之谓性”是讲气禀。

在留下的文献中有篇确切为程颢回答张载由“定性未能不动，犹累于外物”所提问题而写的《答横渠先生定性书》。朱熹曾对之解释说，“此性字是个心字意”，他向学生指明“定性”实际指的的是“定心”。[③]“定性书”中有这样的意思，“心”的

① 冯友兰：《中国哲学史》下册，中华书局1961年版，第875～876页。

② 程颢、程颐：《遗书》卷十五，《二程集》，王孝鱼点校，中华书局1981年版，第148页。

③ 朱熹：《朱子语类》九十五。

必然性是"定"着的。程颢在《答横渠先生定性书》中的第一句话就讲，"所谓定者，动亦定，静亦定，无将迎，无内外。苟以外物为外，牵已而从之，是以已性为有内外也。且以已性为随物于外，则当其在外时，何着为内在？是有意于绝外诱，而不知性之无内外也。既以内外之二本，则有乌可遽语定哉？"①

既然"心""性"是定的，那就应当认为吾人之心如明镜。"一物来时，其形容状态，镜中之影，各如其状。镜虽不废照物，而其本身不动。"对此程颢有个比喻也可供考，"如明镜，好物来时，便见是好；恶物来时便见是恶，镜何尝有好恶也"。②

既然"心""性""定"如镜，那就"无将迎、无内外"。对此，冯友兰先生曾加以说明："庄子谓'至人之用心若镜，不将不迎，应而不藏，故能胜物而不伤'。③ 道学家亦谓吾人之'用心'应如此，不过道家所应之物不包情感在内。道家应付情感之方法乃以理化情；能以理化情者，自无情感。道学家主张情感可有，但吾人有情感之时，应以情感非我有。见可喜可恶之事，圣人亦有喜怒之情感。但非圣喜怒，乃其事可喜可怒也。惟其如此，故其事既过去，胜人喜怒之情感亦亡。此颜回所以不迁怒也"。④ 这样，程颢在"定性书"中说："圣人之常，以其情顺万事物而无情。故君子学，莫若廓然而大公，物来而顺应"。"人之情各有所蔽，故不能适道，大率患在于自私而用智。自私则不能以有为为应迹；用智则不能以明觉为自然。今以恶物外之心，而求照无物之地，是反鉴而所照也"。程颢另外还这

① 程颢：《答横渠先生定性书》，《二程集》，王孝鱼点校，中华书局 1981 年版，第 460 页。

② 程颢、程颐：《遗书》卷十八，《二程集》，王孝鱼点校，中华书局 1981 年版，第 190 页。

③ 《庄子·应帝王》。

④ 冯友兰：《中国哲学史》下册，中华书局 1961 年版，第 890 页。

样讲:“与其非外而是内，不若内外之两忘也。两忘则澄然无事矣。无事则定，定则明，明则尚可应物之为累哉?”[①]

既然“无事则定”，于是程颢在“定性书”中最后讲到，“能于怒时，遽忘其怒，而观理之是非，亦可见外诱之不足恶，而于道亦思过半亦”。[②] 程颢在另外之处还讲到:“穷理尽性以至于命，三事一时并了元无次序。不可将穷理作知之事，若时穷得理，则性命亦可了”。[③] 因此他强调，“学者须先识仁。仁者浑然与物同体，义、礼、智、信皆仁也。识得此理，以诚敬存之而已，不须防检，不须穷索。若心懈则有防，心苟不懈，何防之有?理未有得，故须穷索。存久自明，安得穷索?此道与无物无对，大不足以明之，天地之用皆我之用，孟子言‘万物皆备于我’、须反身而诚，乃为大乐”。[④]

从这些话中，我们可充分注意到，程颢在此提出了“诚敬”。程颢认为:“诚者，天之道;敬者，人事之本。诚则敬。”[⑤]于此，程颢对《中庸》中“诚者，天之道，诚之者，人之道”进行了新的诠释。他将“诚”与天理联系起来。程颢说:“只是一个诚(天地万物鬼神本无二)”[⑥];“诚者自诚”，“只有一个诚，何助之有?”[⑦] 这是因为，“去气偏处发，便是致曲;去性上修，

---

① 程颢、程颐:《遗书》,《二程集》，王孝鱼点校，中华书局1981年版。

② 程颢:《答横渠先生定性书》,《二程集》，王孝鱼点校，中华书局1981年版，第450页。

③ 程颢、程颐:《遗书》,《二程集》，王孝鱼点校，中华书局1981年版，第15页。

④ 程颢、程颐:《遗书》卷二上，《二程集》，王孝鱼点校，中华书局，1981年版，第15页。

⑤ 程颢、程颐:《二程集》，王孝鱼点校，中华书局1981年版，第127页。

⑥ 程颢、程颐:《二程集》，王孝鱼点校，中华书局1981年版，第83页。

⑦ 程颢、程颐:《遗书》卷十一，《二程集》，王孝鱼点校，中华书局1981年版。

便是直养。然同归于诚"；[1]"诚者合内外之道，不诚无物"[2]。这里，程颢强调了，诚是天地万物以及内外之道所共同具有的。程颢针对学生所问"诚者，专意之谓乎"的问题，回答说："诚者实理也，专意何足以尽之"。[3] 这里继承了张载之以"实"训"诚"，因而把"诚"与"实理"联系起来。也就是说，程颢将"诚"上升为"实理"，与"天理"并列。二程的弟子朱广庭曾评价程颢此论时说："大抵先生之言，以诚为本。仰关乎天，清明穹窿，日月之运行，阴阳之变化，所以然者，诚而已。俯察乎地，广博持载，山川之容结，草木之蕃植，所以然者，诚而已。人居天地之中，参合无间，纯亦不已者，其在兹乎！盖诚者天德也。圣人自诚而明，其静也渊停，其动也神速，天地之所以位，万物之所以育，何莫由斯道也"。[4] 这段话点明了程颢学说自认是以诚为本，诚是天、地、才三才有序发展的原因。在这方面，显示出程颢对周敦颐"诚"思想的改进。

程颢强调，首先，"不亡不息，可谓诚矣"。[5] 其次，"真近诚，诚者无妄之谓"。[6] 第三，"无妄者，至诚也；至诚者，天之道也。天之化育万物，生生不穷，各正其性命，乃无妄也。人能合无妄之道，则所谓与天地合其德也。"[7]

程颢主"敬"，而他又认为不可为敬而敬。他主张的是孟子

---

① 程颢、程颐：《二程集》，王孝鱼点校，中华书局 1981 年版，第 82 页。

② 程颢、程颐：《二程集》，王孝鱼点校，中华书局 1981 年版，第 9 页。

③ 程颢、程颐：《二程集》，王孝鱼点校，中华书局 1981 年版，第 1169 页。

④ 程颢、程颐：《二程集》，王孝鱼点校，中华书局 1981 年版，第 331 页。

⑤ 程颢：《二程集》第四册，王孝鱼点校，中华书局 1981 年版，第 1155 页。

⑥ 程颢：《二程集》第一册，王孝鱼点校，中华书局 1981 年版，第 274 页。

⑦ 程颢：《无妄》，《尹川易传》卷二，《二程集》第三册，中华书局 1981 年版，第 822 页。

所讲的"必有事焉而勿正，心勿忘，无助长"。[①] 孔子曾说："居处恭，执事敬"，程颢则补充说："执事须是敬，又不可矜持太过。"[②] 所以，"敬"应与自然结合在一起，与"和乐"结合在一起，"谓敬为和乐则不可，然敬须和乐。"[③] 进而，他指出，："学者须敬守此心，不可急迫，当栽培深厚，涵泳于其间，然后可以自得。但急迫求之，只是私己，终不足以达道。"[④]"既得后，便须放开。不然，却只是守。"[⑤]"观天理，亦须放开意思，开阔得心胸，便可见。……亦须实有诸己，便可言诚，诚便可言内外之道"。[⑥]

二程认为有"诚"，"敬"才有"道之浩浩"。他说，"学者不可以不诚，不诚无以为善，不诚无以为君子"。[⑦]"修学不以诚，则学杂；为事不以诚，则事败；自谋不以诚，则是欺其心而自弃其忠；与人不以诚，则是丧其德而增人之怨。今小道异端，亦必诚而后得，而况欲为君子者乎？故曰：学者不可以不诚。虽然，诚者在知道本而诚之耳。"[⑧]"'修辞立其诚'，不可不仔细体会。言能修省言辞，便是要立诚。若只是修饰言辞为心，只是伪也，若修其言辞，正为立己之诚意，却是体当自家'敬以直内，义以外方'之实事。道之浩浩，何处下手。惟立诚才有可居之处，有可居之处则可以修业也。"[⑨]

---

① 程颢、程颐：《二程集》，王孝鱼点校，中华书局1981年版，第17页。
② 程颢、程颐：《二程集》，王孝鱼点校，中华书局1981年版，第61页。
③ 程颢、程颐：《二程集》，王孝鱼点校，中华书局1981年版，第31页。
④ 程颢、程颐：《二程集》，王孝鱼点校，中华书局1981年版，第14页。
⑤ 程颢、程颐：《二程集》，王孝鱼点校，中华书局1981年版，第59页。
⑥ 程颢、程颐：《二程集》，王孝鱼点校，中华书局1981年版，第33页。
⑦ 程颢、程颐：《二程集》，王孝鱼点校，中华书局1981年版，第2页。
⑧ 程颢、程颐：《二程集》，王孝鱼点校，中华书局1981年版，第326页。
⑨ 程颢、程颐：《二程集》，王孝鱼点校，中华书局1981年版，第2页。

程颢还由此专门论及了"学"与"致知"的关系："致知在格物，物来则知起，物各付物，不役其知，则意诚不动，意诚自定则心正，始学之事也。"[①] 程颢具体说："学者须先知仁，仁者浑然与物同体，以礼智信皆仁也。识得此理，以诚敬存之而已。"[②] 另外，程颢还把"诚"与"信"相联系。例如他讲，"诚则信矣，信则诚矣。""圣人言忠者多矣，人道只在忠信。不诚则无物，且'出入无时，莫知其乡'者，人心也。若无忠信，岂复有物乎？"[③] "言行不足以动人，临事而倦且怠，皆诚不至也。""夫欲上下之信，惟至诚而已。"[④] 可见，程颢在讲"学"、"致知"、"格物"、"信"、"人心"中讲"诚"；他还以此来强调"正心"。"尽性而成""反身而诚""尽心而诚"。

程颢发挥子思"诚者自成不诚无物"以及"尽性而诚"的思想。发挥孟子"反身而诚"以及"尽心而诚"的思想。他阐述道："故诚心而王则王矣，假之而霸则霸矣，二者其道不同，在审其初而已，《易》所谓'差若毫釐，谬以千里者，其初不可不审也。""知尧舜之道备于己，反身而诚之，推之以及四海。"[⑤]

由此我们可以联想起这样的思想：主体的必然性是既定着的。可正如我们指出的，既定着的主体必然性，是难以对象化的。以"诚"来讲这种情况，是一种很巧妙的方式。因为，如前所述，子思讲"诚自成""不成无物"，强调"诚者天之道也，诚之者人之道也"。讲"尽性而诚"，这里的诚既指"能够成为"

① 程颢、程颐：《遗书》六，《二程集》，王孝鱼点校，中华书局 1981 年版。

② 程颢、程颐：《遗书》卷二上，《二程集》，王孝鱼点校，中华书局 1981 年版。

③ 程颢、程颐：《遗书》卷一，《二程集》，王孝鱼点校，中华书局 1981 年版。

④ 程颢：《经学》卷五，《二程集》，王孝鱼点校，中华书局 1981 年版，第 265 页。

⑤ 程颢：《论王霸之辨》，《二程集》，王孝鱼点校，中华书局 1981 年版。

又指"使之成为",既是主体的又是客体的,总之是尽性的主客体都成。孟子肯定着"诚自成""不诚无物",强调的则是"诚者天之道也,思诚者人之道也",把子思的"诚之"变成"思诚",讲"尽心而成",这里的心既是思诚成之主体又是思诚之客体,总之是在"尽心"中主客体都成。

概言之,"尽性""尽心"都带有很强的"反身"意义,用孟子的话讲是"反身而诚"。而"反身"是通过什么映照出来的呢?总是一个回避不掉的大难题。因为这样,程颢与"诚"相联系强调了"敬"这个概念,即"以诚敬存之"。

"敬"这个词通常讲是指"恭也、肃也、慎也"。《周礼》上用到"敬"曾以它表"接遇肃正"。《说文》讲,"敬,肃也。从攴、苟"。《段注》有:"攴犹迫也,迫而苟也。"《徐笺》写有,"疑苟即古敬字,从苟加攴,攴,治也、治事肃恭之意"。所以,有人对《诗经》《易传》上的某些话解释认为,"苟"即"诚也"。

总之,"敬"在很大程度上表示的是一种行为状态。如果由"尽心""反身而诚"到"诚敬存之",这里面就带有因"反身"中难易对象化的问题,而在行为状态中实现对象化,由之窥察心之主体的必然性,即由行为状态来:"返照",从而实现"反身"。

程颢用"敬"这个概念,使之在其哲学论证中起着两重意义的作用

第一,指对象,即把"诚敬"作为显意识的对象,在映照中透视潜意识的必然性。

程颢曾专门对孔子讲过的"居处恭,执事敬"一句话,加补充说"执事须是敬,又不可矜持太过"。[①] 这恰切分析着的是

① 程颢、程颐:《遗书》三,《二程集》,王孝鱼点校,中华书局1981年版。

一种行为。

另外他就此说，"进志于义理而心不安乐者，何也？此则正是剩一个助之长。虽则心操之则存，舍之则亡，然而持之太甚，使是必有事焉而正之也"。① 他是从人在显意识中的某种行为是否飨成于"安乐"来说，而指出这里面定有一种避免"持之太甚"而妨碍安乐的行为情况。所以他提倡要"放开"，这就"必有事""而正之"，这才能有"安乐"。而有什么来造成这种"安乐"呢？

这就要论及行为与客体在必然性的同律中一定有一种与这种同律相映照的主体的心之必然性来支配，这就是所要追问的潜意识伦理形而上，这种潜意识伦理形而上与显意识的行为处理方式不可同日而语，但他们要相合才能"安乐"。程颢对此说得十分明确，"谓敬为和乐则不可，然敬需和乐"。② 显然，这个意义上的"诚敬"，是在追问主体潜意识必然性过程所面对的显意识的对象，并关涉于去追问的方式。

第二，指方式，即程颢更多地由如何达到"定性""定心"来讲"诚敬"，这使他认为"不可将实理作知之事"，因而强化着"敬以直内"。

"敬以直内"出自《周易》在解释"坤"卦时的"文言"。《周易》在讲"坤"卦（䷁）时写到："坤，元享，利牝马之贞。君子有攸往，先迷后得，主利"。"彖曰：至哉坤元，万物滋生，乃顺承天。坤厚载物，德合无疆。含弘光大，品物咸享"。"安贞之吉应地无疆"。"彖曰：地势坤，君子以厚德载物"。《易》书还在对于坤卦中给出"初六"、"六二"、"六三"、"六四"、

① 程颢、程颐：《遗书》二上，《二程集》，王孝鱼点校，中华书局1981年版。

② 程颢、程颐：《遗书》卷二上，《二程集》，王孝鱼点校，中华书局1981年版，第31页。

"六五"、"上六"各爻加以说明之后，总起来又在"用六"中写有，"文言曰：坤，至柔而动也刚，至静而德方。后得主而有常，含万物而化光，坤道其顺乎，乘无而时行。……某些其正也，方其义也。君子敬以直内，义以方外。敬义立而德不孤。'直方大，不习无不利'，则不疑其所行也"。

清代易学家张尔岐曾对整个坤卦解释说："--者偶也，阴之数也。二画，画皆偶则为坤，坤者顺也。……比卦上下皆坤，则是阴之纯、顺之至者，故坤之名不易。文王系辞以为，坤者天下之顺也。至顺则能虚心而顺应，循物而无违，其于天下何行而不得？其占当得大通，然以顺而始者，又贵以顺而终。故利在牝马之贞，当固守贞而不失，如牝马之顺而健也。君子如有所往，任己而先物则迷，居后而从阳则得。其所主者，在于顺利而不在于断制"。①

关于"敬以直内，义以方外"，张尔岐解释说，"所谓直者，即人心本然之正也。所谓方者，即人心制裁之意也。皆其固有，而非外铄者也。君子当主敬以直其内，以不失吾本然之正。守义以方其外，使协乎本然之义。能直内而不能方外，能方外而不能直内，皆孤也。敬义并立，则内外交养。不偏于一善而得不孤，不期大而大矣。所谓'直方大不习无不利'者，则以体用全备，无适不宜，其于形式坦然而无所疑惑也"。②

因为坤卦带有这样的特征，它是"阴之纯"。在中国传统思想中，阴往往既与静暗等等的意思相联系，也与隐、内、幽深、奥荫等等的意思相联系。与此对应，"阳"往往既与动、光明等意思相联系，也与显、外、现出、明了等意思相联系。

这样，如果在已显露的意义上对于显意识我们可把它看作

① 张尔岐：《周易说略·老子说略》，齐鲁书社 1993 年版，第 20 页。

② 张尔岐：《周易说略·老子说略》，齐鲁书社 1993 年版，第 27 页。

是阳的，那么在尚未显露意义上对于潜意识我们则可把它看作是阴的。它们之间形成相互对待的关系。隐的总是要现出来，适应于潜意识总要表现成显意识；这也应于"至柔而动也刚，至静而德方。后得主而有常，含万物而化光"之说。正如张尔岐在解释《周易》时就坤卦"六二"所云，"直方大，不习无不利""六二之动直以方也不习无不利地道光也"时讲到的，"当其静时，不可得而见也。乃其一动，则存人者见其无私而直，发乎外者见其当理而方也"。[①] 潜意识确实是"不可得而见"的，但它总要"发乎外者"成为显意识的，这样，当"直其内"它不失心之"本然"，当"方其外"便有人心"制裁"。我们可借用此话阐述这样的思想：潜意识幽深地奥荫在内心，而显意识却明显地闪出于外物。"直其内"，直在于心之"本然"，"方其外"方在于物之"制裁"，"能直内而不能方外，能方外而不能直内，皆孤也"，这样，潜意识与显意识既有生成和成就的关系也有束缚和挣脱的关系，成了题中之义；这也说明要追问潜意识就不能为显意识所累。

正因如此，程颢强调"识得此理，以诚敬存之而已，不须防检，不须穷索"；强调"无事则定"，这似乎是说，坚持潜意识的必然性，就不能为显意识所误。

所以，程颢才说，"大率患在于自私而用智。自私则不能以有为为应迹；用智则不能以明觉为自然"。他利用《尚书·大禹谟》中"人心惟危，人欲也。道心惟微，惟精惟一，允执厥中，所以行之"。由此他推向极端，提出"存天理去人欲"。[②]

程颢讲无事则定，又有这样一句话"不可将穷理作知之

① 张尔岐：《周易说略·老子说略》，齐鲁书社1993年版，第23页。

② 程颢、程颐：《遗书》《二程集》，王孝鱼点校，中华书局1981年版，第126页。

事"。关于穷理怎能离开"知之事"向心之必然性"直于内",不仅程颢难以说清楚,而且程颐也难以说清楚。程颢在指向心之形而上时,迫于"直之内"无法直接去"直",与程颐多讲"心"而少讲"理"不同,更加重视了"穷理"中"敬以去直内"。这形成了程颢哲学与程颐哲学的不同点。

程颐的哲学特别强调如何以"主敬"来"涵养未发",并肯定把"穷理"作为"知之事",强调格物穷理才致知。程颐由此主张"知先行后"。

前已讲到,程颢强调的是"定性—诚敬",而程颐则由此更进一步引申为"涵养—主敬";主敬,完整说是"主诚敬"。如果说程颢强调以"诚敬"来"定性""定心",不重视把穷理作为"知之事",认为"无事则定";那么程颐则特别强调以"主敬"来"涵养未发",重视把"穷理"作为"知之事",认为"格物穷理""致知"。他由此更加由"中"来论证"诚"的必要性、重要性。

陈来在《宋明理学》一书中讲到,"《中庸》说'喜怒哀乐未发谓之中,发而皆中节谓之和',……'中'代表一种本然的善","程颐曾与他的弟子吕大临、苏季明等讨论过'中'的问题,这些思想对后来南宋的思想影响很大"。①

根据我们前面的论述,应当这样说,《中庸》的"中"是由人的行为与对象世界的同律而论定的。程颐进行哲学追问的方式也不乏由此。他曾说,"在天曰命,在人曰性,循性曰道"。所以他讲"中即道也"。程颐为了强化作为"道"的"中"重在于体现人之行为与"天道"的同律,比《中庸》更进一步的是,专门澄清说"'中即性也'此语极未安"。他说到"中"就是道,

① 陈来:《宋明理学》,辽宁教育出版社1991年版,第111页。

而不能讲"中"在于"性"。他说："中也者，所以状性之体段，如称天圆地方，遂谓方圆而天地乎？"这就是说，"性"可以是"中"的，或说可以成为"中"的，但"中"本身却不是性，就如同称天是圆的、地是方的，但圆、方却不是天、地一样。程颐接着说，"方圆既不可谓之天地，则万物决非方圆之所出。如中既不可谓之性，则道何从称出于中？盖'中之为'义自'过不及'而立名；若只以中为性，则中与性不合。若只以中为性，则中与性不合，与'率性之为道'其义自异。'性'、'道'不可合一而言"。①

从这里可以看出，程颐专门讲到了"中之为"即达到中的所为或行为其义是由行为中的"过"与"不及"而立名。显然这里强调了"中"是人之行为与某种东西正好适中即同律的一种表达。

当然，在说到"人之行为与某种东西同律"时，人们首先看到的是人之行为所涉及之对象世界（或者说是天地之世界）的同律。这是如前所述的哲学家已大量探究了的。程颐显然肯定着这样的思想：行为与道同律便是中，即所谓"中即道也"。讲"中即道"已经在人之行为与行为涉及之客体的同律中，影映着支配行为主体的心之必然性的善。但早期哲学没有真正直接指向主体。

颇有见识的是，程颐强调的，不是"中"者"道"之所以"由出"，而是"中""即道"，如果讲作为"道"的"中"是"性"，那就与"率性之谓道"不合；这里包含着一个重要思想：讲"性"可以成为"中"是因为人"率性"，即"循性"，故有"率性之谓道"，可见循性才有人的行为之道。

① 程颐：《与吕大临书》，《二程集》，王孝鱼点校，中华书局1981年版。

而使人的行为之道“循性”，必离不开“心”，程颐设问说：“‘率性之谓道’，率，循也。若言道不消先立下名义，则茫茫地何处下乎？何处著心？”① 在程颐看来，“主于身为心”。②

程颐讲，“凡学之道，正其心，养其性而已。中正而诚则圣矣。君子之学，必先明诸心，知所养，然后力行以求至，所谓‘自明而诚’也。故学必尽其心，尽其心则知其性。知其性，反而诚之，圣人也。故《洪范》曰：‘思曰睿，睿作圣。’诚之之道在乎信道笃。”③

程颐的话说明，他要使哲学指向主体，首先回避不掉的一个概念是前人一直论及的“性”。而用“性”来讲主体特别是讲心的必然性问题，往往产生概念上难以协调的方面。用我们现在的眼光看过去，这在很大程度上与视角并没脱离追求世界根本的本根论哲学框架有关，这与人们关注的主要还是人之行为与对象世界的同律而还没能主动地把窥察的目光直接指向主体指向心之形而上有关。

因为这样，程颐要把更能体现人之行为、行为之客体、行为之主体同律问题的“理”提出来，作为追问的目标，他就必须对“心”这个概念加以进一步澄清，并由“性”指涉到“理”。也就是说，澄清了“心”这一概念，才能由“性”论证“理”。

程颐是这样论证的：他根据周敦颐“无极之真”和“无妄，则诚矣”的话，明确地给予“诚”以这样的定义：“真近诚。诚

① 程颐、程颐：《遗书》卷十五，《二程集》，王孝鱼点校，中华书局1981年版，第151页。

② 程颐、程颐：《遗书》卷十八，《二程集》，王孝鱼点校，中华书局1981年版，第191页。

③ 程颐：《颜子所好何学论》，《二程集》王孝鱼点校，中华书局1981年版。

者，无妄之谓也"。[①] 程颐引入《易》之"无妄"说来讲"诚"。他说："至诚者，天之道也。天地化育万物。生生不穷，各正其性命，乃无妄也"[②] 又说："维心亨，维其心诚一，故能亨通。"[③] 而真实无妄的东西莫过于"理"，所以"诚"就是"实理"："诚者，实理也。"[④] 程颐又提出"性即理也"的命题，[⑤] 故"诚"又被作为"理"在人身的体现而规定为"性"："自性言之为诚，自理言之为道，其实一也。"[⑥] 在此基础上，二程，特别强调按照人的"诚"的本性对于修身处事的重要，并重提、新解了《易传》提出的"闲邪（实即"去人欲"）存"诚实"（即"天理"），尤重"主敬"，使"诚"得以确立。

重要的是，程颐与程颢比起来，他更把"诚"视为"敬"所进入的状态、所达到的境界，更带有本体之意。程颐既讲，"至诚者，天之道也。天地化育万物。生生不穷，各正其性命，乃无妄也。"[⑦]，"诚者，实理也"。[⑧] 程颐又讲，"天下有一个善，一个恶。去善即是恶，去恶即是善"。他更讲，"敬是闲邪之道。闲邪存其诚，虽是两事，然亦只是一事，闲邪则诚自存矣"。[⑨] 他主张，"欲寡则心诚"。[⑩] 程颐特别强调指出，"敬"不等于

---

① 程颐：《道书》卷二十一上，《二程集》，王孝鱼点校，中华书局 1981 年版。

② 程颐：《无妄》，《伊川易传》卷二，《二程集》，王孝鱼点校，中华书局 1981 年版。

③ 程颐：《习坎》，《伊川易传》卷二，《二程集》，王孝鱼点校，中华书局 1981 年版。

④ 程颐：《粹言·论道篇》，《二程集》，王孝鱼点校，中华书局 1981 年版。

⑤ 程颐：《道书》卷二十二上，《二程集》，王孝鱼点校，中华书局 1981 年版。

⑥ 程颐：《粹言·论道篇》，《二程集》，王孝鱼点校，中华书局 1981 年版。

⑦ 程颢、程颐：《二程集》，王孝鱼点校，中华书局 1981 年版，第 822 页。

⑧ 程颢、程颐：《二程集》，王孝鱼点校，中华书局 1981 年版，第 1169 页。

⑨ 程颢、程颐：《二程集》，王孝鱼点校，中华书局 1981 年版，第 185 页。

⑩ 程颢、程颐：《元丰己未》，《二程集》王孝鱼点校，中华书局 1981 年版。

“静”，《二程集》中有程颐的一段答问：“问：敬莫是静否？曰：才说静，便入于释氏之说也。不用静字，只用敬字。才说著静字，便是忘也。孟子曰‘必有事焉而勿正，心勿忘，勿助长也。’必有事焉，便是心勿忘；勿正，便是勿助长”。[①] 程颐又讲，“敬则自虚静，不可把虚静唤做敬。”[②] 这就是说，“主敬”的功夫可以带来内心的平静，但“静”本身却不是“敬”。换言之，“敬”可生“静”，而“静”却不一定能生“敬”。因为“静”归之于“忘”，而“敬”则导向“必有事焉”，即“必有所事，是敬也”。[③] 可以说，程颐在“天理”的层面上，以及对佛、道等排斥，对以往理学家思想弊端的揭示，与程颢所讲的“明道”是一致的。程颐自己说过：“我昔状明道先生之行，我之道盖于明道同。”[④] 也就是说，程颐本人认为他的思想与程颢基本相同。而他们的差异主要是体现在功夫、为学方面对“诚”有不同的理解。程颐是更侧重于在“涵养”中“诚明”，即“明”至“诚”，便由“敬”达“诚”。

前已涉及到，张载把“明”看作穷理，把“诚”看作是尽性，由此讲到过“明”到“诚”、“诚”到“明”的过程。程颐说：“横渠言‘由明以至诚，由诚以至明’，此言恐过当。曰：‘由明以至诚’，此句却是。‘由诚以至明’，则不然，诚即明也。”[⑤] 程颐认为，“自明诚”有一个由“明”至“诚”的不断渐进的过程，即穷理尽性有一个过程，而“自诚明”则不同了，达到了“诚”也就实现了“明”。程颐进一步说：“自其外者学

---

① 程颢、程颐：《二程集》，王孝鱼点校，中华书局 1981 年版，第 189 页。
② 程颢、程颐：《二程集》，王孝鱼点校，中华书局 1981 年版，第 157 页。
③ 程颢、程颐：《二程集》，王孝鱼点校，中华书局 1981 年版，第 171 页。
④ 程颢、程颐：《二程集》，王孝鱼点校，中华书局 1981 年版，第 346 页。
⑤ 程颢、程颐：《二程集》，王孝鱼点校，中华书局 1981 年版，第 308 页。

之而得于内者谓之明，自其内者得之而兼于外者谓之诚，诚与明一也。"[①] 这就对"诚"与"明"进行了重新的解说。由外入内获的称之为"明"，由内兼外获得称之为"诚"，就此而论，"明"与"诚"是互为表里的。程颐这样释《中庸》第二十三章的："'诚者自成'，如至诚事亲则成人子，至诚事君则人臣。'不诚无物''诚者物之终始'，犹俗说彻头彻尾不诚，更有甚物也。'其次致曲'，'曲'，偏曲之谓，非大道也。'曲能有诚'，就一事中用志不分，亦能有诚。……'诚则形'，诚后便有物。……'形则著'，又著见也。……'著则明'，是有光辉之时也。……'明则动'，诚能动人也。君子所过者化，岂非动乎？"[②]

这样，程颐将程颢就"生生之谓易""继之者善也"所论的'成之者性也'，成却待他万物自成其性须得"[③]，推向了对"性"本身就是"理"的加强论证。因为这样，程颐与他的前人不同的是，不把告子讲的那种"生之谓性"中所说的"性"排除在人之"气质之性"之外，而提出："生之为性"之中所说的"性"就是人之"气质之性"。同时程颐又在与这种"气质之性"相区别中，提出了"天命之性"。他说："性字不可一概论。'生之谓性'，只训所禀受也。'天命之谓性'，此言性之理也。今人言天性柔缓，天性刚急，俗言天成，皆生来如此，此训所禀受也。若性之理也，则无不善。曰天者，自然理也。"[④] 不能忽略的是，程颐在此已经把那种无不善的"天命之性"说成了就是"理"。

① 程颢、程颐：《二程集》，王孝鱼点校，中华书局1981年版，第317页。

② 程颢、程颐：《二程集》，王孝鱼点校，中华书局1981年版，第203页。

③ 程颢、程颐：《二程集》，王孝鱼点校，中华书局1981年版，第29页。

④ 程颢、程颐：《遗书》卷二十四，《二程集》，王孝鱼点校，中华书局1981年版。

程颐认为:"理也,性也,命也,三者未尝有异。穷理则尽性,尽性则知天命矣。天命犹天道也,以其用而言之则谓之命,命者造化之谓也"。[①] 在此基础上他强调:"性即理也,所谓理,性是也。"[②]

程颢讲,"唯人气最清,可以相辅相成,'天地设位,圣人成能',直行乎天地中,所以三才"。[③] 程颐则为了真正把人之性中体现的"理"说成是善之必然性的"理",进一步作了概念上的处置。他讲,实际上那种"生之谓性"讲的"性"只能叫"才"。"才"是有善有不善的。荀子等讲的"性"只是说到了"才",孟子说的"性"才是这种意义上的"性"。程颐说,"性禀于天,才出于气","才则有善有不善,性则无不善"。陈来《宋明理学》就此叙述道:"'才'(材)的意思是指材料,即材质;而生之谓性指的是气,两者结合起来即气质的概念。……程颐认为,孟子讲性无不善是对的,但孟子没有认识才有不善,这是不全面的。而告子虽然看到才有不善。但在性无不善这一点上认识不清。"[④]

在西方哲学史上亚里士多德曾经区分过"质料"和"形式"并阐述了二者的关系。他认为形式可作为形而上的本体来看待,而这又与柏拉图的"理式"(常译为"理念"),贴在一起。这形式与"逻各斯"相联系。我们在前面篇章中已论到,在西方哲学史上当哲学指向主体发展到以认识论为重心,其中有一个重要过程是沿着逻辑的进一步"形式化"演进,逻辑的形式化过程重要在于,去掉沿亚里士多德逻辑发展过来的语词逻辑所带

---

① 程颢、程颐:《二程集》,王孝鱼点校,中华书局 1981 年版,第 274 页。

② 程颢、程颐:《二程集》,王孝鱼点校,中华书局 1981 年版,第 292 页。

③ 程颢、程颐:《二程集》,王孝鱼点校,中华书局 1981 年版,第 54 页。

④ 陈来:《宋明理学》,辽宁教育出版社 1991 年,第 104 页。

有的语词质料成份，这对于后来向逻辑真的可能性何以可能的追问，即对于向着思维必然性的追问，有十分重要的意义。

当然，中国哲学的特点主要不是从逻辑角度进行追问，而在很大程度上是从伦理角度去进行必然性的追问。

程颐对于"性"的澄清，特别提出"才"而把它与"无不善"的"性"相区别，这与西方哲学史在追问思维逻辑真的必然性时，开始强调要把质料与形式区别开的意义，有相当之处，但还是如前所述，"性"这个概念与"理"这个概念相比，"理"这个概念既能体现中国哲学史由行为与世界同律来影映主体，并由此可直接指向主体，且更带有接近"形式"的意味；它更能体现人之行为、语言及其所面对的世界与作为主体之心的同律。

也就是说，如果只讲"质料"无所谓真的必然性，作为形式的"格"才体现着逻辑真的必然性；那么作为"才"的"性"无所谓伦理善的必然性，作为"性"的"理"才体现伦理善的必然性。

于是直截了当，程颐截然提出："性即理"，"所谓理，性是也。"[①] 那么怎样才能把握这个"理"呢？程颐由两截说明这个问题，即"涵养须用敬，进学则在致知"。[②] 一是主敬涵养未发，二是格物致知穷理。

就程颐的主张而言，既然"性即理"，是"心"在那里"循性""主于身"才达到"中"，可见这"心"的主体地位是自定在那里的。而同时也正是"心"在那里"循性""主于身"才达

① 程颢、程颐：《遗书》卷二十二上，《二程集》，王孝鱼点校，中华书局 1981 年版。

② 程颢、程颐：《遗书》卷十八，《二程集》，王孝鱼点校，中华书局 1981 年版，第 188 页。

到中道，那么这“心”是“用”于“循性”而达到“中”的。正如程颐所说“心一也，有指体而言者，寂然不动是也，有指用而言者，感而遂通天下之故是也。”① 一个“心”既是“体”又是“用”，那怎样“用”自己的“体”？这正体现着塑造论哲学在一开始就提出的那种“自己对付自己”的对象性难题。

为解决这个问题，程颐与程颢相类似，也强调一种与“敬以直内”相似的方式。但是程颐利用《中庸》上的提法，重视把“心”区分开了“未发”和“已发”两种情况，而且认为“思既是已发”，也就是说“指体而言”的“心”应当是寂然不动的，而以“指用而言”的“心”一去思，在思中求得的就只能是“已发”的东西，不是处于“未发”之中。那在“未发之前，更怎生求?”② 这一问颇有分量。

从塑造论哲学的观点来看，可以在一定程度上认为，这里的“未发”相当于就潜意识而言，“已发”则相当于就显意识而言。在哲学史的进程中，这时期的哲学家们实际上所进行的工作，已经在显意识中影映着潜意识或由显意识直接指向窥察潜意识。前面所说的程颐“由人之”和“为之道”而指向理的做法正指向着这一点。但程颐在哲学概括中不可能立足现在的认识阐述这种追问，因此面对他所提出的那很难解决的问题，确实找不出别的办法，因而把区分开了的东西，截然对立起来，强调“已发”“不可谓之中”，而要在“未发”中“求”，“只平日涵养便是”。③

① 程颐：《与吕大临论中书》，《二程集》，王孝鱼点校，中华书局 1981 年版，第 609 页。

② 程颢、程颐：《遗书》卷十八，《二程集》，王孝鱼点校，中华书局 1981 年版，第 201 页。

③ 程颢、程颐：《遗书》卷十八，《二程集》，王孝鱼点校，中华书局 1981 年版，第 188 页。

而未发的涵养，也就是静中的"主敬"，即所谓"涵养用敬"。程颐的"用敬"或"持敬"总之"主敬"，与程颢的"诚敬"稍有不同。程颢的"诚敬"侧重于定，即"定性""定心"；这是在"诚"中"定性""定心"，是对于"诚"的定。而程颐的"主敬"侧重于"忘""已发""无助长"；这是进入"诚"的境界，是由"诚"以"敬"入"浩然之气"。《遗书》上记载："问：敬莫是静否？曰：才说静便入于释氏之说也。不用静字，只用敬字。才说著静字，便是忘也"，"是勿助长"。[①] 另有记载："有言养气可以为养心之助。曰：敬则只是敬，敬字上更添不得。"[②]

由此问答亦可见，程颐为什么很强调把他所说的"主敬""持敬"与"主静"区别开。他不愿意把"敬"与释氏的"静"混为一谈。他曾专门说，"敬则虚静，不把虚静唤做敬"。[③] 在程颐看来，静不能生敬，但敬可生静。

《遗书》记载："许渤与其子隔一窗而寝，乃不闻其子读书与不读书，先生谓：此人持敬如此"。程颐说："有人旁边作事，己不见，而只闻人说善言者，为敬其心也，故视而不见，听而不闻，主于一也。主于内则外不入，敬便心虚故也。"[④]

这又可见，程颐讲"主敬"，强调着那个"主"字，主即"主一"。程颐云："所谓敬者，主一之谓敬；所谓一者，无适之

① 程颢、程颐：《遗书》卷十八，《二程集》，王孝鱼点校，中华书局1981年版，第189页。

② 程颢、程颐：《遗书》卷二，《二程集》，王孝鱼点校，中华书局1981年版，第27页。

③ 程颢、程颐：《遗书》卷十五，《二程集》，王孝鱼点校，中华书局1981年版，第157页。

④ 程颢、程颐：《遗书》卷十五，《二程集》，王孝鱼点校，中华书局1981年版，第154页。

谓一。且欲涵泳一之义，一则无二三矣”。[①]“敬只是主一也，主一，则既不之东，又不之西，如是则只是中。既不之此，又不之彼，如是则只是内。存此，则自然天理明”。[②]“主一无适，敬以直内，便有浩然之气”。[③]

在程颐看来，主敬养浩然之气，通自然天理。有了这“理”，才能“与心为主”[④]，“人心作主”有定，并且“有主则实”[⑤]，“则自然无纷扰”[⑥]；总之，才能把主体善的必然性“主”起来。他说，“人心不能不交感万物，亦难为使之不思虑。若欲免此，唯是心有主。如何为主？敬而已矣”。[⑦]

程颐关于涵养、主敬的说法，对于把作为“已发”的显意识与未发的“潜意识”区别开来，对于排除“已发”来径直地“主”起未发之主体，是有启发的。从当时情况说，宋明以前的哲学基本上还只是在人之行为与客体世界同律中影映着主体善的必然性；所谓“影映”，就是说那还是“影”，并没把主体“主”起来。

暂不管程颐用什么方式，他能由此指向主体，在论证主旨

① 程颢、程颐：《遗书》卷十五，《二程集》，王孝鱼点校，中华书局 1981 年版，第 169 页。

② 程颢、程颐：《遗书》卷十五，《二程集》，王孝鱼点校，中华书局 1981 年版，第 149 页。

③ 程颢、程颐：《遗书》卷十五，《二程集》，王孝鱼点校，中华书局 1981 年版，第 143 页。

④ 程颢、程颐：《遗书》卷二上，《二程集》，王孝鱼点校中华书局 1981 年版，第 25 页。

⑤ 程颢、程颐：《遗书》卷一八，《二程集》，王孝鱼点校，中华书局 1981 年版，第 8 页。

⑥ 程颢、程颐：《遗书》卷十八，《二程集》，王孝鱼点校，中华书局 1981 年版，第 191 页。

⑦ 程颢、程颐：《遗书》卷十五，《二程集》，王孝鱼点校，中华书局 1981 年版，第 169 页。

上力图把"存此则自然天理明"的主体"主"起来，应当说这是前进了一步。但这"主"起来的主体之善的必然性到底是怎么来的，他没能回答出来；而且，基于当时的知识水平也不可能回答出来。所以说他只是力"主"这个前人"影映"出来的主体，还达不到扎实明确立起来的实实在在的主体。这虽然对于确立作为"指体而言"的"心"有重要意义，但只诉诸"忘""已发"的主敬，实际上把作为"指用而言"的"心"否定掉了，试问完全"忘""已发"，这"心"到底有何"用"？

可有意思的是：程颐既强调要到达"自然天理明"，要靠"忘""已发"，要靠那不讲"用"的"心"；另外，却也强调了作为"知之事"的"穷理"。有"穷理"就得用"心"，这已不是"未发"之"心"了。

这显然就有了矛盾，一方面讲着"忘""已发"而"敬"，"未发"才能达到"自然天理明"，只要是"已发"便达不到"理"；另一方面又讲，"已发"格物致知便能"穷理"。这显然是有矛盾的，但其中又不乏对显意识致知过程的探讨。

程颐对"学"对"格物致知"也重视，他强调了"学"与"诚"、"致知"与"诚"的关系。对此应特别注意程颐在《遗书》中的这样一些论述。一是："学者不可以不诚，不诚无以为善，不诚无以为君子。"二是，程颐在《遗书》中又讲："'进修之术'何先？'曰'莫先于正心诚意。诚意在致知，致知在格物"。①

同时，程颐在解释《大学》的"格物""致知"的说法时，特别强调了"格物""致知"实际上是"格物""穷理"："格犹

① 程颢、程颐：《遗书》卷十八，《二程集》，王孝鱼点校，中华书局1981年版。

穷也，物犹理也，犹曰穷其理而已。"[①] 这是对"格物"的一种新解释。

程颐讲，对所格之物，不拘种类。"问：格物，是外物，是性分中物？曰：不拘。凡眼前无非是物，物物皆有理。如火之所以热，水之所以寒，至于君臣父子间，皆是理。"[②]

程颐讲，穷理多端："凡一物上有一理，须是穷致其理。穷理亦多端：或读书，讲明义理；或论古今人物，别其是非；或应接事物而处其当，皆穷理也。"[③] 程颐讲，格物须是遍求。"问：只穷一物，见此一物，还便见得诸理否？曰：须是遍求。虽颜子亦只能闻一知十，若到后来达理了，虽亿万亦可通"。[④] "或问：格物须物物格之，还只格一物而万理皆知？曰：怎生便会该通？若只格一物便通众理，虽颜子亦不敢如此道。须是今日格一件，明日又格一件，积习既多，然后脱然自有贯通处"。[⑤]

程颐还讲，"致知在格物，格物之理，不若察之于身，其得尤切"。[⑥] 这强调了在格物时要经常察自身。

程颐以上讲的格物穷理致知过程，就单就论说对外求知讲，有其可取之处，但仍是十分简单了。另外，讲"格物"能"穷

---

① 程颢、程颐：《遗书》卷二十五，《二程集》，王孝鱼点校，中华书局 1981 年版，第 316 页。

② 程颢、程颐：《遗书》卷十九，《二程集》，王孝鱼点校，中华书局 1981 年版，第 247 页。

③ 程颢、程颐：《遗书》卷十八，《二程集》，王孝鱼点校，中华书局 1981 年版，第 188 页。

④ 程颢、程颐：《遗书》卷十九，《二程集》，王孝鱼点校，中华书局 1981 年版。

⑤ 程颢、程颐：《遗书》卷十八，《二程集》，王孝鱼点校，中华书局 1981 年版，第 188 页。

⑥ 程颢、程颐：《遗书》卷十七，《二程集》，王孝鱼点校，中华书局 1981 年版，第 175 页。

理"与前面讲的"主敬""自然天理明"，在程颐那里毕竟是不太衔接的。这样，格物是否真能达必然性，是有问题的。这还是那个与归纳问题类似的难题。在这一点上，程颐的思想又显得有些浅薄了。

五、程门后学

二程的后学对《中庸》同样十分重视。被称为"程门四先生"的吕大临、谢良佐、游酢、杨时，对《中庸》都很有研究。其中除了谢良佐外都有关于《中庸》的著作。吕大临著有《中庸解》。游酢和杨时著有《中庸义》。此外，二程的二传、三传弟子对《中庸》也专有研究。例如，黎立武就在郭忠孝《中庸说》的基础上著有《中庸指归》《中庸指归图》以及《中庸分章》。

（一）吕大临（约 1042－约 1090）本是张载的学生。关学当时之盛不下洛学，张载去世后，关学后继者还未学成德尊，无法独立讲学，关学至此凋谢。后来，吕大临师从二程，其学始从博学变精微，并且成为程门四先生之一。吕大临虽师事二程，但仍坚守张载关学传统，程颐曾说过："吕与叔（大临）受横渠学甚固，每横渠无说处皆相从，才有说了，便不肯回。"[①] 吕大临的思想兼取关、洛两派。至于吕大临作的《中庸解》，曾被误认为是程颢所作，想必是因为其对《中庸》的研究思想多类程颢。所以学者们常讲吕氏对《中庸》"诚"思想的发展归于程门后学之中。

吕大临在《中庸解》里将"诚"解释为理之"实然"。他说："诚者，理之实然"，"天下万古，人心物理，皆所同然，有一无二，虽前圣后圣，若合符节，是乃所谓诚，诚既天道貌岸

① 程颢、程颐：《二程集》，王孝鱼点校，中华书局 1981 年版，第 265 页。

然也。"这是从"诚"的天道层面上讲。在吕大临讲来，既然"诚"是天道，这是不会变的，所以前圣和后圣所讲一致，与"诚"是相符的。进而，他说，"圣人诚一于天，天即圣人，圣人即天。"[①] 圣人和天同在一个层面，天道即诚，那么圣人之道自然也就是"诚"。吕大临说明道："至于实理之极，则吾生之所固有者，不越乎是。吾生所有，既一于理，则理之所有，皆吾性也。人受天地之中，其生也，具有天地之德，柔强昏明之质虽异，其心之所同者皆然。特蔽有浅深，故别而为昏明，禀有多寡，故分而为强柔。至于理之所同然，虽圣愚有所不异。"[②] 也就是说，由于天下之理同然，"诚"是人所固有的，人生来就有天地之德，圣人和愚人没有什么差别，但由于后天蔽有浅深，禀有多寡，所以有柔强、昏明、圣愚之异。

在吕大临看来，既然"天道无勉无思"，所以"由仁义行，何思勉之有？故从容中道而不迫"。他凸显"心"的地位。吕大临认为，"由仁义行"而不是"行仁义"；"诚之者，以人求天者也"；"学问思辨，所以求之也；行，所以至之也。求之，至非人一己百，人十己千，不足以化气质。"也就是说，通过学问思辨以求"诚"，这样可以变化气质。"虽曰致曲，如专一于是，未有不成"，[③] 因为禀受于天，便能避免有偏曲，如果专一避曲的话，则必能变化气质。所以《中庸》中说"惟至诚为能化"。

关于"诚"和"明"的解释，吕大临说，"理之实然者，至简至易。既已至之，则天下之理，如开目睹万象，不假思虑而

---

① 吕大临等：《蓝田吕氏遗著辑校》，陈俊民辑校，中华书局 1993 年版，第 487 页。

② 吕大临等：《蓝田吕氏遗著辑校》，陈俊民辑校，中华书局 1993 年版，第 488 页。

③ 吕大临等：《蓝田吕氏遗著辑校》陈俊民辑校，中华书局 1993 年版，第 488 页。

后知，此之谓诚则明。致知以穷天下之理，则天下之理皆得，卒亦至于简易实然之地，而行其所无事，此之谓明则诚。"① 可见，吕大临这里已与张载有所不同，吕大临已不固守于将"诚""明"以"穷理""尽性"来解释，而是说"诚"是至简至易的，达到了"诚"也就不虑而至。这点吕大临明显继承了程颢的思想，即心中固有"诚"，达到了"诚"就不须防检、不须穷索。而吕大临同时也讲到，"诚则明"则需要致知以达天下之理。

吕大临的《中庸解》之所以会被误认为是程颢所作，是因为其中也体现了以"诚"为本的色彩。他讲，"诚一于理，无所间杂，则天地人物，古今后世，融彻洞达，一体而已。"② 这里，天地万物、古今后世全部的理，都是"诚"的体现。所以他说，"性生内外之别，故与天地不相似。若性命之德，自合乎内外，故具仁与知。天已无物，诚一以贯之，合大德而施化育，故能时措之宜也。理义者，人心之所同然者也。吾信乎此，则吾德实矣，故曰'诚者自成也'。吾用乎此，则吾道行矣，故曰'道自道也'。夫诚者，实而已矣。实有是理，故实有是物；实有是物，故实有是用；实有是用，故实有是心；实有是心，故实有是事。"③ 显然，吕大临认为理、性、心是同一的。进而，吕大临又说："诚之为贵也。诚虽自成也，道虽自道也，非有我之得私也，与天下同之而已。故思成己，必思所以成物，乃谓仁知之具也。性之所固有，合内外而无间者也。夫天大无外，造化发育，皆在其间，自无内外之别。人有是形，而为形所梏，故

① 吕大临等：《蓝田吕氏遗著辑校》，陈俊民辑校，中华书局 1993 年版，第 487～488 页。

② 吕大临等：《蓝田吕氏遗著辑校》，陈俊民辑校，中华书局 1993 年版，第 489 页。

③ 吕大临等：《蓝田吕氏遗著辑校》，陈俊民辑校，中华书局 1993 年版，第 489 页。

有内外生焉。内外一生，则物自物，己自己，与天地不相似矣。反乎性之德，则安有物我之异，内外之别哉？故时措之宜者，凡以反乎性之德，而得乎喜怒哀乐未发之中，发而皆中节者也。"[①] 就是说，"诚"合内外之道，天下本无内外之别，是人因自身肉体也他者的界限而有物、我之别。消除物、我之差异，返还本性，则喜怒哀乐发必符合节中。

（二）游酢（1053—1123）曾经师从程颢、程颐，是学宗属洛学的学者。他坚守洛学阵地并常讲学于武夷。游酢的思想成为闽学形成过程中不可忽视的重要环节。人们认为，游酢对《中庸》的研究，是以"道"为本而展开论述的，不过就其实质来说，并没有实现理论创新，只是把二程的"天理"又替换成"道"而已。[②] 游酢说"道者，天也。"他又说："道为万物之奥，故足以统天。"[③]

游酢由"道"论"成"，他写道："四时迭见者，天地之变也；在地成形，则作而长，敛而藏，四时异形者，地道之变也。"他又说："至于成象者，莫测其进退之机；成形者，莫见其生长之迹，则天地之化也。体化而载之，则无骇而变矣。此变化之辨也。"[④]

游酢强调，"成象""成形""道之变也""天下之化成""顺其性而入之"，所以"盖天下之化"，"一于成而已"。而这"成"，一于"诚"在于"理"，他这样写道："圣人从于其道而天下化成，盖天下之化，非有资于号令之鼓舞也，刑赏之惩劝

① 吕大临等：《蓝田吕氏遗著辑校》，陈俊民辑校，中华书局1993年版，第490页。

② 孟耕合：《北宋〈中庸〉之"诚"思想研究》，复旦大学硕士学位论文，2009年4月15日。

③ 游酢：《游酢文集》，延边大学出版社1998年版，第19页。

④ 游酢：《游酢文集》，延边大学出版社1998年版，第108～109页。

也，一于诚而已。诚至则天下溪其志而从之，如恐不及矣。故曰'盥而不荐，有孚颙若'。先王之化民，岂能拂其所有而与之以无所哉！亦曰顺以巽而已。中正，民之性也，顺其性而入之，则将沦肌肤而浃骨髓矣。下关而化，自然之理也。"①

游酢又论述说，要"顺其性而入之"必须"得其性之本然，反身而诚"，所以"诚者""自成而已"。他说："道之在人，则出作而入息，渴饮而饥食，无非性者，无妄也。苟得其性之本然，反身而诚，则天地万物之理得，而道自我成矣。"② 并且，有了"诚"，"思则知敬而直内"③。这样，"使道之以道，则与法度乎何有?"正所谓："诚者，非有成之者，自成而已。其道非有道之者，自道而已。"④

游酢还由"至诚至道"论到"精""气""神"。他说："至诚之道，精一无间，心合于气，气合于神，无声无臭，而天地之间物莫得以遁其形矣。不既神矣乎。"⑤

可见，在游酢那里强调的是，"成""诚"贯彻于"道""性""理"，"其实一也"。游酢之概括所写的是说："诚者，非有成之者。自成而已。其道，非有道之者，自道而已。自成自道，犹言自本自根也。以性言之为诚，以理言之为道，其实一也。"⑥

展开来讲，游酢由"诚"论到"信"，体现出以诚为本以信为用的思想。游酢说："立天下之大本者，建'中'于民也。渊

① 游酢：《游酢文集》，延边大学出版社1998年版，第50页。

② 游酢：《游酢文集》，延边大学出版社1998年版，第113页。

③ 游酢：《游酢文集》，延边大学出版社1998年，第89页。

④ 游酢：《游酢文集》，延边大学出版社1998年版，第141页。

⑤ 游酢：《游酢文集》，延边大学出版社1998年版，第141页。

⑥ 游酢：《游山集·卷一中庸义》，《四库全书（文渊阁本）》，上海古籍出版社1987年影印。

源其渊，非特如渊而已；浩浩其天，非特如天而已；此至诚之道也，德者其用也。"[①] 游酢根据《中庸》的"诚身有道：不明乎善，不诚乎身矣"（第十二章），提出"不明乎善，不诚乎身矣。学至于诚身，则安往而不至其极哉？以内则顺乎亲，以外则信乎友，以上则可以得君，以下则可以得民矣。"游酢就此又讲："一号令之出也，一期会之时也，一赏罚之用也，一颦笑之形也，无所不用其信为，则其民岂有不信者哉？"[②]

（三）作为程颐门下的杨时（1053－1135），原字行可，后因讳友人父，改为中立，号龟山，南剑州将乐县龙湖村（今属福建三明）人。他早年曾出入于佛老。杨时投学于程子，有"程门立雪"之传说。元祐八年（1093）拜入程颐门后，即使在洛学屡遭禁止的情况下，仍然坚持传承洛学，并将洛学带入福建，直接促成闽学的形成。杨时直接继承了洛学的"天理"本体论，同时将张载的"气"范畴也融入自己的思想体系中。杨时曾先后受学于二程，而更多地采纳程颢的思维路向，将"格物致知"落在"反身而诚"之上。

在杨时的时期，程颐的学生谢良佐（1050－1103），曾对于程颐所讲的，"今日格一物，明日格一物，积久自然通"，认为是有问题的。谢良佐指出，穷理并非物物而穷，因此他提出"必穷其大者，理一而已。一处理穷，触处皆通"。[③]

作为也是程颐学生的杨时，把问题看得更尖锐。他讲，"为是道者，必先明乎善，然后知所以为善也，明善在致知，致知在格物。号物之数至于万，则物盖与不可胜穷者。反身而诚，则举天下之物在我矣。诗曰'天生烝民，有物有则'，凡行色具

① 游酢：《游酢文集》，延边大学出版社 1998 年版，第 117 页。

② 游酢：《游酢文集》，延边大学出版社 1998 年版，第 82 页。

③ 《寄翁好德》，引自《宋元学案》卷十五。

于吾身者，无非物也，而各有则焉。反而求之，则天下之理得矣。由是而通天下之志，类万物之情、参天地之化，其则不远矣"。①

杨时的这个思想比程颐所讲的那种"今日格一物，明日格一物"但又与"主敬""忘已发"难以搭界的思想深刻多了。因为在此杨时已看到格物是无穷的，没法真正由格物穷了理，这就要"先明乎善"，而要"先明乎善"，又要格物致知穷理才明乎善。杨时提出"反身而诚，则举天下之物在成矣。""反身格物"，即格自己，这倒是触到了问题要害。然而，自己格自己就如同以自己的眼睛看自己的眼睛，有个难以对象化的问题。但杨时由于当时的学术背景及认识程度，当其学说指向主体必然性时，诉诸的仍是类似程颐的"主敬"，主张由"静"来"体验未发"。

杨时特别强调"格物致知"过程须始终贯穿一个"诚"字。他说："盖格物所以致知，格物而至于物格，则知之者至矣。所谓止者，乃其至处也。自修身推而至于乎天下，莫不有道焉，而皆以诚意为主；苟无诚意，虽有其道不能行也。故《中庸》论天下国家有九经而卒曰：'所以行之者一'，一者何？诚而已。"② 杨时十分强调基于"诚意"而"以身体之""以心验之"。他说："道要以身体之，心验之……兼忘于书言意象之表，则庶几乎其至焉，反是，则口耳诵数之学耳"。③ 所以说，"苟无诚

---

① 杨时：《书三·答李杭》，《龟山集》卷十八，《文渊阁四库全书》第1125册，第283页。

② 杨时：《书三·答李杭》，《龟山集》卷十八，《文渊阁四库全书》第1125册，第311页。

③ 杨时：《书三·寄翁好德其一》，《龟山集》卷十七，《文渊阁四库全书》第1125册，第277页。

意，虽有其道，不能行也"[1] 这里，"意"是心的萌动，即由物引发的意识活动，如果只讲施与主观的取舍，则有可能不当，不当则"伪"；而正当的，则称为"直"。有"诚意"才能使意"直"，而不使意"伪"。杨时认为，因为有"诚意"才能克制私欲、去除内心的利巧诈智，从而率性自然达到天道。杨时进一步指出，《大学》所阐发的"正心诚意至治国家天下"实际上就是《中庸》的"和内外之道"也即天道和人道的结合。《中庸》的"诚"就是沟通天道和人道的桥梁。

由此，杨时强调"性"与"命""自成一物"。杨时说："以命在我为性，则命自成一物……性即天命也……若云：'在天为命，在人为性。'此语似无病，然又不需如此说。性命初无二理，第所由之者异耳"。[2] 可见，按杨时的主张，性与命是一回事，其区别仅在于所处的阶段不同。这在于要坚持"性命一理"的观点，在于要坚持天性本善的儒家传统，从而厘清"正心诚意"的本体论前提。如果，命与性二分，那么在我之性的至善就无法保证，无法保证其动机的至善，就无法保证"正心诚意"。这对于理学而言，至关重要。

杨时还对治理天下国家之方略必须以"诚"为本加以解释，他说："盖天下国家之大，未有不诚而能动者也，然非格物致知，乌足以知其道哉！《大学》所论诚意正心修身治天下国家之道，其原乃在乎物格推之而已。若为意诚，便足以平天下"。[3]

在杨时的政治学说中，十分强调"正心诚意""治国之本"。

---

① 杨时：《书二·答李杭》，《龟山集》卷十八，《文渊阁四库全书》第1125册，第283页。

② 杨时：《语录三·余杭所闻》，《龟山集》卷十二，《文渊阁四库全书》第1125册，第226页。

③ 杨时：《书六·答学者其一》，《龟山集》卷二十一，《文渊阁四库全书》第1125册，第311页。

据史载，他曾专门向钦宗皇帝讲述以"正心诚意"为本的治国方略，讲到，"臣闻：'古之欲明明德与天下者，先治其国；欲治其国者，先齐其家；欲齐其家者，先修其身；欲修其身者，先正其心；欲正其心者，先诚其意；欲诚其意者，先致其知。致知在格物，物格而后知至，知至而后意诚，意诚而后心正，心正而后身修，身修而后家齐，家齐而后国治，国治而后天下平"。[①] 另外，杨时还曾不厌其烦地将《大学》中的一段原文一字不漏地抄给皇帝，并根据《大学》原文作出自己的发挥，他强调，"自一身之修推而至于天下，无二道也，本诸诚意而已"。[②]

从历史上看，杨时的《中庸》研究通过罗从彦、李侗直接影响到了朱熹，对朱熹理学思想的形成具有重要作用。中国思想史家往往这样评论：杨时在学术思想上，虽然还称不上足以自立门风的一代大家，然而他在理学处境极为艰难的情况下注释理学经典《四书》，站在洛学的立场上会通理学诸派之说，从而成为由二程到朱熹、从洛学到闽学之间，传承与转化的不可或缺的一环。杨时的思想路向，直接开启了朱熹融理学诸学于一炉的工作肇端，的确无愧于"程式正统""南渡洛学大宗"的称号。

（四）1. 另外，不属于"程门四先生"而上承二程、杨时，即作为程门四先生中杨时之门下的罗从彦（1072－1135）是闽学形成过程中必不可少的一位重要思想家。罗从彦被现代学者

① 杨时：《上渊圣皇帝书》，《龟山集》卷一，《文渊阁四库全书》第1125册，第105页。

② 杨时：《上渊圣皇帝书》，《龟山集》卷一，《文渊阁四库全书》第1125册，第105～106页。

誉为“道南学派的抗鼎人物。”[①] 这使之成为下启朱熹的重要思想家。

也许由于洛学一直处于被压制的地位，也许因为罗从彦更注重政治实践，所以，在罗从彦的文本中较少见到对“理”“气”“性”“诚”等范畴的讨论。但是，当他涉及此类范畴时，还是表现出一些独到见解的。

罗从彦重视“静中体悟，取其恭诚”。杨时曾经对罗从彦说：“某尝有数句，教学者读书之法云：以身体之，以心验之，从容默会于幽间静一之中，超然自得于书言象意之表，此盖某所为者如此。”[②] 杨时将这种受程颢“两忘则澄然无事矣”[③] 的影响，自己带有早期出入佛老印痕的修养方法，传授给罗从彦。张伯行在《罗豫章先生文集·原序》中说：“（罗从彦）常教延平静中看喜怒哀乐，未发时做何气象，盖以寂然不动之中，而天下万事万物之理，莫不由是而出，故必操存涵养，以为应事接物之本。此龟山心法，深得伊洛之传者也。延平答朱子学问，必举罗先生绪言相谆勉，其谨师传以成后学如是。”[④]

2. 再就是，作为朱熹父亲的朱松，他的整个《韦斋集》中，“性”字只出现过一次，而且并不是作为哲学范畴或者理学讨论话题出现的。显然朱松对二程“心性之学”中的“心”和“情”讨论比较多。在“心”范畴的讨论中，他追求气定神闲的境界，曾用“正心诚意”规劝皇帝，不过，他更关心民心的向背。其“高情绝艳”一语，表达了他对人生情怀的最高境界的追求。

---

① 张立文：《论罗从彦的内圣外王之道》，《孔子研究》2006 年第 5 期。

② 杨时：《龟山文集》，第 36 页。

③ 程颢、程颐著：《二程集》（第二册），中华书局 1981 年版，第 461 页。

④ 张伯行：《罗豫章先生文集·原序》，《罗豫章集》，第 2 页。

朱松毕竟作为洛学传人，所以他讲“心”必涉及“正心诚意”的内容。他说：“《大学》一篇，乃入道之门，其道以为欲明明德于天下者，在格物致知，以正心诚意而已。其说与今世士大夫之学大不相近，盖此学之废久矣。自周衰，杨墨虽得罪于圣人，然乃学仁义而失之者。至申、韩、仪、秦之说胜，而士始决裂圣人之藩墙，以阿流俗之所好，至汉文景之盛未衰也。以至于今，盖尝有以斯文为己任者，起而倡之。然世方婴于俗学，以自强屹乎其不可攻也。”[①] 朱松对理学的继承最典型的表现，是将“正心诚意”的要求再一次指向皇帝。他说：“夫王者，正心诚意于一堂之上，而四海之远，以教则化，以绥则来，以讨则服。”[②]

朱熹的父亲受学于二程后人，他对《大学》与《中庸》推崇备至。在给友人的信中他写道：“抑闻之先生长者，《礼记》多鲁儒之杂说；独《中庸》出于孔氏家学；……以吾友之明，苟以德为车，而志气御之，而朝发轫乎仁义之途，而夕将入《大学》之门，以躏《中庸》之庭也”。[③] 应该说，朱熹关于《中庸》的研究，有其直接的父学影响。

朱松一生很难有机会直接面见君王对其晓之以“正心诚意”的道理，而朱熹后来虽然为官时间不长，但每每有机会面君，都要对皇帝进行“正心诚意”的教诲。虽然朱熹在此问题上未必直接受其父的影响，但二人观点的一致性，表明理学的核心意图在两代人之间的传承。[④]

---

① 朱松：《答庄德粲秀才书》，《韦斋集》卷九，《四部丛刊续编》第 1133 册，第 511 页。

② 朱松：《上赵漕书》，《韦斋集》卷九，同上书，第 514 页。

③ 黄宗羲：《黄宗羲全集》第 4 册“豫章学案”。中华书局 1986 年版，第 588～589 页。

④ 参见，傅小凡：《朱子与闽学》，岳麓书社 2010 年版，第 110～112 页。

3. 李侗（1093—1163）与杨时、罗从彦、朱熹并称为“闽学四贤”。李侗关于本体讨论虽然不多，但见解颇为深刻，直接影响了朱熹理学的建立。李侗不再将“道体”理解为客观本体，而是以孔子用语言无法表达的对“道体”的感悟，来揭示圣人的精神世界。在客观精神性本体范畴中，李侗主要涉及了“太极”“道体”“理”等；李侗提及“万物”一词，而其“气”范畴更多的含义是人的主观精神。李侗之“理”具有规律与万物共性之意，更有主体意志参与其中的“条理”之意。李侗以理性与意志力的有无，对“圣人之心”与“释氏之心”作了明确的区别。他提出“心与气合”的主张，将生命与精神过程统一起来，丰富了孟子的“养气说”。李侗用“心之精微”一词取代“情”的范畴，表现出对“情”的鄙视，使其思想带有僧侣主义色彩。他将“知亲切道体”作为知的最高水平，其方法在于通过“已发”之心，体会心本体之“未发”状态，以最终达到对“天地之心”的体悟，以最终达到“行皆沛然”的最高境界。

4. 在北宋，也有人对于二程及其门人和传承的观点者，提出了不同见解。欧阳修恰对子思作《中庸》持怀疑态度。苏轼提出了与二程不同的道统谱系，把欧阳修作为韩愈的继承者，上承孔孟。

欧阳修（1007—1072）曾专门对《中庸》中的“自诚明”表示怀疑，进而否定《中庸》是对圣人思想的承传。他说，“《中庸》曰：‘自诚明谓之性，自明诚谓之教’。自诚明生而知之也；自明诚，学而知之也。若孔子者，可谓学而知之者，孔子必须学，则《中庸》所谓自诚而明、不学而知者，谁可以当之欤？……夫孔子必学而后至，尧之思虑或失，舜、禹资于人，汤、孔不能无过，此皆勉人力行不怠，有益之言也。若《中庸》之诚明不可及，则怠人而中止，无用之空言也。故予疑其传之缪也，吾子以为如何？"[1]

苏轼（1037—1101）、苏辙（1039—1112）是苏洵（1109—1066）之子，在北宋合称"三苏"，均被列入"唐宋八大家"。苏轼上承欧阳修，对二程理学派关于《中庸》"诚"思想的阐释也提出了不同的述说："夫诚者，何也。乐之之谓也。乐之则自信，故曰诚。夫明者，何也？知之之谓也。知之则达，故曰明。夫惟圣人，知之者未至，而乐之者先入，先入者为主，而待其余，则是乐之者为主也。乐之者为主，是人有所不知，知之未尝不行。知之者为主，是人虽无所不知，而不所不能。子曰：'知之者，不如好之者，好之者，不如乐之者。'知之者与乐之者，是贤人、圣人之辨也。好之者，是贤人之所由以求诚者也。君子之为学，慎乎其始。何则？其所先入者，重也。知之多而未能乐焉，则是不如不知之愈也。人之好恶，莫如好色而恶臭，是人之性也。好善如好色，恶恶如恶臭，是圣人之诚也。故曰'自诚明谓之性'。……孔子厄于陈、蔡之间，问于子路、子贡，二子不悦，而子贡又欲少贬焉。是二子者，非不知也，其所以乐之者未至也。且夫子路能死于卫，而不能不愠于陈蔡，是岂其知之罪邪？故夫弟子之所为从孔子游者，非专以求闻其所未闻，盖将以求乐其所有也。明而不诚，虽挟其所有，怅怅乎不知所以安之，苟不知所以安之，则是可与居安，而未可与居忧患也。夫惟忧患之至，而后诚明之辨，乃可以见。由此观之，君子安可以不诚哉！"[2]

苏轼对"诚"和"明"作出了不同于二程理学的解释，认

---

① 曾枣庄、刘琳主编：《全宋文》第18册，上海辞书出版社2006年版，第37页。

② 曾枣庄、刘琳主编：《全宋文》第44册，上海辞书出版社2006年版，第497页。

为"诚"是"乐","明"是"知"。苏轼认为要想实现"诚",只有从"明"入手,苏轼认为性情没有善恶之分,情是性的事理表现形式,圣人之道"自本而观之,则皆出于人情"。只有任情顺情则可,用不着什么正心诚意的涵养、持己的工夫。而"正心诚意"恰是二程尤其是程颐思想的核心内容。如果按照苏轼的说法,完全不需要什么修养工夫。他讲"君子之欲诚也,莫若以明。夫圣人之道,自本而观之,则皆出于人情。不循其本,而逆观之于其末,则以为圣人有所勉强力行,而非人情之所乐者,夫如是,则虽欲诚之,其道无由。故曰'莫若以明'。使吾心晓然,知其当然,而乐其乐。"① 这一点与二程的观点是相左的。苏轼认为二程对《中庸》的阐释有误,非《中庸》的本义。但苏轼对《中庸》的理解是否符合《中庸》的本义也值得待商榷。

总之,《中庸》学研究虽然在北宋达到了高峰,儒学的形而上得以一步步确认;而在这一过程中,有些儒者却起了相反或相左的作用。欧阳修和苏轼就是其中的代表。因为他们与其他的一般儒者或是司马光等涑水派学者不同。司马光等对《中庸》的阐释在理论上几乎没什么创新,他们基本上是对前人思想的继承。有学者指出,苏轼对《中庸》有所新解,但作为与洛学相对立的学派而存在,或多或少对《中庸》思想的提升和义理的发展起到阻碍的作用。否定《中庸》里关于"诚明"的思想,也就否定了二程等理学家努力要构建的形上学体系。无论是二程的解释、苏轼的解释或其他理学家的解释,都是围绕着对《中庸》文本的阐发。他们之间的意见分歧是正常的,且暂不管他们争论了些什么,这争论本身就表明:"诚"在哲学中的地

① 曾枣庄、刘琳主编:《全宋文》第44册,上海辞书出版社2006年版,第499页。

位。正因为这样，关于《中庸》的"诚"才成为他们争论中研究的重要问题。

第二节　王安石、司马光哲学中的"诚"与"成"

一、王安石

王安石（1021—1086），字介甫，抚州临川（今江西临川）人。他出生之年系宋真宗赵恒天禧五年，去世之年系宋哲宗赵煦元祐元年。王安石之父王益是个下级官吏，社会地位不太高。王安石19岁丧父，家人众多，生活艰难。王安石于宋仁宗庆历二年（1042年）中进士，历任扬州签判、鄞县知县、舒州通判、提点江东刑狱等职，先后18年。这期间，王安石与李觏、刘敞等学者交往甚密，也受其思想影响。他埋头读经，著书立说，获得声誉，号称"通儒"；有许多学者闻其名而从学，其中有陆佃、蔡卞、龚原等人，还有其子王雱；逐步形成一个学派，即"荆公新学"。

在1067年，宋神宗赵顼即位。以后，宋神宗起用力主改革的王安石。神宗熙宁二年（1069年）王安石"越次入对"，次年任参知政事，再次年为"同中书门下平章事"，同位宰相。

王安石任职后，"制置三司条例司"作为变法的机构，颁布新法，以司马光为首的守旧派对新法进行了猛烈抨击。熙宁七年（1074年），王安石辞去官职，退居江宁。一年后，宋神宗再次起用他。熙宁九年（1076年）再次罢相，回到江宁，直到去世。在这段时间中的大约10年之久，王安石专门从事学术活动，其中包括完成他的《字说》24卷。此著作与王安石在任相期间，为适应变法需要，对科举进行改革，用经义和论策测试、废除诗赋取士和繁记诵传注经学，而设置经义局；所训释《诗》

《书》《周易》三经义而形成的《三经新义》一起，成为王安石的重要著作。《三经新义》颁行太学后，成为"荆公新学"的代表作。其中，《周官新义》由王安石亲自训释。《诗义》《书义》由王安石的儿子王雱撰写。另外，王安石的著作还有《易义》《洪范传》《论语解》《孟子解》《老子注》《楞言经疏解》《淮南杂说》《临川集》等；其中除《洪范传》《老子注》和《临川集》外，皆佚。王雱的著作今存《老子注》《庄子注》。"荆公新学"的其他著作大多已经亡佚。

王安石对《尚书·洪范》中的"五行"思想，通过自己的解释，来说明天地人的生成变化，他对《洪范》的解释成为其《三经新义》的一部分。王安石写的《原性》在说明《洪范》时说："太极生五行，然后利害生焉"。[①]

王安石特别解释了"行"。他写道："五行，天所以命万物者也，故'初一曰五行'。"这里，"初一曰五行"是《洪范》原文，原文共九条叫作"九畴"，"初一"即第一条，后面还有"初二"、"初三"……即第二条、第三条……这里的"天所以命万物"，是说天以五行成万物。进而王安石又写道："'五行，一曰水，二曰火，三曰木，四曰金，五曰土'，何也？五行也者，成变化而行鬼神，往来乎天地之间而不穷者也，是故谓之行。"这里强调了"五行"之"行"是往来行动。

王安石由"五行"之"行"引出"五事"。他认为，"以奇生者成而耦，以耦生者成而奇，其成之者皆五。五者，天数之中也，盖中者所以成物也。道立于两，成于三，变于五而天地之数具；其为十也，耦之而已。盖五行之为物，其时，其位，其材，其气，其性，其形，其事，其情，其色，其声，其臭，

① 王安石：《洪范传》。

其味，皆各有耦，推而散之，无所不通。一柔一刚，一晦一明，故有正，有邪，有美，有恶，有丑，有好，有凶，有吉，性命之理，道德之意，皆在是矣。耦之中又有耦焉，而万物之变遂至于无穷。其相生也，所以相继也；其相克也，所以相治也。语器也以相治，故序六府以相克；语时也以相继，故序盛德所在以相生。"① 这是依据《五行志》"妃以五成"的说法。《五行志》说："故水以天一为火二牡，木以天三为土十牡，土以天五为水六牡，火以天七为金四牡，金以天九为水八牡。阳其为牡，阴耦为妃，故曰，水，火之牡也；火，水之妃也。"牡是配偶的男性，妃是配偶的女性。"妃以五成"，是说五行与五行相配偶才能成物。这就是所谓"以奇生者成而耦，以耦生者成而奇，其成之者皆五"。道立于两，即《系辞》所谓"一阴一阳之谓道"。成于三，即上文所谓"天一生水，地二生火"，一加二为三，水和火相合才能成物。变于五而天地之数具，即《系辞》所谓"天数五，地数五，五位相得而各有合。"② 这里讲，五个奇数与五个偶数相配生出种种变化。原来只是五数，为了相配，才成十数。

王安石由五行言五事，认为"五事，人所以继天道而成性者也。"③ 这就联系于"道"与"成性"。王安石说："道有本有末。本者，万物之所以生也；末者，万物之所以成也。本者，出之自然，故不假乎人之力而万物以生也；末者，涉乎形器，故待人力而后万物以成也。夫其不假人之力而万物以生，则是圣人可以无言也，无为也。至乎有待于人力而万物以成，则是圣人之所以不能无言也，无为也。故昔圣人之在上而以万物为

---

① 王安石：《洪范传》。

② 王娄石：《洪范传》。

③ 王安石：《洪范传》。

己任者，必制四术焉。四术者，礼乐刑政是也，所以成万物者也。故圣人唯务修其成万物者，不言其生万物者。盖生者尸之于自然，非人力所得与矣。”①

王安石在《洪范传》中展开论证说：“水曰润下，火曰炎上，木曰曲直，金曰从革，土爰稼穑，何也？北方阴极而生寒，寒生水；南方阳极而生热，热生火；故水润而火炎，水下而火上。东方阳，动以散而生风，风生木；木者阳中也，故能变，能变故曲直。西方阴，止以收而生燥，燥生金；金者阴中也，故能化，能化故从革。中央阴阳交而生湿，湿生土；土者阴阳冲气之所生也，故发之而为稼，敛之而为穑。”②“盖天地之用五行也，水施之，火化之，木生之，金成之，土和之，施生以柔，化成以刚，故木挠而水弱，金坚而火悍，悍坚而济以和，万物之所以成也，奈何终于挠弱而欲以收成物之功哉！”③ 王安石强调了“革”的重要性。王安石所说的“革”，指质的变革，如由柔变成刚。据此，他批判了把柔弱看成是事物发展的理想境地或最终归宿。他说：“奈何终于挠若而欲以收成物之功哉？”④ 显然，这是针对老子的“柔弱胜刚强”的“贵柔”思想而发的。

王安石基于“五行”“五事”进而展开论证了性、礼、法。王安石注重论“性”。王安石有关性的学说散见于他的《礼论》《礼乐论》《性情》《原性》《性说》等论文中。王安石的论人性，其见解，不同于孟子的性善说和荀子的性恶说，也不同于扬雄的性善恶混说和韩愈的性三品说，也不同于李翱的复性说。王安石认为人性出之于自然，是“天资之材”，凡人都是一样的。

---

① 王安石：《老子注》。
② 王安石：《洪范传》。
③ 王安石：《洪范传》。
④ 王安石：《洪范传》。

而人之性特点在于"不听而聪，不视而明，不思而得，不行而至，是性之所固有而神之所自生也"。据他说，由于"天资之材"不同，人之性与其他动物之性不同，例如人之性不同于狙猿之性，人能为礼，狙猿不能为礼。

王安石由此论"礼"。他认为"礼，始于天而成于人"。具体是这样论述的："夫狙猿之形非不若人也，欲绳之以尊卑而节之以揖让，则彼有趋于深山大麓而走耳。虽畏之以危而驯之以化，其可服邪？……故曰：礼始于天而成于人，天则无是而人欲为之者，举天下之物，吾盖未之见也。"①

王安石进一步论证"法"："是故星历之数，天地之法，人物之所，皆前世致精好学圣人者之所建也。后世之人守其成法，而安能知其始焉！"②

由以上所论，王安石把"五事"解释为"貌""言""视""听""思"。王安石写道："'五事：一曰貌，二曰言，三曰视，四曰听，五曰思。貌曰恭，言曰从，视曰明，听曰聪，思曰睿。恭作肃，从作乂，明作哲，聪作谋，睿作圣'，何也？恭则貌钦，故作肃；从则言顺，顾作乂；明则善视，故作哲；聪则善听，故作谋；睿则思无所不通，故作圣。五事以思为主，而貌最其所后也，而其次之如此，何也？此言修身之序也。恭其貌，顺其言，然后可以学而致于哲；既哲矣，然后能听而成其谋；能谋矣，然后可以思而至于圣。思者，事之所成终而所成始也，思所以作圣也。既圣矣，则虽无思也，无为也，寂然不动，感而遂通天下之故可也。"③

这里特别指出视与听的作用，"明则善视，故作哲；聪则善

① 王安石：《礼乐论》。
② 王安石：《礼乐论》。
③ 王安石：《洪范传》。

听，故作谋。"善视，善听，为聪明的来源，为作哲作谋之所本。这就指出了感觉的重要性以及感觉跟认识的关系。他在五事的次序上，依照《洪范》的原来排列，首先端正貌和颜之后，就着重提出视和听，把视和听放在思的前面，作为思的源泉，从这里可以看出王安石关于"修身之序"的看法。王安石认为，"五事，人所以继天道而成性者也，故'次二曰敬用五事'。五事，人君所以修其心、治其身者也。修其心、治其身而后可以为政于天下，故'次三曰农用八政'。为政必协之岁、月、日、星辰、历数之纪，故'次四曰协用五纪'。既协之岁、月、日、星辰、历数之纪，当立之以天下之中，故'次五曰建用皇极'。中者，所以立本而未足以趣时。趣时则中不中无常也，唯所施之宜而已矣，故'次六曰乂用三德'。有皇极以立本，有三德以趣时，而人君之能事具矣。虽然，天下之故，犹不能无疑也。疑则如之何？谋之人以尽其谋，谋之鬼神以尽其神，而不专用己也，故'次七曰明用稽疑'。虽不专用己而参之于人物鬼神，然而反身不诚不善，则明不足以尽人物，幽不足以尽鬼神，则其在我者不可以不思。在我者其得失微而难知，莫若质诸天物之显而易见，且可以为戒也，故'次八曰念用庶证'。自五事至于庶证各得其序，则五福之所集，自五事至于庶证各失其序，则六极之所集，故'次九曰向用五福，威用六极'。敬者何？君子所以直内也，言五事之本在人心而已。"[①] 这里由五事讲到了"诚""敬"，即"反身不诚不善"，"敬，即直内"，"五事之本在人心"。

在此基础上，王安石论证了"诚"。他写道："气之所禀命者，心也。视之能必见，听之能必闻，行之能必至，思之能必

① 王安石：《洪范传》。

得，是诚之所至也。不聪而聪，不视而明，不思而得，不行而至，是性之所固有而神之所自生也，尽心尽诚者之所至也。故诚之所以能不测者，性也。贤者尽诚以立性者也，圣人尽性以至诚者也"[①] 可见，"神生于性，性生于诚，诚生于心，心生于气，气生于形。形者有生之本。故养生在于保形，充形在于育气，养气在于宁心，宁心在于致诚，致诚在于尽性，不尽性不足以养生。能尽性者，至诚者也；能至诚者，宁心者也；能宁心者，养气者也；能养气者，保形者也；能保形者，养生者也；不养生不足以尽性也。生与性之相因循，志之与气相为表里也；生浑则蔽性，性浑则蔽生，犹'志一则动气，气一则动志'也。"[②] 他又说："神生于性，性生于诚，诚生于心，心生于气，气生于形。形者，有生之本。"[③]

王安石由其对"诚"的理论论证，形成了他对"诚信"的见解。他在注老子《道德经》中，就进一步阐发了"诚信"来论证老子的道德观："信言不美，美言不信。信者，性也。言近于信，则极天下之至顺。故言之信者不美。夫治天下至于甘其食，美其食，安其居，乐其俗，老死而不相往来，则治之极。复收敛而归于道，故次之以信言不美。言之美则不能近于性矣，故美言不信。"[④] 王安石在《命解》中说："修身洁行，言必由绳墨。"[⑤]

王安石把这些理论运用于他的政治实践。王安石曾利用自己在任的机会由"诚"向神宗讲述用人之道："一日讲席，群臣

① 王安石：《礼乐论》。
② 王安石：《礼乐论》。
③ 王安石：《礼乐论》。
④ 王安石：《老子注》。
⑤ 王安石：《命解》。

退，帝留安石坐，曰：‘有欲与卿从容论议者。’因言：‘唐太宗必得魏征，刘备必得诸葛亮，然后可以有为，二子诚不世出之人也。’安石曰：‘陛下诚能为尧、舜，则必有皋、夔、稷、契；诚能为高宗，则必有傅说。彼二子皆有道者所羞，何足道哉？以天下之大，人民之众，百年承平，学者不为不多。然常患无人可以助治者。以陛下择述未明，推诚未至，虽有皋、夔、稷、契、傅，尧、舜之时不能无四凶。’安石曰：‘惟能辩四凶而诛之，此其所以为尧、舜也。若使四凶肆其谗慝，则皋、夔、稷、契亦安肯苟食其禄以终身乎？’”很清楚，王安石与神宗的一番交谈，是强调治国家应将“诚信”贯穿于用人之道，体现于“经世致用”。

二、司马光

司马光（1019—1086）字君实，宋陕州夏县涑水乡（今属山西）人。他出生之年系宋真宗赵恒天禧三年，去世之年系宋哲宗赵煦元祐元年。他是晋皇族司马孚的后裔，祖司马炫任富平令，父司马池于真宗仁宗时历知六州，终于吏部中充天章阁待制；“以清直仁厚闻于天下，号称一时名臣”①。司马光于宋仁宗赵祯宝元元年（1038）中进士甲科。历官直秘阁、开封府推官、修起居注、判礼部、同知谏院。宋英宗赵曙时，进知制诰，固辞，改天章阁待制兼侍讲。神宗赵顼即位，擢为翰林学士。

王安石在熙宁二年（1069）任宰相后，推行新法；司马光与王安石累争于朝，为旧党首领。当时赵顼任司马光为枢密院副史，司马光因反对新法，力辞不就，请判西京御史台，归洛，凡居 15 年。司马光曾为英宗侍讲，进讲历史。神宗即位时，为

① 苏轼：《东坡集》卷三十六，《司马温行状》。

《通志》12卷以献；神宗作序，命名为《资治通鉴》，置局续书，于元丰七年（1084）书成。元丰八年（1085）神宗死后，哲宗即位，起知陈州。司马光到京，即授门下中书侍郎知枢密院事，又拜尚书左仆射，拜相主持国政。司马光于废罢新法为事，至元祐年九月去世。宋史云："光孝友忠信，恭俭正直，居处有法，动作有礼。……自言：'吾无过人者，但生平所为，未尝不可对人言者耳。'"

南宋朱熹曾将司马光与邵雍、周敦颐、二程及张载列为北宋"六先生"。因司马光籍于涑水，世称"涑水先生"。又因此其学说被称为"涑水学派"。司马光的著作或主持的著作很多，除《资治通鉴》之外，另有《考异》（30卷）、《历年图》（7卷）、《通历》（80卷）、《稽古录》（20卷）、《本朝百官公卿表》（6卷）、《温国文正司马公文集》（80卷）、《注古文孝经》（1卷）、《易说》（3卷）、《注系辞》（2卷）、《老子道德经》（2卷）、《注太玄经》（8卷）、《大学中庸义》（1卷）、《注扬子》（13卷）、《文中子传》（1卷），以及《涑水记闻》《潜虚》等等。

司马光对扬雄的《法言》《太玄》钻研达30余年，写有《扬子法言集注》。司马光还特别著有《潜虚》，著《潜虚》以拟《太玄》。司马光的《潜虚》所谓"虚"，模仿着《太玄》的"玄"。他由"天"，对"虚"、对"虚"作了发挥。扬雄在《太玄》《玄首》中说："驯乎玄，浑行无穷，正象天。"司马光注谓："扬子曰，叹玄道之顺，浑仑而行，终则复始，如天之运动无穷也。"

"潜虚"作为司马光重视的用语，是指神明不测的虚无之道。王安石在其《潜虚》中说，"万物皆祖于虚"，"虚者物之府也"，"气"为万物"生之户"。司马光由此对人之生成是这样讲的："人之生本于虚，虚然后形，形然后性，性然后动，动然后情，情然后事，事然后德，德然后家，家然后国，国然后政，政然后功，功然后业，业终则反于虚矣”。所以说，“气”为性、命之源，“气以成体，体以受性，性以辨名，名以立行，行以俟命”。司马光又说，“天者不为而自成，人者为之而后成，而同其际，使之无间隙，皆圣人神心之所为也。”① 这样，“天地因人而成功，故天地之所以得其道者在民也，民之所以得其道者在君也，君之所以得其道者在心也。”②

由人之所“成”，司马光论述了“诚”。司马光的弟子刘安世曾记载司马光说过：“‘平生只是一个诚字，更扑不破。诚是天道，思诚是人道，天人无两个道理。’因举左右手，顾之笑曰：‘只为有这躯壳，故假思以通之。及其成功，一也。’”③ 司马光很重视周敦颐在《通书》中所论，又为邵雍所提倡的“诚”。司马光说：“‘诚者天之道，思诚者人之道’，至臻其道则一也。”④ 司马光对《中庸》“诚者，天之道也；诚之者，人之道”（第二十章）作了发挥，强调“诚”是沟通天人之道的桥梁，并且把“诚”与“思诚”联系起来加以阐发，强调“诚其意”“实其心而不自欺”。师从司马光的刘安世说，“凡三四日一往，以所习所疑质焉。公欣然告之，无倦意，凡五年，得一语曰‘诚’。安世问其目，公喜曰：‘此问甚善！当自不妄语人。’”⑤ 对司马光所坚持的“诚”，朱熹总结说：“温公所谓‘诚’，即《大学》所谓诚其意者，指人之实其心而不自欺者

---

① 司马光：《问心》，《法言注》卷四。

② 司马光：《孝至》，《法言注》卷十。

③ 黄宗羲、全祖望：《宋元学案·元城学案》，中华书局1986年版，第828页。

④ 邵博：《闻见后录》卷二十。

⑤ 黄宗羲、全祖望：《宋元学案·元城学案》，中华书局1986年版，第827页。

言也。"①

司马光把"诚"的理论运用于"修身治国"，主张"诚"为"太平之原本"。他在治平四年（1067）上书皇帝的《作中丞初上殿劄子》中讲到："天下细小之事，皆未足为陛下言之，敢先以人君修心治国之要为言，此诚太平之原本也。""得人之盛，莫若唐虞之际，稷、契、皋陶、垂、益、伯夷、夔、龙各守一官，终身不易。苟使之更来迭去，易地而居，未必能尽善也。故人主诚能收采天下之英俊，随其所长而用之，有功者劝之以重赏，有罪者威之以严刑，譬如乘轻车，驾骏马，总其六辔，奋其鞭策，何往而不可至哉!""今幸遇陛下始初清明之政，虚心下问之际，复以此语为先者，诚以臣平生力学所得，至精至要，尽在于是。"

以司马光为代表的"涑水学派"团结了一大批当时著名的学者，这些学者在论述他们的学说时，重视论"诚"。大体与司马光同时期的陈襄（1017—1080），字述古，学者称古灵先生。侯官（今属福建）人。为北宋理学的先驱者之一，当时在福建一带颇有影响。著作有《易义》《中庸义》《古灵先生文集》等。他与同乡陈列、郑穆、周希孟为友，被称为闽中四先生。他曾反对王安石主张的"青苗法"，认为"学校之设，非以教人为词章取利禄而已。当致学者首明周官三物之要，使有以自得于心，而形于事业，然后可以言仕。"② 陈襄在哲学上就以"诚"为最高范畴，强调"诚至于高明，博厚而不息也，然后能定。明至于广大，精微而不惑也，然后能应。"③"他论证说，行身于大方

① 朱熹：《朱熹集·卷六四答友人》，四川教育出版社 1996 年版，第 3391 页。

② 陈襄：《杭州劝学文》，《古灵集》，载《四库全书》，上海古籍出版社 1987 年影印。

③ 陈襄：《上殿札子》。

之涂，养心于至义之源，游泳乎诗书之和，沈潜乎易、春秋之微，博之以文艺，而归之于诚”①。所以“诚”是立身行事的根本，因为这是“博厚”、“精微”的宇宙本体。陈襄提出“诚心以尽物”②，认为有“诚心”便可以认识一切；在义利问题上，主张“不先利而后义”，“君子之所贵乎身者道焉而已，不苟利，不苟进，不苟得，惟义而止”③。

陈襄曾说：“臣窃以帝王之德莫大于务学，学莫大于根诚明之性，而蹈乎中庸之德也。生而不动之谓诚，知而有为之谓明，正而不邪之谓中。故诚者立善之本也，明者致道之用也，中庸者常德之守也。三者立，天下之能事毕矣。圣人者先得乎诚者也，因诚而后明，无资乎学，全尽以居之，神固以行之，酢万物而无失于曲，当此之谓诚则明矣。贤人者，思诚也，因明而后诚，必择乎善。所谓善者，可欲之谓也；性也，正而公者也。所谓恶者，有所不可为之谓也；情，伪也，邪而私者也。存其所谓正而公者，去其所谓邪而私者，此之谓择善精一以守之中正，以养之持循戒慎于不睹不闻之际，此之谓慎独而固执之矣。……是之谓诚明之学。”④ 陈襄认为，圣人“诚则明”，贤人“明则诚”。“凡为天下国家有九经，所以行之者一，此之谓也。是之谓诚明之学。”⑤

司马光编《资治通鉴》时，专职唐史，后为秘书省正宗、国史院修撰、礼部侍郎的范祖禹（1041—1098），专门著有《中

① 陈襄：《送管师常序》。

② 陈襄：《送章衡序》。

③ 陈襄：《答元屯田》。

④ 陈襄：《诚明说》，《古灵集》卷五，载《四库全书》，上海古籍出版社 1987 年影印。

⑤ 陈襄：《诚明说》，《古灵集》卷五，载《四库全书》，上海古籍出版社 1987 年影印。

庸论》，他在诠释"诚"时说："圣人之治天下未尝不以诚也，诚者存乎其心，不可得而见之，故其说曰：'惟天下之至诚为能尽其性，能尽其性则能尽人之性，能尽认之性则能尽物之性，能尽物之性，则可以赞天地之化育，可以赞天地之化育，则可以与天地参矣。'夫性者何也？仁义是也。圣人以为仁义者生于吾之性，而不生于外，是故用之以诚。仁焉而必出于诚，义焉而必出于诚；不诚于仁则人不亲，不诚于义则事不成。诚仁者不施而亲，诚义者不为而诚。诚在内者形于外，是所以贵诚也。是故不赏而人劝，不怒而人威，不动而人化，不言而人喻，此所谓'尽其性'也。是故为人子者诚于孝，为人臣者诚于忠，为人弟者诚于恭，举天下之性莫不诚于为善，此所谓'尽人之性'也。是故天地为之诚化，日月为之诚明，四时为之诚行，风雨为之诚节，草木为之茂，鸟兽为之蕃，蕃在天地之间者，莫不安其性命，此所谓'与天地参'也。[①]"范祖禹将"诚"与"性"两个概念结合起来："性"是仁义，"诚"是"在内者形于外"；两者的关系是，"仁义者生于吾之性，而不生于外，是故用之以诚。"

范祖禹还刻意论了"诚"与"性"、与"知"的关系。他认为"诚者，圣人之性也"。圣人"生而知之者"，"故其性自内而出。自内而出者，得之天而不恃乎人"。"诚之者，贤人之性也"，是"学而知之者"，"故其性自外而入者，得之人而后至于天"。所谓"'自诚明谓之性，自明诚谓之教'。诚者，所以成性也；明者，所以求诚也。"他提出："夫《中庸》所以使贤者学为圣人也"[②]。不仅如此，他更明白地说："生而知之者，不可以人人而求也。有学而能知者焉，有困而能知者焉，则与夫不学

① 范祖禹：《中庸论五首》，《范太史集》卷三十五。

② 范祖禹：《中庸论五首》，《范太史集》卷三十五。

者异矣。是故进而一之于圣，使天下皆曰：困而知者，亦可以为圣，而圣亦与我同类。如此，则孰不欲知圣人之道，此所以为教也。"[①] 在范祖禹看来，既然圣人与我同类，则人人都有成圣的可能，如此一来，"学为圣人"成为企而可及的理想。他解释《中庸》为圣之学，将"诚"与"致知"结合；告诉人们："欲诚者莫若明，用明者莫若知，致知者，是所以学为圣人之端也。"这里所说的"致知"即《大学》的"致知在格物"。范祖禹认为《大学》"格物、致知、诚意、正心、修身、齐家、治国、平天下"的八目就是由内而外的一贯之道，就是"贤人所以学而成圣者也"[②]。在此，他通过论"诚"贯通了《中庸》与《大学》的思想内容。

另作为司马光的弟子之一的晁说之，在强调《中庸》中"诚"的思想时讲："《中庸》之书，学者之至也。而其始则曰'戒慎乎其所不睹，恐惧乎其所不闻'，盖言学者始于诚也。""学者不可以不诚，不诚无以为善，不诚无以为君子。修学不以诚则学杂，为事不以诚则事败，自谋不以诚则是欺其心而自弃，与人不以诚则是丧其德而增人之怨。今小道异端亦必诚而后得，而况欲为君子者乎？故曰学者不可以不诚，虽然诸者在知道本诚之耳。""学莫大于平心，平莫大于正，正莫大于诚。君子之学在于意必固我，既亡之后，而复于喜怒哀乐未发之前，则学之至也。……自其外者学之而于内者谓之明，自其内者得之而兼于外者谓之诚，诚与明一也"[③]。这里，晁说之进一步解释了"诚"和"明"。

① 范祖禹：《中庸论五首》，《范太史集》卷三十五。
② 范祖禹：《中庸论五首》，《范太史集》卷三十五。
③ 晁说之：《晁氏客语》，百川学海本，第29、31、21页。

第三节 朱熹理学中的"诚"与"成"

朱熹生长于南宋。到南宋，二程的伊洛哲学形成两大系：一是，由杨龟山而罗豫章、李延平延续下来到朱熹，这就是通常所说的闽学。二是经由谢上蔡与胡安国、胡宏父子，而成为湖湘之学。宋室南渡后，先消化北宋之学的被认为是胡安国的季子胡宏（五峰)。另外，应注意到的是，南宋还有似乎无师承而出自江西方面的陆九渊即陆象山，其自云"因读孟子而自得之"。由此，学界又往往认为，南宋的学统可列为三系：程明道开胡宏，程伊川开朱子，再就是陆象山的学说。

朱熹（1130—1200)，字元晦，后改为仲晦，号晦庵，60岁后称晦翁，别号考亭、紫阳；祖籍徽州婺源（今属江西)。其父朱松在福建南剑（今南平）的尤溪县作县尉时，朱熹出生在尤溪。朱熹出生之年系宋高宗建炎四年，去世之年系宋宁宗庆元六年。朱熹在绍兴十八年（1148年）进士，曾任泉州同安主簿、知南康军、秘阁修撰，官至宝文阁待制。绍兴三十年（1160年）师侍李侗，成为二程四传弟子。因朱熹晚年退居于闽讲学，故其学说归于"闽学"。其事详见《宋史》卷四二九《道学传》《宋元学案》卷四八、卷四九《晦翁学案》和王懋竑的《朱子年谱》等。

一、朱熹哲学与其《四书集注》

朱熹哲学充分体现于他的《四书集注》《周易本义》《太极图说》等著作中；另有朱熹的语录，编为《朱子语类》。后人还编有《晦庵先生朱文公文集》，以及《诗集传》等。

《四书集注》原称为《四书章句》，其中包括《大学章句》1

卷,《中庸章句》1卷、《论语章句》10卷、《孟子章句》7卷。

“四书”中的《大学》,原是《礼记》篇名。此传为曾子所作。朱熹认为《大学》中“经”的部分是“孔子之言而曾子述之”,而“传”的部分是“曾子之意而门人记之”。又一说,这是秦汉之际的儒家作品。

“四书”中的《中庸》,传为曾子的学生即孔子的孙儿孔汲号子思所写。从宋代开始把原编入《礼记》中的《中庸》与《大学》一起抽出,与《论语》《孟子》合在一起,总名便叫“四书”。《中庸章句》在朱熹的《四书集注》中占有特殊的地位,这不仅因为其前期思想的“中和说”出自《中庸》,而且这深刻影响了理学体系的主要结构。《中庸章句》的体裁和《大学章句》相同。与《〈大学章句〉序》一样,《〈中庸章句〉序》也是朱子学的重要文献。

“四书”中的《论语》,朱熹对其下工夫最早,整理工作也做得最多。早在青年时代,他就对于北宋以来道学对《论语》的解释用力研读,它最早写成的著作是《论语》的集释。朱子34岁编成《论语要义》,43岁编成《论语精义》,48岁作成《论语集注》及《或问》,此后仍不断讨论修改。《论语集注》与《大学章句》在文体上有所不同。“章句”极少引用他人的解释。而“集注”的特色就是精选前人的解释会而聚之,以帮助人们理解《论语》的文义。《论语集注》的叙述特点是:先训读,次解释大意,再引程子及程门谢氏、游氏、杨氏、尹氏等说,其中引程子最多,最后以“愚谓”“愚按”加以补足。

“四书”中有《孟子》,朱熹对其注释而形成《孟子集注》。《孟子集注》与《论语集注》相似,在重视训诂、音读的同时,力求通过注释阐发哲学思想。朱熹的《孟子集注》在大力提高《孟子》权威的同时,通过对于《孟子》书的注释,展开阐发儒学思想,使儒学思想在新的历史和文化条件下得到了显著的发展。

可以说，朱熹编《四书集注》用尽毕生精力。朱熹自己讲："熹于《语》《孟》《学》《中庸》，一生用功，粗有成就。然近日读之，一二大节目处，犹有谬误，不住修削。有时随手又觉病生，此岂易事"。[①] 朱子在三十四岁编成的《论语要义》序中云："独取二先生及其门人朋友数家之说，补辑订正，以为一书，目之曰《论语要义》。"[②] 朱子四十三岁编成的《论语精义》，其方针与《论语要义》相同，其序中言："间尝蒐集条疏（二程先生说），以附本章之末。……既又取夫学之有同于先生者，与其有得于先生者，若横渠张公、范公、二吕氏、谢氏、游氏、杨氏、侯氏。尹氏凡九家之说，以附益之，名曰《论语精义》"。[③]《精义》后更名《集义》，对九家之说有所补充，又加周氏一家。随着朱子学问成熟，他渐渐觉得上面所说几种《论语》集释中所收入的前儒说法中有选择未精之处，故又作《集注》。《集注》的特点即在前面几种《论语》书的基础上，"约其精粹妙得本旨者为己集注"。[④] 用朱熹自己的话说："集注乃集文之精髓"。[⑤] 至于《集注》对《精义》择取的理由，朱子又作《或问》详细加以说明。朱熹对于《孟子》，与对于《论语》一样，从30岁前后就"下工夫"，到宁宗庆元二十至三十年间，直到朱熹60多岁，还是"改犹未了"。朱熹自己讲，他是"四十余年理会"。而朱熹对于"《中庸解》，每番看过，不甚有疑。《大学》则一面看，一面疑，未甚惬心，所以改削不已"。[⑥] 朱熹69岁时还曾

① 朱熹：《答胡季随》，《晦庵文集》卷五十三。
② 朱熹：《论语要义目录序》，《朱文公文集》卷七十五。
③ 朱熹：《语孟集义序》，《朱文公文集》卷七十五。
④ 《朱子年谱》语。
⑤ 朱熹：《朱子语类》卷十九。
⑥ 朱熹：《朱子语类》卷十九。

讲,"某于《大学》,用工甚多"。[1] 据说朱熹直到临死前一天晚上,还在修注《大学·诚意章》。这足见他的重视程度。

按"四书"产生的历史时间讲,先是《论语》,又是《大学》,后是《中庸》,再是《孟子》。而在朱熹看来,应先读《大学》。在《朱子语类》卷第十四《大学一》中记有,朱熹讲:"学问须以《大学》为先,次《论语》,次《孟子》,次《中庸》。《中庸》功夫密,规模大。某要人先读《大学》,以定其规模;次读《论语》,以立其根本;次读《孟子》,以观其发越;次读《中庸》,以求古人之微妙处。《大学》一篇有等级次第,总作一处,易晓,易先看。《论语》却实,但言语散见,初看亦难。《孟子》有感激兴发人心处。《中庸》亦难读,看三书后,方宜读之。"[2] 朱熹强调,"《大学》重处都在前面。后面工夫渐渐轻了,只是揩磨在。""明德如八窗玲珑,致知格物,各从其所明处去。今人不曾做得小学功夫,一旦学《大学》,是以无下手处。今且当自持敬始,使端悫(注:端悫,正直诚实)纯一静专,然后能致知格物。"朱熹接着回答又所问:"小学、大学如何?"曰:"小学涵养此性,大学则所以实其理也。忠信孝悌之类,须于小学中出。然正心、诚意之类,小学如何知得?须其有识后,以此实之。""《大学》是为学纲目。先通《大学》,立定纲领,其他经皆杂说在里许。"[3]

所以朱熹讲:"《大学》'在明明德,在亲民,在止于至善',此三个是大纲,做功夫全在此三句内。"这就是通常讲的"三纲"。关于这个纲,《大学》一开始是这样写的:"大学之道,在明明德,在亲民,在止于至善。知止而后有定,定而后能静,

---

① 朱熹:《朱子语类》卷十四。

② 朱熹:《朱子语类》卷十四。

③ 朱熹:《朱子语类》卷十四。

静而后能安，安而后能虑，虑而后能得。物有本末，事有始终，知所先后，则近道矣。"

《大学》在讲了"三纲"之后，紧接着又强调："古之欲明明德于天下者，先治其国；欲治其国者，先齐其家；欲齐其家者，先修其身；欲修其身者，先正其心；欲正其心者，先诚其意；欲诚其意者，先致其知；致知在格物。物格而后知至，知至而后意诚，意诚而后心正，心正而后身修，身修而后家齐，家齐而后国治，国治而后天下平。"这就是朱熹所讲的"分析开八件"，即通常所讲的"八条目"。在朱熹讲来，在"八件"即"八条目"中："格物、致知、诚意、正心、修身"，这"五件是明明德"；"齐家、治国、平天下"，这"三件是亲民事"。

关于作为"明明德"的"五件"，即"格物、致知、诚意、正心、修身"。对其排列的内在逻辑，朱熹及后来许多学者有种种不同理解和论述。而在我看来，这里有两个方向的系列：一是从"格物、致知"到"诚意"；二是从"诚意"到"正心、修身"。连接这两个系列，明显可见，"诚意"位于"中间"或"中心"。

对此重要性，我认为：首先，用朱熹的话说："诚意最是一段中紧要功夫"。[①]《大学》中专门有段话："所谓诚其意者，毋自欺也。如恶恶臭，如好好色，此之谓自谦。故君子必慎其独也。小人闲居为不善，无所不至。见君子而后厌然，掩其不善，而著其善。人之视己，如见其肺肝然，则何益矣？此谓诚于中，形于外。故君子必慎其独也。曾子曰：'十目所视，十手所指，其严乎！'富润屋，德润身，心广体胖，故君子必诚其意。"再是，就"五件"的结构讲，我认为，其中有"外到里"、"里到外"的过程。以塑造论哲学的用语讲，这是"显到潜"、"潜到

① 朱熹：《朱子语类》卷十五。

显”的过程。用朱熹的话来佐证：一方面，“物未能格，意便不用诚”，“知之者切，然后贯通得诚意”，这是先知后诚；另一方面，“诚于中，形于外”，“诚意行之始”，强调的是，有“诚”才能“形于外”，才有“行”。

这一思想，体现于朱熹的一系列言论之中，他在要求“后之学圣人者，宜服膺而勿失也。因箴以自警”时强调：“哲人知几，诚之于思；志士厉行，守之于为。顺理则裕，从欲惟危；造次克念，战兢自持；习与性成，圣贤同归。”“闲邪存诚”，“克己复礼，久而诚矣”。他又讲，“诚立明通。诚立，贤也；明通，圣也”。[①] 朱熹还就程颐《周易程氏传·夬传》关于“人心正意诚”，发挥道：“人心正意诚，乃能极中正之道，而充实光辉。若心有所比，以义之不可而决之，虽行于外，不失其中正之义，可以无咎，然于中道未得为光大也。盖人心一有所欲，则离道矣。故《夬》卦之九五曰：‘苋陆夬夬，中行无咎。’而《象》曰：‘中行无咎，中未光也。’夫子于此，示人之意深矣。”[②]

关于作为“亲民”的“三件”，即“齐家、治国、平天下”。对“亲民”的“亲”，朱熹根据二程的意见，参考传文中对“新”的强调，主张当作“新”，即“新民”。朱熹认为“新”为除旧之意。如果说“八条目”中，前“五件”讲“明明德”强调的是自“明”；那么，后“三件”讲“亲民”则是强调自“新”。“亲（新）民事”以“明明德”为前提。显然这里要以“格物、致知”而达于“诚”，而且这里又由“诚”达于“正心、修身”为前提。《大学》中讲：“所谓修身在正其心者”：“修身在正其心，身有所忿懥，则不得其正；有所恐惧，则不得其正；

① 朱熹、吕祖谦：《近思录》卷五。

② 朱熹、吕思谦：《近思录》卷五。

有所好乐，则不得其正；有所忧患，则不得其正；心不在焉，视而不见，听而不闻，食而不知其味。此谓修身在正其心。"

对于"修身"与"齐家"的联系，《大学》中讲："所谓齐其家在修其身者：人，之其所亲爱而辟焉，之其所贱恶而辟焉，之其所畏敬而辟焉，之其所哀矜而辟焉，知其所敖惰而辟焉。故好而知其恶，恶而知其美者，天下鲜矣。故谚有之曰：'人莫知其子之恶。莫知其苗之硕。'此谓身不修，不可以齐其家。"

对于"齐家"与"治国"的联系，《大学》中讲："所谓治国必齐其家者，其家不可教，而能教人者，无之。故君子不出家，而成教于国。孝者，所以事君也。弟者，所以事长也。慈者，所以使众也。康诰曰：'如保赤子。'心诚求之，虽不中，不远矣。未有学养子，而后嫁者也。一家仁，一国兴仁；一家让，一国兴让；一人贪戾，一国作乱；其机如此。此谓一言偾事，一人定国。"

对于"治国"与"平天下"的联系，《大学》中讲："所谓平天下在治其国者：上老老，而民兴孝；上长长，而民兴弟；上恤孤，而民不倍。是以君子有絜矩之道也。所恶于上，毋以使下；所恶于下，毋以事上；所恶于前，毋以先后；所恶于后，毋以从前；所恶于右，毋以交于左，所恶于左；毋以交于右；此之为絜矩之道。"

关于前"五件"与后"三件"的关系，实质上是内在着"意诚"的"五件"与外在于"齐家、治国、平天下"的关系。这就是对于《大学》中讲的："古之欲明明德于天下者，先治其国；欲治其国者，先齐其家；欲齐其家者，先修其身；欲修其身者，先正其心；欲正其心者，先诚其意；欲诚其意者，先致其知，致知在格物"；朱熹评述道："以'明明德''新民'互言之，则明明德者，所以自新也；'新民'者，所以使人各明其明德也"。正因为这样，朱熹才强调："《大学》'在明明德，在新民，在止于至善'，此三个是大纲，做功夫全在此三句内。"而且朱熹还说道："至善中介做得好。"

总之，"诚"贯彻于全过程。如朱熹讲的："自始至终，意常要诚。"由此，可体会《大学》之所以一开始就论"诚"的原因，亦可以对朱熹之所以主张先读《大学》有深入理解。

二、就朱熹理论的体系展开来讲，应当认为他是由"诚"论到"理"，使之理论体系由"诚"而依"理"展开

（一）由"诚"论到太极、论到道、论到气、论到理。

朱熹说："诚即所谓太极也"，"太极只是一个理字"，"道即理之谓也"，"诚者，真实无妄之谓，天理之本然也"。基于此，朱熹论到"理生气"。朱熹讲："太极生阴阳，理生气也。"[①] 他又讲："以本体言之，则有是理，然后有是气。"[②]"气虽是理之所生，然既生出，则此理寓于气了。"[③]

朱熹沿用《周易》以及张载、二程的一些说法讲："天地之间，有理有气。理也者，形而上之道也，生物之本也。气也者，形而下之器也。生物之具也。是以人物之生，必禀此理然后有性；必禀此气然后有形。"[④]

朱熹基于"诚即所谓太极也"，"太极只是一个理字"，"诚者，天理之本然也"，论到太极与理，由理导出了一个理一分殊的体系。关于"理一分殊"，张载在《西铭》即《正蒙·乾称》中发挥儒家思想论说"理"，程颐曾讲"《西铭》明理一分殊"。[⑤]

---

① 朱熹：《周子太极图说注》。
② 朱熹：《孟子或问》卷三。
③ 朱熹：《性理精义·性命》。
④ 朱熹：《答黄道夫》，《朱文公文集》卷五十八。
⑤ 程颐：《与杨时论西铭书》。

朱熹在《西铭注》中说："盖以乾为父，以坤为母，有生之类，无物不然，所谓理一也。而人物之生，血脉之属，各亲其亲，各子其子，则其分亦安得而不殊哉！"他说："天地之间，理一而已。"这如同"月印万川"，"理一分殊"。"物物各具此理"是"理一"，"物物各异其用"是"分殊"。"盖统体是一太极，然又一物各具一太极。"①"人人有一太极，物物有一太极"。②

（二）由"诚"论到"心"、论到"实"、论到"物"、论到"知"与"行"。

朱熹指出："诚，实也。意者，心之所发也。实其心之所发，欲其一于善，而无自欺也。"此乃"作为自修之首也"。③"诚则无不明矣，明则可以至于诚矣。"④朱熹揪住二程等人发掘的《尚书·大禹谟》中关于"人心惟危，道心惟微"云云十六个字，来论"道心"、"人心"，"天理"、"人欲"：据说在朱熹早期，他曾受胡宏学派的影响认为，"性"是"未发"，"心"是"已发"；到40岁左右他修改了自己的观点，认为"心"既包括"已发"也包括"未发"，这体现于"人心"和"道心"。他说，"此心之灵，其觉于理者，道心也；其觉于欲者，人心也"。⑤"只是一个心，知觉从耳目之欲上去，便是人心；知觉从义理上去便是道心"⑥。

朱熹基于张载提出"心统性情"说，把"心"分为"性"与"情"两个方面。关于"性"，朱熹讲："性，心所具之理，而天，又理之所从出也"。在朱熹那里，"性"是"天理"，它是

---

① 朱熹：《朱子语类》卷九十四。
② 朱熹：《朱子语类》卷九十四。
③ 朱熹：《四书章句集注》。
④ 朱熹：《四书章句集注》。
⑤ 朱熹：《答郑子上》卷五十六。
⑥ 朱熹：《朱子语类》卷七十八。

所谓"未发",也称为"道心"。它的具体内容是"仁"、"义"、"礼"、"智"、"信"等伦常规范。另方面是"人心",包括"情",属于"已发"。这里的具体内容涉及到"恻隐"、"善恶"、"辞让"、"是非"等。"性"与"情"的区分实际是"天命之性"与"气质之性"区分的推演。朱熹强调,正如"理"不离"气"一样,"道心"不离"人心",却要管辖"人心"。朱熹在早期时讲,"性"是未发;"心"是已发;"性"不能贯彻、渗透到"心",成为外在的要求、命令。后来朱熹认为"心"应该包括"未发"、"已发"即"道心"、"人心",从而"兼体用、贯幽明、通动静",把作为"天理"的"性"一直贯穿到不能脱离血肉身躯的"心"中。于是,"心"也就只好一分为二(道心和人心),从另方面也可以说是合二而一了。总之,理性、感性、社会、自然、现象、本体被一股脑地浓缩和集中在这同一个"心"中。在朱熹看来,道心人心本一心,但有天理人欲之分。若只讲道心,"将流为释老之学",因为有形体血气就有人心。人心有善恶,道心无不善,所以必须在人心中讲道心。如果饮食男女出乎"正",人心可以变道心。道心就在于限制人心,使饮食男女出乎"正"。可见,这是既求"道心"(性、未发、纯然是天理)管辖、统理、支配、主宰"人心"(情、已发、可走向人欲),又求"道心"与"人心"只是一心,"道心"不能离开"人心"。

朱子曰:"'反诸身',是反求于心;'不诚'是不曾实有此心。如事亲以孝,须是实有这孝之心。若外面假为孝之事,里面却无孝之心,便是不诚矣。'诚者,天之道。'诚是实理,自然不假修为者也。'诚之者,人之道',是实其实理,则是勉而为之者也。孟子言'万物皆备于我'(《尽心上》第四章)便是'诚';'反身而诚'(同上)便是'诚之'。'反身'只是反求诸己。诚,只是万事具足,无所亏欠。"当有人就"诚者天之道,成之者人之道"发问,朱熹曰:"诚是天理之实然,更无纤毫作为。圣人之生，其禀受浑然，气质清明纯粹，全是此理，更不待修为，而自然与天为一。若其余，则须是'博学、审问、慎思、明辨、笃行'。如此不已，直待得仁义礼智与夫忠孝之道，日用本分事无非实理，然后为诚。有一毫见得与天理不相合，便于诚有一毫未至。"当有人又就"诚者，真实无妄之谓，天之道也"发问，朱熹曰："此言天理至实而无妄，指理而言也。"朱熹还围绕"诚之者，未能真实无妄，而欲其真实无妄之谓，人之道也"，说到："此言在人当有真实无妄之知行，乃能实此理之无妄，指人事而言也。盖在天，固有真实之理，在人当有真实之功，圣人不思不勉，而从容中道，无非实理之流行，则圣人与天如一，即天之道也。未至于圣人，必择善，然后能实明是善，必固执，然后实得是善，此人事当然，即人之道也。"于是有人又问："'博学之'至'明辨之'，是致知之事，'笃行'则力行之事否?"朱熹曰："然"。①

朱熹还对于"诚者，自成也；而道，自道也"，解释说："诚者是个自然成就的道理，不是人去做作安排的物事。道自道者，道却是个无情的道理，却须是人自去行始得。这两句只是一样，而意各不同。"又曰："诚者，自成。如这个草树，所以有许多根株、枝叶、条干者，便是它实有。所以有许多根株、枝叶、条干，这个便是自成，是你自实有的。如人便有耳目鼻口手足百骸，都是你自实有的道理。虽是自然的道理，然却须你自去做，始得。关于"诚者，物之终始；不诚无物。"朱熹曰："做万物看亦得，就事物上看亦得，物以诚为体，故不诚则无此物。终始是彻头彻尾的意。"有人问："诚者，非自成己而已也，所以成物也。成己，仁也；成物，知也。"朱熹曰："诚

① 朱熹：《朱子语类》卷六十四。

虽所以成己，然在我真实无伪，自能及物。自成己言之，尽己而无一毫之私伪，故曰仁；自成物言之，因物成就而各得其当，故曰知。此正与‘学不厌，知也；教不倦，仁也’相反。然圣人之言活，当各随其所指而言，则四通八达矣。仁，如‘克己复礼’皆是；知，如应变曲当皆是。”又问：“‘成己，仁也；成物，知也。’成物如何说是‘知’?”朱熹说：“须是‘知’运用，方成得物。”①

对于“诚其意章”，朱熹又讲：“‘诚其意’，只是实其意。只作一个虚字看，如‘正’字之类。说许多病痛都在‘诚意’章，一齐要除了。”问：“诚意是如何”曰：“心只是有一带路，更不着得两个物事。如今人要做好事，都自无力。其所以无力是如何？只为他有个为恶的意思在里面牵系。要去做好事的心是实，要做不好事的心是虚。被那虚的在里面夹杂，便将实的一齐打坏了。”当诣学升堂云：“教授请讲说大义。”朱熹曰：“大纲要紧只在前面三两章。君子小人之分，却在‘诚其意’处。诚于为善，便是君子，不诚的便是小人，更无别说。”当器远问：“物格、知至了，如何到诚意又说‘毋自欺也’?‘毋’者，禁止之辞。”朱熹曰：“物既格，知既至，到这里方可着手下工夫。不是物格，知至了，下面许多一齐扫了。若如此，却不消说下面许多。看下面许多，节节有工夫。”当亚夫问：“‘欲正其心者，先诚其意。’此章当说所以诚意工夫当如何”，朱熹曰：“如做一事当如此，决定只着如此做，而不可以如彼。若知之未至，则当做处便夹带不当做的意在。当如此做，又被那要如彼的心牵惹，这便是不实，便都做不成。”有人又问：“诚其意者毋自欺。”朱熹强调：“……致知，分别善恶了，然后致其

① 朱熹：《朱子语类》卷六十四。

慎独之功而力割去物欲之杂，而后意可得其诚也。"[①]

朱熹发挥《中庸》"不诚无物"的思想，由"诚"来谈"物"。他说："凡应接事物之来，皆当尽吾心以诚心应之，方始是这个物事"。又说："物只是眼前物事，都唤作物，若诚实，方有这物。"显然这是藉"诚"和"实"论"物"。

朱熹由反问"天下万物，何者不出于理"[②]立论，进而论到格物致知。朱熹讲格物穷理时特别强调了"即物"穷理，他讲到"即事观理以格夫物"，这倒是别有新意的。朱熹出自流传下来的《大学》本文中缺少原有对"格物"的详细解释，于是根据二程的格物论，在他的《大学章句》中还作了一个《补格物致知传》，其中说："所谓致知在格物者，言欲致吾之知，在即物而穷其理也。盖人心之灵莫不有知，而天下之物莫不有理，惟于理有未穷，故其知有不尽也。是以《大学》始教，必使学者即凡天下之物，莫不因其已知之理而益穷之，以求至乎其极。至于用力之久，而一旦豁然贯通焉，则众物之表里精粗无不到，而吾心之全体大用无不明矣"[③]。朱熹不认为格物就是去接触具体之物，如草木器皿，他认为这像"炊沙而欲其成饭"[④]。他强调，格物是"即物穷理至乎极"，这里涉及到的方法程序是"用力之久"、"豁然贯通"。这虽是朱熹的表示，对于"即物穷理"，他反对"今天格物，明天致知"的说法，但其涉及的仍是与程颐讲的"须是今日格一件，明日又格一件，积习既多，然后脱然自有贯通处"[⑤]云云，无多大区别。

---

① 朱熹：《朱子语类》卷十六。

② 朱熹：《朱子语类》卷六十五。

③ 朱熹：《大学章句》，《四书章句集注》，中华书局1983年版，第6~7页。

④ 朱熹：《答陈齐仲》，《文集》卷三十九。

⑤ 程颐：《遗书》十八。

朱熹对于格物致知、格物穷理作了不少论述。这里面对于"格物"的"格",朱熹讲:"格,至也";而对于"物"朱熹则是恢复了郑玄原来的说法"物,犹事也"。朱熹讲,"盖天下之事,皆谓之物""物,谓事物也。"[①] 朱熹的完整说法是"格,至也;物,犹事也;穷至事物之理,欲其极处无不到也"[②]。"致知之道在乎即事观礼以格夫物。格者,既至之谓,如格于文祖之格,言穷而至其极也"。[③] 具体说,这里要"穷天理、明人伦、讲圣言、通世物"[④] 这里面朱熹不像《礼记·大学》讲"致知在格物,物格而后知至"而着力于对"致知"的解释,对"物格"比较不注意,由"物格"的"无不到"引起"到"的问题,是在明代的李退溪,朱熹还没有涉及这个问题。这里面对于"格物"的"格",郑玄讲是"来",程颐讲是"穷",朱熹讲是"至"。显然程颐的"穷"比郑玄的"来"进了一步,而朱熹的"至"似乎又回到了郑玄的"来";而就朱熹讲的"极至"之谓,倒不如用程颐的"穷"更有力,带有"穷尽"的含义。其实朱熹讲的"极至"也就是程颐的"穷",其中并无很大的创造性。真正有方法论上进一步创造性的倒是后来的王阳明,他讲"格,正也"。

这里面的对于"格物"的"物",郑玄讲"犹事"也,程颐讲"犹理"也,朱熹仍用郑玄的"犹事"也。用程颐讲的"物"犹理,那"格物穷理"就成了"格理穷理",这显然不太恰当。朱熹用了郑玄的"事","格物穷理"以"格事穷理"来解释,可避免程颐的不恰当。但朱熹这里的"事"主要仍是指事物、事情。真正有哲学方法创造性的是王阳明。他也讲"物,犹事

① 朱熹:《朱子语类》卷十五。

② 朱熹:《大学章句》,《四书章句集注》,中华书局1983年版,第4页。

③ 朱熹:《大学或问》卷一。

④ 朱熹:《答陈齐仲》,《文集》卷三十九。

也"，而他那里的"事"主要指"行为"，朱熹尚没明确地强调指出这一点，所以基本上仍是重复郑玄的解释。

有关"格物致知"，《朱子语类》卷第十五记有："器远问：'致知者，推致事物之理。还当就甚么样事推致其理？'曰：'眼前凡所应接的都是物。事实都有个极至之理，便要知得到。若知不到，便都没分明；若知得到，便著定恁地做，更无第二著，第三著。致知所以求为真知。'……曰：'如读书而求其义，处事而求其当，接物存心察其是非、邪正，皆是也。'因郑仲履之问而言曰：'致知乃本心之知。如一面镜子，本全体通明，只被昏翳了，而今逐旋磨去，使四边皆照见，其明无所不到。致知工夫只是且据所已知者，玩索推广将去。具于心者，本无不足也。'①"

围绕有人问："致知所以先于诚意者如何？"朱熹曰："致知者，须是知得尽，犹要亲切。寻常只将'知至'之'至'作'尽'字说，近来看的合作'切至'之'至'。知之者切，然后贯通得诚意的意思，如程先生所谓真知者是也。"问："物未格时，意亦当诚？"曰："固然。岂可说未能格，意便不用诚！自始至终，意常要诚。"康叔临问："意既诚矣，心安有不正？"朱熹曰："诚只是实。虽是诚意，然心之所发有不中节处，依旧未是正。"或云："致知、格物也紧要。"曰："致知，知之始；诚意，行之始。"或问："意者心之所发，如何先诚其意？"曰："小的却会牵动了大的。心之所以不正，只是私意牵去。"……"格物者，穷事事物物之理；致知者，知事事物物之理；无所不知，知其不善之必不可为，故意诚。意既诚，则好乐自不足以动其心，故心正。""格物、致知、诚意、正心，虽有许多节次，

① 朱熹：《朱子语类》卷十五，《大学二》。

然其进之迟速，则又随人资质敏顿。大学于格物、诚意，都锻炼成了，到得正心、修身处，只是行将去，都易了。”问：“心者，身之主；意者，心之发。意发于心，则意当听命于心。今日‘意诚而后心正’，则是意反为心之管束矣，何也?”曰：“心之本体何尝不正。所以不得其正者，盖由邪恶之念勃勃而兴，有以动其心也。”朱熹强调说：“今人多是不能去致知处着力，此心多为物欲所陷了。惟圣人能提出此心，使之光明，外来的物欲皆不足以动我，内中发出的又不陷了。心才不正，其终必至于败国亡家。”① 朱熹坚持对“存天理、灭人欲”的肯定，他还特别强调：“须是革尽人欲，复尽天理，方始是学。”②

朱熹在知行关系问题上的见解与程颐提出的“知先行后”基本一致，而他同时也强调了“行重知轻”、“知行相须”的问题。关于“知先行后”，朱熹说：“义理不明，如何践履?”关于“行重知轻”，朱熹说：“论先后，知为先；论轻重，行为重。”③因此他说：“工夫全在于行上”。④ 关于“知行相须”，朱熹讲了知行先后轻重以后，接着又讲二者互相需要的关系。实际上这是综合论述。在朱熹看来，上面两点孤立地讲，会陷入偏颇。朱熹说：“目无足不行，足无目不见。”⑤

（三）由“诚”论到“敬”、论到“忠”、论到“信”、论到“善”，论到“至诚”。

朱熹讲：“诚意，是真实好善；恶恶，无夹杂。”“诚意只是表里如一。若外面白，里面黑，便非诚意。令人须于静坐时见

---

① 朱熹：《朱子语类》卷十五，《大学二》。
② 朱熹：《朱子语类》卷十三。
③ 朱熹：《朱子语类》卷九。
④ 朱熹：《朱子语类》卷十三。
⑤ 朱熹：《朱子语类》卷九。

得表里有不如一，方是有工夫，如小见君子则掩其不善，已经是第二番过失。"①

朱熹把"诚"与"敬"相联系，他说："诚者何？不自欺，不妄之谓也。敬者何？不怠慢，不放荡之谓也。"；这样，"人道惟在忠信，不诚无物"，"信者，言之实也"，"人若不忠信，如木之无本，水之无源，更有甚的一身都空了。今当反看自身能尽己之心，能不违于物乎？若未尽己之心，而有违于物"，"修身之要，就其中主忠信最重要。"对于"敬"，朱熹还讲到："己之敬傲，必见于视。所以欲下其视者，欲柔其心也。柔其心，则听言敬且信。人之有朋友，不为宴安，所以辅佐其仁。"②

朱熹还引用，"濂溪先生曰：'君子乾乾不息于诚，然必惩忿窒欲迁善改过，而后至'。"他强调说："《乾》之用其善是，《损》《益》之大莫是过，圣人之旨深哉！'吉凶悔吝生乎动'。噫！吉一而已，动可不慎乎！"③ 朱熹基于此进一步说："恶不仁，是不善未尝不知。徒好仁而不恶不仁，则习不察，行不著。是故徒善未必尽义，徒是未必尽仁。好仁而恶不仁，然后尽仁义之道。"④

朱熹在对以上种种关系的论述中归结到"善"。这便又回到《大学》的大纲："以'明明德''新民'互言之，则'明明德'者所以自新也；'新民'者，所以使人各明其明德也"。"《大学》'在明明德，在新民，在止于至善'此三个是大纲，做工夫全在此三句内。"朱熹特别强调："至善中介做得好"。"明明德""五件"中，"诚"恰为中"中介"；而有"明明德"恰为"新民"

① 朱熹：《朱子语类》卷十六。
② 朱熹、吕祖谦：《近思录》卷五。
③ 朱熹、吕祖谦：《近思录》卷五。
④ 朱熹、吕祖谦：《近思录》卷五。

之前提。

正是因此，朱熹十分重视《中庸》，把“至圣”与“诚”联系起来论。他着重解析了《中庸》里的“唯天下至诚，为能经纶天下之大经，立天下之大本，知天地之化育。夫焉有所倚？肫肫其仁，渊渊其渊，浩浩其天。”朱熹对此说：“从上文来，经纶合是用，立本合是体。”当有人问：“经纶皆治丝之事。经者，理其绪而分之；纶者，比其类而合之。如何？”朱熹曰：“犹治丝者，先须逐条理其头绪而分之，所谓经也；然后比其类而合之，如打绦者必去所分之绪，比类而合为一，所谓纶也。天地化育，如春夏秋冬，日月寒暑，无一息之差。知化者，真知其必然。所谓‘知‘者，言此至诚无伪有以默契也。‘肫肫其仁’者人伦之间若无些仁厚意，则父子兄弟皆不相管涉矣。此三句（即‘经纶天下’以下三句）从下说上。”朱熹围绕“‘唯天下至诚，为能经纶天下之大经’一章，郑氏注云：‘惟圣人乃能知圣人。’恐上面圣人是人，下面圣人只是圣人这道耳”。进行了论述，他说：“惟有其人，而后至诚之道乃始实见耳。”① 所以《中庸》里讲：“唯天下至圣，为能聪明睿智，足以有临也；宽裕温柔，足以有容也；发强刚毅，足以有执也；齐庄中正，足以有敬也；文理密察，足以有别也。溥博渊泉，而时出之，溥博如天，渊泉如渊。”“故至诚无息，不息则久。久则征，征则悠远，悠远则博厚，博厚则高明。博厚所以载物也，高明所以覆物也，悠久所以成物也。博厚配地，高明配天，悠久无疆。如此者，不见而章，不动而变，无为而成。”

朱熹重视《中庸》所讲的“唯天下至诚，为能尽其性；能尽其性，则尽人之性；能尽人之性，则能尽物之性；能尽物之

① 朱熹：《朱子语类》卷六十四。

性，则可以赞天地之化育；可以赞天地之化育，则可以与天道参矣。""其次致曲，曲能有成；诚则形，形则著，著则明，明则动，动则变，变则化；唯天下至诚为能化。""至诚之道，可以前知；国家将兴，必有祯祥，国家将亡，必有妖孽；见乎蓍龟，动乎四体。祸福将至，善，必先知之；不善，必先知之。故至诚如神。"就此，关于"至诚"，"尽性""尽人""尽物"朱熹说："'尽'云者，无所往而不尽也。尽于此不尽于彼，非尽也；尽于外，不尽于内，非尽也；尽得这一件，那一件不尽，不谓之尽；尽得头，不尽得尾，不谓之尽"。"至于尽礼，尽义，尽智，亦如此。至于尽人，则凡或仁或鄙，或夭或寿，皆有以处之，使之各得其所。至于尽物，则鸟兽虫鱼，草木动植，皆有以处之，使之各得其宜。尽性，尽人，尽物，大概如此。"关于"赞天地之化育"，朱熹说："然天人所为，各自有分。人做得的，却有天做不得的。如天能生物，而耕种必用人；水能润物，而灌溉必用人；火能烧物，而薪焚必用人。裁成辅相，须是人做，非赞助而何？圣人'赞天地之化育'。盖天下事有不恰好处，被圣人做得都好。"① 朱熹对于所问："至诚之道，可以前知？"答曰："圣人至诚无私伪，所以自能见得。且如蓍龟所告之吉凶甚明，但非至诚人却不能见也。"②

三、朱熹学说承前启后，影响了一大批学者

（一）比朱熹略早而又大体同时的学者，就"诚"论来讲，要说到胡宏。

胡宏（1105—1155，亦有人认为是 1102—1161）字仁仲，崇安（今属福建）人，胡安国季子。学者称之为五峰先生。他

① 朱熹：《朱子语类》卷六十四。

② 朱熹：《朱子语类》卷六十四。

年幼时曾师事二程门生杨时和侯仲良。以父荫补右承务郎。主抗金，拒绝与秦桧交往，隐居湖南衡山达二十余年。胡宏在哲学上以"道"为最高范畴，认为："天者，道之总名也"①，"道者，体用之总名，仁其体，义其用，合体与用，斯为道矣"②。"物拘于数而有终，道通于化而无尽"③。他又提出"道"与"物"不可分离："道之有物，犹风之有动，犹水之有流也。"④"观万物之流行，其性则异；察万物之本性，其源则一"⑤。认为"循道而行"则可"不为万物役"⑥。著作有《五峰集》《知言》等。

胡宏讲："诚，天命；中，天性；仁，天心"。⑦ 胡宏继承了二程的观点，讲"诚"之义有二："诚，天道也；人心合乎天道，则庶几于诚乎！"⑧ "人心应万物如水照万象，应物有诚妄，当其可之谓诚，失其宜之谓妄。"⑨ 这是说，"诚"是"人心合乎天道"或"人心应万物"之"宜"。他特别重视"诚"的这后一意义，认为只有恰当地处己处物，才可得"诚"之名；反之，则"不知天道，是冥行也。冥行者，不能处己，焉能处物？失道而曰诚，吾未之闻也。"⑩

胡宏又强调说："诚成天下之性，性立天下之情，情效天下之动，心妙性情之德。""诚者，命之道乎！中者，性之道乎！

① 胡宏：《知言》卷五。
② 胡宏：《知言》卷一。
③ 胡宏：《知言》卷三。
④ 胡宏：《知言》卷一。
⑤ 胡宏：《知言》卷二。
⑥ 胡宏：《知言》卷三。
⑦ 胡宏：《知言·汉文》。
⑧ 胡宏：《知言·一气》。
⑨ 胡宏：《知言·人学》。
⑩ 胡宏：《知言·一气》。

仁者，心之道乎！"[①] 朱熹对胡宏的这种规定颇为欣赏，只是认为其中的"道"字改为"德"字"更亲切"。[②] 朱熹对胡宏有悖于二程的地方持反对态度。朱熹大力扩展"诚"的外延，学生问他："诚之为义，其详可得而闻乎？"他回答说："难言也，姑以其名义言之，则真实无妄之云也。若事理之得此名，则以随其所指之大小而皆有取乎真实无妄之意耳。"[③] 胡宏的"诚"论立足于《大学》《中庸》，特别对周、程的"诚"论进行了发挥。把程颐的"无妄之谓诚"与吕大临的"夫诚者，实而已矣"等定义综合起来，把"诚"的词义解释为"至实无妄"或"真实无妄"。

（二）朱熹亲传弟子中有影响的很多，就"诚"论来讲，这里重点以陈淳为例。

朱熹在绍熙二年（1191）自漳州任辞归闽北，于绍熙三年（1193）六月迁居考亭，绍熙五年（1195），以四方来的学者复建精舍于所居之东，匾曰"竹林精舍"（后更名"沧州精舍"）。朱熹沧州精舍告成后，蔡元定也从建阳麻沙迁居建阳后山，得以经常与朱熹切磋学问。许多学者远道而来求学于朱熹门下。由于朱熹晚年定居及授徒讲学于福建建阳考亭，故朱熹学派往往也被称为考亭学派。考亭学派的核心人物是朱熹，其基本学术力量是拜朱熹为师的学子以及福建籍主要活动于民间的一批学人。由朱熹及其门人弟子形成的考亭学派，是理学史上势力强大、影响深远的一个学派，也是闽学发展进程中的一个极其重要的阶段。考亭学派中受朱熹亲传的弟子主要有：蔡元定、

① 《五峰先生语》，《宋元学案》卷四十二，中华书局 1986 年版，第 1377～1378 页。

② 见朱熹：《朱子全书》卷四十八。

③ 朱熹：《中庸或问》。

黄干、刘伦、陈淳、蔡沈、叶味道、李方子、廖德明、李宏祖、范念德、吴昶等。[①]

再就是，作为程、朱故里的古代徽州，有承程朱者，其中许多系朱子友人与门人，且硕儒迭兴，更相授受，贤贤相承。徽人好儒，徽州类似福建武夷山有“东南邹鲁”之称。朱熹曾三次回徽州扫墓省亲，并在婺源及歙县等处悉心讲学，竭力为家乡培养人才。返闽后，仍与新安士人频繁书信往来，悉心指导为学之要。还有不少新安学子赴闽随朱子就学。由此，朱学在徽州愈益得到广泛的传播，从而形成了作为朱学又一重要分支的新安理学。新安理学奉朱熹为开山祖，在徽州大致经历三个阶段：第一阶段为南宋新安理学形成时期。这一时期通过朱熹三次返徽州讲学，带出了程洵、吴昶、滕璘、滕珙、程永奇等一大批朱学弟子。这些弟子在徽州弘扬儒学与朱子理学方面起承先启后的作用。第二阶段为元、明新安理学发展时期。这一时期，朱熹理学思想得到了进一步传播，并先后涌现出许月卿、陈栎、胡炳文、赵汸、郑玉、朱升、汪应蛟、程敏政、程曈等一大批理学家。由于他们对朱子学与儒学的广为弘扬，从而把新安理学推进到一个新阶段。第三阶段从明末至清中叶，为新安理学衰微和转型时期。这一时期徽州先后产生过金声、吴日慎、施璜、江永、程瑶田等一大批理学大家。但总起来说，从明中叶起，新安理学逐渐走向衰微。尤其是随着徽派朴学的兴起，新安理学开始转型。

明徽州学者程曈在其《新安学系录》中说：“昔乡先正授学于子朱子者，几三十人。”[②]《紫阳书院志》也记载：“文公归里，

① 参见，傅小凡：《朱子与闽学》，岳麓书社2010年版，第226页。

② 程曈：《新安学系录·序》，民国二十一年《安徽丛书》第一期影印本。

乡先正受学者甚众，今论定高第弟子十二人列于从祀。”[①] 据这样的记载可见，朱子在徽州的弟子近三十人，其中优异者十二人。这十二位是：程洵、程先、程永奇、汪莘、滕璘、滕珙、汪清卿、许文蔚、吴昶、谢琎、李季子、祝穆。其他的及门弟子还有：汪楚材、程端蒙、汪会之、祝直清、程珙、汪晫、孙吉甫、胡师夔、程实之、汪端雄、赵师端、赵师恕、祝汝玉、程柼、滕坪、祝癸、金朋说、詹初等。[②]

陈淳（1159—1223），字安卿，漳州龙溪（今福建龙海县）人，学者称北溪先生。其生年系宋高宗绍兴二十九年，逝年系宁宗嘉定十六年，终年 65 岁。其生平事迹可见《宋史·道学传》。陈淳是朱熹晚年的高弟，曾两度从学于朱熹。一次是光宗绍熙元年（1190）朱熹出任漳州时，陈淳抱“十年愿见而不可得之诚”求见，朱熹授以“根原”二字，说：“凡阅义理，必穷其原。”陈淳闻而为学益力。朱熹称其善问，并多次对人夸赞说：“南来，吾道喜得陈淳”。又一次是宁宗庆元五年（公元 1199 年）冬，陈淳再谒朱熹于考亭，陈其为学所得。当时朱熹已病卧在床，对他说：“如公所学，已见本原，所阙者下学之功尔”。次年正月，陈淳告归。三个月后，朱熹病逝。陈淳的理学思想直接继承朱熹。在朱熹的门徒中，他的学术地位重要，与黄干并称。

陈淳的著作以《北溪字义》与《严陵讲义》最为重要。这是其卫护师门、排击异说、疏释和阐述程朱理学思想的著作。《北溪字义》原名《字义详讲》又称《四书字义》或《四书性理字义》，是陈淳晚年讲学由他的学生王隽笔录整理的。该书内容主要是阐释朱熹《四书集注》的理学思想。这部书的写法有些

① 施璜：《紫阳书院志》卷八，清雍正三年刻本。

② 据解光宇：《朱子与徽学》，岳麓书社 2010 年版，第 6～7 页。

像词典，它从《四书》中选取若干与理学思想体系关系密切的重要范畴，如性、命、诚、敬、仁义礼智信、忠信、忠恕、道、理、太极、中庸、经权、义利等。番禺李昴英跋此书云："由北溪之流，溯紫阳之源而窥圣涯，不徒口耳，且必用力于实践，则曰希圣希贤工夫可循循而诣矣。"

《北溪字义》在宋代有两种刻本。一是永嘉赵崇端、温陵诸葛鉦刻本，莆田陈宓为之作序。据《宋史》本传，陈宓卒于宋理宗宝庆二年（公元 1226 年），此本刊刻年代当不晚于此年。二是清漳本，刻于宋淳祐间，即九华叶信原本。现在以上宋本已不得见。明代有两种刻本出于林同（字进卿）之手。一是，弘治庚戌年（公元 1490 年）林同任西广参议时的重刻本；二是，弘治壬子年（公元 1492 年）林同进擢浙藩后的再刻本。此后又有四明丰庆刻本。清代刻本始以康熙乙亥年（公元 1695 年）桐川施元勳刻本为较详，此本乃据弘治刊本校订后重刻。其后康熙甲午年（公元 1714 年）顾仲、戴嘉禧、顾秀虎刻本，在施刻本的基础上，又据朱彝尊所藏抄本更加增订详校，并据《性理大全》增入"补遗"一卷，因而顾刻本比施刻本更为完备。以后所出各本，除《惜阴轩丛书》本大体系据弘治壬子本翻刻外，其余多据顾刻本翻刻。据陈宓序，《北溪字义》"凡二十又五门"，而传世各本均作二十六门。"一贯"一门，《北溪全集》本注"戴嘉禧云：从清漳家藏本增入。"今北京图书馆善本室藏明弘治壬子刊本即有"一贯"一门。由其可知，(1) 非至清代戴嘉禧始为增入；(2) 若戴注不虚，则弘治刊本及以后各本均源于清漳本。①

陈淳在《北溪字义》中专列"诚"为题目。其中讲到："诚

① 参见，熊国桢、高流水：《〈北溪字义〉点校说明》，中华书局 1993 年版，第 1～3 页。

字与忠信字极相近，须有分别。诚是就自然之理上形容出一字，忠信是就人用工夫上说。诚字后世都说差了，到伊川方云‘无妄之谓诚’，字义始明。至晦翁又增两字，曰‘真实无妄之谓诚’，道理尤见分晓。后世说至诚两字，动不动加诸人，只成个谦恭谨愿的意思，不知诚者真实无妄之谓，至诚乃是真实极致而无一毫之不尽，惟圣人乃可当之，如何可容易以加诸人？诚字本就天道论，‘惟天之命，于穆不已’，只是一个诚。……此《中庸》所以谓‘其为物不贰（原讹为二，据《中庸》原文及顾刻本改），则（则字据《中庸》原文及顾刻本补）其生物不测’，而五峰亦曰‘诚者，命之道乎’，皆形容得亲切。就人论，则只是这实理流行付予于人，自然发见出来底，未说到做工夫处，且诚之一字，不成受生之初便具这理，到赋形之后未死之前，这道理便无了？在吾身日用常常流行发见，但人不之察耳。……虽曰见于在人，而亦天之道也。及就人做工夫处论，则只是慤实不欺伪之谓。是乃人事之当然，便是人之道也。故存心全体慤实，固诚也；若一言之实，亦诚也，一行之实，亦诚也。如‘君子诚之为贵’，‘诚之者，人之道’，此等就做工夫上论。盖未能真实无妄，便须做工夫，要得真实无妄。孟子又谓‘思诚者，人之道’，正是得子思此理传授处。固然立意，有就天命言者，有就人做工夫言者。至于‘至诚’二字，乃圣人德性地位，万理皆极其真实，绝无一毫虚伪，乃可以当之。诚在人言，则圣人之诚，天之道也；贤人之诚，人之道也。诚有以理言者，若‘诚者，物之始终’是也。有以心言者，若‘不诚无物’是也。……诚与信相对论，则诚是自然，信是用力；诚是理，信是心；诚是天道，信是人道。诚是以命言，信是以性言。诚是以道言，信是以德言”。①

陈淳专论“诚”之后，紧接着又专列“敬”为题目。文中指出：“程子谓‘主一之谓敬，无适之谓一’。文公合而言之，曰‘主一无适之谓敬’，尤分晓。敬一字，从前经书说处儘多，只把做闲慢说过，到二程方拈出来，就学者做工夫处说，见得这道理尤紧切，所关最大。敬字本是个虚字，与畏惧等字相似，今把做实工夫，主意重了，似个实物事一般。人心妙不可测，出入无时，莫知其乡。敬所以主宰统摄。若无个敬，便都不见了。惟敬，便存在这里。所谓敬者无他，只是此心常存在这里，不走作，不散慢，常惺地惺惺，便是敬。主一只是心主这个事，更不别把个事来参插。若做一件事，又插第二件事，又参第三件事，便不是主一，便是不敬。文公谓‘勿贰以二，勿参以三’，正如此。无事时，心常在这里，不走作，固是主一。有事时，心应这事，更不将第二第三事来插，也是主一。无适者，心常在这里，不走东，不走西，不之南，不之北。程子就人心做工夫处特注意此字。盖以此道理贯动静，彻表里，一始终，本无界限。闲静无事时也用敬，应事接物时也用敬。心在里面也如此，动出于外来做事时也如此。初头做事也如此，做到末梢也如此。此心常无间断，才间断便不敬。格物致知也须敬，诚意正心修身也须敬，齐家治国平天下也须敬。敬者，一心之主宰，万事之根本。”“《礼》谓‘执虚如执盈，入虚如有人’，只就此二句体认持敬底工夫，意向最亲切。且如人捧个至盈的物，心若不在这上，才移一步便倾了。惟执之拳拳，心常常在这上，虽行到那里也不倾倒。‘入虚如有人’，虽无人境界，此心常严肃，如对大宾然，此便是主一无适意。又如人入神祠中，

① 陈淳：《北溪字义》，中华书局1993年版，第32～34页。

此心全归向那神明上，绝不敢生些他念，专专一一，便自不二不三，就此时体认，亦见得主一无适意分晓。整齐严肃，敬之容。如坐而倾跌，衣冠落魄，便是不敬。上蔡所谓常惺惺法，是就心底上做工夫处，说得亦亲切。盖心常醒在这里，便常惺惺，惩地活。若不在，便死了，心才在这里，则万理森然于其中，古人谓'敬，德之聚'，正如此。须实下持敬工夫，便自见。文公《敬斋箴》，正是铺叙日用持敬工夫节目，最亲切，宜列诸左右，常目在之，按为准则做工夫，久久自别"。①

陈淳在论"敬"之后，又以"恭敬"为题目。这里写道："恭就貌上说，敬就心上说。恭主容，敬主事。恭有严底意，敬字较实。身体严整，容貌端庄，此是恭底意。但恭只是敬之见于外者，敬只是恭之存于中者。敬与恭不是二物，如形影然，未有内无敬而外能恭者，亦未有外能恭而内无敬者。此与忠信、忠恕相关一般。""'坐如尸，立如齋'，便是敬之容。正其衣冠，尊其瞻视，俨然人望而畏之'，便是恭之容。敬，工夫细密；恭，气象阔大。敬，意思卑屈；恭，体貌尊严。文公曰：'以成德而论，则敬字不如恭之安。以学者做工夫而言，则恭字不如敬之切。'古人皆如此著力，如尧之钦明，舜之温恭，汤之圣敬日跻，文王之缉熙敬止都是如此。"②

陈淳《北溪字义》还专门列出了"忠信"以及"忠恕"等条目。陈淳对于"忠信"，写道："忠信是就人用工夫上立字。大抵性中只有个仁义礼智四位，万善皆从此而生，此四位实为万善之总括。如忠信、如孝弟等类，皆在万善之中。孝弟便是个仁之实，但到那事亲从兄处，方始目之曰孝弟。忠信便只是五常实理之发，但到那接物发言处，方始名之曰忠信。忠信二

① 陈淳：《北溪字义》，中华书局1993年版，第35～36页。

② 陈淳：《北溪字义》，中华书局1993年版，第36～37页。

字，从古未有解人得分晓。诸家说忠，都只是以事君不欺为言。……名忠则不可。如此，则忠之一字，只事君方使得。说信又只以不疑为言，信固能不疑，而以不疑解信则不可。如此，则所谓不疑者，不疑何事？”直至程子曰：‘尽己之谓忠，以实之谓信。’方说得确定。尽己是尽自家心里面，以所存主者而言，须是无一毫不尽方是忠。如十分底话，只说得七八分，犹留两三分，便是不尽，不得谓之忠。以实是就言上说，有话只据此实物说，无便曰无，有便曰有。若以无为有，以有为无，便是不以实，不得谓之信。忠信非判然二物。从内面发出，无一不尽是忠。发出外来，皆以实是信。明道发得又明畅，曰：‘发己自尽为忠，循物无违为信。从己心中发出，无一不尽是忠。循那物之实而言，无些子违背他，如是便曰是，不与是底相背，非便曰非，不与非底相背，便是信。’……信有就言上说，是发言之实。有就事上说，是做事之实。有以实理言，有以实心言。”陈淳强调，“忠信两字近诚字。忠信只是实，诚也只是实。但诚是自然实底，忠信是做工夫实底。诚是就本然天赋真实道理上立字，忠信是就人做工夫上立字。忠信之信与五常之信如何分别？五常之信以心之实理而言，忠信之信以言之实而言，须是逐一看得透彻。古人言语有就忠信之信言者，有就五常之信言者，不可执一看。若泥著，则不通。”“诚与忠信对，则诚天道，忠信人道。忠与信对，则忠天道，信人道。”所以，“圣人分上，忠信便是诚，是天道。贤人分上，忠信只是思诚，是人道”①。

与“忠信”相联系，陈淳还单独列出词条讲了“忠恕”。陈淳写道：“忠信是以忠对信而论，忠恕又是以忠对恕而论。伊川

① 陈淳：《北溪字义》，中华书局1993年版，第27～28页。

谓'尽己之谓忠，推己之谓恕'。忠是就心说，是尽己之心无不真实者。恕是就待人接物处说，只是推己心之所真实者以及人物而已。字义中心为忠，是尽己之中心无不实，故为忠。如心为恕，是推己心以及人，要如己心之所欲者，便是恕。夫子谓'己所不欲，勿施于人'，只是就一边论。其实不止是勿施己所不欲者，凡己之所欲者，须要施于人方可。如己欲孝，人亦欲孝，己欲弟，人亦欲弟，必推己之所欲孝、欲弟者以及人，使人得以遂其欲孝、欲弟之心；己欲立，人亦欲立，己欲达，人亦欲达，必欲推己之欲立、欲达者以及人，使人亦得以遂其欲立、欲达之心，便是恕。只是己心底流去到那物而已。然恕道理甚大，在士人，只一门之内，应接无几，其所推者有限。就有位者而言，则所推者大，而所及者甚广。苟中天下而立，则所推者愈大。如吾欲以天下养其亲，卻使天下之人父母冻饿，不得以遂其孝；吾欲长吾长、幼吾幼，却使天下之人兄弟妻子离散，不得以安其处；吾欲享四海之富，卻使海内困穷无告者，不得以遂其生生之乐。如此便是全不推己，便是不恕。""忠是在己底，恕是及人底。""夫子语子貢之恕曰：'己所不欲，勿施於人。'""曾子说：'夫子之道忠恕'"。"子貢又曰'我不欲人之加诸我也，吾亦欲无加诸人'。""《中庸》说'施诸己而不愿，亦勿施于人也'。""至程子又有仁恕之辨，何也？盖是亦理一而分殊。""自汉以来，恕字义甚不明，至有谓'善恕己量主'者。而我朝范忠宣公亦谓'以恕己之心恕人'，不知恕之一字就己上著不得。据他说，恕字只似个饶人底意。如此则是己有过且自恕己，人有过又并恕人，是相率为不肖之归，豈古人推己如心之义乎？故忠宣公谓'以责人之心责己'一句说得是，'以恕己之心恕人'一句说得不是。……字义不明，为害非轻。""大概忠恕本只是学者工夫事。程子谓'维天之命于穆不已，忠也；乾道变化各正性命，恕也。'天豈能尽己推己，此只是广就天地言，其理都一般耳。且如维天之命，元而亨，亨而利，利而贞，贞而复元，万古循环，无一息之停，只是一个真实无妄道理。而万物各具此以生，洪纤高下，各正其所赋受之性命，此是天之忠恕也。在圣人，也只是此心中一个浑沦大本流行泛應，而事事物物莫不各止其所当止之所，此是圣人之忠恕也。”基于以上论述，陈淳强调，“圣人之忠便是诚，更不待尽。圣人之恕便只是仁，更不待推。程子曰：‘以己及物，仁也；推己及物，恕也。’无他，以己者是自然，推己者是著力。有天地之忠恕，至诚无息，而万物各得其所是也。”①

以上可见，陈淳在《北溪字义》中专门论“诚”、“敬”以及“忠信”“忠恕”，对程朱的“诚”论作了比较集中和系统的论述。概而言之，他认为：第一，“就天道论”，“诚”是流行于宇宙万物中而为之主宰、从而赋予万物以永恒规律的“真实道理”。第二，“就人论”，“诚”则是“付与于人”的天理。第三，“就人做工夫处论”，“诚”是指人的言行“确实不欺伪”，即所谓“人事之当然”，是“人之道”。第四，就人的道德境界言，“则圣人之诚，天之道也；贤人之诚，人之道也。”第五，就“‘诚’与‘信’相对论”，则“诚是自然，信是用力；诚是理，信是心；诚是天道，信是人道。诚是以命言，信是以性言。诚是以道言，信是以德言。”，由此为“忠信”“忠恕”提供理论基础。这其中，他特别强调：“诚有以理言者，若‘诚者，物之始终’是也。有以心言者，若‘不诚无物’是也。”陈淳的“诚”说对程朱的“诚”论进行了系统化、条理化、集中化的工作，对于“诚”论的研究是有贡献的，明清之际的哲学家王夫之对陈氏的“诚”说。就有肯定的评价。

① 陈淳：《北溪字义》，中华书局1993年版，第28～31页。

（三）关于朱子的再传弟子，就"诚"论来讲，这里以饶鲁、程若庸为例。

在徽州，朱熹的及门弟子有"几三十人"，再传弟子更多。其中影响较大的有：黄干学系里的饶鲁、程若庸；腾璘学系里的陈栎、朱升、倪士毅；程端蒙学系里的许月卿、赵汸等。下面，仅举出黄干学系里的饶、程二位之学，解析一下。

1. 关于饶鲁。

饶鲁，字伯舆，又字仲元，江西馀干人，确切的生卒年目前不可考，学界只略知他逝世于宋度宗辛未七年（1271）之前，而活动于宋理宗至度宗年间。他是黄干的弟子，在学说渊源上继承朱熹。明程曈在《新安学系录》中记新安学系，曾将这一师承体系加以描述。但是，饶鲁的思想与朱熹之学有所差别。饶鲁的再传弟子程矩夫以"共派而分流，异出而同归"[①] 来形容饶鲁与朱学的关系。《元史》更是直接说："馀干饶鲁之学，出于朱熹，而其为说多与熹抵牾。"[②] 对于饶鲁与朱熹见解的区别，侯外庐的《宋明理学史》谈到过饶鲁与朱熹学说上的差别，但由于所引用材料只局限在王朝榘所编的《饶双峰讲义》，这对讨论饶鲁而言是不够的，因为此书大部分内容与胡炳文《四书通》重复，而在元代史伯璇的《四书管窥》中，还有许多饶鲁的意见被收录，却不见于胡炳文的书中。

饶鲁对于朱熹的见解有自己的不同看法，然而这并不代表他否定朱熹的学说，至少就目前所得的材料而言，他曾亲手将《白鹿洞学规》和《程董二先生学则》编纂一处，并且强调只有朱熹所写才称得上"学规"。在胡炳文《四书通》与王朝榘所编

① 程矩夫：《双峰先生文集序》，《雪楼集》卷四十二，《四库全书》本。

② 宋濂：《儒学一》，《元史》卷一百八十九，中华书局 1976 年版，第 4322 页。

的《饶双峰讲义》中，有许多与朱熹学说相近的说法。他对《中庸》的看法，只是由整篇的架构及义理的解释，与朱熹有所不同。

(1) 饶鲁关于《中庸》整体架构的编排与朱熹的看法不同。

对于《中庸》整体架构的编排，朱熹有他的见解。《四库全书总目》称朱熹注《中庸》时，主张"不从郑注分节"[①]，并作出自己的规划。关于这个规划比较具体的说法，可以从朱熹的《书〈中庸〉后》中得知，他说："右《中庸》一篇三十三章，其首章子思推本先圣所传之意以立言，盖一篇之体要，而其下十章，则引先圣之所尝言者以明之也。……至十二章又子思之言，而其下八章复以先圣之言明之也。……二十一章以下至于卒章，则又皆子思之言，反复推说，互相发明，以尽所传之意者也"。[②] 这段文字将《中庸》分成五大节。元代的景星和史伯璇同时也指出，朱熹分解《中庸章句》是分为五大节。景星认为："此书五大节。首章总说，二章至十一章说中庸，十二章至二十章说费隐小大，二十一章至三十二章说天道人道，卒章又总说"。[③] 史伯璇也提出："按《中庸》一篇，朱子分为三十三章，总为五大节。"[④] 这五大节的分法，主要就是在原先三大节的架构下，将首章与末章独立出来，各视为一段，以构成五大节的局面。

而身为黄干弟子的饶鲁，对于《中庸》整体段落的安排，不同意《朱子章句》关于分段的见解。他提出了自己的看法。据史伯璇所录，饶鲁的意思是："饶氏辑讲变其节次，分为六大

① 纪昀等：《四库全书总目》卷三十五，《四库全书》本。
② 朱熹：《朱子文集》卷八十一，德富文教基金会2000年版，第3999页。
③ 景星：《大学中庸集说启蒙》卷上，《四库全书》本。
④ 史伯璇：《四书管窥》卷八，《四库全书》本。

节。首章说中和。自《君子中庸》以下十章说'中庸'。《费隐》以下八章说'费隐'。《哀公问政》以下八章说'诚'。《大哉圣人之道》以下六章说小德大德。末章复释首章之意。"[1] 从分节的形式上来看，饶鲁与朱熹最明显的不同，就是饶鲁将第二十章划归为第四大节的起头，并且将朱熹第四大节的部分又划分为两节。还有一个形式上更细的问题，就是饶鲁认为朱熹原先所分的第二十章，应该分为两章。他的设想是从"哀公问政"到"思知人，不可以不知天"是一章，而"天下之达道五"至"人十能之，己千之"是一章。

总起来说，饶鲁认为《中庸》应分为六大节，并认为在节奏上有两次开阖。他认为第一节主要从"人性本然纯粹之德"来谈"中和"；第二节从"天下当然之则"谈"中庸"；第三节从费隐看"道之充塞天地"；第四节主要谈"诚"与"知仁勇"的关系；第五节从"成德之序"谈各章所呈现的"大德"、"小德"；第六节回到"未发之中"、"天命之性"，复申首章之意。[2] 可见，他与朱熹看法的不同处，在于对《中庸》由切入角度不同提出了关于整体结构的不同看法。朱熹在解释《中庸》时，不仅从"性"及"理"的层面看问题，同时也顾及"人欲"和"气"的问题，所以朱熹谈"三知三行"时，从"分"与"等"两方面来解释；谈"尊德性而道问学"时，要有"存心"与"致知"两方面的工夫；谈"德"的问题时，还要区分"入德之方"与"成德之序"的不同。但在饶鲁的解释架构中，《中庸》中所有的话语，都朝向"君子德虽已成"的方向来理解，以致饶鲁的学说，将人的"天命之性"的各种特性，充分凸显出来。

朱熹关于《中庸》整体架构的见解，基于其特定的理解。

---

① 史伯璇：《四书管窥》卷八，《四库全书》本。

② 王朝榘：《饶双峰讲义》卷十，北京出版社 2000 年版，第 435 页。

朱熹接受程颢的见解，在第一章之前的按语中说："其书始言一理，中散为万事，末复合为一理。"[①] 胡炳文曾以"体用"的观点解释朱熹引程颢的这句话，他认为："《中庸》全体大用之书。首言一理，中散为万事，是由体之一而达于用之殊，末复为一理，是由用之殊而归于体之一。"[②] 整部《中庸》在朱熹笔下，成为"理一分殊"的说明，似乎是一个从形而上到形而下，再到形而上的发展过程。朱熹曾引杨时的话，认为第一章是《中庸》"一篇之体要"，所以第二节并以下十章，"皆论中庸以释首章之意"[③]，朱熹在第十二章的按语中也说到："子思之言，盖以申明首章道不可离之意也。"[④]

然而，饶鲁却提出"中庸要处不在首章"。[⑤] 他不赞同朱熹的看法，不同朱熹所提出的将第二节（第二章至第十章）与第二章视为第一章的注释。饶鲁认为："自'中和'而'中庸'以至'费隐'是放开说，自'费隐'而'诚'是收敛说。自'诚'而推'至道至德'，又是放之以至于极，自'至道至德'而归之'无声无臭'，又是敛之以至于极。"[⑥] 他说："首章言中和，下十章自言中庸。首章言戒惧慎独，下十章自言择守矫。皆非释首章之意。首章言道，'不可须臾离'，对'莫见乎隐，莫显乎微'而言，既不专重在道不可离一句，况费隐章自承上十章中庸等语而发，亦非专申首章之意。"[⑦] 在饶鲁看来，"中和"谈的是"性情"，"中庸"谈的是"事理"虽然有所关联，但二者涉及的

① 朱熹：《四书章句集注》，上海古籍出版社 2001 年版，第 20 页。
② 胡炳文：《中庸通》卷一，收于《四书通》，《四库全书》本。
③ 朱熹：《四书章句集注》，上海古籍出版社 2001 年版，第 22 页。
④ 朱熹：《四书章句集注》，上海古籍出版社 2001 年版，第 26 页。
⑤ 史伯璇：《四书管窥》（二）卷六，《四库全书》本。
⑥ 胡炳文：《中庸通》卷一，收于《四书通》，《四库全书》本。
⑦ 史伯璇：《四书管窥》（二）卷八，《四库全书》本。

范围并不一致。他从"道"的三个方面来解读《中庸》前三节，共十九章。第一节谈的是"道"与"吾心"；第二节谈的是"道着见于事物"；若是从"体用"的关系来看，前三节有其脉络，谈的是"道充塞乎天地"，这个思路是从个人出发直到天地万物。

(2) 饶鲁对《中庸》内容的诠释与朱熹的看法不同。

从饶鲁关于《中庸》的论述中，可以看出他想突破朱熹关于《中庸》的见解，不仅对整体上各节安排的理解不同，而且还对某些论述甚至个别字词的解释，都有自己与朱熹不同的看法。饶鲁由他强调将《中庸》分为六大节，且有两次开合，对他当时所面对的《中庸》，不将其首章视为一篇之体要。他认为，第四节才主要是谈"诚"并由此论证了"三达德"，而此节以第二十章为首。饶鲁主张第二十章应该分为两章看，他不赞同朱熹引《家语》作为佐证，同时在第五节对德的解释上，饶鲁也只从"成德之序"来谈。饶鲁还强调，"诚"在人的心性之中，全然可以成立，无须如朱熹的考量；需要顾虑到的倒在于，其是否同于"实理"。从饶鲁的见解中，可以看出他由新的角度强调"诚"的地位。而把握"诚"的工夫就在于"戒惧不睹不闻"的静时工夫与"慎独"的动时工夫两方面。

饶鲁对《中庸》的这种理解，可说是继承黄干对《中庸》的设想。所以说，理解饶鲁思想的特性，有助于厘清朱子学在黄干至饶鲁，再传到吴澄这一系思想的发展。黄干说："虽皆以体用为言……其所以用功而全夫道之体用者，则戒惧谨独，与夫智、仁、勇三者，及夫诚之一言而已，是则一篇之大旨也。"[①]黄干认为"戒惧谨独"、"智仁勇"与"诚"都是成全"道"的

① 黄干：《勉斋集》卷三《中庸总论》，《四库全书》本。

重要工夫。而饶鲁在解释《中庸》时，的确是在这些点上用力，譬如他重视“三达德”的概念：在第四大节的说明中，不断将“诚”与“智仁勇”相配，更细致地解释《中庸》第二十二章到第二十六章的主旨，同时还分析，“智仁勇”与“致广大而尽精微，极高明而道中庸，温故而知新，敦厚以崇理”的关系。在工夫论上，更详细地讨论“戒惧”与“谨独”的问题。所以从这个角度说饶鲁的思想，不同于朱熹，这是将黄干的构想作进一步发挥的结果。另外，就吴澄来说，在《双峰学案》中有，“祖望谨案：草庐尝曰：‘朱子《中庸章句》《或问》，择之精，语之详矣。惟精也，精之又精，邻于巧；惟详也，详之又详，流于多。其浑然者，巧则裂；其粲然者，多则惑。澄少读《中庸》，不无一二与朱子异，后观饶伯舆父所见亦然，恨生晚，不获就正之。”，则双峰盖亦不尽同于朱子者。[①] 吴澄是程若庸的学生，而程若庸师事饶鲁。[②] 吴澄因看见饶鲁对《中庸》的看法而信心大增，这也同时说明他曾用心于饶鲁对《中庸》的见解。澄清饶鲁的思想有助于厘清吴澄在强调“敬”或“慎独”等概念时，所承继的思想来源。

饶鲁主张将第十二章分为两章，并且他认为从“哀公问政”到“不可以不知天”这一部分，就已经点出了第二十六章之前的重要主题：“孔子对哀公之语，至‘不可以不知天’而止，后皆子思推衍教学者之辞，其间项目虽多，然大意不过两节而已。始言政之举息在乎人，而其下自为政之本推之，以至于修道以仁，所以明为政之本在于仁也。继言仁义之等杀生乎礼，而其下自君子不可不修身，推而至于不可不知天，所以又明为仁之端在于智也。故两截各以“故”字承之，盖为下明善诚身张本。

① 《双峰学案》，《宋元学案》卷八十三中华书局 1986 年版，第 2812 页。

② 虞集：《吴文正集》附录《行状》，《四库全书》本。

明善，知也；诚身，仁也。”[①] 饶鲁认为《中庸》的第四大节“皆主诚而言，而分以三达德配之”。[②] 饶鲁认为，第四大节从第二十章起头，进而从第二十二章到二十六章，都在“诚”与“三达德”的关联下展开。朱熹认为这几章主要是阐明天道人道的问题，但是饶鲁却以更细的架构，将每一章的重点呈现出来。饶鲁讲，“‘至诚尽性’章以诚者之仁而言，‘致曲’章以诚之者之仁而言，‘至诚前知’章以诚者之知而言，‘诚自成’章以诚之者之知而言，‘至诚无息’章以诚者之勇而言。饶鲁的看法与朱熹的看法比较，详细说是这样的：朱熹认为第二十二章是“言天道也”，而饶鲁认为是“以诚者之仁而言”；朱熹认为第二十三章是“言人道也”，而饶鲁则认为是“以诚之者之仁而言”；朱熹认为第二十四章是“言天道也”，而饶鲁则认为是“以诚者之知而言”；朱熹认为第二十五章是“言人道也”，而饶鲁则认为是“以诚之者之知而言”；朱熹认为第二十六章是“言天道也”，而饶鲁则认为是“以诚者之勇而言”。但是，若依照饶鲁发展各章的顺序来看，好似缺了一章对“诚之者之勇”的说明。饶鲁的看法是：“诚者不勉而仁，不思而知，若无以见其勇者，故特以悠久不息着其勇。若夫诚之者则非勉无以仁，非思无以知。而所谓勇者，已存于思勉之中，而不复别以勇言也。况诚之之工至此，则人道已尽，而其至诚无息，固将与天道为一，所谓‘诚则明，明则诚’也，又岂可以差等言哉。”[③] 对于饶鲁而言，诚者的“悠久不息”正是“勇”的表现，而诚之者之勇，已存于“知”“行”的实践中。饶鲁认为《中庸》第二十六章讲的已是“至诚无息”的境界，讲到天道与人道合一；所以说，

① 王朝榘：《饶双峰讲义》卷十，北京出版社2000年版，第427页。

② 史伯璿：《四书管窥》（二）卷八，《四库全书》本。

③ 胡炳文：《中庸通》卷三，《四书通》，《四库全书》本。

“诚者之勇”与“诚之者之勇”实际上是一回事，不需要从“差等”的观点来谈。饶鲁这样的看法，就与朱熹的说法就有了些不一致。

自第二十七章到第三十二章，饶鲁认为应当是《中庸》的第五节，其主题主要在于阐明“大德小德”，因为第二十六章已经将“诚”的境界说透，虽然第三十一章谈“至诚”，但那是针对“至圣”而发。[①] 所以，第二十七章围绕着“德”展开这里注重。从“成德之序”来谈：“此章三节。首言吾道之大，而所以体之者在乎德。次言德根于性，而所以存养者在乎敬，所以充积者在乎学。末言道全德备，则所以施之于用者，无适而不宜考之。”[②] 饶鲁认为“德”就是“得是道于己”[③]，若是说第五节是以“德”为主题，那么很显然的；而要注意的在于，饶鲁把焦点是放在“人”的部分。这与朱熹提出第二十七章到第二十九章的主题是“人道”这一见解，是有差别的。这个差别从他们对第二十七章的解释中可对比出来。第二十七章中，“故君子尊德性而道问学，致广大而尽精微，极高明而道中庸，温故而知新，敦厚以崇礼”这段经文，朱熹是从“存心”和“致知”来掌握“尊德性”和“道问学”的意蕴。而他之所以要谈“存心”的，是从人的“私”来考量。也就是说朱熹着重于克服人的“气质之性”，想要用“存心”和“致知”的工夫以达到掌握人的“本然之性”的部分。所以饶鲁不同意朱熹所认为的，《中庸》这里的话是在谈“入德之方”；饶鲁认为这里的重点在于：“此章言君子德虽已成，而当益加学问之工以充之，使小德、大

① 史伯璿：《四书管窥》（二）卷八，《四库全书》本。

② 王朝榘：《饶双峰讲义》卷十，北京出版社2000年版，第432页。

③ 王朝榘：《饶双峰讲义》卷十，北京出版社2000年版，第433页。

德各极其至，以起下五章之意，非对下文为天道人道之分也。"[①]很显然的，饶鲁谈论这章出发点就与朱熹不同。他是站在"君子德虽已成"的观点来发挥；也就是说，饶鲁认为这一段主要是谈"成德之序"[②]。

(3) 以上是就关于《中庸》的构成编排与诠释而言，而细致讲，重要的是饶鲁对"诚"的理解以及"工夫"论提出了许多新的见解。

最明显的例子是饶鲁对于《中庸》第二十五章中的"诚者自成也，而道自道也"提出了不同看法。

朱熹说："言诚者，物之所以自诚；而道者，人之所当自行也。诚以心言，本也；道以理言，用也。"[③] 朱熹之所以这么解释，主要是针对下句"诚者物之始终，不诚无物。是故君子诚之为贵"而发。朱熹认为："天下之物，皆实理之所为，故必得是理，然后有是物。所得之理既尽，则是物亦尽而无有矣。故人之心一有不实，则虽有所为，亦如无有，而君子必以诚为贵也。盖人之心能无不实，乃为有以自成，而道之在我者，亦无不行矣。"[④] 也就是说，朱熹要强调的是，构成物之"实理"是本，而人要有与构成物之"实理"一样的"心"，才可称得上是"诚"、是"道"。而"诚"的定义，在朱熹看来，就不仅是人的"心"，它同时也必须与"事物"的"实理"相符。

但是饶鲁对朱熹解释并不认同，他说："诚者自成，不必添入一物字，诚即道也，似不必分本与用。"[⑤] 当被问及"《章句》

① 史伯璇：《四书管窥》（二）卷八，《四库全书》本。

② 史伯璇：《四书管窥》（二）卷八，《四库全书》本。

③ 朱熹：《四书章句集注》，上海古籍出版社 2001 年版，第 39 页。

④ 王朝榘：《饶双峰讲义》卷十，北京出版社 2000 年版，第 435 页。

⑤ 王朝榘：《饶双峰讲义》卷十，北京出版社 2000 年版，第 430 页。

又曰：'诚以心言，本也；道以理言，用也。'窃疑上是实心，下是实理，看来都是体，如何分体用?"，饶鲁答曰："真个可疑，此章颇难看，《章句》反为所缠，盖诚即道也，非是两般，如诚者天之道是也。"①

在饶鲁看来，"诚"与"道"是一样的，"诚"的定义不需诉诸"物"之"实理"，所以说不需要再添加一个"物"字，也无需分体用。在他看来，"物"与"人"其实是一致的。他说："己与物虽有内外之殊，而仁智之德则具于己性份之内，乃合内外为一底道理。"② 这样，由于"诚"，人之理与物之理就被统一起来。这样，"理"可以在人的"性份"之内成立，重要的在于，"诚即道也"，"诚者天之道是也"。

关于在人的"性份"之内就可以成立的"理"，如何把握，饶鲁分析了"静时工夫"与"动时工夫"两类。所谓"静时工夫"主要指的是"戒惧不睹不闻"，而"动时工夫"指的是"谨独"。③ 饶鲁对"不睹不闻"的讨论，不同于朱熹仅以"虽不见闻"四字带过。他清楚说明"不睹不闻"不仅涉及感官作用，更在于意念萌动："不睹是意未萌时，不闻是言未发时。意未萌时自家亦无所见，言未发时自家亦无所闻；到意已萌，言已发时，人虽不见而已所独见，人虽不闻而已所独闻，故于此必慎其独。以此观之，不睹不闻与独睹独闻皆是指里面底说。"④ 他强调这个问题要从"里面"来说，于此就在于"诚"。所以他反对朱熹在《章句》中用"着见"两字，进而主张用"形见"来

---

① 史伯璇：《四书管窥》（二）卷八，《四库全书》本。

② 王朝榘：《饶双峰讲义》卷十，北京出版社 2000 年版，第 431 页。

③ 史伯璇：《四书管窥》（二）卷六，《四库全书》本。

④ 王朝榘：《饶双峰讲义》，北京出版社 2000 年版，第 430 页。

说明“见”，所谓“形见”，指的就是“一念方萌，便是昭晰于中”。[①] 在他看来，“不睹不闻”是“用功最密处”：“子思不说未睹未闻而曰不睹不闻。“不”字与“未”字不同。未睹未闻是指事未至之前而言，不睹不闻是指事已往之后而言。指事未至之前而言是由静处说向动处去，指事已往之后而言是由动处说入静处来。君子于日用应事接物之际随处操存，到得事物既往，若无所用，其戒惧之心犹不敢忘，是用功最密处。《章句》曰：‘君子之心，常存敬畏，虽不见闻，亦不敢忽。’当观‘常’字、‘亦’字，见得动处做工夫，到静时亦不敢忽也。”[②] 他指出“不睹不闻”的特性就在于外在事物虽然在动，然而意念却一直处在“静”的状态，然而这种“静”却也得以应用于日常生活中，随处持守，随处戒惧，这是最重要的工夫。

可见，饶鲁与朱熹等人一样也强调“慎独”，但他认为“慎独”是“动时工夫”，他批评朱熹不该只在思虑方萌之际处说“慎独”，而是“应事接物显显处亦自有个独”。[③] 而这仅是初学者的工夫。饶鲁说：“《中庸》言‘戒惧不睹不闻’与‘慎其独’，《大学》只言‘慎其独’，不言‘戒惧不睹不闻’。初学之士且令于动处做工夫。”[④] 饶鲁认为“戒惧不睹不闻”的工夫高于“慎独”，“静处工夫”高于“动处工夫”，而《中庸》的道理也深于《大学》。[⑤]

2. 关于程若庸。

南宋末年理学家程若庸，师从饶鲁，属黄干学派一支，是

① 史伯璇：《四书管窥》（二）卷六，《四库全书》本。

② 王朝榘：《饶双峰讲义》卷十，北京出版社 2000 年版，第 418 页。

③ 史伯璇：《四书管窥》（二）卷六，《四库全书》本。

④ 胡炳文：《中庸通》卷一，收于《四书通》，《四库全书》本。

⑤ 以上参见，解光宇：《朱子与徽学》第三章，岳麓书社 2000 年版。

朱熹的三传弟子，为吴澄之师，又生在新安，被新安人尊为一代硕儒，休宁理学九贤之一。人们认为将程若庸的思想体系作为个案研究具有重要的学术价值。其研究价值在于他的思想展示了南宋末年的学术背景、理学的传承及其变化。

程若庸生卒年不详，在《宋元学案·双峰学案》《新安学系录》卷九《程徽庵传》《新安文献志》卷七十《行实·儒硕》之《程山长若庸传》中，关于其生平的介绍基本类似。有史录记载，"程若庸为咸淳四年陈文龙榜进士……淳祐丁未，为湖州安定书院山长。庚戌，冯此山去疾创临汝书院于抚州，聘若庸为山长，置田宅居之。咸淳戊辰为福建武夷书院山长。"[①] 讲到程若庸早年求学历程，先要提到他的叔父宋端明殿学士程珌。程珌（1164－1242）对程若庸影响很大。其次是其恩师饶鲁。程若庸早年师从饶鲁，后又师从沈毅斋。

程若庸一生著述不多，主要研究朱子的性理之学，著有《性理字训讲义》百篇及《洪范图说》《太极图说》《近思录注》等，但是今天流传下来的只有他的《性理字训讲义》及《宋元学案·双峰学案》中附录的《斛峰书院讲义》。《性理字训讲义》目前能见到的只有《四库全书存目丛书·子部·程蒙斋性理字训》中将其同朱熹门人程端蒙的《性理字训》合为一卷，称之为程若庸补辑。《斛峰书院讲义》则是《宋元学案》中收录的程若庸在斛峰书院主师席时的授课讲义，主要反映其教育思想。程若庸的《性理字训讲义》分为六门：造化篇、心性篇、为学篇、善恶篇、成德篇、治道篇。该书从理学的角度阐释了183个范畴，囊括了宋及宋以前儒家等诸学出现的大多数范畴，是较为完备的理学范畴体系。

① 程瞳：《新安学系录》卷第九《程徽庵传》，民国二十一年《安徽丛书》第一期影印本。

在《理性字训讲义》中，《造化篇》是程若庸宇宙论和本体论思想的体现。"太极"与"元气"组成了其本体一元论。程若庸开篇从"太极"着手来说明万物的造化本原。在宋代，周敦颐提出"无极而太极"；张载以"气"释"太极"，所讲"太极"即"太和之气"；朱熹进一步"太极"同"理"联系在一起，发挥了性体情用说，强调"性是体，情是用，性情皆出于心"。[①]到程若庸这里，"情"来自感物而动，"性"禀于天理却是存在于人本身的，"性""情"二者皆受心的主宰，综合继承了之前理学家关于此三者关系的看法。程若庸列出了由"心"推演出的一系列范畴。程若庸解释的"心"既是道德之心，又是理智之心，又有本体的含义在里面。

程若庸由此提出了"以诚为本，致力中和"的观点。由解释"心"、"性"、"情"范畴转而阐释"真实无妄，始终不息，表里不杂，天之道也，是之谓诚；循物无违，四端百行，必以其实，人之道也，是之谓信。"[②]他强调"诚"是人们应当遵守的生生不息的"天道"，而具体到"人道"，应当遵守"信"的原则。理学家所讲的"诚"一般都有本体论的含义，"诚"范畴体现了传统"天人合一"的思维方式。周敦颐赋予"诚"以本体意义："乾道变化，各正性命，诚斯立焉。"[③]张载进一步推出"性与天道合一存乎诚"[④]，说明了"诚"是"天人合一"的范畴；二程在前者的基础上，明确指出，"诚"是"合内外"、"合天人"之道。程颐说："至诚者，天之道也。天之化育万物，生

① 朱熹：《朱子语类》卷九十八。

② 程若庸：《性理字训讲义·情性篇》，《四库全书存目丛书》本。

③ 周敦颐：《周敦颐集》。

④ 张载：《正蒙·诚明篇》。

生不穷，各正性命，乃无妄也。"① 讲到"诚"的含义是"实"而"无妄"之理。朱熹则严格按照"心理合一"的观点解释"诚"，并以真实无妄定义"诚"："诚者，真实无妄之谓，天理之本然也"。② 这是说，"诚"是本原，也是自然界和人事的最高法则。程若庸综合了二程和朱熹的思想，把"诚"看作是真实无妄，生生不息的"天道"。程若庸还着重论述了，要做到"诚"，就要把"信"作为人事的具体原则，这是"人道"；"诚"与"信"实际上是天道与人道、体与用的关系。③

第四节 陆九渊心学中的"诚"与"成"

作为南宋哲学三系之一的代表，陆九渊（1139—1193），字子静，号存斋，抚州金溪（今属江西）人。因曾在象山（今江西贵溪西南）讲学，自号象山居士，世称象山先生。其生年系宋高宗赵构绍兴九年，卒年系宋光宗赵惇绍熙三年。青年时曾立志习武，主张抗金。宋孝宗赵昚乾道八年 34 岁（1172），他 34 岁成进士，归故里讲学。惇熙十四年（1187）登贵溪应天山讲学，"居山五年，阅其簿，来见者踰千人"。④ 他历任靖安主簿、崇安主簿、国子正，后主管台州崇道观。赵惇绍熙十六年（1189），他 53 岁诏知荆门军，4 年后卒于荆门。陆九渊与其兄陆九韶、陆九龄并称"三陆子"，其学说并称"三陆子之学"。

① 《河南程氏遗书》卷二上。

② 朱熹：《四书章句集注》，《中庸章句》第二十章。

③ 参见，解光宇：《朱子与徽学》第三章，岳麓书社 2010 年版，第 91～92，104～106 页。

④ 《年谱》，《陆九渊集》卷三十六，中华书局 1980 年版。

陆九渊学生中著名的有杨简、袁燮、舒璘、傅子云等。至明代，陈献章、王守仁发挥他的学说，成为历史上有名的陆王学派。陆九渊门下学者前后不下千余人。他一生注重讲学，不注重文字著作。《语录》记载，"或问：'先生何不著书？'对曰：'《六经》注我，我注《六经》。'"所以陆九渊留下的多是书信和讲学语录，或少量诗作。

陆九渊去世后，他的长子搜集其遗文，汇编为《象山先生全集》32卷，嘉定五年（1212）由陆九渊的学生袁燮始刻于江西仓司，而《语录》与《年谱》各为书以传。明正德十六年（1521）李茂元将《全集》与《语录》合并重刻，题为《陆子全书》，王守仁作序。其后有明嘉靖四十年（1561）王宗沐校刻本、清乾隆三十年（1765）《四库全书》抄本、道光三年（1823）刻本、1936年商务印书馆《四部丛刊》本。1980年，中华书局出版点校本《陆九渊集》36卷，其中卷三十四为《语录上》，卷三十五为《语录下》，合称为《语录》，即《象山语录》。关于陆九渊的事迹，可见《宋史》卷四三四《儒林传》及《宋元学案》卷五十八《象山学案》。陆九渊的学说，是以"心学"为其特征的。

一、"反身而诚"，"此吾本心"

应该说，陆九渊讲"诚"，是其关于"心"之理论的前提。人们往往讲"陆学"与"朱学"不同，在于"心学"；对其何以进入心学，只说些体悟之事。而陆九渊在哲学追问上是由"诚"之事说到"心"之事，且把"诚"与"本心"等同起来。

陆九渊说："'万物皆备于我矣，反身而诚，乐莫大焉'此吾之本心也……"。这里，陆九渊先引用的是《孟子·尽心上》的话。此话原文是："孟子曰：'万物皆备于我矣。反身而诚，乐莫大焉。强恕而行，求行莫近焉。'孟子曰：'行之而不著焉，习矣而不察焉，终身由之不知其道者，众也。'" 孟子由正反两方面，讲到了"恕而行""行莫近"与"行而不著""不知其道"；而实现"万物皆备于我"关键在于能否"反身而诚"。《孟子》书于此继承发展的是《中庸》里讲的，"诚者，自成也"，"诚者，物之始终；不诚无物"；《孟子》书由《中庸》里讲的"诚者天之道也，诚之者人之道也"发展为"诚者天之道也，思诚者人之道也"。而对于"人之道"来讲，不论是"诚之"还是"思诚"，都是以"诚者天之道"为前提的。

陆九渊把"自得、自成、自道"① 联系起来论。他在解释《大学》中"诚其意"时讲到："'所谓诚其意者，无自欺也'一段，总是'修身'、'齐家'、'治国'、'平天下'之要，故反复言之。'如恶恶臭，如好好色'，乃是性所好恶，非出于勉强也。'自欺'是欺其心，'慎独'即不'自欺'。'诚者自成，而道自道也'。'自欺'不可谓无人知"②。所以陆九渊说："至矣哉，诚之在天下也。"③ "'诚则明，明则诚'，此非有次第也，其如此；'可欲之谓善'，'知至而意诚'亦同。"④ 这同就同在"诚则明，明则诚""其'理'如此"。因而"满心而发，充塞宇宙，无非此理"⑤ 陆九渊强调，"千万世之前有圣人出焉，同此心，同此理也；千万世之后有圣人出焉，同此心，同此理也；东南西北海有圣人出焉，同此心，同此理也。"⑥"宇宙便是吾心，吾心便

① 陆九渊：《象山语录下》，《陆九渊集》卷三十五，中华书局 1980 年版。

② 陆九渊：《象山语录上》，《陆九渊集》卷三十四，中华书局 1980 年版。

③ 陆九渊：《程文：庸言之信》，《陆九渊集》，中华书局 1980 年版。

④ 陆九渊：《象山语录下》，《陆九渊集》卷三十五，中华书局 1980 年版。

⑤ 陆九渊：《象山语录上》，《陆九渊集》卷进三十四，中华书局 1980 年版。

⑥ 陆九渊：《杂著》，《陆九渊集》卷二十二，《陆九渊集》，中华书局 1980 年版。

是宇宙。"[1]。"心之体甚大，若能尽我之心，便与天同。"[2] 又说"孟子之尽心，尽此心也，故能知性知天。学者诚知所先后，则如木有根，如水有源"。[3] 总之，"人心至灵，此理至明，人皆有是心，心皆具是理，心即理也"。[4]

如果说程朱的理论归于"理"，那么陆九渊的理论则归于"心"；如果说朱熹强调"性即理"，那么陆九渊强调则是"心即理"；如果说宋代理学基本是由"理"论及"诚"之重要，那么陆九渊则重于由"诚"论及"心"之重要。他讲，"则凡见于吾身而充乎天地者，何往而非诚哉？"正因为如此他才强调："至矣哉！诚之在天下也。"这样，陆九渊特别注重了"本心"。孟子已讲到过"本心"，如强调，"舍生而取义"等，不然就会失其"本心"[5]；《孟子集注·告子上》有"本心谓羞恶之心……人所固有"。陆九渊发挥这些思想，认为"心即理也"[6]，"爱其亲者，此理也；敬其兄者，此理也；见孺子将入井而有怵惕恻隐之心者，此理也……敬此理也，义亦此理也；内此理也，外亦此理也；……此吾之本心也"[7] 他由"'万物皆备于我，反身而诚，乐莫大焉'，此吾本心也"，延伸又讲，"此吾之本心也，古人得之古有其实，言理则是实，言事则是实事，德则实行，实则实行"。可见"本心"一词虽源自孟子，朱熹也讲；而就宋明

① 陆九渊：《杂著》，《陆九渊集》卷二十二，《陆九渊集》，中华书局 1980 年版。

② 陆九渊：《象山语录》，《陆九渊集》，中华书局 1980 年版。

③ 陆九渊：《武陵县学记》，《陆九渊集》，中华书局 1980 年版。

④ 陆九渊：《与李宰书》，《陆九渊集》卷十一，《陆九渊集》，中华书局 1980 年版。

⑤ 《孟子·告子上》。

⑥ 陆九渊：《与李宰书》，《陆九渊集》卷十一。

⑦ 陆九渊：《与曾宅之书》，《陆九渊集》卷一。

理学讲，此在陆九渊那里有着特别重要的特定意义，这是属于陆学的。[①]

据说，陆九渊34岁提出关于“本心”的问题，时为乾道八年（1172），杨简（字敬仲）主富阳簿，陆九渊过富阳，二人有一番问答。“问：‘如何是本心？’先生曰：‘恻隐，仁之端也；羞恶，义之端也；辞让，礼之端也；是非，智之端也。此皆是本心。’对曰：‘简儿时已晓得，毕竟如何是本心？’凡数问，先生终不易其说，敬仲亦未省。偶有鬻扇者讼至于庭，敬仲断其曲直讫，又问如初。先生曰：‘闻适来断扇讼，是者知其为是，非者知其为非，此即敬仲本心。’敬仲忽大觉……先生尝语人曰：‘敬仲可谓一日千里。’[②] 陆九渊解释说，“仁义者，人之本心也。孟子曰：‘存乎人者，岂无仁义之心哉’，又曰：‘我固有之，非由外铄我也’。愚不肖者不及焉，则蔽于物欲而失其本心。贤者智者过之，则蔽于意见而失其本心。”[③] 对此，《中国儒学史》评论说：“从这里看，陆九渊对于本心的提示具有简易直接和神秘直观的特点。简易直接体现在反复诵说人所共知的孟子四端之说，神秘直观则表现为‘敬仲忽大觉’、‘敬仲可谓一日千里’。在陆九渊看来，这确实是一种内心的体证。陆九渊自认其学术思想源自孟子，对本心观念多借孟子言论阐发。”[④] 从上引文字看，本心就其普遍实质言，就是仁义之心。这是统而言之。分而言之，本心含具孟子所谓四端或四心。陆九渊关于“反身而诚，此吾本心”的概括是：“孟子曰：‘所不虑而知者，

① 参见陈来：《宋明理学》，辽宁教育出版社1992年版，第190页。

② 《年谱》，《陆九渊集》卷三十六，中华书局1980年版。

③ 陆九渊：《与赵监》，《陆九渊集》卷一，中华书局1980年版。

④ 汤一介、李中华主编，陈来、杨立华、方旭东著：《中国儒学史》宋元卷，北京大学出版社2011年版，第439页。

其良知也。所不学而能者，良能也。'此天之所予我者，我固有之，非由外铄我也。故曰：'万物皆备于我，反身而诚，乐莫大焉。'此吾之本心也。"①

陆九渊讲"本心"，人人都有，本来没有不同，所以人人都有成为尧舜的可能。但因为人的才情各不相同，所以"人为道"的情况各不相同。为道的人应当有大气魄、大胸怀，"众愚不肖者""失其本心"是不能包容天地万物的。

二、"发明本心"，"非诚之外复有所谓德也"，"明得此理即是主宰"

陆九渊认为"理"在于"心"，往往会被物欲所蒙蔽，所以最根本的就是要"发明本心"。南宋淳熙二年（1175），陆九渊应吕祖谦的邀请，与五兄陆九龄一起同朱熹相会于信州（今江西上饶铅山）鹅湖寺，进行了一次讨论。讨论由吕祖谦主持，参加辩论的主要是朱熹和陆九渊、陆九龄，还有朱、陆、吕的门人及有关学者二十余人。当时随陆九渊同去的朱亨道记载说："鹅胡之会论及教人，元晦之欲令人泛观博览而后归之约，二陆之意欲先发明人之本心而后使之博览。朱以陆之教人为太简，陆以朱之教人为支离，此颇不合。"②

朱陆的又一次大的论争，是围绕着"无极"与"太极"问题展开的争论。有关这次争论，陆九韶两书已失传，而在陆九渊和朱熹书中则有记录。由保存文献可知，论争由陆九渊之兄陆九韶对《太极图说》的看法而引起。陆九韶认为，周敦颐《通书》谈到"太极"时，没有在前面加"无极"二字，因而怀

① 陆九渊：《与曾宅之》，《陆九渊集》卷一，中华书局1980年版。

② 《年谱》《陆九渊集》卷三十六，中华书局1980年版。《宋元学案·槐堂诸学案》。

疑《太极图说》不出于周敦颐之手；如果是周敦颐所作，那也或许是其早期深受道家思想影响时的作品，不代表他定型的思想。陆九韶曾与朱熹面谈，并通过书信表达了这一看法；朱熹则大不以为然，同时觉得这个问题不得不辩。朱熹认为，"无极"表示无形，"太极"表示有理；"无极而太极"是指天理存在却无形。朱熹讲，"不言无极，则太极同于一物，而不足为万化根本；不言太极，则无极沦于空寂，而不能万化根本。"① 陆九渊代替其兄接着与朱熹作辩，他先后致书三封，第一封以《易大传》只讲"太极"不讲"无极"为由，认为"无极"之说不合圣人之言。第二封信则针对朱熹把"理"作为形而上之道，把阴阳、五行看作万物形而下之器的说法，指出，《易传》说："形而上者谓之道"，"一阴一阳之谓道"，可见圣人把阴阳也是归为形而上的。陆九渊认为，"心之体甚大，若尽我心，便与天同"，"非诚之外有所谓德也"，"明得此理即是主宰"。有学者指出，从朱陆关于"无极"与"太极"和"阴阳"归属的争论中可以看出，朱熹重在使天理成为独立于主体之外的宇宙本体；而陆九渊则尽力使天理内在于"本心"，重在理与心的合一。陆氏的这一观点，成为其论证"发明本心"的理论基础。

对于"发明本心"，陆九渊继承孟子的主张，由"存心"、"养心"、"求放心"论起。他说："古先圣贤，未尝艰难其途径，支离其门户。……人孰无心，道不外索，患在戕贼之耳，放失之耳。古人教人，不过存心、养心、求放心。此心之良，人所固有，人惟不知保养，而反戕贼放失之耳。苟知其如此，而防闲其戕贼放失之端，日夕保养灌溉，使之畅茂条达，……则岂有艰难支离之事？"②

---

① 《朱子大全》卷三十六。

② 陆九渊：《与舒西美书》，《陆九渊集》卷五，中华书局1980年版。

陆九渊又强调：要"发明本心"，必须"剥落心蔽"。关于"剥落心蔽"，陆九渊讲，"人心有病，须是剥落，剥落得一番，即一番清明，后随起来又剥落又清明，须是剥落得净尽方是。"[①]"剥落心蔽"就是剥落有害于心的"物欲"。陆九渊说："愚不肖者之蔽，在于物欲；贤者智者之蔽在于意见。高下污洁虽不同，其为蔽理溺心，而不得其正，则一也。"[②] "去欲"而"剥落心蔽"才能"保吾心之良"。陆九渊讲，"保吾心之良，必有以去吾心之害。"何则？"吾心之良，吾所固有也。""欲之多，则心之存者必寡；欲之寡，则心之存者必多。……欲去，则心自存矣"。所以"将以保吾心之良，必有以去吾心之害"。[③] 这才能保持本心有四端善性，而纯善至"至诚"。也就是说，"剥落心蔽"，"去欲""保吾心之良"，才能实现"存心""养心""求放心"而"防闲其邪"。他讲，"使非僻无自而至""则见于吾身而冲乎天地者，何往而非诚哉？""至诚哉！诚之在天下也"。"充乎天地"达到"诚"才能"立乎其大"。陆九渊强调，"立乎其大者，而小者弗能夺"，他主张"治其大，不治其小"。"心之体甚大，若能尽我之心，便与天同"。

陆九渊对于"立乎其大"十分重视，他有一次讲到："近有议吾者云：除了'先立乎其大者'一句，全无伎俩。吾闻之曰：'诚然'"。[④] 他认为，"立乎其大者"，重要的在于"反身而诚"。《语录》中记有："或问，先生之学，当自何处入？曰：'不过切身自反，改过迁善。'"[⑤] 这里的"切身自反，改过迁善"要义在

① 陆九渊：《象山语录下》，《陆九渊集》卷三十五，中华书局1980年版。
② 陆九渊：《与邓文范书》，《陆九渊集》卷一，中华书局1980年版。
③ 陆九渊：《养心莫善于寡欲》，《陆九渊集》卷三十二，中华书局1980年版。
④ 陆九渊：《象山语录上》，《陆九渊集》卷三十四。
⑤ 陆九渊：《象山语录上》，《陆九渊集》卷三十四。

于有"诚身之道",他讲:"诚身之道,在于明善"。[1]"可随处检点,见善则迁,有过则改,所谓心诚求之,不中不远。"[2]

围绕"发明本心",陆九渊提出了一种"易简功夫"这被后人认为是直指人"本心"的直觉。陆九渊讲"易简功夫终久大"[3],认为朱熹的"道问学"、"即物穷理"方法流于"支离"繁琐,使人不得要领;而他所强调的自己"明心"的方法简易可行。他提出"易简而天下之理得矣"[4],认为道理"简且易者,又易知易从,又信足以为道",而"繁难""支离"之说"本不足以为道";[5] 认为直接发明本心,才可以为善去恶。他主张仿效佛教禅宗"顿悟"的方法,"发明人之本心",在"安坐瞑目"中,"忽觉此心已复澄莹中去"。[6] 人们评论说,陆九渊关于"本心"会被物欲和意见所蒙蔽、陷溺而须加荡涤诛除的说法,显然与当时的禅宗异曲同工。《六祖坛经》云:"一切法尽在自性。性常清净,日月常明,只为云复盖,上明下暗,不能了见日月星辰。忽遇慧风吹散,卷尽云雾,万象森罗,一时皆现。"这就是说,清净自性如日月常明,但是浮云复盖,就上明下暗,须有慧风来吹散云雾,使自性中的森罗万象一时皆现。詹阜民对陆九渊有这样一段记录:"他日侍坐,无所问。先生谓曰:学者能常闭目亦佳。某因此无事则安坐瞑目,用力操存,夜以继日。如此者半月。一日下楼,忽觉此心已复澄莹中立,窃异之。遂见先生。先生目逆而视之曰:此理已显也。某问:先生何以知

① 陆九渊:《与胡季随书》,《陆九渊集》卷一。
② 陆九渊:《与戴少望书》,《陆九渊集》卷五。
③ 陆九渊:《象山语录上》,《陆九渊集》卷三十四。
④ 陆九渊:《象山语录下》,《陆九渊集》卷三十五。
⑤ 陆九渊:《象山语录上》,《陆九渊集》卷三十四。
⑥ 陆九渊:《象山语录上》,《陆九渊集》卷三十四。

之？曰：占之眸子而已。"陆九渊：[1] 陆九渊说："自得、自成、自道，不倚师友载藉。"[2] 这跟禅宗的说法，是一致的。《六祖施法坛经》中有："心中，众生各于自身、自性、自度"之说。

陆九渊对于"易简功夫"说到："圣人赞《易》，则曰乾以易知，坤以简能。易则易知，简则易从。易知则有亲，易从则有功。有亲则可久，有功则可大。可久则贤人之德，可大则贤人之业。易简而天下之理得矣。"[3]"易赞乾坤之简易，曰'易知易从，有亲有功，可久可大'。然则学无二事，无二道，根本苟立保养不替，自然日新。所谓可久可大者，不出简易而已。"[4]

以上可见，陆九渊由"孟子言'诚身之道在于明善'"[5]，指认"发明本心"的"简易工夫"，是"切己自反，改过迁善"[6]。他讲，"见善则迁，有过则改，所谓心诚求之，不中不远"。[7] 而他把此诉诸于"剥落"，旨在"防闲其邪"。这里的"防闲其邪"即以往在解《周易》上经"乾"时所讲的"闲邪存其诚"。《周易正义》谓："子曰：'庸言之信，庸行之谨，闲邪存其诚，善世而不伐，德博而化'"。[8] 所以陆九渊讲，"非德之外有所谓德也"。"人皆有是心，心皆具是理，心即理也。"[9]"明得此理即是主宰"。[10] 这指向由达于"明善"之"诚身之道"来实现不陷于"支离"的"心"之"主宰"，以实现"心之体甚大""能尽我之

① 陆九渊：《象山语录下》，《陆九渊全集》卷三十五。
② 陆九渊：《象山语录下》，《陆九渊全集》卷三十五。
③ 陆九渊：《象山语录下》，《陆九渊集》卷三十五。
④ 陆九渊：《与高应朝书》，《陆九渊集》卷五。
⑤ 陆九渊：《与胡季随书》，《陆九渊集》卷一。
⑥ 陆九渊：《象山语录上》，《陆九渊集》卷三十四。
⑦ 陆九渊：《与曹挺之书》，《陆九渊集》。
⑧ 王弼注、孔颖达疏：《周易正义》。
⑨ 陆九渊：《与李宰二》，《陆九渊集》卷十一。
⑩ 陆九渊：《与曾宅之书》，《陆九渊集》卷一。

心”“与天同”。[1] “宇宙内事乃己分内事，己分内事乃宇宙内事”，“宇由便是吾心，吾心便是宇宙。……同此心同此理也。”[2]

三、“诚之在天下”，“吾善养吾浩然之气”，“万物皆备于我”

陆九渊一方面与程朱理学的观点差不多，强调“理充塞宇宙，天地鬼神且不能违异，况于人乎?”[3]；另一方面反对“天理与人欲”、“道心与人心”的划分，反对把“心”与“理”截然分开。他说：“天理人欲之言亦自不是至论。若天是理，人是欲，则天人不同矣。……指人心为人欲，道心为天理，此说是非。心一也，人安有二心?”[4]“盖心，一心也；理一理也。至当归一，精义无二，此心此理，实不容有二。”[5] 同时，陆九渊也发表了与程朱关于“持敬”论述的不同见解。陆九渊的见解是“人与天地万物皆在无穷中者也”，“宇宙内事乃己分内事，己分内事乃宇宙事”，“理乃天下之公理，心乃天下之同心”，[6]“宇宙便是吾心，吾心即是宇宙”。[7] 陆九渊说，“吾于践履，未能纯一，然才自警策，便与天地相似”，[8] 以至形成一种本心与宇宙同一的无我之境。于是，“诚”见于吾身而充塞宇宙。所以他才强调，“至矣哉！诚之在天下也。”[9]

陆九渊说：“此理本天所以与我，非由外铄。……此理不

---

① 陆九渊：《象山语录》，《陆九渊集》。
② 陆九渊：《杂著》，《陆九渊集》卷二十二。
③ 陆九渊：《与吴子嗣》之八，《陆九渊集》卷十一。
④ 陆九渊：《象山语录上》，《陆九渊集》卷三十四。
⑤ 陆九渊：《与曾宅之》，《陆九渊集》卷一。
⑥ 陆九渊：《与唐司法》，《陆九渊集》卷十五。
⑦ 《年谱》，《陆九渊集》卷三十六。
⑧ 陆九渊：《象山语录下》，《陆九渊集》卷三十五。
⑨ 陆九渊：《程文：庸言之信》，《陆九渊集》。

明，内无所主，一向萦绊于浮论虚说，终日只能依借外说以为主，天之所与我者，反为客。主客倒置，迷而不返，或而不解。……明得此理，即是主宰。真能为主，则外物不能移，邪说不能惑。"[①]"此理在宇宙间，何常有所碍？是你自沉埋，自蒙蔽，阴阴地在个陷阱中，更不知所谓高远底。要决裂破陷阱，窥测破个罗网。"[②]

《象山语录下·李伯敏所记语录》记载，针对伯敏所问："近日别事不管，只理会我，亦有适意时。"陆九渊说："此便是学问根源也。若能无懈怠，暗室屋漏亦如此，'造次必于是，颠沛必于是'何患不成？己之德已明，然后推其明以及天下。在我者既尽，亦自不能掩。他一面批评：今之学者，只用心于枝叶，不求实处。一面特别讲：孟子云：'尽其心者知其性，知其性则知天矣。'心只是一个心，某之心，吾友之心，上而千百载圣贤之心，下而千百载复有一圣贤，其心亦只如此。心之体甚大，若能尽我之心，便于天同。为学只是理会此。'诚者自成也，而道自道也。'何尝腾口说？"在回答伯敏所问："如何是尽心？性、才、心、情如何分别？"时，先生云："若必欲说时，则在天者为性，在人者为心。只是要尽去为心之累者，如吾友适意时，即今便是。"他说："只与理会实处，就心上理会。"当回答关于《孟子·公孙丑上》中"养气"一段之所问时，陆九渊云："此犹当求血脉，只要理会，'我善养吾浩然之气'。当吾友适意时，别事不理会时，便是'浩然，'。'养而无害，则塞乎天地之间'，'是集义所生者，非义袭而取之也'。孟子出于子思，则是涵养成就者，故曰'是集义所生者'，集义只是集善。'行有不慊于心则馁矣。'若行事不当于心，如何得浩然？孟子

① 陆九渊：《与曾宅之书》，《陆九渊集》卷一。

② 陆九渊：《象山语录下》，《陆九渊集》卷三十五。

说此乃人人都有，若能涵养此心，便是圣贤。”

总之，在陆九渊讲来，“切已自反”、悟得“本心”，即可“心明”、“知理”。他强调，“平生学问惟有一实（心即理），一实则万虚。”[①]“既识本心，元无一物”。[②] 通过“反身而诚”“善养吾浩然之气”[③]，“理”与“心”等同，“此心”与“我心”等同，便达到了“万物皆备于我”。[④]

四、陆九渊前后之学

在朱熹、陆九渊逐渐形成影响时期，南宋学派除湖湘之学、闽中朱学、江西陆学之外，还有浙学。当史学对这时期的学派进行划分时，往往称朱熹、张栻、吕祖谦为东南三贤：朱熹为闽学大宗，张拭为湖南学派主要代表，吕祖谦之学称婺学。以上是三贤。三贤之外，另有以陈亮为首的永康之学，有所谓陈亮同甫专言事功，有“义利双行，王霸并用”之说。再有以叶适为主要代表的永嘉之学，有所谓薛季宣、陈傅良、叶适，倡言经济事功。还有江西陆九渊心学。《宋元学案》则把婺学、永康之学、永嘉之学归为三派，[⑤] 归结为“东莱学案”、“艮斋学案”、“止斋学案”三个系列，在连续的“卷五十一”、“卷五十二”、“卷五十三”三部分，再紧接着“水心学案上下在卷五十四、卷五十五，来论述。此系列学派，大要为重史学，论事功，故后世或并列而论之。然而，此系列学派中有些学者所论，由其就内圣成德之学而言不免驳杂，故往往不被视为理学正宗。

① 《年谱》，《陆九渊集》卷三十六。

② 陆九渊：《象山语录下》，《陆九渊集》卷三十五。

③ 陆九渊：《象山语录下》，《陆九渊全集》卷三十五。

④ 陆九渊：《象山语录上》，《陆九渊集》卷三十四。

⑤ 《宋元学案》卷五十一至五十六。

清代章学诚提出"浙东之学"、"浙西之学"之说，受其影响，晚近学者往往将婺学、永康之学、永嘉之学归入浙东学派。然而在南宋似不提所谓浙东，往往直言浙江。值得注意的是，朱熹曾说："江西之学只是禅，浙学却专是功利。"[①] 人们认为，江西之学指陆象山，浙学或言指陈亮。[②] 而后来人们讲到浙江之学时，往往主要讲吕祖谦、陈亮、叶适的儒学。这里突出了浙江的吕祖谦。

（一）吕祖谦（1137—1181），字伯恭，婺州（今浙江金华）人。学者称东莱先生。隆兴元年，（1163）进士及第，又中博学宏词科，先后差任宗学教授、严州教授，历官国史院编修、实录院检讨、秘书省正字等。吕氏家族世代重学，也重讲学，且有"不主一门，不师一说"的家风，这种家风为吕祖谦继承。吕祖谦年轻时便奠定了扎实的学问基础，且声名已著。后来他与朱熹、张拭交往密切，往来论学，甚受朱张推重。吕祖谦为浙学领袖，薛季宣、陈傅良、陈亮、叶适等都不同程度地受到吕氏的影响，并形成以史学和事功为核心的浙东学派。而心学创立者陆九渊则受到吕祖谦的识拔才终成进士，终身对吕祖谦十分为敬重。

吕祖谦曾邀集鹅湖之会，曾试图调和"朱学"和"陆学"之分歧，主张"兼取其长"，同时注重永嘉学派经世致用的思想。他在总体哲学倾向上，偏重于陆九渊"心学"，认为"心之为道，岂有彼此之可待乎？心外有道非心也，道外有心非道也"，又说"通天下无非己也"。

吕祖谦学说当时所面临的课题，从思想上说是发展圣人之

① 朱熹：《朱子语类》卷一百二十三。

② 侯外庐、邱汉生、张岂之主编：《宋明理学史》（上），人民出版社 1987 年版，第 447 页。

学，从社会现实来说是匡正纲纪以图恢复。他究心文献，深研义理，长于史学[1]，凡礼乐兵农制度之事，无不博涉。他曾面对孝宗陈说，侧重于从关乎帝王治世的现实需要出发来界定“圣学”的具体内容，此即敬畏顺则、好恶不骗、审定规模。在他看来，此为“真儒”之要，也是“实学”的本质。吕祖谦往往这样提出其学说的见解。一是，以理、气的偏全解释人物的差异，这带有综合张载气论和二程理论的意思，与朱熹以理气偏全论人物差异亦有某种暗合。二是，认为理在天下，随一事而得一名，具体的名目可以至于千万，但“理未尝不一也”，这近似二程的“理一分殊”之说。三是，吕祖谦不太注重讨论“性”的问题，甚至明确要求学者不必急于说“性命”，他说，“后来读书未曾识得目前大略，便要说性命，此极是害事。为学自有等级，先儒至说性命，不知曾下几年功夫方得。”[2] 在这种为学取向，决定了吕祖谦不太可能对于性作较系统的论述。

《宋元学案》中“东莱学案”有附录这样概括了吕祖谦之学与以往理学及心学的关系：“黄东发日钞曰：东莱先生以理学辨朱、张，鼎立为世师，其精辞奥义……象山与晦翁异论者，先生容下不少忤。鹅湖之会，先生……一时调娱其间，……孔子教人，以孝弟忠信躬行为本。至子思则言诚，至孟子则言性，已渐发其秘，视孔子之说为已深。至廉溪则言太极，至横渠则言太虚，又尽发其秘，视子思、孟子之说为益深。……至晦奄先生出，始会萃濂、洛之说，以上达洙泗之传，取本朝诸儒议论之切于后学者为《近思录》，然犹以‘无极太极’、‘阴阳造

① 《东莱左传博义》卷三。

② 《己亥秋所记》，《东莱外集》卷六，影印文渊阁《四库全书》集部别集类，第39页。

化'冠之篇首，则以本朝之义论为本也"。[①]

吕祖谦很推重其与之交往密切的南轩先生即张拭（1133—1180），张拭曾对于"诚""敬"作出辨析。他说，"所谓要道，盖不过格物致知而已耳。然圣人自诚意而下，又各疏其说焉，非谓格物致知之外，又别有所谓诚意、正心、修身、齐家、治国、平天下之道，此盖圣人深指人以格物致知者然也。故圣人于齐家之条引《书》曰'如保赤子，心诚求知，虽不中，不远矣'，此格物致知之最近者也。"他引用"叶六桐曰：主一从敬字用功始。敬久则诚，而一在是矣。"接着他澄清说："居敬有力，则其所穷者益精；穷理浸明，则其所居者亦有地。所谓持敬，乃是切要功夫，然要将个敬治心，则不可。盖主一之谓敬，敬是敬此者也。若谓敬为一物，将一物治一物，非惟无益，而反有害，乃孟子所谓必有事焉而正之，卒为助长之病。……故欲从事于敬，惟当常存主一之意"。[②]

吕祖谦说："善未易明，理未易察。吾侪所当兢兢者。"[③] 强调以内心向慕圣贤及前辈学问操履为所向者正。吕祖谦特别看重主敬："尝记胡文定有语云：'但持敬字十年自别'，此言殊有味。"[④] 并且他对于"主敬"说道："敬之一字故难形容，古人所谓'心庄则体舒，心肃则容敬'，此两语当深体也。"[⑤] "敬之一

① 《东莱学案》，《宋元学案》卷五十一，中华书局1986年版，第1679页。

② 张拭：《南轩答问》，哉《宋元学案》卷五十，中华书局1986年版，第1624、1612、1611～1622页。

③ 吕祖谦：《与刘衡州三》，《东莱外集》卷九，影印文渊阁《四库全书》集部"别集"类，第17页。

④ 吕祖谦：《答周允升》，《东莱别集》卷十，影印文渊阁《四库全书》经部"别集"类，第55页。

⑤ 吕祖谦：《与学者及诸弟》，《东莱外集》卷十，影印文渊阁《四库全书》集部"别集"类，第55页。

字，乃学者入道之门。敬也者，纯一不杂之谓也。事在此而心在彼，安能体得敬字。《大学》曰'君子无所不用其极'，盖非特一事当然也，凡事皆若是而后可。"[①] 他这里的主敬之说是来自程氏，而所谓"纯一不杂"则是对程氏"主一"说的进一步申说。程子的论说在于"诚敬"，而吕祖谦所论，则在于强调"纯一不杂"的"诚敬"。

（二）比较而言，作为永康学派代表的陈亮（1143－1194），在周葵授受《大学》《中庸》之后，尤其读了杨时《语录》。他对于周、张之学及以程氏学派中的"心性"之说确有很多探究。这直接体现在陈亮本人的思想及其发展历程中。陈亮三十岁时曾经自述："夫道之在天下，何物非道。千涂万辙，因事作则。苟能潜心玩省，于所已发处体认，则知'夫子之道，忠恕而已'非设辞也。亮少不自力，放其心而不知求；行年三十，始知此事"。[②]

叶适是永嘉学派的代表。对于永嘉学派，在《宋儒学案》的"水心学案序录"中写有清儒全祖望（1706—1756）有这样的话："乾淳诸老既殁，学术之会，总为朱陆二派；而水心斷斷其閒，遂称鼎足。"[③] 史哉，北宋神宗元丰（1078—1085）年间，在太学里面，就有周行已、许景衡、刘安节、刘安上、戴述、赵霄、张辉、沈躬行、蒋元中等人，号称"永嘉九先生"。关于这些人的思想，在他《宋儒学案》的"周许诸儒学案序录"中记有全祖望曾扼要地指出："考所谓'九先生'者，其六人及程

① 吕祖谦：《门人所记杂说二》，《丽泽论说集录》卷十，影印文渊阁《四库全书》子部儒家类，第 6 页。

② 陈亮：《与应仲实》，《陈亮集》卷二十七，中华书局 1987 年版，第 318～319 页。

③ 《水心学案序録》，《宋元学案》卷五十四，中华书局 1986 年版，第 1738 页。

门，其三则私淑也；而周浮沚、沈彬老又尝从蓝田吕氏游。……横渠之再传……鲍敬亭辈七人，其五人及程门。"①

按照这一说法，在元丰年间游太学的永嘉学派"九先生"等人，是把"洛学"、"关学"引入浙东的思想传播者。叶适对他们的这一思想移植活动很珍视。叶适所论主旨在于事功利，而其很有特色的是，对"道"与"诚"作了论述。他说："道不可见，而在唐、虞、三代之世者，上之治谓之皇极，下之教谓之大学，行之天下谓之中庸，此道之合而可名者也。其散在事物，而无不合于此，缘其名以考其实，即其事以达其义，岂有一不当哉！"②"道源于一而成于两。古之言道者必以两。凡物之形，阴阳、刚柔、逆顺、向背、奇偶、离合、经纬、纪纲，皆两也。夫岂惟此，凡天下之可言者，皆两也，非一也。一物无不然，而况万物；万物皆然，而况其相禅之无穷者乎！然则中庸者，所以济物之两而明道之一者也，为两之所能依而非两之所能在者也。水至于平而至，道至于中庸而至矣。"③基于此，他讲到诚。他说："诚者何也？曰：此其所以为中庸也。日月寒暑，风雨霜露，是虽远也而可以候推，此天之中庸也。侯至而不应，是不诚也。……是故天诚覆而地诚载。惟人亦然，如是而生，如是而死，君臣父子，仁义教化，有所谓诚然也。是心与物或起伪焉，则物不应矣。高者必危，卑者必庳，不诚之患也。'致中和，天地位焉，万物育焉'何谓也？曰：此明其所以为诚也。未发之前非无物也，而得其所谓中焉，是其本也枝叶

① 《周许诸儒学案序録》，《宋元学案》卷三十二，中华书局 1986 年版，第 1131 页。

② 叶适：《总述》，《水心别集》卷七，《叶适集》，中华书局 1961 年版，第 726～727 页。

③ 叶适：《进卷中庸》，《水心别集》卷七，《叶适集》，中华书局 1961 年版，第 732 页。

悉备；既发之后非有物也，而得其所谓和焉，是其道也幽显感格。未发而不中，既发而不和，则天地万物，吾见其错陈而已矣。古之人使中和为我用，则天地自位，万物自育，而吾顺之者也，尧、舜、禹、汤、文、武之君臣是也。夫如是则伪不起矣。故中和者，所以养其诚也。中和足以养诚，诚足以为中庸，中庸足以济物之两而明道之一，此孔子之所谓至也。中庸曰：‘道之不行也，我知之矣：智者过之，愚者不及也。道之不明也，我知之矣：贤者过之，不肖者不及也。’何谓也？曰：此中庸之失也。由周而后，天下之贤者、智者常过之，愚者、不肖者常不及也。过者以不及为陋，不及者以过为远，二者不相合而小人之无忌惮行焉，于是智愚并困而贤不肖俱祸。呜呼！孰知君子之中庸耶？”①

叶适在《习学记言》中说：“按《洪范》耳目之官吧思而为聪明，自外入以成其内也；思曰睿，自内出以成其外也。故聪入作哲，明入作谋，睿出作圣；貌言亦自内出而成于外。古人未有不内外交相成，而至于圣贤，故尧舜皆备诸德，而以聪明为首。……然后学者尽废古人入德之条目，而专以心性为宗主，致虚意多，实力少，测知广，凝聚狭，而尧舜以来内外交相成之道废矣。②《孟子》。”又说：“夫有天地与人而道行焉，未知其孰先后也。《老子》私其道以自喜，故曰‘先天地生’。又曰‘天法道’。又曰‘天得一以清’。且道果混成而在天地之先乎？道法天乎？天法道乎？一得天乎？天得一乎？山林之学，不稽于古圣贤，以道言天，而其慢侮如此。及其以天道言人事，则又忘之。故曰‘不争而善胜，不言而善应，不招而自来’。又曰

① 叶适：《进卷中庸》，《水心别集》卷七，《叶适集》，中华书局 1961 年版。

② 叶适：《孟子》，《习学记言》卷十四，上海古籍出版社影印《四库全书》1992 年版。

'天道其犹张弓'。则是为天者常以机示物，而未尝法道之虚一无为也。然则，从古圣贤者，畏天敬天，而从老氏者，疑天慢天，妄窥而屡变，玩狎而不忌，其不可也必矣。"[①] 还说："'有物混成，先天地生'，老氏之言道如此。按自古圣人中天地而立，因天地而教，道可言，未有于天地之先而言道者。"[②]"无不以一物立义，物之所在，道则在焉，物有止，道无止也。非知道者不能该物，非知物者不能至道。道虽广大，理备事足，而终归之于物，不使散流。此圣贤经世之业，非习为文词者所能知也。"[③]

第五节　"诚""成"与王阳明心学

明代中期，在理学发展中，王阳明的心学异峰崛起并得以广泛传播。在这种情况下，王学与朱学相互诘辩。后来，朱学逐渐退居次要地位。

在王学崛起之前，陈献章的江门所谓自得之学属于心学，这成为阳明之学的先驱。江门心学提倡"静中养出端倪"。所谓"端倪"，即虚灵明觉的心体，被认为是心之本体。陈献章心学在岭南形成一个自相传授的学派。大弟子湛甘泉承江门衣钵，得之心传。湛甘泉主张"随处体认天理"从事事物物上体认本心的精微，实与陈献章心学一致。湛甘泉历官各地，筑书院以

① 叶适：《老子》，《习学记言》卷十五，上海古籍出版社影印《四库全书》1992年版。

② 叶适：《吕氏文鑑》，《习学记言》卷四十七，上海古籍出版社影印《四库全书》1992年版。

③ 叶适：《吕氏文鑑》，《习学记言》卷四十七，上海古籍出版社影印《四库全书》1992年版。

祀献章，张扬其说。王守仁与湛甘泉友善，二人互相切磋，对湛的学说甚为契合。可见陈湛之学对王守仁很有影响，后来，王守仁建立其学说体系，集宋明理学史上心学一派之大成，达到了心学的高峰。

王阳明即王守仁（1472—1528），字伯安，浙江余姚人。因结庐于越城外会稽山之阳明洞，自号阳明子，学者称阳明先生。他少年时随父寓京师，尝至塞外，与胡儿逐骑射，继又学辞章、兵法；18岁时因迎亲过广信，见吴与弼的弟子娄谅，与闻朱熹格物致知之学；于是遍读朱熹之书，并尝试格竹之理，但无所得；又出入于释老者有年。王阳明一生是在明宪宗成化八年至明世宗嘉七年，他在弘治十二年（1499）进士，授刑部云南清吏司主事。正德元年（1506年），太监刘瑾逮南京科道官，阳明上疏救之，被廷杖四十，贬官贵州龙场驿驿丞。五年后，刘瑾伏诛，阳明升庐陵知县，后历任吏部员外郎、郎中、南京太仆寺少卿、鸿胪寺卿。正德十一年（1516），升都察院左佥都御史，巡抚南赣、汀漳等处，平定南赣暴乱。正德十四年（1519），奉敕勘处福建叛军，闻宁王朱宸濠反，合吉安、临江、袁州、赣州等地兵讨之，在鄱阳湖打败濠兵，生擒宸濠。由此功，王阳明升南京兵部尚书，封新建伯。嘉靖元年（1522）始，王阳明因父丧在家守制时，讲学活动达到高潮。嘉靖六年（1527），他奉命征剿广西思田之乱，以归师破八寨、段腾峡诸乱。次年王阳明病逝于江西南安。其主要著作有《王文成公全书》38卷，现整理为《王阳明全集》；其中包括《传习录》，为其门人所辑録。《明史》卷一九五及《明儒学案》卷十“姚江学案”记载了王阳明的事迹。

王阳明心学的主要论题有三：一是心即理；二是知行合一；三是致良知。这三个论题俱围绕发明本心的良知这一中心思想。可见，他的思想渊源上承陆九渊立大本、发明本心的统绪。在王阳明的思想理论中凸显着关于"诚"的论说。

一、由"天地之道，诚焉而已"，言"诚意"，论"诚是心之本体"

（一）"天地之道，诚焉而已"。

王阳明在浙江南冈时，曾就南冈有感而发，讲到"诚"。他说："夫天地之道，诚焉而已耳。圣人之学，诚焉而已。诚故不息、故久、故微、故久远、故博厚。是故天惟诚也故常清；地惟诚也故常宁，日月惟诚也故常明。今夫南冈亦拳石之积耳，而其广大悠远至与天地而无疆焉，非诚而能诺是乎？故观夫南冈之崖石，则诚崖石尔矣；观夫南冈之溪谷，则诚溪谷尔矣；观夫南冈之峰峦岩壑，则诚峰峦岩壑尔矣，是皆实理之诚，然而非有所虚假文饰以伪为于其间。……是何也？诚之无所为也，诚之不容已也，诚之不可掩也"。[①]

（二）"以诚意为主"，"提出个诚意来说，正是学问大头脑处"。

王阳明 18 岁时因迎娶过上饶，曾谒见问学于吴与弼的弟子娄谅，娄谅告诉他朱熹的格物致知之学，并告诉他圣人可学而至。之后他曾循此法去格亭前竹子，但茫无所得。以后又经过多方探索，仍没有找到适合自己的进路。王阳明在谪官龙场时，居夷处困、动心忍性，他说："先儒解格物为格天下之物，天下之物如何可格得？且谓一草一木亦皆有理，今如何去格？纵格得草木来，如何反而诚得自家意？"[②] 这里，王阳明说到，按照

① 王阳明：《外集六·南冈说》，《王阳明全集》上，上海古籍出版社 1992 年版，第 908 页。

② 王阳明：《语录一·传习录下·薛侃录》，《王阳明全集》上，上海古籍出版社 1992 年版，第 39 页。

朱子的意思，涵养须用敬，进学在致知，格物越多，积理越厚，则意越诚。然而尽格天下之物是不可能的。更重要的是，具体事物之理，须有一识度才能将之转换为天理。这种识度的获得需要培养。这样，"物理"与"天理"、"涵养"与"进学"，终究"两截"。王阳明指摘朱熹的这一工夫路径是有问题的。

据王阳明《语录》记载，王阳明与蔡希渊有一段对话："蔡希渊问：'文公大学新本先格致而后诚意工夫，似与首章次第相合。若如先生从旧本之说，即诚意反在格致之前，于此尚未释然。'先生（王阳明）曰：'大学工夫即是明明德，明明德只是个诚意；诚意的工夫只是格物致知。若以诚意为主，去用格物致知的工夫，即工夫始有下落，即为善去恶无非是诚意的事。如新本先去穷格事物之理，即茫茫荡荡，都无着落处；须用添个敬字方才扯得向身心上来。然终是没根源。若须用个敬字，缘何孔门倒将一个最紧要的字落了，直待千余年后要人来补出？正谓以诚意为主，即不须添敬子，所以提出个诚意来说，正是学问的大头脑（关键）处。于此不察，直所谓毫厘之差，千里之缪。大抵《中庸》工夫只是诚身，诚身之极便是至诚；《大学》工夫只是诚意，诚意之极便是至善：工夫总是一般。'"可见王阳明反复强调的是，"以诚意为主去用格物致知的功夫，即功夫始有下落"。①

于是，王阳明又说，"所以谓之圣，只论精一，不论多寡。只要此心纯乎天理处同，便同谓之圣。若是力量气魄，如何尽同得？后儒只在分量上较量，所以流入功利。若除去了比较分量的心，各人尽着自己力量精神，只在此心纯乎天理上用功，即人人自有，个个圆成。便能大以成大，小以成小，不假外慕，

① 王阳明：《语录一·传习录上·薛侃录》，《王阳明全集》上，上海古籍出版社1992年版，第38～39页。

无不具足。此便是实实落落明善诚身的事。"[①]

关于"诚意"，王阳明与陈九川的一番对话有解释意义。陈九川说："近年体验得'明明德'功夫只是'诚意'。自'明明德于天下'，步步推入根源到'诚意'上，再去不得。如何以前又有格致工夫？后又体验，觉得意之诚伪，必先知觉乃可，以颜子'有不善未尝不知，知之未尝复行'为证。……须格去物欲，始能如颜子未尝不知耳。又自疑功夫颠倒，与诚意不成片段。后问希颜。希颜曰：'先生谓格物致知是诚意功夫，极好。'九川曰：'如何是诚意功夫？'希颜令再思体看。九川终不悟，请问。"王阳明就此回答说："惜哉！此可一言而悟，惟濬所举颜子事便是了。只要知身、心、意、知、物是一件。"王阳明还说："意未有悬空的，必着事物。故欲诚意，则随意所在某事而格之，去其人欲而归于天理，则良知之在此事者，无弊而得致矣。此便是诚意的功夫。"[②]

当他门人守衡问："《大学》工夫只是诚意，诚意工夫只是格物。修、齐、治、平，只诚意尽矣。又有正心之功，有所忿懥好乐，则不得其正，何也？"王阳明曰："此要自思得之，知此则知未发之中矣。"对于守衡的再三请问，王阳明论证了，"为学工夫有浅深，初时若不着实用意去好善恶恶，如何能为善去恶？这着实用意便是诚意。……《书》所谓无有作好作恶，方是本体。所以说'有所忿懥好乐，则不得其正'。正心只是诚意工夫，里面体当自家心体，常要鉴空衡平，这便是未发之

① 王阳明：《语录一·传习录上·薛侃录》，《王阳明全集》上，上海古籍出版社 1992 年版，第 31 页。

② 王阳明：《语录三·传习录下·陈九川录》，《王阳明全集》上，上海古籍出版社 1992 年版，第 91 页。

中"。[①]

王阳明由讲到"诚意"又讲到"意诚"。他在"答顾东桥书"中写道，"来书云：谓'致知之功，将如何为温清，如何为奉养，即是诚意，非别有所谓格物，此亦恐非。'""此乃吾子自以己意揣度鄙见而为是说，非鄙人之所以告吾子者矣。若果如吾子之言，宁复有可通乎？盖鄙人之见，则谓意欲温清、意欲奉养者，所谓意也，而未可谓之诚意。必实行温清奉养之意，务求自慊而无自欺，然后谓之诚意。"《大学》"曰'物格而后知至'。致其知温清之良知，而后温清之意始诚；致其知奉养之良知，而后奉养之意始诚。故曰'知至而后意诚'。此区区诚意、致知、格物之说盖如此。"[②]

这里，"诚意""意诚"总而言之"诚"。王阳明就文蔚所言曰，"嗟乎！今诚欲求豪杰同志之士于天下，非如吾文蔚者而谁望乎？如吾文蔚之才与志，诚足以援天下之溺者。今又既知其具之在我而无假于外求矣，循是而充，若决河注海，孰得而御哉？文蔚所谓'一人信之不为少'，其又能逊以委之何人乎？"[③]

在王阳明讲来，以诚意为主，这是"学问的大头脑处。于此不察，真所谓'毫厘之差，千里之缪'"。"《大学》工夫只是'诚意'，'诚意'之极，便是'至善'"。所谓"诚意"，一是要"着实用意去好善恶恶"，二是要"戒惧慎独"，在独知之地用力存善去恶。总之，"诚意只是循天理"，"圣人之所以为圣，只是其心纯乎天理而无人欲之杂。犹精金之所以为精，但以其成色

① 王阳明：《语录三·传习录上·薛侃录》，《王阳明全集》上，上海古籍出版社1992年版，第34页。

② 王阳明：《语录二·传习录中·答顾东桥书》，《王阳明全集》上，上海古籍出版社1992年版，第48～49页。

③ 王阳明：《语录二·传习录中·答聂文蔚》，《王阳明全集》上，上海古籍出版社1992年版，第81页。

足而无铜铁之杂也。”

（三）“诚是心之本体”。

王阳明由“诚意”引申到关于“本体”之论：“诚意，不是私意。诚意只是循天理。虽是循天理亦不得一分意。故有所忿懥好乐，则不得其正。须是廓然大公，方是心之本体。知此，即知未之中。”①

王阳明在回答志道所问“荀子云：‘养心莫善于诚’，先儒非之，何也”时，说到：“此亦未可便以为非。诚字有以工夫说者。诚是心之本体，求复其本体，便是思诚的工夫。明道说‘以诚敬存之’，亦是此意。《大学》‘欲正其心者，先诚其意。’荀子之言固多病，然不可一例吹毛求疵。……‘为富不仁’之言，孟子有取于阳虎，此便见圣贤大公之心。”② 这里，“诚以工夫说者”，论证指向“诚是心之本体”；这样“复本体”体现于他的整个哲学中。具体化便是，使“诚的工夫”成为“思诚的工夫”。

二、由“诚是心之本体”，讲“心即性”“性即理”“心即理”，论“诚是实理”“求复其本体，便是思诚的功夫”

王阳明由“诚是心之本体”，强调了“心即性”。他由“心即性”来论“性即理”，进而确立“心即理”。

（一）由“性”论到“心即性”。

1. 关于“性”。

孔子在《论语·阳货》中提出“性相近也，习相远也”。孟

---

① 王阳明：《语录一·传习录上·薛侃录》，《王阳明全集》上，上海古籍出版社 1992 年版，第 29～30 页。

② 王阳明：《语录一·传习录上·薛侃录》，《王阳明全集》上，上海古籍出版社 1992 年版，第 35 页。

子讲“生之谓性”。[1] 他说：“性也，有命焉，君子不谓性也。仁之于父子也，义之于君臣也，礼之于宾主也，智之于贤者也，圣人之于天道也，命也，有性焉，君子不谓命也”。[2] 荀子认为，“凡性，天之就也，不可学不可事”；[3] “生之所以然者谓之性”，“不事而自然谓之性”；[4] 主张人性本恶；有时也用以指人本有的认识能力，“凡可知，人之性；可以知，物之理也”。[5] 庄子以“性”为人所具有的素质，认为，“性者，生之质也”[6]；又讲，“有人，天也；有天，亦天也；人之不能有天，性也；圣人宴然休逝而终矣”。[7]《中庸》以性为天命，讲“天命之谓性”。《吕氏春秋·知今》提出：“生，性也；死，命也”；他以生为性，同时又以性为“万物之本也”。[8] 西汉董仲舒提出“质朴之为性，性非教化不成”[9]，“名性不以上，不以下，以其中名之”[10]；认为“性”仅指“中民之性”，介于善恶之间。隋唐佛教讲“性”用以指“佛性”：“性名自有，不待因缘。若待因缘，则是作法，不为名性”[11]。这“性”成为超越了的东西。北宋张载认为“饮食男女，皆性也”[12]，肯定生活欲望为人之本能。他还讲，“性

---

① 《孟子·告子》。

② 《孟子·尽心》。

③ 《荀子·性恶》。

④ 《荀子·正名》。

⑤ 《荀子·解蔽》。

⑥ 《庄子·庚桑楚》。

⑦ 《庄子·山木》。

⑧ 《吕氏春秋·贵当》。

⑨ 《举贤良对第三》。

⑩ 《春秋繁露·深察名号》。

⑪ 《大智度论》卷三十一。

⑫ 《正蒙·乾称下》。

者，万物之一源，非有我之得私也"[①]。北宋程颐以"理"为"性"，"性即是理，理则自尧、舜至于涂人，一也"[②]。南宋朱熹也认为："性即理也。在心唤做性，在事唤做理"[③]。他还讲，"性是太极浑然之体，本不可以名字言。"[④] 陆九渊强调了以"心"为"性"。陆九渊提出："且如情性心才，都只是一般事物，言隅不同耳……在天者为性，在人者为心"。[⑤]。到王阳明则明确提出："心即性，性即理。"[⑥]

王阳明为论证"心"即"性"，首先论证了"性"与气的关系，他强调了三层意思：

一是，王阳明强调"气即是性"。他讲，"性善之端，须在气上始见得，若无气亦无可见矣"。故曰："气即是性，性即是气。"王阳明又讲："性无善无不善"也就是说"有个无善无不善的性在内"。"又在物感上看，便有个物在外。却作两边看了，便会差。无善无不善，性原是如此。吾得及时，只此一句便尽了，更无有内外之间"。[⑦]

二是，王阳明强调把握"性"，关键在于明白"心"之"主宰"。《语录》中写道，有人问："'生之为性'，告子亦说得是，孟子如何非之？"王阳明回答说："固是性，但告子的认得一边去了，不晓得头脑。若晓得头脑，如此说亦是。孟子亦曰：'形

① 《正蒙·诚明》。

② 《遗书》卷十八。

③ 《朱子语类》卷五。

④ 《答陈器之》。

⑤ 《象山先生全集·语录》。

⑥ 王阳明：《传习录上·徐爱录》，《王阳明全集》上，上海古籍出版社 1992 年版，第 15 页。

⑦ 王阳明：《传习录下·钱德洪录》，《王阳明全集》上，上海古籍出版社 1992 年版，第 107 页。

色，天性也。’这也是指气说。”王阳明引用了程颐所说的话：“论性不论气，不备；论气不论性，不明。”王阳明由此强调“气亦性也，性亦气也，但须认得头脑是当。”[①] 当有人请教“学而不思则罔，思而不学则殆”二句。王阳明解释说，这是就具体事情而说的。心者身之主宰，目虽视，而所以视者心也；耳虽听，而所以听者心也；口与四肢虽言、动，而所以言、动者心也。故欲修身在于体当自家心体，常令廓然大公，无有些子不正处。主宰一正，则发窍于目，自无非礼之视；发窍于耳，自无非礼之听；发窍于口与四肢，自无非礼之言、动。此便是修身在其正身。

三是，王阳明论证了“性”与“天命”与“道”的关系。他说：“‘天命之谓性’，命即是性。”[②] 他又说，“仁、义、礼、智也是表德。性一而已，自其形体也谓之天”[③]。“圣人尽性知命”，而物“皆我之用，即吾尽性至命中完养此身，谓之仙；即吾尽性至命中不染世累，谓之佛。但后世儒者不见圣学之全……皆举一而废百也。圣人与天地民物同体，儒、佛、老、庄皆吾之用，是之谓大道”。[④] 进而王阳明论了“性”与“道”的关系。他讲：“率性之谓道，性即是道”[⑤]。关于“性”的特征，他认为，这就是道心。他说：“‘率性之谓道’，便是道心。

---

① 王阳明：《语录三·传习录下·黄修易录》，《王阳明全集》上，上海古籍出版社1992年版，第100～101页。

② 王阳明：《语录三·传习录下·钱德洪录》，《王阳明全集》上，上海古籍出版社1992年版，第105页。

③ 王阳明：《语录一·传习录上·陆澄录》，《王阳明全集》上，上海古籍出版社1992年版，第15页。

④ 王阳明：《补录·传习录拾遗·第45条》，《王阳明全集》下，上海古籍出版社1992年版，第1180页。

⑤ 王阳明：《语录三·传习录下·钱德洪录》，《王阳明全集》上，上海古籍出版社1992年版，第105页。

但着些人的意思在，便是人心。"[①] 王阳明由性即是气，性即是命，性即是道，讲到"心即性"，反过来说"性也即是心"。

2. 关于"心"。

对于"心"，在中国思想史上历来多有所论。孟子讲到："恻隐之心，仁也；羞恶之心，义也；恭敬之心，礼也；是非之心，智也"，"仁，人心也"。[②] 他认为，"心"为"大体"，"心之官则思。思则得之，不思则不得"，"从其大体（心）为大人，从其小体（耳目之类）为小人"。[③] 他还讲，有了心，能把握"权"和"度"。"权，然后知轻重；度，然后知长短；物皆然，心为甚"。[④]《管子·心术上》则讲，"心之在体，君之位也；九窍之有职，官之分也。"荀子提出"以仁心说"[⑤]，认为"心"藏"仁"；又认为"心居中虚，以治五官，夫是之谓天君"[⑥]。西汉董仲舒以心为气的主宰："凡气从心；心，气之君也。"[⑦] 西晋傅玄又提出"心者，神明之主，万物之统也"。[⑧] 隋唐佛教有"三界唯心""一心三观"之说。"心"常与"识""意"为同一系列概念，在法相宗中为第八识"阿赖耶识"的别名。北宋邵雍则强调"心为太极"[⑨]，他讲"物莫大于天地，天地生于太极，太极即是吾心，太极所生之万化万事，即吾心之万化万事也"。[⑩]

---

① 王阳明：《语录三·传习录下·黄省曾录》，《王阳明全集》上，上海古籍出版社 1992 年版，第 102 页。

② 《孟子·告子上》。

③ 《孟子·告子上》。

④《孟子·梁惠王上》。

⑤ 《荀子·正名》。

⑥ 《荀子·天论》。

⑦ 《春秋繁露·循天之道》。

⑧ 《傅子·正心》。

⑨ 《观物外篇》。

⑩ 《鱼樵问答》。

张载讲"合性与知觉，有心之名"。[①] 南宋朱熹也说："心者，人之知觉，主于身而应于事者也"。[②] 朱熹接受张载的"心统性情"之说，讲"性是未动，情是已动，心包已动未动"，"心统性情者也"。[③] 到陆九渊便提出了"心即理"的命题："天之所以与我者，即此心也。人皆有是心，心皆是理，心即理也。"[④] 由此王阳明进而指出："人者，天地万物之心也；心者，天地万物之主也。心即天，言心则天地万物皆举之矣"。[⑤] 由此，王阳明引申了中国思想是上的"心性"理论。

3. 关于"心性"。

在孟子的学说中就认为"性"在于"心"，他说，"君子所性，仁义礼智根于心。"[⑥] 他认为，"尽其心者，知其性也，知其性则知天矣。"[⑦] 荀子则讲到了"心"与"性"以及与"情"的关系："性之好恶喜怒哀乐，谓之情。情然而心为之择，谓之虑；心虑而能为之动，谓之伪。"[⑧] 进而他又论述了"化性起伪"的问题。在张载那里重要的命题是："合性与知觉，有心之名"[⑨]，"心统性情者也"[⑩]。程颐对心、性的关系作了进一步的解释，"性之本谓之命，性之自然者谓之天，性之有行者谓之心，

---

① 《正蒙·太和》。

② 《朱子语录》卷五。

③ 《朱子语录》卷五。

④ 《与李宰书》。

⑤ 王阳明：《文录三·答季明德书》，《王阳明全集》上，上海古籍出版社 1992 年版，第 214 页。

⑥ 《孟子·尽心上》。

⑦ 《孟子·尽心上》。

⑧ 《荀子·正名》。

⑨ 《正名·太和》。

⑩ 《张子语录》。

性之有动者谓之情，凡此数者皆一也”。[①] 朱熹承此，提出“心之未动则为性，已动则为情，所谓心统性情也”。[②] 王阳明则由“心即性”主张心与性无可区别[③]

4. 关于“性体”“心体”。

王阳明由“心即性”意义上理解“心性”，在此基础上，进一步重视了“性体”这一概念。“性体”曾是道教用语，指修行中的性功实体。元初李道纯撰《中和集》中有：“夫性者，先天至神，一灵之谓也。”此“人之极也，中天地而立命，禀虚灵而成性”。“性体”是“先天至神”的“虚灵”，性体即神体。“性体”至虚之妙、灵通无方，“性体”又称“大丹”、“金丹”。《全真集玄秘要》中写道：“圣师云：‘本来真性号金丹，四假为炉炼作团’。是知大丹者，真性之谓也。”这就是达到“真性”的“性体”，这成为修道证仙的一个重要内容。王阳明引用陆九渊的话说，“认识神为性体，故闻见日益。”他又引用陆九渊的话说，“认识神为性体，故闻见日益。”他还联系“诚”来说，“心也，性也，天地一也，故及其知诚功则一。”[④]

王阳明讲，“性是心之体，天是性之原，尽心即是尽性。‘唯天下至诚，为能尽其性；知天地之化育’。”[⑤] 这就由“性体”联系“尽心”，又借助“性体”，重视了“心体”这一概念。“心体”本是道教用语。后期全真道的“心性论”论“心体”主要

---

① 《遗书》卷二十五。

② 《朱子语类》卷六二。

③ 王阳明：《语录一·传习录上·陆澄录》，《王阳明全集》上，上海古籍出版社 1992 年版，第 14 页。

④ 王阳明：《语录二·传习录中·答聂文蔚第二书》，《王阳明全集》上，上海古籍出版社 1992 年版，第 86 页。

⑤ 王阳明：《语录一·传习录上·徐爱录》，《王阳明全集》上，上海古籍出版社 1992 年版，第 5 页。

有三个方面的内容：(1) 本心即道体。《玄教大公案》中有："以心观道，道即心也；以道观心，心即道也。"这是讲本心与道体是相通的。(2) 性体即本心。《中和集》中有："心虚澄则性本圆明，性圆明则无来无去。""心潜本生，犹留归水止。"这是讲心体与性体为同一本体。(3) 本心即神体。这里认为，万神总主于心，心体是神的主宰，它与元神本体是一致的。这里强调心体与性体、元神是一体而三名。

而在王阳明那里，他说"性体"时讲到，是"人必要说心有内外，原不曾实见心体。我今说无内外，尚恐学者流在有内外上去。若说有内外，则内外益判矣。况心无内外，亦不自我说。明道《定性书》有云：'且以性为随物于外，则当其在外时，何者为在内?'此一条最痛快。"[①] 所以王阳明又说："凡看书，培养自家心体。……只要归到自己身心上用"。[②]

在王阳明讲来，"心体"即"心之本体"。因此，他论述了"心体"即"心之本体"的特征："性无定体，论亦无定体。有自本体上说者，有自发用上说者，有自源头上说者，有自流弊处说者。总而言之，只是这个性。但所见有浅深尔。若执定一边，便不是了。性之本体原是无善无恶的，发用上也原是可以为善，可以为不善的。其流弊也原是一定善，一定恶的。譬如眼，有喜时的眼，有怒时的眼，直视就是看的眼，微笑就是觑的眼。总而言之，只是这个眼。若见得怒时眼，就说未尝有喜的眼；见得看时眼，就说未尝有觑的眼。皆是执定，就知是错。孟子说性，直从源头上说来，亦是说个大概如此。荀子性恶之

① 王阳明：《补录·传习录拾遗》，《王阳明全集》下，上海古籍出版社1992年版，第1173页。

② 王阳明：《补录·传习录拾遗》，《王阳明全集》下，上海古籍出版社1992年版，第1171～1172页。

说，是从流弊上说来，也未可尽说他不是，只是见得未精耳。众人则失了心之本体。"有人又问："孟子从源头上说性，要人用功在源头上明彻。荀子从流弊说性，功夫只在末流上救正，便费力了。"王阳明曰："然"。[①]

所以，王阳明说："心体上着不得一念留滞，就如眼着不得些子尘沙。些子能得几多？满眼便昏天黑地了。"他又说："这一念不但是私念，便好的念头亦着不得些子。如眼中放些金属屑，眼亦开不得了。"又有人问："人心与物同体，如吾身原是血气流通的，所以谓之同体。若于人便是异体了。禽兽草木益远矣。而何谓之同体？"王阳明回答说："你只在感应之几上看，岂但禽兽草木，虽天地也与我同体的，鬼神也与我同体的。"《传习录》里记载了王阳明回答汝中所问的一段回答：他同意汝中的看法，即"有心俱是实，无心俱是幻，是本体上说功夫；无心俱是实，有心俱是幻，是功夫上说本体。"[②]

《传习录》还记有一段王阳明对黄直录关于《大学》中"身有忿懥"等"则不得其正"的答问。王阳明说："忿懥几件，人心怎能无得？只是不可有耳，凡人忿懥，着了一分意思，便怒得过当，非廓然大公之体了。故有所忿懥，便不得其正也。如今于凡忿懥等件，只是个物来顺应，不要着一分意思，便心体廓然大公，得其本体之正了。且如出外见人相斗，其本是的，我心亦怒，却此心廓然，不曾动些子气，如今怒人亦得如此，方才是正。"[③]

① 王阳明：《语录三·传习录下·钱德洪录》，《王阳明全集》上，上海古籍出版社1992年版，第115页。

② 王阳明：《语录三·传习录下·黄以方录》，《王阳明全集》上，上海古籍出版社1992年版，第124页。

③ 王阳明：《语录三·传习录下·黄直录》，《王阳明全集》上，上海古籍出版社1992年版，第98～99页。

王阳明还论了“养得心体”，“然后谓之才”。王阳明说：“人只要成就自家心体，则用在其中。如养的心体，果有‘未发之中’，自然有‘发而中节之和’，自然无施不可。”他又说：“人要随才成就，才是其所能为……成就之者，亦只是要他心体纯乎天理，其运用处皆从天理上发来，然后谓之才。”“此唯养得心体正者能之。”①

薛侃问王阳明：“先儒以心之静为体，心之动为用，如何?”王阳明回答说：“心不可以动静为体用。动静，时也。即体而言，用在体；即用而言，体在用。是谓‘体用一源’。若说静可以见其体，动可以见其用，却不妨。”② 王阳明很重视对于“心性”这一概念，通过“性体”和“心体”来分析，由此来确立“心之本体”。他说：“人心是天渊。心之本体无所不该，原是一个天。只为私欲障碍，则天之本体失了。心之理无穷尽，原是一个渊。只为私欲窒塞，则渊之本体失了。如今念念至良知，将此障碍窒塞一齐去尽，则本体已复，便是天渊了。”王阳明指天以示之曰：“比如前面见天，是昭昭之天；四外见天，也只是昭昭之天。只为许多房子墙壁遮蔽，便不见天之全体；若撤去房子墙壁，总是一个天矣。不可道眼前之天是昭昭之天，外面又不是昭昭之天也。于此便见一节之知即全体之知，全体之知即一节之知，总是一个本体。”③ 前面讲到，王阳明论“性”时强调了“性即是道”；当进而论证“心体”，他进一步强调，由“道”才能体认“心体”。王阳明讲，“道”“须从自己心上体

① 王阳明：《语录一·传习录上·陆澄录》，《王阳明全集》上，上海古籍出版社1992年版，第21页。

② 王阳明：《语录一·传习录上·薛侃录》，《王阳明全集》上，上海古籍出版社1992年版，第31页。

③ 王阳明：《语录三·传习录下·黄直录》，《王阳明全集》上，上海古籍出版社1992年版，第95～96页。

认"，向里寻求，才能"见得自己心体"。有人问："道一而已，古人论道往往不同，求之亦有要乎？"王阳明说："道无方体"，"道即是天。若识得时，何莫而非道？人但各以其一隅之见认定，以为道止如此，所以不同。若解向里寻求，见得自己心体，即无时无处不是此道。"他又说，"诸君要实见此道，须从自己心上体认，不假外求，始得。"因此，"心即道，道即天，知心则知道、知天。"① 于是王阳明强调："心之本体，原自不动。心之本体即是性，性即是理。性元不动，理元不动。集义是复其心之本体。"②

可见王阳明非常强调"知道"对于体认"心体"的重要意义。他讲到，学问要"明"，必须明确"心体"即是"道明"。《传习录》上记有，有人问："看书不能明，如何？"王阳明说："此只是在文义上穿求，故不明。如此，又不如旧时学问。他到看得多，解得去。只是他为学虽极解得明晓，亦终身无得。须于心体上用功。凡明不得，行不去，须反在自心上体当，即可通。盖四书、五经不过说这心体，这心体即所谓道，心体明即是道明，更无二。此是为学头脑处。"③ 王阳明这里的"头脑处"是指"关键处"或"重要处"。又有人问："晦庵先生曰：'人之所以为学者，心与理而已。'此语如何？"王阳明说："心即性，性即理，下一'与'字，恐未免为二。此在学者善观。""'虚灵

① 王阳明：《语录一·传习录上·陆澄录》，《王阳明全集》上，上海古籍出版社1992年版，第21页。

② 王阳明：《语录一·传习录上·陆澄录》，《王阳明全集》上，上海古籍出版社1992年版，第24页。

③ 王阳明：《语录一·传习录上·陆澄录》，《王阳明全集》上，上海古籍出版社1992年版，第24页。

不昧，众理具而万事出'。心外无理，心外无事。"[①]

针对有人问，如果"不睹不闻是说本体"，那么"诫慎恐惧是说功夫否?"王阳明说："此处须信得本体原是'不睹不闻'的，亦原是'戒慎恐惧'的。'戒慎恐惧'不曾在'不睹不闻'上加得些子。见得真时，便谓'戒慎恐惧'的是本体，'不睹不闻'是功夫，亦得。"[②] 同时，王阳明又说到，"乐是心之本体，虽不同于七情之乐，而亦不外于七情之乐。""一念开明，反身而诚，则即此而在矣。"[③] 又有人问："《中庸》的'不睹不闻'是说本体吧？'戒慎恐惧'是说功夫吧?"王阳明说："这里必须相信本体原来是'不睹不闻'的，也原是'戒慎恐惧'的。'戒慎恐惧'没有在'不睹不闻'上增加了一点儿东西。看得真切时，就说'戒慎恐惧'是本体，'不睹不闻'是功夫，也行。"那么，"何为身心之形体？运用之谓也。何为心身之灵明？主宰之谓也。何为修身？为善而去恶之谓也。吾身自能为善而去恶乎？王阳明回答说，"必其灵明主宰者欲为善而去恶，然后其形体运用者始能为善而去恶也。故欲修其身者，必在于先正其心也。然心之本体则性也。性无不善，则心之本体本无不正也。何从而用其正之功乎？盖心之本体本无不正，自其意念发动，而后有不正。"[④] 王阳明说："无知无不知，本体原是如此，譬如

---

① 王阳明：《语录一·传习录上·陆澄录》，《王阳明全集》上，上海古籍出版社1992年版，第14～15页。

② 王阳明：《语录三·传习录下·钱德洪录》，《王阳明全集》上，上海古籍出版社1992年版，第105页。

③ 王阳明：《语录二·传习录中·答陆原静书》，《王阳明全集》上，上海古籍出版社1992年版，第70页。

④ 王阳明：《卷二十六·续编一·大学问》，《王阳明全集》下，上海古籍出版社1992年版，第971页。

日未尝有心照物，而自无物不照。无照无不照原是日的本体。"[①]

（二）由"心即性"论到"性即理"。

有学者评论说，在王阳明那里完成的是这样一个推论。"首先，他赖以推论的大前提是：仁、义、礼、智即"性"（或"礼也者，天理也"）；小前提为'性'即'心'（或'天命之性，具于吾心'）；其结论为'人只要在性上用功，看得一性字分明，即万理璀然'（或'礼也者……谓之天理'）。[②]

其实，就王阳明说来，固然其讲仁、义、礼、智即"性"，可认为是前提，可这里，王阳明更有概括性的在于，他确认"天地之道称焉而已""诚是心之本体"，这成为大前提，他将此纳入其推论，这是其推论的大前提；这样再以"性即心""心即性"为小前提；所以结论为"人只要在性上用功，看得一性字分明，即万理璀然"。[③] 这成为王阳明学说的特点。

由此，王阳明进一步论了"性即理"。关于"理"，孟子曾说："心之所同然者何也？谓理也，义也。"[④]《庄子》《荀子》《韩非子》等书中"理"字多次出现，如《庄子》书中有"物成生理谓之形"[⑤]，"判天地之美，析万物之理"[⑥]；《荀子》书中有"可以知，物之理也"[⑦]；"万物各异理"[⑧]，"短长大小方圆坚脆轻

① 王阳明：《语录三·传习录下·钱德洪录》，《王阳明全集》上，上海古籍出版社 1992 年版，第 109 页。

② 侯外庐主编：《中国思想通史》，第四卷（下），人民出版社 1963 年版，第 889～890 页。

③ 王阳明：《语录二·传习录中·陆澄录》，《王阳明全集》上，上海古籍出版社 1992 年版，第 15 页。

④ 《孟子·告子》。

⑤ 《庄子·天地》。

⑥ 《庄子·天下》。

⑦ 《荀子·解蔽》。

⑧ 《韩非子·解老》。

重白黑之谓理”[①] 唐代华严宗有所谓“事法界”和“理法界”之分，提出“理事无碍”的命题，认为“理不碍事，纯恒杂也；事恒全理，杂恒纯也；由理事自在，纯杂无碍也”。[②] 北宋张载说，“天地之气，虽聚散攻取百涂，然其为理也，顺而不妄。”[③] 二程则以理为总一之理，程颢提出，“天者，理也”[④]，“吾学虽有所授受，天理二字，却是自家体贴出来”[⑤]；程颐则讲，“天下之物皆可以理照，有物必有则，一物须有一理”[⑥]，但在根本上，万理只是一理，“一物之理即万物之理”。[⑦] 南宋朱熹提出，“天地之间，有理有气。理也者，形而上之道也，生物之本也；气也者，形而下之器也，生物之具也”[⑧]，认为“有是理，便有是气，但理是本”[⑨]，还说到“性即理也”，“性是实理，仁义礼智皆具”[⑩]；“道是在物之理，性是在己之理。然物之理，都在我此理之中”[⑪]。陆九渊提出了“心即理”这个命题，讲“人皆是心，心皆具是理，心即理也”。[⑫]

王阳明在以上关于“理”的学说基础上，特别承接陆九渊之说，从“心学”角度发挥了关于“理”的学说。在王阳明那里，由“心即性”来论“性即理”，形成了他不同于之前学说的

---

① 《韩非子·解老》。
② 《华严义海百门》。
③ 《正蒙·太和》。
④ 《遗书》卷十一。
⑤ 《外书》卷十二。
⑥ 《遗书》卷十八。
⑦ 《遗书》卷二上。
⑧ 《答黄道夫》。
⑨ 《朱子语类》卷一。
⑩ 《朱子语类》卷五。
⑪ 《朱子语类》卷一百。
⑫ 《与李宰书》。

特点。他由此强调，"人只要在性上用功，看得一'性'字分明，即万理灿然"[1]；讲到，"性元不动，理元不动"，"性即是理"[2]；进而又论证说，"夫理无内外，性无内外，故学无内外。"[3] 总之，"以其理之凝聚而言则谓之性，以其凝聚之主宰而言则谓之心，以其主宰之发动则谓之意，以其发动明觉则谓之知，以其明觉之感应而言则谓之物……皆所谓穷理以尽性也"[4]。

（三）由"性即理"论到"心即理"。

由以上关于"性即理"的论证，王阳明进而基于"诚"讲到，"诚意只是循天理"；而"思诚只思一个天理。得到天理纯全，便是'何思何虑'矣"。这里的"何思何虑"是援用《易经·系辞下》云："天下同归而殊途，一致而百虑。天下何思何虑？"所以，王阳明在充分阐述"性即理"时，特别强调："心之本体即是性，性即是理"。"性元不动，理元不动"。"集义是复其心之本体"。

王阳明讲，"所谓汝心……这个便是性，便是天理。有这个性，才能生这性之生理，便谓之仁。这性之生理，发（即表现）在目便会视，发在耳便会听，发在口便会言，发在四肢便会动，都只是个天理。以其主宰一身，故谓之心。这个心之本体，原只是个天理"。他又说："一者，天理。主一是一心在天理上。若只知主一，不知一即是理，有事时便是逐物，无事时便是着

① 王阳明：《语录一·传习录上·陆澄录》，《王阳明全集》上，上海古籍出版社 1992 年版，第 15 页。

② 王阳明：《语录一·传习录上·陆澄录》，《王阳明全集》上，上海古籍出版社 1992 年版，第 24 页。

③ 王阳明：《语录二·传习录中·答罗整庵少宰书》，《王阳明全集》上，上海古籍出版社 1992 年版，第 76 页。

④ 王阳明：《语录二·传习录中·答罗整庵少宰书》，《王阳明全集》上，上海古籍出版社 1992 年版，第 77 页。

空。惟其有事无事，一心皆在天理上用功，所以居敬亦即是穷理。”[①]“心之体，性也，性即理也。穷仁之理，直要仁极仁；穷义之理，直要义极义。仁、义只是吾性，故穷理即是尽性。”[②]

于是“众理具而无事出”。所以说，“心外无物，心外无言，心外无理，心外无义”。因此王阳明特别强调：“心外无理，心外无事”。这样，王阳明对于“心即性”“性即理”特别强调了二者是个统一体。王阳明在有人问“晦庵（朱熹）先生曰：‘人之所以为学者，心与理而已’，此语如何”时，他曾专门回答说：“心即性，性即理，下一‘与’字恐未免为二。”这是说，对于“心即性”与“性即理”说一个“与”字这就把二者割裂了。王阳明由“心即性”“性即理”的统一，还专门论述过“天理”“物理”的统一，“人心”“道心”的统一。他在反对有人将“道心”“人心”分别时，曾尖锐指出这是“支离”。

王阳明说：“圣人之学，心学也。……世儒之支离，外索于刑名器数之末，以求明其所谓物理者。而不知吾心即物理，初无假于外也。佛老之空虚，遗弃其人伦事物之常，以求明其所谓心者，而不知物理即吾心，不可得而遗也”。[③]

总之，正如他在与门人的对答中表述的：“爱问：‘至善只求诸心，恐于天下事理有不能尽。’‘心即理也，天下又有心外之事，心外之理乎?’先生叹曰：“此说之蔽久矣，岂一语所能悟。今故就所问者言之……心即理也。此心无私欲之蔽，即是天理，不需外面添一分。以此纯乎天理之心，发之事父便是孝，

① 王阳明：《语录一·传习录上·薛侃录》，《王阳明全集》上，上海古籍出版社1992年版，第33页。

② 王阳明：《语录一·传习录上·薛侃录》，《王阳明全集》上，上海古籍出版社1992年版，第34页。

③ 王阳明：《象山文集序》，《王阳明全集》上，上海古籍出版社1992年版，第245页。

发之事中便是忠，发之交友、治民便是信与仁。只在此心去人欲，存天理上用功便是。”[①]“理是心中之理，经是心中之理的记录，学是学存心中之理”，王阳明将宋及明以来占统治地位的程朱之学调转方向，明确强调心的主宰作用：“心者，身之主宰。目虽视，而所以观者心也；耳虽听，而所以听者心也；口与四肢虽言动，而所以言动者心也。”[②]

正是由于以“心”为中心，王阳明对于以往理学的一系列重要概念，在解释上不同于前人，特别是不同于理学权威朱熹。比如，他认为他与朱熹的最根本分歧在对《大学》的解释上。他不同意朱熹对《大学》的分章和补缀，以自认为是保存了《大学》本来面目的“古本大学”为教本，对《大学》所讲的作为“下手处”的“格物”，作出了大不同于朱熹的解释：“格物如孟子‘大人格君心’之格，是去其心之不正，以全其本体之正，但意念所在，即要去其不正以全其正，即无时无处不是存天理，即是穷理。天理即是明德，穷理即是明明德。”[③]王阳明因此说：“身之主宰便是心，心之所发便是意，意之本体便是知，意之所在便是物……所以某说无心外之理，无心外之物”。[④]

这里的“意”指“诚意”或“意诚”，所以王阳明在回答有人问到什么是“至诚前知”即回答怎样理解《中庸》二十四章所云“至诚之道可以前知”时，他强调说：“诚是实理，只是一

① 王阳明:《语录一·传习录上·徐爱录》,《王阳明全集》,上海古籍出版社1992年版，第2～3页。

② 王阳明:《文录四·稽山书院尊经阁记》,《王阳明全集》上，上海古籍出版社1992年版，第254页。

③ 王阳明:《语录一·传习录上·徐爱录》,《王阳明全集》,上海古籍出版社1992年版，第6页。

④ 王阳明:《语录一·传习录上·徐爱录》,《王阳明全集》上海古籍出版社1992年版，第6页。

个良知。实理之妙用流行就是神"。[①]

三、由"诚是实理"，讲"良知诚致"，论"知致则意诚"[②]"知行合一"

（一）"良知诚致"。

王阳明基于"诚是心之本体"说到"诚是一个实理"；于此他强调的是："诚是实理，只是一个良知"[③]。并由此讲到"知致则意诚""良知诚致"。这里，王阳明打通的概念联系在于：

1. "诚"与"良知"，与"天"、与"理"。

王阳明提到的"良知诚致"，是由"良知只是一个天理"引申的。王阳明指出，"'先天而天弗违'，天即良知也。'后天而奉天时'，良知即天也。"[④] 这里的"先天""后天"是基于《易经·乾卦·文言》所云："先天而天弗违，后天而奉天时，天且弗违，而况乎人乎，况于鬼神乎。"王阳明以此为基础来论"良知"，强调了这样的关系：从一种角度讲，先天不能违，因为天就是良知；从另一种角度说，后天尊奉于天，那么良知就是天。

王阳明讲，"心之本体，即天理也。天理之昭明灵觉，所谓良知也。"[⑤] 他指出，"良知是天理之昭明灵觉处，故良知即是天理。思是良知之发用。若是良知发用之思，则所思莫非天理矣。

---

① 王阳明：《语录三·传习录下·钱德洪录》，《王阳明全集》上，上海古籍出版社1992年版，第109页。

② 王阳明：《传习录上·徐爱录》，《王阳明全集》，上海古籍出版社1992年版，第6页。

③ 王阳明：《语录三·传习录下·钱德洪录》，《王阳明全集》，上海古籍出版社1992年版，第109页。

④ 王阳明：《语录三·传习录下·钱德洪录》，《王阳明全集》，上海古籍出版社1992年版，第111页。

⑤ 王阳明：《补录·传习录拾遗》，《王阳明全集》下，上海古籍出版社1992年版，第1181页。

良知发用之思，自然明白简易，良知亦自能知得。若是私意安排之思，自是纷纭劳扰，良知亦自会分别得。盖思之是非邪正，良知无有不自知者。"①

2."良知"与"气"，与"性"、与"生"。

王阳明认为，由于"天地""与人原只一体"，"故能相通耳"。《传习录》记有，朱本思问："人有虚灵，方有良知。若草木瓦石之类，亦有良知否?"王阳明曰："人的良知就是草木瓦石的良知。若草木瓦石无人的良知，不可以为草木瓦石矣。岂惟草木瓦石为然？天地无人的良知，亦不可为天地矣。盖天地万物与人原是一体，其发窍之最精处，是人心一点灵明。风雨露雷，日月星辰，禽兽草木，山川土石，与人原只一体。""只为同此一气，故能相通耳。"②

王阳明用"未发""已发"论证了"性"与"良知"的关系。他从源头上说起，对于"性"他讲到，"性无不善，故知无不良。良知即是未发之中，即是廓然大公、寂然不动之本体，人人之所同具也。但不能不昏蔽于物欲，故须学以去其昏蔽。然于良知之本体，初不能有加损于毫末也。知无不良，而中、寂、大公未能全者，是昏蔽之未尽去，而存之未纯耳。体即良知之体，用即良知之用，宁复有超然于体用之外者乎?"③

所以王阳明肯定了先秦思想家关于"生之谓性"的提法。据王阳明的《传习录》所记，"问：'生之谓性'，告子亦说得是，孟子如何非之?"王阳明曰："固是性，但告子认得一边去

① 王阳明：《传习录中·答欧阳崇一》，《王阳明全集》上海古籍出版社 1992 年版，第 72 页。

② 王阳明：《传习录下·钱德洪录》，《王阳明全集》上，上海古籍出版社 1992 年版，第 107 页。

③ 王阳明：《语录二·传习录中·答陆原静书》，《王阳明全集》上，上海古籍出版社 1992 年版，第 63 页。

了，不晓得头脑。若晓得头脑，如此说亦是。孟子亦曰：‘形色，天性也’[①] 这也是指气说。”王阳明又曰：“凡人信口说，任意行，皆说此是依我心性出来，此是所谓生之谓性。然却要有过差。若晓得头脑，依吾良知上说出来，行将去，便自是停当。然良知亦只是这口说，这身行，岂能外得气，别有个去行去说？故曰：‘论性不论气，不备；论气不论性，不明。’气亦性也，性亦气也，但须认得头脑是当。”[②]

3.“良知”，与“道”、与“心”、与“本体明觉”。

王阳明由“道”说到“良知”。他指出：“道心者，良知之谓也”“良知即是道，良知之在人心”“良知者心之本体也”。“循着良知发用流行将去，即无不是道”。“故良知者，意诚之本也”。[③]。王阳明认为“知是心之本体，生知安行，知行本体，即是良知良行”。而且王阳明在《传习录·六》中记有“王阳明答陆原静书”讲到：“来书云‘夫子昨以良知照心。窃谓：良知，心之本体也。照心，人所用功，乃戒慎恐惧之心也，犹思也。而遂以戒慎恐惧为良知，何欤？’能戒慎恐惧者，是良知也。”[④]他又在书中对于来信者对于他所讲到过“照心非动也”，而问“岂以其循理而谓之静欤？”王阳明说“‘妄心亦照’者，岂以其良知未尝不在于其中，未尝不明于其中，而视听言动之不过则者皆天理欤？且既曰妄心，则在妄心可谓之照，而在照心则谓之妄矣。妄与息何异？今假妄之照以续至诚之无息，窃所未明，

① 《孟子·尽心上》。

② 王阳明：《语录三·传习录下·黄修易录》，《王阳明全集》上，上海古籍出版社 1992 年版，第 101 页。

③ 王阳明：《语录二·传习录中·答陆原静书》，《王阳明全集》上，上海古籍出版社 1992 年版，第 69 页。

④ 王阳明：《语录二·传习录中·答陆原静书》，《王阳明全集》上，上海古籍出版社 1992 年版，第 65 页。

幸再启蒙。”“‘照心非动’者，以其发于本体明觉之自然，而未尝有所动也，有所动即妄矣。‘妄心亦照’者，以其本体明觉之自然者，未尝不在于其中，但有所动耳。”①

紧接着，王阳明在其《传习录》中又提到，“来书云：养生以清心寡欲为要。夫清心寡欲，作圣之功毕矣。然欲寡则心自清，清心非舍弃人事而独居求静之谓也。盖欲使此心纯乎天理，而无一毫人之私耳。今欲为此之功，而随人欲生而克之，则病根常在，未免灭于东而生于西。若欲刊剥洗荡于众未萌之先，则又无所用其力，徒使此心之不清。且欲未萌而搜剔以求去之，是犹引犬上堂而逐之也，愈不可矣。”王阳明强调，“必欲此心纯乎天理，而无一毫人欲之私，此作圣之功也。必欲此心纯乎天理，而无一毫人欲之私，非防于未萌之先，而克于方萌之际不能也。防于未萌之先，而克于方萌之际，此正《中庸》‘戒慎恐惧’、《大学》‘格物致知’之功。舍此之外，无别功矣。夫谓‘灭于东而生于西，引犬上堂而逐之’者，是自私自利，讲迎意必之为累，而非克治洗荡之为患也。今日‘养生以清心寡欲为要’，只‘养生’二字，便是自私自利，讲迎意必之根。有此病根潜伏于中，宜其有‘灭于东而生于西，引犬上堂而逐之’之患也。”②

这样，王阳明才进一步说：“诚是实理，只是一个良知。实理之妙用流行就是神，其萌动处就是几，诚、神、几曰圣人。圣人不贵前知。祸福之来，虽圣人有所不免。圣人只是知己，遇变而通耳。良知无前后，只知得见在的几，便是一了百了。”

① 王阳明：《语录二·传习录中·答陆原静书》，《王阳明全集》上，上海古籍出版社1992年版，第65页。

② 王阳明：《语录二·传习录中·答陆原静书》，《王阳明全集》上，上海古籍出版社1992年版，第66页。

这是王阳明就有人问"至诚前知"所答复的一段重要话。这里的"至诚前知"系《中庸》第二十四章讲的,"至诚之道,可以前知。国家将兴,必有祯祥;国家将亡,必有妖孽;见乎蓍龟,动乎四体。""前知",指预知未来。关于"诚、神、几曰圣人",出自周敦颐的《通书》所云:"寂然不动者,诚也;感而遂通者,神也;动而未形、有无之间者,几也。诚精故明,神应故妙,几微故幽。诚、神、几曰圣人。"基于此,王阳明强调,"不欺而诚,则无所容其欺,苟有欺焉而觉矣;自信而明,则无所容其不信,苟不信而觉矣。"[①]"事故不欺则良知无所伪而诚,诚则明矣"[②]。

王阳明将"良知"归结于"诚",强调"规矩诚立""尺度诚陈""良知诚致"才能避免"日劳而无成"。这便由"诚"说到"成"。王阳明说,"节目时变,圣人夫岂不知,但不专以此为学。而其所谓学者,正惟致其良知,以精察此心之天理。""夫良知之于节目时变,犹规矩尺度之于方圆长短也。""故规矩诚立,则不可欺以方圆,而天下方圆不可胜用矣;尺度诚陈,则不可欺以长短,而天下之长短不可胜用矣;良知诚致,则不可欺以节目时变,而天下节目时变不可胜应矣。毫厘千里之缪,不于吾心良知一念之微而察之,亦将何所用其学乎?是不以规矩而欲定天下之方圆,不以尺度而欲尽天下之长短。吾见其乖张谬戾,日劳而无成也已。"[③]这里王阳明由"诚"说到"成",是说由"成诚"而达到"诚成"。

---

① 王阳明:《语录二·传习录中·答欧阳崇一》,《王阳明全集》上,上海古籍出版社1992年版,第74页。

② 王阳明:《语录二·传习录中·答欧阳崇一》,《王阳明全集》上,上海古籍出版社1992年版,第74页。

③ 王阳明:《语录二·传习录中·答顾东桥书》,《王阳明全集》上,上海古籍出版社1992年版,第50页。

(二)“良知诚致”与“格物致知”。

人们在研究王阳明的“致良知”与“格物致知”时，往往因为都有一个“致”与“知”，而把这两项说成是一回事并由此产生很多争论。在我看来，这里的“致良知”主要是追问作为先在的意识结构(伦理结构)是何以可能的；“格物致知”主要是指向面对经验对象(格致之物)形成“知”如何可能。其中重要区别的焦点在于：一个是侧重于“良”，就“良知”而论，“良”在于先在的“良心”；一个是侧重于“物”，就“迎物”而论，“物”在于作为经验对象的外物。这其中都有个“知”，前者重在于就“诚意”来说的“本心”，后者是就“诚意”来说的“着落处”。二者从根本上讲渗透着“心”与“物”的关系，不论是“致良知”还是“格物致知”，“致”“知”之中，“诚意”是其“本”。以上是在趋向性上的大体区分，可要对之规定清楚，王阳明时期由其当时的认识和知识水平所能使用的概念范畴是难以奏效的。而王阳明毕竟在他的论述中揭示了并力求处理好以下几个关系：

1.“致知之功”与“知至而后意诚”。

《传习录》中记有，“来书云：谓‘致知之功，将如何为温清，如何为奉养，即是诚意，非别有所谓格物’，此亦恐非。”这里的“温清”，出自《礼记?曲礼上》云：“凡为人子之礼：冬温而夏清，昏定而晨省。”王阳明答复说：“若果如吾子之言，宁复有可通乎？盖鄙人之见，则谓意欲温清、意欲奉养者，所谓意也，而未可谓之诚意。……温清之格物，然后知温清之良知始致；奉养之物格，然后知奉养之良知始致。故曰‘物格而后知至’。致其知温清之良知，而后温清之意始诚；致其知奉养之良知，而后奉养之意始诚。故曰‘知至而后意诚’。此区区诚意、致知、格物之说盖如此"。①

2."未发"与"已发"。

王阳明讲:"未发之中,即良知也,无前后内外而浑然一体者也。……无前后内外而浑然一体,则至诚有息之疑不待解矣。未发在已发之中,而已发之中未尝别有未发者在;已发在未发之中,而未发之中未尝别有已发者存;是未尝无动静分者也。"② 他说:"性无不善,故知无不良。良知即是未发之中,即是廓然大公、寂然不动之本体,人人之所同具者也。但不能不昏蔽于物欲,故须学以去其昏蔽。然于良知之本体,初不能有加损于毫末也。知无不良,而中、寂、大公未能全者,是昏蔽之未尽去,而存之未纯耳。"③ 所以他的学生体会说:"先生曰'定者,心之本体'。是静定也,决非不睹不闻、无思无为之谓。必常知、常存、常主于理之谓也。夫常知、常存、常主于理,明是动也,已发也"。④ 当门人陆澄问"仁义礼智之名,因已发而有?"王阳明曰:"然"。⑤

3."体"与"用"。

关于"体即良知之体,用即良知之用,宁复有超然于体用之外者乎?"。王阳明说:"理无动者也。常知、常存、常主于理,即不睹不闻、无思无为之谓也。不睹不闻、无思无为,非

① 王阳明:《语录二·传习录中·答顾东桥书》,《王阳明全集》上,上海古籍出版社1992年版,第49页。

② 王阳明:《语录二·传习录中·答陆原静书》,《王阳明全集》上,上海古籍出版社1992年版,第64页。

③ 王阳明:《语录二·传习录中·答陆原静书》,《王阳明全集》上,上海古籍出版社1992年版,第63页。

④ 王阳明:《语录二·传习录中·答陆原静书》,《王阳明全集》上,上海古籍出版社1992年版,第63页。

⑤ 王阳明:《语录二·传习录中·曰仁所录》,《王阳明全集》上,上海古籍出版社1992年版,第15页。

槁木死灰之谓也，睹闻思为一于理，而未尝有所睹闻思为，即是动而未尝动也。所谓'动亦定，静亦定'体用一原者也。"①

由"体""用"王阳明论到了"功夫"，他在回答"要修这个身，身上如何用得工夫？"这个问题时讲到："然至善者，心之本体也。心之本体哪有不善？如今要正心，本体上何处用得功？必就心之发动处才可着力也。心之发动不能无不善，故须就此处着力，便是在诚意。如一念发在好善上，便实实落落去好善；一念发在恶恶上，便实实落落去恶恶。意之所发，既无不诚，则其本体如何有不正的？故欲正其心在诚意。工夫到诚意，始有着落处。"②

《传习录》记有王阳明与汝中、德洪二人的对话："汝中举先生教言，曰：'无善无恶是心之体，有善有恶是意之动，知善知恶是良知，为善去恶是格物。'"王阳明强调说："已后与朋友讲学，且不可失了我的宗旨：无善无恶是心之体，有善有恶是意之动，知善知恶是良知，为善去恶是格物"。王阳明还说："我今将行，正要你们来讲破此意，二君之见，正好相资为用，不可各执一边。"③ 这里开始涉及到知与行，王阳明讲到："尧舜三王之圣，言而民莫不信者，致其良知而言之也；行而民莫不说者，致其良知而行之也"。④

归结起来，王阳明还强调，"然诚意之本，又在于致知也。

① 王阳明：《语录二·传习录中·答陆原静书》，《王阳明全集》上，上海古籍出版社1992年版，第63页。

② 王阳明：《语录二·传习录中·答陆原静书》，《王阳明全集》上，上海古籍出版社1992年版，第63页。

③ 王阳明：《语录三·传习录下·钱德洪录》，《王阳明全集》上，上海古籍出版社1992年版，第117页。

④ 王阳明：《语录二·传习录中·答聂文蔚》，《王阳明全集》上，上海古籍出版社1992年版，第79页。

所谓‘人虽不知而已所独知’者，此正是吾心良知处。然知得善，却不依这个良知便做去；知得不善，却不依这个良知便不去做。则这个良知便遮蔽了，是不能致知也。吾心良知既不得扩充到底，则善虽知好，不能着实好了。恶虽知恶，不能着实恶了，如何得意诚？故致知者，意诚之本也。然亦不是悬空的致知，致知在实事上格。如意在于为善，便就这件事上去为；意在于去恶，便就这件事上去不为。去恶，固是格不正以归于正。为善，则不善正了，亦是格不正以归于正也。如此，则吾心良知无私欲蔽了，得以致其极，而意之所发，好善去恶，无有不诚矣！诚意工夫实下手处在格物也。若如此格物，人人便做得。‘人皆可以为尧舜’，正在此也。”①“一贯是夫子见曾子未得用功之要，故告之。学者如果能忠恕上用功，岂不是一贯？‘一’如树之根本，‘贯如树之枝叶。未种根，何枝叶之可得？体用一源，体未立，用安从生？”②

对王阳明以上论述中体现的思想可以这样概括：良知是体，格物是用；良知是未发，格物是已发；基于良知，方能有致之功；由格物而知致，则可达意诚。

（三）“良知良能”与“知行合一”。

1.“知行本体，即是良知良行”：“生知安行”。

王阳明讲，“所谓‘生知安行’，‘知行’二字亦是就用功上说。若是知行本体，即是良知良能。虽在困勉之人，亦皆可谓之‘生知安行’矣。‘知行’二字更宜精察。”③

---

① 王阳明：《语录三·传习录下·黄以方录》，《王阳明全集》上，上海古籍出版社1992年版，第120页。

② 王阳明：《语录一·传习录上·薛侃录》，《王阳明全集》上，上海古籍出版社1992年版，第32页。

③ 王阳明：《语录二·传习录中·答陆原静书》，《王阳明全集》上，上海古籍出版社1992年版，第69页。

在此，王阳明强调了"生知安行"。"生知安行"出自《中庸》第二十章云："或生而知之，或学而知之，或困而知之；及其知之，一也。或安而行之，或利而行之，或勉强而行之；及其成功，一也。"

重要的是王阳明将"知行本体"归于"良知良能"。他解释说，"夫良知既是道，良知之在人心，不但圣贤，虽常人亦无不如此。若无有物欲牵蔽，不能循得良知。如数公者，天质既自清明，自少物欲为之牵蔽，则其良知之发用流行之处，自然是多，自然违道不远。数公虽未知专在良知上用功，而或泛滥于多歧，疑迷于影响，是以或离或合而未纯。若知得时，便是圣人矣。"①

《传习录》中又记："来书云：'真知即所以为行，不行不足谓之知。此为学者吃紧立教，俾务躬行则可。若真谓行即是知，恐其专求本心，遂遗物理，必有暗而不达之处，抑岂圣门知行并进之成法哉？'"对此，王阳明讲，"知之真切笃实处即是行，行之明觉精察处即是知。知行工夫本不可离。只为后世学者分作两截用功，失却知行本体，故有合一并进之说。……心之体，性也，性即理也。"由此他针对"知行""工夫"有"先后之差"的说法，针对有人认为此中自相矛盾的说法，对于"工夫次第不能无先后之差"进行了澄清。他针对朱熹知先行后之说举例讲，"必有欲行之心，然后知路；欲行之心既是意，即是行之始矣。路歧之险夷，必待身亲履历而后知，岂有不待身亲履历而已先知路岐之险夷者邪？……吾子又谓'此亦毫厘倏忽之间，非谓截然有等，今日知之而明日乃行也'，是亦察之尚有未精。然就如吾子之说，则知行之为合一并进，亦自断无可疑矣。"

---

① 王阳明：《语录二·传习录中·答陆原静书》，《王阳明全集》上，上海古籍出版社1992年版，第69页。

“又云‘工夫次第不能无先后之差’，无乃自相矛盾已乎？”①

因此，王阳明强调了“知行合一”。因为“门人有疑‘知行合一’之说者”。他们对于知行合一的“合”有疑义。王阳明讲：“知行自是合一。……要晓得一念发动处，便是知，亦便是行。”②

2.“须于心体上用功”，心体明即是道明：“众理具而万事出”。

由王阳明的论说，可以见得他总是试图区分致良知与格物致知这一想法是有合理性的，虽然二者并未被区分得很好。值得称道的是，王阳明在“知行合一”之论中，论到了“良知诚致”如何成为可能的问题。他通过举出“良知之于节目时”，犹“规矩诚立”、“尺度诚陈”来说“良知诚致”，来说明“知致知之必在于行”。

不过，他不是像西方哲学那样面对的是理论真之必然性问题，而是面对中国哲学理论中所主要追问的伦理善的必然性问题。这里，他更重地强调了行的作用。这其中有接近只有在实践中才能证明知之必然性的意思。

王阳明强调的是这样的论点：“‘道之大端易于明白’，此语诚然”。“良知良能，愚夫愚妇与圣人同。但惟圣人能致良知；而愚夫愚妇不能致，此圣愚之所由分也。”③“好古敏求者，好古人之学，而敏求此心之理耳。心即理也。学者，学此心也；求者，求此心也。孟子云：‘学问之道无他，求其放心而已矣。’‘好问好察’。惟以用中而致其精一于道心耳。道心者，良知之

① 王阳明：《语录二·传习录中·答顾东桥书》，《王阳明全集》上，上海古籍出版社1992年版，第41页。

② 王阳明：《补录·传习录拾遗》，《王阳明全集》下，上海古籍出版社1992年版，第1172页。

③ 王阳明：《语录二·传习录中·答顾东桥书》，《王阳明全集》上，上海古籍出版社1992年版，第49页。

谓也。君子之学，何尝离去事为而废论说。但其从事于事为论说者，要皆知行合一之功，正所以致其本心之良知，而非若世之徒事口耳谈说以为知者，分知行为两事，而果有节目先后之可言也。"①

王阳明还特意强调心和性统一于理，二者不可分。因此，当又有人问："晦庵先生曰：'人之所以为学者，心与理而已。'此语如何？"王阳明说："心即性，性即理"。

王阳明特别又说，"吾子谓'语孝于温凊定省，孰不知之'。然而能致其知者鲜矣。若谓粗知温凊定省之仪节，而遂谓之能致其知，则凡知君之当仁者，皆可谓之能致其仁之知，知臣之当忠者，皆可谓之能致其忠之知，则天下孰非致知者邪？以是而言，可以致知之必在于行，而不行之不可以为致知也明矣。知行合一之体，不益较然矣乎？"② 在此王阳明举了一些达不到知行合一而"非诚"的例子。当然这里有些例子并不十分恰当。而这里的关键是，"须于心体上用功。凡明不得，行不去，须反在自心上体当，即可通。盖四书、五经不过说这心体，这心体即所谓道，心体明即是道明，更无二。此是为学头脑处（关键处）。"这话的意思是，只是在文义上穿凿探索，所以读不懂。像这样，倒不如去做旧时的学问。他们倒看得多，解释也通。只是他们治学虽然讲得非常清楚，也终生没有所得。治学应该在心体上下工夫。凡是不明白、行不通的，就必须返回来，在自己心上体会，这样就能读通。四书、五经说的就是这个心体，这个心体就是所谓的道，心体明亮就是道明亮，再没有其他。

① 王阳明：《语录二·传习录中·答顾东桥书》，《王阳明全集》上，上海古籍出版社1992年版，第51页。

② 王阳明：《语录二·传习录中·答顾东桥书》，《王阳明全集》上，上海古籍出版社1992年版，第50页。

这是关键所在。正因为这样，所以才有"'虚灵不昧，众理具而万事出'。心外无理，心外无事。"①

这样，王阳明把心与性，与天理统一起来论："天命之性，具于吾心，其浑然全体之中，而条理节目，森然毕具，是故谓之天理。天理之条理谓之礼。是礼也，其发见于外，则有五常、百行，酬酢、变化，语默、动静，升降、周旋，隆杀、厚薄之属，宣之于言而成章，措之于为而成行，书之于册而成训，炳然蔚然，其条理节目之繁，至于不穷诘，是皆所谓文也。"②"夫心之体，性也；性也原，天也。能尽其心，是能尽其性矣。《中庸》云：'惟天下至诚，为能尽其性。'""存其心者，未能尽其心者也，故须加存之功；心存之既久，不待于存而自无不存，然后可以进而言尽。盖'知天'之'知'，如'知州'、'知县'之'知'，知州则一州之事皆已事也，知县则一县之事皆已事也，是与天为一者也。"③

王阳明又说："所幸天理之在人心，终有所不可泯，而良知之明，万古一日，则其闻吾拔本塞源之论，必有恻然而悲，戚然而痛，愤然而起，沛然若决江河，而所有不可御者矣。"④他具体分析了"那诚孝的心发出来的条件"，他强调："须有这诚孝的心，然后有这条件发出来；譬之树木，这诚孝的心便是根，许多条件便是枝叶，须先有根，然后有枝叶，不是先寻了枝叶，

① 王阳明：《语录一·传习录上·陆澄录》，《王阳明全集》上，上海古籍出版社1992年版，第14页、第15页。

② 王阳明：《文录四·博约说》，《王阳明全集》上，上海古籍出版社1992年版，第266页。

③ 王阳明：《语录二·传心录中·答顾东桥书》，《王阳明全集》上，上海古籍出版社1992年版，第43页。

④ 王阳明：《语录二·传习录中·答顾东桥书》，《王阳明全集》上，上海古籍出版社1992年版，第56～57页。

然后去种根"。[①]"仁、义、礼、智也，是表德。性，一而已，自其形体也谓之天，主宰也谓之帝，流行也谓之命，赋予人也谓之性，主于身也谓之心。心之发也，遇父便谓之孝，遇君便谓之忠；自此以往，名至于无穷，只一性而已。犹人一而已，对父谓之子，对子谓之父；自此以往，至于无穷，只一人而已。人只要在性上用功，看得一性字分明，即万理璀然。"[②]"惟乾问：知、如何是心之本体？先生曰：知、是理之灵处。就其主宰处说，便谓之心。就其禀赋处说，便谓之性。孩提之童，无不知爱其亲，无不知敬其兄，只是这个灵能不为私欲遮隔，充拓得尽便'完'。'完'、是他本体，便与天地合德。"[③]

王阳明以上所论，落到心："所谓汝心，却是那能视、听、言、动的，这个便是性，便是天理。有这个性，才能生这性之生理，便谓之仁。这性之生理，发在目，便会视，发在耳，便会听，发在口，便会言，发在四肢，便会动；都只是那天理发生。以其主宰一身，故谓之心。这心之本体，原只是个天理，原无非礼。这个便是汝之真己，这个真己是躯壳的主宰。"[④]由此"主宰"，决定了"须于心体上用功"，从而"心体明则道明"，才有"众理具而万事出"。

3."求理于吾心"，"此圣门知行合一之教"："立言宗旨"。

王阳明在强调"知行合一"时认真揭示说："我今说个知行

---

① 王阳明：《语录一·传习录上·徐爱录》，《王阳明全集》上，上海古籍出版社1992年版，第3页。

② 王阳明：《语录一·传习录上·陆澄录》，《王阳明全集》上，上海古籍出版社1992年版，第15页。

③ 王阳明：《语录一·传习录上·薛侃录》，《王阳明全集》上，上海古籍出版社1992年版，第34页。

④ 王阳明：《语录一·传习录上·薛侃录》，《王阳明全集》上，上海古籍出版社1992年版，第36页。

合一，正要人笑得一念发动处，便即是行了。发动处有不善，就将者不善的念克倒了，须要彻根彻底不使那一念不善潜伏在胸中。此是我立言宗旨。”①

王阳明在“知行合一”的论述中，十分重视“道”与“心”的联系和统一。正如他对于“心”的阐述：“心，一而已。以其全体恻怛而言谓之仁，以其得宜而言谓之义。以其条理而言谓之理。不可外心以求仁，不可外心以求义，独可外心以求理乎？外心以求理，此知行之所以二也。求理于吾心，此圣门知行合一之教。吾子又何疑乎？”②“圣人只是顺其良知之发用，天地万物俱在我良知的发用流行中，何尝又有一物超于良知之外能作得障碍？”③ 综合起来，“心即道，道即天，知心则知道、知天。”④“诸君要实见此道，须从自己心上体认，不假外求，始得。”⑤

王阳明的“知行合一”学说以“心即理”为理论前提。他有所谓“外心以求理，此知行之所以二也；求理于吾心，此圣门知行合一之教”。而他特别强调的是，知行合一不是权宜之说，而是“知行之体本如是”。“知之真切笃实处即是行，行之明觉精察处即是知”，知行互相包含，不可分割，不分前后。总之，这是说，圣学就是“推其天地万物一体之仁以教天下，使

① 王阳明：《语录三·传习录下·黄直录》，《王阳明全集》上，上海古籍出版社1992年版，第96页。

② 王阳明：《语录二·传习录中·答顾东桥书》，《王阳明全集》上，上海古籍出版社1992年版，第43页。

③ 王阳明：《语录三·传习录下·钱德洪录》，《王阳明全集》上，上海古籍出版社1992年版，第106页。

④ 王阳明：《语录一·传习录上·陆澄录》，《王阳明全集》上，上海古籍出版社1992年版，第21页。

⑤ 王阳明：《语录一·传习录上·陆澄录》，《王阳明全集》上，上海古籍出版社1992年版，第21页。

之皆有以克其私，去其蔽，以复其心体之同然"。[①]

王阳明晚年总结其一生学术而标举"四句教"。这四句教的原话是："无善无恶心之体，有善有恶意之动，知善知恶是良知，为善去恶是格物。"这四句话被认为是对应《大学》心、意、知、物而提出的，王阳明由关于"致良知"就是"知行合一"的推义，对于《大学》讲的"八目"作出了与以往学者所不同的解释。在王阳明那里，对于《大学》"格物、致知、诚意、正心、修身、齐家、治国、平天下"，没按朱熹前"五件"后"三件"加以解析，而是以"正心"为首要而向"诚意"、"致知"、"格物"展开。王阳明曾对此这样说明，"利根之人直从本原上悟。人心本体原是明莹无滞的，原是个未发之中。利根之人一悟本体即是功夫，人己内外一齐俱透了"。[②]他显然是强调由"正心""诚意"说到"致知""格物"，即"心意知物"的次序；而改变朱熹等人由"格物""致知"说到"诚意""正心"，以至"修身"，即"格致正修"再到"齐家""治国""平天下"。这里体现王阳明哲学特点的在于举"正心诚意"为其整个哲学展开的基点或起点。这就使王阳明哲学体系在充分展开来的情况下，到晚年总结时又回头与他早年的南岗之感发相应：王阳明的南冈之感发讲到，"夫天地之道，诚焉而已耳。圣人之学，诚焉而已。诚故不息、故久、故微、故久远、故博厚。是故天惟诚也故常清；地惟诚也故常宁，日月惟诚也故常明。……是何也？诚之无所为也，诚之不容已也，诚之不可掩也"。[③]这显

① 王阳明：《语录二·传习录中·答顾东桥书》，《王阳明全集》上，上海古籍出版社1992年版，第54页。

② 王阳明：《语录三·传习录下·黄修易录》，《王阳明全集》上，上海古籍出版社1992年版，第117页。

③ 王阳明：《外集六·南冈说》，《王阳明全集》上，上海古籍出版社1992年版，第908页。

示了，王阳明心学之论由“天地之道诚焉而已”到由“心之体”“诚意”的本体到“良知”“格物”之教，这一哲学历程及其特色。

四、关于“阳明学派”及其“后学”

对此，若按区域分，历史上往往有“王学七派”之称。首先是“姚江学派”，即阳明学派。因王阳明本身系浙江余姚人，而余姚境内有姚江，故名。另外，《明儒学案》又明标浙中王门、江右王门、南中王门、楚中王门、粤闽王门、北方王门，共六门；泰州的王门后学一支不称“泰州王门”，《明儒学案》将其另列“泰州学案”，形成单独的“泰州学派”，不列入王门。这样，“姚江学派”又加六门或六派，统称为“王学七派”或“王学七门”。“姚江学派”也称“阳明学派”，前面解析王阳明学说时，已做了介绍。这里，也不可能对其他六派详细陈述，仅就“浙中王门”、“江右王门”以及“泰州学派”、“蕺山学派”为代表做些说明。

（一）“浙中王门”、“江右王门”等。

1.“浙中王门”往往亦称“浙中派”，主要指浙江中部的王门弟子后学，代表人物有徐爱（横山）、钱德洪（绪山）王畿（龙溪）、黄绾（久庵）、董沄（萝石）等。“浙中王门”的学者主要是王学在浙江地区的传人。黄宗羲认为，这一学派是随着王阳明思想的转变发展起来的。他说：“姚江之教，自近而远。其最初学者，不过郡邑之士耳。龙场而后，四方弟子始益进焉。郡邑之以学鸣者，亦仅仅绪山、龙溪。此外则椎轮积水耳。”[①]这里说到浙中王门形成和发展的过程：王守仁“龙场悟道”以

① 《浙中王门学案一·序》，《明儒学案》卷十一，中华书局1985年版，第219页。

前，其门人仅限于"郡邑之士"；之后，"四方弟子始益进"，浙中王门才兴盛起来。在代表人物中，"及门"最早的是徐爱（1488—1518，字曰仁，号横山）。他于正德二年（公元 1507 年）即从学于王守仁，他记录了王阳明所讲《礼记·大学》之宗旨，后编成《传习录》初卷。多数浙中王门学者受业于王守仁则较晚，例如钱德洪（1496—1574，名宽，字洪甫，号绪山）；他在野三十年，日日讲学，潜心传播王学，指认王阳明"四句教""为字本，不可移易"。钱德洪在王守仁平定朱宸濠之反后，即正德十四年（公元 1507 年），开始禀学业师。王畿（1498—1583，字汝中，号龙溪），他迟至嘉靖二年（1523），始受业于王阳明。他潜心传播王学，认为王阳明"四句教"系"权法，未可执定"① 提出"四无"说。王畿围绕"正心、诚意、致知、格物"说道，"心、意、知、物只是一事，若悟得是无善无恶之心，则心、意、知、物俱是无善无恶"。"悟得心是无善无恶之心，意即是无善无恶之意，知即是无善无恶之知，物即是无善无恶之物"。② 他主张"从先天心体上立根"，③ 认为"良知一点虚明，便是作圣之机，时时保住此一点虚明，不为旦昼梏亡，便是致知"。他把王阳明的"良知"学说进一步引向禅学。另有黄绾（1477—1551，字叔贤，号久庵、石龙）为学初师谢铎、宗程朱，继师王守仁。而他后来又对王学有所批评。晚年思想一变，以宋儒为禅。从"天性人情之真"出发，反对王守仁"去欲"、"去七情"之说，认为"情"与"欲"皆不能"去"。他反对"正其义不谋其利"的传统思想，主张"利"、"义"并重，"二者皆不可轻"；强调"非身履深历不能知"，知

---

① 王畿：《王龙溪全集·天泉证道纪》。

② 王畿：《王龙溪全集·天泉证道纪》。

③ 王畿：《王龙溪语录·龙华会记》。

识应从日常生活中获得，重视"困知勉行之功"；尖锐批评王学和禅学的"无思"、"无为"，指出"宋儒之学，其入门皆由于禅"，"禅学益盛，实理益失"[①]。再就是董沄（1457—1528，字复宗，号萝石，晚号从吾道人），他以能诗闻名，68岁（嘉靖三年）时始称王守仁弟子，听王守仁讲"良知"之说，如梦初醒，执意从王，曰："吾今而后，始得离于苦海耳，吾从吾之好。"[②]而后自号从吾。认为"知过即是良知，改过即是致知"，"但依得良知，礼法自在其中矣"。[③]可见，浙中王门诸子从学于王守仁，多是在其专倡"致良知"说的"江右以后"。这些王门弟子受业的时间有先后，传播师说的侧重点也各有不同。徐爱受业于王守仁早，故其所传，"皆是南中所闻。其于'致良知'之说，固未之知也"。[④]钱德洪、王畿、董沄等人受业晚，故所传开始多在"致良知"说。德洪谓"戒惧即是良知"，"不动之真体，良知是也"，"正心之功不在他求，只在诚意之中，体当本体明徹，止于至善而已矣"。[⑤]王畿谓"良知即是独知，独知即是天理"[⑥]，后"入于禅"。董沄谓"知过即是良知，改过即是致知"。[⑦]

---

① 黄绾：《明道编》。

② 《浙中王门学案四·布衣董萝石先生沄》，《明儒学案》卷十四，中华书局1985年版，第289页。

③ 《浙中王门学案四·求心录》，《明儒学案》卷十四，中华书局1985年版，第291页。

④ 《浙中王门学案一·郎中徐横山先生爱》，《明儒学案》卷十一，中华书局1985年版，第220页。

⑤ 《浙中王门学案一·会语》，《明儒学案》卷十一，中华书局1985年版，第226～227页。

⑥ 《浙中王门学案二·论学书》，《明儒学案》卷十二，中华书局1985年版，第259页。

⑦ 《浙中王门学案四·求心录》，《明儒学案》卷十四，中华书局1985年版，第290页。

在传播王学有功者中，要提到陆澄。《明儒学案》中说："《传习录》自曰仁（徐爱）发端，其次即为先生（指陆澄）所记。朋友见之，因此多有省悟。盖数条皆切问，非先生莫肯如此吐露。"王守仁谓："曰仁没，吾道益孤，致望原静（陆澄字）者不浅。"[①] 这对陆澄在传播师说方面的贡献，给予了很高的评价。再要提到的是，在传播师说方面别树一帜，独具特色的浙中王门学者季本、顾应祥、胡瀚和张元忭等。

季本字明德，号彭山，会稽人。《明儒学案》说他之学"贵主宰而恶自然"，与王畿"学当以自然为宗"相对，因"悯学者之空疏，祇以讲说为事，故苦力穷经"[②]，著述多达一百二十卷，均为解经、注经之作；又注重经世，于黄河故道、海运旧迹，考索尤勤。其学术路径倾向于"道问学"。

顾应祥字惟贤，号箬溪，长兴人。黄宗羲说他学"以阳明'知善知恶是良知，为善去恶为格物'为准的"。然于"九流百家"之书，皆"识其首尾，而尤精于算学"[③]，其学术路径与季本相近，也倾向于"道问学"。

张元忭字子荩，别号阳和，山阴人，王守仁的再传弟子。黄宗羲说他师王畿又辟王畿，且疑王守仁"识得本体便是工夫"之说，谓"本体无可说，凡可说者，皆工夫也"，认为他虽"谈文成之学，而究竟不出于朱子矣"[④]，这是浙中王门诸子之近朱

① 《浙中王门学案四·主事陆原先生澄》，《明儒学案》卷十四，中华书局1985年版，第295页。

② 《浙中王门学案三·知府季彭山先生本》，《明儒学案》卷十三，中华书局1985年版，第271～272页。

③ 黄宗羲：《浙中王门学案四·尚书顾溪箬先生应祥》，《明儒学案》卷十四，中华书局1985年版，第296页。

④ 黄宗羲：《浙中王门学案五·侍读张阳和先生元忭》，《明儒学案》卷十五，中华书局1985年版，第323～324页。

学者。

胡瀚字川甫，号今山，余姚人。其学旨在和会王门诸子的学术异同，谓"吾党慧者论证悟，深者研归寂，达者乐高旷，精者穷主宰流行"，认为他们俱得王守仁"致良知"说之一偏[①]，试图调和浙中、江右两个王门学派的对立。[②]

2."江右王门"往往亦称"江右派"，这是指王学在江西地区的传人。其主要代表人物均在王阳明历官江右以后始受业于其师门。江右王门作为传播和发展阳明"心学"的中坚力量，出现了许多在当时学界颇负盛名的人物。王学在明中后期获得了广泛的传播，而江右是传播王学的中心地区之一，其王门后学人数之多及王学对当地学术影响之深，在全国是名列前茅的，故在《明儒学案》中，"江右王门"就收有33人之多，在所列王门诸派中可谓首屈一指。研究者把"江右王门"的学者分为以下几类：

第一类，王阳明一传及再传的江西籍弟子。这一类可视为王阳明的嫡传后学。王阳明一传弟子，如邹守益（1491—1562，字谦之，号东廓子）、欧阳德（1497—1554，字崇一，号南野）、刘文敏（1490—1572，字宜充，号两峰）、刘邦采（约1491—约1576，字君亮，号师泉）、刘阳（字一舒，号三五）等等，皆亲承教于王阳明。王阳明二传弟子，如受业于欧阳德的胡直（1517—1588，字正甫，号庐山）、受业于刘文敏的王塘南（1522—1605，字子植，号南塘）、受业于邹守益的邓元锡（1529—1593，字汝极，号潜谷，学者私谥为文统先生）、受业

① 黄宗羲：《浙中王门学案五·教胡今山先生瀚》，《明儒学案》卷十五，中华书局1985年版，第330页。

② 参见侯外庐、邱汉生、张岂之主编：《宋明理学史》下卷，人民出版社1987年版，第795～797页。

于刘阳的刘元卿（1544—1609，字调父，初号旋宇，继号泸潇）等等。王阳明三传弟子，如受业于胡直的邹元标（1551—1624，字尔瞻，号南皋）等。

第二类，私淑王学而成为传播王学之中坚者。如聂豹（1487—1563，字文蔚，号双江）、罗洪先（1504—1564，字达夫，号念庵）等。双江与念庵虽然可以算作王阳明的一传弟子，但他们并没有像东廓、南野等人那样追随阳明左右亲承指教。双江虽然生前见过阳明一次，但也只是在阳明身后方称弟子；而念庵则一生未登阳明之门。因此，与其说他们的"良知"论传自阳明，倒不如说来自于他们自己的体验，故仅可称为私淑而已。

第三类，原本传自王门而又自成一家者。如李材（1518—1594，字孟诚，号见罗）本自受业东廓之门，但在学术上则多自得之处。对此，黄宗羲虽为之另立学案，但仍可将其归为"江右王门"加以论述。

第四类，受业于非江西籍王门传人的江西籍弟子。如徐樾（字子直，号波石）受业于泰州的阳明弟子王心斋（王艮），而波石与其弟子颜钧（1504—1596，字山农）以及山农的弟子罗汝芳（1515—1588，字惟德，号近溪，学者称明德先生）、何心隐（1517—1579，本名梁汝元，字柱乾，号夫山）等都是江西籍人。关于这一类，由于在学问关注上已偏离阳明心学较远，又与江右王学的总体学术倾向大异其趣，故黄宗羲已将之归入"泰州学案"。

以上四类学人，共同形成了"江右王学"的基本队伍。他们都为传播和发展阳明心学肩负起责任，并取得了一定成就。此外，还有心契王学或受益于王学而不专守一家者。[①]

① 参见徐儒宗著：《江右王学通论》，中国人民大学出版社 2009 年版，第 22～23 页。

关于江右王门学者所承继的阳明之学，第一、第二类，由于其中多是江西籍传人，其主要代表人物大都在王守仁历官江右以后才受业于师门；他们虽不如浙中王门学者与王阳明学说那么贴近，而他们直接弘扬阳明之学的特点是很明显的。如：邹守益、欧阳德均在王守仁巡抚南赣以后始受业。罗洪先自称王门后学，黄宗羲谓其“幼闻阳明讲学虔台，心即慕之”[①]，说明他心向王学也是在王守仁历官江右以后。刘文敏和刘邦采同师王守仁，则是在王阳明居越以后（嘉靖元年，公元1522年）。而聂豹直至王守仁卒后，“始称门生”。[②] 因此他们所受王守仁之教，都是其晚年的思想学说。黄宗羲对江右王门弟子在传播、阐扬王学方面的地位和作用，评价甚高：“姚江之学惟江右为得其传，东廓、念庵、两峰、双江其选也；再传而为塘南、思默，皆能推原阳明未尽之意。是时越中流弊错出，挟师说以杜学者之口，而江右独能破之。阳明之道，赖以不坠。盖阳明一生精神，俱在江右，亦其感应之理宜也。”[③]

王阳明谓“良知是未发之中”，“谨独即是致良知”，“则未尝不以收敛为主也”；江右王门许多人对此做了进一步发挥，邹守益之“戒惧”、罗洪先之“主静”、聂豹之“归寂”、刘文敏之“兢业存存”、王时槐之“惟寂而常照”、万廷言之“学以收放心为主”等等，都是对“致良知”说的具体发挥。显然，他们弘扬师说的重点是放在“致良知”的工夫上面。这是江右王门诸子弘扬师说的一个显著特点。要指出的是，在江右王门诸子中

① 黄宗羲：《江右王门学案三·文恭罗念菴夏先生洪先》，《明儒学案》卷十八，中华书局1985年版，第386页。

② 黄宗羲：《江右王门学案二·贞襄双江先生豹》，《明儒学案》卷十七，中华书局1985年版，第370页。

③ 黄宗羲：《江右王门学案一·序》，《明儒学案》卷十六，中华书局1985年版，第331页。

已出现一种新的学术倾向，这就是：以宋儒周、程诸子之义理来解释王学，试图和会宋明学术之异同。这里面不乏由"诚""成"立其论说者，而且在许多方面作了重要发挥。

例如，属于"江右王门"第一类阳明一传弟子的刘阳（字一舒，号三五）认为，宋儒关于"中"、"敬"、"诚"、"静"、"寂"、"仁"之义，"皆指夫知之良也"[①]，黄宏纲认为"阳明之良知，原即周子'诚一无伪'之本体"[②]。

例如，属于"江右王门"第一类阳明二传弟子的刘元卿（1544－1609，字调父，初号旋宇，继号泸潇），他对"诚意"的理解与阳明有所不同，他所著的《大学新编序》云："夫诚意所以正心也，正心所以修身也。知修身为天下、国、家之本，谓之格物，谓之知之至。何也？物有本末，知末而不知本，知未至也；知未至，未穷乎物始也，可谓格物欤？格之云，彻也，彻本末而一以贯之之谓也。……故诚也者，一以贯乎天下、国、家之善物也，格此者为格物，知此者为知至，总之诚意而已"。[③]这里可见，泸潇那里，"诚"主要是针对人的整个内心状态而言，就是人心"未发之真体"[④]，亦即"明德"。此"明德"本明，"惟意有所偏则蔽"[⑤]，若欲正其偏，则在于"诚意"。又由于"诚意"可以"慎独"的方式体现出来，因而他也把"格致"的具体内容表述成"慎独"。其《纪梦》云："读《大学》者，皆言诚意与致知工夫有深浅。然观诚意者但言慎独，则知独即

① 《江右王门学案四·御史列三五先生阳》，《明儒学案》卷十九，中华书局1985年版，第442页。

② 《江右王门学案四·主事黄洛村先生弘纲》，《明儒学案》卷十九，中华书局1985年版，第448页。

③ 刘元卿：《大学新编序》，《刘聘君全集》。

④ 刘元卿：《答世馨侄》，《刘聘君全集》。

⑤ 刘元卿：《鸿馨述序》，《刘聘君全集》。

物之本也，慎独即务本也。格物之本而务之则知至，此外别无格致之功。"[①] 他对王门各家之格致论皆有微词，认为皆有一偏之失而未能合乎中道。其《复王儆所》云："今之谈学者满家，薄饰励者要于求心，求心之说，岂不甚美？顾所为求者有辨也。归寂者以空空言心，持觉者以惺惺言心，寻乐者以泼泼言心，主敬者以兢兢言心，此以见为心也，非心之本真也。惩玄虚者要于践履，践履之说，又岂不甚美？顾所为践履者有辨也。硁硁者不亦信果，惺惺者不亦节楷，冥冥者不亦高蹈，磊磊者不亦功业，然以意为行也，非践履之极则也。唯圣人默而识之，则合下所见既大，终身所践无穷，所谓一以贯之也。故学则不厌，默识其万物备我者而全之，故不厌也；教则不倦，默识其万物皆我者而公之，故不倦也。"[②] 这番言论，其实已批评了江右王门的多种格致论。其中"归寂"、"主敬"、"持觉"，显然是分别针对聂双江、邹东廓和胡庐山诸人而言的。由其批评"以见为心"与"以意为行"之偏失看，泸潇是想力避两者之失而以兼取"求心"与"践履"之统一为宗旨。其所谓"默识其万物备我者而全之"、"默识其万物皆我者而公之"，则是他对格致工夫的基本主张。而这种工夫，又体现在"尽其心体之量"。其云："存心者，能尽其心体之量者也。尽其心体之量者，则知乃光大，无远不烛。"[③] 又《与王中石》云："故君子之治性，惟于吾心之所安者，而必满其量焉。则凡欲声欲色之欲，无非真机之流动，又焉往而不得性哉！"[④] 这里所谓"欲声欲色之欲，无

---

① 刘元卿：《纪梦》，《刘聘君全集》。

② 刘元卿：《复王儆所》，《刘聘君全集》。

③ 《江右王门学案六·刘调夫论学语》，《明儒学案》卷二十一，中华书局 1985 年版，第 499 页。

④ 刘元卿：《与王中石》，《刘聘君全集》。

非真机之流动"实可谓泸潇之创见。这样，刘泸潇的格致论，并不完全恪守阳明之训。虽然也以"诚意"为要旨，却又不主张训"格"为"正"，也不赞成于"致知"之"知"前加"良"字。他在《大学新编序》中认为"言明德则良知具矣"，若"加良于致知之知，则非其指；训正于格物之格，则失其义"①。所以，他在《丙午识仁问答记》中对"格物"和"致知"提出了自己的解释："友问格物之义。予曰：'身一也，合众身为家，合众家为国，合众国为天下，皆一身之积也。身万不同，而同一心。心无不正，而意或有偏，故意诚则心正，心正则身修，身修而天下平。夫天下之本在国，国之本在家，家之本在身，推极夫本之所在谓之格物，灼知夫本之所在谓之知至。'"② 所谓"心无不正，而意或有偏"，以及"推极夫本之所在谓之格物，灼知夫本之所在谓之知至"，乃是泸潇颇为独特的见解。

例如，属于"江右王门"第二类即私淑王学而成为罗洪先之师承者的万廷言（字以忠，号思默，虞恺之子），在其学说中，基于"体用原是一心，物我皆同此止"，他继承了老师罗洪先的"知止"之说，认为只有达到"物我皆同此止"的境界，才算有了"致良知于事事物物"的工夫，并特别强调这种工夫的基础在于"诚"，而"诚"又在"慎独"的工夫中体现出来。万思默云："诚意工夫，只好恶不自欺其知耳。要不自欺其知，依旧在知上讨分晓，故曰'必慎其独'。独是知体灵然不昧处，虽绝无声臭，然是非一些瞒他不得，自寂然自照，不与物对，故谓之'独'。须此处奉为严君，一好一恶，皆敬依着他，方是'慎'"。万思默又说，他的"存心养性"的工夫是从"收放心"入手的："予学以收放心为主，每少有弛散，便摄归正念，不令

---

① 刘元卿：《大学新编序》，《刘聘君全集》。

② 刘元卿：《丙午识仁问答记》，《刘聘君全集》。

远去。久之，于心源一渐有窥测，惟自觉反身默识一路滋味颇长耳。”可见由“收放心”而达到“反身默识”，乃是思默“主静”工夫。万思默进而讲，“《大学》知是寂，物是感，意却是几，故必先诚意。”“诚无为，几则有善恶。”“研磨其逐有而粗的，务到极微处，常还他动动而未形者，有无之间的本色，则无动非神，故曰‘诚神几’，曰‘圣人’。”万思默总结道：“乾所谓以诚敬存之也，故学者先须识得乾元本体，方有头脑。”“直从形而上处究竟”，“须一一从事物上理会，由博文，方有依据，事物透彻，方是形而上者”。①

再例如，应当让人们充分注意到的是，曾私淑阳明的宋仪望（字望之）在其《阳明先生从祀或问》中，特别由“诚”讲到“敬义”。他讲到“真诚恻怛之意”，“各有条理，不俟安排，非由外铄，是所谓天命之性，真实无妄者也”，“此学术之原也”。他不仅讲“心外无理”，而且强调“心外无义”，说道：“心外无理，心外无义，心外无物，自吾心之条理精察而言，则谓之理，自吾心之泛应曲当而言，则谓之义，其实一也。缉熙者，言心体本自光明，缉熙则常存此光明也；敬止者，言此心无动无静、无内无外，常一于无理而能止也。”“心之本体常敬，而得所止，故曰纯亦不已”。于是，宋仪望特别对人们往往忽略解释的“义”“集义”进行了论述，他写到：“孟子集义之说，因告子以仁为内，是以己性为内也，以义为例，是以己性为有外也，故孟子专言集义。义者，心之宜，天理之公也。言集义，则此心天理充满，而仁体全矣。”所以，“敬以直内者，言心之体本直，但能常主于敬，则内常直矣；义以方外者，言心之神明，自能裁制万物万事，但能常依于义，则外常方矣。敬者义

① 《江右王门学案六・督学万思默先生廷言・万思默约语》，《明儒学案》卷二十一，中华书局1985年版，第502～504页、第509页。

之主宰，在内而言谓之敬，仪者敬之裁制，在外而言谓之义，惟其敬义一致，内外无间，则德日大，而不习无不利矣。故曰‘性之德也，合内外之道也，故时措之宜也’。”①

还例如，属于“江右王门”第三类而师承罗洪先，与万思默同问学同举业，与邓潜谷、刘泸潇并号“三士”，曾聘主白鹿洞书院的章潢（1527—1608，字本清，学者称斗津先生，南昌人），认为“主敬穷理”、“致良知”，“言各不同，皆求明性善之功”②。《明儒学案》记录章潢有这样的答问：“有问‘学以何为宗?’曰‘学要明善诚身’”③。章潢在《章本清论学书》中还就“《中庸》‘不诚万物’”；“自事之终始言之，格致诚正修齐治平，事之分殊”；“合天下国家身心意知，而统之为一物，合格致诚正修齐治平，统之为一事，而事之先惟在格物，事物之理一为”；④ 阐发了他的见解。

另例如，属于“江右王门”第三类传人的李材（1518—1594，字孟诚，别号见罗），则在论证“修身”的重要性时，强调，如果不谈“修身”，“诚、正、格、致，将一切涣而无正流矣”。李材对于“修”“身”讲到，“修外无有格致诚正”，“身外无有家、国、天下……身即本也，即始也”⑤，而“意无不诚，

① 《江右王门学案九·阳明先生从祀或问》，《明儒学案》卷二十四，中华书局1985年版，第552～554页。

② 《江右王门学案·阳明先生从祀或问》，《明儒学案》卷二十四。

③ 《江右王门学案九·徽君章本清先生潢》，《明儒学案》卷二十四，中华书局1985年版，第570页。

④ 《江右王门学案九·章本清论学书》，《明儒学案》卷二十四，中华书局1985年版，第573页。

⑤ 《止修学案·大学约言》，《明儒学案》卷三十一，中华书局1985年版，第682页。

不必更动诚的手脚，有不诚焉而修之，即止之矣。"[1] 其《大学约言》云："问：'致知两字，不但阳明挈之，有宋诸儒无不以为学之始事。先生独以为必先知止者，何也?'曰：'至小经纶，也须定个主意，岂有归宿茫然，可望集事之理。运斤者操柄，测影者取中，若无知止这一步，真所谓无主意的文章，诚正格致，将一切涣而无统矣。更有一说：心有不正，故用正之之功；意有不诚，故用诚之之功；知有不致，物有不格，故用致之格之之功。今此一时，尔试反观，觉心尚有不正否?'曰：'无有。''意有不诚否?'曰：'无有。''知有不致，物有不格否?'曰：'此中祇对，历历分明，亦似无有不致不格。'曰：'如此，则学问工夫，一时间便为空缺矣。'问者跃然有悟，曰：'允若先生之言，复命归根，全在一止。格致诚正，不过就其中缺漏处检点提撕，使之常归于止耳。'"[2] "格致诚正，不过就其中缺漏处，检点提撕，使之常止于中耳。常止即常修，心常正，意常诚，知常致，而物自格矣。"[3] 这是说，所谓"格物"和"致知"，不过是追求"知止"时"就其中缺漏处检点提撕"之工夫而已。而"修身"才是"本"。如果没有"修身"，则"格物"和"致知"，便会"涣而无统"。所以李材在其《与张洪阳》中云："孔子以知止入门，而后之儒者，却先格物，不知止。不知，则身心尚无归宿，而所谓格物者，安得不病于支离?本不悟，则意绪尚不免于二三，而所谓致知者，安得不流为意见?"显然，李材的这种说法，与历来理学家把"格物"和"致知"

---

① 《止修学案·论学书》，《明儒学案》卷三十一，中华书局1985年版，第678页。

② 《止修学案·大学约言》，《明儒学案》卷三十一，中华书局1985年版，第686～687页。

③ 《止修学案·大学约言》，《明儒学案》卷三十一，中华书局1985年版，第684页。

作为"修身"的具体实践工夫不同：在其他理学家那里，没有"格物"和"致知"，则"修身"便无从说起；而在李材这里，只有先知"修身为本"而"知止"，"格物"和"致知"方能"不病于支离"，"不流为意见"。他认为，"体则万物皆备，用则一物当几"，故所谓"格物"者，即"格其一物当几之物也"。意思是说，性之体是完备无有不足的，但此"体"发之于"用"，其所针对的对象却只是一个，即所谓"当几之物"。他之所以推出这种主张，据说是"亦因学不明本者，故将格物悬空讲之，无有事实，不得已而为之言"。而实际上，只要"实实落落与他挈出知本为归宗，知止为入窍，使人随事随物而实止之，实修之，即所云格、致、诚、正者，一切并是实事实功，岂不痛快简易"。于是，其《答陈汝修》云："不知心何为而用正，为其有不正而正之也；意何为而用诚？为其有不诚而诚之也；知、物皆然。正而诚者，即所谓道心也；不正、不诚者，即所谓人心也。"而在《答李汝潜》中他更进而论述道："心无不正，不必更动正的手脚，有不正焉而修之，即止之矣；意无不诚，不必更动诚的手脚，有不诚焉而修之，即止之矣；知无不致，不必更动致的手脚，有不致焉而修之，即止之矣；物无不格，不必更动格的手脚，有不格焉而修之，即止之矣。是皆所谓格物也，致知也。"照此而言，"格物"、"致知"并不具备独立的行为特征，只不过是关于"正心、诚意、致知、格物"的一种检束手段而已。故其《大学约言》又认为："知非他也，即意之分别者是也；物非他也，即知之感触者是也。除却家国天下、身心意知，无别有物矣；除却格致诚正、修齐治平，无别有知矣。"[1] 所以李材认为，《大学》中不为"格致"立传，实乃因

---

[1] 《止修学案·大学约言》，《明儒学案》卷三十一，中华书局 1985 年版，第 685 页。

"格"与"致"已经由其他六目体现出来，而《大学》之传其他六目，则格、致之传已在其中。

正是于此，《明儒学案》卷三十一"止修学案"这样概括李材的思想："学致良知之学，已稍变其说，谓'致知者，致其知体。良知者，发而不加其本体之知，非知体也'。已变为性觉之说。……于是拈'止修'两字，以为得孔、曾之真传。止修者，谓性自人生而静以上，此至善也，发之而为恻隐四端，有善便有不善。知便是流动之物，都向已发边去，以此为致，则日远于人生而静以上之体。摄知归止，止于人生而静以上之体也。然天命之真，即在人视听言动之间，即所谓身也。若刻刻能止，则视听言动各当其则，不言修而修在其中矣。使稍有出入，不过一点简提撕修之工夫，使之常归于止而已。故谓格致诚正，四者平铺。……著书数十万言，大指不越于此。夫《大学》修身为本，而修身之法，则归于格致，则下手之在格致明矣。故以天下国家而言，则身为本，以修身而言，则格致又其本矣。先生欲到归于修身，以知本之本，与修身为本之本，合而为一，终觉龃龉而不安也。……止修两挈，东瞻西顾，毕竟多了头面。若单以知止为宗，则摄知归止，与聂双江之归寂一也。先生恐其邻于禅寂，故实之以修身。"① 李材的"止修"说包含"止"和"修"两方面的内容，"止"是"止至善"，"修"是"修身"。他讲，"止为主意，修为工夫"。可见，所谓"止修"，乃是一个将"主意"与"工夫"加以区别后再加以综合的命题。有研究者指出，李材的"止修"说，是取《大学》中的"止于至善"和"自天子以至于庶人，壹是皆以修身为本"两条的涵义加以发挥糅合而成的。"止于至善"乃是"三纲领"的终极目标，而

① 《止修学案·中丞李见罗先生材》，《明儒学案》卷三十一，中华书局出版社1985年版，第667页。

"修身"则是"八条目"之关键。李材将此二者加以结合，确实是颇具概括性的。甘泉学派的许孚远在《与胡庐山论心性》中认为，见罗以"性"为"体"而以"心"为"用"，立言"不免主张太过"。然而东林学派的高景逸在《与罗止庵》中则对见罗之论大加赞叹："李先生独揭止修之旨，自顶至踵，皆为实地头；无动无静，皆为实工夫。其意微矣，其功大矣！"高氏的评价比较准确地反映了李见罗学说的基本倾向。[①]

（二）泰州学派。

泰州学派以王艮为代表。因为王艮家乡泰州（今属江苏）为讲学活动基地，故名。主要人物还有王栋（一庵）、林春（子仁）、徐樾（波石）等；徐樾弟子赵贞吉（大洲）、严钧（山农）；严钧弟子何心隐（梁汝元）、罗汝芳（近溪）等。

1. 王艮（1483—1541）字汝止，号心斋。泰州安丰场（今江苏东台）人。他出身盐户，本人为灶丁，后商游四方，常置《孝经》《论语》《大学》于袖中，逢人质义。王艮师事王守仁，但又"时时不满其师说"，甚至"往往驾师说之上"[②]。《明儒学案》记载："阳明以先生（王艮）意气大高，行事太奇，痛加裁抑，及门三曰不得见。阳明送客出门，先生长跪道旁，曰：'艮知过矣'。阳明不顾而入先生随至庭下，厉声曰：'仲尼不为已甚'。阳明方揖之起"。[③] 王守仁死后，始开门授徒，以讲学终身。其提出"百姓日用即道"[④]，肯定"圣人之道，无异于百姓

① 参见徐儒宗著：《江右王学通论》第5章第5节，中国人民大学出版社2009年版。

② 《明史·王艮传》。

③ 《泰州学案一·处士王心斋先生艮》，《明儒学案》卷三十二，中华书局1985年版，第710页。

④ 王艮：《心斋王先生全集·语录》。

日用"[1]。王艮的著作编为《心斋王先生全集》。后又编有《王心斋先生遗集》。

在王艮的哲学中讲到"诚""成",重要的是强调:"诚能止至善;大成圣,学全"。[2] 于是,他讲"大成之学",其中特别强调了:"良知"是"现现成成"。王艮哲学中有一个重要观点,即认为"致良知"即"复初","知不善之动而复之,乃所谓致良知以复其初也"。[3] 王艮曾对其族弟王栋(一庵)说,他最初讲的是"致良知",后来只讲"良知",不要这个"致"字了。王艮之弟子王栋是这样记录的"良知无时而昧,不必加知即明德无时而昏,不必明也……故学者之于良知,亦只要认识此体端便了,不消更着致字。先师(指王艮)云:翁(指王阳明)初讲致良知,后来只良知,传之者自不察耳!"[4] 所以王艮强调"良知"是"现现成成"。王艮讲,"良知一点,分分明明,亭亭当当,不用安排思索"。[5] 他又这样说,"识得此理,则现现成成,自自在在。即此不失,便是庄敬;即此长存便是持养。真体不须防检。不识此理,庄敬未免着意。才着意便是和心。"[6]

对于在此意义上来讲"成诚""诚成",王艮与其他一些哲学相比,一反认天地万物为本的见解,主张人为天地万物之本而天地万物为末。他讲到"成位",其基本观点是"虚明之至,无物不覆,反求诸身,把柄在手。合观此数语,便是宇宙在我,

① 王艮:《心斋王先生全集·语录》。
② 王艮:《送胡尚宾归省》。
③ 王艮:《心斋语录》。
④ 王栋:《王一庵先生遗集》卷一。
⑤ 王艮:《与俞纯夫》。
⑥ 王艮:《答问补遗》。

万化生身矣。”① “是故身也者，天地万物之本也；天地万物，末也。”②

王艮由“太极”“气”“天”“理”与“人”的关系，对他的观点作了基础性论证。他说：“父母生我，形气俱全，形属乎地，气本乎天。中涵太极，号人之天。此人之天，即天之天。此天不昧，万理森然，动则俱动，静则同焉。天人感应，因体同然，天人一理，无小大焉。”③ 王艮认为，无人“中涵太极”，所以称为“人之天”，又称为“天之天”。这是由“天人感应”“天人一理”，“才成位乎其中”。

由此，王艮论说了“成位”之理。他说到：《通书》云“‘无极而太极’者，即无根而根，无实而实也。‘太极本无极’者，即此根本无根，实本无实也。不然，则无根无实者，沦于虚无，即根即实者，滞于有象，而非所谓道矣。故道也者，性也，天德良知也，不可须臾离也。率此良知，乐与人同，便是充拓得开，天地变化草木蕃，所谓‘易简而天下之理得，而成位乎其中矣’。④

所以，当有人问：《论语》中“智者不惑，仁者不忧，勇者不惧”三句话怎样解释时，王艮答道：“我知天，何惑之有？我乐天，何忧之有？我同天，何惧之有？”⑤ 于是王艮说：“惟念此天，无时不见。告我同志，勿为勿迁。外全形气，内保其天。苟不得已，杀身成天。”⑥ 王艮在这里以“杀身成天”改写了古代“杀身成仁”的说法，他在这里强调的是：“夫良知即性，性

① 王艮：《语录》。

② 王艮：《答问补遗》。

③ 王艮：《孝箴》。

④ 王艮：《答刘鹿泉》。

⑤ 王艮：《语录》。

⑥ 王艮：《孝箴》。

即天，天即乾也，以其无所不包，故谓之仁。”①

王艮由此讲“心之本体”，他把这称之为“本能”，又叫“真体”。在王艮看来，这个“本体”“位天地、育万物事”。② 对这个“心之本体”，王艮一方面讲，它“现现成成”“自自在在”“有无限快乐”。一方面又讲，“心之本体，着不得纤毫意思。”这就要，“不着意”，“无思也、无为也”；就要“善念不动”“恶不动”，“持养”“防检”；就要“察思防欲”，“扫荡”以“清宁”。所以，王艮说：“人心本无事，有事心不乐。有事行无事，多事亦不错。”“能无为弗无为，能无知兮无弗知。”③ 他又说：“只心有所向，便是欲；有所见，便是妄。既无所向，又无所见，便是无极而太极。”④

于是，王艮强调，要把握“心之本体”，要靠“一觉”。“私欲一萌时，良知还自觉。一觉便消除，人心依照乐。”⑤ 有了这“一觉”，“私欲”便“消除”；便能达到“无知兮无弗知”，“无为弗无为”，“无极而太极”。

王艮由天理论良知，展开论说了“知”、“欲”、“伪”以及“学”等等的范畴。他说：“天理者，天然自有之理也；良知者，不虑而知，不学而能者也。惟其不虑而知，不学而能，所以为天然自有之理；惟其天然自有之理，所以不虑而知，不学而能也。”⑥ “天理者，天然自有之理也。才欲安排如何，便是人欲。”⑦

---

① 王艮：《答朱惟实》。
② 王艮：《答问补遗》。
③ 王艮：《示学者》。
④ 王艮：《与俞纯夫》。
⑤ 王艮：《乐学歌》。
⑥ 王艮：《天理良知说答甘泉书院诸友》。
⑦ 王艮：《天理良知说答甘泉书院诸友》。

他又讲"天下之学，唯有圣人之学好学，不费些子气力。"他又讲"凡涉人为，皆是作伪。故伪字从人从为。"[①]

王艮由"学"特别论到所称的"淮南格物"之说。自从《礼记·大学》篇提出："致知在格物"的说法以后，中国古代的哲学家们对这一句话曾经有过多种解释。朱熹认为"格物"的意思就是"穷理"。王阳明强调了"格物"就是"正行"。王艮的解释和朱熹、王阳明都有所不同，他对"格物"的解释是："身与天下国家一物也，惟一物而有本末之谓。格，絜度也，絜度于本末之间……此格物也。"[②] 因为泰州地处淮南，所以王艮的这种解释被称为"淮南格物"。明末的哲学家刘宗周曾说："后儒格物之说，当以淮南为正。"[③]

在王艮的思想体系里，讲"良知"，"现现成成，自自在在"，又讲"庄敬"是"持养工夫"。而实现"着意"的"持养工夫"，需识得"现现成成，自自在在"之"良知"，识得此"良知"在于"中"。在《心斋语录》中记有王艮有这样答问："问'庄敬持养工夫'。曰'道一而已矣。中也，良知也，性也，一也。'"[④] 王艮曰："此道在天地间遍满流行，无物不有，无时无然，原无古今之异，故曰'鸢飞戾天，鱼跃于渊'，言其上下察也。"[⑤] "惟皇上帝，降中于民，本无不同，鸢飞鱼跃，此中

① 《泰州学案一·心斋语录》，《明儒学案》卷三十二，中华书局 1985 年版，第 712 页。

② 王艮：《答问补遗》。

③ 《泰州学案一·处士王心斋先生艮》，《明儒学案》卷三十二，中华书局 1985 年版，第 710 页。

④ 王艮：《泰州学案一·心斋语录》，《明儒学案》卷三十二，中华书局 1985 年版，第 716 页。

⑤ 王艮：《答朱凤刚节推》。

也。譬之江、淮、河、汉，此水也；万紫千红，此春也。"[①] 这里，"中"是《礼记·中庸》篇提出来的，"喜、怒、哀、乐之未发谓之中"，指的是人体内的一种精神本原，也是"天下之大本"。在王艮的思想体系里，王艮认为，"中"既存在于人，也存在于物，上至高飞近天的老鹰，下至跳出水面的游鱼都是"中"的不同表现。所以王艮才说："虚明之至，无物不覆，反求诸身，把柄在手。合观此数语，便是宇宙在我，万化生身矣。"[②] "是故身也者，天地万物之本也；天地万物，末也"。[③]

2. 王艮强调，"格知诚意之为本，而正修治平为为末，则备矣"。[④] 同属泰州学派的王栋（字隆吉，号一庵，1503－1581）又围绕"诚意工夫在慎独，独即意之别名，慎即诚之用力者耳"，以及"圣门诚意之学，先天易简之诀……"，阐发了他的看法。王栋针对有人所问："前辈多言敬则中心有主，今日诚意则心有主。谓主敬不如主诚者乎?"答曰："不然，诚与敬俱是虚字。吾非谓诚能有主，谓诚此修身立本之意，乃有主也。诚字虚，意字实……诚意是所以立之之功，不须说敬，而敬在其中。盖自其真实不妄之谓诚，自其戒慎不怠之谓敬，诚则敬，敬则诚，其功一也。又程子常言'学者先须识仁。识得此理，以诚敬存之而已'这便是以仁为主，诚敬是所以存之之功"。[⑤] 王栋在"诚意"问题上，由提出"意为心之主宰"的命题，创立独特的"诚意"说；对此，黄宗羲认为这与刘宗周的"意为

① 王艮：《答问补遗》。

② 王艮：《语录》。

③ 王艮：《答问补遗》。

④ 《泰州学案一·处士王心斋先生艮》，《明儒学案》卷三十二，中华书局 1985 年版，第 710 页。

⑤ 《泰州学案一·教谕王一庵先生栋》，《明儒学案》卷三十二，中华书局 1985 年版，第 734 页，第 736 页。

心之所存"之论，可谓不谋而合。

也是泰州学派门生的李梴则有篇专门的"诚意问答"，载入《明儒学案》。李梴围绕"诚意以心之主宰言"；围绕"吾诚之所在也，故《大学》诚意，即《中庸》诚身"；围绕"惟学贵之本，诚身诚意固一也，然不知诚意以修身为国家天下之本，则身不止于善，而每陷于危险之地矣。……今人知格物反己之学，而犹不免于动气责人者，只为修身主意不诚。如果真诚恳恻，凡有逆境，惟知责己而不知责人，是于感应不息上用功"；围绕"诚意工夫，全在慎独，独即意也"；围绕"诚意之后，正心之功""譬之行者之南，立定主意，必期至南而止，更无一毫牵引，此诚也"；围绕"常读《章句》，'因其所发'释明德，'实其发'释诚意"；[①] 等等，阐发了他的见解。

本书前已说到，在王艮之前，李材曾提出"止修"。黄宗羲在《明儒学案》中因李材别立"止修"宗旨而为之别立一案；又因其学旨在"救良知之弊"，故称之为"王门之孝子"。"止修"之学有两个显著的特点：一是不以"良知"为本体，而以"良知"为功用，从而修正王守仁"良知即本体"之说；二是主张"知止"与"修身"并重，以救王门"单以'知止'为宗"而"邻于禅寂"之弊，这也是其学旨所以用"止修"命名之故。可见，李材所以别立"止修"宗旨，并非背叛王学，而是以"止修"之学修正王学之偏颇，补救王学之流弊，故仍属王门别派。

王艮作为王守仁的弟子，他在王门中的地位，黄宗羲将其比之于王畿。黄宗羲说："阳明先生之学，有泰州、龙溪而风行

① 《泰州学案一·诚意问答》，《明儒学案》卷三十二，中华书局 1985 年版，第 742～744 页。

天下，亦因泰州、龙溪渐失其传",[1]因而认为王艮于王学的流传，功过参半：既有功于王学，使其"风行天下"，广为传播；又使王学"渐失其传"，趋向"异端"。王艮之所以能使王学"风行天下"，是因为他开创了泰州学派，使王学深入到民间。黄宗羲谓王艮在阳明卒后，"开门授徒，远近皆至"，"省觉人最多"[2]，"泰州之后，其人多能赤手以搏龙蛇"[3]，即指此而言。但是，正因为王艮所开创的泰州学派的民间性质，又使他们在传播王学过程中不能不赋予某种民间的色彩。黄宗羲谓"传至颜山农（钧）、何心隐（原名梁汝元）一派，遂复非名教之所能羁络矣"[4]，这说明泰州学派因其民间色彩而使其思想具有"非名教之所以能羁络"的"异端"性格。就思想渊源而言，这是王艮的"百姓日用即道"观点合乎逻辑发展的结果。按王艮所说，既然"百姓日用"就是"圣人之道"；那么，人人可以得"道"而成为"圣人"。显然，这是对王守仁"人人可以为尧舜"这一思想的进一步发挥。王艮这一观点在客观上具有否认圣凡、贤愚、贵贱的封建等级差别的理论意义。其后学正是从这一意义上发挥此说。例如，罗汝芳由此引申出"圣人即常人"、"人无贵贱贤愚"[5]的结论；杨起元由此引申出"与愚夫愚妇同其知能便是圣人之道"[6]的结论。应该说，这是他们非难"名教"、步

① 《泰州学案一》,《明儒学案》卷三十二，中华书局1985年版，第703页。

② 《泰州学案一·处士王心斋先生艮》,《明儒学案》卷三十二，中华书局1985年版，第710页。

③ 《泰州学案·一》,《明儒学案》卷三十二，中华书局1985年版，第703页。

④ 《泰州学案·一》,《明儒学案》卷三十二，中华书局1985年版，第703页。

⑤ 《泰州学案三·近溪语录》，《明儒学案》卷三十四，中华书局1985年版，第763页。

⑥ 《泰州学案二·侍郎杨復所先生起元》，《明儒学案》卷三十四，中华书局1985年版，第806页。

入所谓"异端"的理论依据，也是他们对王学进行修正的具体表现。黄宗羲所谓"阳明先生之学"因泰州"而渐失其传"，也在此意义上而言。

学界往往认为，泰州后学援佛入儒，是"阳明先生之学""渐失其传"的另一个原因。例如，王艮之学四传至焦竑，出现了援佛入儒的情况。他说："佛氏所言"'本来无物者'，即《中庸》'未发之中'之意也"[①]；"明道言'尽其心者知其性也'，佛所谓'识心见性'是也"。故黄宗羲指出，焦竑之学，"以佛学即为圣学"[②]。与焦竑同师事于罗汝芳的周汝登，也援佛入儒，黄宗羲指出："先生之无善无恶，即释氏之所谓空也。"[③] 及至周汝登的弟子陶望龄，则"泛滥于方外"，"遂使宗风盛于东浙"。黄宗羲"其为学始基，原从儒术，后来谈玄说妙"，流入"禅学"[④]。

然而，就思想体系而言，王艮的泰州之学并未尽脱王守仁心学之规范。他所标举的"淮南格物"说，虽以"安身立本"解释《大学》格物"之旨，似与王守仁以"良知"为"本体"之说有别，但是，正如黄宗羲所指出的："然所以安身者，亦是安其心耳，非区区保此形骸之为安也"。[⑤] 其弟子王栋直以"安

① 《泰州学案一·焦澹园论学语》，《明儒学案》卷三十五，中华书局 1985 年版，第 830 页。

② 《泰州学案一·文端焦澹园竑》，《明儒学案》卷三十五，中华书局 1985 年版，第 829 页。

③ 《泰州学案五·尚宝周海门先生汝登》，《明儒学案》卷三十六，中华书局 1985 年版，第 859 页。

④ 《泰州学案五·文简陶石篑先生望龄》，《明儒学案》卷三十六，中华书局 1985 年版，第 868 页。

⑤ 《泰州学案一·处士王心斋先生艮》，《明儒学案》卷三十二，中华书局 1985 年版，第 710 页。

身"为"良知"[①]，更足以说明王艮的"淮南格物"说与王守仁的"致良知"说有着内在的思想联系。

就其讲的"本体论"而言，王艮及其后学也未能超出王守仁以"心"为本体的范围。如王艮以"安身"为"立天下之大本也"[②]。徐樾谓"古往今来，唯有此心"[③]。颜钧谓"人心妙万物而不测者也"。方学渐谓"心外无理"，"心出于理则放，心入于理则存"，"诚者善之本体，几者诚之发用，本体既善，发用亦善。"[④] 等等，都以"人心"、"本心"为本原。显然，这是对王守仁心学思想的具体贯彻。

由此而见，王艮所开创的泰州学派，既有对王学的继承和发扬，又有对王学的修正和离异。正是由于泰州学派对于王学的这种两重性，所以黄宗羲在《明儒学案》中为之别立一案，以标明其属于王门别派。

3. 明代中期，与王学并头而又互相对峙、互为影响的，还有湛若水之学。湛若水（1466－1560）字元明，号甘泉。明弘治十八年（1505 年）任翰林院庶吉士的湛若水与在京师任吏部主事的王阳明初相识。《王阳明年谱》记载：二人"一见定交，共与倡明圣学为事"。二人共同讲学互为师友，情意甚笃。然出自白沙学派的湛若水与决心"为象心一暴其说"（《答徐成立》二）的王阳明，虽同属心学，却在重要理论观点上有着分歧。

① 《泰州学案一·教谕王一菴先生栋》，《明儒学案》卷三十二，中华书局 1985 年版，第 732 页。

② 《泰州学案一·心斋语录》，《明儒学案》卷三十二，中华书局 1985 年版，第 711 页。

③ 《泰州学案一·布政徐波石先生樾》，《明儒学案》卷三十二，中华书局 1985 年版，第 725 页。

④ 《泰州学案四·心学宗》，《明儒学案》卷三十五，中华书局 1985 年版，第 839 页。

因而史上有称“湛王论辩”。黄宗羲指出,“王、湛两家,各立宗旨”,然而两家弟子“递相出入”于对方之门下,其情况类似于南宋的朱、陆门人。[①] 黄宗羲所谓“王、湛两家,各立宗旨”,是指“阳明宗旨‘致良知’”、湛若水“宗旨‘随处体认天理’”而言。[②] 两家宗旨虽异,实则异中有同,都是主张“心学”。王守仁自不待言,湛若水也不例外。他说:“圣人之学”,“皆是心学。”又说:“吾所谓天理者,体认于心,即心学也。”[③] 其自称其“随处体认天理”的宗旨是“心学”。他与王守仁一样,都是主张以“心”为本体,认为“心无所不贯”、“无所不包”,它“包乎天地万物之外,而贯夫天地万物之中”。[④] 湛若水之学与王学不同在于:一是疑孟子之“求放心”,认为是“以心求心”,“祇益乱耳”[⑤];二是非难“静坐”这一程门传授,认为,“此不是常理”[⑥];三是批评王守仁的“知行合一”说,主“知行并进”[⑦];四是认为“格物”即“造道”,而“所以造道者”,“知行

---

① 《甘泉学案一·序》,《明儒学案》卷三十七,中华书局 1985 年版,第 875 页。

② 《甘泉学案一·文简湛甘泉先生若水》,《明儒学案》卷三十七,中华书局 1985 年版,第 876 页。

③ 《甘泉学案一·语录》,《明儒学案》卷三十七,中华书局 1985 年版,第 888 页。

④ 《甘泉学案一·心性图说》,《明儒学案》卷三十七,中华书局 1985 年版,第 878 页。

⑤ 《甘泉学案一·求放心篇》,《明儒学案》卷三十七,中华书局 1985 年版,第 876 页。

⑥ 《甘泉学案一·语录》,《明儒学案》卷三十七,中华书局 1985 年版,第 889 页。

⑦ 《甘泉学案一·论学书》,《明儒学案》卷三十七,中华书局 1985 年版,第 882 页。

并进、学问思辨行"[①]，以王守仁训"格物"为"正念头"为非[②]。

湛学在传衍过程中，其传人渐起分化：一是倾向江右王门。如：湛若水之及门何迁，谓："定静安虑而后能得"[③]。宗羲认为其学"与江右主静、归寂之旨大略相同"[④]。二是倾向朱学。如湛若水之再传许孚远谓"学然后可以尽性"，故"贵躬行"、"务实修"[⑤]。许远的弟子冯从吾，其"倡明正学""重功夫"[⑥]，而反对"异端悬空顿悟之学"，他论证说："尽性即尽其所率之性，由工夫以合本体者也"。"本体之善可知，故曰'性善'"。"得起体则其用自然得力，但不言用，则其体又不可见"。"论本体，则天命之性，率性之道，众人与圣人同；论工夫，则至诚尽性，其次致曲圣贤与众人异。""若论工夫不合本体，则汎然用功，必失之支离缠绕；论本体而不用工夫，则悬空谈体，必失正脉也。"他强调："吾儒之学，以至善为本体，以知止为工夫"。[⑦]他还认为，"《论语》一书，论工夫不论本体，论见在不论源头"；"《中庸》则直指本体源头，以泄孔子之密"。[⑧] 至唐伯元则

---

① 《甘泉学案一·论学书》，《明儒学案》卷三十七，中华书局 1985 年版，第 882 页。

② 湛若水：《答阴阳王都宪论格物》。

③ 何迁：《吉阳论学语》。

④ 《甘泉学案二·侍郎何吉阳先生迁》，《明儒学案》卷三十八，中华书局 1985 年版，第 921 页。

⑤ 《甘泉学案五·原学篇》，《明儒学案》卷四十一，中华书局 1985 年版，第 974 页。

⑥ 《甘泉学案五·恭定冯少墟先生从吾》，《明儒学案》卷四十一，中华书局 1985 年版，第 981 页。

⑦ 《甘泉学案五·论学书》，《明儒学案》卷四十一，中华书局 1985 年版，第 999～1000 页。

⑧ 《甘泉学案五·疑思录》，《明儒学案》卷四十一，中华书局 1985 年版，第 990 页。

一反湛若水之说，谓"六经无心学之说孔门无心学之教，凡言心学者，皆后儒之误"，主张"不能无恶"[①]提倡"解经"。杨时乔论心性，黄宗羲谓其与朱学学者罗钦顺"无以异"[②]。三是主张调和王，湛学术异同。如湛若水及门吕怀"以为天理良知本同宗旨"，反对学者说同道异。[③]湛若水的另一门唐枢，认为王、湛两家各有利弊："随处体认天理，其旨该矣，而学者或昧于反身寻讨；致良知，其几约矣，而学者或失于直任灵明"，因此主张"两存而精究之"，并以"讨真心"为立言，以调和王、湛两家之对立。他着重论证了，"第良知为自然之体，从其自然而致之，则工夫在本体之后，犹程子以诚敬存之"。[④]

这一时期的理学，除了王门派别对王学的修正和湛学对王学的辩难以外，还有程朱学者对陆王心学的批判，这几乎贯穿于这一时期理学发展的全过程。罗钦顺、崔铣、何塘、黄佐、张岳为其代表，而以东林朱学为其殿军。他们的批判，可以概括为以下几点：一是谓陆九渊的"心即理"纯属"师心自用"，于"经书"无从"取证"，故不合"圣人"之意；并说到朱熹言"神亦形而下者"，黄直卿"诚之不可掩""则是形而上者"之说。[⑤]二是谓王守仁的"致良知"说，"遗了格物功夫"，故"流

① 《甘泉学案六·文选唐曙台先生伯元》，《明儒学案》卷四十一，中华书局1985年版，第1002页。

② 《甘泉学案六·端洁杨止菴先生时乔》，《明儒学案》卷四十一，中华书局1985年版，第1024页。

③ 《甘泉学案二·太僕吕巾石先生怀》，《明儒学案》卷四十一，中华书局1985年版，第911页。

④ 《甘泉学案四·主政唐一菴先生枢》，《明儒学案》卷四十，中华书局1985年版，第948页。

⑤ 《诸儒学案中一·文庄罗整菴先生钦顺·困知记》，《明儒学案》卷四十七，中华书局1985年版，第1106～1124页。

于佛、老之空寂"[①]；三是谓王守仁"无善无恶"之说，"坏天下之法"，求其所本，实源于佛藏。[②] 四是谓"姚江之弊"，"任心而废学"、"任空而废行"，指斥其反对"实误""实修"而溺于禅宗"顿悟"之流弊。[③] 总之，他们在批评陆王心学时，着重于指出其学说缺乏"经典"的依据，揭露其思想的佛老渊源，应该说，这是明代中后期程朱学者批评陆王心学的显著特点。

另外，还要提到王廷相、吕坤等人的非理学倾向。从黄宗羲所编的材料来看，他们对理学的批评各有所侧重。例如，王廷相侧重由本体论和性论方面批评程朱的"理能生气"和"离气论性"的观点，指出前者是老庄"道生天地"之旨，后者是"强成孟子性善之说"坚持了万物皆本于"气"和"性生于气"的观点。王廷相讲，"学者始而用功，必须立敬存诚，以恃其志，而后有进。久而纯熟，动静与道为一，则诚敬不待养而自存，志不待持而自定矣。"[④] 吕坤则侧重于批评理学家之空谈，指出所谓"无极太极"，"理气同异"，"性命精粗"，"性善是否"等之论辩，均非"今日急务"。"于国家之存亡、万姓之生死，身心之邪正"无所裨益。[⑤] 明嘉靖五年（1526）至明嘉靖十三年间，还出现了王廷相与何瑭之间围绕"道体"与"无"、"气本体""天地水火造化本体"、"阴阳造化"等问题，所进行的论

① 《诸儒学案·庄徐养斋先生问》，《明儒学案》卷四十七，中华书局1985年版，第1240～1248页。

② 《东林学案一·端文顾泾阳先生宪成·小心斋劄记》，《明儒学案》卷四十七，中华书局1985年版，第1376～1392页。

③ 《东林学案一·忠宪高景逸先生攀龙·杂著》，《宋儒学案》卷五十八，中华书局1985年版，第1398～1402页、第1422～1427页。

④ 《诸儒学案中四·雅述》，《宋儒学案》卷五十，中华书局1985年版，第1174页。

⑤ 《诸儒学案下二·呻唫语》，《明儒学案》卷四十七，中华书局1985年版，第1298页。

辩，史称"王何论辩"。

由以上综观而概括：（1）明代理学以明初朱学为其开端，而以崇仁、河东学派为明初朱学之大宗。两家学术各有特色：崇仁治学主"涵养"，河东治学重"践履"，因而两家传人或恪守程朱"道问学"轨范，或倾向陆学"尊德性"途辙。崇仁门人陈白沙，发挥师说，倡"静中养出端倪"之学，为明代心学之发端。（2）明代中期，王守仁继陈献章而起，王学大昌，成为尔后明代理学大宗。王学传人，按其所在地区分成六派，而以江右王门为王学之正传，其传人之众，影响之大，持续时间之长均居于其他诸派之上。王门六派在传播师说过程中，渐起分化：或倾向于程朱的"道问学"，或出入于佛老之间，或主张和会程朱与陆王的学术异同。及至明末，刘宗周奋起救王门溺禅之弊，以"慎独"之学继承发扬陆王"本心之学"，因而成为明代王学之殿军、陆王心学之总结者。（3）在王学的兴起及其发展和演变过程中，有止修、泰州等王门别派对王学的修正，有湛学与王学的辩难，有程朱学者对陆王心学的批评。还出现了王廷相、吕坤等人的非理学倾向。这些非王学派别对陆王心学的修正、辩难和批评，是明代中后期理学发展的重要内容。如果说，蕺山之学是明代王学之殿军和总结者；那么，东林之学则是明代朱学的殿军。①

（三）蕺山学派。

1. 蕺山学派是明末刘宗周（1578—1645，字起东，号念台）创立的。因刘宗周讲学于家乡浙江山阴（今绍兴）城北蕺山，学者称其为蕺山先生。万历进士，官至南京左都御史。南明政权覆灭后，绝世而卒。

① 以上参见，侯外庐、邱汉生、张岂之主编：《宋明理学史》下卷，人民出版社 1987 年版，第二十八章第四节。

《明儒学案》在介绍刘宗周时说，"先生之学，以慎独为宗"，"儒者人人言慎独，唯先生始得其真"。"慎独"二字，最早见于儒家经典《礼记》中的《中庸》和《大学》。于此，可以说，"慎独"是由"诚意"延伸出的范畴。

《大学》写有："所谓诚其意者，毋自欺也。如恶恶臭，如好好色，此之谓自谦，故君子必慎其独也。小人闲居为不善，无所不至，见君子而后厌然，掩其不善，而著其善。人之视己，如见其肺肝然，则何益矣。此谓诚于中，形于外，故君子必慎其独也。"《中庸》则写道："天命之谓性，率性之谓道，修道之谓教。道也者，不可须臾离也，可离非道也。是故君子戒慎乎其所不睹，恐惧乎其所不闻，莫见乎隐，莫显乎微，故君子慎其独也。"《大学》《中庸》都是以"故"来说"慎独"，即回答"诚其意"为什么要"慎独"。

东汉经学家郑玄（康成）在注解《中庸》里的"慎独"时说："慎独者，慎其闲居之所为。小人于隐者动作言语自以为不见睹，不见闻，则必肆尽其情也。若有占听之者，是为显见甚于众人之中为之。"唐代经学家孔颖达注慎独说："以其隐微之处，恐其罪恶彰显，故君子之人恒常慎其独居。""虽曰独居，能谨慎守道也"。郑康成和孔颖达都就慎独"的字面本义把慎独解释为人在退燕避人闲居独处时要特别注意自我意识的修养。他们基本上是这样解释《大学》《中庸》中关于慎独"的本意。

对慎独的解释，到朱熹时得到前所未有的发展："独者，人所不知而己所独知之地也。言幽暗之中，细微之事，迹虽无形而几则已动，人虽不知而己独知之，则是天下之事无有著见明显而过于此者。是以君子既常戒惧，而于此尤加谨焉，所以遏人欲于将萌，而不使其滋长于隐微之中，以至离道之远也。"[①]"独者，人所不知而己所独知之地也。言欲自修者知为善以去其恶，则当实用其力，而禁止其自欺。……然其实与不实，盖有他人所不及知而己独知之者，故必谨之于此以审其几焉。"[②]

直至明中叶，王守仁心学兴起，对慎独的解释出现了新意。《传习录》记有，"正之问：戒惧是己所不知时工夫，慎独是己所独知时工夫，此说如何？先生（王守仁）曰：只是一个工夫，无事时因是独知，有事时亦是独知，人若不知于此独知之地用力，只在所共知处用功，便是作伪，便是见君子而后厌然。此独知处，便是诚的萌芽，此处不论善念善恶，便无虚假，一是百是，一错百错，正是王霸义利诚伪善恶界头，于此一立定，便是端本澄源，便是立诚。"[③] 王守仁主张慎独要在"独知之地用力"，倘若只在"人所共知处用功，便是作伪"，便是不诚。他认为，慎独的端本澄源是诚意。"工夫到诚意，始有着落出。然诚意之本，又在致知也。所谓人虽不知而己所独知者，此正是吾心良知处。"[④] 王守仁把"独"解释为"诚"，把"独知"解释为"良知"，把"慎"的功夫看作"立"或"致"，慎独就是"立诚"，就是"致良知"。如果说，朱熹把慎独看作"存天理，遏人欲"的手段，使之与其理学联系起来，那末，王守仁则把它纳入"致良知"学说体系之中。

到刘宗周则认为，《大学》和《中庸》讲的"慎独"虽然根本的目的是共同的，但出发点却有区别。刘宗周说："《中庸》之慎独与《大学》之慎独不同，《中庸》从不睹不闻说来，《大

① 《中庸章句》，《四书章句集注》，中华书局 1983 年版，第 18 页。

② 《大学章句》，《四书章句集注》，中华书局 1983 年版，第 7 页。

③ 《传习录》上，《王文成公全书》卷一。

④ 《传习录》下，《王文成公全书》卷三。

学》从意根上说来。"[①] 他又说,《大学》的慎独是"尽性之功",《中庸》中的慎独是"尽心之功"。还说"性体即在心体中看出"。[②] 在他看来,《中庸》的慎独,是在没有别人看见、听见,即无外的监临下做到慎独,此必发挥心的主宰作用。《大学》是从意根上着眼,即意念未发动之前下工夫。这比在意念已发之后的慎独更为根本。所以,他主张的慎独学说着重是沿着"诚意"这一思想发展的。

刘宗周以慎独标宗,这就是说。"慎独"是他思想理论体系中的主旨、核心,成为有自身的特色的学说。刘宗周关于"慎独"的思想,早在万历末年就开始酝酿。天启五年以前,刘宗周之慎独学说逐渐形成和成熟。在此过程中,他先把慎独说成是克己;后来讲此是心是万化之原,心外无理;一直到认为此心与太虚同体,是大本达道之发源处。这样,要求收敛身心,使此心毫无物累,就要慎独。因而,刘宗周所论的慎独,就不仅是修养,其"独"具有世界的根本性了。

刘宗周慎独学说的提出,有值得重视的重要之点,这就是他很早就看到了王守仁心学之弊。人们往往认为王守仁心学到明末才神学化。责任完全在其后学承继王畿一派流弊的恶果。刘宗周不完全持这一观点。他认为王守仁学说本身就杂有禅学成分;如果说王守仁学说纯洁无瑕,不杂禅学;那么后学王畿即使是会孵小鸡的母鸡,去孵卵石也孵不出小鸡来。可见,王守仁学说本身若没有禅学种子,使之禅学化是很困难的。内因是根源,外因是条件,不能否认王守仁学说中有禅学内因。刘宗周在他正式提出慎独学说之前就看到了这一点,他指出王守仁学说"直信本心以证圣",良知"无善无恶",只言本体,不

① 刘宗周:《学言》上,《刘子全书》卷十。
② 刘宗周:《学言》上,《刘子全书》卷十。

言工夫，认为一悟本体即工夫在其中，诸如此类之论必流于禅。对此，与王守仁同时代的顾璘（1476—1545）就曾指出，王守仁"立说太高，用功太捷，后生师传，影响谬误，未免坠于佛氏明心见之性，定慧顿悟之机"。[①] 刘宗周直到临终还对学生交代说："为学只要，一诚尽之矣，而主敬其功也。敬则诚，诚则天，若良知之说，鲜有不流于禅者。"[②] 这说明王守仁致良知学说本身中有禅学。刘宗周在上述情况下提出自己的"慎独"学说以图救正，而后，就一直坚持为自己学说标宗。

刘宗周论本体在工夫之中，既不同于朱熹，亦有别于王守仁，他主张本体在工夫之中。他讲，"学者只有工夫可说，其本体处直是著不得一语。才著一语，便是工夫边事。然语工夫而本体在其中矣。……若工夫之外，别有本体，可以两相凑泊，则亦外物而非道矣"。[③]《刘子全书遗编》还记有："陶先生（奭龄）曰：学者须识认本体，识得本体，则工夫在其中，若不识本体，说甚工夫。先生（刘宗周）曰：不识本体，果如何下工夫，但既识本体，即须认定本体用工夫，工夫愈精密则本体愈昭荧。"[④]

刘宗周的主张是："独之外别无本体，慎独之外别无工夫。"[⑤] 这里强调，本体就在工夫中。"语工夫而本体在其中"。这是说，无工夫则无本体，不存在工夫之外另有本体。"独"之本体就在"慎"的工夫之中，无"慎"工夫就无"独"之本体。刘宗周这一思想为其学生所接受。祁熊佳说，"工夫本体就是一

① 《传习录》上，《王文成公全书》卷一。

② 《蕺山学案·易簀语》，《明儒学案》卷六十二，中华书局 1985 年版，第 1584 页。

③ 刘宗周：《答秦生履思（宏祐）》，《刘子全书》卷十九。

④ 刘宗周：《会录》，《刘子全书遗编》卷十三。

⑤ 刘宗周：《中庸道章说》，《刘子全书》卷八。

个，做工夫处即本体。"[①] 陈确说，"工夫即本体也，无工夫亦无本体"[②]。黄宗羲说，"心无本体，工夫所至，即其本体。""盈天地间皆心也，人与天地万物为一体，故穷天地万物之理，即在吾心之中。""夫苟工夫著到，不离此心，则万物殊总为一致。学术之不同，正以见体之无尽也。"[③]

刘宗周及其学生在批判朱熹和陶奭龄关于本体与工夫的观点过程中，提出了"本体即在工夫中"的命题，这个命题强调躬行践履工夫，具有积极意义，使得刘宗周用以标宗的慎独学说得到了丰富和充实。这还体现于刘宗周将慎独视作成为"君子"而成为"天地间完人"的途径。他说："君子之学，慎独而已矣。"[④]"学问吃紧工夫全在慎独，人能慎独，便为天地间完人。"[⑤] 刘宗周借周敦颐论证说，"周元公著《太极图说》，实本之《中庸》，至主静立人极一语，尤为慎独两字传神"[⑥]。刘宗周在这里把"慎独"与"人极"二词的含义以"传神"一脉相通，意思是说，"天地间完人"是在慎独中实现。

后来，黄宗羲根据刘宗周关于本体与工夫统一的思想，论证"慎独"归于"诚"他说："先生宗旨为慎独，始从主敬入门，中年专用慎独工夫，慎则敬，敬则诚，晚年愈精密平实，本体只是这些子，工夫只是这些子。仍不分此为主体，彼为工夫。"[⑦]

刘宗周强调，"君子之学慎独而已矣。无事，此慎独即是存

① 刘宗周：《答祁生文载》，《刘子全书》卷十九。
② 刘宗周：《与刘伯绳》，《陈确集》下册，中华书局1979年版，第467页。
③ 《明儒学案序》，中华书局1985年版，第7页。
④ 刘宗周：《书鲍长孺社约》，《刘子全书》卷二十一。
⑤ 刘宗周：《社人社语录》，《刘子全书遗编》卷一。
⑥ 刘宗周：《中庸首章说》，《刘子全书》卷八。
⑦ 刘宗周：《子刘自行状》，《刘子全书》卷三十九。

养只要，有事，此慎独即是省察之功。独外无理，穷此之谓穷理，而读书以体验之，独外无身，修此之谓复性修身，而言行以践履之，其实一事而已；知乎此者之谓复性之学。"[①] 刘宗周强调，唯有慎独，才能使"独体"荧然："深度之功，只向本心呈露时随处体认去，便得全体荧然，与天地合德。"[②] 刘宗周的学生陈确由此归于诚之说。他讲："吾尝曰：君子之慎独，去私而已矣。所谓未发之中者，无私而已矣。去私即是格致功夫，无私就是诚正气象。"[③]

刘宗周的哲学由慎独说起，讲慎独是"本体"与"工夫"的统一，他的论证思路是由"心"、"独"讲到"心""心法"，讲到"敬则诚"。他说，"人心一气而已矣，……"。[④]"心即气之聚于人者。""夫在天为气者，在人为心，在天为理者，在人为性。"[⑤]"性者心之理，心以气言，而性其条理也。离心无性，离气无理。虽谓气即性，性即气，犹二之也。"[⑥] 这里，刘宗周说"心"是"气之聚"，把"心"与"气"联系起来，无异说"心"或"独"也是"气"，把"心"与"气"联系起来，"心"就成为"理"与"气"的统一。这样，他所讲的"慎独"、所讲的"独"，即是"气"，"气"中又有"理"，所以，他的"独"就包含着"气"与"理"。他所说"心"或"独"以"气"言，是一气之聚。他说"离气无理"，理为气之理，也就是离"独"无理。慎独既要明心中之善，就要识心所聚之气中之理。

① 刘宗周：《书鲍长孺社约》，《刘子全书》卷二十一。

② 刘宗周：《证学杂解》，《刘子全书》卷六。

③ 陈确：《诸子省过录序》，《陈确集》，中华书局1979年版，第230页。

④ 刘宗周：《学言》下，《刘子全书》卷十二。

⑤ 《诸儒学案中一·文庄罗整菴先生钦顺》，《明儒学案》卷四十七，中华书局1985年版，第1107页。

⑥ 刘宗周：《复沈石臣进士》，《刘子全书》卷十九。

这样，“独”或“心”也即“良知”。这成为是最高范畴；它为气之所理聚，理又在气中。所以不能离气言理，只能在气中求理。求理要经过“心”，故慎独是大本达道从此出之处。即“独”“心”是天地万物根源和遵循所在。

刘宗周在与弟子所讲学中，多次提到“圣学心法”，“孔门心法”。此所谓“心法”实指通往他所说的“慎独”境界，即实现“天地间完人”的途径和方法，这具体指的就是“敬则诚”即作为“诚敬”的“敬诚”。刘宗周把“敬则诚”即“敬诚”作为“慎独”的“心法”，是针对王守仁学说之弊提出的。他在《与陆以建年兄弟书》（第二书）中说：“今世俗之弊，正在言复不言克，言藏密不言洗心，言中和而不言慎独，言大本而不言心官之思，言致知而不言格物，遂不免离相求心，以空指道。以扫除一切为学，以不立文字，当下即是性宗，何怪异学之纷纷也。”[①] 这段话明显是在同时指责王守仁及其后学。王守仁所谓致知，是致其心中之良知。王守仁在《大学问》中解格物之“物”为“事”，解“格”为“正”，他在《答顾东桥书》中说：“吾心之良知，即所谓天理也。致吾心良知之天理于事事物物，则事事物物皆得其理矣。致吾心之良知者，致知也，事事物物接的气理，格物也。”[②] 这样，王守仁实际上取消了格物，只言致知了。王门后学似乎也是只言致知不言格物；他们往往只谈论复心之本体之善，而不言克己；他们讲把心退藏于精密天道中，而不言洗涤此心之邪念；他们论不偏不倚的中，而不说有思考能力的心官怎样使思想摆正。总之，这是离开事物求心，以空虚玄妙指道，如禅宗一样，不立文字，以心传心。在此，刘宗周把王守仁学说同样指斥为异端邪说。在刘宗周看来，慎

① 刘宗周：《与陆以建兄弟书》，《刘子全书》卷十九。

② 王阳明：《传习录二》。

独也同样要讲究工夫，否则，同样也会流于"离相求心，以空指道"的禅学。刘宗周曾说："君子之学，言行交修已。孔门屡屡言之，曰：'不敢不勉'，'有余不敢尽'，不敢二字，何等慎著。真是战兢惕厉心法。此一点心法，是千圣相传灵犀，即宋儒主敬之说。"[①] 这就是他所说的"心法"，也即宋儒所提倡的"诚""敬"。在此，他沿袭程颐的"敬"，并称之为"孔门心法"[②]。

刘宗周极赞周敦颐的"诚"。他说"《通书》曰诚者，圣人之本，可谓重下注脚，则悟道一觉也。"[③]。可见，刘宗周正是采撷了程颐的"敬"、周敦颐的"诚"、视"敬诚"为慎独下工夫的方法和途径，强调"为学之要，一诚尽之矣，而主敬其功也，敬则诚，诚则天"。[④] 总之，刘宗周强调，"敬诚"是"慎独"的"心法"。[⑤]

刘宗周综合了周敦颐和程颐的"诚敬"理论，并作为慎独的"心法"来用。黄宗羲在《子刘子自行状》中评论说："先生（刘宗周）宗旨为慎独，始从主敬入门，中年专用慎工夫，慎则敬，敬则诚。晚年愈精微，愈平实。本体只是些子，工夫只是些子，凡不分此为本体，彼为工夫。"[⑥] 这里讲的敬诚可以说是对慎独之"慎"的注解，慎在《中庸》本作戒惧、谨控解，在此解作敬诚，未尝不可。刘宗周的儿子刘汋也强调刘宗周是紧

① 刘宗周：《与陆以建年兄弟书》，《刘子全书遗编》卷四。

② 刘宗周：《重刻尹和靖先生文集序》，《刘子全书》卷二十一。

③ 刘宗周：《证学专解》，《刘子全书》卷六。

④ 《蕺山学案·易箦语》，《明儒学案》卷六十二，中华书局1985年版，第1548页。

⑤ 以上见衷尔钜：《蕺山学派哲学思想》第四章，山东人民出版社1993年版。

⑥ 刘宗周：《子刘子行状》，《刘子全书》卷三十九。

紧把握"诚由敬入，孔门心法"[①]。也就是说，由敬入诚，就能做到慎独。刘宗周在弥留之际对此也做了阐明："为学之要，一诚尽之矣，而主敬其功也。敬则诚，诚则天。"肯定敬通诚，诚通天，这里的"天"，就是他的"独"境界。接着他又对王守仁良知之弊，仍放心不下；指出由于王阳明不讲敬诚，"鲜有不流于禅者"[②]。

2. 崇祯九年是蕺山学派走向成熟的一年。正是这一年里，在京任工部左侍郎的刘宗周正式推出了他学术思想的一个重要宗旨，即"诚意"。其弟子懂场在给黄宗羲的《刘子学案》作序时说："先师刘子自崇祯丙子在京日，始定诚意之旨以示人，谓意者心之所存。戊寅，瑞生侍师，亲承音旨。时闻者谓与朱子、王子不符，起而争之……瑞生心识其说，未敢有所可否。一时门人后学，亦未有会之者。"[③]《年谱》也说："此半年中，先生始以《大学》诚意，《中庸》已发未发之说示学者。"[④]不过，后来《年谱》的崇祯九年条又说："是时先生工夫只在略绰提撕间。每爱举'天下何思何虑'，'诚无为，无欲故静，有所向便是欲'等语。曰：'本体只是些子，工夫只是些子，并这些子仍不得此为本体，彼为工夫。既无本体工夫可分，则亦并无这些子可指。故曰：上天之载，无声无臭，至矣。'自此专举立诚之

---

① 《年谱》，《刘宗周全集》第5册，台湾"中央研究院"中国文哲研究所筹备处1997。

② 《蕺山学案·易箦语》，《明儒学案》卷六十二，中华书局1985年版，第1548页。

③ 刘宗周：《刘子全书抄述》，《刘宗周全集》第5册，台湾"中央研究院"中国文哲研究所筹备处1997，第801页。

④ 《年谱》，《刘宗周全集》第5册，台湾"中央研究院"中国文哲研究所筹备处1997，第368页。

旨，即慎独姑置第二义矣。"[①]

此后至刘宗周去世这段时间，蕺山学派的思想发展达到了最高峰，统合规模也越来越大，其标志便是刘宗周最重要著作《人谱》的定稿。同时，他的周围弟子云集，"执贽弟子者，海内不下千人"。[②]蕺山学派逐渐成为明末清初最具影响力的儒学学派。学界认为，这种现象的产生，大抵有三个方面的原因：首先是刘宗周为官清正、学养深邃，为海内学者所共识，极高的声望使得刘宗周具有很强的吸引力；其次是刘宗周曾任左都御史，官居二品，这种身份使他即便被解职也会在地方上产生很大的影响，因此他的弟子以浙江人居多；第三便是当时学者喜好"游于名公之门"，很多人以一见刘宗周为荣，这种风气的鼓荡之下，使得刘宗周的弟子"海内不下千人"还是有可能的。

关于蕺山诸弟子的情况，懂玚曾整理了一份《蕺山弟子籍》，列弟子80人，再传弟子66人。但是懂玚所列过的庞杂，也有不妥之处。比如，熊汝霖虽然与刘宗周关系紧密，但非授业弟子；泰宏祐、王朝式等虽同刘宗周关系密切，也是刘宗周弟子辈，并常有书信往来切磋学问，但他们更应是陶石梁而非刘宗周的弟子。同时，这份名单也因为庞杂而显得没有主次。

私淑黄宗羲的全祖望所作的《子刘子祠堂配享碑》选择了蕺山弟子35人，所收罗者多为蕺山的主要弟子（桐乡张杨园及蕺山再传弟子邵廷采除外），他们分别是：山阴祁彪佳、何宏任、陈尧年、朱昌祚、潘集、张应鳌、戴易、周之璿、刘汋九人等；会稽章正宸、王毓蓍、懂玚、赵甸四人等；余姚王业洵、

① 《年谱》，《刘宗周全集》第5册，台湾"中央研究院"中国文哲研究所筹备处1997，第375页。

② 《蕺山先生行实》，《刘宗周全集》第5册，台湾"中央研究院"中国文哲研究所筹备处1997，第712页。

张应煜、黄宗羲、黄宗炎、黄宗会五人等；海盐吴麟征、彭期生；海宁祝渊、陈确；慈溪刘应期，张成义；鄞县华夏、万斯选；诸暨柏炯、陈洪绶；萧山徐芳声；武进恽日初；仁和沈昀；润州（一曰濮州）叶庭秀；顺天金铉；关右懂标；西安叶敦艮等等。①

3. 刘宗周在中国思想史上有着特殊的地位。牟宗三认为他是宋朝理学的“殿军”。梁启超则视刘宗周的蕺山一派为“旧时代的结局”。梁启超指出，蕺山一派“特标‘证人’主义，以‘慎独’为入手，对于龙溪（王畿）、近溪（罗汝芳）、心斋（王艮）诸人所述的王学，痛加针砭，总算是舍空谈而趋实践，把王学中谈玄的成分减了好些”；② 又说：“明请嬗代之际，王门下惟蕺山一派独盛，学风渐趋健实。”③ 梁启超虽未把蕺山学派看作“新时代的开山”，但也认为它构成了新旧转换之际的一个重要环节。蕺山学派的兴衰，便是这种转换的一个缩影。

刘宗周心性哲学的宗旨是慎独和诚意，似乎是以《大学》为依据，而其弟子陈确认为，他的宗旨其实与《大学》断断不合。如前所说，这种不合实际上体现出心学“自诚明”和理学“自明诚”路数上的不合，这内在地造成了刘宗周统一心学和理学努力要走向失败。作为宋明理学的一个总结式人物，刘宗周力图创造一种能够包容心学和理学的学说，以取两家之长，救两家之弊。他的学说从体系上看属于心学，而从本人的气象和行为方式看，又呈现出明显的理学风格。这导致了此学派日后的分裂。

① 以上参见何俊、尹晓宁：《刘宗周与蕺山学派》，中国人民大学出版社 2009 年版，第 218～220 页。

② 梁启超：《中国近三百年学术史》，天津古籍出版社 2003 年版，第 7～8 页。

③ 梁启超：《中国近三百年学术史》，天津古籍出版社 2003 年版，第 44 页。

在刘宗周去世之后，学派盛极一时的情况发生了变化。一方面，刘宗周的死使得该学派失去了领袖，一些重要弟子也在刘宗周去世前后去世，使得学派受到重创；另一方面，残留下来的弟子之间对于师说各有不同的理解和解释，互相争论，但他们对于师说大多只是一知半解，而张履祥等人更是不认可刘宗周的学术宗旨，完全回归到了程朱理学，甚至作为刘宗周儿子的刘汋（1613－1644，字伯绳）也对刘宗周的思想进行了改动。这正如黄宗羲在《先师蕺山先生文集序》中所说："先师丁改革知其高第弟子如金伯玉、吴磊斋、祁世培、章格庵、叶润山、彭期生、王元趾（即玄趾，避康熙讳）、祝开美一辈，既已身殉国难，皋比凝尘。曩日之旅进者，才识多下。当伯绳辑遗书之时，其言有与洛、闽龃龉者，相与移书，请删削之，若唯恐先师失言，为后来所指摘。嗟乎！多见其不知量也。"[①] 这段时间成为黄宗羲所说的"子刘子既没，宗旨复裂"时期。

我国研究明清的著名学者王汎森认为，刘宗周死后蕺山学派一分为三：第一派一张履祥、刘汋、吴蕃昌（1622—1656，字仲木）为代表，倾向程、朱；第二派以陈确为代表，独树一帜；第三派是以黄宗羲为代表，倾向陆、王。[②] 尽管这时由于刘宗周思想内部两种倾向及由这两种倾向而出现了诸学说各自独立发展的情况，而就基于"诚""成"来展开其哲学体系的研究而言，这一特点依然是很明显的。对此，我们可就三派有代表性的人物着重分析一下作为蕺山学派"三大弟子"的张履祥、

① 黄宗羲：《黄宗羲全集》第10册，浙江古籍出版社1985－1994年版，第52页。

② 参见王汎森：《清初思想趋向与〈刘子节要〉——兼论清初蕺山学派的分裂》，见贺照田主编：《在历史的缠绕中解读知识与思想》，吉林人民出版社2003年版，第156～192页。

陈确、黄宗羲三人的学术思想。

(1) 关于张履祥的学术思想。

张履祥（1611—1674），字考夫（考甫），号念芝，学者以其所居杨园村而称之为杨园先生，由此名也出现了"杨园学派"之称。张履祥是浙江桐乡人。他的生年是明万历三十九年，卒年是清康熙十三年。著作现有《杨园先生全集》等。其父张明俊是一位崇信程朱之学的邑痒生，在张履祥9岁时去世。张履祥曾两次应举入试，均告失败，明亡之后遂放弃科举之路。崇祯十七年二月，张履祥因友人祝渊（1611—1645）之故与钱字虎谒见当时名满天下的刘宗周，并北面称弟子，时年34岁。他在这一年冬天写给刘宗周的信中，讲述了自己的为学经历及收获，其中说到："至庚辰，于阳明先生所言'良知'体之较切，气旋觉有退听处。又一年，偶有见于人品之有君子小人，与治术之有王霸，其辨只在诚伪，而于孟子所谓怵惕恻隐为诚，内交要誉恶声为伪。以是自省自考，惟恐其入于伪而不进于诚也。壬午，读《濂溪集》，则求所谓'主静'之说，得之白沙之言：'动亦静，静亦静，无将迎，无内外。'心知其然，然亦未能亲切也。……志帅、致知、立诚、主静种种工夫，一旦会归于一，真有怡然理顺之乐……是以拜别以来，无日不体此意，必求无负于夫子之教"。①

张履祥在《书某友心意十问后》中说："窃谓'诚意'二字，'意'字不必讲，只当讲'诚'字。在学者分上，还只当讲求所以诚之之方，而实从事焉。"② 在《甲申冬问目》的第一条中也记载了当时张履祥对"诚意"的认识。后来他自己对这段认识作了检讨："欲知善之为善，不善之为不善，非自格物，何

① 张履祥：《杨园先生全集》（上），中华书局2002年版，第21～22页。

② 张履祥：《杨园先生全集》（中），中华书局2002年版，第596页。

以知之？从'诚意'说起，是习于姚江而不察也。"[①] 张履祥充分知道"诚意"是刘宗周晚年的宗旨，他在这里其实是在批评刘宗周的"姚江习气"。他在《告先师文》中，进而说："先生起而立诚以为教，本之人极以一其趋，原之慎独以密其课，操之静存动察以深其养，辨之然的然以要其归……盖世儒之为教也，好言本体，而先生独言工夫……"。[②] 这篇祭文说刘宗周"立诚以为教"，独不言"意"字，很可能是有意回避。其实，刘宗周虽然强调工夫，但只是反对只言本体，并未完全舍弃本体之说。他在《备忘》二中谈及了他对刘宗周关于"慎独"之说的理解："世人虚伪，正如鬼蜮。先生立教，所以只提'慎独'二字。闻其说者，莫不将'独'字深求，渐渐说入玄微。窃谓'独'字解，即朱子'人所不知，而己独知之处'一语已尽，不必更著如许矜张。吾人日用工夫，只当实做'慎'之一字。"[③]

《言行见闻录》（三）记载着张履祥初见刘宗周时对人性的看法以及他后来的认识，这里涉及到"诚"："先生尝问履祥：'人心道心，平日如何体勘？'对曰：'心之本体只有仁义礼智，所谓道心也。自夫目之遇色，耳之遇声，口之遇味，鼻之遇臭，四肢之遇安佚，而后人心生焉。人心渐重，则道心渐轻。窃谓危微精一，用力全于姤、复之际。'先生曰：'心一而已，人心之外，别无所谓道心。此心之妙，操存舍亡。存则人心便是道心，舍则失之。其流至于禽兽，亦是此心为之。所以工夫要一，一者诚也，至于一则诚矣。'……祥当时犹分声色臭味之类为人心，而不知声色臭味之各当其可，即为道心也。其势出此入彼，

① 张履祥：《杨园先生全集》（中），中华书局 2002 年版，第 698 页。
② 张履祥：《杨园先生全集》（中），中华书局 2002 年版，第 636 页。
③ 张履祥：《杨园先生全集》（下），中华书局 2002 年版，第 1093 页。

我欲仁斯仁至，亦无渐重减轻之数也"。[①]

张履祥是蕺山门下由王转朱的一个代表，从他的学术转变中可以看出当时的学风逐渐笃实。然而，由于张履祥墨守程朱，毫无创见，使得他给人的感觉较刘宗周更为古板生硬并有些暮气，缺乏灵性。梁启超评价张履祥说："依我看，杨园品格方严，固属可敬，但对于学术上并没有什么新发明，新开拓，不过是一位独善其身的君子罢了。当时像他这样的人也还不少，推尊太过，怕反失其真罢。"[②]

（2）关于陈确的学术思想。

陈确（1604—1677）初名道永，字非玄，后改名确，字乾初，浙江宁海人。他生年系明万历三十二年，卒年为清康熙十六年，长张履祥 7 岁。明亡前夕由祝渊介绍拜刘宗周为师。陈确自幼聪颖过人，他的父亲又是一个对他相当爱护宽容的人，使得他天性毕露，书法篆刻、洞箫弹棋无所不精，为人也相当超迈。在师事蕺山之后，"一切陶写性情之技视为害道尔屏绝之"[③] 但其个性难改，才情难抑，难免灭于西尔起于东，他在学术上的标新立异和攻击性，恐是其自性中的才情受到压抑而产生的变相表达。

陈确与刘宗周关于"诚意"以及"已发""未发"的观点，总起来说是一致的，而同时又给以新解。他在给刘汋的一封信里说："弟与先生，无言不悦，惟诚意、已发、未发之说虽极精纯，然弟意欲且存而不论。盖《大学》断是伪书，而《中庸》所言尚多出人。亦有阳明之说格致，合知行，可谓切实不诬，

① 张履祥：《杨园先生全集》（中），中华书局 2002 年版，第 932 页。

② 梁启超：《中国近三百年学术史》，商务印书馆 1997 年版，第 111～112 页。

③ 许三礼：《海宁县志理学传》，《陈确集》上册《手卷》，中华书局 1979 年版，第 1 页。

然遂欲以发明《大学》之教则不可。此又弟一寸血诚所必欲沥之先圣先师者也"。[1] 可见，陈确把《大学》看作是"伪书"，在他看来，既然《大学》是伪书，所以其中"诚意"的说法是可以取消的。所以他又说："《中庸》言'诚身，不言'诚意'。诚只在意，即是不诚。"[2] 进而，陈确对《大学》又批评说："《大学》纷纷曰'欲'曰'先'，悉是私伪，何得曰'诚'！宁古人之学之多夹杂乃尔乎！圣人之言之甚鄙倍乃尔乎！"[3]

陈确充分注意到，刘宗周由"慎独"所论"诚意"，从体系上看是"自诚明"，这与《大学》关于"自明诚"的所论之学，二者是"断断不合"的。陈确在《大学辨》中举刘宗周"主敬之外，别无穷理"一说，以及程子"入道莫如敬"的话，说明"正心"在"格致"之先，"而《大学》之序如彼而不曾疑其罔，则故非确之所能解矣。故程子之言'主敬"也，阳明之言'致良知'也，山阴先生之言'慎独'也，一也，皆圣人之道也，无勿合也；而以之说《大学》，则断断不可合。欲合之而不可合，则不得不变其说。各变其说，而与《大学》之解愈不可合"。[4] 可见，陈确确认刘宗周用自己的学说解说《大学》是"断断不合"的。这里关键在于，对"诚意"，是由"自诚明"来说，还是由"自明诚"来论。陈确坚持前者，因而对《大学》采取了否定态度。

陈确为了使其理论一以贯之，对"习性"和"气质之性"进行了澄清。他认为坚持"性善"而又必须反对"空口"言说

---

① 陈确：《与刘伯绳书》，《瞽言》四，《陈确集》下册，中华书局 1979 年版，第 471 页。

② 陈确：《大学辨》一，《陈确集》下册，中华书局 1979 年版，第 555～556 页。

③ 陈确：《大学辨》一，《陈确集》下册，中华书局 1979 年版，第 555 页。

④ 陈确：《大学辨》一，《陈确集》下册，中华书局 1979 年版，第 556 页。

"性善"。陈确批评刘宗周的儿子刘汋以"习气"为"气质之性"。陈确论证了虽然"气质之性"是"本善"的，但必须"扩充"才可以"成性"。他在《性解（上）》中说："'尽心者知其性也'之一言，是孟子道性善本旨。盖人性无不善，于扩充尽才后见之也。如无谷之性，不艺植，不耘耔，何以知其种之美耶？……《易》'继善成性'……继之，即须臾不离，戒惧慎独之事；成之，即中和位育之能……（从来解者）至所谓'继善成性'，则几求之父母为生之前。呜呼！几何不胥天下而禅乎！"[①] 他又在《知性》中说："今学者皆空口言性，人人自谓知性，至迁善改过工夫，全不见得力，所谓性善何在？恐自谓知性，非孟子所谓知性者也。孟子本知性于尽心，正为时人言性终日纷争，纵无着落。谓性有不善，固是极诬，即谓性无不善，亦恐未是实见，不若相忘无言，各人去尽心于善。尽心于善，自知性善，此最是返本之言，解纷息争之妙诀也……所谓尽心，扩而充之是也。苟能充之，虽曰未尝知性，吾必谓之知性；苟不充之，虽自谓知性，吾岂谓之知性者哉！"[②] 这里，陈确表现出，在其理论反对空说性善时，强调必须"扩充尽才"，强调"继之"方能"成之"，于是他进而强调了"工夫"不可或缺。

可是，正如刘汋所注意到的，人的"气质之性"毕竟有先天的差别，那么依此而有的人性是否也应该有差别？这是陈确无法回避的事实。刘宗周本人对此并没有直接回答。陈确在《气禀清浊说》中谈到了这个问题："气之清浊，诚有不同，则何乖性善之意乎？气清者无不善，气浊者亦无不善。有不善，乃是习耳。若以清浊分善恶不通甚矣……清者恃慧而外驰，故常习于浮；浊者安陋而守约，故常习于朴。习于朴者日厚，习

① 陈确：《性解》（上），《陈确集》下册，中华书局1979年版，第447页。
② 陈确：《知性》，《陈确集》下册，中华书局1979年版，第443页。

于浮者日薄。善恶之分，习使然也，于性何有哉！故无论气清气浊，习于善则善，习于恶则恶矣。故习不可不慎也。‘习相远’一语，子只欲人慎习，慎习则可以复性矣，斯立言之旨也”。[①] 他又说：“欲即是人心生意，百善皆从此生。止有过不及之分，更无有无之分……贤人君子，于忠孝廉节之事，一往而深，过于欲者也。顽懦之夫，鞭之不起，不及于欲者也。圣人只是一中，不绝欲，亦不纵欲，是以难耳……山阴先生曰：‘生机之自然而不容已者，欲也；而其无过不及者，理也。’斯百世不易之理也”。[②] 他又说：“人欲不必过为遏绝，人欲正当处即天理也。如富贵福泽，人之所欲也；忠孝节义，独非人之所欲乎？虽富贵福泽之欲，庸人欲之，圣人独不欲之乎？学者只时从人欲中体验天理，则人欲即天理矣，不必将天理人欲判然分作两件也。虽圣朝不能无小人，要使小人渐变为君子。圣人岂必无人欲，要能使人欲悉化为天理。君子小人之辨太严，使小人无站脚处，而国家之祸始烈矣，自东汉诸君子始也。天理人欲分别太严，使人欲无躲闪处，而身心之害百出矣，自有宋诸儒始也。君子中亦有小人，秉政者不可不知；天理中亦有人欲，学道者不可不知。”[③]

有学者总结陈确论说人性、人欲有这样几种态度：一是，认为气质之性即是性善；二是，继善成性，重视后天工夫；三是，道德严格主义，表现为“慎习”和严厉的“省过”，这是重视后天工夫的必然结果；四是，认为“人欲即天理”，遏制过

① 陈确：《瞽言》三，《陈确集》下册，中华书局1979年版，第455页。

② 陈确：《无欲作圣辨》，《瞽言》四，《陈确集》下册，中华书局1979年版，第461页。

③ 陈确：《近言集》，《瞽言》一，《陈确集》下册，中华书局1979年版，第425页。

甚，反成心病；五是，君子小人、天理人欲之辨不可太严，身心之祸、国家之祸由此而出。学者评论指出，"其中前三点是一条线，后两点是一条线。这两点似乎矛盾，但却存在于同一个人的思想里，这不仅是个人的内在冲突，也是社会现实和历史的冲突。""陈确思想中最令人不解的是又要强调人欲的重要，又要人们以最严格的态度面对它"，而这在具体的操作上就会使得"超越的与世俗的两个层面变得疆界分明"。[①] 结果，"因为疆界难明，所以心中必须要有很强的主宰来从事道德判断。但一般人内心的道德光照并不是永远那样强，所以形成两种现象。第一是对外在客观可据的准则的要求日高，理学研究的兴起是其中一种现象。第二是心性之学的结束。"[②] 清初学术发展的倾向在陈确这里已似显端倪。

陈确一生中颇有影响的著作是《大学辨》，在这部著作中，陈确大胆地表达了自己对《大学》的否定。这种否定将刘宗周对《大学》的怀疑又向前推进一步，刘宗周本人对《大学》的态度很复杂，在《大学古记约义》中，他说："是篇特中天下而立，永为学问鹄，虽《六经》可以尽废"[③]；在《大学杂言》中又说："《大学》一篇是人道全谱"[④]，可谓推崇备至，而且他本人对于《大学》八条目之间关系的梳理与解说也非常多，这种推崇只是意识表层的态度，在潜意识里，他对《大学》是充满

① 见何俊、尹晓宁：《刘宗周与蕺山学派》，中国人民大学出版社 2009 年版，第 233，235 页。

② 王汎森：《明末清初的一种严格的道德主义》，《刘广京院士七十五岁祝寿论文集》上册，台湾"中研院"近代史研究所 1998 年，第 75，80 页。

③ 刘宗周：《刘宗周全集》第 1 册，台湾"中央研究院"中国文哲研究筹备处 1997 年，第 752 页。

④ 刘宗周：《刘宗周全集》第 1 册，台湾"中央研究院"中国文哲研究筹备处 1997 年，第 767 页。

了怀疑的。他的那些对《大学》的梳理和解说也是用来说服自己的，是一种防御，只是这种说服和防御并不很成功，因为用他本人的思想体系对《大学》的梳理，其结果是使得《大学》和他本人的思想一并混乱了。这就是何以伪造的石经本《大学》的出现一度使刘宗周非常兴奋的原因。时值晚年，这种怀疑愈加强烈，他在《大学古文参疑》的序言中说："戴氏非通儒也，其言礼也庬，亦何有于大学？六经同出于秦火之余，区区断简残篇，初无完本，而人各以记诵所得，缀而成篇章，其言不得不归之庬，亦何有于《礼》？然戴氏之传《大学》，早已成一疑案矣，后之人因而致疑也，故程子有更本矣，朱子又有更本矣，皆疑案也……近世又传有曹魏《石经》，与《古本》更异，而文理益觉完整，以决'格致'之未尝缺传彰彰矣。余初得之，酷爱其书。近见海盐吴秋圃注有《大学通考》，辄辨为赝鼎。余谓：'言而是，虽或出于后人也，何病？况其足为古文羽翼乎！'……呜呼，斯道何由而明乎！宗周读书至晚年，终不能释然于《大学》也"。[①] 实际上，刘宗周并不是完全否定《大学》，只是对其版本比较怀疑，认为应该有更好的本子，当然这个本子应该可以和自己的思想相印合。从中我们可以看出，刘宗周本人的思想并非真正来源于《大学》，他只是硬将自己的思想和《大学》拉到一起，他对《大学》的种种解说是为了自我说服、弥补二者之间的裂痕，同时使自己的观点具有可靠的理论背景以便更具说服力。陈确看到了师说和《大学》终不相合，但他却走得更远，直接否定了《大学》以解决师说和《大学》之间

① 刘宗周：《刘宗周全集》第1册，台湾"中央研究院"中国文哲研究筹备处1997年，第711～712页。

的矛盾。[①]

(3) 关于黄宗羲的学术思想。

黄宗羲（1610—1695），字太冲，号南雷，学者称梨洲先生，浙江余姚人。生于明万历三十八年，卒于清康熙三十四年，是蕺山诸弟子中最杰出、活动最多的一位。其父黄尊素为万历年间进士，官至监察御史，是著名的东林人士，天启五年（1625）因揭发阉党而获罪并被解职，并于次年被捕，不久便遇害。黄尊素被捕时好友刘宗周饯之萧寺，黄尊素命长子黄宗羲从学于刘宗周。自此，黄宗羲正式成为蕺山弟子。崇祯即位后，19 岁的黄宗羲进京为父申冤，并在刑部大堂当场拔锥击刺仇人许显纯，朝野震惊。明亡后，黄宗羲与其弟黄宗炎、黄宗会招募子弟组成义军，号称“世忠营”，后转入四明山继续抗清，追随鲁王于海上，任左副都御史。抗清失败后，返回家乡著书讲学，终身不仕。黄宗羲一生著述颇丰。最著名的就是他的《明儒学案》和《宋元学案》（《宋元学案》在黄宗羲去世后由其子黄百家及私塾弟子全祖望续写，最后由王梓材、冯云濠整理而成），以及成书于康熙二年的《明夷待访录》。这三部著作奠定了黄宗羲在中国思想史上的地位。此外，他还有阐发师说的哲学著作《孟子师说》，另有关于南明抗清斗争的史料《隆吴纪年》《赣州失事》《邵武争立》《四明山寨》《永历纪年》《弘光实录钞》《思旧录》，等等。

蕺山学派在黄宗羲那里一度复兴，但也因为黄宗羲的学风转向而渐渐消亡。在刘宗周诸弟子中，黄宗羲是对师学理会最深、维护最多的弟子。当时，由于刘宗周的手稿多在其子刘汋处，黄宗羲能看到的资料有限，所以难以将刘宗周的思想充分

① 见何俊，尹晓宁著：《刘宗周与蕺山学派》，中国人民大学出版社 2009 年版，第 234～235 页。

发挥。待刘汋去世后，黄宗羲从刘汋长子刘茂林（即黄宗羲的次女婿）处得到刘宗周的手稿，才得以更全面地阐发刘宗周的思想。

黄宗羲关于刘宗周思想的阐发最集中者莫过于《子刘子行状》与《孟子师说》；而两者相比较，又以《子刘子行状》一文更为系统。在此文中，黄宗羲对蕺山学术的脉络和精神作了清楚的梳理与阐明。他说："先生宗旨为'慎独'。始从主敬入门，中年专用慎独工夫。慎则敬，敬则诚。晚年愈精微，愈平实，本体只是些子，工夫只是些子，仍不分此为本体，彼为工夫，亦无这些子可指，合于无声无臭之本然。从严毅清苦之中，发为光风霁月，消息动静，步步实历而见。"同时，他又将刘宗周不同于先儒之处归结为四点：一曰"静存之外无动察"；一曰"意为心之所存，非所发"；一曰"已发未发以表里对待言，不以前后际言"；一曰"太极为万物之总名"。① 这样，通过论"慎独"而以"诚意"为宗旨、一统和归意为特色、以身处内敛为风格的蕺山学派特色就基本展现于人民面前。

黄宗羲虽然对于师说极力维护，但由于钟情姚江，有时便把刘宗周的"诚意"等同于阳明的"致良知"。他在给曾信奉王阳明而否定刘宗周的董允璘写的墓志铭中说："余谓先师之意，即阳明之良知；先师之诚意，即阳明之致良知，阳明不曰良知是为发之中乎？又何疑于先师之言意非已发乎？"② 这样，黄宗羲将刘宗周所存之意等同于阳明未发之知，其实是将刘宗周学术消解于阳明学之中。刘宗周认为王阳明的致良知是事后发用，不是第一义谛；他讲的"诚意"和王阳明的"致良知"所不同

① 原文见《黄宗羲全集》，浙江古籍出版社 1985－1994 年版，第 45～49 页。

② 黄宗羲：《董吴仲墓志铭》，《黄宗羲全集》第 10 册，浙江古籍出版社 1985－1994 年版，第 453 页。

的不是讲“已发”“未发”问题，而是来源不同，处于不同的层面。“意”和阳明之“良知”都是先后天之杂。有学者说，刘宗周之“诚意”以个人后天超我为其主要内容，阳明之“良知”则以先天为主。

也正因为黄宗羲对于阳明学情有独钟，使他忽视刘宗周学说的理学倾向。钱穆就曾批评黄宗羲：“其言固未斥濂络关闽于道统之外，其推尊蕺山不为不至。然实于蕺山论学之纠矫王学以欲上反之于濂络关闽之精神，则湮没而未彰……故其晚年所为《学案》，义仅可为治明代儒学者一必要参考书而止，一其于明代儒学之始终流变，乃及各家学术之大趋向，及其于儒学大统中轻重得失离合是非之所在，则颇少窥入，而仍以宣扬王学为其书之最大宗旨，则恐决不可谓其有合于师门蕺山之精神也”。[①]

（4）关于蕺山学派的分裂与衰落。

蕺山学派的分裂与衰落，很大程度上在于对先师“诚意”之旨的把握出现不同。

如张履祥与陈确的争论。张履祥对陈确的批评大约集中在下面三点：第一，陈确宗王氏之学，信“心”不信“理”；第二，由于信王氏导致的信“心”，使得陈确“傲然自以为是”，目无古人；第三，陈确的《大学辨》似乎在辟禅，然而却不知不觉地走向了禅学。张履祥在给陈确的一封信中说；“徒信礼仪之生于心，而不知气拘物蔽以后之心，所知所觉已非礼仪之本然。据其一时私见，目为礼仪而执持之，熟知所执之礼义者，非礼之礼，非义之义。久而渐将有闻，揆以古昔圣贤至当之矩，则以蹈终身悔耻而莫可如何。此‘学于古训，乃有获’之一言，为百世学者不易之矩法。而后儒单挈心宗，动夸精一者，其弊

① 钱穆：《中国学术思想史论丛》卷七，安徽教育出版社2004年版，第271页。

适足以张异帜，彝伦，率斯人于无所忌惮而以"。[①] 他后来在给《问目》中的某条加的案语是："信之义礼则可，信之心则不可。"[②] 张履祥在给其同门吴仲木的信中又说："乾兄《大学辨》，执之方坚，似难以口舌争。吾人自审所学不及乾兄，应难得其心折，或者乾兄更厉岁月，所见又将不同。""乾兄书后一语，诚如兄之所言，《大学》孔氏之遗书，可以百世以俟圣人而不惑者也……愚谓此书即不出自孔氏之徒，亦自可尊可信，又况非孔氏之徒不能作乎？'君子无易由言'，乾兄尚且宜敬之慎之，勿蹈后儒喜新立异之习也。即曰'信诸心者不可夺也'然心何尝之有？高者见其过，卑者见其不及。惟理不可损也，不可益也，信诸此而已"。[③] 在《备忘》二，张履祥说："乾初主张心学，每事必信诸心，而执行在知先之见，坚不可破。虽不学禅，而不自知已入于禅。盖乾初所服膺者，良知之说，而姚江实禅学之深者也"。[④] 从张履祥对陈确的批评看，确如王汎森所说，当时越来越多的思想家对"心即理"的命题产生怀疑，不再向心求理了。[⑤] 张履祥便是一个代表，他和陈确的争论也正反映了这种变化。张履祥的批评遭到了陈确的回击，陈确说："凡兄言事，皆不直捷。如兄之爱弟忧弟，发于至诚，弟心知之，亦心感之。然既知弟《大学辨》之非，则必有所以非之者，宜明明白白，条析至道，解其狂惑，乃可也。而往往含糊缴绕，旁见

① 张履祥：《答陈乾初》二，《杨园先生全集》（上），中华书局 2002 年版，第 33 页。

② 张履祥：《杨园先生全集》（中），中华书局 2002 年版，第 691 页。

③ 张履祥：《答吴仲木》二，《杨园先生全集》（上），中华书局 2002 年版，第 64 页。

④ 张履祥：《备忘》二，《杨园先生全集》（下），中华书局 2002 年版，第 1091 页。

⑤ 参见王汎森：《"心即理"说的动摇与明末清初学风的转变》，《中研院史语所集刊》，第 65 本，第 2 分。

侧出，如托悔翼儿之类，不一而足。弟窃以吾兄之言不直，而意微伤于薄也”。[1]

相对而言，黄宗羲在学路上与陈确比较接近，他对陈确比较宽容。他在给陈确写的第一篇墓志铭中称那些反对陈确的人为“小儒”，说他们“入耳出口”，“嚣然为彼此之是非”，不过也认为陈确“未免信‘心’太过”。黄宗羲肯定了陈确的学术独立精神，但也并不同意陈确将《大学》全部否定。从黄宗羲在陈确去世前一年写的《与陈乾初论学书》可以看出黄宗羲对陈确学术观点的基本看法。黄宗羲云：“夫性之为善，合下如是，到底如是，扩充尽才而非有所增也，即不加扩充尽才而非有所灭也。……气质人心是浑然流行之体，公共之物也；人欲是落在方所，一人之私也。天理人欲，正是相反，此盈则彼绌，彼盈则此绌。故寡之又寡，至于无欲，而后纯乎天理。”“大抵老兄不喜言未发，故于宋儒所言近于未发者，一切抹去，以为禅障。独于居敬存养，则未黜为非。夫既离却未发而为居敬存养，则所从事者当在发用处矣，于本源（《黄宗羲全集》中此后有‘全体’二字）不加涵养之功也。老兄与伯绳书，引朱子‘初由察识端倪入，久之无所得，终归涵养一路’。以澄察识端倪之非。弟细观之，老兄之居敬存养，正是朱子察识端倪也、乃无自相矛盾乎？则知未发中和之体不可谓之禅，而老兄之一切从事为立脚者，反是佛家作用见性之旨也。老兄之学，可谓安切成矣。弟之所言，未必有当。然以同门之谊，稍呈管见，当不与随声者一例拒之也”。[2]

---

① 陈确：《又答张考夫》，《大学辨》三，《陈确集》下册，中华书局1979年版，第594页。

② 陈确：《与陈乾初论学书》，《陈确集》上册，中华书局1979年版，第148～150页。

从黄宗羲的议论中，可以看出黄宗羲与陈确的不同。虽然黄宗羲和陈确都认为人之"气质之性"本善，并且要"继善成性"、"扩充尽才"，注重后天的培养之功，但黄宗羲并不认为"成性"、"尽性"之后善会有所增加，只是性体全了而已，所以黄宗羲说的"成性"、"尽性"其实就是"复性"。可见，虽然二人都重视后天用功，但他们工夫的指向不同：陈确不关心什么本体之说，着眼于后天；黄宗羲并不否定本体，着眼于先天。着眼于后天，先天性善之旨就会有危险，这正是黄宗羲所担忧的，所以他说陈确"得失各半"。[①]

刘宗周去世后，群龙无首，缺少核心，蕺山诸弟子纷争，甚至同门之间相互诋毁。刘宗周的手稿在他唯一的儿子刘汋那里，本来他最有解释权，但他由于对父学并不完全认同，甚至走向了程朱一系。不仅如此，他还将父亲手稿中不合程朱之处擅自修改，使得宗旨大变。刘汋改动其父手稿为董玚亲眼所见，当时的陈确、张履祥等也有所发现，他们之中有人直接表达了不满。刘汋失掉了蕺山学派的主导话语权。刘宗周的儿子刘汋以及刘宗周的孙子刘士林，为了迎合当时朱子学风气，对刘宗周的手稿做改动，主要是表现于回避"诚意"之说，但从《年谱》看，他也并未将父亲的诚意之旨一概抹去，仍是有所保留的。刘汋死后，手稿到了其长子刘茂林（字子本）的手中，而刘茂林正是黄宗羲的次女婿，黄宗羲因此便见到了被涂抹的手稿。董玚所重订的《刘子全书》恢复了涂抹前的文字。关于《刘子全书》的窜改和恢复的原委，王汎森的《清初思想倾向与〈刘子节要〉——兼论清初蕺山学派的分裂》一文对此进行了详细考订。

据《刘宗周年谱》记载，刘宗周在去世之前有过一番话：

① 参见王汎森：《清初思想中形上玄远之学的没落》，《中研院史语所集刊》，第69本，第3分，562～563页。

“张应鳌在侧，先生携其手约：‘学问未成，全赖诸子。’应鳌曰：‘敬受教！’先生点头，复厉声曰：‘尔曹勉之！’应鳌复进曰：‘今日先生与高先生丙寅事相类。高先生曰：心如太虚，本无生死。先生印合何如？’先生曰：‘微不同！非本无生死，君亲之念重耳’。”① 张应鳌（1591—1681，字尊夫），是跟随刘宗周时间最久的弟子。刘宗周的这段话似乎是让以张应鳌为首的弟子继承自己的遗志，振兴蕺山学派。

康熙六年（1667年），即刘汋去世后的第四年，黄宗羲、董玚、张应鳌、姜希辙、徐泽蕴、赵禹功等蕺山学者在绍兴蕺山学派的诞生地古小学举办“证人讲会”，恢复了虚席已久的绍兴“证人书院”，此证人书院的主持人是张应鳌。张应鳌所主持的证人书院严守师说，学风古板，这个风气不能为黄宗羲所认同。黄宗羲虽然也算严守师说，但主张创见，要在继承的基础上发展，打开一片新天地。可能正是这个原因，黄宗羲次年在宁波创立了甬上“证人书院”。甬上“证人书院”与绍兴“证人书院”在风格上显著不同，黄宗羲在这里除了宣传刘宗周的心性之学，还大开新风，提倡经世之学，思想非常活跃，风头盖过绍兴本部，梨洲学派也就此形成。由此可见，黄、张二人虽没有什么正面冲突，但黄宗羲对张应鳌显然是不认同的。出现两个“证人书院”其实形成讲席之争，这关系到谁是蕺山学派薪火的真正传人的问题。②

刘宗周的儿子刘汋以及孙子刘茂林对刘宗周手稿作出改动，直接原因是为了迎合当时的朱子学风气，而不同意见的焦点更

① 《年谱》，《刘宗周全集》第5册，台湾“中研院”中国文哲研究所1997年印，第544～545页。

② 参见吴光：《黄宗羲遗著考》（一），《黄宗羲全集》第1册，浙江古籍出版社1994年版，第434页。

大程度上在于对刘宗周之学关于"诚意"之旨的把握上。为此黄宗羲在给恽日初（1601—1678，字仲昇，号逊庵）的信中表达了他的看法，他说："夫先师宗旨，在于慎独，其慎独之功，全在'意为心之主宰'一语，此先师一生辛苦体验而得之者……今《节要》所载董、史问答，去其根柢而留其枝叶，使学者观之，茫然不知其归著处。……原老兄之心，总碍于《论语》'毋意'之一言，以从事于意，终不可以为宗旨，故于先师之言意者，一概节去以救之。弟则以为不然"。[①] 黄宗羲认为恽日初并没有理解刘宗周"诚意"说的深意。

在甬上证人书院中聚集了一大批后来很有名望的学者，比如万充宗、万斯年（1617—1693，字公择）、万斯桢（字正符）三兄弟，郑梁（1636—1713，字禹梅），绍延采（1648—1711，字念鲁，又字允斯），毛奇龄等人，还有私淑于黄宗羲的全祖望（1705—1755，字绍衣，号谢山）。后来，以心性之学为主的蕺山学派日渐衰落，为梨洲学派所取代，转向了经学和史学。如前所说，在黄宗羲那里已经出现了将"诚意"等同于"致良知"的倾向，到了绍延采，这种合蕺山于姚江的倾向就更加明显了。[②] 为刘宗周重新编订《年谱》的姚名达认为"传其道者，惟黄宗羲最正，绍延采则其再传嫡派也"。[③] 姚名达在《姚谱遗响》中说："（康熙三十三年）廷采是年主讲姚江书院，条次《训约》十则，第一为'立义宜诚。'立教一本先生。自此姚江之旨于证

---

① 黄宗羲：《答恽仲升论刘子节要书》，《黄宗羲全集》第 10 册，浙江古籍出版社 1985－1994 年版，第 216～217 页。

② 以上见何俊、尹晓宁：《刘宗周与蕺山学派》，中国人民大学出版社 2009 年版，第八章。

③ 刘宗周：《刘宗周全集》第 5 册，台湾"中研院"中国文哲研究所筹备处 1997 年印，第 78 页。

人无二。”①“（康熙三十六年，延采）又尝论先生曰：‘明儒虽众，必推王、刘为一代程、朱。王近明道，刘近晦庵，而功勋节义过之。朱、王之学，得刘而流弊始清，精微乃见。’‘蕺山之所谓独，盖即良知本体，道心之微，与朱子殊，不与文成殊，特变易旗帜，改换名目，以新号令，作士气耳。’‘蕺山虽不言良知，然补偏救弊，阳明之学实得蕺山益彰。’‘蕺山先生专主诚意，以慎独为致知归宿，择执并至，而不补格致于诚意之前。合一贯之微言，审执中之极则。孔、孟以后，集诸儒大成，无粹于此。’”②

明末，学派林立。当时与蕺山学派并立的，有与刘宗周学术交往较为密切的、主要倾向于程朱学说的、以高攀龙（1562—1626）为代表的东林学派；有同样与刘宗周学术来往密切的、在首善书院讲学的、属阳明学派的邹元标（1551—1624）和师出自甘泉学派许孚远（1535—1604）的冯从吾（1556—1672）；有与刘宗周曾同讲学于证人书院而思想又近禅的陶奭龄（1571—1630）。他们在建立自己的学说体系时，都有关于“慎独”的论辩，而关注“诚”。在当时有代表性的、与刘宗周一起各在学术上特立一家、又同被认为是明末两大鸿儒的黄道周（1585—1646），字幼玄，明史作幼平，号石斋）也是如此。

黄道周讲的哲学中，有个重要命题“性成万物”。此语出自《榕坛问业》。黄道周从《易》的“继之者善，成之者性”，得出“善继天地，性成万物”的结论。他认为，“继天立极，是性根上事，范围曲成，是性量上事。善是万物所得以生，性是万物

① 刘宗周：《姚谱遗响》，《刘宗周全集》第5册，台湾“中研院”中国文哲研究所筹备处1997年印，第575页。

② 刘宗周：《姚谱遗响》，《刘宗周全集》第5册，台湾“中研院”中国文哲研究所筹备处1997年印，第578～579页。

所得以成"。"继善成性，是天命合人的道理"。他分辨性与质，区别"质上事"，"性上事"。他反问，"气有清浊，质有敏钝，自是气质"，"此是天地主张，不关品汇，能尽得天地主张道理，何患万物陶铸不成?"他评论道，"古今惟有周、孔、思、孟识性字，杨、荀、周、程只识得质字，告子亦错认质字耳"。[①]对此，黄宗羲认为"先生深辨宋儒气质之性之非……故知先生之说为长；"同时批评道："然离心之知觉，无所为性，离气质亦无所为知觉，如此以求尽性，未免易落悬想。有先生之学，则可；无先生之学，尚须商量也。"[②]

学界有人评论说，黄道周由"诚"而讲的"性"，与朱熹讲的"理"，与陆九渊讲的"心"无根本区别。黄道周以朱学为主而兼取陆学。黄道周十分重视《大学》中所说的"诚于中"，讲形于外的"诚"本是说"不自欺"。他认为内心的真实或不真实，尽管遮遮掩掩，必会表现出来。他重视《中庸》中讲的诚则形，形则著，著则明，由诚而明，主张把心身修养与认识结合。黄道周据此论证说，倘若意不诚，便会产生出许多邪恶念头，表现在他的一举一动之中；当一个人意诚了，便会体现于做神明圣贤之事。要达到不妄，就得心诚。能达于心诚的办法和途径是慎独，慎独就是诚。在主慎独这点上，与刘宗周有共同点。黄道周十分强调以"诚"来杜绝"妄"。

黄道周在《榕壇问业》中，围绕回答有人所问的一系列问题，对"诚""成"进行了阐释。例如，这里的问题有，"问：'《中庸》以性明道，揭一诚字，即如老氏所谓其中有物者。窃

① 《诸儒学案·榕壇问业》，《明儒学案》卷五十六，中华书局 1985 年版，第 1348 页，第 1354 页。

② 《诸儒学案下四·黄石斋先生道周》，《明儒学案》卷五十六，中华书局 1985 年版，第 1334 页。

冥之内，信有此物，则玄素所求，差别不远，如何刊落两家?'""问：'教即学识，性即一贯，教不过明性，学识不过明一贯而已。《中庸》称诚明合体，此明字，与博闻强记殊科，何不直就诚处教人下手，翻说学识，令人终身在言语文字上推求?'""问：'《中庸》不于君臣、父子、夫妇、昆弟、朋友言诚，不与天地、鸢鱼言诚，独于鬼神言诚，果如程子所谓天地功用造化之迹乎?'""问：'……如何得到至诚所在?'""千古圣贤学问，只是致知；此知字，只是知止。试问止字的是何物?"黄道周基于"《中庸》……说'诚则形，形则著'"，"《孟子》说'万物皆备，反身而诚'，正是知至的光景"。论述了："此止字，只是至善，至善说不得物。毕竟在人身中，继天成性，包裹天下，共明共性，不说物不得"。"继之成之，诚之明之，择之执之，都是此物指明出来，则直曰性，细点出来，则为心为意，为才为情"。"算来只是人心实有此理，动而为意。此意不诚，便有许多邪魔阴慝，变现手目；此意一诚，便由许多神明圣贤，当身显现"。"其实只是诚字。不诚的人，……无一物；诚者看天下无形无声……所在个个是我心光所照，所以能酬酢一世，变化天下"。"人生学问精诚"。"学敬学诚，学仁学义，亦何处贯串不得?""如此才要诚，诚意只是慎独。慎独者，自一物看到百千万物，现来承受，只如好色恶臭，感目触鼻，自然晓会，不假推求，所谓知至。知至便是明诚"。"凡意不诚，总由他不格物，不格物所以不格理，谓万物可以意造，万理可以知破，如到不造不破去处，生成一个龙盘虎踞，不得支离，渐渐自露性地，所以说是物格知至"。"说孝说弟，说敬说诚，说仁说义，得了一个，个个贯得"。"在在会心，便是绝大成就"。[①]

---

① 《诸儒学案下四·榕壇问业》，《明儒学案》卷五十六，中华书局1985年版，第1334～1351页。

第十八章　王夫之哲学基于“诚”“成”的理论综合及明清哲学的“实学”走向

研究者往往认为，明末清初理学就总体而言有由阳明王学转向朱子学的趋势，但其中也不乏特立独行者，那就是王夫之。王夫之在反王学过程中并没有完全转向朱子学，而是倾向于张载之学。在一定意义上可以说，王夫之在一生治学中对张载学问服膺之至，有所谓“希张横渠之正学而力不能企”，孜孜以求，这在清初理学中可谓独树一帜。王夫之的学说虽然由种种原因不显于其当世，而就其思想体系而言，博大精深，可谓集大成者。

王夫之（1619—1692），字而农，号薑斋，湖南衡阳人。他晚年居于湘水之西的石船山（今湖南衡阳县曲兰），故学者称他为船山先生。王夫之自小随父兄读四书五经、诸子百家、汉赋唐诗，闻名于乡里。青年时，他一方面眷恋着科举考试，却一再落第；另一方面，关心时局动荡，参加“行社”、“匡社”、“须盟”等，主张改革社会。崇祯十六年（1643）农民起义军张献忠部攻下衡阳，请王夫之加入起义军，他先逃到深山，后又佯装伤病，予以摆脱。顺治五年（1648），王夫之参与在衡阳的举兵抗清，不久便战败。第二年他南下投奔南明桂王永历朝廷，被授予行人司行人的官职。在永历小朝廷，他亲眼看到统治者内部争权夺利的内幕，他自己也受到东阁大学士王化澄的打击迫害，不得已投奔桂林抗清将领瞿式耜。桂林失手后，瞿式耜亡，王夫之为躲避清"剃发令"而流离于零陵、长宁（今湖南南部）的荒山野岭之间，自称瑶人，居瑶洞，生活极其艰难。顺治十四年（1657）38岁的王夫之才回到衡阳老家。自此，他隐居不出，潜心著述，罕为世人所知。当时略为知名的著作涉及王夫之者，仅见于钱澄之的《田间诗集》、陆陇其的《三鱼堂日记》等。康熙三十一年（1692），著名学者刘献廷漫游两湖，闻王夫之学行，始作杂记表彰，称王夫之"其学无所不窥，于六经皆有发明。洞庭之南，天地元气，圣贤学脉，仅此一线耳"。[①] 尔后，湖广学政潘宗洛撰《船山先生传》再加表彰。乾隆时，官修《四库全书》，因一时为考据学风所蔽，所著录的王夫之著作只有几部考据作品，其他著作均未刊入。直到王阳明去世后多年的道光二十二年（1842），由其裔孙世俭首刻《船山遗书》18种，同治四年（1865）曾国藩又刻《船山遗书》56种，才使王夫之学说显现于世，并产生重要影响。

关于王夫之的治学精神，可以用他晚年为其新筑草庐"观生居"自提堂联"六经责我开生面"来概括。王夫之著书百余种，四百余卷。死后由其子王敔刻印了10余种。解放前，上海太平洋书店出版《船山遗书》，收入72种，358卷，这是目前能见到的最全的版本。其主要著作为《思问录》《周易外传》《周易内传》《尚书引义》《读四书大全说》《四书训义》《张子正蒙注》《搔首问》《老子衍》《庄子通》《庄子解》《黄书》《噩梦》《俟解》《读通鉴论》《春秋家说》《春秋世论》《春秋左氏传博议》《宋论》《诗广传》等。这些书现在大都有校刊标点本。

可以说，王夫之作为他之前学说集大成者，综合以往理论

① 刘献廷：《广阳杂记》卷二，中华书局1957年版，第57页。

成果而成体系，更显示出由“成”“诚”来展开。他讲到关于“成”“诚”，在其理论展开中成为“始终一贯”的论题；他还讲到“说到一个‘诚’字，是极顶字，更无一定可以代释”；他强调“以诚为枢纽”“以诚为先务”等等。这体现于他的一系列著作中。

第一节　《读四书大全》中的“诚”与“成”

一、《读四书大全说》之《大学》

王夫之在“大学序”中，一开始就指明，把握大学之道，不能仅停留于“知”“智”，他强调，“心”、“意”、“必诚焉”。他说：“知字，大端在是非上说。人有人之是非，事有事之是非，心里直下分明，只此是智。胡云峰据朱子解‘致知’知字：‘心之神明，所以妙众理，宰万物’，释此智字，大妄。”王夫之反问说，“朱子释义曰：‘心之制，事之宜’，岂非以‘宰万物’者乎？释礼曰‘天理之节文’，岂非以‘妙众理’者乎？”① 由此王夫之指出，“此所谓心，包含极大，托体最先，与‘正心’心字固别。”所以，“意有其不可欺而必诚焉。”②

王夫之认为，要明确的是，“当其发为意而恒为之主，则以其正者为诚之则。(《中庸》所谓‘无恶于志’)。当其意之未发，则不必有不诚之好恶用吾慎焉”。“此则身意之交，心之本体也；此则修诚之际，正之实功也。”“正心、诚意，亦非今日诚意，明日又正心。”③

王夫之论证说，“当有生之初，天以是命之为性；有生以

① 王夫之：《读四书大全》卷一《大学序》，中华书局1975年版，第1页。

② 王夫之：《读四书大全》卷一《圣经》，中华书局1975年版，第2页。

③ 王夫之：《读四书大全》卷一《圣经》，中华书局1975年版，第9页。

后，时时处处，天命赫然以临于人，亦只是此。盖天无心成化，只是恁地去施其命令，总不知道。人之初，生而壮、而老、而死，只妙合处遇可受者扁成其化。……（所以朱子才说）‘不成有一物可见其形象。’”王夫之重申，《周易》《尚书》传义中所说的“生初有天命，向后日日皆有天命，天命之谓性，则亦日日成之为性”。“今读朱子，‘无时而不发现于日用之闻’一语，幸先得我心之所然。”①

王夫之提醒说，“勿论诚正，即格物亦断非其所能”。王夫之指出，“先儒分致知格物属知，诚意以下属行，是通将《大学》分作两节。大分段处且如此说，若逐项下手工夫，则致知格物亦有行，诚意以下至平天下亦无不有知。”② 他针对有些人的见解指出：“传文原非以‘毋自欺’为‘诚其意’硬地作注脚，乃就意不诚者转念之弊而反行之。自欺是不诚。若无不诚，亦须有诚。要此诚意之功，则是将所知之理，遇著意发时撞将去，教他吃个满怀；及将吾固正之心，吃紧通透到吾所将应底事物上，符合穿彻，教吾意便从者上面发将出来，似竹笋般始终是者个则样。如此扑满条达，一直诚将去，更不教他中闻招致自欺，便谓之毋自欺也。”这里的问题是：“传者只为‘诚其意’上更无可下之语，只说诚意已足。”“经传皆云‘诚其意’，不云‘择其意’、‘严其意’，后人盖未思之耳。”可见，“此诚字，虽是用功字，原不与伪字对；伪者欺人者也。乃与不诚为对；如《中庸》言‘不诚无物’之不诚。不诚则或伪，伪不仅于不诚。不诚者，自欺也；不诚则自欺，自欺则自体不成，故

---

① 王夫之：《读四书大全》卷一《大学·传第一章》，中华书局 1975 年版，第 13 页。

② 王夫之：《读四书大全》卷一《大学·补传·传第六章》，中华书局 1975 年版，第 17 页。

无物。若伪，则反有伪物矣”。[1]

王夫之强调，“若诚其意者，须是金粟充满，而用之如流水，一无吝啬，则更不使有支撑之意耳。此则慎独为诚意扣紧之功，而非诚意之全恃乎此，及人所共知之后，遂无所用其力也”。所以说，“只为意不得诚，没奈何只索自欺。平常不肯开者自欺一条活路，则发意时所以力致其诚者，当何如敦笃也。故诚意者必不自欺，而预禁自欺者亦诚意之法，互相为成也。”“恶恶臭，好好色，是诚之本体。诚其意而毋自欺，以至其用意如恶恶臭、好好色，乃是工夫至到，本体透露。将此以验吾之意果诚与否则可，若立意要如此，而径以如恶恶臭、如好好色，则直是无下手处。”“好好色、恶恶臭者，已然则不可按遏，未然则无假安排，是以得谓之诚。”王夫之指出，“明是指点出诚好诚恶时心体，非用功语”，“求善去恶之功，自在既好既恶之余，修身之事，而非诚意之事”，“子夏入见圣道之时，非不求必得也。而唯其起念之际，非有根心不已之诚，意根心便是诚”。[2] 王夫之又说，“《章句》为初学者陷溺已深，寻不著诚意线路，开此一法门，且教他有入处。若《大学》彻首彻尾一段大学问，则以此为助长无益之功”，如果只是“特以‘毋自欺’三字示以警省反观之法，非扣紧著好恶之末流以力用其诚也”；“唯诚其意而毋自欺，则其意之好善恶恶也，如恶恶臭，如好好色，无乎不诚，而乃可谓之自谦。故君子必慎其独，以致其诚之之功焉”；

王夫之由论说“勿自欺”讲到“自谦”，并且着重讲了“自

① 王夫之：《读四书大全》卷一《大学·传第六章》，中华书局 1975 年版，第 18～19 页。

② 王夫之：《读四书大全》卷一《大学·传第六章》，中华书局 1975 年版，第 20～21 页。

谦"与"诚"的关系。他说:"'自谦'云者,意诚也,非诚其意也。故或问以'内外昭融'一段,接递到心正身修上,与经文'意诚而后心正'二句合辙,而非以释经文'欲正其心者先诚其意'之旨。此之不察,故难免于惑乱矣";"若要自谦,须慎独,须毋自欺,须诚其意。不然,虽欲自谦,其将能乎?"王夫之还曾指出:"'自欺'、'自谦'一'自'字,《章句》《或问》未与分明拈出。《或问》云'苟焉自欺,而意之所发有不诚者',将在意上一层说,亦微有分别。""不尔,则必以意为自。虽未见有显指意为自者,然夫人胸中若有所解,而惮出诸口,则亦曰意而已矣。苟以意为自,则欺不欺,慊不慊,既一意矣,毋自欺而自谦,又别立一意以治之,是其为两意也明甚。若云以后意治前意,终是亡羊补牢之下策。过后知悔,特良心之发见,而可云诚意而意诚哉?""唯诚其意者,充此心之善,以灌注乎所动之意而皆实,则吾所存之心周流满惬而无有馁也,此之谓自谦也"。①

王夫之就程子之言澄清说:"程子所云'慈爱之心出于至诚',乃以引申养子不待学之意,初不因传文'诚求''诚'字而设。凡母之于子,性自天者,皆本无不诚,非以'诚'字为工夫语。吴季子无端蔓及诚意,此如拈字酒令,搭著即与安上,更不顾理。学者最忌以此种戏心戏论窥圣贤之旨。如母之于赤子,岂尝戒欺求谦,慎其独知,而后知保哉?"王夫之强调:"诚之为说,《中庸》详矣。程子所云'出于至诚'者,'诚者天之道也'。天以是生人。'诚其意'者,'诚之者人之道也'。须择善而固执。天道不遗于夫妇,人道则唯君子为能尽之。若传文'心诚求之'之'诚',则不过与'苟'字义通。言'心'言

① 王夫之:《读四书大全》卷一《大学·传第六章》,中华书局1975年版,第22~23页。

‘求’，则不待言‘诚’而其真实不妄自显矣。”[①]

基于以上之论，王夫之解释了《大学》关于“明明德”之说，他写道：“明德之功，则格物、致知、诚意、正心是已。”因为“传独于诚意言慎者，以意缘事有，以意临事，则亦心临意也。”[②] 王夫之强调，这样才有所“成”：“明明德之事，经文所云格物、致知、诚意、正心、修身，缺一不成”。[③]

二、《读四书大全说》之《中庸》

王夫之讲“诚为仁义礼之枢，诚之为知仁勇之枢”；如此等等，“唯诚为枢纽”。[④] 他强调，“《中庸》以诚为枢纽”，“以诚为先务”。[⑤] 王夫之由此“枢纽”而理解，特别重视《中庸》，关注其中联系“成”论“诚”的内容。

王夫之在《读四书大全说》之《中庸》里，先写了“中庸序”，紧接着在讲《中庸》之谓“名篇大旨”时，对何为“中”、何为“庸”、何为“中庸”，作了解释。他写道：“《中庸》一篇，无不缘本乎德而以成乎道，则以中之为德本天德，性道。而庸之为道成王道，天德、王道一以贯之”。[⑥]

① 王夫之：《读四书大全》卷一《大学·传第九章》，中华书局 1975 年版，第 39～40 页。

② 王夫之：《读四书大全》卷一《大学·传第十章》，中华书局 1975 年版，第 47 页。

③ 王夫之：《读四书大全》卷一《大学·传第十章》，中华书局 1975 年版，第 39 页。

④ 王夫之：《读四书大全说》卷三《中庸·第二十章》，中华书局 1975 年版，第 128 页。

⑤ 王夫之：《读四书大全说》卷三《中庸·第二十章》，中华书局 1975 年版，第 136 页。

⑥ 王夫之：《读四书大全说》卷二《中庸·中庸序》，中华书局 1975 年版，第 61 页。

之后，王夫之在第一章评述中讲的一段话，可认为有总括作用：“后章所云‘诚者天之道也，诚之者人之道也’，天道诚，故人道诚之，而择善固执之功起焉。功必与理而相符，即前段之旨也。其云‘诚者自成也，而道自道也，诚者物之终始’，不外自成、自道而诚道在，天在人中。不外物之终始而诚理著，而仁智之措，以此咸宜焉。尽人之能，成己成物。而固与性合撰，功必与效而不爽，一后段之旨也。以此推夫‘诚则明矣，明则诚矣’，本天以言至诚，推人道以合天道。”①

后面，王夫之在第六章论述了“行道者，行此道以成化也。明道者以道立教也”等等；第九章涉及“子路问成人”等等；第十八章联系于“武王、周公而成王道”等等；对一系列“成”的史实，就“诚”，进行了评述。整个《中庸》注关于“诚”，有以下论述值得重视：

（一）关于“诚”与“善”与“豫（预）”。

王夫之写道：“夫朱子之以诚为豫者，则以《中庸》以诚为枢纽，故不得不以诚为先务。而枢纽之于先务，正自不妨异也。以天道言，则唯有一诚，而明非其本原。以人道言，则必明善而后诚身，而明以为基，诚之者择善而固执之。是明善乃立诚之豫图，审矣。后此言天道，则诚以统明，而曰‘至诚之道，可以前知’，曰‘知天地之化育’，有如诚前而明后。然在天道之固然，则亦何前何后，何豫何不豫，何立何废之有？言‘豫’言‘立’者，为人道之当然而设也。故二十五章云‘是故君子诚之为贵’，‘诚之者，择善而固执之也’；二十七章云‘道问学’，道者，所取涂以尊德性之谓。曰‘既明且哲，以保其身’；二十九章云‘知天’、‘知人’。盖无有不以明为先者也。道一乎

① 王夫之：《读四书大全说》卷二《中庸·中庸序》，中华书局1975年版，第77～78页。

诚，故曰‘所以行之者一’。学始乎明，故曰‘凡事豫则立’。若以诚为豫，而诚身者必因乎明善焉，则岂豫之前而更有豫哉？‘诚则明’者一也，不言豫也。‘明则诚’者豫也，而乃以一也。此自然之分，不容紊者也。《中庸》详言诚而略言明，则以其为明道之书，而略于言学。然当其言学，则必前明而后诚。即至末章，以动察静存为圣功之归宿，而其语‘入德’也，则在知几。入德者，豫之事也。张子显以明善为豫，正开示学者入德之要，而求之全篇，求之本文，无往不合。”① 王夫之认为“‘豫’之为义，自与‘一’不同。一者，诚也；约天下之理而无不尽，贯万事之中而无不通也。豫则凡事有凡事之豫，而不啻一矣；素定一而以临事，将无为异端之执一耶？一者，彻乎始终而莫不一。豫者，修乎始而后遂利用之也。……横渠之所云‘精义入神’者则明善是已。夫朱子其能不以明善为豫乎？《章句》云‘以在下位者推言素定之意’，则是该治民以上，至于明善，而统以引申素定之功也。是朱子固不容不以明善为豫，而《或问》又驳之，以为张子之私言，则愚所不解”。②

王夫之还写道：“夫明善，则择之乎未执之先也，所谓素定者也。诚则成物之始，而必以成物之终也。不息则久，悠久而乃以成物，纯亦不已，而非但取其素定者而即可以立事。是诚不以豫为功，犹夫明善之不得以一为功，而陷于异端之执一也。故以前定言诚，则事既有所不能，而理尤见其不合。浸云‘先立其诚’，则‘先’者，立于未有事物之前也，是物外有诚，事外有诚。……言诚者曰：‘外有事亲之礼，而内有爱敬之实。’

---

① 王夫之：《读四书大全说》卷三《中庸·第二十章》，中华书局 1975 年版，第 136～137 页。

② 王夫之：《读四书大全说》卷三《中庸·第二十章》，中华书局 1975 年版，第 134 页。

则爱敬与事亲之礼而同将，岂其于未尝事亲之先，而豫立其爱敬乎？且亦将以何一日者为未尝事亲之日耶？抑知慎终追远，诚也。虽当承欢之日，而终所以慎，远所以追，不可不学问思辨以求其理。是则可豫也。……唯学问思辨之功，则未有此事而理自可以预择。择之既素，则由此而执之，可使所明者之必践，而善以至。故曰'凡事豫则立'。事之立者诚也，豫者明也。明则诚，诚则立也。一乎诚，则尽人道以合天德，而察至乎其极。豫乎明，则储天德以敏人道，而已大明于其始。虽诚之为理不待物有，诚之之功不于静废；而彻有者不殊乎其彻乎未有，存养于其静者尤省察于其动。安得如明善之功，事未至而可早尽其理，事至则取诸素定者以顺应之而不劳哉？"①

王夫之总起来写道："由明而诚者，诚之者也。明则诚者，人之道也。惟尽己以实，而明乃无不用，则诚乃可得而执。是以统天下之道于一，而要人事于豫也。豫斯诚也。"②

（二）关于"诚"与"仁义礼"、"知仁勇"和"忠信"，与"敬"，与"修身以道"。

1. 关于"诚"与"仁义礼"、"知仁勇"。

王夫之写道："'诚'为仁义礼之枢，'诚之'为知仁勇之枢，而后分言'诚者天之道'，'诚之者人之道'。须知天道者，在人之天道，要皆敏政之人道尔。"③

对"仁义礼"与"诚"。王夫之在第二十章讲到："《章句》云'能仁其身'。必不获已，则可云与下'诚'字相近，然就中

① 王夫之：《读四书大全说》卷二《中庸·第二十章》，中华书局 1975 年版，第 134～136 页。

② 王夫之：《读四书大全说》卷三《中庸·第二十章》，中华书局 1975 年版，第 140 页。

③ 王夫之：《读四书大全说》卷三《中庸·第二十章》，中华书局 1975 年版，第 128 页。

须有分别。此仁字与诚字通者，择善固执之诚也。”① 他又论述说：“人道有两义……道也，修身以道。仁也，义也，礼也，此立人之道，人之所当修者”。②

对“知仁勇”与“诚”。王夫之在第二十章写道：“仁也，知也，勇也，此成乎其人之道，而人得斯道以为德者。……道者，天与人所同也，天所与立而人必繇之者也。德者，己所有也，天授之人而人用以行也。然人所得者，亦成其为条理，知以知，仁以守，勇以作。而各有其径术，知入道，仁凝道，勇向道。故达德而亦人道也。以德行道，而所以行之者必一焉，则敏之之事也。故此一章，唯诚为枢纽。”③

王夫之特别由“知”联系“诚意”讲到“德成”，他说，“知有诸内者之形诸外，则知潜虽伏尔孔昭，内省无恶，而不可及之德成也。三语一步渐紧一步，而以意为入德之门。是三知相为次，而入德之门唯在慎独。先儒谓诚意为‘玉钥匙’，盖本于此。诸说唯何潜斋得之，惜于‘知远之近’句未与贴明。何意盖疑‘奏假无言’一段为成德之效，非入德之事。不知知德之所成，则知所以入之功效，原相准也。”④

王夫之在讲了“知”与“成德”之后，紧接着由“正心”“诚意”对“知仁勇”综合起来说：“存养、省察之先后，史伯璿之论，可谓能见其大者矣。其云‘有则俱有’，诚有以察夫圣功之不息；其云‘动静无端’则又以见夫理事之自然。……

① 王夫之：《读四书大全说》卷三《中庸·第二十章》，中华书局 1975 年版，第 123 页。

② 王夫之：《读四书大全说》卷二《中庸》，中华书局 1975 年版，第 127 页。

③ 王夫之：《读四书大全说》卷二《中庸·第二十章》，中华书局 1975 年版，第 127～128 页。

④ 王夫之：《读四书大全说》卷三《中庸·第三十三章》，中华书局 1975 年版，第 188～189 页。

《中庸》之言存养者即《大学》之正心也；其言省察者，即《大学》之诚意也。《大学》云：'欲正其心者先诚其意'是学者明明德之功，以正心为主，而诚意为正心加慎之事。则必欲正其心，而后以诚意为务；若心之未正，则更不足与言诚意。……故《大学》以正心次修身，而诚意之学则为正心者设。……《大学》云：'意诚而后心正'要其学之所得，则当其静存，事未兆而念未起，且有自见为正而非必正者矣。动而之于意焉，所以诚乎善者不欺其心之正也。则静者可以动而不爽其静，夫乃以诚其心之正矣。动而之于意焉，所以诚乎善者不欺其心之正也，则静者可以动而不爽其静，夫乃以成其心之正矣。……乃动有息机，而静无闲隙；动有静，而静无动；动不能该静，而静可以该动；则论其德之成也，必以静之无闲为纯一之效。盖省察不恒，而随事报功；存养无期，而与身终始。故心正必在意诚之后，而不言之信、不动之敬，较无恶之志而益密也。此省察先而存养后，其序亦不紊也。"①

2. 关于"仁义礼""知仁勇"与"忠信"与"诚"。

王夫之指出："人之可以尽其才而至于诚者，则北溪所谓忠信。其开示蕴奥，可谓深切著明矣。择善固执者，诚之之事。忠信者，所以尽其择执之功。弗能弗措，而已百已千，则尽已以实之功也。虽愚，而于忠信则无有愚；虽柔，而于忠信则无有柔者。故曰'十室之邑，必有如夫子者焉。'（人道本于天故。）而君子之学，必此为主。（三达德以此行故。）……仁义礼是善，善者一诚之显道也，天之道也。唯人为有仁义礼之必修，在人之天道也，则亦人道也。知仁勇，所以至于善而诚其身也。'诚乎身'之诚是天人合一之功效。所以能行此知之所知、仁之

① 王夫之：《读四书大全说》卷三《中庸·第三十三章》，中华书局1975年版，第189～190页。

所守、勇之所作于五伦九经者，忠信也，人之道也。人于知仁勇，有愚明、柔强之分，而忠信无弗具焉，人道之率于天者也。”①

王夫之在讲“仁义礼”“知仁勇”与“忠信”与“诚”的关系时，对于“诚行于”“达道”进行了论述。他写道：“《章句》分知仁勇处，殊少分晓。前言知仁勇，只平数三德，何尝尊知仁而卑勇？且云‘三者天下之达德，所以行之者一’，则自天道而言，唯命人以诚，故人性得以有其知仁勇，自人事而言，则以忠信为主，而后可以行其知仁勇之德于五达道之閒。朱子所谓‘无施而不利’者，知仁勇之资诚以为功也。‘及其知之’，‘及其成功’，则自从容中道，以至于未免愚柔者，知皆如舜，仁皆如颜，勇皆如不流不依之君子。既不繇知仁勇以得诚，况可析学利为知仁，困勉为勇哉？且朱子前业以生安为知，学利为仁，而此复统知仁于学利，足见语之蔓者，必有所窒也。唯《章句》‘而为’二字，较为得之。以诚之者之功，乃以为功于知仁也。”“学、问、思、辨、行，《章句》言目而不言序。目者若纲之有目，千目齐用；又如人之有目，两目同明。故存程子废一不可之说以证之。《或问》言序，则为初学者一向全未理会，故不得不缓议行，而以学为始。其于诚之者择执之全功，固无当也。……若论五者第一不容缓，则莫如行，故曰‘行有余力，则以学文’。弟子尚然，而况君子之以其诚行于五达道之閒，人君一日万机而求敏其政者哉？”② 这里特别强调了“诚”“行”的重要性。

---

① 王夫之：《读四书大全说》卷三《中庸·第二十章》，中华书局 1975 年版，第 140 页。

② 王夫之：《读四书大全说》卷三《中庸·第三十一章》，中华书局 1975 年版，第 143~145 页。

进而王夫之专门对于"诚"与"行"展开了说明。他讲,"以生、安为知,学、利为仁,困、勉为勇,直不消如此说。此两条文字,上承'所以行之者一'而言,则俱带一'诚'字在内。后面明放着'从容中道'者,生、安也,'择善固执'者,学、利也,'愚之明'、'柔之强'者困、勉也。生知者,'诚明'也;安行者,'至诚'也;学知者,'明诚'也;利行者,'诚之为贵'也;困知、勉行者,'致曲'也。以其皆能极人道之'诚之',以为德为学,故知之、成功,莫不一也。各致其诚而知用其知,知用其仁,知用其勇;行其知以知之,行其仁以守之,行其勇以作之。……所以谓知(去声)有行者,如博学属知,而学之弗博弗措,则行矣。至于仁之有知,(如字)尤为显别。颜子之服膺弗失者,其择乎中庸者也。若勇之亦有知者,则固曰'知耻近乎勇'矣。今必从而区分之,则诚明无合一之理。……朱子与诸家之说,彼此各成一家言,而要无当于大义,则唯此二段之言,以诚行达德,而非以知仁勇行达道也"。①

3. 关于"诚"与"敬"。

王夫之写道:"言诚者曰:'外有事亲之礼,而内有爱敬之实。'则爱敬与事亲之礼而同将,岂其于未尝事亲之先,而豫立其爱敬乎?且亦将以何一日者为未尝事亲之日耶?抑知慎终追远,诚也。虽当承欢之日,而终所以慎,远所以追,不可不学问思辨以求其理。是则可豫也。若慎之诚乎慎,追之诚乎追,斯岂可前定而以待用者哉?"② 他说:"知见于彼者由于此,则知民劝、民威而天下平之不在赏罚之施,而在德之显也。知著乎

① 王夫之:《读四书大全说》卷三《中庸·第二十章》,中华书局1975年版,第129～130页。

② 王夫之:《读四书大全说》卷三《中庸·第二十章》,中华书局1975年版,第135页。

外者之本乎内，则知敬之著于动、信之著于言者不在其动与言，而在不动不言之所存也。”[①]“若云存诚主敬，养之于静以待动；夫所谓养之于静者，初非为待动计也。此处一差，则亦《老子》所谓‘执大象，天下往’，‘冲，而用之或不盈’之邪说，而贼道甚矣。”王夫之又说：“‘外有事亲之理，而内有爱敬之实’二句，不可敧重。内无爱敬之实，而外修其礼，固是里不诚；……内有爱敬之实，而外略其礼，则是表不诚。事亲之礼，皆爱敬之实所形；而爱敬之实，必于事亲之礼而著。爱敬之实不可见、不可闻者也。事亲之礼，体物而不可遗也。”“诚之为道，不尽于爱敬之实。朱子特举顺亲之诚一端以例其余耳。到得诚之至处，则无事不然，无物不通。故《或问》以顺亲、信友、获上、治民无施不效而言。”[②]

于是王夫之又进一步写道：“盖于学言之，则必存养以先立乎其本，而省察因之以受。则首章之先言戒惧以及慎独者，因道之本然以责成于学之词也。即《大学》‘欲正其心’先于‘欲诚其意’之旨。于德言之，则省察之无恶者，遏欲之功征于动，而动故有闲；存养之恒静恒信者，存理之功效于静，而静则无息。此章之繇‘入德’而‘内省不疚’，繇‘无恶于志’而‘不动而敬’、‘不言而信’，因学之驯至以纪其德之词也。即《大学》‘意诚而心正’之旨。”“双峰分‘奏假无言’二段，各承上一节，其条理自清。史伯璿以《章句》所云‘加密’及‘愈深愈远’之言证之，诚为有据。……故‘奏假无言’者，省察之极功，而动诚之至也；‘不显惟德’者，存养之极功，而静正之

① 王夫之：《读四书大全说》卷三《中庸·第三十三章》，中华书局1975年版，第188页。

② 王夫之：《读四书大全说》卷三《中庸·第二十章》，中华书局1975年版，第136～137页。

至也。"①

王夫之总起来论述了"诚"与"修身以道"。王夫之就《中庸》文本，基于"修道以仁""必先正心诚意"论述了"修身以道"的问题。他说："人道之固然其诚者，身之理著于道；人道之能诚之者，德之几见于心也。固然与能然者，而一合乎诚，则亦同乎所性而不悖，故统之曰'人道敏政'。"这样就要修身，他说："既云'修身以道'，抑云'思修身不可以不事亲'，此又云'知斯三者则知所以修身'，说若庞杂，此《中庸》之所以不易读也。唯熟绎本文，以求其条理，则自得之。云'以道'、云'不可不事亲'者，言修身之事也；云'知斯三者'，言修之之功也。事则互相待而统于诚，故可云'思修身不可以不事亲'抑可云'顺亲有道，反身不诚，不顺乎亲'；功则有所循以为资，故知'三近'，而后修身之所以者不迷也。舍其从入之资则亦茫然无所用以为修矣。"② 这里同时涉及了"心""性"及"反身而诚"。

第三，关于"诚"与"性"与"心"。

王夫之在引述"惟天下之至诚，为能尽其性"时，解释说："盖诚者性之撰也，性者诚之所丽也。性无不诚，（仁义礼知，皆载忠信。）非但言诚而即性。（性有仁义礼知。）诚以行乎性之德，非性之无他可名而但以诚也。性实有其典礼，诚虚应以为会通。性备乎善，诚依乎性。……故曰'惟天下之至诚，为能尽其性'。（可以分诚与性为二，而相因言之。）"③ 王夫之写道：

① 王夫之：《读四书大全说》卷三《中庸·第三十三章》，中华书局 1975 年版，第 190～191 页。

② 王夫之：《读四书大全说》卷三《中庸·第二十章》，中华书局 1975 年版，第 132 页。

③ 王夫之：《读四书大全说》卷三《中庸·第二十二章》，中华书局 1975 年版，第 151 页。

“北溪分‘天道之本然’与‘在人之天道’，极为精细。……然学者仍不可将在人之天道与天道之本然，判为二物。……云‘诚者天之道’，未尝不原本于天道之本然，而以其聚而加著者言之，则在人之天道也。天道之本然是命，在人之天道是性。性者命也，命不仅性也。若夫所谓‘诚之者人之道’，则以才而言。才者性之才也，性不仅才也。惟有才，故可学。‘择善而固执之’，学也。其以择善而善可得而择，固执而善可得而执者，才也。（此人道敏政之极致。）有是性固有是才，有是才则可以有是学，人之非无路可合乎天也。[①]

进而他讲道：“至诚之‘浩浩其天’者：其心之正，即天地之心；其气之顺，即万物之气；于其所必化而知其化，于其所必育而知其育；不但非恃心力以推测，而亦不如介然通天地之情、介然知万物之感者，倚天地之所著见、万物之所往来者以为知之之迳。……此‘物’字之义，又即以天地制化育之理、万物受化育之迹而言也，则不但不以对己之物为物，并不（但）以在己之耳目心力为言矣。”“至于‘立天下之大本’，则初无所因于人，即欲倚之而固不得。……要皆藏密以立道义之门，而择执之心力不与焉。此‘不靠心力’之说，为‘大本’言也。”“立本之所谓物，以性为主，而以形为客；知化之所谓物，则凝于我之诚为主，而诚之察于天地万物与我相为动者为客。[②]

由此，王夫之对至诚、尽性与尽心进行了解析。他强调：“《章句》所云心者，谓天予人以诚而人得之以为心也。”接着作了辨析：“此‘心’字与‘性’字大略相近，然不可言性，而但

① 王夫之：《读四书大全说》卷三《中庸·第二十章》，中华书局1975年版，第139页。

② 王夫之：《读四书大全说》卷三《中庸·第三十二章》，中华书局1975年版，第182页、第183页。

可言心，则以性为天所命之体，心为天所受之用。仁义礼知，性也，有成体而莫之流行者也。诚，心也，无定体而行其性者也。"①

在王夫之那里有一个重要论断："心为天之所授之用"。王夫之认为，诚，"于天为命。而于人为性"。他写道："自诚而明者，惟其有之，是以著之也。于无为命而于人为性也。然其所以不言命者，则命唯一诚，而性乃有此虚灵不昧之明也。"②

王夫之在论"心"与"性"时，进而延伸到"体"与"用"，实际上是讲"诚"与"体用"。他写道："诚者天之用也，性之通也。性者天用之体也，诚之所干也。……天用之体，不閒于圣人之与夫妇。无诚以为之干，则忮害杂仁，贪昧杂义，而甚者夺之。因我所固有之大用（诚），以行乎无所命我之本体（性），充实无杂，则人欲不得以乘之，（忮害等无所假托则不杂）。而诚无不干乎性，诚无不通乎诚矣。"③ 所以说，"唯天下之至诚，为能尽其性"。这样诚与性有这样一种关系："盖诚者性之撰也，性者诚之所丽也。性无不诚，（仁义礼知，皆载忠信。）非但言诚而即性。（性有仁义礼知。）诚以行乎性之德，非性之无他可名而但以诚也。性实有其典礼，诚虚应以为会通。性备乎善，诚依乎性。……故曰'惟天下之至诚，为能尽其性'。（可以分诚与性为二，而相因言之。）……抑朱子以尽心为尽其妙用，尽性为尽其全体，以体言性，与愚说同。而尽其虚灵知觉之妙用者，岂即诚乎？于此则更有辨。孟子以知言，此

---

① 王夫之：《读四书大全说》卷三《中庸·第二十五章》，中华书局 1975 年版，第 161 页。

② 王夫之：《读四书大全说》卷三《中庸·第二十一章》，中华书局 1975 年版，第 148 页。

③ 王夫之：《读四书大全说》卷三《中庸·第二十二章》，中华书局 1975 年版，第 151 页。

以行言。则‘知性’与‘尽性’对，而于‘知’与‘尽’分知行；‘尽心’与‘至诚’对，而于‘心’与‘诚’分知行。问者有所未察，故以‘尽心’‘尽性’为疑，朱子则已别白之矣。‘尽心’者，尽其虚灵知觉之妙用，所谓‘明善’也。‘至诚’者极至其笃实充满之大用，所谓‘诚身’也。‘存心养性’者诚之之事也。‘尽性’者，事天之效也。君子学繇教人，自明而诚，则以‘尽心’为始事。圣人德与天和，自诚而明，则略‘尽心’而但从‘诚身’始。圣人无欲，不待‘尽心’以拣乎理欲之界。贤人遏欲以存理者也，而遏欲必始于晰欲，故务‘尽心’；存理必资乎察理，故务‘知性’。”“《章句》云‘此自诚而明之事’，则尽人物之性，赞化育，参天地，皆以极明之用也。‘知无不明’，固明也。‘处无不当’，则是诚以成物，而亦为明之效者，明之所至，诚用皆达也。尽人物之性，明只是教，而不可谓性；则‘自明诚谓之教’，乃以言‘自诚明’者明后之功用。既诚以生明而明复立诚，其非竟言贤人之学可知已。若贤人则须于人物之性，求知之明，求处之当，于己之性，察而繇之，其不能即谓之教，审矣。以此知‘自明诚’‘明’字，亦以成德言，而无功夫。‘自诚明’者亦有其‘自明诚’也。直至‘明则诚矣’‘明’字，方为贤人之学而有力。不然，则此‘自诚明’之事，何以不自明止？（必处之当故。）而朱子所云，‘教化开通处得其理’，又岂非教之谓乎？大抵此等处须要活看。如下章言‘诚则形，现则著，著则明’，固非‘自诚明’之事，而抑何以先诚而后明耶？（自明诚者，亦自诚而复明。）”①

《中庸》讲了“致诚”与“心”“性”的关系之后，还讲到“致曲有诚”与“尽性”的关系。这是讲，与圣人“自诚明”相

① 王夫之：《读四书大全说》卷三《中庸·第二十三章》，中华书局1975年版，第151、152、153页。

比，其次之，“致曲”亦能“有诚”。“诚则形，现则著，著则明，明则动，动则变，变则化。唯天下至诚为能化。”王夫之写道：“‘曲’云者，如山一曲、水一曲之曲，非一方一隅之谓也。从纵上说，不从方上说。斯道之流行者不息，而曲者据得现前一段田地，亦其全体流行之一截也。总缘此指诚而言，固不可以仁义之一端代之。‘致曲’而‘曲能有诚’，此等天资与乍见孺子入井而恻隐之今人，自不一格。”“所信益弘，而无有不诚”，“程、朱之言，特借以显‘曲’为全体尽露之一节，而以扩充尽‘致’字之义，非谓四端之即为‘曲’也。……诚者，周流乎万事万物，而一有则全真无二者也。一念之诚，一事之诚，即全体之诚，直至尽性合天，更无增加。”①

王夫之讲了“诚”与“性”，进而说到此与“教”的关系。他写道：“《中庸》说‘君子之道费而隐’，费必依隐，而隐者必费。若专求诚于内心，则打作两片，外内不合矣。‘率性之谓道，修道之谓教。’教者皆性，而性必有教，体用不可得而分也。”② 他讲：“性、教原自一贯：才言性则固有其教，凡言教则无不率于性。事之合者固有其分：则‘自诚明谓之性’，而因性自然者，为功于天；‘自明诚谓之教’，则待教而成者，为功于人。……圣人之尽性，诚也；贤人之奉教，明也。‘诚则明矣’，教斯立矣。‘明则诚矣’，性斯尽矣。如此，则转合明而可以破此章之疑。然本文云‘诚则明矣’，而不云性则无不明矣；‘明则诚矣’，而不云教则可以至于诚矣。是亦足见上二句之未及乎圣人贤人，必待下二句‘诚则明矣’，一‘诚’字，方以言圣人

① 王夫之：《读四书大全说》卷三《中庸·第二十三章》，中华书局1975年版，第153～154页。

② 王夫之：《读四书大全说》卷三《中庸·第二十章》，中华书局1975年版，第137页。

之德足乎诚；‘明则诚矣’，一‘明’字，方以言贤人之学因乎明。是《章句》‘德无不实’八句，仅可用以释下二句‘诚’、‘明’二字，而上二句则未之释，此《章句》之疏也。圣人之德自诚而明，而所以尔者，则天命之性‘自诚明’也。贤人之学自明而诚，而其能然者，惟圣人之教‘自明诚’也。……自诚而明者，惟其有之，是以著之也。于天为命，而于人为性也。然其所以不言命者，则命唯一诚，而性乃有此虚灵不昧之明也。……自明而诚者，推其所以明，以为明为不诚者，明夫天理之固诚，而有章有质，反之天理而皆非妄也；于圣人为道，而于天下为教也。然其所以不言道者，则圣人之于道，唯率其本明，而既立为教，乃使理丽于实也。天不容已于诚，而无心于明。成者天之道也，明者人之天也，圣人有功于明，而不能比天下之诚明者，圣人立教之本也。诚者教中所有之德也。贤人志于诚，而豫其事于明，则‘不明乎善，不诚乎身’，学、问、思、辨所以因圣而为功者也。此在天、在人，圣修教、贤繇教之差等，固然其有别。（上二句之旨。）而在天为诚者，在人则必有其明，明授于性，而非性之有诚而无明。故圣人有其诚而必有明，圣人之所以尽性而合天者，固其自然之发见。圣之所明者，贤者得之而而可以诚，明开于圣教，而非教之但可以明而无当于诚。故贤人明圣人之所明，而亦诚圣人之所诚。贤之所以学圣人而几于天者，明尤其用功之资始。然则性必有明而后教立，学必繇明而后因教以入道，故曰‘表明乎善，不诚乎身’。明虽在天所未有，而圣必有，（‘自明诚’‘明’字属圣人说。）在贤必用，（‘明则诚矣’‘明’字属贤人说。）《中庸》所以要功于诚，而必以明为之阶牖也。”①

① 王夫之：《读四书大全说》卷三《中庸·第二十二章》，中华书局 1975 年版，第 148～149 页。

第四，关于“诚”与“成己”“成物”，“致诚如神”。

王夫之讲到：“君子知人心固有其诚，而非自成之，则于物无以为之终始而无物；则吾诚之之功，所以凝其诚而行乎道，其所谓‘自成’‘自道’者，一皆天道之诚、率性之道之所见功。是其以体天而后性者，诚可贵也。而又非恃天之畀我以诚，显我以道，遂可因任而自得之为贵。则所贵者，必在己之‘自成’而‘自道’也，惟君子之能诚之也。”成己在于自成，然而，“‘自成’‘自’字与‘己’字不同。己，对物之词，专乎吾身之事而言也。自，则摄物归己之谓也。朱子恐人以‘自成’为专成夫己，将有如双峰之误者，故于《章句》兼物为言。乃迷者执此，而以为物之成也，固有天成之，而不因乎人者矣，遂举‘自成’而一属之天理之自然”。同时，王夫之批评朱子在此问题上又“暗中游扬‘无待’之妄而不觉”。王夫之指出：“是其自成者即诚也，人而天者也；自道者即道也，身而性焉。惟天道不息之妙，必因人道而成能，故人事自尽之极，合诸天道而不二。此繇教人道者所以明则诚焉，而成功一也。……以是考诸儒之失得，庶不差矣。”既然讲人心固有其诚，于是王夫之讲：“乃所谓心，则亦自人固有之心备万物于我者而言之。……一《章句》之说为本然者也。抑所谓以心言、以理言者，为‘诚者’‘而道’四字释耳，非以释夫‘自成’‘自道’也。若本文之旨，则；‘诚’与‘道’皆以其固然之体言之，又皆兼人物而言之。‘自成’‘自道’，则皆当然而务致其功之词，而略物以归之当人之身。若曰：天所命物以诚而我得之以为心者，乃我之所以成其德也；天所命我以性而人率之为道者，乃我之所必自行焉而后得为道也。以诚自成，而后天道之诚不虚；自道夫道，而后率性之道不离。诚丽乎物以见功，物得夫诚以为幹。万物皆备之诚心乃万物大成之终始。诚不至而物不备于我，物不备则无物矣。”[①] “乃本文之旨，则谓天道之诚，（此无待。）我可以自成其心而始可有夫物也。（此有待。）故‘诚’之为言，兼乎物之理，而‘自成’则专乎己之功。诚者，己之所成，物之所成；而成之者，己固自我成之，物亦自我成之也。”《中庸》“又言‘诚’而更言‘道’，前云‘诚者天之道’，此双峰之所繇迷也。不知道者率乎性，诚者成乎心，心性固非有二，而性为体，心为用，心含性，性丽心，故朱子以心言诚，以理言道，（《章句》已云‘性即理也’。）则道为性所赅存之体，诚为心所流行之用。（赅用存故可云费，流行故可云无息。）诸儒不察，乃以性言诚，则双峰既不知朱子异中之异，而诸儒抑不知朱子同中之异也。又章中四‘物’字，前二‘物’字兼己与物而言，兼物与事而言，则或下逮于草木禽兽者有之。然君子之诚之也，自以处人接事为本务。如小注所云，‘视不明，听不聪，则不闻是物、不见是物，而同于无物’，不闻不见者，同于己之无耳无目也；不闻是物、不见是物者，同于己之未视是物、未听是物也。然要必为己所当有事者，而其终始之条理，乃不可略。若飞鸟之啼我侧，流萤之过我前，即不明不聪，而亦何有于大害哉？‘诚者物之始终’，不择于我之能有是物与否而皆故然，则可下洎于鸟兽草木而为言；若夫‘不诚无物’，固已捨草木鸟兽而专言人事矣。”“顾此‘无物’字，则犹兼己而言，而不如下‘成物’‘物’字之与‘己’为对设之词。盖‘无物’之物，大要作‘事’字解。……有始有终，共成一物。……小注中‘向于有’、‘向于无’之云，乃偏自天之所以赋物者而言，而不该乎人之所受于天之诚。须知‘成者天之道’，大段以在人之天为言，而在天之天，则人所无事，而特不可谓其非以诚为道耳。

① 王夫之：《读四书大全说》卷三《中庸·第二十五章》，中华书局1975年版，第162～163页。

乃‘向于无’一‘无‘字’，止当‘死’字看，与本文‘无’字不同。即在天而言，如生一赵姓者为始，赵姓者之死为终，其生之也向于有，其死之也向于无。若夫诚所不至而无此物，则如天下原无此赵姓之人，既已不生，何得有死？况于在人之天而兼乎理与事矣，则始者事之初也，终者事之成也，尤非始有而终无也。若以死生而言，则必全而生之，全而归之，而后为诚之终。若泛然之人，气尽神离而死也，则其不诚固已久矣，而又何得谓之终哉？”① 王夫之强调，所以说，“诚之，则有其诚矣。有其诚，则非但‘成己’而亦以成物矣。以此，诚也者，原足以成己，而无不足于成物，则诚之而底于成，其必成物審矣。成己者，仁之体也。成物者，知之用也。天命之性，固有之德也；而能成己焉，则是仁之体立也；能成物焉，则是知之用行也。仁智咸得，则是复其性之德也。统乎一诚，而己、物胥成焉，则同此一道，而外内固合焉，道本无不宜也。性乎诚而仁、知尽焉，准诸道而合外内焉，斯以时措之而而宜也。君子诚之之功，其能有诚也如此。”②

关于“致诚如神”，王夫之在二十四章，写道：“祯祥、妖孽之必有，蓍龟、四体之先见，此是鬼神之诚。鬼神体物而不可遗，无心于知，而昭察兆见者不诬，故人得凭之以前知，斯鬼神之明也。唯‘诚则明’，鬼神之诚不可揜者也。是以不待至诚，而人得因以前知。天地閒只是理与气，气载理而理以秩叙乎气。理无形，气则有象，象则有数。此理或紊，则象不正而数不均，大而显者，细而微动。非至诚之实有其理，则据其显

① 王夫之：《读四书大全说》卷三《中庸·第二十五章》，中华书局 1975 年版，第 164～165 页。

② 王夫之：《读四书大全说》卷三《中庸·第二十五章》，中华书局 1975 年版，第 162～163 页。

者以为征，迎其微者以为兆，象数之学所自兴也。至诚者理诚乎己，则‘惠迪吉’，迪乎我而即吉也；‘从逆凶’逆乎我而即凶也。如曾做文字人看人试闱文字，当于其心则知其售，不当于其心则知其不售，卻与精于卜筮者一例取准。所以《书》云‘唯先蔽志，昆命于元龟’，则固以先天而天不违矣。鬼神之为妖为祥，在蓍龟而见，在四体而动者，非有意想也，至诚之道也。（在天之至诚。）人之用此以知鬼神之所知者，则推测之小道也。‘至诚如神’与鬼神同以至诚之道而前知之。而善为术数、精于测度者，则藉鬼神之诚明以知之，是神自效也，非彼之能如神也。如董五经知程子之至，却云‘声息甚大’，其所藉者声息也，非声息则彼且惘然矣。俗有本命元辰来告之说，亦是藉当体之鬼神。而程子所云‘知不如不知之愈’，直以吾身之诚有不足，故藉乎神以为明，而非其明也。藉乎神，则己与神为二。令其知者一，因而知者又一，此二之说也。与神为二，则神固诚而己不诚。己既不诚，乃以笃信夫神之区区者为诚，其以微矣。乃其大端之别，则至诚所知者，国家之兴亡也，善不善之祸福也。……其在他人，则或以数测而反知之，以理度而反失之。唯其理之未实而不达乎神之所以诚也。以数测者，非其人之能知也，因其一念之笃信而神凭之也。鬼神之体乎诚而不可揜，其道可以前知也。以理知者，无待于鬼神，而与鬼神同其吉凶也。至诚之能体夫诚，而‘诚则明’，其道可以前知也。其道同，故‘至诚如神’；神可以知者，无不知矣。”①

三、《读四书大全说》之《论语》

前面讲述《论语》时，曾就战国墓竹签中记有孔子关于

① 王夫之：《读四书大全说》卷三《中庸·第二十五章》，中华书局 1975 年版，第 158、159、160 页。

"怀尔明德何？诚信之也"，作出说明；而《论语》是孔子在讲学中，由其学生记录整理而成的，其中少记有言诚；但其中沿着孔子那时及其前的论述，讲到"成人"、"成德"，讲到成。值得注意的是，王夫之在对《论语》的评述中由孔子记述，特别由成讲到诚。

王夫之在作为《论语》首篇的《学而篇》中的第一句话就讲，"读《论语》须是别一法在，与《学》《庸》《孟子》不同。《论语》是圣人徹上徹下语，须于此看得下学、上达同中之别，别中不同。"他接着论道，"内以安其心，外以成其身，浑然具足而无所歉"，这"有待以成其德"，并且说到"成物以成己"。①

王夫之讲到，"'安仁''利仁'，总是成德后境界。"后又讲到："朱子既云'常若有见'，又云'不成是有一块事物，光辉辉在那里'。既无物可见，则'常若有见'者又何见耶？潜室云'今自家实有者个道理镇在眼前'。夫其曰'自家实有'，则在中之谓矣。在中者，其可使在眼前乎？此与人不能自见其脏腑一理。"他又讲到，"斯圣功之极至，成德之终事"，"圣人于下梢处，一倍精神，欲成一切，而此物之成，不能速成彼物，故理自相同，而功无偏废。"②

对于"成德"，王夫之在《雍也篇》的评述中特别写道："若以深言之，则不伐之成德，自为远怨息争之一道，而圣贤以之为居德之量，是《易》所谓'善世而不伐'，《书》所谓'女唯不伐，天下莫与女争功'。此在功德已盛之后，以自极于高明广大之至，而即以移风易俗，成廷野相让之化者，非待此而始

① 王夫之：《读四书大全说》卷四《论语》，中华书局1975年版，第193～195页。

② 王夫之：《读四书大全说》卷四《论语》，中华书局1975年版，第233页、第432页、第328页。

有事于消欲、明理也。”[①] 因为“‘天下归仁’非一日之小效，‘克己复礼’又何一日之成功耶？”[②] 所以，“双峰云：‘才要速成，便只是见得目前小小利便处。’使然，则但言‘欲速’，而‘大事不成’因之矣，何须如此分项说下！见大者，亦或欲速；不欲速者，亦或终身于小利之中。如禹之治水，是为天下万事兴大利，除大害，便欲急切堙之决之，岂必其利之小，而徐治之八年之后也？只同此一利，非速则利小而缓则利大也。宋襄公不重伤，不禽二毛，不可谓见小利也。只为欲伯功之速成，便致伤败。王介甫立意亦尽从容，他本意要复燕、云，却云‘将欲取之，必固与之’，不可谓欲速也。乃其铢铢累累，积财以为用兵之地，在小利上收拾，故终不能成大事。举此二端，则‘欲速’‘见小利’之不相因也，明亦。”[③]

在王夫之笔下，论“成”总与论“诚”相伴随。从《论语》的开始《学而篇》，就基于“内从安其心”“外以成其身”说到“成其德”；由“心”由“性”、“未发”“已发”、“礼”，论“敬”“中”“和”等等，于此特别确立并阐发了“诚”：

王夫之讲，“志道笃则德成于心，据德熟则仁显于性。”[④] 因而，王夫之在说《论语》的首篇就讲到：“礼之为节，具足于喜怒哀乐之未发；而发皆中节，则情以率夫性者也。敬者人事也，和者天德也。由人事以达天德，则敬以为礼之本，而因以得和”。“未发谓中，以发谓和。可云敬以致中者，以静存之功，主敬为本；则亦当云诚以致和，以勤察之功，存诚为要”。[⑤] 他

① 王夫之：《读四书大全说》卷五《论语》，中华书局1975年版，第289页。
② 王夫之：《读四书大全说》卷六《论语》，中华书局1975年版，第376页。
③ 王夫之：《读四书大全说》卷六《论语》，中华书局1975年版，第401页。
④ 王夫之：《读四书大全说》卷五《论语》，中华书局1975年版，第308页。
⑤ 王夫之：《读四书大全说》卷四《论语》，中华书局1975年版，第201页。

又说：“《集注》以从容不迫释‘和’之义，则是谓人之用礼，必须自然闲适而后为贵”。[①] 王夫之又引用朱子的话评论说：“朱子又曰‘敬为礼，和为用’，……如朱子之意，盖谓发而主敬，必发而从容不迫，乃为可贵；谓发能合，已发能分，乃散应事物而无不宜。以此言之，乌可不知和，乌可不‘知和而和’哉？且《中庸章句》《语录》，括已发未发而一之于敬。愚谓未发功在敬，不显之笃恭是也；发则功在诚，《大学》之慎独以诚意，《中庸》之‘行之者一’是也。致中者敬之至，至和者诚之功”。[②]

总起来，“诚”贯通了“道”、“德”、“虚”、“直”、“天之道”、“人之道”。王夫之写道：“盖道，虚迹也；德，实得也。故仁、义、礼、智曰四德，知、仁、勇曰三德。而若诚，若直，则虚行乎诸德者。故《中庸》言‘诚者天道，诚之者人道’。而言直也，必曰‘直道’，而不可曰直德。直为虚，德为实”。他进一步说：“以实求之，则‘立’者诚之复”，“诚之通也”。[③] 所以，王夫之强调：“朱子‘知至意诚’，不是配来话。此等处，唯朱子肯尽情示人”。[④] 他又说：“行道而有得于心之谓德。得为心得，则修亦修之于心，故朱子以诚意、正心言此”。[⑤] 王夫之继续说：“曾西之所以下视管仲者，正在诚意正心之德。”“今纵不得谓管仲之所格者为尽物理之当然，所至者为尽吾心之所能致，乃于格致责用力者，为学问思辨之浅深、勤怠言也，若其或大或小，或正或较，不于其本求之，而但于知与物责其功效，

① 王夫之：《读四书大全说》卷四《论语》，中华书局 1975 年版，第 200 页。
② 王夫之：《读四书大全说》卷四《论语》，中华书局 1975 年版，第 203 页。
③ 王夫之：《读四书大全说》卷四《论语》，中华书局 1975 年版，第 291 页。
④ 王夫之：《读四书大全说》卷五《论语》，中华书局 1975 年版，第 282 页。
⑤ 王夫之：《读四书大全说》卷五《论语》，中华书局 1975 年版，第 306 页。

则且拘葸犹豫，天下之物皆为疑府，而吾心之知，不有诚者以为天则，亦知孰为妄之非所宜致者哉？故曰，诚意者，天德、王道之关也。欲诚其意，而意则无妄；欲正其心，而心矢不邪；则以之格物而物皆有则，以之致知而知一民意，意益实而心益广矣。此《大学》之条目，相为首尾，端不自格物始而以平天下终；特其效之已成，则自物格以向于天下平，为以次而益大耳”。①

王夫之继续说道：“《大学》之道，天德也，王道也；显则为《周官》之法度，微则为《关雎》《麟趾》之精意者也。徒于格物、致知争学之大小乎？今使朱子以正心、诚意之学，正告管仲，彼虽不能改而从我，而不敢自诬为已得”。“其于陈同父，则必以诚正告之”。②

王夫之在论“成”之中论了“诚”：“若夫‘从心所欲，不踰矩’，故为尝不于德业有可征者。要亦‘耳顺’以还，明诚合而无关，明者一诚，更不可云诚中所生之明矣”。③王夫之说：“张子说‘心能尽性，性不知捡其心’，其大义微言，自难与章句之儒道。张子原不将‘心’字代‘人’字，‘性’字代‘道’字。心者，人之能弘道者也。若性之与道，在大儒眼底，从条理粲然中，看得血脉贯通，故不妨移近一层与人说。道体自流行于天下，而与吾性相附丽，唯人有性，故天下之道得与己而相亲。此张子之所以言性也。‘心能尽性’，性尽则道以弘矣。‘性不知捡心’，故道无由以弘人也。性涵道，则道在性中，（乃性抑在道中，此不可煞说。）”。④

① 王夫之：《读四书大全说》卷四《论语》，中华书局1975年版，第230页。
② 王夫之：《读四书大全说》卷四《论语》，中华书局1975年版，第230页。
③ 王夫之：《读四书大全说》卷四《论语》，中华书局1975年版，第208页。
④ 王夫之：《读四书大全说》卷六《论语》，中华书局1975年版，第439页。

四、《读四书大全说》之《孟子》

在王夫之说《孟子》时，有个见解十分重要。他说："程子重看一'成'字，谓到成处方是性，则于《易》言'成之者'即道成之，即善成之，其始终一贯处，未得融浃。"[①] 也就是说，程子看重"成"，说到"成之者"、"道成之"、"善成之"，其始终一贯而没"融浃"。这里的"浃"是"道""遍及"之意，王夫之由"未得融浃"，强调了对"成"，对"成之者"、"道成之"、"善成之"要有融会贯通的理论论证。

对此，王夫之在理论史的回溯中，作了进一步阐述。他讲："《易》云'成之者性'语极贯通包括，而其几则甚微。"[②] 他又说："《孟子》以气禀归之天，故曰'莫非命也'。终身而莫非命，终身而莫非性也。时时在在，其成皆性；时时在在，其继皆善；盖时时在在，一阴一阳之莫非道也。"[③] 王夫之说："孟子重看'成之者'一'之'字，将以属天，然却没煞'继之者善'一层，则未免偏言其所括，而几有未析也。（孟子英气包举，不肯如此细碎分剖）"。[④] 王夫之说："程子以气禀属之人，若谓此气禀者，一受之成侀而莫能或易。"又说："程子之言气禀，虽有偏，而要非不善，则谓形而有者上通于无极，小者非不可使

① 王夫之：《读四书大全说》卷八《孟子·滕文公上篇》，中华书局1975年版，第568页。

② 王夫之：《读四书大全说》卷八《孟子·滕文公上篇》，中华书局1975年版，第568页。

③ 王夫之：《读四书大全说》卷八《孟子·滕文公上篇》，中华书局1975年版，第568页。

④ 王夫之：《读四书大全说》卷八《孟子·滕文公上篇》，中华书局1975年版，第568页。

大也。”①

于此，王夫之围绕着“成”，对孟子与程子关于“性”之见解的区别总结道：“孟子说性，是天性。程子说性，是已性，故气禀亦得谓之性。”② 又说：“程子将性分为两截说，只为人之有恶，岂无所自来，故举而归之于气禀。”王夫之继续说：“孟子所言，与形始者也。程子所言，气禀之所凝也。”③

由此王夫之讲“天唯其大，是以一阴一阳皆道，而无不善。气禀唯小，是以有偏。天之命人，与形具始。人之有气禀，则是将此气禀凝著者性在内。”又说：“然天所成之人而为性者，则固但有元、利、贞，以为仁、义、礼、智；而见端于人者，则唯有恻隐、羞恶、辞让、是非之心而已矣。自形而上以彻乎形而下，莫非性也，莫非命也，则亦莫非天也。”他又说：“或全而该，或偏而至。该者善之广大，至者善之精微。”④“若吾心之虚灵不昧有所发而善于所住者，志也，固性之所含也。”⑤“发之正，则无不善；发之不正，则无有善。发之正者，果发其所存也，性之情也。发之不正，则非有存而发也，物之触也。”王夫之说：“凡不善者，皆非固不善也。其为不善者，则只是物交相引，不相值而不审于出耳。憔然，故好勇、好货、好色，即是天德、王道之见端；而恻隐、羞恶、辞让、是非，苟其但缘

---

① 王夫之：《读四书大全说》卷八《孟子·滕文公上篇》，中华书局 1975 年版，第 568 页。

② 王夫之：《读四书大全说》卷八《孟子·滕文公上篇》，中华书局 1975 年版，第 567 页。

③ 王夫之：《读四书大全说》卷八《孟子·滕文公上篇》，中华书局 1975 年版，第 567～568 页。

④ 王夫之：《读四书大全说》卷八《孟子·滕文公上篇》，中华书局 1975 年版，第 567～568 页、第 569 页。

⑤ 王夫之：《读四书大全说》卷八《孟子·公孙丑上篇》，中华书局 1975 年版，第 531 页。

物动而不缘性动，则亦成其不善也。孟子此处，极看得彻。盖从性动，则为仁、义、礼、智之见端；但缘物动，则恻隐、羞恶、辞让、是非，且但成乎喜、怒、哀、乐，于是而不中节也亦不保矣。”①

讲到发，就有个“内”与“外”的问题。所以王夫之写道：“自内生者善；内生者，天也，天在己者也，君子所性也。（唯君子自知其所有之性而以之为性。）自外生者不善；外生者，物来取而我不知也，天所无也，非己之所欲所为也。故好货、好色，不足以为不善；货、色进前，目淫不审而欲猎之，斯不善也。物摇气而气乃摇志，则气不守中而志不持气。此非气之过也，气亦善也。其所以善者，气亦天也。孟子性善之旨，尽于此矣。”②

由此，王夫之对《孟子》书评述道：“盖孟子即于形而下处见形而上之理，则形色皆灵，全乎天道之诚，而不善者在形色之外。程子以形而下之器为载道之具，若杯之盛水，杯有方圆而水有异象。乃以实求之，则孟子之言，较合于前圣之旨。盖使气禀若杯，性若水，则判然两物而不相知。唯器则一成不改，而性终托于虚而未有质也，《易》又何以云‘成之者性’哉?”③他接着说：“然孔子固曰‘习相远也’。人之无感而思不善者，亦必非其所未习者也。……而习者，亦以外物为习也，习于外而生于中，故曰‘习与性成’。此后天之性所以有不善，故言气

① 王夫之：《读四书大全说》卷八《孟子·滕文公上篇》，中华书局 1975 年版，第 569 页。

② 王夫之：《读四书大全说》卷八《孟子·滕文公上篇》，中华书局 1975 年版，第 569～570 页。

③ 王夫之：《读四书大全说》卷八《孟子·滕文公上篇》，中华书局 1975 年版，第 570 页。

禀不如言后天之得也。”①

王夫之说：“后天之性，亦何得有不善？‘习与性成’之谓也。先天之性天成之，后天之性习成之也。乃习之所以能成乎不善者，物也。”又说：“后天之动，有得位，有不得位，亦化之无心而莫齐也。得位，则物不害习而习不害性。不得位，则物以移习于恶而习以成性于不善矣。此非吾形、吾色之咎也，亦非物形、物色之咎也，咎在吾之形色与物之形色往来相遇之几也。”② 于是他说：“盖性，诚也；心，几也。几者诚之几，而迨其为几，诚固藏焉，斯‘心统性’之说也。然在诚则无不善，在几则善恶歧出，故周子曰‘几善恶’。是以心也者，不可加以有善无恶之名。张子曰‘合性与知觉’，则知恶、觉恶亦统此矣。”③ 他又说：“故曰‘尽其心者知其性也’。知其性方解性善，此岂从言语证佐得者哉？言语只是习边事，足以明道，不足以显性；足以尽人道，不足以著天道。知此，则苟非知性者而轻言性，纵然撞合，毕竟不亲。”他还写道：“易曰‘继之者善也，成之者性也’，善在性先。孟子言性善，则善通性后。若论其理，则固然如此，故朱子曰：‘虽曰已生，然其本体，初不相离也。’乃《易》之为言，惟其继之者善，于是人成之而为性。（成，犹凝也。）”④

王夫之说：“盖人之受命于天而有其性，天之命人以性而成

① 王夫之：《读四书大全说》卷八《孟子·滕文公上篇》，中华书局 1975 年版，第 570 页。

② 王夫之：《读四书大全说》卷八《孟子·滕文公上篇》，中华书局 1975 年版，第 570 页。

③ 王夫之：《读四书大全说》卷十《孟子·尽心上篇》，中华书局 1975 年版，第 715 页。

④ 王夫之：《读四书大全说》卷八《孟子·滕文公上篇》，中华书局 1975 年版，第 567 页。

之形，虽曰性具于心，乃所谓心者，又岂别有匡壳，空空洞洞立乎一处者哉！只者'不思而蔽于物'一层，便谓之'耳目之官'；其能思而有得者，即谓之'心官'，而为性之所藏。究竟此小体、大体之分，如言'形而上者谓之道，形而下者谓之器'，实一贯也。"[①] 他又说："合下粗浮用来，便唤作'耳目之官'；（释氏所谓见性、闻性等。）里面密藏底，便唤作心。礼称'气也者神之盛也，魄也者鬼之盛也'。方其盛而有生，则形色以灵，只此是造化之迹，而诚即无不行于其闲；特不可掩者天几之动，而其为显之微以体大道之诚者，不即现耳。故从其一本，则形色无非性，而必无性外之形色，以于小体之外别有大体之区宇。若圣人之所以为圣功，则达其一实之理，于所可至者，无不至焉。故程子曰'充其形'。"[②]

王夫之写道："以志之无所成，即偷安于其无成者，自谓不失其心而天下亦莫能吾胜。……气唯不以义动则馁，而岂有多所成即多所败、有所胜即有所不胜、一盈一虚之忧？气从义生，而因与义为流行，则以我之制治天下之不足畏者，初非以求胜于物，而自成胜物之用。""是故舍气以言理，而不得理。则君子之有志，固以取向于理，而志之所往，欲成其始终条理之大用，则舍气言志，志亦无所得而无所成矣。"[③] 因而王夫之的论点是："故学、问、思、辨之下学也，始于疑，而聪明睿知之上达也，终以成夫大信，则天下之名言，显诸仁者皆通，而藏于用者各得矣。此孔子之所以时措咸宜者，固即在'学不厌、教

① 王夫之：《读四书大全说》卷十《孟子·尽心上篇》，中华书局 1975 年版，第 741 页。

② 王夫之：《读四书大全说》卷十《孟子·尽心上篇》，中华书局 1975 年版，第 741 页。

③ 王夫之：《读四书大全说》卷八《孟子·公孙丑篇》，中华书局 1975 年版，第 532 页。

不倦’以为圣功也。”①

基于以上论述，王夫之论“践形”。《孟子》书“尽心上”中有：“孟子曰：‘形色，天性也。惟圣人然后可以践形。”王夫之说：“尽性斯以践形，唯圣人能尽其性，斯以能践其形。”②“终不于此致其践之之事。”③ 王夫之论证写道：“耳之闻，目之见，口之知味，鼻之知臭，只此是合下一层气魄之盛者，才用时便是效灵。只此四者，人之所能，禽兽亦未尝不能。既与禽兽而共其灵，则固已不能践人之形矣。”“人之形色所以异于禽兽者，只为有天之元、亨、利、贞在里面，思则得之，所以外面也自差异。（人之形异于禽兽。）故言‘形色天性’者，谓人有人之性，斯以有人之形色，则即人之形色而天与人之性在是也。”王夫之强调，“不然，则只是外面一段粗浮底灵明，化迹里面却空虚不曾踏著。故曰‘践’，曰‘充’，与《易》言‘蕴’、《书》言‘衷’一理。盖形色，气也；性，理也。气本有理之气，故形色为天性；而有理乃以达其气，则唯尽性而后能践形。”④

这里重要的是“反身而诚”。王夫之写道：“君子之‘反身而诚’，以见性于静存而立天下之大本者”。这才有“于吾性中成物之德”，才有“成己、成物”。⑤

① 王夫之：《读四书大全说》卷八《孟子·公孙丑篇》，中华书局1975年版，第531页。

② 王夫之：《读四书大全说》卷十《孟子·尽心上篇》，中华书局1975年版，第742页。

③ 王夫之：《读四书大全说》卷十《孟子·尽心上篇》，中华书局1975年版，第743页。

④ 王夫之：《读四书大全说》卷十《孟子·尽心上篇》，中华书局1975年版，第742页。

⑤ 王夫之：《读四书大全说》卷十《孟子·尽心上篇》，中华书局1975年版，第738页。

王夫之讲：“‘反身而诚’，与《大学》‘诚意’‘诚’字，实有不同处，不与分别，则了不知‘思诚’之实际。‘诚其意’，只在意上说，此外有正心，有修身。修身治外而诚意治内，正心治静而诚意治动。在意发处说诚，只是‘思诚’一节工夫。若‘反身而诚’，则通动静、合外内之全德也。静而戒惧于不睹不闻，使此理之森森然在吾心者，诚也。动而慎于隐微，使此理随发处一直充满，无欠缺于意之初终者，诚也。外而以好以恶，以言以行，乃至加于家国天下，使此理洋溢周遍，无不足用于身者，诚也。三者一之弗至，则反身而不诚也。”①

王夫之说：“唯其然，故知此之言诚者，无对之词也。必求其反，则《中庸》之所云‘不诚无物’者止矣，而终不可以欺与伪与之相对也。朱子曰：‘不曾亏欠了他底。’又曰：‘说仁时恐犹有不仁处，说义时恐犹有不义处，便须著思有以实之。’但依此数语，根究体验，自不为俗解所惑矣。”②

王夫之写道：“《大学》分心分意于动静，而各为一条目，故于‘诚其意’者，说个‘毋自欺’。以心之欲正者居静而为主，意之感物而有差别者居动而为宾，故立心为主，而以心之正者治意，使意从心，而毋以乍起之非几凌夺其心，故曰‘毋自欺’，外不欺内、宾不欺主之谓也。”③ 又写道：“朱子云‘未论托疾’，意自斩截；又云‘托疾又不诚’，未免蛇足。以王之托疾为不诚，则孟子之托疾亦不诚矣。以不诚报不诚，狙诈相

① 王夫之：《读四书大全说》卷九《孟子·离娄上篇》，中华书局1975年版，第603页。

② 王夫之：《读四书大全说》卷九《孟子·离娄上篇》，中华书局1975年版，第604页。

③ 王夫之：《读四书大全说》卷九《孟子·离娄上篇》，中华书局1975年版，第604页。

高而内丧已，又何以为孟子!”①

正因为这样，王夫之强调：“说到一个‘诚’字，是极顶字，更无一字可以代释，更无一语可以反形，尽天下之善而皆有之谓也，通吾身、心、意、知而无不一于善之谓也。”“故思诚者，择善固执之功，以学、问、思、辨、笃行也。”②他说：“今此通天人而言诚，可云‘思诚者’人不欺天，而‘诚者天之道’，又将谓天下谁欺耶？故虽有诚不诚之分，而无欺伪之防。诚不诚之分者，一实有之，一实无之；一实全之，一实欠之。了然此有无、全欠之在天下，固不容有欺而当戒矣。”他又说：“‘诚者天之道也’，天固然其无伪矣。然以实思之，天其可以无伪言乎？本无所谓伪，则不得言不伪；（如天有日，其可言此日非伪日乎?）乃不得言不伪，而可言其道曰‘诚’；本无所谓伪，则亦无有不伪；（本无伪日，故此日更非不伪。）乃无有不伪，而必有其诚。则诚者非但无伪之谓，则固不可云‘无伪者天之道’也，其可云‘思无伪者人之道’乎?”③王夫之继续说：“孟子言‘皆备’，即是天道；言‘扩充’，即是人道。在圣学固不屑与乡原之似忠信、似廉洁者为对，在王道亦不屑与五伯之假仁假义者为对。学者先须识得此字，然后见处真，立处大，可有至百步之力，而亦不昧于中百步之巧。若将此‘诚’字降一格，使与‘欺’字‘伪’字作对，则言必信、行必果，硁硁然之小人便是配天之至诚矣。”他说：“格、致、诚、正、修、齐、治、平八大段事，只当得此‘思诚’一‘思’字，曰

① 王夫之：《读四书大全说》卷八《孟子·公孙丑下篇》，中华书局1975年版，第558页。

② 王夫之：《读四书大全说》卷九《孟子·离娄上篇》，中华书局1975年版，第605页。

③ 王夫之：《读四书大全说》卷九《孟子·离娄上篇》，中华书局1975年版，第604～605页。

'命'、曰'性'、曰'道'、曰'教',无不受统于此一'诚'字。于此不察,其引人入迷津者不小。"因此,"广平引《大学》'欲诚先致'释明善、诚身之序,自是不谬,以致知、诚意是思诚者知行分界大段处也。"①

所以王夫之说:"若但无伪,正未可以言诚。(但可名曰'有恒'。)""已百已千而弗措,要以肖天之行,尽人之才,流动充满于万殊,达于变化而不息,非但存真去伪、戒欺求慊之足以当之也。尽天地只是个诚,尽圣贤学问只是个思诚。即是'皇建其有极',即是二殊五实合撰而为一。"② 总之,"若夫天,则《中庸》固曰'诚者,天之道也'。诚者,合内外,包五德,浑然阴阳之实撰,固不自其一阴一阳、一之一之之化言矣。诚则能化,化理而诚天。天固为理之自出,不可正名之为理矣,故《中庸》之言诚也曰一,合同以启变化,而无条理之可循矣。"③ 这样,"世儒每误看一'诚'字,将作直情径行解,其乱德非小。诚,实也,至也,有其实而用之至也。故质,诚也;文,亦诚也。质之诚,天道也,以天治人者也;文之诚,人道也,以人尽天者也。若不尽其实,而但一直无伪以为诚,则谓之直而不谓之诚;且抑证父攘羊之直,并不得谓之直矣。自四先生而外,后儒多不识得'诚'字。"④

① 王夫之:《读四书大全说》卷九《孟子·离娄上篇》,中华书局1975年版,第605页。

② 王夫之:《读四书大全说》卷九《孟子·离娄上篇》,中华书局1975年版,第605页。

③ 王夫之:《读四书大全说》卷十《孟子·尽心上篇》,中华书局1975年版,第720页。

④ 王夫之:《读四书大全说》卷八《孟子·公孙丑下篇》,中华书局1975年版,第558页。

第二节　《正蒙注》《尚书引义》论“诚”与“成”

一、《正蒙注》

王夫之十分重视张载的《正蒙》。在对此书的注中，关于首起的《太和篇》，王夫之开篇就讲，“此篇首明道之所自出，物自所自生，性之所自受，而作圣之功，下学之事，必达于此……”。王夫之沿着《正蒙》书，评述了“太和所谓道”、“太虚无形，气之本体”、“致静无感，性之渊源”等等之后，在“客感客形与无感无形，唯尽性者一之”此句处，专门评批写道：“静而万物皆备，心无不正，动而本体不失，意无不诚，尽性者也。”他认为，这才能“生死屈伸一贞乎道，而不挠太虚之本体，动静语默一贞乎仁，而不丧健顺之良能，不以客形之来去易其心，不以客感之贞淫易其志”。① 接着，王夫之又在《正蒙》“天地之气，虽聚散、攻取百涂，然其为理也顺而不妄”这一句之后强调，“聚则见有，散则疑无，既聚而成形象，则才质性情各依其类”，“不妄者，气之清通，天之诚也”。②

这其中，王夫之引入“形而上者谓之道，形而下者谓之器”，就此论述了“形而上”“形而下”，与“道”“器”、与“诚”“成”的关系。他写道：“形而上，即所谓清通而不可象者也”。然而，“器有成毁，而不可象者寓于器以起用”；作为“形而上”其“清通而不可象”，“未尝成，亦不可毁，器敝而道未

① 王夫之：《张子正蒙注》，中华书局 1975 年版，第 4 页。
② 王夫之：《张子正蒙注》，中华书局 1975 年版，第 5 页。

尝息也"。[①] 这涉及到"气"，涉及到阴阳二气。这带来"形之成毁"。[②] 王夫之对《正蒙》首篇进一步述评说："盖阴阳者气之二体，动静者气之二几，体同而用异则相感而动，动而成象则静，动静之几，聚散、出入、形不形之从来也"。由此王夫之对"诚"作出规定："诚者，天之道也，阴阳有实之谓诚"。[③]

展开来讲，这才有"天即道为用，以生万物"。[④] 对此王夫之由两个方向"言之""推之"："顺而言之，则唯天有道，以道成性，性发知道；逆而推之，则以心尽性，以性合道，以道事天。"《正蒙》书中还讲，"鬼神者，二气之良能也"。对此，王夫之说，"神自幽而之明，成乎人之能，而固与天相通；鬼自明而返乎幽，然历乎人之能，抑或与人相感。"[⑤]

进而，王夫之由气把"太和"、"阴阳"与"法象"联系起来论。"阴阳之始本一也，而因动静分而为两，迨其成又合阴阳为一也"。[⑥] "其合一而为太和者，当其未成乎法象，阴阳之用固息也。"[⑦] "法象"是佛家的用语。通常认为这指向形而下的具体形象。王夫之讲，"以气化言之，阴阳各成其象，则相为对，刚柔、寒温、生杀，必相反而相为仇；乃其究也，互以相成，无终相敌之理，而解散仍返于太虚。"[⑧]

可见，王夫之在其《张子正蒙注》开篇的对于《太和篇》评注中，他就依"成""诚"形成了一个范畴体系框架的开端。

---

① 王夫之：《张子正蒙注》，中华书局1975年版，第7页。
② 王夫之：《张子正蒙注》，中华书局1975年版，第13页。
③ 王夫之：《张子正蒙注》，中华书局1975年版，第9页、第10页。
④ 王夫之：《张子正蒙注》，中华书局1975年版，第10页。
⑤ 王夫之：《张子正蒙注》，中华书局1975年版，第18页。
⑥ 王夫之：《张子正蒙注》，中华书局1975年版，第21页。
⑦ 王夫之：《张子正蒙注》，中华书局1975年版，第20页。
⑧ 王夫之：《张子正蒙注》，中华书局1975年版，第25页。

在王夫之的《张子正蒙注》中《太和篇》与《参两篇》被归于卷一。在《参两篇》注中，王夫之沿着注《太和篇》时讲的“阴阳各成其象”，论了“一太极两仪而象之，性也”。王夫之强调，“天一地二，阳之爻函三为一而奇，阴之爻得三之二而偶，偶则分，奇则合。在天者浑沦一气，凝结为地，早阴阳分矣。”“成乎形者皆地之效而物之法则立焉”。“效著，效著以成形也。法者，物形之定则。”“若其在天而未成乎形者，但有其象，细缊浑合，太极之本体，中函阴阳自然必有之实，则于太极之中，不昧阴阳之象而阴阳未判，固即太极之象，合而言之则一，拟而议之则三，象之固然也。性以理言，有其象必有其理，惟其具太和之诚，故太极有两仪，两仪合而为太极，而分阴分阳，生万物之形，皆秉此为性。象者未聚而清，形者已聚而浊，清者为性为神，浊者为形为法。”“土者，物之所以成始而成终也”，“始生于土，终于土，神有往来，土受之而成形。”“二气变化，至形成而止矣。”“此则就分阴分阳各成其气以主群动者言也。”可见，王夫之在《参两篇》中，由“太极两仪”、“气”“化”“象”、“成形”“物形”、“成始”“成终”等等，特别强调了“太和之诚”的重要地位。总之，王夫之在此篇基于“一物两体，气也”、“两故化”、“此天所以参也”一直论到“人生于天地之际，资地以成形而得天以为性，性丽于形而仁、义、礼、智著焉，斯尽人道之所必察也”；论到“圣人存神而合天，则浑然一诚”；论到“豁然贯通之后，以至诚合天德”。①

在《张子正蒙注》卷二《天道篇》的评注中，王夫之强调以“诚”指“实有”。王夫之对于“天道四时行，百物生，无非至教，圣人之动，无非至德，夫何言哉！”评注写到：“天言教

① 王夫之：《张子正蒙注》，中华书局1975年版，第29～30页、第37页、第44～45页、第46页。

者，天之曲成万物，各正性命，非以自成其德也。圣言德者，圣人动无非善，非为立教而设，只以自成其德，然而学者之所学在此也。"[①] 对于"无不言而四时行，圣人神道设而天下服，诚于此通于彼神之道与!"王夫之评注写到："不言诚尽于己"，"天以化为德，圣人以德为化，惟太和在中，充实诚笃而已"。当注于"无不言而信"，王夫之强调了"诚，故信"。他写到，"气无妄动，理之诚也，无妄，信也"。[②] 于是，王夫之对于张载《正蒙》所讲，"'默而成之，存乎德行'。学者常存德行，则自然默成而信矣"，评注写道："德性者，非耳目口体之性，乃仁义礼智之根心而具足者也。常存之于心，而静不忘，动不迷，不倚见闻言论而论而德皆实矣。"[③] 王夫之又讲，"成乎德者亦不著其象，不得已而谓之曰诚。诚，以言其实有尔，非有一象可名之为诚也"。[④]

所以，张载的《正蒙》曰，"不见而章，已诚而明也"。王夫之注曰"'见'，如字。诚有其理，则自知之，如耳目口鼻之在面，暗中自知其处"。对于《正蒙》里"'不动而变'神而化也"，王夫之注曰："有言有教皆动也。神者以诚有之太和感动万物，而因材各得，物自变矣"。对于《正蒙》中"'无为而成'，为物不贰也"一句，王夫之注曰："诚不息，神无闲，尽诚合神，纯于至善，而德盛化神，无不成矣。有为者以己闻见之知，倚于名法，设立政教，于事愈繁，终身役役而不能成，恶足以知其妙哉!"因此《正蒙》讲，"已诚而明，故能不见而章，不动而变，无为而成"；就此王夫之讲："承上章而括之以

① 王夫之：《张子正蒙注》，中华书局1975年版，第49页。

② 王夫之：《张子正蒙注》，中华书局1975年版第52页。

③ 王夫之：《张子正蒙注》，中华书局1975年版第56页。

④ 王夫之：《张子正蒙注》，中华书局1975年版第58页。

诚。神，非变幻不测之谓，实得其鼓动万物之理也。不贰，非固执其闻见之知，终始尽诚于己也。此至诚存神之实也。”他又说：“日新，非数变其道之谓，体神之诚，终始不闲，则极乎悠久无疆矣。”[①] 王夫之强调，“天自有其至常，人以私意度之则不可测。神，非变幻无恒也，天自不可以情识计度，据之为常，诚而已矣。”关于《正蒙》中所讲，“运于无形之谓道，形而下者不足以言之”。王夫之讲，“形有定而运之无方，运之者得其所以然之理而尽其能然之用。惟诚则体其所以然，……言者，但言其有形之器而已；故言教有穷，而至德之感通，万物皆受其裁成”。所以，“在天者无不诚，则无不可成其至教也”。“唯反身而诚，身正而天下平”。[②]“存神以存诚，知天地之道唯此尔，故可以一言而尽”。“而成乎德者亦不著其象，不得已而谓之曰诚。诚，以言其实有尔，非有一象可名之为诚也。”总之，“自然者，絪缊之体，健顺之诚，为其然之所自，识之者鲜矣。”“‘正’《易》作‘贞’，宋避庙讳作‘正’。贞者，正而恒也。自诚而明，非目之倚，日月为明，还为所眩也。观者，尽于己而示物也。天地，以气化之变言。治乱吉凶，天地无常数，而至诚有常理，不为所变也。”[③]

《张子正蒙注》卷三即对于《动物篇》与《诚明篇》的注。关于《动物篇》，王夫之在开篇语中一开始就讲，“此篇论人物生化之理，神气往来应感之几，以明天人相继之妙，形器相资之用”。[④] 于是王夫之在此篇由“动物皆出地上，而受五行未成

① 王夫之：《张子正蒙注》，中华书局1975年版第53～54页。

② 王夫之：《张子正蒙注》，中华书局1975年版，第52～53页、第58～59页。

③ 王夫之：《张子正蒙注》，中华书局1975年版，第58～59页。

④ 王夫之：《张子正蒙注》，中华书局1975年版，第83页。

形之气以生”[①] 而进入，由“气”论到“根”“形”，论到“理”“心”。他写道：“动而成乎一动一静，然必先有乾坤刚柔之体，而后阖辟相摩，犹有气而后有呼吸。”[②] 他围绕《正蒙》中所讲的“物无孤立之理，非同异、屈伸，终始以发明之，则虽物非物也”[③]，说到“此物所以成彼物之利”的道理，他写道：“金得火而成器，木受钻而生火，惟于天下之物知之明，而合之、离之，消之、长之，乃成吾用。不然，物各自物，而非我所得用，非物矣。”他就《正蒙》中所讲的“事有始卒乃成，非同异有无相感，则不见其成；不见其成，则虽物非物”，论述说：“事之所由成，非直行速获而可以永终。始于劳者终于逸，始于难者终于易，始于博者终于约，历险阻而后易简之德业兴焉。故非异则不能同，而百虑归于一致；非同则不能异，而一理散为万事……若不互相资以相济，事虽幸成，且不知其何以成，而居之不安，未能自得，物非其物矣。”[④]

在对《动物篇》的评注中，王夫之依托“气”、“神”、“五行”论述了“成”与“诚”，并联系“理”、“德”。他说：“五行之神未成乎形者，散寄于声色臭味气体之中，人资以生而为人用”；“成形成质有殊异而不相逾者，亦形气偶然之偏戾尔。及诚之已尽，亦无不同归之理”；“神者与鬼神合其德”，“不已于诚，物无不体矣”。所以说，“诚息而神不存”。

张载的《正蒙》专门写了《诚明篇》。王夫之在《诚明篇》注的前言中，一开头就强调，“前篇统人物而言，原天所降之命也。此篇专就人而发，性之蕴于人所受而切言之也。”“物不可

① 王夫之：《张子正蒙注》，中华书局 1975 年版，第 83 页。
② 王夫之：《张子正蒙注》，中华书局 1975 年版，第 89 页。
③ 王夫之：《张子正蒙注》，中华书局 1975 年版，第 87 页。
④ 王夫之：《张子正蒙注》，中华书局 1975 年版，第 88 页。

谓无性，而不可谓有道，道者人物之辨，所谓人之所以异于禽兽也”。[①] 基于此，王夫之论了“以诚明，为良知之实”的道理。

王夫之从《诚明篇》第一句“诚明所知，乃天德良知，……天人异用，不足以言诚；……”开始，在解释之中讲到：“因理而体其所以然，知以天也；事物至而以所闻所见者证之，知以人也。通学识之知于德性之所喻而体用一源，则其明自诚而明也。”王夫之由此归结于张载在此篇中所讲的“所谓诚明者，性与天道，不见乎小大之别也”，并讲到，“静动异而神之不息者无间。圣能存神，则动而不离乎静之存，静而皆备其动之理，敦诚不息，则化不可测。”就此，王夫之强调，“诚者，神之实体，气之实用，在天为道，命于人为性，知其合之谓明，体其合之谓诚。”所以，正如《诚明篇》于此所说，“天所以长久不已之道，乃所谓诚。”[②]

王夫之还对张载《诚明篇》中“故君子诚之为贵”解释道：“有不诚，则乍勇于为而必息矣；至诚则自不容已。而欲致其诚者，惟在于操存勿使间断，己百己千，勉强之熟而自无不诚矣。此章直指立诚之功，特为深切著明，尤学者之所宜加勉。”[③]

王夫之对张载在《诚明篇》中的“诚有是物，则有终有始”，解释道：“天道然也，生之必成之，四时序而百物成。”所以张载讲：“伪实不有，何终始之有！故曰‘不诚无物’。”王夫之进而解释道：“人为之伪，意起而为之，意尽而止，其始无本，其终必忒。物，谓事也；事不成之谓无物。”所以张载才有：“‘自明诚’，由穷理而尽性也；‘自诚明’，由尽性而穷理

① 王夫之：《张子正蒙注》，中华书局1975年版，第93页。
② 王夫之：《张子正蒙注》，中华书局1975年版，第94～95页。
③ 王夫之：《张子正蒙注》，中华书局1975年版，第96页。

也。"这里王夫之强调"存养以尽性，学思以穷理。"①

对于《诚明篇》所讲，"惟大人为能尽其道，是故立必俱立，知必周知，爱必兼爱，成不独成。"王夫之的注释是，"能安其所处为立，各效其材以有用为成。"可见，诚如张载所讲，"彼自蔽塞而不知顺吾理者，则亦（莫）未如之何矣。"② 王夫之对此发挥说："己私成，则虽有至教，不能移矣。"于此王夫之的概括是："此章统万物于一源，溯其始而言之，固合人物而言；而曰立，曰成，则专乎人之辞尔。知之必有详略，爱之必有区别，理一分殊，亦存乎其中矣。亲疏贵贱之不同，所谓顺理也；虽周知博爱而必顺其理，盖自天命以来，秩序分焉。知其一源，则必知其分流，故穷理尽性，交相为功，异于墨、释之教，漫灭天理之节文而谓会万物于一己也。"③ 王夫之又讲："大人不失其赤子之心，而非孤守其恻隐、羞恶、恭敬、自然之觉，必扩而充之以尽其致，一如天之阴阳有实，而必于阖辟动止神运以成化，则道弘而性之量尽矣，盖尽心为尽性之实功也。"④ 所以张载在《诚明篇》中讲："故曰'天地设位，圣人成能'"。王夫之评写道："天地有其理，诚也；圣人尽其心，诚之者也。"⑤

关于《诚明篇》所讲，"天所性者通极于道"。王夫之注曰："天所命人而为性者，即以其一阴一阳之道成之。即一非二曰通，此外无杂曰极。人生莫不有性，皆天道也，故仁义礼智与元亨利贞无二道。"⑥

---

① 王夫之：《张子正蒙注》，中华书局1975年版，第96页。
② 王夫之：《张子正蒙注》，中华书局1975年版，第97页。
③ 王夫之：《张子正蒙注》，中华书局1975年版，第97页。
④ 王夫之：《张子正蒙注》，中华书局1975年版，第98页。
⑤ 王夫之：《张子正蒙注》，中华书局1975年版，第98页。
⑥ 王夫之：《张子正蒙注》，中华书局1975年版，第99页。

关于《诚明篇》所讲，“气之昏明不足以蔽之”。王夫之注曰：“禀气有昏明，则知能有偏全，而一曲之诚即天之诚，故‘乍见孺子’之仁，‘无受尔汝’之义，必发于情，莫能终蔽也。”①

关于《诚明篇》所讲，“天良能本吾良能，顾为有我所丧尔”。王夫之注曰：“体天之神化，存诚尽性，则可备万物于我。”又说：“盖天地以神化运行为德，非但恃其空晶之体；圣人以尽伦成物为道，抑非但恃其虚灵之悟。”②

关于《诚明篇》所讲，“至于命，然后能成己成物，不失其道”。王夫之注曰：“己无不诚，则循物无违而与天同化，以人治人，以物治物，各顺其受命之正，虽不能知者皆可使由，万物之命自我立矣。所以然者，我与人物莫不性诸道，命诸天，无异理也。”③

关于《诚明篇》所讲，“以生为性，既不通昼夜之道，且人与物等，故告子之妄不可不诋”。王夫之注曰：“知觉运动，生则盛，死则无能焉。性者，天理流行，气聚则凝于人，气散则合于太虚，昼夜异而天之运行不息，无所谓生灭也。如告子之说，则性随形而生灭，是性因形发，形不自性成矣。曰性善者，专言人也，故曰‘人无有不善’；犬牛之性，天道广大之变化也，人以为性，则无所不为矣。”④

关于《诚明篇》所讲，“形而后有气质之性”。⑤王夫之注曰：“气质者，气成质而质还生气也。气成质，则气凝滞而局于

① 王夫之：《张子正蒙注》，中华书局1975年版，第99页。

② 王夫之：《张子正蒙注》，中华书局1975年版，第101页。

③ 王夫之：《张子正蒙注》，中华书局1975年版，第106页。

④ 王夫之：《张子正蒙注》，中华书局1975年版，第106页。

⑤ 王夫之：《张子正蒙注》，中华书局1975年版，第107页。

形，取资于物以滋其质；质生气，则同异攻取各从其类。……而或受于形而上，或受于形而下，在天以其至仁滋人之生，成人之善，初无二理。但形而上者为形之所自生，则动以清而事近乎天；形而后有者资形起用，则静以浊而事近乎地。形而上者，亘生死、通昼夜而常伸，事近乎神；形而后有者，困于形而固将竭，事近乎鬼；则一屈一伸之际，理与欲皆自然而非由人为。"①

关于《诚明篇》所讲，"人之刚柔、缓急，有才与不才气之偏也"。王夫之注曰："昏明、强柔、敏钝、静躁，因气之刚柔、缓急而分，于是而智愚、贤不肖若自性成，故荀悦、韩愈有三品之说，其实才也，非性也。性者，气顺理而生人，自未有形而有形，成乎其人，则固无恶而一于善，阴阳健顺之德本善也。才者，成形于一时升降之气，则耳目口体不能如一，而聪明干力因之而有通塞、精粗之别，乃动静、阖辟偶然之机所成也。性借才以成用，才有不善，遂累其性"。②

关于《诚明篇》所讲，"天本参和不偏。养其气，反之本而不偏，则尽性而天矣"。王夫之注曰："天与性一也，天无体，即其资始而成人之性者为体。参和，太极、阴、阳，三而一也。气本参和，虽因形而发，有偏而不善，而养之以反其本，则即此一曲之才，尽其性而与天合矣。养之，则性现而才为用；不养，则性隐而惟以才为性，性终不能复也。养之之道，沈潜柔友刚克，高明强弗友柔克，教者，所以裁成而矫其偏。若学者之自养，则惟尽其才于仁义中正，以求其熟而扩充之，非待有所矫而后可正。故教能止恶，而诚明不倚于教，人皆可以为尧、

① 王夫之：《张子正蒙注》，中华书局1975年版，第107～108页。

② 王夫之：《张子正蒙注》，中华书局1975年版，第109页。

舜，人皆可以合于天也。”[1]

关于《诚明篇》所讲，“性未成则善恶混，故亹亹而继善者，斯为善矣”。王夫之注曰：“成，犹定也，谓一以性为体而达其用也。善端见而继之不息，则终始一于善而性定矣。盖才虽或偏，而性之善者不能尽掩，有时而自见；惟不能分别善者以归性，偏者以归才，则善恶混之说所以疑性之杂而迷其真。继善者，因性之不容掩者察识而扩充之，才从性而纯善之体现矣，何善恶混之有乎？”[2]

关于《诚明篇》所讲，“恶尽去则善因以亡，故舍曰‘善’，而曰‘成之者性’”。王夫之注曰：“恶尽去，谓知性之本无恶，而不以才之偏而未丧者诬其性也。善恶相形而著，无恶以相形，则善之名不立，故《易》言‘继之者善，成之者性。’分言之而不曰性善，反才之偏而恰合于人，以其可欲而谓之善矣。善者，因事而见，非可以尽太和之妙也。”他还说：“继善而得其性之所固有曰德。此言气者，谓偏气成形，而气即从偏发用者也。胜气者，反本而化其偏也。德不至而听才气之所为，则任其一偏之为，而或迪或逆，善恶混而吉，凶亦据矣。”[3] 又说；“盖心者，翕辟之几，无定者也；性者，合一之诚，皆备者也。”他还说：“一于天理之自然，则因时合义，无非帝则矣。异行者，裁成天地之道，辅相天地之宜，自成其能也。”[4]

关于《诚明篇》所讲，“君子教人，举天理以示之而已；其行已也，述天理而时措之也”。王夫之注曰：“小慧所测，记问所得，不恃以为学诲，所明者一以其诚而已。诚者，天理之实

① 王夫之：《张子正蒙注》，中华书局 1975 年版，第 110 页。
② 王夫之：《张子正蒙注》，中华书局 1975 年版，第 110～111 页。
③ 王夫之：《张子正蒙注》，中华书局 1975 年版，第 111 页。
④ 王夫之：《张子正蒙注》，中华书局 1975 年版，第 114～115 页。

然，无人为之伪也。"他又说："和者于物不逆，乐者于心不厌，端，所自出之始也。道本人物之同得而得我心之悦者，故君子学以致道，必平其气，而欣于有得，乃可与适道；若操一求胜于物之心而视为苦难，早与道离矣。下章言诚言敬，而此以和乐先之。非和乐，则诚敬局隘而易于厌倦，故能和能乐，为诚敬所自出之端。"①

关于《诚明篇》所讲，"阳明胜则德性用，阴浊胜则物欲行"。王夫之注曰："阳动而运乎神，阴静而成乎形，神成性，形资养，凡物欲之需，皆地产之阴德，与形相滋益者也。气动而不凝滞于物，则怵惕恻隐之心无所碍而不穷于生；贪养不已，驰逐物欲，而心之动几息矣。"②

关于《诚明篇》所讲，"不诚不庄，可谓之尽性穷理乎?"王夫之注曰："释氏以天理为幻妄，则不诚；庄生以逍遥为天游，则不庄；皆自谓穷理尽性，所以贼道。"③ 他还说："居处恭，执事敬，与人忠，乃以体性之诚；心恒存而性显，则不待推求而知之真矣。"④ 他又对《诚明篇》所讲"勉而后诚庄，非性也"评论说："勉强则志困而气疲，求其性焉安焉，未能也。"又对"不勉而诚庄，所谓'不言而信，不怒而威'者与!"写道："勉者存其迹，不勉者存其神；存神之至，与天地同其信威。《中庸》言勉强则成功一，而张子以勉为非性，似过高而不切于学者。乃释此篇之旨，先言和乐而后言诚庄，则学者适道之始，必以和乐之情存诚而庄莅，然后其为诚庄也可继，驯而致之，圣人之至善合天，不越乎此。盖中庸所言勉强者，学问

① 王夫之：《张子正蒙注》，中华书局 1975 年版，第 116 页。

② 王夫之：《张子正蒙注》，中华书局 1975 年版，第 117 页。

③ 王夫之：《张子正蒙注》，中华书局 1975 年版，第 117 页。

④ 王夫之：《张子正蒙注》，中华书局 1975 年版，第 118 页。

思辨笃行之功，固不容已于勉强；而诚庄乃静存之事，勉强则居之不安而涉于人为之偏。”[①] 王夫之重视《诚明篇》里关于“‘屈伸相感而利生’，感以诚也”这句话，就此写道：“屈则必伸，伸则必屈，善其屈以裕其伸，节其伸所以安其屈，天地不息之诚，太和不偏之妙也。”[②]

王夫之对于《大心篇》与《中正篇》的评注在《张子正蒙注》中属于卷四。王夫之的评注，在《大心篇》开头就注曰：“此上六篇，极言天人神化性命之理；自此以下三篇，乃言学者穷理精义之功。明乎道之所自出，则功不妄；反诸学之所必务，则理不差。君子之道所以大而有实也。此篇乃致知之要，下二篇乃笃行之实，知之至而后行无不得，又学者知止之先资也。”[③] 王夫之围绕此篇“大其心，则能体天下之物，物有未体，则心为有外。”[④] 展开了论述。

关于《中正篇》，王夫之的开头语讲：“此篇博引《论语》《孟子》之言以著作圣之功，而终之以教者善诱之道。其云中道者，即尧、舜以来相传之极致，《大学》所谓至善也。”[⑤] 所以王夫之在此篇一开始便对“中正然后贯天下之道”作出解释，并就“盖得正则得所止，得所止则可以弘而至于大。”写道：“所止者，至善也；事物所以然之实，成乎当然之则者也。以健顺之大常为五常之大经，扩之，则万事万物皆效法焉而至于大矣。”[⑥] 所以张载才说：“君子之道，成身成性以为功者也。”对此，王夫之讲：“身者道之用，性者道之体。合气质攻取之性，

---

① 王夫之：《张子正蒙注》，中华书局 1975 年版，第 118 页。
② 王夫之：《张子正蒙注》，中华书局 1975 年版，第 119 页。
③ 王夫之：《张子正蒙注》，中华书局 1975 年版，第 121 页。
④ 王夫之：《张子正蒙注》，中华书局 1975 年版，第 121 页。
⑤ 王夫之：《张子正蒙注》，中华书局 1975 年版，第 133 页。
⑥ 王夫之：《张子正蒙注》，中华书局 1975 年版，第 133 页。

一为道用，则以道体身而身成；大其心以尽性，熟而安焉，则性成。身与性之所自成者，天也，人为蔽之而不成；以道体天，而后其所本成者安之而皆顺。君子精义研几而化其成心，所以为作圣之实功也。"[①] 又说："'成性存存，道义之门'，非人所易知尔。"[②] 还说，"故致曲于诚者，必变而后化。"[③]"天下无其事而意忽欲为之，非妄而何？必、固、我皆缘之以成也。"[④] 所以《正蒙》才讲"感而通，诚也。"王夫之就此讲，"神存而诚立，诚则理可肆应，感之而遂通。""明善所以立诚，教者所以明也。""以义为大径，研其所以然，则物理不察，所以立之教皆诚明矣。"[⑤] 诚"故大学之先诚意，为欲正其心者言也，非不问志之正否而但责之意也。教人者知志意公私之别，不争于私之已成，而唯养其虚公之心，所谓'禁于未发之谓豫'也。"[⑥]

在后面关于卷五《至当篇》《作者篇》、卷六《三十篇》《有德篇》、卷七《有司篇》《大易篇》、卷八《乐器篇》《王禘篇》一系列评注中，王夫之注重"推前篇未尽之旨而征之于日用，尤为切近。然皆存神知化之理所一以贯之者，所谓易简而天下之理得也。"[⑦] 并且进一步揭示"圣贤之微大义，曲畅旁通"，[⑧]"且问近思者所宜深究也"，[⑨] 以及有关方面的"相为体用"。[⑩]

王夫之对于《正当篇》中"修性而非小成者与!"评注说：

---

① 王夫之：《张子正蒙注》，中华书局1975年版，第138页。
② 王夫之：《张子正蒙注》，中华书局1975年版，第142页。
③ 王夫之：《张子正蒙注》，中华书局1975年版，第140页。
④ 王夫之：《张子正蒙注》，中华书局1975年版，第146页。
⑤ 王夫之：《张子正蒙注》，中华书局1975年版，第146页。
⑥ 王夫之：《张子正蒙注》，中华书局1975年版，第164页。
⑦ 王夫之：《张子正蒙注》，中华书局1975年版，第167页。
⑧ 王夫之：《张子正蒙注》，中华书局1975年版，第192页。
⑨ 王夫之：《张子正蒙注》，中华书局1975年版，第239页。
⑩ 王夫之：《张子正蒙注》，中华书局1975年版，第279页。

“性，谓理之具于心者；修，如修道之修，修著其品节也。修性而不小成，所以尽吾性之能而非独明其器数。”① 他对于诚“‘反身而诚’，谓行无不慊于心，则乐莫大焉。”讲到：“知之尽，则实践之而已。实践之，乃心所素知，行焉皆顺，故乐莫大焉。”他又对“未能如玉，不足以成德；未能成德，不足以孚天下。”批注道：“如玉，表里纯善而无疵也。放道而行，非诚有其得于心者，虽善不足以感人。”②

王夫之在对《作者篇》评注时又说，“不以声色为政者，非废声色也；有其心乃有其事，则物无不诚，而不于号令施为求民之从。其顺帝则以孚民志者，皆积中发外，因时而出，天下自悦而信之。”③

王夫之在《三十篇》评注中还写道：“穷理尽性之熟也。圣功之极致，与天合德，而其所自成，则以执礼精义为上达之本。盖礼，器也，义，器与道相为体用之实也；而形而上之道丽于器之中，则即器以精其义，万事万物无不会通于至诚之变化，故曰‘下学而上达，知我者其天乎！’天之为德，不显于形色，而成形成色，沦浃贯通于形色之粗，无非气之所流行，则无非理之所昭著。圣功以存神为至，而不舍形色以尽其诚，此所以异于异端之虚而无实，自谓神灵而实则习不察、行不著也。”“学则行之而无所待，习则察其所以然，是其圣性之自然合道；而所志者天德，闻见日启而不恃闻见以知，皆诚于德而明自诚生也。”④ 他还说：“学而行，无滞于行，则已行者化；习而察，则不执所习，而参伍以尽其变，故不执一德而裁成万理；德进

① 王夫之：《张子正蒙注》，中华书局 1975 年版，第 172 页。
② 王夫之：《张子正蒙注》，中华书局 1975 年版，第 173 页。
③ 王夫之：《张子正蒙注》，中华书局 1975 年版，第 197 页。
④ 王夫之：《张子正蒙注》，中华书局 1975 年版，第 202 页。

之盛，殆由此与！”[①]

王夫之对于《大易篇》中关涉“成”与“诚”的内容，也作出一些重要评注。例如：关于“九五，大人化矣，天德位矣，成性圣矣”，王夫之注曰：“历乎危疑而诚之至者，变无不通，故大化而圣。”[②] 关于“既曰‘利见大人’，又曰‘圣人作而万物睹’”，王夫之评注曰：“为天下所利见而天下化之，大人之进乎圣也。盖圣人之德，非于大人之外别有神变不测之道，但诚无不至，用以神而不用以迹，居德熟而危疑不易其心，及其至也，物自顺之而圣德成矣。”[③] 关于“‘日新’者，久无穷也”，王夫之的评注曰：“顺受阳施以成万化而不息，荣枯相代而弥见其新，‘坤’道也。”[④]

王夫之《张子正蒙注》的最后一篇是关于《乾称篇》上、下的评注。对于《乾称篇上》，王夫之在开头写道：“此篇张子书于四牖示学者，题曰《订顽》；伊川程子以启争为疑，改曰《西铭》”[⑤]。王夫之强调，“张子此篇不容不作，而程子一本之说，诚得其立言之奥而释学者之疑。窃尝沈潜体玩而见其立义之精。其曰‘乾称父，坤称母’，初不曰‘天吾父，地吾母’也。从其大者而言之，则乾坤为父母，人物之胥生，生于天地之德也固然矣；从其切者而言之，则别无所谓乾，父即生我之乾，别无所谓坤，母即成我之坤；惟生我者其德统天以流形，故称之曰父，惟成我者其德顺天而厚载，故称之曰母。故《书》曰‘唯天地万物父母’，统万物而言之也。尽敬以事父，则可以

① 王夫之：《张子正蒙注》，中华书局1975年版，第203页。
② 王夫之：《张子正蒙注》，中华书局1975年版，第254页。
③ 王夫之：《张子正蒙注》，中华书局1975年版，第254页。
④ 王夫之：《张子正蒙注》，中华书局1975年版，第75页。
⑤ 王夫之：《张子正蒙注》，中华书局1975年版，第313页。

事天者在是；尽爱以事母，则可以事地者在是；守身以事亲，则所以存心养性而事天者在是；推仁孝而有兄弟之恩、夫妇之义、君臣之道、朋友之交，则所以体天地而仁民爱物者在是。人之与天，理气一也；而继之以善，成之以性者，父母之生我，使我有形色以具天性者也。理在气之中，而气为父母之所自分，则即父母而溯之，其德通于天地也，无有间矣。若舍父母而亲天地，虽极其心以扩大而企及之，而非有恻怛不容已之心动于所不可昧。是故于父而知乾元之大也，于母而知坤元之至也，此其诚之必几，禽兽且有觉焉，而况于人乎！故曰‘一阴一阳之谓道，‘乾’、‘坤’之谓也；又曰“继之者善，成之者性”，谁继天而善吾生？谁成我而使有性？则父母之谓矣。继之成之，即一阴一阳之道，则父母之外，天地之高明博厚，非可躐等而与之亲，而父之为乾、母之为坤，不能离此以求天地之德，亦照然矣。张子此篇，补天人相继之理，以孝道尽穷神知化之致，使学者不舍闺庭之爱敬，而尽致中和以位天地、育万物之大用，诚本理之至一者以立言，而辟佛、老之邪迷，挽人心之横流，真孟子以后所未有也。惜乎程、朱二子引而不发，未能洞示来兹也！此篇朱子摘出别行，而张子门人原合于全书，今仍附之篇中，以明张子学之全体。”①

对于《乾称篇下》，王夫之在篇前语中写道：“此篇张子书之东牖以示学者，名曰《砭愚》，盖以砭二氏之愚而明圣道之要，程子改曰《东铭》。旧说唯‘戏言出于思也’以下为《东铭》，今按十七篇之数，则此二篇合为一篇明矣，正之。”② 王夫之对于“乾称父，坤称母”注曰：“谓之父母者，亦名也；其心之心不忍忘，必不敢背者，所以生名之实也。惟乾之健，故不

① 王夫之：《张子正蒙注》，中华书局 1975 年版，第 313～315 页。
② 王夫之：《张子正蒙注》，中华书局 1975 年版，第 320 页。

敢背，惟坤之顺，故不忍忘，而推致其极，察乎天地，切求之近以念吾之所生成，则太和絪缊，中含健顺之化，诚然而不可昧。”王夫之对于“予兹藐焉，乃混然中处。”注曰：混然，合而无间之谓。合父母之生成于一身，即合天地之性情于一心也。故天地之塞，吾其体；天地之帅，吾其性。塞者，流行充周；帅，所以主持而行乎秩叙也。塞者，气也，气以成形；帅者，志也，所谓天地之心也。天地之心，性所自出也。父母载乾、坤之德以生成，则天地运行之气，生物之心在是，而吾之形色天性，与父母无二，即天地无二也。”[①] 王夫之对于“凡象，皆气也。”注曰：“使之各成其象者，皆气所聚也，故有阴有阳，有柔有刚，而声色、臭味、性情、功效之象著焉。”[②] 王夫之对于“则神与性乃气所固有”注曰：“自其变化不测，则谓之神；自其化之各成而有其条理，以定志趣而效功能者，则谓之性。气既神矣，神成理而成乎性矣，则气之所至，神必行焉，性必凝焉，故物莫不含神而具性，人得其秀而最灵者尔。耳目官骸亦可状之象，凝滞之质，而良知良能之灵无不贯彻，盖气在而神与性偕也。”[③]

关于《乾称篇》下中所讲，“至诚，天性也”。王夫之写道：“至诚者，实有之至也。目诚能明，耳诚能聪，思诚能睿，子诚能孝，臣诚能忠，诚有是形则诚有是性，此气之保合太和以为定体者也。”[④] 他又围绕《乾称篇》所讲：“不息，天命也。”写道：“天之命物，于无而使有，于有而使不穷，屈伸相禅而命之者不已，盖无心而化成，无所倚而有所作止，方来不倦，成功

① 王夫之：《张子正蒙注》，中华书局1975年版，第315页。

② 王夫之：《张子正蒙注》，中华书局1975年版，第320页。

③ 王夫之：《张子正蒙注》，中华书局1975年版，第321页。

④ 王夫之：《张子正蒙注》，中华书局1975年版，第321～322页。

不居；是以聪明可以日益，仁义可以日充。虽在人有学问之事，而所以能然者莫非天命。惟天有不息之命，故人得成其至诚之体；而人能成其至诚之体，则可以受天不息之命。不然，二气之妙合自流行于两间，而时雨不能润槁木，白日不能炤幽谷，命自不息而非其命，唯其有形不践而失吾性也。”[①]

关于《乾称篇》下中所讲，“人能至诚，则性尽而神可穷矣”，王夫之写道：“有至诚之性在形中而尽之，则知神之妙万物也。凡吾身之形，天下之物，形质嗜欲之粗滞，皆神之所不遗者。”[②] 王夫之又围绕《乾称篇》所讲：“有无虚实通为一物者，性也”，写道：“此理体验乃知之，于有而可不碍其未有，于未有而可以为有，非见见闻闻之所能逮。惟性则无无不有，无虚不实，有而不拘，实而不滞。故仁义礼智，求其形体，皆无也，虚也；而定为体，发为用，则皆有也，实也。耳之聪，目之明，心之睿，丽于事物者，皆有也，实也；而用之不测，则无也，虚也。至诚者，无而有，虚而实者也，此性之体撰为然也。”[③] 王夫之又说：“天下之物，皆天命所流行，太和所屈伸之化，既有形而又各成其阴阳刚柔之体，故一而异，惟其本一，故能合；惟其异，故必相须以成而有合。”[④] 王夫之进一步说：“健顺刚柔，相须以济，必感于物以生其用，而二端本太和，感之斯合矣。以知声色、臭味、君臣、父子、宾主、贤愚，皆吾性相须以合一之诚，不容灭也。天地生万物，所受虽不同，皆无须臾之不感，所谓性即天道也。天地之寒暑雨旸、风雷霜露、生长收藏，皆阴阳相感以为大用，万物之所自生，即此动几之

① 王夫之：《张子正蒙注》，中华书局 1975 年版，第 322 页。

② 王夫之：《张子正蒙注》，中华书局 1975 年版，第 322 页。

③ 王夫之：《张子正蒙注》，中华书局 1975 年版，第 323 页。

④ 王夫之：《张子正蒙注》，中华书局 1975 年版，第 326 页。

成也。"[①] 王夫之还围绕《正蒙·乾称篇》中涉及佛学的言论，进行了评注。对于《乾称篇》下中所说，"释氏语实际，乃知道者所谓诚也，天德也。"王夫之评注曰："既谓之实际，则必实有之而为事理之所自出，唯诚与天德可以当之。空则不实，莽荡虚枵则无际。"对于《乾称篇》中所说，"其语到实际，则以人生为幻妄，有为为疣赘，以世界为阴浊，遂厌而不有，遗而弗存；就使得之，乃诚而恶明者也。"王夫之评注曰："释氏之实际，大率以耳目之穷，疑其无有者也。生而与世相感，虽厌之，安能离之，虽遗之，安能使之无存！自欺而谓有得，信为实而自谓诚，于人伦庶物不明矣，则固伪而不诚矣。安有诚而恶明者哉！"对于《乾称篇》中所说的，"儒者则因明致诚，因诚致明，故天人合一，致学而可以成圣，得天而未始遗人，'易'所谓不遗、不流、不过者也。"王夫之评注曰："诚者，天之实理；明者，性之良能。性之良能出于天之实理，故交相致，而明诚合一。必于人伦庶物，研几、精义、力行以推致其极，驯致于穷神，则天下之理得，而成位乎其中矣。"[②]

关于《乾称篇》下中所讲，他说："益物必诚，如天之生物，日进日息"，王夫之写道："息，长也。诚者，如其应得之理而予之，不计功，不谋利，自见为不容已，无所吝而不倦也。诚，故于物无所矫强，而因材之笃不妄，此天之所以神也。至诚之教育而物自化亦如之，惟诚斯感而神。"对于《乾称篇》中所说，"自益必诚，如川之方至，日增日得。"王夫之评注曰："以实理为学，贞于一而通于万，则学问思辨皆逢其原，非少有得而自恃以止也。自益益人，皆唯尽其诚，而非在闻见作为之间，此存神之所以百顺也。"对于《乾称篇》所说，"施之妄，

① 王夫之：《张子正蒙注》，中华书局 1975 年版，第 327 页。
② 王夫之：《张子正蒙注》，中华书局 1975 年版，第 333 页。

学之不勤”，王夫之评注曰：“恃聪明闻见，而不存神以体实理，其教人必抑人从己，其自为学必矜妙悟而不求贯通，怠于精义，必成乎妄也。”[①] 对于《乾称篇》中所说，“《易》曰：‘《益》长裕而不设。’信夫！”王夫之评注曰：“设者，非理所固有，随意所见，立科范以求益于其中也。小有所觉，大有所迷，妄而已矣，惟求速获而倦勤故也。盖诚原不息，息则不诚。”对于《乾称篇》中所说，“将修己，必先厚重以自持；厚重知学，德乃进而不固矣。”王夫之评注曰：“妄而不勤者，必轻佻而骄吝，诚之不存，神去之矣。”对于《乾称篇》中所说，“忠信进德，惟尚友而急贤；欲胜己者亲，无如改过之不吝。”王夫之评注曰：“过之成也，成于徇迹而妄动；徇物欲，徇意气，皆妄感之迹也。改过不吝，反而求之于心之安，则贤者乐与之亲而气不妄动，神乃可存，所学皆天德之实矣。静专动直，气正而不息，作圣之功，反求诸身心而已也。”[②]

王夫之对于《乾称篇》所说：“过言非心也，过动非诚也。”他写道：“非物理之应得，任闻见之小辨以言动，虽始非不善而终成乎恶，谓之过。非心者，非其初心；非诚者，非心之实得。”于此，“敌按：心者，自尽之心；诚者，实有之理，忠信是也。”王夫之对于《正蒙·乾称篇》中所说，“失于声，缪迷其四体，谓己当然，自诬也；欲他人己从，诬人也。”王夫之评注曰：“始亦有意于善，而过则终成乎恶矣。不存诚精义以求至当，自恃其初心之近道自诬，则未有能强人者也。王介甫之所以怙过而取之于天下也。”对于《乾称篇》中所说，“或者以出于心者归咎为己戏，失于思者自诬为己诚；敌按：出于实心者必不戏，失于浮思者必不诚。”王夫之评注说，“谓为戏，无伤

① 王夫之：《张子正蒙注》，中华书局1975年版，第340页。
② 王夫之：《张子正蒙注》，中华书局1975年版，第341页。

于大义；诬为诚，谓可不怍于天人；自命为君子而成乎妄人。”对于《乾称篇》里所说，“不知戒其出汝者，归咎其不出汝者，长傲且遂非，不知孰甚焉!”“敔按：戒其出汝者，谓戒其朋从之思；归咎其不出汝者，谓心不自尽，归咎于偶戏。”王夫之最后写道：“谓己戏而人何疑之已甚，谓偶有过而人不相谅以信从，则怨天尤人，而不知下学之不立其基也。重则无戏，改则无过，瞬有存，息有养，何暇至于戏！过岂有不知，知岂有复行者乎！合天存神之学，切于身心者如此，下学而作圣之功在矣，尽己而化物之道存矣，故《正蒙》以此终焉。”①

二、《尚书引义》

王夫之《尚书引义》在卷一首篇《尧典一》引义的开头就由“明”与“文思恭让”，讲到“成”，讲到“诚”。他写道：“圣人之知，智足以周物而非不虑也；圣人之能，才足以从矩而非不学也。是故帝尧之德至矣，而非‘钦’则亡以‘明’也，非‘明’则亡以‘文思安安’而‘允恭克让’也。呜呼！此则学之大原，而为君子儒者所以致其道矣。何以明其然邪？天下之为‘文、思、恭、让’而不‘明’者有之矣，天下之求‘明’而不‘钦’者有之矣。不‘钦’者非其‘明’，不‘明’者非其‘文、思、恭、让’也。‘文’有所以文，‘思’有所以思，‘恭’有所以恭，‘让’有所以让，固有于中而物之所待，增之而无容，损之而不成”。②

王夫之接着讲到“诚”。他写道：“虽然，由‘文、思、恭、让’而言之，‘明’者所自生也。若夫‘明’而或非其‘明’，非其‘明’而不足以生，尤不可不辨也。‘明’、‘诚’相资者

① 王夫之：《张子正蒙注》，中华书局1975年版，第342～343页。

② 王夫之：《尚书引义》，中华书局1976年版，第1页。

也，而或至于相离。非‘诚’之离‘明’，而‘明’之离‘诚’也。‘诚’者，心之独用也；‘明’者，心依耳目之灵而生者也。夫抑奚必废闻见而孤恃其心乎？而要必慎于所从。立心以为体，而耳目从心，则闻见之知，皆诚理之著矣。心不为之君，而下从乎耳目，则天下苟有其象，古今苟有其言，理不相当，道不自信，而亦捷给以知［见］之［利］。故人之欲‘诚’者不能即‘诚’，而欲‘明’者则辄报之以‘明’也。报以其实而‘实明’生，报之以浮而‘浮明’生。浮以求‘明’而报以实者，未之有也。‘浮明’者，道之大贼也。其丽于‘文’，则亦集形声以炫其荣华也；其丽于‘思’，则亦穷纤曲以测夫幽隐也。”“夫圣人之‘明’，则以‘钦’为之本也。‘钦’之所存而‘明’生，‘成则明’也；‘明’之所照而必‘钦’，‘明则诚’也。‘诚’者实也：实有天命而不敢不畏，实有民彝而不敢不祗，无恶者，实有其善，不敢不存也；至善者，不见有恶，不敢不慎也。”①他还写道：“自天生之而皆‘诚’，自人成之而不敢不‘明’。故以知帝尧以上圣之聪明，而日取百物之情理，如奉严师，如事天祖，以文其‘文’，思其‘思’，恭其‘恭’，让其‘让’，成‘盛德’，建‘大业’焉。心无非物也，物无非心也。故其圣也，如天之无不覆铸，而‘俊德’‘九族’（四门）‘百姓’‘黎民’‘草木鸟兽’，咸受化焉。圣人之学，圣人之虑，归于一‘钦’，而‘钦’之为实，备万物于一己而已矣。”②

在关于《舜典一》的引义之中，王夫之由“成”讲到“成德”、“成德为行”、“德成于仁”。王夫之一开始从“浚哲文明”说起：“‘浚哲文明’，非玄以为知，‘温恭允塞’，非玄以为行也。玄也者，潜也；‘隐而未见，行而未成’之谓也。夫‘君子

① 王夫之：《尚书引义》，中华书局1976年版，第4～5页。

② 王夫之：《尚书引义》，中华书局1976年版，第6页。

以成德为行，日可见之行’，岂欲其不见而不成哉？不可见而不见，不可成而不成，君子以敦随时之义。‘浚哲文明’，德成于知，‘温恭允塞’，德成于仁，成而可行矣。然而玄焉者其时也，舜之‘玄’，玄以时而不以德，明矣。”①

在关于《大禹谟一》的评述之中，王夫之又论述关于“成之者性也”的问题。并且他论述到“成象”“成形”“成理”“成数”等等。他写道：“浮屠之言‘心即佛’，又曰‘非心非佛’，又曰‘一切众生皆有佛性’，又曰‘三界性心’，亦人心之谓也。何以明其然也？彼所谓心，则觉了能知之心；彼所谓性，则作用之性也。以了以知，以作以用，昭昭灵灵于行住坐卧之间，觉了不诬者，作用以起。自非然者，亦不得为之心。惟其然而可谓之心，惟其然故亦仅谓之人心矣。”② 他又写道，“奚以明其然也？心，统性情者也。但言心而皆统性情，则人心亦统性道心亦统情矣。人心统性，气质之性其都，而天命之性其原矣。原于天命，故危而不亡；都于气质，故危而不安。道心统性，天命之性其显，而气质之性其藏矣。显于天命，继之者善，惟聪明圣知达天德者知之。藏于气质，成之者性也，舍则失之者，弗思耳矣。”③ 他又写道，“无自成之性，而仁义礼智自孤存焉。则斯心也，固非性之德，心之定体，明矣。故用则有，而不用则无也。若夫人之有道心也，则‘继之者善’，继于一阴一阳者也。”④ 他指出，“‘一动一静者，天地之间也。’阴阳之有成象，万物之成有形，是非之有成理，吉凶之有成数，皆止而不迁者

① 王夫之：《尚书引义》，中华书局1976年版，第10～11页。

② 王夫之：《尚书引义》，中华书局1976年版，第10～11页。

③ 王夫之：《尚书引义》，中华书局1976年版，第25页。

④ 王夫之：《尚书引义》，中华书局1976年版，第28页。

也，动之必静者也，虽欲不安而不能。"①

在关于《禹贡》的评注之中，王夫之基于以上关于"成"之论述，讲到了"天下之诚"。他写道："立人之道曰义，生人之用曰利。出义入利，人道不立；出利入害，人用不生。智者知此者也，智如禹而亦知此者也。呜呼！利义之际，其为别也大；利害之际，其相因也微。夫孰知义之必利，而利之非可以利者乎！夫孰知利之必害，而害之非可以害者乎！诚知之也，而可不谓大智乎？"这里的关键在于，"事与心胥制于所建之中，反身而诚不远矣。盖天理之流行，身以内、身以外，初无畛域。天下所有，即吾心之得；吾心所藏，即天下之诚。"②

在关于《汤诰》的评述中，王夫之又由"气以成形"论述"诚神诚几""诚通诚复"。他讲："显性之有而目言之，《易》谓之'缊'，《书》谓之'衷'，《诗》谓之'则'，《孟子》谓之'塞'，求其实则《中庸》之所谓'诚'也。故曰：'诚者物之终结'。终与终之，始于始之，终以密合乎始，始以绵亘乎终，相倚而不贰，不著其文而已盈，静与存而皆安，动与行而不滞，官不过而如其量，神周流而恒不失，故曰：'衷'也。夫人之有形，则气为之'衷'矣。人之有气，则性为之'衷'矣。"而"气也，形之'衷'也。"③他又写道，"是故人之生也，气以成形，形以载气；所交彻乎形气之中，绵密而充实，所以成、所以载者，有理焉，谓之'存存'。……形而下者人之性，形而上者天之理，故'衷'曰'降'。非其丽乎人而遂离乎天也，天下逮于人，人之'衷'，即天之'衷'也。……形而上衷乎天，形而下衷乎人。由天以之人，因其可成可载而降之人；乃受于天，

① 王夫之：《尚书引义》，中华书局1976年版，第39页。
② 王夫之：《尚书引义》，中华书局1976年版，第56页。
③ 王夫之：《尚书引义》，中华书局1976年版，第56～57页。

亦既主形主气，而莫不以为性之藏也，故曰：‘恒’。是故形则有恒也，气则有‘恒’也。然而有不‘恒’者，形之有痿躄，性之有狂易，或伤之，或陷之，一人之身而前后殊，斯不‘恒’也。……其不‘恒’者也，何也？文著于外，质凝于内；著于外者楬其内，故与衷而相离。滞于内者困于外，故衷不效于用也。衷也者，其外不著，其内不滞，柔与为柔，刚与为刚，动而不丧，静而不遗，无所忤而柔顺与亲，无所挠而刚健与干，化不流而居不失，则亦奚有不‘恒’之咎哉！‘恒’者何也？曰诚也。诚神诚几，于物胥动；诚通诚复，于己皆真；斯以屈伸变化，终始弗离，而莫有不‘恒’矣。”①

在关于《太甲二》的评述中，王夫之从“习与性成者”说起，论述了“义”“善”与“成”，讲到“成性之善”。他写道：“习与性成者，习成而性与成也。使性而无弗义，则不受不义；不受不义，则习成而性终不成也。使性而有不义，则善与不善，性皆实有之；有善与不善而皆性气禀之有，不可谓天命之无。气者天，气禀者禀于天也。故言性者，户异其说。今言习与性成，可以得所折中矣。夫性者生理也，日生则日成也。”“形日以养，气日以滋，理日以成。方生而受之，一日生而一日受之。受之者有所自授，岂非天哉？故天日命于人，而人日受命于天。故曰性者生也，日生而日成之也。”“夫所取之精，所用之物者，何也？二气之运，五行之实也。二气之运，五行之实，足以为长养，犹其足以为胎孕者，何也？皆理之所成也。阴阳之化，运之也微，成之也著。小而滴水粒粟，乍闻忽见之物，不能破而析之以画阴阳之畛，斯皆有所翕合焉。阴为体而不害其有阳，阳为用而不悖其有阴；斯皆有所分则［剂］焉。川流而不息，

① 王夫之：《尚书引义》，中华书局1976年版，第58～59页。

均平专一而歆合。二殊五实之妙，翕合分剂于一阴一阳者，举凡口得之成味，目得之成色，耳得之成声，心得之成理者皆是也。”“若夫二气之施不齐，五行之滞于器，不善用之则成乎疵者，人日与媮昵苟合，据之以为不释之欲，则与之浸淫披靡，以与性相成，而性亦成乎不义矣。”“然则‘狎于弗顺’之日，太甲之性非其降衷之旧；‘克念允德’之时，太甲之性又失其不义之成。惟命之不穷也而靡常，故性屡移而异。抑惟理之本正也而无固有之疵，故善来复而无难。未成可成，已成可革。性也者，岂一受成侀，不受损益也哉？故君子之养性，行所无事，而非听其自然，斯以择善必精，执中必固，无敢驰驱而戏渝已。”“然则饮食起居，见闻言动，所以斟酌饱满于健顺五常之正者，奚不日以成性之善；而其卤莽灭裂，以得二殊五实之驳者，奚不日以成性之恶哉？”①

在关于《说命上》的评述中，王夫之论证了“诚者实有者也”。他讲：“君子之道，无妄而已矣。天积阳于上而雷动于下；积者诚也，动者几也，诚而几，神矣。积之富有而动之以时，则‘大亨以正’。‘大亨’故通乎幽明，‘正’故绝其疑似。通乎幽明，其言也顺；绝其疑似，其言也信。顺以信，乃以无眚。无疑，则无妄矣。无妄则诚矣，诚则物之始终赅而存矣。”“若夫疑者，则必其妄也。……今夫梦，其积非富有，知其不原于诚；其动不以时，知其不足于几。不诚不几，而若有神焉，岂神也哉？故孔子之自言也，曰‘五十而知天命’，诚也；‘六十而耳顺’，几也；‘七十而从心所欲不逾矩’，神也。神无方，矩有方。神而不逾其方，则神不离乎诚也。无妄之德，积之富有而动之时，故老而不衰而益盛。”② 王夫之举例说，“故高宗之梦

① 王夫之：《尚书引义》，中华书局1976年版，第63～65页。
② 王夫之：《尚书引义》，中华书局1976年版，第69页。

见傅说之形，其不足于与诚也审矣。论者乃致疑于说之来，高宗之往，而曰'豫知容貌者神，朕兆先见者诚。'岂其然乎?"所以王夫之强调："夫诚者实有者也，前有所始，后有所终也。实有者，天下之公有也，有目所共见，有耳所共闻也。神者无为也，形之未形、体之未体者也。则五常百行赅乎诚，蓍龟四体通乎神，诚仁显而神用藏也。""梦说有成形，用不藏而非神矣。独见独闻，而非有所终始，仁不显而非诚矣。非诚而言神，疑之府也，妄之徒也，君子之所阙而不言者也。""然则梦说之形而旁求惟肖者，抑又何也?形者，血气之所成也。梦者，血气之余灵也。血气者，一阴一阳之形而下者也。同声则相应，同气则相求。形与梦同受成与已形之器，于是乎梦可有形，则居然若有以傅说之立乎前矣。然而无于与形而上者，故能的傅岩惟肖之形，而说说启沃之忱辞，不能有其言识诸寤也。盖器可诡遇，而道不可疑闻也。借其诚而神焉，则'奉若'之训，胡不竞相授受于梦中，以成不疾而速之化，乃必待说之拜手以进献哉?""血气之灵，有时而清焉，有时而浊焉。恭默不言，高宗能澄其血气之浊以向于清，故其于傅说固有之形，相遇于若有若无之际。然而诚未至焉，几未通焉，神未显焉，则得其粗而不得其精。夫人意欲乍澄之顷，乍离乎粗浊，而与两间固有之成形相为邂逅，洵有然者。程子所云：'县镜于此，有物必照，非镜往，非物来'。盖此时矣。"①"镜平则面正，镜有凹凸则面邪。得其正则为高宗之梦傅说，得其邪则为叔孙豹之梦坚牛，汉文之梦邓通矣。邪者妄，而正者亦非诚也，故曰其匪有正眚也。""《记》曰：'清明在躬，志气如神'。志气者，与理为用，诚之所自立也。如神而道由以生，诚不可拼，机不可御；

① 王夫之：《尚书引义》，中华书局1976年版，第70～71页。

神乃不疾而速，不行而至。尧之的舜，颜之事孔，相孚以心，相邻以德，奚梦之足云哉！奈之何登彼乍发之隙光，谓之曰诚，谓之曰神也！君子以无妄茂对天下，在文王之诗矣。‘文王在上，于昭于天’。天，诚也；昭，明也。诚有其明，非镜之姿日光以为明也。‘于昭于天’，而天下仰明焉，则神矣。故其诗又曰：‘周王寿考，遐不作人’。作人而人兴，德其成人，造其小子，诚以求之，则‘济济多士’，而文王以宁矣。……而应不以诚，奚足恃乎？由此言之，向令高宗纳群臣之戒，绎甘、盘之教，敦诚研几，贞动而大亨，云行雨施，移风易俗，以德成人，以造小子。”可见，“治天下有道，正其本以修政教而已矣。治心有道，尽其性以主血气而已矣。弋偶现之浮明，画独见之区宇，资形器之乍清，而不求诸道乘变化，以疑为甚而不存以诚，以治则鬼，以气则易衰，君子之所不尚，如之何以诚、神轻许之也。”①

在关于《洪范》的评述中，王夫之由“五行”指出“成人之能，皆五行之用也”。进而论述了“貌”“诚乎恭”、“言”“诚乎从”、“视”“诚乎明”、“听”“诚乎聪”、“思”“诚乎睿”。他在《洪范二》中讲到，“五行者何？行之为言也，用也。天之化，行乎人以阴骘下民，人资其用于天，而王者以其政者也。”“由其资以厚人之生，则取其精以养形，凝乎形而以成性者在时矣。成乎质者，才之所由生也；辅之气者，情之所由发也；充气而生神者，性之所由定也。”他还指出，“王者节宣之，以赞天化而成人之性，是德之由以性正者，此五者也。……今夫五者之行天下也：天子富有而弘用之，而皮匹夫亦与有焉；圣人宰制而善成之，而遇不肖亦有事焉；四海之广，周遍而咸给焉，

① 王夫之：《尚书引义》，中华书局1976年版，第71～72页。

而一室之中亦不容缺也。胥天下而储之曰‘府’，人所致其修为曰‘功’，待之以应万物万事于不匮曰‘行’，王者所以成庶、养兆民曰‘畴’。是则五行之为范也，率人以奉天之化，以‘阴骘下民’而‘协其居’，其用诚洪矣哉！”[①] “务民之义”“修火政，导水利，育林木，制五金，勤嫁穑，以味养民，以材利民，养道遂，庶事成，而人以事交，出以事君，友于兄弟，刑于妻子，惠于朋友者，德以正焉。因天之化，成人之能，皆五行之用也。”[②] 在关于《洪范三》的评述中，王夫之写道，“形无有不善，身无有不善，故汤、武身之而以圣。……是故貌曰恭，举貌而已诚乎恭矣；言曰从，举言而已诚乎从矣；视曰明，举视而已诚乎明矣；听曰聪，举听而已诚乎聪矣；思曰睿，举思而已诚乎睿矣。诚也者实也，实有之固有也，无有弗然，而非他有耀也。”[③] 在关于《洪范三》的评述中，王夫之还围绕，“洪范之立诚以修辞”[④] 进行了阐发。

在关于《旅獒》的评述中，王夫之对《易》及孔子、子思、孟子以及历史上诸思想家强调的“闲邪存其诚”再一次进行阐发。他写道：“宁志者道也，复礼以克己也；贞耳目者度也，存诚以闲邪也。”“故道也者，载乎物者也；志也者，治乎物者也。应于彼，应于此，终日百应，物皆载道，……成乎物者也；耳目也者，取舍乎物者也。合则取，离则舍，迎目彻耳而不爽其度，则物称其志。物称其志，则中正而从矩，不待息机塞兑以戒动止躁，而物受成于耳目，耳目受成于志矣。”[⑤] 王夫之还指

① 王夫之：《尚书引义》，中华书局1976年版，第112～124页。

② 王夫之：《尚书引义》，中华书局1976年版，第115～116页。

③ 王夫之：《尚书引义》，中华书局1976年版，第116页。

④ 王夫之：《尚书引义》，中华书局1976年版，第118页。

⑤ 王夫之：《尚书引义》，中华书局1976年版，第125页。

出，“皇哉，道之不可离也！天以降衷，而人秉之以为心，故志宅以宁。乾坤以为缊，而变合以恒，故气配之不馁。民物皆载之以为度，故物皆德而德以为物。重以持之而无所玩，动以之贞而无所丧，诚存则邪自闲，礼复则己无不克，是以君子之道有本而不匮者也，非若异端争于其末也。”

在关于《康诰》的评述中，王夫之由“本”论“诚”，明确指出“本有者诚也”。他写道，“本者何也？天下之大本也。心之为天下本者有三，三者贯于一，而体用之差等固不可泯也；诚也，几也，神也。几则有善恶矣，而非但免于恶即善，则几固不可遏而息也。神则不测矣，于此于彼而皆神，是人之天，非天之以命人而为其宅者也。故几者受裁于诚，而神者依诚以凝于人者也。……夫君子之康乃心者，诚而已矣。诚而后洵为天下之大本也，故曰‘志以道宁’。诚与道，异名而同实者也。修道以存诚，而诚固天下人之道也。”他又写道，“故有理于此，求知于心而不得，求之于所闻而得矣，求之于所习而得矣，求之于所笃信而博推者而愈得矣。心虽未得，而求以得者心也，情之挚也；所得者非所闻、所习而适得我心也，性之安宅也。由是而用之不穷焉，尽其才矣。故《易》曰：‘学以聚之、问以辨之’。而《诰》曰‘敷求哲王’，学也；‘远惟耇成’，问也。……物诚有其情，我诚有其才，无可忧也，无可斁也。故《易》曰‘宽以居之，仁以行之’。而《诰》曰‘若毕弃疾’，仁也；‘若保赤子’，宽也。天下皆吾赤子，而疾毕弃，康乃心矣。以大宅载天下，而才之尽者无不裕矣。陋束自困之情，有实以礼扩充之，是亦释于桎梏而宁于其家也已矣。”王夫之还指出，“盖宽者道之量所自弘，仁者道之生所自顺，学问者道之散见所自察。诚有之，诚宅之，诚尽之，各体其实而无摇荡拘迫之忧，故曰‘志以道宁’。君子之以康其心者此矣。此之谓立天下之本也。”于是，他总结道，“本有者诚也。”①

在围绕《多士》《多方一》以及《顾命》《毕命》等篇的评述中，也有王夫之对“成”“诚”从不同角度进行的阐述。在围绕《多士》的评述中，王夫之写道，“无有不显而显以其诚，所以然者不可以言语形象尽也，则微亦莫微于其显者矣。”② 在围绕《多方一》的评述中，王夫之写道，“通明之谓圣，炯然在心之谓明，始终一贯之谓通，变易之谓狂，惟意而为之谓易，今昔殊情之谓变。由此言之，彼异端者狂也，其自谓圣而适得狂者，罔念而已矣。彼之言曰：念不可执也。夫念，诚不可执也。而惟克念者，斯不执也。有已往者焉，流之源也，而谓之曰过去，不知其未尝去也。有将来者焉，流之归也，而谓之曰未来，不知其必来也。其当前而谓之现在者，为之名曰刹那，（谓如断序一丝之顷。）不知通已往将来之在念中者，皆其现在，而非仅刹那也。庄周曰‘除日无岁’，一日而止一日，则一之人生，亦旦生而暮死，今舜而昨跖乎！故相续之谓念，能持之谓克，蘧忘之谓罔，此圣徒之大界也。”③ 所以，王夫之在围绕《顾命》的评述中进一步写道，“若其为五色、五声、无味之固然者，天下诚然而有之，吾心诚然而喻之；天下诚然而授之，吾心诚然而受之；吾身诚然而授之，天下诚然而受之。礼所以生焉，仁所以显焉，非是而人道废。虽废人道，而终不能舍此孤存于天下，徒以丧其威仪，等人道马牛而已矣。故君子非不求之天下也，求天下以已，则天下者其天下矣。”④ 在围绕《毕命》的评述中，王夫之又写道，“《毕命》之言辞也，曰‘体要’。于是而

① 王夫之：《尚书引义》，中华书局1976年版，第131～134页。

② 王夫之：《尚书引义》，中华书局1976年版，第146页。

③ 王夫之：《尚书引义》，中华书局1976年版，第154页。

④ 王夫之：《尚书引义》，中华书局1976年版，第173页。

或为之说曰：‘辞有定体焉，有扼要焉，挈其扼要而循其定体，人可为辞，而奚以文为？体要者质也，质立而文为赘余矣。’徇是言也，质文之实交丧于天下，而辞之不足以立诚久矣。”①

第三节　《老子衍》，《庄子通》《庄子解》论“诚”与“成”

在中国古代思想史上，有部重要的著作即作为老子书的《道德经》，共81章，6000余字，分上下篇。这部书相传为老子所作，故《道德经》也常被叫作《老子》书。关于老子的姓名，历来说法不一。有一说是老子姓李名耳，即李耳。《庄子》书中，称它为老聃，把老子写为前辈。这是战国中晚期道家学派笔下的老子。当然，秦汉以后，对于老聃到底是谁，《老子》书是否为老聃所作，不同说法，多有疑问。

《道德经》是充分论述“道”的。对现在成为通行本的《老子》书，多数学者认为形成于孔子、墨子之后，成书于战国中前期。王弼注本、傅奕注本上篇言“道”，下篇言“德”。1973年长沙马王堆汉墓出土的帛书《老子》甲、乙本，则上篇为“德篇”，下篇为“道篇”。在上下篇中的分章次第以及《道德经》的题名为后人所加。由此可见，“道德经”实为“德道经”；在古文中，“德”与“得”为通假字，这样，“道德经”实为“得道经”，即关于“得道”如何成为可能之经。可以说，《老子》书实质上论的是“何以得道而成”。王弼在对《老子》书内容的诠释文字中有这样一段话颇得要领。他说：“载之以道，统

① 王夫之：《尚书引义》，中华书局1976年版，第175页。

之以母，故显之而无所尚，彰之而无所竞，用夫无名，故名以笃焉。用夫无形，故形以成焉。”[①]

《道德经》中有这样一些涉及“成”与“诚”的话：“大道泛兮，其可左右。万物恃之以生而成功遂事，而弗名有。”[②]“是以圣人之能成大也，以其不为大也，故能成其大。”[③]《道德经》一开始从强调“道可道，非常道；名可名，非常名”说起，后面论述到“有无相生，难易相成”，“万物作而弗始，生而弗有，为而弗恃，功成而弗居。”[④]“是以圣人：退其身而身先，外其身而身存；不以其无私欤。故能成其私。”[⑤]“夫唯不盈，是以能敝复成。”[⑥]“功成事遂，百姓皆曰：我自然。”[⑦]“有无混成，先天地生。”[⑧]“夫唯道，善始且善成。”[⑨]由此又讲到“大器晚成”[⑩]，后又讲到“大成若缺，其用不蔽”[⑪]。“圣人弗行而知，弗见而名，弗为而成。”[⑫]“物形之，而器成之。”[⑬]“九层之台，起于累土。”“民之从事，幾成而败之。”[⑭]“是以圣人为而弗有，成功而

① 《四部要籍注疏丛刊·老子》(全二册)，中华书局1998年版，第102页。
② 《道德经》三十四章。
③ 《道德经》三十四章。
④ 《道德经》二章。
⑤ 《道德经》七章。
⑥ 《道德经》十五章。
⑦ 《道德经》十七章。
⑧ 《道德经》二十五章。
⑨ 《道德经》四十一章。
⑩ 《道德经》四十一章。
⑪ 《道德经》四十五章。
⑫ 《道德经》四十七章。
⑬ 《道德经》五十一章。
⑭ 《道德经》六十四章。

弗居。”[①]，“道生之，德畜之，物形之，势成之。”[②]《老子》书还写有：“功遂身退，天之道也。”[③] 王弼本注曰，“四时更运，功成则移。”郑玄注“遂，成也。”基于“成”，《道德经》谈到“诚”：“古之所谓‘曲则全’者，岂虚言哉！诚全而归之。”[④] 王夫之围绕以上论述，作了大量评议。

王夫之在《老子衍》第二章论述中，写道：“万物作焉而不辞，生而不有，为而不恃，功成而弗居。夫惟弗居，是以不去。”[⑤]

对于第五章，王夫之写道：“风生于空，橐待以鼓，相须以成，而器原非用。故同声不必其应，而同气不必其求。是以天不能生，地不能成，天地无以自擅，而况于万物乎？况于圣人乎？‘虚而不曲’而已矣。道缝其中，则鱼可使鸟，而鸟可使鱼，仁者不足以似之也。仁者，天之气，地之滋，有穷之业也。”[⑥]

对于第十八章，王夫之写有：“桮棬成于匠，而木死于山；罂盎成于陶，而土死于邱。其器是也，而所以饮天地之和者去之也。夫土木且有以饮，而况于人乎？而况于道乎？故利在物而害在己，谓之不全；善在己而败在物，谓之不公。”[⑦]

对于四十五章，王夫之写有，“大成若缺，其用不弊；大盈若冲，其用不穷。大直若屈，大巧若拙，大辩若讷。躁胜寒，静胜热，胜音升。叶得曰：知其所胜，孰往而不可为焉？清净

① 《道德经》七十七章。

② 《道德经》五十一章。

③ 《道德经》九章。

④ 《道德经》二十二章。

⑤ 王夫之：《老子衍》，中华书局2009年版，第5页。

⑥ 王夫之：《老子衍》，中华书局2009年版，第7页。

⑦ 王夫之：《老子衍》，中华书局2009年版，第12页。

为天下正。为天下正，则天下自正。若欲天下正，益其寒热矣。"就此王夫之评述曰："始于不依，终于不竞，天下正矣，而我若未有功。故貌见不足，而实享其有余。诚享矣，而又奚恤于貌之不足？"①

关于四十七章，王夫之写有，"不出户，知天下'章安曰：出户则离此而有知。不窥牖，见天道。章安曰：窥牖则即彼而有见。其出弥远，其知弥少。是以圣人：不行而知，不见而名，不为而成。"② 就此王夫之评述曰："道，盈余向背之间。有所向，斯有所背矣。无所问，无所背，可名之中。乃使人贸贸然终日求中而不得，为天下笑。无已，姑试而反之。反非中也，而渐见其际。有炊乎，如光之投隙；有约乎，如丝之就络。物授我知而我不动，乃知昔之逐亡子而追奔马者，劳而愚矣。非然，则天下岂有'不行而知，不见而名，不为而成'者哉？"③

对于五十一章，王夫之写有，"道生之，德畜之；道之用曰德。物形之，势成之。皆道之自然。是以万物，莫不尊道而贵德。道之尊，德之贵，夫莫之爵而常自然。故道：生之，畜之；长之，育之；亭之，毒之；养之，覆之。"陆其声曰："禀其精谓之生，含其炁谓之畜，逐其形谓之长，权其成谓之亭，量其用谓之毒，保其和谓之养，獲其生谓之覆。"就此王夫之评述曰："我唯灼而知之，顺而袭之，天下不相知而德我，我姑不得已而德之。物者形矣，势者成矣。"④

作为道家的经典，在老子的《道德经》之后，当属《庄子》书影响最大。王夫之专门写了对此书的评述，即《庄子通》《庄

① 王夫之：《老子衍》，中华书局2009年版，第25页。
② 王夫之：《老子衍》，中华书局2009年版，第25页。
③ 王夫之：《老子衍》，中华书局2009年版，第26页。
④ 王夫之：《老子衍》，中华书局2009年版，第27～28页。

子解》。

关于《庄子》中的《内篇·齐物论》，王夫之写道，“道之所亏，爱之所以成。”“护其成心，爱而不舍。”“果且有成与亏乎哉？果且无成与亏乎哉？”“评曰：究竟不能损益其真。”“有成与亏，故昭氏之鼓琴也。”“昭氏名文，古善琴者。”“自成以亏道，则以其所知者鸣。”“无成与亏，故昭氏之不鼓琴也。”“评曰：知不能成，道不可亏，则止矣。”“昭文之鼓琴也，师旷枝策也”，“枝，柱也。策，杖也。瞽者柱杖，举而击节赏音。”“惠子之据梧也”；“捂，琴也。据梧而吟。”“三子之知句。几乎皆其盛者也”，“七字句”。“故载之末年”。“自以为盛，故终身守之。”“唯其好之也以异于彼”，“好即‘爱之所以成’。”“其好之也欲以明之”，“所谓‘莫若以明’也。欲之者其成心，而谓人之莫若也。”“彼非所明而明之，故以坚白之昧终”；“坚白，旧注云：‘坚白白马之辨也’。”“‘彼非所明而明之’，正与下‘此之谓以明’对映。”“而其子”“其徒。又以文之纶终”，“徒为繁文牵引。”“终身无成。”[①] 王夫之还写道，“若是而可谓成乎？虽我亦成也”。“不言亦何当不成。若是而不可谓成乎？物与我无成也。”“无所是，无所非，随所寓而用之，则可无成，可有成，而滑者无非耀矣。疑儒疑墨，而非儒非墨，物论奚有不齐哉？知者不言，善者不辨。有言有辨，斯以为圣人。”[②]

关于《内篇·人间世》，王夫之写道：“以充扬之色伺人之感，而乘机以进，自谓之虚；以执而不化者，日渐进之以求成效，自谓之一；皆挟其所以，成乎心而形乎容者也。虽或免乎暴人之暴怒；而内之憎忌益深，岂但德之不成与？菑且逮之矣！”王夫之还指出，“然则我内直而外曲，成而上比。”“以成

① 王夫之：《庄子解》，中华书局2009年版，第94页。

② 王夫之：《庄子解》，中华书局2009年版，第95页。

言上比古人。”“内直者，与天为徒。……外曲者，与人之为徒也。……成而上比者，与古为徒。”“前之端虚勉一者，以为存诸已也，而所存者非己也。与物相刃向劓，案人之感以责人，而自恃其仁义，故虚者非虚，一者不一也。内直、外曲，成而上比以辟咎，则莫非存诸人矣。”①

关于《外篇·达生》，王夫之写道：“人之生也，天合之而成乎人之体，天未尝去乎人之中也。”“孔子曰：‘何谓始乎故，长乎性，成乎命？曰：‘吾生于陵而安于陵，故也；长于水而安于水，性也；……不知吾所以然而然，命也。’”“守之而乃顺乎物之所自造，则两间虚憍之气敛与所移以成始，而兵刑之器害气永息于天下，吕梁亦安流矣。……更生之始，则忿愶之气与化成形，以胚胎于有生之初，而两间乃繁有嚣凌争利、狂奔乐祸之气质，以成乎乘忤之习……无功之功，神人之相天而成化，亦盛矣哉！”王夫之还指出，“观天性，形躯至矣然后成”，“木之天成，适如其形躯”。“见镰然后加手焉”。“确然见镰于胸中，然后加手以成之。”“不然，则已。则以天合天，器之所以疑神者，其是与！”②

关于《杂篇·徐无鬼》，王夫之道：“无仁之迹而春夏自生，无义之迹而秋冬自死；天自平也，物自变也。生生死死于其中者，失之而不可以生，死之而不可以死者，自仰给焉。此无所鬻，彼无所卖，牧之而已，固无害也，唯其诚也。”“故水之守土也审，影之守人也审，物之守物也审。”“审谓密而无间。故目之于明也殆，耳之于聪也殆，心之于殉也殆。”“随物曰殉。逐其视听，以为断制。”“凡能其与府也殆。”“府者，能之所藏也。”“殆之成不给改，祸之长也兹萃。其反也缘功，”“劳力以

① 王夫之：《庄子解》，中华书局2009年版，第94页。

② 王夫之：《庄子解》，中华书局2009年版，第236～237页。

免祸，因以为功。”“其果也待久。”“实获久而益成。”“而人以为己宝，不亦悲乎！故有亡国戮民无已，不知问是也。”王夫之还写道：“故万变皆诚也，古今皆纯也。以时扬擢大道，而与天合一矣。要岂规恢于源之外哉？廓然通一，顺天下而顺吾心之无不復，则民视彼好贤尚知，以聚游士，讲道术，驰其形性，欲成美而适成恶器。”①

关于《杂篇·渔父》，王夫之写道：“孔子愀然曰：‘请问何谓真？’客曰：‘真者，精诚之至也。不精不诚，不能动人。……功成之美，无一其迹矣。……得之者生，为事逆之则败，顺之则成。故道之所在，圣人尊之。今渔父之于道，可谓有矣，吾敢不敬乎！”②

关于《杂篇·列御寇》，王夫之写道：“与天均常运，合以成体，散以成始，参万岁，周偏咸乎六宇，而明乘一时之感预以发。其量之大小，体之诚伪，明之不胜神也明甚。”③ 这里可见，王夫之基于前面所论，由“成”讲到“诚”又归于“成”。这形成其很有综合性的理论构成。

第四节　明清“实学”

应当认为，中国思想史到明中后期到清初，一些思想家提出的学说趋向于或者说转向于“实学”。这里暂不说对于“实学”这个概念如何界定，用这一概念概括这一段思想史中的学说是否恰当，而围绕学者们说到的，特别在明清凸现出来的，

① 王夫之：《庄子解》，中华书局2009年版，第296页。
② 王夫之：《庄子解》，中华书局2009年版，第342～343页。
③ 王夫之：《庄子解》，中华书局2009年版，第350页。

"实体达用之学"或"经世致用之学"以至"实事求是之学"这样的思想史倾向，进行深入研究，其意义确实不可小视。①

对于"实学"，张居正在评论明清学术思潮时曾指出，近来俗尚浇漓，士鲜实学。② 徐光启认为，"方今事势，实须真才，真才必须实学"。③ 顾炎武则批评宋明理学末流是"以明心见性之空言代修己治人之实学"。④ 颜元讲道："秦汉以降，则著述讲论之功多而实学实教之力少"⑤，而"实学不明，言虽精，书虽备，于世何功，于道何补"⑥。以黄宗羲为代表的浙东学派认为"使古今之典章法制灿然于胸中，而经纬条贯可建万世长策，他日用则为帝王师，不用则著书名山为后世法，实为儒者之实学"。⑦ 学界对明清实学往往以"崇实黜虚"加以概括。学界通常认为，明清实学思潮的历史过程，大体可分为三个阶段：明正德年间至万历前期，随着明王朝由盛而衰，社会矛盾和政治危机逐步展开，出现实学思潮的兴起和发展；从明万历中期至清康熙中期，社会处于"天崩地解"大动荡时代，阶级矛盾和民族矛盾十分激化，加之资本主义萌芽的发展和"西学东渐"，将实学思潮的发展推向鼎盛；清康熙中期至鸦片战争前期，随着中国由封建社会向半封建半殖民地社会的转变，实学思潮便开始让位给近代新学了。

人们往往把"实学"的发展，与中国思想史上关于"践形"

---

① 详见，张全新：《中国哲学史的"实学"走向及其思想脉络》，载《儒学与实学及其现代价值》(论文集)，齐鲁书社 2007 年版。

② 张居正：《答文宗谢道长》。

③ 徐光启：《与胡季仍·比部》。

④ 顾言武：《日知录》卷七。

⑤ 颜元：《存学编》卷一。

⑥ 颜元：《存学编》卷三。

⑦ 黄宗羲：《学从子贞书》。

“践履”“实践”的概念阐述与发挥，相联系。张岱年先生讲，在先秦时代，因有道家之消极的无为之学，遂引起了荀子的有为思想；在近古时代，因有专重“内心”的心学，也引起了一种反响，而发生了一种注重“向外的发展”之新的有为哲学。新的哲学，特重人为。理学看重理而不看重事，心学看重心不看重形；此新哲学，特别看重事物与形体。此种哲学，成立于王夫之及颜元，发挥于戴震。颜的年代虽较王为晚，然未尝受王氏之影响；戴则虽未尝称述颜氏，却实曾受颜氏之影响。然因此三思想并无师承关系，其学说亦非完全一致，不过大体的倾向可谓同归。为此三家的思想，立一总名称，实甚不易，今勉强名之为践形论。①

一、成立于王夫之、颜元的“实学”

（一）王夫之哲学很重视思孟特别是张载的哲学，由“诚”“成”说到“践形”。他基于《中庸》“诚者自成也”“不诚无物”，“惟天下至诚，为能尽其性”，重视《孟子》书中“形色天性也，惟圣人然可以践形”。王夫之论述说：“尽性斯以践形，惟圣人能尽性，斯以能践其形”。② 这特别由“尽性”来说“践形”。而且王夫之由此把一系列概念范畴统入其论。他说：“汤武身之也。谓即身而道在也”。“惟圣人然后可以践形。践其下，非践其上也。故聪明者，耳目也；睿智者，心思也；仁者人也；义者事也；中和者礼乐也；大公至正者，刑赏法分明也；利用者，水火金木也；厚生者，谷瓜丝麻也；正德者，君臣父子也。如其舍此，而求诸未有器之先，亘古今，通万变，穷天穷地穷

① 张岱年：《中国哲学大纲》，中国社会科学出版社 1982 年版，第 367 页。

② 王夫之：《读四书大全说》卷十《孟子尽心上篇》，中华书局 1975 年版，第 742 页。

人穷物，而不能不为之名，而况得有其实乎?”① 可见，这里的“即身而道在”，是谓践其形。王夫之讲，“践形必践情，践情必践生，践生必践仁义，践仁义必离生，离生必谓无为真，而谓生为妄。而二氏之说昌矣”。② 王夫之又强调说，“‘践’曰‘充’，与《易》言‘蕴’，《书》言‘衷’一理。盖形色，气也；性，理也。气本有理之气，故形色为天性；而有理乃以达其气，则惟尽性而后能践形”。③ 王夫之是由“诚”“成”来论“性”的。关于“诚”与“性”，他说，“性者天用之体也，诚之所干也”；关于“成”与“性”，他说，“成，犹定也，谓一以性为体而达其用也”。④ 这就延伸到了“体”“用”。讲“诚之所干”，讲“成”“以性为体而达其用”，这就要落实于“行”。

王夫之讲：“生知者，‘诚明’也；安行者，‘至诚’也；学知者，‘明诚’也；利行者，‘诚之为贵’也；困知、勉行者，‘致曲’也。”⑤ 所以王夫之由此讲到了“诚行达德”⑥“以德行道”。⑦ 王夫之强调，“君子以成德为行，日可见之形”。⑧ 而且他讲，“知行终始不相离”，“知之尽，则实践之而已”。这里，王夫之由“践形”讲到“实践”，并认为这才能达到“成诚”实现“诚成”。王夫之重视张载《正蒙》“至当篇”。他讲，“至当之谓德，百顺之谓福”。而“践形”“实践”，才使“我而备万之诚存

---

① 王夫之：《周易外传》。

② 王夫之：《周易外传》。

③ 王夫之：《读四书大全说》卷十《孟子尽心上篇》，中华书局 1975 年版，第 742 页。

④ 王夫之：《张子正蒙注》中华书局 1975 年版，第 110 页。

⑤ 王夫之：《读四书大全说》卷二《中庸》，中华书局 1975 年版，第 129 页。

⑥ 王夫之：《读四书大全说》卷二《中庸》，中华书局 1975 年版，第 130 页。

⑦ 王夫之：《读四书大全说》卷二《中庸》，中华书局 1975 年版，第 128 页。

⑧ 王夫之：《尚书引义》，中华书局 1976 年版，第 10～11 页。

焉，奉此以有为而仁义行。”“圣人以圣学扩大而诚体之，则尽有天下之聪明”；不然，“则人无从倡，道无从弘，教无从成矣”。因为“形上之道，有形而即丽于器”，“凝形而上之道于己”，“故知礼成性而道义出，如天地位而易行”。“未能成德，不足以孚天下”，“非诚有其得于心者，虽善不足以感人”，“修性而非小成者与!”“存乎德行”“修辞立诚”，“至虚而诚有，体一而用两”，“达与成，体与用之道合”，“成者，见于事物而各成其也”。总之，“大达于天，则成性成身矣”，才能实现“无不协其宜，而至当以成百顺”。①

（二）颜元（1635－1704）字浑然，号习斋，直隶博野县（今属河北）人。其生年为明崇祯八年，卒年为康熙十三年。颜元父亲颜昶，从小过继给蠡县朱九祚作养子。此时颜元随姓朱，名邦良，字易亚，号思古人。可当时，其父因不为养父所喜，弃家出走关东。颜元10岁时，清廷颁圈地令，家乡疆圳庐舍尽圈于旗。12岁时，母亲王氏因丈夫一去杳无音讯，改嫁他村，自此，颜元便同养祖父母一起生活。19岁时，养祖父因讼盾匿，颜元被系入狱，讼解，家业顿落，一家生活完全由他承担，亲身耕田灌园，又学医为人治病。他39岁时，养祖父母先后病逝，才恢复颜姓，不复姓朱，改今名。

颜元为学早年受孙奇逢（1584－1675，字启泰、钟元）的影响，后来受刁包（1629－1709，字蒙吉）的影响，一度出入于程朱、陆王之间。他58岁那年南游中州，目睹“人人禅子，家家虚文”②，注重批判朱学。晚年，颜元应聘主讲肥乡漳南书院，厘定规则，设文事、武备、经史、艺能诸科，规模甚宏；

---

① 王夫之：《张子正蒙注》卷五，中华书局1975年版，第167～191页。

② 李塨：《颜习斋先生年谱》卷下，《颜元年谱》，中华书局1992年版，第80页。

旋因水害，辞归故里。其主要著作有《四存编》《四书正误》《朱子语类评》等。

颜元认为“性”和“形”是合一的，求尽性，必须于形尽之；尽性之道，在于践形。而如何践形呢？则需“见之事”，“微诸物”，要在事物中习形。颜元说：“形色天性，惟圣人然后可以践形。形性之形也，性形之性也；舍形而无性矣，舍性而无形矣。失形者据形求之，尽性者于形尽之，践其形则践其性矣。”颜元强调，性与形合一，离性故无形，离形故无性，尽性与践形实是一事。他要说明的是，与天地同流，乃是践形之最高境界，有所谓“神圣之极，皆自践其形也”。①

颜元所坚持的践形论，特别对于道和物、形和行以及与心的关系进行了论证。颜元十分注重事物，以为道不可离事物，学亦不可离事物。他说：“孟子必有事焉句，是圣贤宗旨。心有事则必存，身有事则修身，至于家之齐，国之治，天下之平，皆有事也。无事则道统治统俱坏，故乾坤之祸，莫甚于老之无，释之空，吾儒之主静。”② 颜元又讲到：“空静之理，愈谈愈惑；空静之功，愈妙愈妄。吾愿求道者，尽性而以矣；尽性者，实徽之吾身而已；张徽身者，动与万物共见而已。张吾身之百体，吾性之作用也；一体不灵，则一用不具。天下之万物吾性之措施也；一物不称其情，则措施有累。身世打成一片，一滚做功。近自几席，远达民物；下自邻比，上暨庙廓；粗自洒扫，精通爕理；至于尽伦定制，阴阳和，位育彻，吾性之真全矣。”③ 这里意在说明佛老的空静是要不得的，应当注重实动。什么是最实的呢？便是身与物。所以要用自己的身体，以万物为对象来

① 颜元：《存学编》。
② 颜元：《言行录》。
③ 颜元：《存人编》。

活动。须使一身的百体无一不灵，天下的万物无一不称其情，从日常事情做起，直到赞化育参天地，然后本性乃得到充分的发挥。人们指出，颜元注重事物；颜元之学，实可以名为事物之学。

颜元重视“实事实物”，反对“空虚之学”，否理学家的“道统”，认此为虚构。他讲理学所谓的“心传之奥”源于佛、老；他认为“理在事中”，“理气一致”；他不同意理学家“理在事上”“理气二本”等观点。所以，颜元说：“见理已明而不能处事者，多矣。有宋诸先生便谓还是见理不明，只教人明理。孔子则只教人习事，迨见理于事，则已彻上彻下矣。”[①] 诸学者指出，如果说程朱理学注重明理，以为能明理则能循理，自然处事得宜，颜元则以为这只是“静中之明”，是不足恃的，而注重习事，习事既久，能“见理于事”，方是实见。正是由此，颜元提出，“见理于事”、“由行得知”，反对理学家重体认不重知见、重心得不重实行，以调伏身心为能事的思想。他认为“性即物则”、“舍形无性”，反对理学形性相离、形外有性的观点；他强调“习与性成”，主张以“动”养性，反对理学的先天气禀决定论和主静持敬的心性修养；他重视“当世之务”，肯定人欲的合理性，崇尚技艺，讲求功用，反对理学家空谈性命、篾弃人欲、崇道贱艺、排斥功利的思想，等等。

颜元很重视“周孔以后逆知后世有离事物以为道，舍事物为学者，故德行艺总名曰物，明乎六艺固事物之功，即德行亦在事物内”。[②] 正如学者们解释的，活动为事，形器为物；有状有迹之事物，乃是基本；而道与学，德与艺，皆不可离事物。

---

① 颜元：《存学编》。

② 李塨：《颜习斋先生年年谱》卷下，《颜元年谱》，中华书局 1992 年版，第 96 页。

不见于事，则只是空言，不是真实的正德利用厚生，不征诸物，则只是虚幻，不是真实的六德六行六艺。颜元重视《周礼》"乡三物"的思想，而于"六德、六行、六艺"这"三物"中，尤重"六艺"，认为"德"、"行"要通过"艺"来体现，"艺精则行实，行实则德成"。①

颜元由其"践形论"，由注重"习事"以至"习动"、"习行"，由尚"事功"，提出了一套经世的思想。颜元的经世思想把"义"和"利"看作是统一的，鲜明地提出了"正其谊以谋其利，明其道而计其功"的义利观，说："利者，义之和也"，"以义为利，圣贤平正道理也"。利有合乎义，有不合乎义，故"义中之利，君子所贵"。② 主张要取合义之利，反对一概排斥功利的观点。

颜元的功利观注重从社会作用方面立论。他说："尧、舜之正德、利用、厚生、谓之三事，不见之事，非德非用非生也。周公之六德、六行、六艺，谓之三物，不征诸物，非德非行非艺也。"③ 在他看来，所谓"尧舜三事"和"周公三物"中既有"义"也有"利"，"义"或"德"必须落实在"利"上，应"见之事"、"征诸物"。尤其是他认为"艺精则行实，行实则德成"，④ 只有所学能为天下国家之所用，所行能斡旋乾坤、利济苍生之所行，才能实现"正谊谋利，明道计功"的社会功用。他的这种功利之学，与程朱的性理之学不同，显示出反理学的

① 颜元：《四书正误》卷三，《论语上·述而》，《颜元集》，中华书局 1987 年版，第 194 页。

② 颜元：《四书正误》卷一，《大学》，《颜元集》，中华书局 1987 年版，第 163 页。

③ 李塨：《颜习斋先生年谱》卷下，《颜元年谱》，中华书局 1992 年版，第 96 页。

④ 颜元：《四书正误》卷三，《论语上·述而》，《颜元集》，第 194 页。

性质。

颜元熔铸陈亮、王安石的事功思想为一体，奠定了他的功利论思想体系的格局，因而理学家张伯行做了如下的批评："颜习斋以霸学起于北……其学以事功为首，谓身心性命非所急，虽子思《中庸》亦诋訾无所顾。呜呼，如此人者，不用则为陈同甫，用则必为王安石"。①

在义利问题上，理学家大多承袭董仲舒"正其谊不谋其利，明其道不计其功"的观点，反对功利主义，提倡禁欲主义。而颜元继承陈亮"义利双行，王霸并用"的观点，鲜明地提出"正其谊以谋其利，明其道而计其功"。这在中国思想史上很有影响。

（三）颜元与其弟子李塨共同组成中国思想史上所称的"颜李学派"。李塨（1659—1733）字刚主，号恕谷。他少时师事颜元，弃八股，专治礼、数、射、御、兵法、乐诸学，与颜元同创"颜李学派"。他32岁中举后出游，结交名士，研讨学术，使颜李之学广为传播。他晚年隐居家乡，讲学经农，在哲学上反对程朱"理先于气"的观点，力主"理""气"不可分。他提出"理在事中"，"夫事有条理曰理，即在事中。今曰理在事上，是理别为一物矣"。② 他注重实事实学，认为"纸上之阅历多，则世事之阅历少；笔墨之精神多，则经济之精神少。"③ 他倡导亲身习行践履，于是这样反问："不目见，不身试，何由以理断之耶？"④ 他指出理学家空谈"致虚守寂"之害，认为这是宋朝亡国的原因。他重视知对行的作用，强调"不知不能行，不行

① 《正谊堂文集》卷九《论学》。
② 李塨：《传注问》。
③ 《恕谷先生年谱》。
④ 李塨：《论学》。

不可谓真知",[①] 得出"知固在行先"[②] 的结论。他提出，要实现"家皆有食"，就应该"仕与学合，文与武合，官与吏合，兵与民合"。[③] 他主张实行均田，说："非均田则批复不均，不能人人有恒产，均田第一仁政也。"[④] 后来，他在政见及治学方法上与颜元有分歧，南游归后转入考据之学。其著作主要有《四存篇》《四书正误》《朱子语类评》《大学辨业》《小学稽业》《圣经雪柜篡》《论学》《平书钉》《拟太平策》《传注问》《恕各侯集》、等。后人将其著作与颜元的一些著作一起，编有《颜李遗书》和《颜李丛书》。

李塨特别论到"敬"。他说："圣门不空言敬。敬其事，执事敬，行笃敬，修己以敬，孟子所谓必有事也。"[⑤] "宋儒讲主敬，皆主静也。主一无适，乃静之训，非敬之训也。"[⑥] 这里讲"敬"不可离"事"，凡敬都是事敬，不事事则无所谓敬。关于颜学之主旨，李塨还说："圣学践形以尽性；耳聪目明，践耳目之形也。手恭足重，践手足之形也。身修心睿，践身心之形也。践形而仁义礼智之性尽矣。今儒堕形以明性；耳目但用于诵读，耳目之用去其六七。手但用于写字，手之用去其七八。足恶动作，足之用去九。静坐观心而身不喜事，身之用亦去九。形既不践，性何由全？此一实，一虚；一有用，一无用；一为正学，一陷异端，不可不辨也。"[⑦] 诸学者指出，颜李之学与理学及心学之不同，实即理学心学都分性形为二，而颜李则和性形为一。

---

① 李塨：《大学辨业》。

② 李塨：《论学》。

③ 李塨：《平书订》卷三。

④ 李塨：《拟太平策》。

⑤ 李塨：《传注问》。

⑥ 李塨：《传注问》。

⑦ 《恕谷先生年谱》。

二、发挥于戴震的“实学”

戴震（1723－1777）字慎修，又字东原，安徽体宁县人，其一生处于清雍正元年十二月至乾隆四十二年。他出身于小商人家庭，年轻时随父行商。他到江西南丰，曾在绍武课徒过活。他22岁（1745）从学于江永，25岁（1748）著《考工记图注》等，后来以此知名。戴震在乾隆十六年（1751）28岁时，始补为休宁县学生；在乾隆三十二年（1756）因避仇而入京，广交纪昀、钱大昕、王鸣盛、朱筠、卢文强、惠栋新科进士等，以谙熟天文数学、声韵训诂和古代礼制而“声重京师”；在乾隆二十七年（1762）40岁时，中举人，后屡次会试不中。乾隆三十八年（1773）清廷开《四库全书》馆，由纪昀等荐，以举人特召入馆，被任为《四库全书》馆纂修官。然而，不久应会试依然落第；但幸得清高宗恩准，特许他与当年贡士一道参加殿试，赐同进士出身，官翰林院庶吉士。两年后，在书馆中病逝。

戴震的主要著作有《原善》《绪言》《孟子字义疏证》《水经注校》《六书音均表序》《考工记图注》《勾股割圜记》等。他治学以乾隆二十二年（1757）与惠栋相交为界，可分为前后两期，前期对理学大体持肯定态度，后期则批评理学。对宋明理学他并没有抛弃其使用的范畴和概念，而是对它们进行重新解读，创造出有别于宋明理学的义理学。反映这方面思想的主要论作是成于晚年的《孟子字义疏证》。戴震自称“仆生平论述最大者，为《孟子字义疏证》一书，此正人心之要”[①]。后人把戴震的著作编为《戴氏遗书》，其事迹详见洪榜的《初堂遗集》《戴先生行状》、江藩的《国朝汉学师承记》《戴震传》、段玉裁的

① 戴震：《与段茂堂等十一札·第十札》，《戴震全书》第六册，第543页。

《戴东原先生年谱》，等等。

戴震以“形而上者谓之道，形而下者谓之器”，为其整个理论导引。他对于“道”这样理解：“道指其实体实事之名。……语道于天地，举其实体实事而道自见。……语道于人，人伦日用咸道之实事”。① 戴震讲，“行亦道之统称”，“阴阳五行道之实体也，血气心知，性之实体也”。② 戴震又讲，“‘物’者，指其实体实事之名”“实体实事罔非自然，而归于必然”。③

戴震的《孟子字义疏证》卷中，有如下的一段记录：“问：‘易’曰，‘形而上者谓之道，形而下者谓之器。’……朱子云，‘阴阳气也，形而下者也。所以一阴一阳者，理也，形而上者也。道，即理之谓也’……‘易’之解可得问欤？曰：气化之于品物，则形而上下之分也。形乃品物之谓，非气化之谓。‘易’又有之：‘立天之道，曰阴曰阳’。直举阴阳，不问辨别‘所以阴阳’而始可当道之称。……一阴一阳流行不已，夫是之谓道而已。古人言辞，‘之谓’‘谓之’有异。凡曰‘之谓’，以上所称解下，如‘中庸’‘天命之谓性，率性之谓道，修道之谓教’，此为性道教言之，若曰：性也者天命之谓也，道也者率性之谓也，教也者修道之谓也。‘易’‘一阴一阳谓之道’，则为天道言之，若曰：道也者，一阴一阳之谓也。凡曰‘谓之“者，以下所称之名辨上之实。如‘中庸’‘自诚明谓之性，自明诚谓之教’，此非为性教言之，以性教区别‘自诚明’‘自明诚’二者耳。‘易’‘形而上者谓之道，形而下者谓之器’，本非为道器言之，以道器区别其‘形而上’‘形而下’耳。形谓已成形质。形而上犹曰形以前；形而下犹曰形以后。（如言‘千载而上，千

① 戴震：《孟子字义疏证》卷下。

② 戴震：《孟子字义疏证》卷中，《天道》，《戴震全书》第六册，第175页。

③ 戴震：《孟子字义疏证》卷上。

载而下'，'诗'，'下武维周'，'郑笺'云：'下犹后也。'）阴阳之未成形质，是谓形而上者也，非形而下明矣。器言乎一成而不变，道言乎体物而不可遗。不徒阴阳非形而下，如五行金木水火土有质可见，固形而下也，器也，其五行之气，人物咸禀受于此，则形而上者也。……六经孔孟之书，不问理气之辨，而后儒创言之，遂以阴阳属形而下，实失道之名义也"。[1]

戴震由"道"论"性"。

戴震把"阴阳五行"看作"道之实体"，把"血气心和"视为"性之实体"。他说："天道，五行阴阳而已矣。分而有之以成性。由其所分，限于一曲。惟人得之也，全。曲与全之数判之于生初。人虽得乎全，其间则有明闇厚薄，亦往往限于一曲，而其曲可全，此人性之与物性异也。言乎其分于道，故曰'天命之谓性'"。[2]"'性'，言乎本天地之划分而为品物者也。限于所分曰'命'，成其气类曰'性'"。[3]"人物之生，其善则与天地继承不隔者也。有天地然后有人物，有人物于是有人物之性。人与物同有欲；欲也者，性之事也。人与物同有觉；觉着也，性之能也"。[4]

戴震由"性"论"成"。

由"人物各限于所分以成其性"，戴震又专门写道："性者，分于阴阳五行以为血气心知，品物区以别焉；举凡既生以后所有之事，所具之能，所全之德，咸以是为其本；故《易》曰：'成之者性也。'气化生人生物以后，各以类滋生久矣；然类之区别，千古如是也，循其故而已矣。在气化曰阴阳，曰五行；

① 戴震：《孟子字义疏证》卷中，《天道》，《戴震全书》第六册，第176页。

② 戴震：《原善》卷上。

③ 戴震：《原善》卷上。

④ 《戴东原集》卷八，《读易繫辞论性》。

而阴阳五行之成化也，杂糅万变；是以及其流行，不特品物不同，复一类之中有复不同，凡分形气与父母，即为分于阴阳五行；人物以类滋生，皆气化之自然。《中庸》曰：‘天命之谓性。’以生限於天，故曰‘天命’。《大戴礼记》曰：‘分于道谓之命，形于一谓之性。’分于道者，分于阴阳五行也；一言乎分，则其限之于始，有偏全厚薄清浊混明之不齐，各随所分而形于一，各成其性也。然性虽不同，大致以类为之区别，故《论语》曰：‘性相近也’，此就人与人相近言之夜。《孟子》曰：‘凡同类者举相似也，何独至于人而疑之！圣人与我同类者。’言同类之相似，则异类之不相似明矣；故诘《告子》‘生之谓性’曰：‘然则犬之性犹牛之性，牛之性犹人之性与?’明乎其必不可混同言之也。天道，阴阳五行而已矣；人物之性，咸分于道，成其各殊者而已矣。”[①] 戴震又写道：“凡有生即不隔于天地之气化。……人物之生生本乎是。由其分而有之不齐，是以成性各殊。知觉运动者，统乎之全言之也。由其成性各殊，是以本之以生，见乎知觉运动也亦殊。气之自然潜运，飞潜动植皆同，此生生之机肖乎天地者也。而其本受之气与所资以养者之气则不同。……凡有血气者，皆形能动者也。由其成性各殊，故形质各殊，则其形质之动而为百体之用者，利用不利用亦殊”。[②]

戴震由“成”论“形”。

戴震认为，“天地、人物、事为，不闻无可言之理者也，《诗》曰‘有物有则’是也。物者，指其实体实事之名；则者，称其纯粹中正之名。实体实事，罔非自然，而归于必然，天地、

① 戴震：《孟子字义疏证》卷中，《性》，《戴震全书》第六册，第179～180页。
② 戴震：《孟子字义疏证》卷中。

人物、事为之理得矣。”[①] 他又说：“理者，察之而几微必区以别之名也，是故谓之分理；在物之质，曰肌理，曰腠理，曰文理（亦曰文缕。理、缕，语之转耳）；得其分则有条而不紊，谓之条理。”[②] 这样，戴震提出“气化人物，分而成性”的命题。如前所引，戴震一再强调，“天道，五行、阴阳而已矣，分而有之以成性。由其所分，限于一曲，惟人得之也全。曲与全之数，判之于生初。人虽得乎全，其间则有明暗厚薄，亦往往限于一曲，而其曲可全。此人性之与物性异也”。而戴震进而又强调，这种差异的表现在于：“人则能扩充其知，至于神明，仁义礼智无不全也。……性者，血气心知本乎阴阳五行，人物莫不区以别焉，是也”。[③]“五行、阴阳者，天地之事能也，是以人之事能与天地之德协。事与天地之德协，而其见于动也亦易。与天地之德违，则遂己之欲，伤于仁而为之；从己之欲，伤于礼仪而为之。”[④]“人与百物各如其性以为形质”，“形争臭味无一弗具而无可见”，“人之形官器得用于远乎物。”[⑤]

戴震由“形”论“行”。

戴震写道：“道，犹行也，气化流行，生生不息，是故谓之道。《易》曰：‘一阴一阳谓之道。’《洪范》：‘五行：一曰水，二曰火，三曰木，四曰金，五曰土。’行亦道之统称，《诗载驰》‘女子善怀，亦各有其行’，《毛傅》云：‘行，道也。’《竹竿》‘女子有形，遠兄弟父母’，《郑笺》云：‘行，道也。’举阴阳则赅五行，阴阳各具五行也；举五行即赅阴阳，无行各有阴阳也。

① 戴震：《孟子字义疏证》卷上，《理》，《戴震全书》第六册，第164页。
② 戴震：《孟子字义疏证》卷上，《理》，《戴震全书》第六册，第151页。
③ 戴震：《孟子字义疏证》卷中。
④ 戴震：《原善》卷上，《戴震全书》第六册，第12页。
⑤ 戴震：《孟子字义疏证》。

《大戴礼记》曰：‘分于道谓之命，形于一谓之性。’言分于阴阳五行以有人物，而人物各限于所分以成其性。阴阳五行，道之实体也，血气心知，性之实体也。有实体，故可分；惟分也，故不齐。古人言性惟本于天道如是。”[①] 就此，戴震在知行问题上讲到：“条理得于心，其心渊然而条理，是为智”；[②] “思也，心之能也”；[③] “心之精爽……索照者不谬也……不谬谓之得理”；[④]“凡异说皆主于无欲，不求无弊：重行不先重知……求其至当，即先务于知也……重行不先重之，非圣学也”。[⑤] 同时，戴震又讲道一种“完形”的生活关系，在行为方面提出了他的权乎轻重的道理。他说：“权衡之于轻重，于仁无憾、于礼仪不忿。”[⑥] 他强调尽兴、尽才与在行中“践言”一致。所以戴震说，“理义者，人之心知有思辄通，能不惑乎所行也。”[⑦]

戴震由“行”“形”论“践形”。

戴震根据颜元思想对“践形论”而作了进一步发展。戴震较为系统的表述是：“才者，人与百物各如其性以为形质，而知能遂区以别焉……气化生人生物，据其限于所分而言，谓之命，据其为人物本始而言，谓之性，据其体质而言，谓之才。由成性各殊，故才质亦殊。才质者，性之所呈也。舍才质，安睹所谓性哉?”“所谓性，所谓才，皆言乎气禀而已矣。其气禀之全则性也，其体质之全则才也。禀受之全无可据以为言，如桃杏之性全于核中之白（即桃仁、杏仁），形争臭味无一弗具而无可

① 戴震：《孟子字义疏证》卷中，《天道》，《戴震全书》第六册，第175页。
② 戴震：《原善》，《戴震全书》第六册。
③ 戴震：《绪言·卷中》。
④ 戴震：《绪言·卷中》。
⑤ 戴震：《孟子字义疏证》。
⑥ 戴震：《孟子字义疏证》。
⑦ 戴震：《孟子字义疏证》，卷中。

见，及萌芽甲坼，根干枝叶，桃与杏各殊，由是为华为实，形色臭味无不区以别者，虽性则然，皆具才见之耳——人之形官器利用大远乎物，然而于人之道不能无关，是不践此形也，犹言之而行不逮，是不践此言也。践形之于尽性，尽其才，其义一也。”①

戴震的践形论，以由自然归于必然。关于“自然”与“必然”，在中国思想史上，诸家有过许多论述。作为老子书的《道德经》上有“莫之命而常自然”，“道法自然”，讲“自然”、“无为”等等。这里主要讲的是一种天然、自然而然，强调一种本然状态。另外，《庄子·德充符》中有“常因自然而不益也”，《韩非子·大体篇》中有“守成理，因自然”，这是一种无意识无为无造的自然。王充《论衡》中专有一篇谓“自然篇”。其中写道：“何知天之自然也？以天无口目也。案有为者，口目之类也。口欲食而目欲视，有嗜欲于内，发之于外，口目求之，得以为利，欲之为也……天动不欲以生物，而物自生，此则自然也；施不欲为物，而物自为，此则无为也”。显然，这里还是偏重于在自然而然的意义上讲自然。他充分强调了自然的“无为”性质。同时王充又说：“然虽自然，亦须有为辅助。耒耜耕耘，因春播中者，人之为也。及谷入地，日夜长大，人不能为也”。如果揠苗助长，“夫欲为自然者”，即想要代替自然，“为之者，败之道也”。这样，王充由他的哲学观点出发，认为“道家论自然，不知引物事以验其行，故自然之说未见信也”。王充重视自然而然，而且强调知引物事以验其行才能使关于自然之说可信，这里的自然与其说是天之自然，不如说就是感知中的自然界。由于他重视自然而轻视有为，所以他不赞成以人之有为去干预

① 戴震：《孟子字义疏证》。

自然界。在王充这里似乎只有无为的自然界才是自然，而人之有为即不是自然，在这种“自然”中缺乏把意识的必然性很协调地概括进去。三国魏何晏的《无名论》则讲：“夏侯玄曰：‘天地以自然运，圣人以自然用。’自然者，道也。”这就把天地的自然运行和圣人的自然运用都概括到自然中去了。后来王弼的《老子注·五章》讲：“天地任自然，无为无造，万物自相治理。”这是讲天地自然。嵇康的《难自然好学论》讲：“六经引以为主，人性以纵欲为欢，抑引则违其愿，纵欲而得自然。”他明确把人之生理欲望也看成是自然。我在专著《塑造论哲学导引》中曾就此揭示：“自然”这个词可以笼统地指自然而然，这紧接着带来的问题是：无为的是自然，那有为的是否能自然？所以“自然”这个词还可以区分出“天地自然运”之自然和“圣人自然用”之自然。这又紧接着带来的问题是：自然界是自然，人性是否自然？因此“自然”这个词又可以详细说出人的伦理自然和人的欲求自然。这进而带来的问题是：伦理可以应自然，而欲求（特别是生理欲望）可否应自然？对于后一点，有人持否定态度，有人持肯定态度。从塑造论哲学方法的角度看过去，对于“自然”应把其中包括的统一又可区别开的“必然性”作为特定的含义提取出来。在魏晋时期的名教与自然的争论中对这一点并没有自觉做到。而清代戴震的《孟子字义疏证·理》中说：“自然与必然，非二事也”，强调了它们的统一性，但毕竟使用了两个概念来表达。

戴震分别“自然”与“必然”。他所谓的“必然”，非指现在通常所谓必然，而是当然或应当的意思。戴震以为人生之大道在于由自然而归于必然。戴震说：“由血气之自然，而审察之以知其必然，是之谓理义。自然之与必然，非二事也。就其自然明之尽而无几微之失焉，是其必然也。如是而后无憾，如是而后安，是乃自然之极则。若任其自然，而流于失，转丧其自然，而百自然也。故归于必然，适完其自然。”[①] 后来，戴震在《孟子字义疏证》的定稿中写道：“人之异于物者，人能明于自然，百物之生各遂其自然也”，[②] 并把前面的话改为“自然之与必然非二事也，如是而后无憾，如是而后安，是乃自然之极则。若任其自然而流于失，转丧其自然，而非自然也。故归于必然，适完其自然。”[③] 足以见得，他既把必然与自然分开，又强调了它们的统一，而且要统一于自然。

在戴震看来，欲乃生养之本，情乃感通之愿。理想不在绝情去欲，而在于由欲情而求其无失无憾。欲而不私，遂己之欲亦遂人之欲；情而不偏，达己之情变达人之情，便是道德。所以能达情遂欲者，在于知知而不蔽，即是智巧。由巧乃能尽善恶之极致，由智乃能尽是非之极致。理学家与心学家，多喜讲“为欲所蔽”，戴震则谓欲与蔽并无关系。他说：“凡出于欲，无非以生养之事，欲之失为私不为蔽。自以为得理，而所执之实谬，乃蔽而不明。天下古今之人，其大患私与蔽二端而已；私生于欲之失，蔽生于知之失……圣人治天下，体民之情，遂民之欲，而王道备。”[④] 由此戴震涉及了“仁”、“义”、“礼”。他说：“仁者，生生之德也。‘民之质矣，日用饮食，无非人道。所以生生者，一生遂其生，推之而与天下共遂其生，仁也。言仁可以赅义；使亲爱长养不协于正大之情，则义有未尽，亦即为仁有未至。言仁可以赅理；使无亲疏上下之辨，则礼失而仁亦未为得。且言义可以赅理，言理可以赅义。先王之礼教，无非正大之情；君子之精义也，断首亲疏上下，不爽几微。而举

① 戴震：《孟子字义疏证》。
② 戴震：《孟子字义疏证》。
③ 戴震：《绪言》。
④ 戴震：《孟子字义疏证》。

义举理可以赅仁，又无疑也。”[①]

戴震重要的在于十分强调在道与行的统一中达到“成”“诚”。他使用了“道”或“人道”这样的概念，而他所讲的“人道”是“人伦日用，身之所行”，故“居处，饮食，言动，自身而周于身之所亲，无不该焉”。[②] 他强调“理在事情”，而对于“道”，则说“道犹行也”，[③] “道指其实体实事之名……语道于天地举其实体实事二道自见……语道人，人伦日用咸道之实事”。[④] 这样，戴震把行与名、实与物贯通起来，他讲：“天地之物事为，不闻无可言之理者也。‘诗’曰‘有物有则’是也。‘物者’，指其实体实事之名，‘则’者，称其纯粹中正之名。实体实事罔非自然，而非于自然，天地之物事为之理得矣。”[⑤] 依此戴震还提出了一个重要论点，这就是“由词以通道”。

三、李光地的“存实心”、“明实理”、“行实事”

李光地（1642—1718）字晋卿，号厚安，因曾于家乡筑榕村书舍，故又号榕村，谥文贞，福建安溪县人。从他记事时起，家道已经破落，“既窭且贫，崎岖多难，或衣披不完，或饘粝不饱，或遁荒遁野，风雪飘摇”[⑥] 其父兆庆，无有功名，以教授生徒为业，虽“贫无宅舍”，但“独喜蓄濂、洛、关、闽之书”，即使“橐无赢资而购辑不择价”。由于家教的影响，李光地从18岁起，究心性理之学，对理学诸编，夜录昼诵，务求“穷极深微”，并“敛衣冠，谨坐起，非程、朱不敢言”，乡人讥之为

① 戴震：《孟子字义疏证》。
② 戴震：《孟子字义疏证》。
③ 戴震：《孟子字义疏证》。
④ 戴震：《孟子字义疏证》。
⑤ 戴震：《孟子字义疏证》。
⑥ 李光地：《榕村全集》卷十一《母太夫人七十征言引》。

“假道学”。此后数年，以其在理学上的根底，分别于康熙五年（公元1666年）中举人，康熙九年（公元1670年）中进士，被选为翰林院庶吉士，授编修。他又历任侍读学士（1677年）、内阁学士（1679年）、翰林院掌院学士（1686年）等。康熙二十八年（1689年）被贬为通政使，后又历任兵部侍郎、顺天学政、工部侍郎等。康熙后期任吏部尚书（1703年，康熙四十二年）、文渊阁大学士（1705年，康熙四十四年）等。作为理学名臣，李光地与清康熙关系密切，时常讲学问对。圣祖博学，凡历算、音律弥不通晓，李光地奏进文字，常得到康熙称赞，以至于说：“李光地久任讲幄，简任纶扉，谨慎清勤，始终如一。且学问渊博，研究经籍，讲求象数，虚心请益。知之最真无有如朕者，知朕亦无有过于李光地者。”[1] 李光地是清廷尊朱的有力推动者，参与主持编纂《朱子全书》《性理精义》《周易折中》等。他也留下自己的大量著作，主要有《周易通论》《周易观象》，以及《尚书解义》《古乐经传》《诗所》《大学古本说》《中庸章段》《中庸余论》《论语杂记》《孟子杂记》《朱子礼纂》《榕村语录》《榕存文集》等。

在学问上，李光地主张由虚返实，并提出为学三大纲领，即“一曰存实心，二曰明实理，三曰行实事”。[2] 他在学术上既不同意程朱的“理本”论，又不同意陆王的“心本”论。他是基于“性本”论，由“性实心虚”而主张“存实心”、“明实理”、“行实事”。

（一）关于“存实心”。

① 《清史列传》第三册，中华书局1987年版，第718页。

② 李光地：《榕村语录》卷二十三，《学一》，《榕村语录榕村续语录》上，中华书局1995年版，第411页。

李光地在评论朱陆之争时说："吾学本天，彼学本心"。[①] 他认为，朱学以"性"为"天地所赋"，陆王以"性"为"心"之固有。并且特别指出，陆王"只守一心"[②]，重内轻外，"便破败百出"。[③] 所以，李光地说："夫告孟之差，朱陆之异也，在乎心性之源不合，仁义之实不著"。[④] 李光地认为，"朱陆之异"，要以是否"明性"为依归。

李光地肯定程朱能"明性"，在此问题上继承了儒家的统绪。他说："孔子而后，孟子独出诸儒者以明性也；程、朱得继孔、孟之统者，亦以明性也。"[⑤] 这里，前一句是转引二程的话，后一句是他自己的发挥。他又说："知性者儒，孟子之后，董、韩其几矣。周、程、张、朱所为继绝学者以此。"[⑥] 他认为程、朱在人性问题上的贡献是："性字自孔、孟后，唯董江都明于天性，知人贵于物数句说得好。自后汨于佛老，都是以气质为性，以心之灵明为性。至韩文公既以仁、义、礼、智为性，却又疑孟子性善之说，难道有不好的仁、义、礼、智、信？直到程、朱出来把性字说一个透。"[⑦] 按李光地的说法，程、朱以仁、义、礼、智为"性"，明确了"性善"的内涵，为"性善论"找到根据，并解决了韩愈"性三品说"中的矛盾，这就把问题说透了。因为，"见得性善，则人我一也，便能感化人成就人"。[⑧]"所以性善之说明，便见得天下之人皆有性善，老吾老以及人之老，

① 李光地：《榕村全集》卷八《要旨续记》。
② 李光地：《榕村语录》卷一《经学总论》。
③ 李光地：《榕村语录》卷四《下论》。
④ 李光地：《榕村全集》卷八《要旨续记》。
⑤ 李光地：《榕村全集》卷十六《说一·性说二》。
⑥ 李光地：《榕村全集》卷一《观澜录·学》。
⑦ 李光地：《榕村语录》卷二十五，《性命》。
⑧ 李光地：《榕村语录》卷二十《诸子》。

幼吾幼以及人之幼，养之教之，欢欣和厚。”[①]

李光地讲“存实心”，由“明性”说到“诚”。他论“诚”说：“所谓诚其意者，至此谓知本，以能得言也。自曾子所受于夫子，而传之子思、孟子者，一诚而已。《大学》自均平、齐、治，本之诚意，犹《中庸》《孟子》自治民获上顺亲信友，本之诚身也。诚，则有以成己，有以成物。而明德、新民、止至善之道，在我所谓明善、格物，盖所以启思诚之端，而非思诚以外事也。诚身者，统言之也。自此心之存、之发，至一言一事，皆必致其实焉之谓也。诚意者，诚身之要也。意者，心之所主也，心主于为善，然而存之不固，发之不果、不确，是无实也。欲善者本心之明，今而无实，非自欺而何？原其所以如此者，盖以意藏于内，其实不实，己所独知，非人之所及检，是以每陷于自欺之域而不顾。惟君子慎独以诚意，诚意以诚身，则心正、身修而明德，明矣。”[②] 这里讲诚即是孔门一以贯之的真精神，也是修养工夫的要领，知此皆为知本。于是李光地强调，《大学》讲的“明明德、新民、止于至善”这三纲离不开诚，是诚的作用。他又说：“自明者，以诚明之也。新民者，以诚新之也。仁、敬、孝、慈、信，各止其所，以诚止之也。以其分有明德、新民之殊，而贯之者一诚而已。”[③]

李光地由其关于“存实心”的见解，对程朱的理论既基本肯定，同时也有批评。如李光地根据“性”“人人有之”、“时时有之”的观点，对于《中庸章句》中“至诚尽性”一章以下，认为朱子分天道、人道都是“硬派”，“不甚贴合”，意谓朱熹以性为天道，唯圣人能尽之，而无人欲之私；以教为人道，贤人

① 李光地：《榕村语录》卷二十五，《性命》。

② 李光地：《榕村全集》卷六，《初夏录·大学篇》，第603页。

③ 李光地：《榕村全集》卷六，《初夏录·大学篇》，第603页。

通过教化，推致其善端而至于善的说法，实质上是将一般人划出了“性善”的范围。他说：“性者，天地所赋予我，与民、物共之者也”[①]。他又说：“仁与智皆性之所自有也，内而己，外而物，若是两样，便照不见，推不行。唯照之便见，推之便行，故成己与成物是合内外之道”，[②] 并且举例说：“如天下雨一般，何尝于江河多些，于沟渠蹄涔少些，于清流处清些，于臭秽处浊些，都是一样。”[③] 再例如，李光地“于《大学》则说古本”，针对朱熹《大学章句》而发，他说：“地读朱子之书垂五十年，凡如《易》之卜筮，《诗》之雅、郑，周子无极之旨，邵氏先天之传，呶呶粉拿，至今未熄，皆能烛以不惑，老而愈坚。独于此书（指《大学章句》）亦牵勉应和焉，而非所谓心通而默契者。间考郑氏注本，寻逐经意，窃疑旧贯之仍文从理得，况知本诚身二意，尤为作《大学》者枢要所存，似不应使溷于众目中。”[④] 李光地认为，“知本诚身”为《大学》的枢要，这是他不能与《大学章句》“心通而默契”的症结所在。他在解释“明明德”时亦说：“明德，指性不指心；明明德，合知性养性而言。”[⑤]“《大学》明白在明明德”，“全部便可豁然”。[⑥] 这自然与《大学章句》不尽一致。在《大学章句》“此为知本”句下，程注云：“衍文也。”把“知本”视为多余的文字。在“此为知之至”句下，朱熹以为有缺文，特补《大学格物致知传》一篇。这一删一补，表明了程朱之所重。李光地认为，“格物致知”是为“知本诚身”、“知性养性”服务的，如果突出其在《大学》

① 李光地：《榕村语录》卷八《中庸章段》。

② 李光地：《榕村语录》卷八《中庸章段》。

③ 李光地：《榕村语录》卷十八《宋六子》一。

④ 李光地：《大学古本私记旧序》。

⑤ 李光地：《榕村语录》卷一《大学》。

⑥ 李光地：《榕村语录》卷十五《春秋》一。

中的地位，把“穷理”置于“明性”之上，就是舍本而求其末。所以，他主张取消“补传”。

李光地反对陆、王“以心为性”，认为陆学使“心”无有“凭据”，“是学术不是”；他批评王守仁的言词较为激烈，宣称王学乃佛教“直指人心，立地成佛耳，其流毒无穷”，[①] 同时，他也承元、明以来朱、陆合流的余绪，对陆王之学采取了既有否定又有肯定的态度。他十分赞赏陆王对《大学》《中庸》旨趣的分析，他说：“以知本为格物，象山之说也，与程、朱之说相助，则大学之教明矣。”[②]“姚江之言曰：‘《大学》只是诚意，诚意之至，便是至善；《中庸》只是诚身，诚身之至，便是至诚。’愚谓王氏此言，虽曾、思复出，必有取焉。”[③] 由于陆王强调“知本”、“诚身”，在“明性”方面弥补了程朱的不足，两家并非冰炭水火。他也十分赞赏“良知”说，明确表示：“阳明子曰：‘人之良知，即草木瓦石之良知也，盖天地万物与人本于一体也。’愚以为阳明之言似矣。”[④] 因为确认人、物具有“良知”，也就是肯定了人性皆善。在他看来，这既符合程朱论性的内容，又符合理学万物一体之说，因而是可取的。

（二）关于“明实理”。

李光地指认“性实心虚”。所以他主张要“存实心”必须“明实理”。因此他对理学中的“理”字尤加关注，反复申论，并详尽探讨了理气、理性、理事等关系，以其完善对“理”的认识。

关于“理与气”的关系。蔡清认为，天地间二气滚做一团，

① 李光地：《榕村语录》卷二十《诸子》。

② 李光地：《榕村全集》卷一《观澜录·学》。

③ 李光地：《榕村全集》卷六《初夏录·大学篇》。

④ 李光地：《榕村全集》卷二《经书笔记》。

其不乱处就是理。罗钦顺则认为，理即气的转折处，如春转到夏，夏转到秋，从古到今，何尝有一毫差错，这便是理。李光地不赞同此说，但不知其病在何处。后来读到薛瑄《读书录》，有性即气之最好处，颇赏其语而未畅。五十一岁后，忽然觉得以上三句皆有偏差，认为他们没有理解"理气先后"的内涵，说："先有理而后有气，不是今日有了理，明日才有气。如形而上者为道，形而下者为器，岂判然分作两截？只是论等级，毕竟道属上，器属下；论层次，毕竟理在先，气在后。理能生气，气不能生理。""理气固不可分作两截，然岂得谓无先后？如有仁之理，一感于事，便有温和之气。有义之理，一感于事，便有果决之气。"[①] 李光地又说："气也者，何也？阴阳、动静、明晦、出入、浮沉、升降、清浊、融结，盈乎天地之间，而淆以降命，曰离是而有理焉，孰从而证诸？夫阴阳、动静，振古而然也，至于今不异也。出入、明晦，振古而然也，至于今不异也。浮沉、升降、清浊、融结，振古而然也，至于今不异也。不异之为常，有常之为当然，当然之为自然，自然之为其所以然。是故皋陶谓之天，伊尹谓之命，刘子谓之天地之中，孔子谓之道，谓之太极，程子、朱子谓之理。程子之论道器也，曰道上器下，然器亦道也，道亦器也。朱子之论理气也，曰理先气后，然理即气也，气即理也。"[②]

关于"理与性"的关系。李光地说："程子言性即理也，今当言理即性也，不知性之即理，则以习为性，而混于善恶；以空为性，而入于虚无。不知理之即性，则求高深之理，而差于

① 李光地：《榕村语录》卷二十六《理气》，《榕村语录·榕村续语录》上，中华书局1995年版，第455～456页。

② 李光地：《榕村全集》卷八《尊朱要旨·理气》，《四库全书》1324册，第639页。

日用；溺泛滥之理，而昧于本源。性即理也，是天命之无妄也；理即性也，是万物之皆备也。理即性也，实实有个个体在，即《乾》之元，而人之性也。有此，便不得不动，不得不静。故朱子解太极曰：即阴阳，而指其本体不杂乎阴阳而言。极精。”①

关于“理与事”的关系。李光地说：“君臣、父子、夫妇、昆弟、朋友，不相紊乱，这是理。然此理，不是到事物上才有。性即有仁义礼智，不可混矣。命即有阴阳五行，不可乱矣。顺性命之理，说得最好。性命即理也。程子说性即理也，是因人把性字说空了，故指点此句。其实在事物为理，人之所秉为性，天之所降为命。命本以天言，性本以人言，理本以事物言。道亦理也，但理以事物条理言，道以人所行之路言。然又曰形而上者谓之道，曰天道，曰天理，曰天心，皆是借用字眼。”② 李光地赞同朱熹的格物说，认为“格物”就是“格事”中的“理”，指出：“格物之说，至程朱而精，然物有本末一节，即是引起此意。物事即物也；本末始终，即物中之理也。格之，则知所先后，而自诚意以下，一以贯之矣。象山陆子看得融洽，未可以同异忽之。朱子解物字，亦言事物之理，可见物字兼事也。《章句》表里精粗四字，似不如本末、终始之为亲切。然精即本，粗即末，表即终，里即始也。《大学》除此处，别无物字，而道理又极完全。以此诠格物之意，则程朱之义益明，而古注、涑水、姚江之说皆绌矣。”③ 关于格物，李光地称陆九渊关于格物看得融洽。这主要是指“陆象山《答赵咏道书》，引

① 李光地：《榕村语录》卷二十六《理气》，《榕村语录榕村续语录》上，中华书局1995年版，第457页。

② 李光地：《榕村语录》卷二十六《理气》，《榕村语录·榕村续语录》上，中华书局1995年版，第457～458页。

③ 李光地：《榕村语录》卷一《大学》，《榕村语录榕村续语录》上，中华书局1995年版，第9页。

《大学》从物有本末起，至格物止，引得极精。两物字便是一个，把物之本末，事之终始讲究明白，便知所先后。未有知本末终始，而尚倒置从事者。知所先后，便有下手处，岂不近道。”[①] 这里把事物理解为终始本末，而其中贯穿着理，格物是格事中之理，表现为一个循序渐进的过程。

（三）关于“行实事”。

李光地重视了“力行”这一概念。他说：“《西铭》自知化穷神，直说到厚生玉成，所谓穷理尽性以至于命，工夫皆备，又定之以中正仁义而主静。何以定，何以静，亦未言明，却得明道《定性书》阐之。所谓定者，动亦定，静亦定。然廓然大公者，仁之所以为体；物来顺应者，义之所以为用。体在于大公，即所谓主静也。但工夫节次尚未详密，又得伊川《好学论》补之，其曰真而静，静即主静之静，真即无极之真，实本《太极图说》以立言。至下明诸心，知所养，然后力行以求至。指出力行二字，而途辙具矣。四书合而首尾完备。”[②]

由李光地对“理学四书”基本思想的概括，可见得他强调“行实事”体现于其关于“力行”的论说之中。在他看来，《西铭》以“乾称父，坤称母”发挥《太极图说》最下二圈之理，使人从“累进而直上”中懂得“乾坤却是我大年难老之大父母”，从而“读书明理”以尽性。从“厚生玉成”尽己之性，到尽人物之性，推己而及人。《定性书》用“主静”作为尽性的主要途径。《好学论》又以“力行”去实现尽性的目标。经过李光地的解释，从《太极图说》的“见人与天地之性一”到《西铭》的“尽性”，《定性书》的“主静”，以至《好学论》的“力行”，

① 李光地：《榕村语录》卷一《大学》，《榕村语录榕村续语录》上，中华书局1995年版，第8～9页。

② 李光地：《榕村语录》卷十八《宋六子》一。

这“合而首尾完备”。

李光地告诫君主治理天下应以民为根本，其依据是：“大抵天生民而立之司牧，非徒以荣之，将使助天而生养斯民也。苟以救民为心，虽汤、武之放伐，《大易》以为顺天应人；管仲之事仇，圣人以为仁。孟子曰：‘民为贵，社稷次之’，所见精矣。”① 他把圣人看成是众人的缩影，说：“《中庸》说得浑厚，云百世以俟圣人而不惑。”“然却有一层征诸庶民的道理。盖论到全体，必俟圣人始可不惑，若零零星星凑拢将来，则合众人之公，便是一圣人。”② 一些学者把《论语》“民可使由之，不可使知之”这句话理解为有不相信民众之嫌，李光地怀疑这是断章取义，他讲，“《论语》多是记录文字，多剪头去尾”，“上面必有凡民都使之知的说话”③。在他看来，孔子是相信民众的。

李光地又说：“治天下，样样皆当讲求。第一是要有根本。汤曰：朕躬有罪，无以万方；万方有罪，罪在朕躬。武王曰：作之君，作之师，有罪无罪，惟我在，天下何敢有越厥志？一人横行于天下，武王耻之。有此，便要算他作圣人。”④ 这里是讲，汤、武之所以是历史上的圣王，在于他们治国理民敢于承担责任，即便是别人有什么过错，也首先反省自己，从不强加于人，如此率先垂范，上行下效，天下大治。

李光地强调做实事，他说：“圣人老吾老，幼吾幼，以及人

---

① 李光地：《榕村语录》卷二十二《历代》，《榕村语录榕村续语录》上，中华书局 1995 年版，第 397 页。

② 李光地：《榕村语录》卷二十三《学一》，《榕村语录榕村续语录》上，中华书局 1995 年版，第 413 页。

③ 李光地：《榕村语录》卷三《上论二》，《榕村语录榕村续语录》上，中华书局 1995 年版，第 41 页。

④ 李光地：《榕村语录》卷二十七《治道一》，《榕村语录榕村续语录》上，中华书局 1995 年版，第 476～477 页。

之老、幼，毫无所勉强。但至要做实事，便到底是他的老幼不在一家住，这里便要安排。须是替他制田里，教树畜，有许多事。"① 他也注意到商业的发展，说："古者安于邦域，人鲜轻赍远游之事，故务谷米麻丝而民自足。今也仕宦商旅万里纷然，金币之重亦势也。居官者不能率之务本而遏其分，方且与之攘夺而崇其竞，是胥上下而市也。""民无以耕，山泽关市之利与民共之可也。"②

李光地由"行实事"来讨论知行关系问题。当有人问向他问及朱子主张知先行后有何根据？他引经据典回答道："非知之艰，行之艰也；博学于文，约之以礼也；格物致知，诚意正心修身也，智、仁、勇也；择善，固执也；知言，养气也；始条理，终条理也；知天事天也，皆其据也。《易》曰，乾知大始，坤作成物，乾以易知，坤以简能。易则易知，简则易从。盖阳先阴后，阳知阴能。阳为神理，为心；阴为辙迹，为事。""然则人性之德，动于智，生于仁，盛于礼，止于义。然则君子之学，启于智，存于仁，达于礼，成于义。知行之序，性命之理，不可易矣。"③

李光地由其"行实事"所讲的知行观是建立在"明善知性"的基础之上的。他说："学有知行，本于性之有智、仁"。④ 这是说，"知"发于"智"，表现为"博学审问谨思明辨"；"行"发于"仁"，表现为"惩忿窒欲迁善改过"。李光地还提出，在知行关系上，以朱熹"知先行后"说为"不偏而无弊"，并发挥

① 李光地：《榕村语录》卷十一《周易三》，《榕村语录榕村续语录》，中华书局1995年版，第203～204页。

② 李光地：《榕村全集》卷一《观澜集》，《四库全书》1324册，第541页。

③ 李光地：《榕村全集》卷八《尊朱要旨·知行一》，《四库全书》1324册，第643页。

④ 李光地：《榕村全集》卷八《尊朱要旨》，《要旨续记》。

《易·系辞上》“乾坤”之义予以论证。他引述道：“《易》曰：‘乾知大始，坤作成物。乾以易知，坤以简能。易则易知，简则易从。’盖阳先阴后，阳知阴能。阳为神，理为心；阳为辙，迹为事。”[①] 据孔颖达疏，这是以“阳气阴形”说明“神”“物”“能”“事”。李光地则以“阳先阴后”，“阳为神”、“阴为事”，说明“知先行后”的“知行之序，性命之理，不可易矣”。他认为知行虽有如朱熹所云“知愈真则行愈力”，“行愈笃则知愈至”的相互促进作用，但绝非王学的“知行合一”，两者不得“混而一之”，以免流入所谓的“虚无”、“寂灭”之地。关于“知行之序”，李光地企图为“学者立法”。为此，他综合朱熹以“敬”贯“知行”、胡宏、陈淳以“立志”、“虚心”为“知行先”，等说，提出“立志”、“居敬”（亦称“持敬”）为“知行”之本。他说：“圣人之学，唯知与行，知行之本在立志与持敬。”[②] 这里所谓“志”，“志其趋向”。“立志”即指得“仁”、行“仁”的一种“念念不舍”、“拳拳服膺而弗失”，无顷刻之间违反的“趋向”。[③]“敬”即“心虚而无邪”。“心虚”以存志；“无邪”以正志。所以“居敬”即“持志”，“立志而居敬以持之，则存之又存而成于性矣”[④]。只有这样，才能将知行纳入“成于性”的轨道。他说：“故欲行而不知，则怅怅然其何之；求知而不敬，则心昏然不能须臾；敬而非志，则又安得所谓日强之效也。且志而非敬，则此志何以常存；敬而非知，则措其心于空虚之地；知而非行，则理皆非在我而无实矣。然四者虽相须并进，而其序既有先后，则得效亦有难易浅深，故夫子曰：‘吾吾十有五而

① 李光地：《榕村全集》卷八《尊朱要旨》。

② 李光地：《榕村全集》卷六《初夏录·仁智篇》。

③ 李光地：《榕村全集》，《读论语札记》。

④ 李光地：《榕村全集》卷六《初夏录·诚明篇》。

志于学’，志已立矣，；‘三十而立’，盖敬始成也；自‘不惑’，‘知命’、‘耳顺’，而知始精；又至从心不逾矩，而行始熟。”①这是说，“行”不以“知”，则迷茫不知所措；“知”不以“敬”，则昏然无所归依；“敬”不以“志”，则难收进取之效。但就先后、难易、浅深而言，则“立志”为先，“居敬”次之，“知行”又次之，并推出孔子自述为证，以树立其说的经典根据。李光地比他的前辈更加强调知行应具有一定的目的。

李光地专门讨论了“敬”。他指出：“敬者，动容貌，谨威仪，正辞色，敛心志，必有事焉，而在乎用其力，不用其力之间。”“敬与行对，而知在其中，《易》之直内方外，《中庸》戒惧谨独是也。敬与知对，而行在其中，《中庸》尊德性，道学问，程子之涵养，进学是已。”② 他发挥朱子的观点写道：“朱子谓，致知不以可敬，则昏昧纷扰，而无以察理义之归。力行不以敬，则颓堕放肆，而无以践理义之实。然则敬与知行混而为一，盖可见矣。”③ 论敬必涉及静。关于敬与静的关系，李光地有如下说法：“程子举其全，周子目其要。乾之学也，敬也，故其象曰，终日乾乾，夕惕若。艮之学也，静也，故其彖曰，艮其背不获其身，行其庭不见其人。夫动静者，时也，流行者，命也。夙寤丕显，酬应群物而无邪也。响晦安身，闭塞万动而不息也，推之作止由是，推之语默由是，推之发虑息机由是，是之谓居敬。然阴阳相生，以静为本，故贞者事之干，艮者万

① 李光地：《榕村全集》卷六《初夏录·诚明篇》。

② 李光地：《榕村全集》卷八《尊朱要旨·主敬一》，《四库全书》1324册，第645页。

③ 李光地：《榕村全集》卷六《初夏录一·中庸篇》，《四库全书》1324册，第607页。

物之所以成始成终也。”① 李光地的理解中，注意到敬与静两者各有侧重。以《易》卦为例：乾卦主敬，大“象”说“终日乾乾，夕惕若”，意为时刻保持刚健而不松懈。艮卦意为止即静之义，其“象”说“艮其背不获其身，行其庭不见其人”，指修养不为利欲所动。乾卦为原生卦反映易卦之全，其他卦包括艮卦在内皆有乾、坤互交演生。至于动静则是一种时间流向，万物生养离不开它。其实敬不仅包括动也内含静，所以，李光地又说：“其曰昏昧，曰颓堕，以静之时言也；曰纷扰，曰放肆，以动之时言也。则敬贯乎动静，而知行亦贯乎动静，又可见矣。”② 可见，李光地认为，敬贯穿动静使动静适度，敬包括知行，知行也与动静相贯通。③

与李光地同时以理学名臣显赫于世且强调“主敬”的，还有张伯行。张伯行（1651—1725）字孝先，河南仪封人，康熙二十四年进士，官至礼部尚书，谥清恪。其主要著作有：《性理正宗》《道学源流》《困学录》《困学录续录》和《正谊堂文集》等；此外，还编有《正谊堂全书》，集先儒之遗言和著述。张伯行治学笃守程朱，而力辟王守仁之说，认为“千圣之学，括于一敬，故学莫先于主敬”。所以张伯行自号“敬庵”。其著述繁多，然多因袭旧说，理论上无多大发明。清初理学家陆世仪、陆陇其、李光地等人，都有类似情况。这说明宋明理学至此颓势已十分明显。

李光地学宗朱熹，间有不满朱熹的言论。其理学思想，比

---

① 李光地：《榕村全集》卷八《尊朱要旨·主敬二》，《四库全书》1324 册，第 648 页。

② 李光地：《榕村全集》卷六《初夏录一·中庸篇》，《四库全书》1324 册，第 607 页。

③ 参见汤一介、李中华主编，汪学勤著：《中国儒学史》（清代卷），北京大学出版社 2011 年版，第 160～161 页。

较陈旧，少有发明。由于得到康熙的宠信，仕历显达，因而在当时有一定影响。他对西方传教士的科学技艺，抱开明态度。他与梅文鼎交往，学习几何学、三角等数学，这是他的学术思想中的新因素。但是，将此比附理学观点，这就显得可笑了。

李光地不反对西学进入中国，他说："西洋人不可谓之奇技淫巧，盖皆有用之物，如仪器……自鸣钟之类。《易经》自庖牺没，神农作；神农没，尧、舜作，张大其词，却说及作舟车、耒耜、杵臼、弧矢之类，可见工之利用极大，《周官》一本《考工记》，全说车"。① 同时，他批评西人"不知天人相通之理"。他说："西人历算比中国自觉细密，但不知天人相通之理。如古人说，日变修德，月变修刑。西人便说日月交食、五星凌犯乃运行定数，无关灾异。不知天与人君，犹父母也。父母或有病，饮食不进，岂不是风寒燥湿所感，自然有的，但为子孙者，自应忧苦求所以然之故。必先自返于身，或是已有不是处触怒致然；否则，亦是我有调理不周而致然。因为彷徨求医，断无有说疾病人所时有，不须管他之理。无论天子，即督抚于一省，知府于一郡，知县于一邑，皆有社稷人民之责，皆当修省。即士庶至卑贱，似不足以召天边，然据理亦当修省。……西人此等说话，直是阴助人无忌惮、'天变不足畏'之说"。② 他承认西人学术西密，也承认天体变化是"自然有的"，但认为必须探求"所以然之故"，即从"天人同一性"上"反于身"，以敦促清初统治者重视"天变"，层层"修省"，摒弃"天变不足畏"之说，再一次重申西人之学必须为"中国"所用，不能乖背"天人相通之理"。③

① 李光地：《榕村全集》卷十四《三礼》。

② 李光地：《榕村语录》卷二十六《理气》。

③ 参见侯外庐、邱汉生、张岂之主编：《宋明理学史》下卷，人民出版社 1987 年版，第三十六章。

第十九章　现代“新儒学”及相关哲学家有关“本体论”及“诚”与“成”的见解

明清时期，中国思想史在西学东渐中受到种种思潮的冲击。之后，到20世纪初，特别是20年代以后，形成了一种以接续中华文化传统、力图以儒家学说为本位来吸纳融合西学的文化思潮，以寻求中国社会文化出路。

从中国历史的发展讲，近代以来，中国一步步沦为半殖民地半封建社会。面对西方列强和西方文化的强势冲击，中国传统文化中一些学说所形成的文化范式趋于瓦解。华夏文化中心论曾是长期以来传统儒家士大夫坚持的文化观念，但在19世纪中叶后的中西文化碰撞中，这种心态迅速走向衰弱。如果说，鸦片战争时期“师夷长技以制夷”的提出只是在这块经过几千年积淀的坚冰上凿出了一道小小的印痕，洋务运动与戊戌变法则已经开始尝试在生产层面和制度层面向西方学习。到了“五四”前后，出现了这样的情况，在一些人提出的全盘西化论、西方文化中心论的同时，与此相关联，儒学被人们看作是中国封建社会之所以没有能产生科学和民主并陷于落后挨打之境地的罪魁祸首，是与现代化逆向的精神力量；只有彻底丢弃儒学，中国文化才能完成从传统向现代的转型，中华民族才能摆脱任人宰割的悲惨命运。这时，一批先进的中国知识分子在“五四”时期不仅打出了“打倒孔家店”的大旗，而且身体力行，力图彻底割断儒家传统与现代中国之间的精神联系。伴随着中国现代社会在物质基础、制度架构和精神理念方面的巨大变化，儒学衰微到了前所未有的程度，以至于不少西方人士甚至认定存活了两千多年的儒学已经死亡。“五四”运动之后，马克思主义在中国广为传播，而面对“儒门淡泊，收拾不住”的境遇，仍有一些知识分子认为，儒学的现代复兴不仅可以解除中国文化在现代所面临的危机，而且足以为西方文明补偏救弊。[①] 正是在他们的努力下，发展出了被认为是儒学现代形态的“现代新儒学”。关于“新儒学”或“新儒家”，对此概念的基本含义，应注意到以下情况：

一是，人们曾以此指宋明理学或宋明道学。冯友兰在出版于20世纪30年代初的《中国哲学史》中写道：“唐代佛教称盛，而宋明道学家，即近所谓新儒家之学，亦即萌芽于此。”[②] 冯友兰在1948年用英文出版后又以中文在国内出版的《中国哲学简史》中说：“‘新儒家’这个名词，是一个新造的西洋名词。与‘道学’完全相等。”[③] 冯友兰及其周围的学者称，“近代所谓新儒学之学”，表明新儒家或新儒学的概念非冯友兰最早使用，应早于20世纪30年代。作为英文的“新儒家”概念更为晚出，是20世纪40年代末前后“新造的”。这个概念就是指陈宋明道学。钱穆在1931年出版的《国学概论》中说：“追寻之于孔孟六经，重振淑世之化，阴袭道院、禅林之绪余，而开新儒学之机运者，则所谓宋明理学是也。”[④] 此处使用“新儒学”概念的时间与冯友兰大致同时或略早，也是指宋明理学。在成于20世

① 参见李翔海：《现代新儒学评述》，《求是》，2006年第6期。

② 冯友兰：《中国哲学史》，中华书局1961年版，第800页。

③ 冯友兰：《中国哲学简史》，北京大学出版社1985年版，第308页。

④ 钱穆：《国学概论》，商务印书馆1997年版，第193页。

纪40年代早期的《中国文化史导论》中，钱穆多次使用“新儒家”和“新儒学”的概念，如云：“直要到宋代新儒家兴起，再从禅宗思想转进一步……他们（禅宗高僧——引者注）与那时盛行的新儒家思想，还是息息相通”，“宋代新儒学兴起，他们讲的是万物一体之道”，“中国新儒家，以书院自由讲学为根据，一面代替宗教深入社会，一面主张清议上干政治……而那时的新儒家更有一番重要的新贡献”。①

二是，“新儒家”或“新儒学”泛指中国新文化。贺麟这样讲：“广义的新儒家思想的发展或儒家思想的新开展，就是中国现代思潮的主潮”。② 正因为贺麟把“新儒家思想的开展”理解为中华民族新文化的重建，他主张把深刻认识和理解西洋文化作为儒家思想新开展的关键问题，并通过学术文化方面的哲学化、宗教化、艺术化来融合中西文化。

三是，“现代新儒家”，亦称“当代新儒家”、“儒学的第三期发展”，特指中国20世纪“五四”时期至中华人民共和国建国前30年间产生以至后来发展起来的，通过弘扬中国传统文化特别是儒学精粹，融合西方近代文化精神，以创建中国新文化为目标的一种学术思潮或学术群落，其代表人物主要有梁漱溟、张君劢、马一浮、熊十力、冯友兰、贺麟、钱穆等。③

下面，我们主要由本书关心的论题，对以上涉及的学说进行一些评析。

---

① 钱穆：《中国文化史导论》，商务印书馆1994年版，第180～181页，第188页，第190页。

② 贺麟：《文化与人生》，商务印书馆1988年版，第4页。

③ 以上参见柴文华：《现代新儒学的主要类型和特征》，《学术交流》，2004年第1期。

第一节　关于"本体""实体""实在"，以及"本体论"，主要由熊十力哲学来讲

一、西方哲学史中的"本体""本体论"与中国哲学史上的"本体""本体论"

（一）通过研究可以见得，在这时期学者提出的种种学说及其论述中，大量关心了他们所讲的"本体论"；同时也可以看到，在其中明显地存在着一些问题：把中国传统文化与西方哲学史上的学说相嫁接，既有提出新见解的方面，也有食洋不化而造成理论混乱的方面；使西方关于本体论的界定及其中的争论，感染于中国文化之中；把中国的"本体"概念与西方的"本体"概念及相关概念的某些含义混淆了。

1. 由本书前面的论述，可以看到，关于"本体"的概念，在西方哲学史上走过了自身的过程：即在历史上由作为 ousia 的本体，到 substance 的本体，再到作为 substance 与 noumeno 两个层面意义上的本体，经历了不同形态的演进。

（1）作为 ousia 意义上的"本体"。古希腊，在柏拉图《斐多篇》中，被亚里士多德哲学后来指认为本体的 ousia，这个概念往往也用作"本质"。这在《斐多篇》中的意思相当于"定义"[①]，显然"定义"相关于"本质"。而对于亚里士多德哲学中的 ousia，人们曾经根据其意义往往译为"存有"，而从本体论的意义上译为"本体"。当然，在亚里士多德体系中，区分了第

① 柏拉图：《斐多篇》，245e.

一 ousia、第二 ousia，即第一本体、第二本体。第一 ousia，是带终极性的，指“这一个”，又指“形式”；第二 ousia，在“种、属”中，往往作为谓项说明主体。在亚里士多德讲来，“第一 ousia”可用以指谓一个事物真正“是”的本质。这是作为以“to ti en einai”特别强调的，指谓事物中最持久的东西。由此出发，亚里士多德在“to ti en einai”这一术语使用中，强调着“恒久不变”的含义。其在这种“恒定性”意义上，往往也被理解成“本质”。亚里士多德的著作在此问题上往往显得说不清楚。亚里士多德所强调的“第一哲学”，是讨论 to on 的哲学；作为 to on 现在分词的 ousia，一直成为亚里士多德哲学解析的主要内容。由亚里士多德对 ousia 作出的分析，有人便将其哲学名为 ousiology。如果把 ousia 译为“本体”则 ousiology 便成为“本体论”。所以出现了用 ousiology 这个词表示本体论的情况。

（2）作为 substance 意义上的本体。在中世纪，拉丁神学家在讨论“三位一体”时，曾倾向于把希腊文的 ousia 用拉丁文的 substantia 代替。根据当时的情况，以中文翻译的理解而进行区别，曾把前者译作“存有”或“存在”，把后者译作“本体”或“实体”。与此相联系，中世纪的一些哲学家还主张以拉丁文的 Persona 代替希腊文的 hypostasis；由当时讨论“三位一体”的解释，以中文来理解，前者因为带有“存有者”或“存在者”的意思，故把此用于表示相当于“三位一体”中的“位格”，以区别于可当作“本质”讲的 hypostasis。从哲学史的演进上说，这固然有利于避开以往在说明“圣父、圣子、圣灵”时，以希腊文表述，对“本质”与“本体”概念说不清楚的困难；但因为与此相关的若干概念的意义不能在拉丁文中找到相应的概念词来表示，阻碍了拉丁学者关于形而上及神学体系的建构。所以后来的波埃修主张把 essentia 归结为本质，使与希腊文 einai

相当的 esse 表示存在，用 id guod est 表示"是这个"。这就要对 substantia 与 subsistantia 作出区分，让 subsistantia 代替 hypostasis，体现了它带"本质"含义又有与 essentia（本质）不同的意义，在中文翻译中人们往往用以指认"实质"，并且表示"种"和"属"这类性质的实在性。这就把"位格"的概念确立了起来，即将其留给了与 hypostasis 不同的 persona。从而保持了既不用原来表示本质的 hypostasis 表示本质，又用 persona 来表示作为"位格"的存在者。同时，波埃修主张，以带有 subs（在下面）意义的 substantia 表述"本体"。所以他以 substance 去译 ousia，开了以 substance 表示本体的先河。

（3）到康德，通过对 apparance 与 phaenomena 的区分，对作为本体的 substance 和 noumena 作出了区别，形成了关于物自体（自在之物）在其哲学体系中的界定和论证，由此构成了他的哲学体系。

"Noumena"一词来自古希腊词 noumenon，人们往往认为，最早见于柏拉图的著作中。《理想国》第六卷等文献中曾几次出现这个词。迄今，对于 noumenon 的中文译名不统一。郭斌和、张竹明合译《理想国》把这个词译为"可理知事物"或"可知世界"，与"可见世界"相对。[①] 苗力田主编的《古希腊哲学》将这个词译为"理智的对象"或"可知世界"，以与"视觉对象""可见世界"相对。[②] 北京大学哲学系外国哲学史教研室编译的《西方哲学原著选读》上卷将 noumenon 译为"可知的东

① 柏拉图：《理想国》，郭斌和、张竹明译，商务印书馆 1986 年版，第 266 页、第 268 页。

② 见苗力田主编：《古希腊哲学》，中国人民大学出版社 1989 年版，第 314 页、第 316 页。

西”，以与“可见的东西”相对。[①] 有关学者对此认为，尽管意思相差不多，但是把“noumenon”译为“可（理）知事物”比译作“可（理）知世界”要更为妥当，因为上述各书另把“noeitos topos”译为“可（理）知世界”，当然有时也译为“理念世界”。[②] 在希腊语英语对照的“洛布古典丛书”版中把这个词译为“the intelligible religion”。而有学者指出，“noumenon”与“noeitos topos”这两个词的意思显然是有所不同的，所以主张，在汉语当中分别译作“可（理）知事物”和“可（理）知世界”才能把两者区分开。从意思上说，前者是指柏拉图所说的一个一个“形相”（指向“万物”），后者则是指一般的“形相”（也常译为“理念”），即其作为普遍、作为一个整体。

康德有关于“现象界”和“自在之物”相区分的理论框架，这其实是源于柏拉图的两个世界论，但是在观点上和具体的表述中有很大不同，可以说康德是从外部世界转向人的自身。柏拉图称为“可见世界”（horatos topos）或“可感世界”（doxasta）的东西，在康德那里称为“现象（界）”（Phaenomena，这个词是古希腊词“phainomeinon”的转写）；而柏拉图的“noumenon”一词，在康德那里则借用过来指谓他所说的“自在之物”（Ding an sich，汉语中还往往译为“物自体”或“物自身”），将此与“现象”相对而言。但是，康德所说的“自在之物”具有两重性即两种含义。一方面称它是“理智（存在）物”、“思想（存在）物”。例如他说：“作为我们的感官对象而存在于我们之外的物是已有的，只是这些物自身可能是什么样子，我们一点也不知道，我们只知道它们的现象，也就是当它

① 北京大学哲学系外国哲学史教研室编译：《西方哲学原著选读》上卷，商务印书馆1981年版，第91页。

② 苗力田：《古希腊哲学》，中国人民大学出版社1989年版，第316页。

们作用于我们感官时在我们之内所产生的表象。”①，下面这段话则同时讲了两个方面：“理智由于承认了现象，从而也就承认了自在之物本身的存在，并且因此我们就可以说，把这样的东西表现为现象的基础，也就是说，它不过是理智存在体（Verstandeswesen）”②

人们还注意到，柏拉图所用的“noumenon”一词基本上是单义的，主要指“可（理）知事物”，而康德所用的“Noumena”一词则是多义的，也可以说，由中文的翻译看，其词义是含混的。从哲学术语的翻译史来看，单义词比较容易找到或者找出恰当的译名并且易于得到理论认可和统一的理解，多义词及含混的词语则难以找到或者找出恰当的译名并且易于产生不同的理解。通俗地说，双关语或多关语（一语双关或一语多关）难以翻译，往往必须另外加以说明和解释，而意思单一、明确的话语则基本上没有这种困难。康德的“Noumena”因此才曾出现过许多不同的汉文译名。

在井上哲次郎等编的《哲学词汇》（1881）中，“Noumena”译为“质体”，“Ding an sich”则译为“实体”。在日本哲学家井上圆了所著的《真理金针》一书（1887年）中，已经多次出现“本体”和“现象”这两个汉文词。三宅雄二郎所著《哲学涓滴》（1889年）第四部分“批判法的哲学”以《纯粹道理批判》为书名介绍了康德的《纯粹理性批判》，其中所用的汉文译名是“实体”和“现象”，而另外把“Substanz”一词译为“本体”。③清野勉撰述的《韩图纯理批判解说》（1986年版，即《康德〈纯

① 康德：《未来形而上学导论》，庞景仁译，商务印书馆1978年版，第50页。
② 康德：《未来形而上学导论》，庞景仁译，商务印书馆1978年版，第86页。
③ 《日本哲学全书》第六卷，“西洋哲学篇”第150和179页。

粹理性批判〉解说》）一书中把“Noumena”译为“本体”。[①] 在卫魏礼贤等编《德英华文科学字典》（1911年）中，“Noumenon”译为“实体、物之自然”，“Ding an sich”译为“实体、真性、真如、本相”，这些译名显然带有着浓厚的佛教色彩。值得注意的是，可能成为后患的是，有的辞书和著作中，竟然主张将Noumenon译为“实在”。例如，在井上哲次郎等编的《英文佛教和哲学词汇》（1912年）中，“Noumenon”译作“实在、实体、本体”，“Ding an sich”译为“物如、物其自身、自存物”。当然，在上世纪初，Noumenon在中文中就已多译为“本体”。例如，在樊炳清编《哲学辞典》（1926年）中，就把“Noumenon”译为“本体”，“Ding an sich”译为“物自身”，“Phaenomena”译为“现象”。此后，不论在日本还是在中国，大都把康德的“Noumena”一词译为“本体”并沿用至今。

尽管如此，近年来仍有学者提出不同的意见，例如建议把它改译为“意会体”[②]。显然这是由于：一方面，中国古代文献中原有的“本体”一词的词义本来就不太统一；另一方面，康德所用的“Noumena”一词由中文看也是多义的，这也与他的学说本来带很大缺陷也有很大关系。当然，用汉文“本体”一词作为Noumena的译名不能说令人完全满意，不过看来也很难找到更恰当的汉文译名了；所以在许多与此有关的中文译著中往往辅之以仔细解释或者再附上外语原文。而“意会体”这个译名并没有涵盖康德的“Noumena”一词的二重性质，这只考虑到其“思想存在物”的意思，而减弱或者说忽略了其“物自体”的意思。

---

① 《日本哲学全书》第六卷，“西洋哲学篇”第233页。

② 参见谢遐龄：《马克思本体论的几个界限问题》，《学术月刊》，1991年第2期。

2. 在中国哲学史上，许多哲学体系使用过"本体"这个词。本体由"本"和"体"两个字词来组成。

(1) 中国思想史上的"本体"重在于强调"本"。关于"本"，中国古籍中解释说："本，根也"，"始也"，"原也"。"本"在原初意义上与"末"相对。"本"、"末"原为形象的指事字："本木下曰本"，"木上曰末"。本指木之根，末指木之梢，后来衍生出"本根""本原""本性""本质""本体"和"末节""末端""末终""末后"等多种含义。"本""末"概念，原初无很强的哲学意义，后来形成特别的哲学意义。《周易·系辞下》有，"刚柔者，立本者"。《庄子·天下》言："以本为精，以物为粗"。唐成玄英疏："道为精"。意指道为万物之本。《孟子·滕文公上》写到："且天之生万物也，使之一本，而夷子二本故也"；指出天地万物之本只有一个，而墨家夷子则主张二本。东汉的仲长统则提出"人事为本、天道为末"。魏晋玄学主张"以无为本"。王弼认为《老子》的"道"是天地万物之本，称"本"为"母"，提出"举本统末""崇本息末"。王弼主张"以无为本"认为"寂然至无是其本矣"。他讲到："本在无为，母在无名，弃本舍母而适其子，功虽大焉，必有不济"。[①] 所以说"崇本以举其末，则形名俱有而邪不生，太美配天而华不作"。[②] 王弼强调，"明本"，"得本以知末"，"不舍本以逐末也"。他认为孔子讲的"予欲无言"，说就是"欲明本，举本统末，而示物于极者也"。他把《老子》的哲学概括为一句话："崇本息末而已矣"。佛教般若学中的本无派继承了这种"崇本息末"的观点，如道安说："夫人之所滞，滞在末有，宅心本无，则斯累豁

① 王弼：《〈老子〉注三十八章》。

② 王弼：《〈老子〉注三十八章》。

矣。夫崇本可以息末者，盖此之谓也”。[①] 北宋邵雍提出：“道为天地之本，天地为万物之本”。[②] 南宋朱熹以“理”为“本”，讲到“有是理便有是气，但理是本”。[③] 他又说“太极如一本生上，分而为枝干，又分而生花生叶，生生不穷”[④]，把“太极”譬如木之本。明末清初的王夫之主张“观物象以推道，循末以测本”，这是一种与“崇本息末”观点不同的本末观。近代的郑观应则说：“中学其本也，西学其末也。主以中学，辅以西学”。[⑤]

关于“体”，中国古籍中解释道：“体，成形也”，“生也”。[⑥]《荀子·富国》中讲：“万物同宇而异体”。三国魏王弼《老子注·三十八》上写有：“不能舍无以为本也”。西晋裴颜的《崇有论》则有“自生而必体有”。唐崔憬《周易探元》卷下写道，“体者，即形质也”。北宋王安石的《老子注》中讲，“体者，元气之不动”。程颐讲“体用一源，显微无间”[⑦]；南宋朱熹以“理”为体，还讲“性是体，情是用”[⑧]。明清之际的王夫之以“实有”为“体”，他说，“吾从其用而知其体之有，岂待疑哉?”[⑨]

（2）在中国，“本体”概念的出现和使用有个过程。学者们考证，早在象数易学中“本体”一词就已出现。例如，西汉京房的《易传》使用了“本体”这个词。京房讲的“本体”是指

① 昙济：《七宗论》。
② 《观物内篇》。
③ 《朱子语类》卷一。
④ 《朱子语类》卷七五。
⑤ 《盛世危言·西学》。
⑥ 参见《经籍籑诂》，中华书局 1982 年版，第 1122、1069 页。
⑦ 程颐：《易传序》。
⑧ 《朱子语类》卷五。
⑨ 《周易外传》卷三。

由纯阳爻和纯阴爻构成的乾坤本初卦体。他在解艮卦时说："乾分三阳为长中少，至艮为少男。本体属阳，阳极则止，反生阴象。"①

人们往往认为，在中国，"本"与"体"合成的"本体"，这是就内而言，而在外则与"象"密切相关。但着眼于"象"容易执着于外部迹象，为强化"本体"，便有了"正象"、"本象"之说。京房在推演未济卦时称："阴阳二位，各复本体，六爻交互，异于正象。"三国吴陆绩注解说："离炎上，坎务下，二象不合。各殊阴阳交纳，是以异于本象也。"② 未济卦由上离下坎构成，虽然九二、六五"世应得位"，离坎复归于乾坤"本体"，但由于离火炎上而坎水润下，六爻运动造成的是阴阳"二象"殊途不交，从而异于水火二象"坎离相纳"的"本象"或"正象"（如既济卦象）。作为"立位见隔，睽于上下"③ 的未济卦的卦象，就只能属于与"本象"相反的"异象"。因此，"本象"或"正象"的重点，不在"象"，而在"本"（本初）、在"正"（基准）。人们认为，"本"与"象"论实际上构成了中国哲学关于本体与现象关系的认识。

东汉以后，易学家仍通行以乾坤阴阳说本体，但又附加了新的含义。如荀爽解否卦九五爻辞"系于包桑"说："包者，乾坤相包也；桑者，上玄下黄，以象乾坤也。乾职在上，坤体在下，虽欲消乾，系其本体，不能亡也。"④ 显然这里强调了"本体"首先是"实"体，此即上乾下坤相互包覆的卦体。以桑树作譬，其树上体叶青而下体干黄，象征乾天（色玄）与坤地

① 《京氏易传解读·艮》，卢央解读，九州出版社 2004 年版，第 473 页。
② 《京氏易传解读·未济》，卢央解读，九州出版社 2004 年版，第 503 页。
③ 《京氏易传解读·未济》，卢央解读，九州出版社 2004 年版，第 503 页。
④ 李道平：《周易集解纂疏》，中华书局 1994 年版，第 178 页。

（色黄）。二体的关系是，坤体势力向上而有可能侵蚀乾，但乾体即“本体”因其自身维系牢固，故不会受到坤体侵蚀作用的损害，本体具有常住不亡的性质。同时，本体自身的常住性并不影响“交易”或变化的进行。姚信解释上离下艮的旅卦说：“此本否卦，三五交易，去其本体，故曰客旅。”①旅卦由否卦的六三爻与九五爻相交互易而来。然而一旦交易，就离开了本体，成为只能暂时寓居的“客旅”。在本体与“客旅”之间，贯穿的正是常住性与变动性的关系。随着“本体”一词的这种创生，成为描述潜藏、本来、基准和常住不变等卦体属性和内涵的概念。

汤用彤先生以魏晋玄学的“本末体用论”作为中国哲学真正出现本体论的开端。②同时不可忽视的是，魏晋南北朝时期，“本体”一词已开始广泛使用于不同的领域。这既显示了人们越来越注意以当时所理解的“本体”之论的方式来思维，也在拓展于不同领域中使之减弱了哲学意味。

例如，西晋司马彪以“本体”释性，开始言“本体”为人性。这要从《庄子》书说起。《庄子》书曾有“骈拇枝指出乎性哉，而侈于德；附赘县疣出乎形哉，而侈于性”。司马彪明确以“本体”释“性”。他说：“性，人之本体也。骈拇，枝指，附赘，县疣，此四者各出于形性，而非形性之正，于众人为侈耳。于形为侈，于性为多，故在手为莫用之肉，于立足为无施之指也。”③可见，司马彪明确主张由人之“本体”论“性”。在中国哲学史上开了以“性”为“本体”之先河。他试图说明仁义等是强加于自然的。这就如同“骈拇枝指”、“附赘县疣”一样，

① 李道平：《周易集解纂疏》，中华书局1994年版，第490页。

② 汤用彤：《魏晋玄学论稿》，上海古籍出版社2001年版，第43～44页。

③ 郭庆藩：《庄子集释》，中华书局1994年版，第312页注引。

是对“本性”即“本体”的戕害。在司马彪那里，固然理论上并不完善，而他毕竟说到，由“本体”生发的现象是有可能背离“本体”或“本性”的。这是对“本体”哲学意义揭示的阐发。

又例如，魏晋名士阮籍在其《乐论》中讲到“本体”。阮籍撰《乐论》，讲到音乐发生依赖于乐器的基础并受其制约，“故八音有本体，五声有自然，其同物者以大小相君。有自然，故不可乱；大小相君，故可得而平也。”[①] 这里的“八音”指钟、磬、鼓、琴等八类乐器，“本体”则指构成这些乐器的金、石、革、丝等。这里蕴含着“本体”与“自然”的关系，强调作为声响的自然是“本体”。在这里，以五声可以模仿自然，乐曲的韵律协调和音响效果则是对本体的摩拟。这里虽然把“本体”概念的意义拓展了，但其哲学本体论的意味显然大有丧失。

还例如，南北朝的刘勰以“立有本体”讲文论中的“本体”规范。以《文心雕龙》闻名于后世的刘勰，是他那个时代较多使用“本体”概念的学者之一。刘勰通过“本末”关系阐发“本体”。他说：“情理设位，文采行乎其中。刚柔以立本，变通以趋时。立本有体，意或偏长；趋时无方，辞或繁杂。蹊要所司，职在镕裁，隐括情理，矫揉文采也。规范本体谓之镕，剪截浮词未知裁。裁则芜秽不生，镕则纲领昭畅。”[②] 他强调，由于立本趋时可能不完善，所以需要镕裁加工，以裁截浮词规范“本体”。所以，他以“本体”来说明关于“言尽意”的道理。这里很难说是真正哲学意义上的本体，但显示了把“本体”概念拓展于中国文论的很有特点的智慧。

唐五代至宋既有儒学进一步的兴起，也有佛教的进一步扩

① 《阮籍集校注》，陈伯君校注，中华书局1987年版，第85页。

② 《文心雕龙注》，第543页。

展。儒学逐步形成了与关于本体论辩相伴随。以禅宗为代表的顿悟说在唐宋以后成为佛教很有影响的理念。从哲学的层面说，在禅宗那里，“顿悟”之可能正在于体用不二的本体论辩为其提供了基本的理论预设。在这一预设的构架下，真性与假象、菩提与无明的名言对立，恰是互为条件已支持其理论。延寿（904—975）说：“古释云：头无得失者，头喻真性，无明迷时，性亦不失；无明歇时，亦不别得。歇即菩提者，但悟本体。五现量识、一切万行皆悉具足，即是菩提。如《涅槃经》云：一切众生，本来成佛；无漏智性，本自具足。又，顿从渐得名，俱称方便。古释云：若据说顿，亦是方便。若云渐顿俱是，亦谤于佛；俱不是，亦谤于佛。”[1] 这里强调了，真性或无漏智性并不受暗昧迷惑与否的主观状态的影响，这是成佛智慧生起或实现对本体的悟解必须的前提，否则，觉悟成佛及佛教的一切修炼活动都失去了意义。而真性本体的超越性又是以对现实万象的依赖性为条件的，没有后者，前者同样也没有意义。例如延寿讲，修炼是以体感经验的方式实现对本体的证悟。佛教讲体用不二，在修炼功夫上有顿法与渐法，都是为方便的缘故，说到底只有一法，即相对于渐而说顿，相对于顿而有渐。那种认为二法俱是或二法俱不是的观点，由于违背了一体不二的根本原则，成为对佛法的毁谤。禅宗讲顿悟，也有修炼，都指向着对本体的证悟。延寿辞世于宋初，此时中国佛教的经典《坛经》已广泛流传于世。宋初《坛经》的两个重要编本，即惠昕本和契嵩本，都在唐法海本的“法以心传心，当令自悟（自解）”之后，加上了“自古佛佛唯传本体，师师密付本心”[2] 之说。这表

① 《宗镜录》卷十七，载《大正藏》第48册，日本大正一切经刊行会1979年，第505页上。

② 参见郭朋：《〈坛经〉对勘》，齐鲁书社1981年版，第19～21页。

明宋初的佛教学者，注重利用“本体”概念去宣示他们的心中所想。但对于“本体”，联系论述的上下文，直接是指佛佛相传之“衣”（袈裟）。其以“衣”与“心”相对应而论本体。这是从方便的角度，为“师师密付本心”提供必需的前提。既然体用不二为禅宗所信守，“衣”之重要，在于其成为传法之“信体”，借助于它才能体悟传心之秘诀。正因为如此，信体的作用尽在传心之中，体在用中而实现自身。所以，由传“衣”为载体，彰显的是“本体”与“本心”事实上合而为一。然而体用不二并不意味体用的区分没有必要，事实上，既谓之“体”、“用”，概念双方就必有自己哲学指向，哲学的思辨也就离不开本体和迹用的对偶范畴。沿着“本体”与“迹”，因此，契嵩（1007—1072）进一步地阐明：“教化，迹也；道，本体也。窥迹，则宜其有大有常；极本，则皇与帝者宜一。孔氏可谓见其徼者也，乌足以知道渊邪?”[①] 这里讲的“大”与“常”指孔安国所谓三皇的大道与五帝的常道。契嵩认为这样的区分并没有太多的意义，因为它只留意了显于外的教迹而丢掉了藏于内的本体。问题在于，是只停留于浅表的教化迹象还是透过它们而进入到渊深之道或哲学本体。所以，契嵩讲他与孔安国的根本区别是，“彼孔氏者以迹其教化而目之也，吾本其道真而言之也”[②]。也就是说，“得在于心通，失在于迹较”[③]，只有在“心通”的前提下才有可能。对此，儒家学者也有共识。李翱当年已经论述过“以心通”达到“以事解”的问题。作为佛教儒学

① 《镡津文集》，载《大正藏》第52册，日本大正一切经刊行会1979年，第672页中。

② 《镡津文集》，载《大正藏》第52册，日本大正一切经刊行会1979年，第672页中。

③ 《镡津文集》，载《大正藏》第52册，日本大正一切经刊行会1979年，第654页下。

化大师的契嵩，有可能接触过李翱的学说。

到北宋的张载，“本体”概念被作为哲学体系中的范畴，正规纳入其哲学体系，并在其哲学体系中占据了重要地位。张载在其《正蒙》一书中的开始就论述道：“太虚无形，气之本体；其聚其散，变化之客形尔”[①]。这里讲到太虚是“气”的“本体”。张岱年先生对此说：“客形是变化不定的形态，本体是本来恒常的状况。”[②] 有学者认为，张载以至虚和永恒规定“本体”，说明他吸收了玄学以“无”、佛学以虚空言本体在理论上的教益，主张认真看待至虚和至实的关系。张载所讲的“太虚”出于《庄子》，然郭象与成玄英已释“太虚”为虚远不应之地和深玄之理。张载在总结儒道释论辩的基础上兼有所取，而落实于清纯湛一之性上。他由世界变化不定、须从虚言实这一观点出发，引申出“太虚”“本体”的概念，强调“天地之道无非以至虚为实”，所以要“于虚中求出实”。张载进而讲到“客形”，他认为，“太虚”的“至实”是相对于聚散气化而言的。“无感无形”的“本体”的意义，只有通过“客感客形”的气化才能为人所了解，虚气双方本是不可分离的关系。张载说：“知虚空即气，则有无、隐显、神化、性命通一无二，顾聚散、出入、行不行，能推本所从来，则深于《易》者也。”[③]

大约也是在这一时期司马光同成为在北宋较早在儒学意义上哲学体系中使用“本体”概念的人。他在注《易传·系辞上》的“乾坤，其易之缊邪”一段时，继承了易学以乾坤阴阳为本体之说：“缊，聚也。阴阳者，易之本体，万物之所聚。”一个

① 《张载集》，中华书局 1987 年版，第 7 页。

② 张岱年：《中国古典哲学概念范畴要论》，中国社会科学出版社 1989 年版，第 66 页。

③ 《张载集》，中华书局 1978 年版，第 8 页。

"易"字，包含了阴阳之气的本体与万物凝聚的现实，而乾坤与易变就是"更相为用"的。"'是故形而上者谓之道'，无形之中，自然有此至理。在天为阴阳，在人为仁义。'形而下者谓之器'，有形可考，在天为品物，在地为礼法"。① 司马光曾被朱熹列为"理学六先生"之一，他使用"本体"概念时，主张与当时通常使用的"体"这一概念作出区别。譬如他在《资治通鉴》中叙西晋初杜预奏对"黜陟之课"时，虽然遵照唐房玄龄等撰《晋书》的记载，然而他却将《晋书》中"以违其体"② 改为"以违本体"③。这一修改既表明在司马光看来，在此就"体"与"本体"含义来讲，"本体"比"体"更为贴切。

后来，到二程，固然由其与张载在哲学体系上的不同，多言"理"，不言"太虚"，所以他少用"本体"之谓。而实际上他是把"理"看作是本体的。譬如在程颐与弟子的讨论中，他批评张载讲的"太虚"："语及太虚。曰：'亦无太虚'。遂指虚曰：'皆是理，安得谓之虚？天下无实于理者'"。④ 二程对张载的批评，实乃由"理"本体论对"太虚"本体论的批评。

虽然二程由批评张载"太虚"的原因，不愿使用"本体"的概念，但其弟子们对本体概念却加以发展，将其推广到性、心、气等方面。谢良佐认为："性，本体也；目视耳听手举足运见于作用者，心也。自孟子没，天下学者向外驰求，不识自家宝藏，被他佛氏窥见一斑半点，遂将擎拳竖脚底事把持在手，敢自尊大，轻视中国学士大夫。而世人莫敢与之争，又从而信

---

① 《温公易说》，载文渊阁《四库全书》本第8册，台北商务印书馆，1986年，第643页。

② 见《晋书·杜预传》。

③ 见《资治通鉴·晋纪一》。

④ 《二程集》，中华书局1981年版，第66页。

向归依之，使圣学有传，岂至此乎?”[1] 现在有学者在作了以上引述后评论说，谢良佐所论，即讲内在性的心性本体论，可以说已经进入到中国本体论哲学的核心，这与外在性的道器（形而上下）本体论相比，更能体现中国本体论哲学的特色。[2]

另外，作为谢良佐同门的游酢则更进了一步，讲到“心之本体”。游酢写道：“孟子曰：‘仁，人心也。’则仁之为言，得其本心而已。心之本体，则喜怒哀乐之未发者是也。惟其狥已之私，则汩于忿欲而人道熄矣。诚能胜人心之私以还道心之公，则将视人如已，视物如人，而心之本体见矣。”[3] “尽其心则心地无余蕴，而性之本体见矣；知其性，则广大悉备，天理全而人伪泯矣”。[4] 这里强调，本体作为性体，实际就是天理，心、性、理成为同一层次的本体论范畴，并借助未发的先天性和绝对性，为确立儒家的道德形上提供必要的基石。

与谢良佐和游酢的心性本体论不同，杨时论“本体”则继续承接了以气论本体一脉。他在阐释孟子的浩然之气时说：“通天下一气耳。天地其体也，气体之充也，人受天地之中以生，均一气耳，故至大。集义所生，故至刚。气之刚大，以直养而无害，则塞乎天地之间，盖气之本体也。气无形声之可名，故难言也。而以道义配之，所以著名之也。”[5]

（3）研究者评论说，体用、本末双方的共同作用，构成了中国哲学本体论的重要内容。到两宋之际，“本体”概念和本体论的思辨方式已经广泛地运用于中国哲学的概念框架和理论推

① 《上蔡语录》上，第 567 页。

② 见向世骏：《中国哲学的“本体”概念与“本体论”》，载《哲学研究》2010 年第 9 期。

③ 《游山集》，第 641 页。

④ 《游山集》，第 654 页。

⑤ 《龟山集》，第 172 页。

导，这不但意味着以太虚、天理为本体的新理论的产生，也意味着以心性、理气范畴为标志的新哲学对以讨论无有、空假、性相等话题的魏晋隋唐旧哲学的取代①；一直到南宋以朱熹为代表、明代王阳明为代表以及之后的中国哲学家更普遍地使用带有中国哲学特点的“本体”概念，并由此构建自己的哲学体系。

二、熊十力关于“本体”“实体”“实在”以及关于“本体论”的见解

基于以上理论背景，我们从熊十力的论述说起，解析所谓“现代新儒家”关于“本体”、“实体”、“实在”，以及关于“本体论”的见解。

熊十力（1884－1968），原名升恒，字子真。其哲学思想以儒为宗，又糅合佛学，主要发挥《周易》、陆王心学和佛教大乘空宗法相唯识之学，同时吸纳西方哲学，创建了他的“新唯识论”体系。他认为，哲学的大旨在于穷究“本体”。他说宇宙万物是本体流行的迹象本体又非离“本心”的外在境界，故“天地万物皆吾一体”②。他指出“本体”流行，即功能显用，有“翕”“辟”二极，“翕”凝成物，“辟”遍运为心，强调“返求本心”，认为如能见“本体”，则官天地，役万物，自性无亏欠。熊十力的著作主要有《新唯识论》《破“破新唯识论”》《十力语要》《佛家名相通释》《读经示要》《体用论》《明心篇》《乾坤衍》《原儒》等。

1. 关于“哲学分类”中的“本体论”“宇宙论”“人生论”。

熊十力讲到：“哲学中分类，略如下。一、本体论，一名形

---

① 以上参用，向世俊：《中国哲学的“本体”概念与“本体论”》，载《哲学研究》2010 年第 9 期。

② 《十力语要》卷一。

而上学。即穷究宇宙实体之学。二、宇宙论，即解释宇宙万象（现象界）之学。三、人生论，参究生命本性及察识吾人生活内容。求去杂染，而发挥固有德用，复其天地万物同体之真。（俗或名生活哲学，稍欠妥）。四、知识论，亦云认识论。”“如上四类，在西洋哲学中，或不免分截太甚。而在中国哲学上，向无此等分立之名目。但就哲学家用力言，实应依上述四类，分别去参究。吾人今日依四类，以探索中国哲学，即见其包含此四类，而毫无遗漏。四类中唯本体论，是万理之所从出。一切学术之归宿处。一切知识之根源。”①

熊十力对于他强调的，本体论是“形而上学”，“即穷研宇宙实体之学”，解释说，“据我的意思，西洋哲学上实体一词，与佛家所谓法性，（法性，具云万法实性，犹云一切物之本体），“易学所谓‘形而上者谓之道’，都是指目宇宙本体之词。尽管他们对于本体的解悟各有不同，因之说法依异，然而他们所用的名词，如实体、如法性、如形上，都是以为有所谓宇宙本体而为之称。”②

2. 关于“本体”与“实体”。

关于“本体”。熊十力定义说，“本体所以成其为本体者，略说具有如下诸义：一、本体是备万理、含万德、肇万化，法尔清净本然。法尔一词，其含义有无所待而成的意思。清净者，没有污染，即没有所谓恶之谓。本然者，本谓本来，然谓如此。当知，本体不是本无今有的，更不是由立想安立的，故说本来。他是永远不会有改变的，故以如此一词形容之。二、本体是绝对的，若有所待，便不名为一切行的本体了。三、本体是幽隐

① 熊十力：《摧惑显宗记》，载《熊十力集》，群言出版社 1993 年版，第 341 页。

② 熊十力：《新唯识论》，载《熊十力集》，群言出版社 1993 年版，第 139 页。

的，无形相的，即是没有空间性的。四、本体是恒久的，无始无终的，即是没有时间性的。（此中恒久二字并不是时间的意义，只强说为恒久。）五、本体是全的，圆满无缺的，不可剖割的。六、若说本体是不变易的，便已涵着变易了，若说本体是变易的，便已涵着不变易了，他是很难说的。本体是显现为无量无边的功用，即所谓一切行的，所以说是变易的，然而本体虽显现为万殊的功用或一切行，毕竟不曾改移他的自性。他的自性恒是清净的、刚健的、无滞碍的，所以说是不变易的。关于不变易和变易的问题，是极广大、幽奥、微妙而极难说的。我在此中不暇详论，当别为一书阐发之。如上略说六义，则所谓本体，应可明白了。”①

熊十力进一步说道：“前而所谓第一问题，即谁为能变的问题，现在可以解答，就是把一切行的本体，假说为能变了。不过说到这里，还要补充一段话。此中能变一词的能字，只是形容词，并不谓有所变与之为对。如果说能变之外，别有所变，那便划分两重世界了。又复应知，我们把本体说为能变，这是从功用立名。因为本体全显现为万殊的功用，即离用之外亦没有所谓体的缘故。我们从体之显现为万殊和不测的功用，因假说他是能变的。这能变的能字，就是从体之显现为用而形容之，以为其能。所以说，能字是形容词者。恐怕有人误会，以为本体是超脱于万殊的功用或一切行之上而有创造万有之胜能的，这样误解能字的意义，那便成邪见了。实则本体不可视同宗教家所能拟为具有人格的神，亦不可视为如人有造作一切事之能的。本体只是无能而无所不能。他显现为万殊的功用或一切行，所以说是无所不能，他不是超脱于万殊的功用或一切行之上而

① 熊十力：《新唯识论》，载《熊十力集》，群言出版社 1993 年版，第 106～107 页。

为创造者，所以说无能，故假说为能变。”“上来把本体说为能变。我们从能变这方面看，他是非常非断的。因此，遂为本体安立一个名字，叫作恒转。恒字是非断的意思，转字是非常的意思。非常非断，故名恒转。我们从本体显现为大用的方面来说，则以他是变动不居的缘故，才说非常，若是恒常，便无变动了，便不成为用了。又以他是变动不居的缘故，才说非断，如或断灭，也没有变动了，也不成为用了。不常亦不断，才是能变，才成为大用流行，所以把他叫作恒转。”①

熊十力又说：“次入第二问题，就是如何才成功这个变的问题。要解答这个问题，我们须于万变不穷之中，寻出他最根本的最普遍的法则。这种法则是什么呢？我们认为就是相反相成的一大法则。因为说到变化，就是有对的、是很生动的、有内在的矛盾的，以及于矛盾中成其发展的缘故。我们要知，变化绝不是单纯的事情，这个道理是不难理解的。如果说有单纯的事情，那就没有变化，除非有个死的世界，不会如此的，所以说变，决定要循着相反相成的法则。”②

另外，熊十力还强调，“佛家亲证如是，故说如是。我们体认所至，亦自信得如是。”“儒佛所证会于本体者，实有其相同而无所异，约大概来说，并不为附会的。”“佛家证到本体是空寂的，他似乎是特别着重在这种空寂的意义上。……易言之，不免有耽空滞寂之病。善学者如其有超脱的眼光，能将佛家重要的经典……一一理会，而通其全，综其要，当然承认佛家空观虽妙，而不免耽空；归寂虽是，而不免滞寂。”“此中观空一词：观者，如理照察义。观空者，谓照了一切法，都无自性故，

① 熊十力：《新唯识论》，载《熊十力集》，群言出版社1993年版，第107～108页。

② 熊十力：《新唯识论》，载《熊十力集》，群言出版社1993年版，第108页。

皆是空故，因得彻悟一切法之本体。又复应知，本体，无相无为，复不可执着为实物有。"①

关于本体与现象，熊十力指出，"现象与本体，是为哲学上幽深至极、而甚难解决之根本问题。""若只认现象为实在、而悍然遮拨本体。则宇宙无原，人生无原。""若置本体而不问、付之不可知。""余年四十后，始为求原之学、所最费寻思者、厥为本体与现象是否可析而为二、此一问题、常在吾脑中。若道本体是超越现象而独在、即是立乎现象之上。便于天帝不异矣。若道本体是隐于现象背后，而为众甫。""诚以体用本来不二。"②

熊十力还就他的著作《新唯识论》对于"本体"进一步论述说："《新论》言本体备万理，含万德，肇万化。学者或犹疑之，殆不深穷之过耳。本体上不容有一毫亏欠，否则云何成用。此须放下知见，默然体认。余且强以喻明。一粒谷子，当其未发现为萌芽，根干，枝叶，花实之时。而确已有此种种可能性潜在。由此譬喻，可悟本体备万理云云，并非空想或荒诞。""因明言喻取少分相似。不可求其全肖也。此以谷子喻本体。萌芽，乃至华实等，喻体用本不二。而世俗则视芽等以次渐生时，谷子已灭。并非以谷子为体，此于玄学上之体用义，不能全肖者也。唯大海水与中沤喻，形容体用不二，最合。"熊十力又说："《新论》以本体，名为功能。"（民国十一年，余在北大，唯识学讲义，已有功能章，尚据佛家本义。十四年，《新论》初稿，便以功能说为本体，而注明与旧义绝异。）亦名恒转等。""本体，非是兀然僵固之体。恒时是新新而起，永无断灭，说之为恒。等者，本体尚有多名，此不及举。""夫本体者，从一方

① 熊十力：《新唯识论》，载《熊十力集》，群言出版社 1993 年版，第 131 页。
② 熊十力：《体用论》，载《熊十力集》，群言出版社 1993 年版，第 386 页。

面言，是势用无穷之大伏藏。”“有论大论，说圆、成为大伏藏。从又一方面言，是万理皆备之大伏藏。最宜深玩，圆成，亦本体之名。”“故本体得名功能。亦得名之为理。不可以理为离异功能而托于虚也。理字，本即条理或法式，则律等义。但如以理与能，离之为二，”“功能，亦省言能。”“则理，只是空形式，既无所丽矣。能具云功能。下同。与孤存之空形式，”“即理”“又不知如何结合。云何得成物。故理与能，虽随义而异其名，要不可离之为二，皆所以目本体也。自本体具大势用而言，目之以能。”“以能目体，是即用显体义。详《新论》。”“自本体备万理，含万德而言，目之以理。”①

熊十力引申说：“《新论》发明体用，其所谓体，”“具云本体，非谓其超脱于万有之上，或隐于万有之后。”“非字，至此为句。”“虽不妨形容为万有之根源，而根源即显现为万有，非离万有而独在。故从万有言，则一一现象，皆是自根自源。”“譬如每一沤，皆具有大海水。”“孟子言形色即天性。宗门说一华一法界。一叶一如来。”“法界犹言本体，参看《通释》。如来，亦法性，或本体之异名。”“皆可由《新论》而得其的解。”②

熊十力又说，“我们凭着性智的自明自识才能实证本体，才自信真理不待外求，才自觉生活有无穷无尽的宝藏。若是不求诸自家本有的自明自识的性智，而只任量智，把本体当作外在的物事去猜度，或则凭臆想建立某种本体，或则任妄见否认了本体，这都是自绝于真理的。所以我们主张量智的效用是有限的。量智只能行于物质的宇宙，而不可以实证本体。本体是要反求自得的，本体就是吾人固有德性智。吾人必须内部生活净化和发展时，这个智才显发的。到了性智显发的时候，自然内

① 熊十力：《体用论》，载《熊十力集》，群言出版社 1993 年版，第 340 页。

② 熊十力：《体用论》，载《熊十力集》，群言出版社 1993 年版，第 340 页。

外浑融，（即是无所谓内我和外物的分界。）冥冥自证，无对待相（此智的自识，是能所不分的，所以是绝对的）。即依靠着这个智的作用去察别事物，也觉得现前一切物莫非至真至善。换句话说，即是于一切物不复起滞碍想，谓此物便是一一的呆板的物，而只见为随在都是真理显现。到此境界，现前相对的宇宙，即是绝对的真实，不更欣求所谓寂灭的境地。"①

关于"实体"。熊十力讲"本体"，又讲"实体"。他曾讲到"本体犹云实体"。② 本来，就中文翻译西方哲学文献讲，"本体"、"实体"是对同一个概念的译名。而熊十力却专门写出了两个词，即他对"本体"、"实体"，似乎是作为两个概念来阐述的。在熊十力的论述中，与前面对"本体"的规定不同，讲到对"实体"的规定是："一曰：宇宙实体具有复杂性、非单，纯性。""单者、单独。纯者、纯一。实体的性智、非单纯也。哲学家或以为实体唯是单纯的物质性、皆逞意成说、与实体不响应也。""二曰：体用不二。""体者，实体之简称，用者、功用之简称。实体变动，成为功用。而实体即是功用的自体，不可求实体于功用之外。譬于大海水变动、成为众沤的自身。不可求大海水于外。故说体用不二。俗云现象、乃功用之别称，详在《体用论》。""三曰、心物不可分割。""心物为功用的两方面、非异体故、不可分割。""此三原理，原本《大易》。今兹阐明心理。根据在斯。""复次文虽承前、而义与前别，故云复次。但此与中译佛家绪论、用复次之例稍变。""哲学心理学、非必以研究与解释精神现象，为能事而已。其所努力不敢稍懈者，唯在返己查识内部生活之渊海、是否有知是知非之明儿、炯然

① 熊十力：《摧惑显宗记》，载《熊十力集》，群言出版社 1993 年版，第 344 页。

② 熊十力：《体用论》，载《熊十力集》，群言出版社 1993 年版，第 448 页。

常在。”①

对此，熊十力又着重说明：关于“第一问。渊海、形容内部生活、丰富无穷、深邃无极也。王阳明曰，知是知非是良知。良知发于灵性，所谓明儿是也。是否有千条万绪之感染、暗然丛集。”关于“第二问。杂染一词，借用佛籍，杂者、杂乱，染者，杂污，谓不善的习气、潜伏而成坏种子、常能趁机出现于意识界也。习气本有善和不善两类。今于此处，特举不善者言之耳。于此二问，皆得明白正确解决，各明来历。”②

另外，熊十力反复论述说：“有始于无者，谓此乃有之实体。”③“有者谓一切物，无者，至真至实而无形声可睹闻耳，非空无也。”“一切物之实体，唯是是虚寂，故云虚寂乃物之极也。”“凡可象者，必以虚寂为极。”“可象谓一切物。虚寂者，至常而无形碍曰虚，至幽而无扰乱曰寂。”“泥象者，不能于象而悟虚寂。”“滞有者，不能于有而证无。”“如此固持唯物之见而牢不可破，实则一切物无定实，（非固定，非实在。）只依根本的物事即是一切物的实体所显现之一种迹象而已。”“从世俗的观点来说，便把物界看作绝不空洞的，是实在的东西。从真理的观点来看，所谓一切物，都是依着本真即本体显现之迹象，而假说名物。”④

熊十力还联系佛学所说的“法性”“本体”来讲“实体”。他说：“据我的意思，西洋哲学上实体一词，与佛家所谓法性

---

① 熊十力：《明心篇》自序，载《熊十力集》，群言出版社 1993 年版，第 70 页。

② 熊十力：《明心篇》自序，载《熊十力集》，群言出版社 1993 年版，第 70 页。

③ 熊十力：《新唯识论》，载《熊十力集》，群言出版社 1993 年版，第 115 页。

④ 熊十力：《新唯识论》，载《熊十力集》，群言出版社 1993 年版，第 115～116 页。

(法性，具云万法实性)，犹云一切物的本体。易学所谓‘形而上者谓之道’，都是指目宇宙本体之词。尽管他们对于本体的解悟各有不同，因之说法亦异，然而他们所用的名词，如实体、如法性、如形上，都是以为有所谓宇宙本体而为之称。名言虽异，所指目则同，所表示的界域则同，这是不可忽的。……可见实体于法性、形上诸词，名言虽异，所指目同也，所表示之界域同也。我尝遇人言，西洋谈本体者与吾儒佛不同旨，因之以为本体之体字不便通用”。①

同时，熊十力又指出，“本论不尽沿用实体和现象，或法性和法相等词，而特标体和用，这里却有深意。我以为，实体和现象，或形上和形下，或法性和法相，断不可截成二片的。因此，我便不喜用现象、法相、形下等词，虽复时沿用之，要为顺俗故耳。”②

熊十力强调：“反之吾心，而即已得万物之本体。”③“本体不是离我的心而外在的。这句话的意思是指示他们把本体当作外界独存的东西来推度，是极大的错误。”熊十力针对有人所问，写道：“‘既体非外在，当于何求？’应答彼言：求诸己而已矣。求诸己者，反之于心而即是。”“本体是反身求得的”。④“提到一心字，应知有本心习心之分。唯吾人的本心，才是吾身与天地万物所同具的本体，不可认习心作真宰也。(真宰者，本心之异名。以共主乎吾身，而视听言动，皆远于非理，物欲不得而干，故说为真宰。)……今略说本心义相：一、此心是虚寂的。……二、此心是明觉的。……《易》曰：‘乾知大始’。乾

① 熊十力：《新唯识论》，载《熊十力集》，群言出版社1993年版，第139页。
② 熊十力：《新唯识论》，载《熊十力集》，群言出版社1993年版，第139页。
③ 熊十力：《新唯识论》，载《熊十力集》，群言出版社1993年版，第84页。
④ 熊十力：《新唯识论》，载《熊十力集》，群言出版社1993年版，第86页。

谓本心，亦即本体。知者，明觉义，非知识之知。……本心即是性，但随异名耳。以其主乎身，曰心。以其为吾人所以生之理，曰性。以其为万有之大原，曰天。故‘尽心则知性知天’，以三名所表，实是一事，但取义不一而名有三耳。”“体物，犹云为万物之本体。”若乃廓然忘己，而澈悟寂然非空，生而不有，至诚无息之实理，是为吾与天地万物所共禀之以有生，即是吾与天地万物所同具之真性。此真性之存乎吾身，恒是虚灵不昧，即为吾身之主，则亦谓之本心。故此言心，实非吾身之所得私也，乃吾与天地万物浑然同禀之真性也。然则反之吾心，而即已得万物之本体。（本体乃真性之异语，以其为吾与万物所以生之实理，则曰真性。即此真性，是吾与万物本然的实相，亦曰本体，此中实相，犹言实体。本然者，本来如此。德性无变易故，非后起故，恒自尔故。）吾心与万物本体，无二无别，其又奚疑？孟子云：‘夫道，一而已矣。’此之谓也。”[①]

熊十力由“本体”“实体”由“本体不是离我的心而外的”[②]，讲到“仁”，讲到“诚。”熊十力强调，“仁即是本体”[③]。他讲：“心物同本于天。而心物之外无有天。天即是心物之实体故。”“夫仁心之存乎人者、刚健、照明、生生而能爱。不为小己之私欲所缚、常流通于天地而无间隔。此乃根于实体之德性，而为一切德行之源泉也。人皆有是心（是字、指仁而言）。”“天者、实体之称。根字、用为天之代词。”“故曰得仁即得天也。仁心即是实体之德用。”“譬如众沤湿润诸德、即是大海水之德用”，“故说仁心以实体为其根。有根故、如流水之有源而常不

① 熊十力：《新唯识论》，载《熊十力集》，群言出版社 1993 年版，第 83～84 页。

② 熊十力：《新唯识论》，载《熊十力集》，群言出版社 1993 年版，第 83 页。

③ 熊十力：《明心篇》，载《熊十力集》，群言出版社 1993 年版，第 448 页。

竭。如草木之有种而恒不绝。此人生之生活内容所以丰富无穷、充实不可以已也。""谈至此、犹有不容不辨者。宋明儒以仁为本(本体、犹云实体)。甚失孔子之旨。仁是用、究不即是体。谓于用而识体可也。(识者、认识。于用识体。譬之于众沤而识大海水),谓仁即是本体、则未可。譬如各个沤相。'相字、读为相状之相。'犹不即是大海水。)又复当知、仁心只是万德之端。(端者、言其隐微未发展也。发展此端、至于繁衍盛大、则在吾人强为善而已。孟子言扩充,盖明于大道所由立。宋儒之于天理、王阳明之于良知、皆视为实体、固已不辨体用。'良知与天理之心,皆用也'。)程子言天理、则以为只须诚敬存之。(见《识仁篇》。)阳明言良知、则以为良知无所不知、而改变《大学》格物之本义。殊不知、民智未进时、即缺乏格物之知。其所谓道德者、常是大不道。"①

3. 关于作为"实在"的"本心"与"本体"、"实体"。

熊十力往往把"本心"作为"本体""实体",并把此说成是"实在"。

对于"本心"一词,在中国思想史上,先秦孟子就作为哲学范畴使用过。《孟子》曾专门有关于"失其本心"② 的提法和论述。南宋朱熹在《孟子集注·告子上》中写道:"本心谓羞恶之心……人所固有"。③ 陆九渊发挥孟子的思想,认为"心即理也"④,"爱其亲者,此理也;敬其兄者,此理也;见孺子将入井而有怵惕恻隐之心者,此理也……敬此理也,义亦此理也;内

① 《熊十力集》,第448页。

② 《孟子·告子上》。

③ 朱熹:《孟子注·告子上》。

④ 陆九渊:《与李宰书》。

此理也，外亦此理也……此吾之本心也”。他还提出要“发明本心”。[①]

到熊十力则讲：“本心具云本来的心。”[②] 他说：“本心是绝待的全体。”[③] 他说：“吾以返本为学。求识本心或本体，是谓返本。”[④] 熊十力论述道：“本论融通佛道二家意思，分别本心与习心。（本心，具云本来的心。习心，则习气之现起者也。具潜伏而不现起时，但名习气。）本心亦云性智。（从人生论与心理学的观点而言，则名以本心。从量论的观点而言，则名为性智）。是吾人与万物所同具之本性。（本性犹云本体。以其为人物所以生之理，故说为性。性者，生生义）……道家之道心，佛氏之法性心，乃至王阳明之良知，皆本心之异名耳，习心亦云量智，此心虽依本心的力用故有，（习心非本心，而依本心之作用故有。譬如浮云非太空，要依太空故有。）而不即是本心，毕竟自成为一种东西。原夫此心虽以固有德灵明为自动因，（固有德灵明，犹言本心的力用。参考上卷《唯识章》谈因缘处）”。[⑤]

熊十力在“明心”篇中又讲到：“心者即性，是本来故。心所即习，是后起故。净习虽本心之发用故有，然发现以后，成为余势，等流不绝，方名净习，则净习亦是后起。……如斯义趣，上来略明，今更申言欲了本心，当重修学。盖人生本来之性，必资后起净法，始得显现。”[⑥] “此本体之明流行不息者是。……惑染毕竟可断，自性毕竟能成。斯称性之诚言，学术

① 陆九渊：《与曾宅之书》。
② 熊十力：《新唯识论》，载《熊十力集》，群言出版社 1993 年版，第 171 页。
③ 熊十力：《新唯识论》，载《熊十力集》，群言出版社 1993 年版，第 177 页。
④ 熊十力：《新唯识论》，载《熊十力集》，群言出版社 1993 年版，第 171 页。
⑤ 熊十力：《新唯识论》，载《熊十力集》，群言出版社 1993 年版，第 117 页。
⑥ 熊十力：《新唯识论》，载《熊十力集》，群言出版社 1993 年版，第 182 页。

之宗极也。故曰：欲了本心，当重修学。"①

熊十力讲"本心"，还把"本心"看作"实在"，同时又把此看作就是"本体"。

熊十力专门强调，他是"把心看作为实在的"。论证时，熊十力曾围绕"有自体的，是实在的"，"无自体，并不是实在的"，作出结论。他写道："闻吾说者，应该了解我所谓心，是有妄执的心和本来的心这两种分别的。本来的心是绝对的、真实的，俟本论全部讲完了，自然知道的。一般人大概不自承有本来的心，而只是妄执的心，夺据了他本心的地位。本来的心，省称本心。因此，把妄执的心看作是实在的，这样，便与执定外境是实有的见解成同样的颠倒。我们要知道，妄执的心或取境的识，根本是没有自体的。"②

熊十力的《新唯识论·明宗》论述到："以其主乎身曰心，以其为吾人所以生之理曰性，以其为万有之大原曰天。"在熊十力著作中"本心"又与"真宰"、"真性"、"性智"、"乾元"、"本真"、"本性"等为同类概念。认为"一切物的本体，非是离在心外在境界，及非知识所行境界。"③ 认为本心的根本属性为：虚寂（无形无象、性离扰乱，其化也神，其生也不测）；明觉（离暗无惑，其无知而无不知，具众德而恒如）；主宰（夐然无待，先形气而自存，至无而妙有，常偏现一切物，而依物以显现，却能御物而不受物的役使）。本心自知自识，只要反身内求，即可了解宇宙万物即人生的真源。"致知之极，以反求默识为归。"④ 熊十力要求与追逐境物的"习心"相区别："唯吾人的

① 熊十力：《新唯识论》，载《熊十力集》，群言出版社1993年版，第184页。

② 熊十力：《新唯识论》，载《熊十力集》，群言出版社1993年版，第100页。

③ 熊十力：《新唯识论》，载《熊十力集》，群言出版社1993年版，第81页。

④ 熊十力：《十力语要》卷一。

本心，才是吾身与天地万物所同具的本体”。[①]

熊十力还联系本体的实证，说到“本心”。他论证说：“本体唯是实证相应。”“实证者何？就是这个本心的自知自识。换句话说，就是他本心自己知道自己。……这种自知自识的时候，是绝没有能所和内外及同异等等分别的相状的，而却是昭昭明明、内自识的，不是混沌无知的。我们只有在这样的境界中才叫作实证，而所谓性智，也就是在这样的境界中才显现的，这才是得到本体。前面说是实证相应者，名为性智，就是这个道理。据此说来，实证是无所谓方法的，但如何获得实证，有没有方法呢？应知，获得实证，就是要本心不受障碍才行”。[②]

这样，熊十力讲，熊十力强调，“本体流行”，有“翕”有“辟”。熊十力强调：“辟为心，翕为物”；“辟为主宰，翕为凝聚”；“辟为体，翕为用”。对这方面的理论，熊十力先由“本体流行”“流行之谓大用”来立论。他讲：“本体非兀然僵固之体，而是流行不已。流行之谓大用，不流行，即空而不有。”[③] 他还说：“本体流行之谓大用，本体万殊用，本体是显现为万殊用的。”“本体自成，全以为用”。[④]

熊十力详细论述说：“我们要谈本体，（本体一词，后亦省言体）。实在没有法子可以一直说出。所以，我很赞成空宗遮诠的方式。但是，我并不主张只有限于这种方式，并不谓除此以外再没有别的好办法的。我以为所谓体，固然是不可直揭的，但不妨即用显体。（用者，即云功用。）因为体是要显现为无量

① 熊十力：《新唯识论》，载《熊十力集》，群言出版社1993年版，第83页。
② 熊十力：《新唯识论》，载《熊十力集》，群言出版社1993年版，第85页。
③ 熊十力：《摧惑显宗记》，载《熊十力集》，群言出版社1993年版，第344页。
④ 熊十力：《新唯识论》，载《熊十力集》，群言出版社1993年版，第109页。

无边的功用的，（桌子哪、椅子哪、人哪、鸟哪、思想等等精神现象哪，乃至一切的物事，都不是一一固定的相状，都只是功用。譬如我写字的笔，不要当它是一件东西，实际上只是一团功用，我们把它唤畛作笔罢了。）用是有相状诈现的，（相状不实，故云诈现。）是千差万别的。所以，体不可说，（言说所表示，是有封畛的。体无封畛，故非言说所可及。）而用却可说。（上来已云，用是有相状的，是千差万别的，故可说。）用就是体的显现。（译者按：如大海水，显现为众沤，说见《明宗章》。大海水，可以喻体。众沤，可以喻用。）体，就是用的体。（译者按：仍举前喻，如一一的沤，各各以大海水为体。大海水，即遍与众沤为体，非超脱于众沤之外而独在。）无体即无用，离用元无体。所以，从用上解析明白，即可以显示用的本体。简单言之，我们克就大用流行，诈现千差万别的法相上，来作紧密的解析，（如《转变章》中所说）。便见得大用流行不住，都无实物，即于此知道他只是真实的显现。（此中真实一词即谓本体，后准知。）易言之，我们即于无量的分殊的功用上，直见为一一都是真实的显发而不容已，譬如我们解析绳子，知道他是无自体的。换句话说，他不是独立的实在的物事，而只是麻的显现。我们即于绳子的相上直见他是麻。由这个譬喻，可以了解即用显体的意思。从来讲印度佛学的人，都说有宗诸师，如无著和世亲以及护法等。他们唯实论派的说法，就是即用显体。这话果然是对的么？吾独以为不然。须知，即用显体者，正要说明流行不息的功用是无自体的。因为，克就用上说，他是没有自体。所以，即于用而见他的本体，譬如于绳子而见他是麻。（因为绳子实无自体的缘故。）如果把流行不息而诈现万殊的功用，看作是有自体的，那么，更用不着于用之外，再找什么本体了。如果把用说为实在的，又再为用去觅他的根荄，而说有本体，这样，便把体和用截成二片，则所谓体者，已不成为用之体。他只是超脱于用之外，而独存的空洞的东西，便失掉了体的意义。”①

熊十力把“翕辟”与“本体”联系起来，是充分依“体用”来展开的。于此，熊十力进一步说：“本体现为大用，必有一翕一辟。而所谓翕者，只是辟的势用，所运用之具。这方面的动向，是与其本体相反的。至所谓辟者，才是称体起用。此中称字，甚吃紧，谓此用是不失其本体的德性。譬如冰，毕竟不失水性，故云称也，辟却是和翕反，而流行无碍，能运用翕，且为翕之主宰的。然翕虽成物，其实亦不必果成为固定的死东西，只是诈现为质碍的物，只是一种迹象而已。我们应知，翕辟是相反相成，毕竟是浑一而不可分的整体。所以，把心和物看作为二元的，固然是错误。但如不了悟所谓翕辟，即不明白万变的宇宙底内容，是涵有内在的矛盾而发展的，那么，这种错误更大极了。（矛盾，是相反之谓，利用此矛盾，而毕竟融和，以遂其发展，便是相成，吾国《大易》一书，全是发明斯义。）哲学家中，有许多唯心论者，其为说似只承认吾所谓辟的势用，而把翕消纳到辟的一方面去了。亦有许多唯物论者，其为说又似只承认吾所谓翕的势用，而把辟消纳到翕的一方面去了。”②在熊十力讲来，“翕辟”中的“翕”，指本体在自己中的一种收摄、凝聚的趋势，由此而形成有形质的万物，可假说为“物”；“辟”指本体独立自在，刚健而不为物化的自性，它内在一切物（或翕）中，又主宰于物，可假说为“心”。

熊十力着意阐述了“把辟叫作心，把翕叫作物”。而且他说：“我们把这个辟，说明宇宙的心”；“以辟为能运于翕之中而为其主宰”。进而熊十力阐述了“翕和辟是不可分离的整体”，

① 熊十力：《新唯识论》，载《熊十力集》，群言出版社1993年版，第103页。

② 熊十力：《新唯识论》，载《熊十力集》，群言出版社1993年版，第114页。

"翕辟是一个整体的不同的两个方面";"翕辟是相反相成，毕竟是一个浑一而不可分的整体"。[1] 总之，熊十力是言"翕与辟"而说本体，"翕与辟同属恒转之显现"，"恒转者，本体之名，恒转显现为翕辟"。[2] "本体是显现为万殊的用的，假说本体是能变，亦名为恒转";"恒转是一，恒转之现为翕";"刚健而不物化的势用，就名之为辟"。[3] 所以，以"翕辟成变，说明心物。翕辟不是两种实在物事，学者了解翕辟，须悟本体。本体备万理，含万德，肇万化"。[4]

三、关于"本体""实体""实在"等概念出现的混乱

对于熊十力讲的"本体""实体"，我们可以作出以下解析：熊十力讲"本体"同时又讲"实体"，不被当作同样概念来使用。可认为，熊十力说"实体"是"本体"，是"一切物之本体";这是以属概念加种差来讲，"本体"是"实体"的上属概念，"实体"是加上种差的"本体"下属概念。"本体"与"实体"相比，显然"实体"比"本体"成了低一层次的概念。而同时在熊十力所论述的字里行间，本体与实体又是区分不开的概念，甚至是同样的概念。

例如，基于此熊十力由"哲学分类"讲"本体论"，他讲到第一类，明确提出的是："一、本体论，一名形而上学。即穷究宇宙实体之学"。讲到"本体论"即"形而上学"，同时紧接着

① 熊十力：《新唯识论》，载《熊十力集》，群言出版社 1993 年版，第 114～118 页。

② 熊十力：《新唯识论》，载《熊十力集》，群言出版社 1993 年版，第 170 页。

③ 熊十力：《新唯识论》，载《熊十力集》，群言出版社 1993 年版，第 109～110 页。

④ 熊十力：《摧惑显宗记》，载《熊十力集》，群言出版社 1993 年版，第 343 页。

说，“即穷究宇宙‘实体’之学”。这里说的“本体”“实体”有无区别？熊十力对于他所列“宇宙论，即解释宇宙万象（现象界）之学”，强调说，“我以为，实体和现象，或形上和形下，或法性和法相，断不可截成二片的”；“说个现象或法相与形下，就是指已成的物象而名之”；又讲“哲学家常把本体和现象或形上和形下，弄成两届对立的样子，就因为不能除遗成象的宇宙之故。”显然，在熊十力那里，实体和现象，实体是形而上，现象是形而下；本体和现象，本体是形而上，现象是形而下。而且他进而说到：此同之“原”“源”。“大本大源”“明示本体”“以本体论为其领域。”“无者原也。宇宙实体之称。”“故本体论，恒为千古哲人之所钻研不舍。”① 熊十力强调，“将本体论，宇宙论，人生论融成一片。此是老夫苦心处”。②

对此我们可作如此的评论：既然这样，有个“本体”概念与“非本体”概念相对，或者，有个“实体”概念与“非实体”概念相对，就可以了；何苦同时举出本来有同样“规定性”的、“形而上的”、“本体”与“实体”来？而且还要处理之间子虚乌有的关系？岂不多此一举吗？

这里的要害在于，熊十力是引入西语来说中学。“本体”、“实体”在中文里是两个词；而在西语里，“本体”、“实体”却是对着中文同一个词的译名。固然“本体”、“实体”在中国文化中可以作出不同理解，可以作为两个概念来使用；可是作为讲形而上意义的本体论而言，大可不必非得区分出“本体”与“实体”之不同来说话，因为这两个词指的是同一回子事。如果

① 熊十力：《摧惑显宗记》，载《熊十力集》，群言出版社 1993 年版，第 341 页、第 139～140 页、第 342 页。

② 熊十力：《摧惑显宗记》，载《熊十力集》，群言出版社 1993 年版，第 342～343 页。

非得使用这两个词，那就要指出二者在中国哲学中的真正区别意义在哪里，仅以"本体犹云实体""实体即本体"一言以蔽之，这是一种同义反复之言。

现代新儒学的许多学者，如熊十力，说中国哲学，却又接受过西学教育，把对西方哲学中同一个概念的不同译名当作两个哲学范畴来提出使用，那这二者的概念规定性就很难作出，就不能不出现混乱了。

不仅如此，即不仅在"本体""实体"问题上如此，由于熊十力等新儒学者毕竟生长于中国哲学传统中，他们延续中国思想史十分强调"心"提出"本心"等等。于此可以作出很显示中国特点的哲学论述。然而，他们在论述时又往往将之与"实在"等概念混淆在一起。这可能与当时从日本学者那里传来的翻译中，往往将 Noumenon 的译名，既译作"本体""实体"，也译作"实在"有关；也与西方新实在论对"实在"的解释有关。显然，此处很容易发现他们在当时受"新实在论"影响的痕迹。不是说不能以西方"新实在论"的一些哲学思想来丰富自身哲学体系，不是说不能以"实在"说"心"、说"本心"。重要的是由中国哲学传统上的成就来对"心"作出其生长于中国的哲学体系具体分析。如果硬硬地以西方"新实在主义"的"实在"来说"心"，会产生概念范畴的一系列混乱。这应当说是许多新儒学哲学家往往不坚持具体研究中国哲学具体特点而盲目移植的教训。他们在此方面是有许多表现的。确实，这部分哲学家的工作既有值得让人称道之处，亦有令人忍俊不禁之处。

第二节　关于“实体”(Reality)“存有”(Being)与“性体”的学说，主要由牟宗三解析

牟宗三（1909—1995）年轻时就倾心儒学，又精研西方哲学，力图汇通中西哲学。他努力建设一种“道德形而上学”，作为其思想的理论基础。他讲到“实在”是一个道德实体，说“良知明觉是吾实践德行之根据，就物言，良知明觉即天地万物之存有论的根据”。① 他强调良心本体不能由概念的解析造成，而只能由“智的直觉”加以把握，道德实践即是本心仁体的活动或呈现，是仁心自证其自己。中国文化的精神生命是儒家的心性之学，这构成了中国的道统，“护住由孔孟所开辟之人生宇宙之本源”②。牟宗三注重对东西文化进行比较研究，认为西方文化首先把握自然，发展出“分解的尽理精神”，民主与科学是理性的架构表现；中国文化首先把握生命，发展出“综合的尽理精神”。

牟宗三在其学术历程中，早年由读中国古代经典，特别由读《朱子语类》引发，曾使他对西方流行的种种观念系统的论说方式发生很大兴趣。1932 年，牟宗三完成他的第一部书稿《从周易方面研究中国之元学及道德哲学》。他在书稿中说，他是“在确指中国思想中之哲学的系统，并为此哲学的系统给一形式系统”③，但思想的底格毕竟是西方的新实在论。牟宗三大

---

① 《从陆象山到刘蕺山》。

② 《道德的理想主义》。

③ 牟宗三：《从周易方面研究中国的元学及道德哲学》，天津大公报馆 1935 年版，自序第 2 页。

学毕业后，学思转向学有师承的逻辑学，并由逻辑学研究引起对知性主体的反省而进入康德哲学。这是牟宗三的"架构的思辨"时期。在十多年的苦心求索中，他写出了两部著作：一是用五六百页篇幅表达"纯理自己之展现"的《逻辑典范》（后修订为《理则学》）。此书虽是逻辑学著作，其意却重在"扭转近时逻辑学家对于逻辑数学之解析，使吾人之思想接上康德的途径，重开哲学之门"①。二是从踏入思考主体的篇幅更大的《认识心之批判》。这可以说是前一部书意向即建构逻辑哲学的实行，牟宗三就此开始以批判的心灵契接康德的批判哲学，此书完成后，牟宗三的学思重心移向儒学乃至佛、道等东方之学的研讨。此时，牟宗三继熊十力之后，开始"重开生命之学问"。进入五十岁后，牟宗三本着既有的文化意识"进而向里疏通中国文化传统中各阶段之学术思想，藉以畅通吾华族智慧方向之大动脉"。② 在此后的二十多年里，牟宗三先后写成下列各书：《才性与玄理》《心体与性体》（三册）、《从陆象山到刘蕺山》《佛性与般若》（二册）、《智的直觉与中国哲学》《现象与物自身》《中国哲学十九讲》《圆善论》。可以说，牟宗三创作力的真正开发是在 50 岁以后。1971 年他发表的《智的直觉与中国哲学》一书旨在矫正《认识心之批判》的失误和补充《心体与性体》综论部分的不足。1975 年他又发表了《现象与物自体》，把前一部著作宣布为这部更系统地阐发"智的直觉"和两种存有论（"无执的"和"执的"）著作的前奏。1978 年他在为台大哲学研究所学生讲解"圆善"问题时，称"圆教中的德福一致并非综合命题，而是分析命题"③，尽管他对这种分析命题与古希

① 牟宗三：《理则学》，台湾正中书局 1971 年版，序第 1 页。
② 牟宗三：《生命的学问》，台湾三民书局 1970 年版，第 127 页。
③ 牟宗三：《中国哲学十九讲》，台湾学生书局 1983 年版，第 383 页。

腊斯多葛派和伊壁鸠鲁派在同一问题上提出的分析命题做了区别。几年后，当他在《圆善论》中再次申说圆教中的德福一致时，他的经过修正的提法是："圆教所成的德福一致是必然的，此'必然'是诡谲的必然，非分析的必然。此诡谲的必然亦可以说是德福同体，依而复即，德当体即是福，福当体即是德。"[①]牟宗三 1985 年发表《圆善论》时已经是 76 岁的年龄了，但至少在这之前，他没有停止过理境上遂所必要的智思的自我催逼。所谓"步步学思，步步纠正，步步比对，步步参透"，是他自己不懈的治学功夫的一个说明，也是他对自己在"生命的学问"中安顿生命衷曲的一种倾诉。牟宗三哲学的站立点是在中国传统哲学特别是在儒家哲学，同时又积极加入西方哲学史的潮流，吸纳西方哲学一些学说，他力求在民族关切中投注时代关切，实现中西文化融通。

牟宗三以中国儒道释的文献为底本，以其概念为支撑，又移入了西方哲学一些概念为"底格"，讲到了他关于"本体"、"实体"、"存在"、"实在"、"性体"以及关于"形而上""形而下"的概念和论说，阐发了体现他的哲学的"范畴"。他在努力使中西切合、融通过程中，既有获得成功之处，也有失之弊端之处。

一、"Reality"与"实体"

牟宗三在这里出现严重的概念混乱情况。关于将"Reality"译为"实体"也可能与当时传来的日本学者往往将"实体"与"Reality"对译有关。可以说，这主要集中于在牟宗三的新儒学理论中对 Reality、Being、Substance 这三个西方哲学概念的引

---

① 牟宗三：《圆善论》，台湾学生书局 1985 年版，第 279 页。

入和使用有问题；特别在于他把通常译作“实在”的 Reality 译为“实体”；此引起了这些概念与他提出诸如“性体”等概念难以很好地协调。例如：牟宗三在其《心体与性体》等著作中讲到他提出的“性体”概念时，有以下一些论述。

他写到：“此中‘性体’一观念居关键之地位，最为特出。西方无此观念，故一方道德与宗教不能一，一方面道德与形而上亦不能一。彼方哲人言‘实体’（Reality）者多矣，如不拉得赖（F. H. Bradley）有《现象与实体》（Appearance and Reality）之作，怀悌海（N. A. Whitehead）有《历程与实体》（Process and Reality）之作，柏格森（H. Bergson）有《创化论》（Creative evolution）之作，近时海德格（M. Heidegger）之存在哲学又大讲‘存有’，有《时间与存有》（Time and Being）之作，罗素（B. Russell）之‘逻辑原子论’（Logical atomism）亦有其极可欣赏之风姿。大体或自知识论之路入，如罗素与柏拉图；或自宇宙论之路入，如怀悌海与亚里士多德；或自本体论（存有论）之路入，如海德格与虎赛尔（E. Husserl）；或自生物学之路入，如柏格森与摩根（L. Morgan）；或自实用论（Pragmatism）之路入，如杜威（J. Dewey）与席勒（F. C. S. Schiller）；或自独断的、纯分析的形上学之路入，如斯频诺萨（Spinoza）与莱布尼兹（Leibniz）及笛卡尔（Descartes）。凡此等等皆有精巧繁富之理论，读之可以益人心智，开发玄思。然无论是讲实体，或是讲存有，或是讲本体（Substance），皆无一有‘性体’之观念”。①

从以上引文之中，可以明显看出，牟宗三把 Reality 不是译作“实在”，而是译作“实体”。如果单纯由翻译来取译名上来

① 牟宗三：《心体与性体》，载《牟宗三集》，群言出版社 1993 年版，第 336 页。

讲，对 Reality 是译作“实在”还是译作“实体”，固然可以由译者来定。然而，牟宗三文献中，明显地也用了“实在”这个词，而其意义不同于 Reality，他是把 Reality 译为“实体”；同时，由于在我国通常的译文中译为“本体”的词如 Substance 亦可并且往往译为“实体”；而 Reality 这个词有其不同于诸如 Substance 这类译为“本体”“实体”之概念的另外含义，将 Reality 译为“实在”，才能同“本体”“实体”（如 Substance）作出区别。

牟宗三坚持把 Reality 译为“实体”，人们读到他写的“实体”二字，很快就疑问：到底是在 Reality 意义上所云，还是在 Substance 这类概念意义上所云？重要的是，在牟宗三的理论中，中西词一交叉，使其论断本身搞乱了。这就更令人难以弄清了。我们可摘出牟宗三的一段话加以解析。牟宗三写道：“……实体，同时亦即是存在论的实体。自其为存有论的实体而言，它是万物底创生原理或实现原理，是乾坤万有之基，是造化底精灵。有此开存在界。”在此，他是围绕着他所提出的“知体”这一概念。他这里的论内容的标题是：“由知体之为存有论的实体开存在界”。他讲：“知体之为存有论的实体，其所说明的存有即是‘物之在其自己’之存有，在此，存有与存在是一。因此，其所成的存有论是‘本体界的存有论’，亦曰‘无执的存有论’，此亦曰‘道德的形上学’。‘道德的形上学’云者，由道德意识所显露的道德实体以说明万物之存在也。因此，道德的实体同时即是形而上的实体，此是知体之绝对性。知体有三性：一曰主观性，二曰客观性，三曰决定性。主观性者，知体之为‘良心’也，即‘独知’之知，知是知非（道德上的是非）之知也。客观性者其本身即理也。绝对性者其本身即‘乾坤万有之基'也"。[①] 对此，我们要问，这里讲的"实体，同时亦即是存在论（通常称'本体论'——引者注）的实体"，是指 Reality 意义上的"实体"，还是 Substance 意义上的"实体"？讲"知体之为存有论的实体"、"道德的实体"，是"形而上的实体"，是指 Reality，还是指 Substance？是让人不知所云的。当然，牟宗三毕竟就此做了大量工作。应当认为，除了他非得把 Reality 说成"实体"而与"本体"这个概念相混淆外，其整个理论的阐发特别是由中国思想史而展开关于"性体"的阐述，是很有意义的。

二、何谓"性体"

牟宗三说，西方"无论是讲实体，或是讲存有，或是讲本体（Substance），皆无一有'性体'之观念，皆无一能扣紧儒者之作为道德实践之根据，能起道德之创造之'性体'之观念而言实体、存有、或本体。无论从何路入，皆非自道德的进路入，故其所讲之实体、存有或本体皆只是说明现象之哲学（形而上）概念，而不能与道德实践使人成一道德的存在生关系者。故一方面道德与宗教不能一，一方面道德与形上学不能一，而无一能开出一即函宗教境界之'道德的形上学'。其中唯一例外者是康德。彼自道德的进路接近本体界，建立'道德的神学'。意志自由、灵魂不灭、上帝存在、只有在实践理性上始有意义，始得其妥实性。然无'性体'一观念，视'意志自由'为设准，几使意志自由成为挂空者，几使实践理性自身成为不能落实者。而其所规划之'道德的形上学'（其内容是意志自由、物自身、道德界与自然界之合一）亦在若隐若显中，而不能全幅展示、

① 牟宗三：《现象与物自身》，载《牟宗三集》，群言出版社 1993 年版，第 454 页。

充分作成者。黑格尔（Hegel）言精神哲学已佳矣。吾亦常借用其辞语以作诠表上之方便，如‘真实主体性’、‘在其自己’、‘对其自己’、‘具体的普遍’，等等。然此只是表示方法上的借用，非谓其哲学内容与儒者成德之教同也。彼只笼统言精神之发展，而总无‘性体’一核心之观念，故其全部哲学总不能落实，只展现为一大逻辑学。夫理想主义（Idealism）自柏克莱（Berkeley）起至黑格尔而完成，本集中于三点：一曰观念性（Ideality），二曰现实性（Actuality），三曰合理性（Rationality）。此本不错。凡此皆见于吾之《认识心之批判》，读之可知其详。然如不能落实于心性，以道德实践证实之，则总不能顺适调畅，只是一套生硬的哲学理论而已。今摄之于成德之教中，点出‘性体’观念，则一一皆实而顺适调畅矣。故宋明儒所发展之儒家成德之教，一所以实现康德所规划之‘道德的形上学’；一所以收摄融化黑格尔之精神哲学也。而同时亦是一使宗教与道德为一，一使形上学与道德为一也。此儒家智慧方向之所以为特出，而为西方道术传统所未及。比而观之，其眉目自朗然亦。”①

牟宗三还围绕“道德的形而上学”写道：“应含有一些‘本体论的陈述’与‘宇宙论的陈述’，或综曰‘本体宇宙论的陈述’（Onto－cosmological statements）。此是由道德实践中之澈至与圣证而成者，非如西方希腊传统所传的空头的或纯知解的形而上学之纯为外在者然，故此曰‘道德的形上学’，意即由道德的进路来接近形上学，或形上学之由道德的进路而证成者。此是相应‘道德的宗教’而成者。”“康德建立起一个‘道德的神学’（Moral theology），但并无‘道德的形上学’一词。但虽

① 牟宗三：《心体与性体》，载《牟宗三集》，群言出版社1993年版，第336～337页。

无此词，却并非无此学之实。"[①] 熊十力进一步讲："在宋明儒，此'道德的形上学'即是其'成德之教'下相应其'道德的宗教'之'道德的神学'。此两者是一，除此'道德的形上学'外，并无另一套'道德的神学'之可言。在此，宋明儒者依据先秦儒学'成德之教'之弘规所弘扬之'心性之学'实超过康德而比康德更为圆熟。但吾人亦同样可依据康德之意志自由、物自身、以及道德界与自然界之合一，而规定出一个'道德的形上学'，而说宋明儒之'心性之学'若用今语言之，其为'道德哲学'正函一'道德的形上学'之充分完成，使宋明儒六百年所讲者有一今语学术上更为清楚而确定之定位"。[②]

牟宗三由此又指出："此'心性之学'亦曰'内圣之学'。内圣者，内而在于个人自己，则自觉地作圣贤工夫（作道德实践）以发展完成其德行人格之谓也。'内圣外王'一语虽出于《庄子·天下篇》，然以之表象儒家之心愿实最为恰当。'外王'者，外而达于天下，则行王者之道也。王者之道、言非霸道。此一面足见儒家之政治思想。宋明儒所讲习者特重在'内圣'一面。"[③] "圣不圣且无所谓，要者是在自觉地作道德实践，本其本心性体以彻底清澈其生命。"[④]

（一）"性体"与 Essence、Nature。

牟宗三为实现其哲学建构的中西方结合，还特意对 Essence

① 牟宗三：《心体与性体》，载《牟宗三集》，群言出版社 1993 年版，第 311～312 页。

② 牟宗三：《心体与性体》，载《牟宗三集》，群言出版社 1993 年版，第 313 页。

③ 牟宗三：《心体与性体》，载《牟宗三集》，群言出版社 1993 年版，第 308 页。

④ 牟宗三：《心体与性体》，载《牟宗三集》，群言出版社 1993 年版，第 309 页。

与Nature相关概念进行了澄清。牟宗三讲,"亚里士多德有'Essence'一词。此词通常译为'本质'或'体性'。此似可类比儒者所言之'性体'。然实则不类。盖此词若作名词看,其实指是一'类概念'(Class concept),又是一方法学上之概念,可以到处应用。而儒者所言之性体则不是类概念。即使孟子由此以言'人之所以异于禽兽者几希',然此几希一点亦不是一类概念,孟子说,此几希一点亦不是视作人之定义,由定义而表示出。如当作形容词使用或当作方法学上之概念使用,则可,比如要点、本质一点(Essentialpoint)或人之所以为人之'本质'(The essence of human being)等皆是。此性体亦可说是人之本性的一点,是人之所以为人,乃至所以为道德的存在之本质;但即以此'本质'一词译此'性体',则非是。此亦如吾人亦说此性体即是吾人道德实践(道德行为之纯亦不已)之'先天根据'或'超越的根据',但同样不能即以先天根据或超越根据译此'性体'一词。此皆是诠表方法上之词语,可以广泛使用,俱非足以代表此'性体'观念也。儒者所说之'性'即是能起道德创造之'性能':如视为体,即是一能起道德创造之'创造实体'(Creative reality)。此不是'类概念',他有绝对的普遍性(性体无外、心体无外),惟在人而特显耳,故以此体为人之'性'。自其有绝对普遍性而言,则与天命实体通而为一。故就统天地万物而为其体言,曰形而上的实体(道体 Metaphysical reality)。此则是能起宇宙生化之'创造实体';就其具于个体之中而为其体言,则曰'性体',此则是能起道德创造之'创造实体',而由人能自觉地作道德实践以证实之,此所以孟子言本心即性也。(客观地、本体宇宙论地自天命实体而言,万物皆以此为体,即潜能地或圆顿地皆以此为性。然自自觉地作道德实践言,则只有人能以此为性,宋明儒即由此言人物之别。然此区别亦非定义划类所成之类概念中本质不同之区别,故此性体非类概念中之本质也)。故此性体译为'Nature'固不恰,即译为'Essence'亦不恰,其意实只是人之能自觉地作道德实践之'道德的性能'(Moral ability)或'道德的自发自律性'(Moral spontaneity),亦即作为'内在道德性'(Inward morality)看的'道德的性能'或'道德的自发性'也。心之自律(Autonomy of mind),康德所谓'意志之自律'(Autonomy of will),即是此种'性'。作'体'看,即是'道德的创造实体'(Moral creative reality)也。①"

(二)"性体"与 heart、mind。

牟宗三讲,"'性体'义既特殊,则'心'亦必相应此'性体'而成立。'心'以孟子所言之'道德的本心'为标准。孟子言心具体而生动,人或以'heart'一词译之。此若以诗人文学家之笔出之,亦未尝不可。然就学名言,则决不可。故孟子所言之心实即'道德的心'(Moral mind)也。(mind 带有"心智"或"精神"的意义——引者注)此既非血肉之心,亦非经验的心理学的心,亦非'认识的心'(Cognitive mind),乃是内在而固有的、超越的、自发、自律、自定方向的道德本心。象山言'万物森然于方寸之中',以'方寸'喻心,此是象征的指点语,言万物皆收摄于一点,岂真是视心为血肉的方寸之心耶?此一点岂真是方寸之一点耶?刘蕺山亦言'心径寸耳',此亦是现象学的指点语,重在以意、知、物、加、国、天下以充实之,岂真是视心为血肉的径寸之心耶?儒者言,就眼前具体字眼指点,而其实义则无尽藏。是故心即是'道德的本心'。此本心即是吾人之性。如以性为首出,则此本心即是彰著性之所以为性者。故'尽其心者既知其性'。及其由'万物皆备于我'以及'尽心

① 牟宗三:《心体与性体》,载《牟宗三集》,群言出版社 1993 年版,第 338 页。

知性知天’而渗透至‘天道性命通而为一’一面，而与自‘于穆不已’之天命实体处所言之性合一，则此本心是道德的，同时亦即是形上的。此心有其绝对的普遍性，为一超然之大主，本无局限也。心体充其极，性体亦充其极。心即是体，故曰心体。自其为‘形而上的心’（Metaphysical mind）言，与‘于穆不已’之体合一而为一，则心也而性矣。自其为‘道德的心’而言，则性因此始有真实的道德创造（道德行为之纯亦不已）之可言，是则性也而心矣。是故客观地言之曰性，主观地言之曰心。自‘在其自己’而言，曰性；自其通过‘对其自己’之自觉而有真实而具体的彰显呈现而言则曰心。心而性，则尧舜性之也。性而心，则汤武反之也。心性为一二不二。”“客观地自‘于穆不已’之天命实体言性，其‘心’义首先是形而上的，自诚体、神体、寂感真几而表示。若更为形式的言之，此‘心’义即为‘活动’义（Activity），是‘动而无动’之动。此实体、性体本是‘即存有即活动’者，故能妙运万物而起宇宙生化与道德创造之大用。与《论》《孟》通而为一而言之，即由孔子之仁与孟子之心性彰著而证实之。是故仁亦是体，故曰‘仁体’；而孟子之心性亦是‘即活动即存有’者。”①

（三）“性体”与 form、matter。

牟宗三在《中国哲学十九讲》还由西方宗教哲学讲到了，关于 form 与 matter。在他看来，只有人才人有理性。他说，“人是最可贵也最麻烦。人身难得，当然是最可贵，但同时人也最麻烦，问题最多。人是两方面通，他上面可以通神性，但他也有物性，他两面通。”牟宗三写道，儒家“看重人，讲三才，天地人三极之道，《中庸》里面说‘参天地、赞化育’，这话是

① 牟宗三：《心体与性体》，载《牟宗三集》，群言出版社 1993 年版，第 338～339 页。

积极的（positive），从好的方面讲。我们说人既然是个有限的存在，那么他表现他的 understanding，他的 love 以及他的 will，他是在限制中表现。有限之所以为有限，究竟要如何规定，如何来了解呢？照亚里斯多德的说法，有限之所以为有限，就是因为人是组合体。组合是以什么东西组合呢？就是一个 form，一个 matter。这个 from 加在 matter 上，才成 individual（个体——引者注）。凡是由 from 跟 matter 组合而成，都是有限的存在。如果光是 matter，在亚里斯多德说，他就是 pure potentiality，加上 form，它才变成个 actual。如果说它只有 form，没有 matter，那就成了 pure form，就成为了 God。所以人是个有限的存在，他是个组合体，他有 material element。这个 material element 就着我们现实的人讲，就是康德所说的感性（sensibility）。人的感性，就是孟子所说的耳目之官。孟子不是说吗？‘耳目之官不思，而蔽于物，物交物，则引之而已矣。’（《告子上》）也就是孟子所说的‘小体’。人既然有感性，那他表现他的 will，他的 understanding，乃至于他的 love，他的 spirit，他一定是在限制中表现。说得具体一点，就是说在他的感性的限制、感性的制约之下来表现。这是人生命本身的问题，他本身就是如此。”①

紧接着，牟宗三由其以上关于 form 与 matter 的基本见解，拓展讲到了“形而上的必然性”问题。他说：“这个感性的限制有它的必然性，不是可以随便去掉的，不是可有可无的。这种必然性，用莱布尼兹的名词说，就叫作形而上的必然性（metaphysical necessity）。但这并不是说感性是形而上的。照朱子的说法，感性是属于气，是形而下的；但形而下的气，并不是可

① 牟宗三：《中国哲学十九讲》，载《牟宗三集》，群言出版社 1993 年版，第 509～510 页。

有可无，可以随便拿掉的。不单是人，就是整个世界也离不开这个成分，这个成分是非有不可的，如果把这个成分拿掉，那就没有世界了。所以它有必然性，这个必然性就叫作 metaphysical necessity。这种必然性，不是逻辑的必然性（logical necessity)，这两者有别。逻辑的必然性是形式的（formal)，不接触实在，只是推论的那个推演的必然；比如有这个前提就一定有这个结论，这种必然性，就叫逻辑的必然性。但是到我们必须承认一个 form，一个 matter，而且这个 matter 的存在有必然性，这就不是逻辑的必然性，而是 metaphysical necessity。这种思考是来布尼兹贡献最多，现在人不大讲的，现在大家都只讲逻辑的必然性。我们说，这个感性的限制，既然有 metaphysical necessity，所以人表现他的精神，他的 love，will，understanding，他是在限制中表现。在限制中表现就是在一通孔中表现，所谓一孔之见，也就是《庄子·天下篇》所说的‘天下多得一察焉以自好’。一察就是一孔，你察察这方面，我察察那方面，人就是如此。道是完整的，它是个全。由于人各得一察焉以自好，于是‘道术将为天下裂’。……现在这个时代就是各得一察焉以自好，正如庄子所说‘寡能备于天地之美，称神明之容’。现在的人对于天地之美是不了解的，因为都科技化了，科技化了那有天地之美呢？‘称神明之容’，神明那有容呢？现代人以为这些都是不科学，是玄学。事实上，人生是要归宿到“备于天地之类，称神明之容”这个地方，才能真正有幸福，要不然人没有幸福可言。”[①]

牟宗三又论述了“形而上必然性”中的“限制”问题。他说：“以上我们说的，人是在通孔中表现他的精神生活，人须受

① 牟宗三：《中国哲学十九讲》，载《牟宗三集》，群言出版社 1993 年版，第 510～511 页。

感性的限制，这是内在地说，这是人的生命所本有的固具的限制或内在的限制（intrinsic limitation）。另外我们还可以外在地说，也就是生命本有的限制之外。还有个外在的限制。这个外在的限制就是外部世界环境。在这两者之中，一般人都只注意到这个外在环境，但都忽略了这个内在的限制。事实上外在环境只是外缘，不是主因 cause。你说通通是由于环境的决定，但是为什么同样是在这个环境，为什么你有这个反应，我就没有呢?""由这内外两方面的限制，就使你表现你的精神生活，是通过一个通孔来表现。这'通过一个通孔来表现'，也是一个 metaphysical necessity。所有人生的限制困苦都在这儿，人生的悲壮也在这个地方，假定人完全没有限制，一往通畅，这是很舒服的，但这就不是人，这就成为神，成为上帝了。""上帝它必须通过耶稣这个生命来表现，但是生命在表现道的时候，同时又限制这个道，这个就是一种 paradox，就是庄子所说的"吊诡"。也就由这种 paradox，所以才有辩证 dialectic 出现，这叫作 dialectical paradox。这种辩证的诡辞，中国人是很懂的，庄子就很懂，庄子的《齐物论》就都是这种诡辞。当然西方哲学家黑格尔也很懂。从这里再进一步，不但是个人受到这内外两方面的限制，就是一个民族也是这样。每个民族都是许多人合起来的集团活动。任何一个民族，它表现它的精神生活，也都是在这两种限制之中表现，这两种限制也有我们所说的 metaphysical necessity。"①

牟宗三由论"形而上的必然性"与"限制"的关系，进一步对中国哲学与西方哲学作了比较研究。他写道："既然都是在限制中表现，那为什么中华民族是这样开始呢？为什么希腊是

① 牟宗三：《中国哲学十九讲》，载《牟宗三集》，群言出版社 1993 年版，第 511～512 页。

那样开始呢？希伯莱、印度又为什么是那样开始呢？为什么希腊表现它的思想是由 Thales 这些自然哲学家开始呢？为什么它是通过这个孔？为什么中国通过那个孔？为什么希伯莱、印度又是通过不同的孔呢？在这个地方有什么理由没有呢？这个地方呀，它没有形而上学的必然性，当然也没有逻辑的必然性，说中国人非如此不可。假定这里要是有逻辑的必然性，形而上的必然性，那么中国人就不会变了，就永远是如此。这样我们就没有办法吸收西方文化，西方人也没有办法吸收中国的东西。所以要说明为什么这个文化是通过这个孔，就只有历史的理由(historical reason)，没有逻辑的理由。假定这个地方有必然性，那么这个必然性就是历史的必然性（historical necessity)，历史也可以说必然呀。当然现在一般念历史的人都认为历史只是偶然的，只是一些乱七八糟的现象，那里有必然性。现……在讲历史的人也不认为有什么一定的法则，至少没有自然科学的法则。有人说他是用科学方法讲历史，这句话是不通的，科学方法不能用在历史。什么是科学方法？归纳法，历史是不能归纳的，文字的材料可以归纳，但历史本身是不能归纳的。现在念历史的人，他研究的不是这个历史本身，而是历史材料，文献的材料或是地下挖出来的材料。……黑格尔把历史看成是精神的发展、精神的表现史，它里面有一种韵律，一种内在的律则(intrinsic law)，它有一种节奏，这种节奏就是所谓精神发展中的节奏。只有从这个地方讲，你才能了解历史的必然性。”牟宗三又说：“不能离开主体；道德、宗教一定要落入主体来呈现。这个主体我们不能把它当作对象来作所谓客观的研究。现代人用心理学、人类学、社会学这些科学来研究人，这是科学的了解，就是把人纯粹当作对象来研究，就好像研究原子、电子那些对象一样，这样一来人变成了物，人的身份也没有了。你用科学的态度来研究人，人就变成 external object，主体的意思就没有了，主体也就变成客体、变成对象。道德也研究人呀，你也可以说道德研究人也是把人当对象来研究，我是道德地来研究。在道德地来研究这个情形下，并没有把人这个主体的意思丧失掉，所以他能恢复人之所以为人的身份。我们可以说，初步的道德研究是把人当对象；但是进一步讲，假定我们从这个初步的道德研究再进一步到存在地（existentially）来研究——借用存在主义的话——假定你把人存在地来研究的时候，你所研究的这个主体永远不会成为客体。你如果把他客体化，那就不是它了，它又翻上来了，它总是往上转。那个主体是永远不能对象化的，它总是往上转，这才是真正的主体。道德宗教最后一定是归到这个地方来。你一把它对象化，主体的意思就没有了；这样一来，从主体所发的这个‘明’也没有了。本来主体是有明的，可是你把这个主体对象化，它那明没有了。这个时候，这个主体的明在那个地方表现呢？就在你用科学的态度去研究它这个地方来表现。你要用科学的态度去研究它，你要用意志的活动呀，你要用思考呀，这个思考就是明，这种明是科学里边的明，是 understanding。这个时候，真正的主体里面的明就变成这种明，这种就是所谓的 discursive understanding，就是来成就科学知识的那种理解活动。真正的主体里面那种表现价值、判断是非的那个明的意思就没有了。因此你一把主体推出去当对象来科学地研究，这个主体的明就没有了，就变成科学、数学中所表现的那个理性，这就不是明。”①

这里牟宗三由涉及到的“主体的明”讲到“良知”及其“对象化”问题。他写道：“所以这个明它必须把主体恢复它主体的地位，也就是把人当人看，不当物看。不当物看，主体才

① 牟宗三：《中国哲学十九讲》，载《牟宗三集》，群言出版社 1993 年版，第 512～513 页、第 522 页。

恢复；主体恢复，从主体发的那个明才真正能显。这个时候，这个明不是我们研究科学的时候所表现的那个 discursive understanding，而是表现在判断是非善恶，在价值的判断之中的。这才是真正从主体发的明。这种明照中国以前的哲学家讲，是用那一种辞语来代表呢？就是王阳明所说的良知，这就是真正从主体中所发的明。而且这个良知所表示的这个主体永远不能客体化，不能对象化。你如果把它客体化当个对象来看，那你是看不到良知的。良知只有在你不把自己当成对象，而存在地归到你自己身上来，主体恢复为主体而不是把主体推出去当成客体，人恢复为人，把人当个人看，只有在这种情形下，良知这个明才呈现出来。假定你把人这个主体推出去当成对象，把人当作物来看，良知那个明就没有了。可是我们人总是有理智活动、有思考活动，这种理智活动、思考活动也是从主体发出来的，那就发为成就科学知识的那种 understanding，也就是洛克、莱布尼兹、休姆、康德所考察的那个 understanding。那里面没有良知，所以洛克、莱布尼兹、休姆都没有发现到这一点。只有康德客气一点，他除了讲这种 understanding 以外，他还讲一种实践理性（practical reason）。他可以从实践理性这个地方把主体呈现出来，把人当人来看。所以康德总是说，你要把人当成目的来看，而不要把人当成是个工具。把人当目的就是恢复人的主体，因此这个明才能呈现，所以这个时候康德就不讲理伦理性（theoretical reason），他要讲实践理性。这个实践理性用中国话来说就是良知，孔夫子讲仁也是属于实践理性。内容的真理、强度的真理就在这个地方，也就在主体这个地方。用我平常的话说，这就是主体的学问，也就是生命的学问。这个生命就是耶稣所说的‘我就是生命，我就是真理，我就是道路’的那个生命，也就是孔子所说的‘人之生也直，罔之生也幸而免’（《雍也》）人之生也直的那个生，这不是生物学所讲的那个生命，生物学所讲的那种生命是科学的讲法，那不是耶稣说的'我就是生命'的那个生命。那个生命你如果以生物学的讲法来研究，准时研究不出来的。"①

由此牟宗三延伸论述了"内容真理"和"外延真理"及"抽象的普遍性"和"具体的普遍性"。"现在我们再进一步来看看这种内容真理和外延真理的不同在什么地方。内容真理和外延真理都是真理，都具有普遍性。……我们可以说，外延的普遍性是抽象的普遍性（abstract universality），而内容的普遍性是具体的普遍性（concrete universality）。""我们说内容真理的普遍性是具体的普遍性。"具体的普遍"是黑格尔所造的名词。西方历来从亚里斯多德起，一讲普遍只有抽象的普遍（abstract universal），没有所谓具体的普遍。什么是具体的普遍呢？这在西方人是很难了解的，但在中国人就很容易了解。比如说孔子讲仁，仁是个普遍的原则，但是你不能说仁是个抽象的概念。仁是不能和科学、数学、逻辑里面所谓的抽象概念相提并论的。照孔子所说的，仁是可以在我们眼前真实的生命里头具体呈现的，所以孟子说仁就是恻隐之心，它就是具体的。但是虽然它是具体的，它并不是事件。它有普遍性。在这情形下所说的普遍性，黑格尔就叫作具体的普遍（concrete universal）。黑格尔这个名词是很有意义的。黑格尔讲哲学，在西方的传统里面是超出了亚里斯多德这个传统之外，所以西方顺着亚里斯多德那个传统下来的正统哲学家都讨厌黑格尔。因此严格讲，黑格尔不是西方哲学正统哲学家。什么是西方哲学正统的哲学家呢？柏拉图是，亚里斯多德是。到近代，莱布尼兹是，康德是，罗素是。这些是正统的西方哲学家。事实上黑格尔讲的那些问题，

① 牟宗三：《中国哲学十九讲》，载《牟宗三集》，群言出版社1993年版，第523～524页。

他不是表象的思想，他也不是做概念的分解（conceptual analysis），他讲的都是具体的哲学（concrete philosophy），可是西方哲学所重视的是抽象的分解。什么是具体的哲学呢？比如讲道德、讲宗教、讲艺术、讲历史的这些都属于具体的哲学。黑格尔就专门讲这些，他有艺术哲学，也有宗教哲学、历史哲学。这就是他超出西方正统哲学范围之外的地方。而他讲的那一套东西，中国人很容易懂。人们讨厌黑格尔，是因为黑格尔表达的方式不好。我们也不用他那个表达方式，但是他所讲的那些道理，我们常常也提到。黑格尔所接触的那些问题，严格讲已经不在西方哲学的正统之中。”牟宗三又说：“我们再回头说这个具体的普遍性，比如我们刚才说的，孔子讲仁不是抽象地讲，仁是可以在我们的真实生命里具体呈现的，所以孔子当下从生活中指点仁。孝也是仁的表现，也具有普遍性，只不过孝这种表现是在对父母亲的特殊关系中表现。这情形本身虽然是特殊的，但是表现出来的是理，是普遍的真理。而且孝的表现是无穷无尽的，它是在一个具体的强度里随时呈现，并且有不同程度的呈现，它是在动态的弹性状态中呈现。它不是一现永现，不是一成永成。所以它是具体的，绝不是抽象的。这种具体的普遍性和抽象的普遍性是完全不同的。科学真理不是在一个强度的过程中有弹性的呈现，它是一现永现，一成永成。你通过一个实验证实了它如此，那它就是如此。比如说数学真理，数学真理一经证明就一成永成，这里面没其他的花样，没有什么折扣。比如说二加二等于四，这是普天下的人都承认的，这里面没有主观性、没有主体性，也就无所谓弹性。但是具体的普遍性就有弹性，因为它具体，这个具体就是指有弹性说的。这种真理既可以说有普遍性，也可以说它有独特性。这个独特性不是形容事件，因为真理不是事件。它有独特性，可是它的独特性也不是事件的特殊性，而且它又有普遍性。就是在这种状态之中它叫作具体的普遍。"[1]

三、如何理解Reality，"实体"还是"实在"

以上所述，可以看出，在牟宗三的论述里，既有精解精华之笔，亦有误解误用之处。其不足之处主要体现在实体（本体）与实在（实体）的混淆。一是混同了中文意义上的"本体"与西方哲学史上的本体论意义上的本体。二是把"实在"（Reality）说成是"实体"。三是在"存在"即"存有"表述上的混乱。牟宗三讲西方哲学无"性体"之概念，这是对的；但把本体、存在（存有）与他所称为"实体"而实际是"实在"的概念相混淆，则是错误的。

我们知道，"实在"（Reality）是一个经常被人使用而又被认为是含义模糊的术语。由"实在"引出"实在论"的争论。在某些哲学那里，有时，"实在"指存在之所是，与"现象"相对。实在论和反实在论进行争论的一个方面是，我们能够算作实在的究竟有多少。有时，"实在"被用作"世界"的同义语，或指一切存在的总体。学界更多人往往认为，实在论（Realism）是一个家族相似的观念，指承认种种对象和属性客观存在的各种理论。这些对象和属性包括外在世界、数学对象、共相、理论实体，以及因果关系、道德与美学属性、他人的心等；这些学者认为，实在论的中心思想是，实在独立于我们的心灵，且不论我们是否知道或相信它们存在。实在论与反实在论相对立。一般而言，反实在论是另一个家族相似的观念，例如表达为唯名论。唯名论在共相问题上对立于实在论。唯名论认为共相只是一个共名。另外还有实证论和语义学意义上的反实在论。

[1] 牟宗三：《中国哲学十九讲》，载《牟宗三集》，群言出版社1993年版，第524～525页。

在不同的领域中，实在论与反实在论的对立表现为不同的形式。

实在论涉及于共相的本体论地位，认为，共相是真实的存在，是知识的对象。这种实在论主要有两种类型。例如，柏拉图的实在论认为，共相存在于自身的领域之中。它们比可感对象更真实，但又不会在日常经验中得到充分展现。亚里士多德的实在论则认为，共相没有与自己分离的存在，而是呈现于物中的共相。

在西方哲学史上，洛克讲到“实在的本质”（Real essence），这与“名义的本质”相对。洛克讲，“实在的本质”是每一事物的实在本然而未知的结构，它们乃是构成世界的各种特殊物的全部特性的基础；当对象不再存在，或者发生了根本的改变时，实在的本质便消逝了。与此不同，“名义的本质”是一组性质，这来自从每种已观察到的现存性质中构造出来的，或者是在一个观念或名称之下收集来的；名义的本质实际是根据对一类事物共同特征的描述作出的名义定义。名义的本质依赖于实在的本质。实在的本质使特殊的事物“个体化”，名义的本质将那些特殊的事物归集成“类”。例如，金子的名义本质是“金子”一词所代表的复杂的观念，它包括这样一些特征：它是一物体，它是黄色的，有一定重量，可以延展等等。而实在的本质是那个物体各不可感部分的结构，金子的那些性质以及其他一切性质就依赖于这个结构。在洛克那里，这种区分被认为避免了亚里士多德将一个表达式的意义同这个表达式所刻划的对象性质混淆起来的错误。这一区分在近代哲学史上很有影响，因为它导致了放弃未知本质的现象论，还导致了后来哲学所特有的对意义研究的重视。洛克论述道：“虽然我们所知道的、或者借以将各种自然实体区分为各个类的，都是自然实体的本质，但我仍用一个特殊的名称‘名义的本质’称呼它，以便将它同实体的实在结构区分开来；名义的本质和那类实体的全部性质都依靠于实在的结构，因此，如前所说，可以将实在的结构称作实在的本质。”①

再后来的笛卡尔强调过“实在的区别”（Real distinction），即“当两个实体中的一个可以离开另一个实体而存在，我们就说这两个实体有实在的区别”。② 笛卡尔声称这样的区别存在于心灵和身体之间，因为怀疑论揭示出，一方面我有一个清楚明晰的自我观念，这个自我纯粹是思想而非广延的东西；另方面，我有一个清楚明晰的我的身体的观念，这个身体是广延的而非思想的东西。因此，我的心灵确实与我的身体截然不同，它们可以各自不需对方而存在。这一“实在的区别”是笛卡尔《沉思》一书所要证明的主要之点。实在的区别与样式的区别相对照，后者存在于实体和它的样式之间，物体和它的大小之间的区别即是其例。物体的大小不能离开相关的物体而存在。

处于 19 世纪到 20 世纪之交的英国新黑格尔主义者布拉德雷（Francis Herberel Bradley，1846—1924），其哲学很重视“实在”范畴。牟宗三讲到“实体”（Reality），先举出的就是布拉德雷所讲的实在（reality）概念。布拉德雷在《现象与实在》一书中，对实在的概念作了详细的阐述。他认为，(1)“实在是一种经验，在实在中我们所能发现的，无非是情感、思想、意志、情绪或诸如此类的东西”。布拉德雷在这里把经验当作判断实在的最高标准。当然，他这里所说的经验，只是一种知觉经验。他说，“实在的意思就是与知觉不可分地混为一体”，“直觉经验就是实在，凡不是知觉经验的，就不是实在”。(2)“实在是精神性的”，“精神之外，没有也不可能有任何实在，而且，任何东西其精神越多，它就越是真正的实在”。实在具有等级

① 洛克：《人类理智论》，第三卷，第六章，第 2 节。

② 笛卡尔：《哲学著作集》，科庭汉姆等译，第二卷。

(degree)，实在的最高等级离物质的东西极远。最高的实在，也就是包容一切的普遍精神——绝对。(3)“实在具有一种不包含冲突的积极性质，在这个意义上，实在是一”。实在是单一的和谐整体，“凡是相矛盾的东西都不会是实在的”。可见，布拉德雷虽在一定意义上继承和利用了黑格尔的哲学，把实在看作是精神性的东西；但他却追求一种无矛盾的统一，他把知觉经验，实际上也就是主观感觉，作为判断实在的标准。以后的新黑格尔主义者，如鲍桑葵、罗伊斯等人，在继承和发展关于“实在”的理论方面，也提供了他们的论述。

穆尔（George Edward Moore，1873—1958）被认为是在英国首先举起新实在主义旗帜的人。他早年曾受英国新黑格尔主义者布拉德雷等人的影响。作为新实在主义者的穆尔在他的著作中用大量篇幅对实在（reality）加以讨论，但是他的实在观前后并不一致。他在其著作《伦理学原理》中，讲“实在”就是“实存”(existence)；在1910年至1911年的讲演中，他有时把“实在”与“存在”（being）等量齐观，有时却又说实在是一种属性（property)；而在1917年发表的《实在概念》（The Conception of Reality）一文中，他又否定“实在”是属性的说法。穆尔反对布拉德雷把实在分为等级（degree）并认为实在的最高等级距离物质的东西极远这一观点；穆尔认为实在并不分等级；穆尔在反驳中这样论证：如果实在具有等级，那么，物质岂不也是具有最高等级的。

美国实用主义哲学家刘易斯（Clarence Lrving Lewis，1883—1964）在讲实在（reality）这个概念时，对其规定是：“实在是范畴化的经验”。他认为，人们在具体经验中所感知到的是对象的感觉性质，而这个作为给与者的对象就是实在。实在对象是既在经验之外又给具体经验以内容的东西，但它也并非是完全独立而自在的客观存在物，乃是某种被概念、范畴建立在经验之上的构造。刘易斯并没有把实在归为个人意识的产物，而是强调它是由社会意识约定俗成的创造物。这表现在：(1)“实在”指给予者的所与性，即实在作为给与者在经验中的给予不受知者限制。(2)“实在”指那些“如果—那么”型假言命题的真理，此类判断有赖于与之相关事实的存在。(3)“实在”指超出知者现有认识以外的自在的事实。刘易斯提出这种实在观主要是为了强调：离开人的认识便无所谓对象，“实在”是因人的主观努力而呈现并被规定的。

另外，维特根斯坦（Ludwig wittgenstein，1889—1951）则大体是将“实在”用作“世界”的同义语，用以指一切存在的总体；他在这个意义上断言，世界是事实的世界，而不是事物的世界。

还有些哲学家主张把我们的语言所指涉的客观实在与意指我们的语言或思想模式的形式实在区别开来。有时，一些哲学家也用“实在”指独立于我们的意识和意志的客观存在。在各种各样的实在论说中，出现了许多关于实在问题的解释。伯格和卢克曼讲，“就我们的目的而言，把‘实在’界定为与现象相关的一种性质就足够了，我们承认它独立存在于我们自己的意志之外（我们不能‘希望它们走掉’）。”①

以上情况，对中国近现代哲学家或多或少地产生了影响。例如在作为现代新儒家的哲学中，受其影响是很明显的，同时也产生了一些概念上的混乱。

应当强调，“实在”这个概念不同于“本体”“实体”。在我所提出的塑造论哲学看来，“实在”是与“存在”相区别的概念，并就此进行了论证。塑造论哲学认为，是“人在”“物在”，

① 伯格和卢克曼：《实在的社会建构》，1969年，第13页。

共同构成了自然界作为人这一过程现实部分的“实在”（reality）。这是形而下的。因此，关于“实在”可对之规定为：这是自然界成为人这一过程“现实”部分的“存在”（这里的“存在”，可考虑 being 并联系于 existence 来加以解析）。当考虑“存在”应当是在本体论上作为本体（substance）的“存在”，“实在”是“存在”但又不等同于“存在”。“存在”是形而上的。“实在”是形而下的。“实在”，一定是“自然界成为人这一过程的现实部分”的实在，是人实实在在地参与了宇宙的实在。这是由“存在形而上”、“心在形而上”统摄的，作为人“身在”“身成”“形而下”、自然界中“物在”“物成”“形而下”的实在。这就是本人在《塑造论哲学导引》中，由塑造论哲学原理，对于何为“实在”和何为“存在”这样一些概念范畴加以辨析所给出的特有规定性，从而澄清以往哲学在这方面的混淆以及由此而引起的一些在哲学原理方面的混乱。[①]

塑造论哲学认为，人面对自然有着不断向着自然进行探索的过程；同时也认为，这是人不断延长自身而“使自然界成为人这一过程现实部分”的发展过程。在自然塑造的人去塑造自然的过程中，才使“存在”落实为“实在”，把“自在之物”变成“人为之物”，这“人为之物”也是“为人之物”。这样，以塑造论哲学的观点讲来：由大自然对人的塑造，衍生出文化人类，这就把必然性积淀于人；文化人类在实践中塑造着自然，形成人类文化，这是一种目标在于主客体达到统一，从而使自然衍生的人在实践中使自然飨成自身的过程。这体现必然性，又正是在这一过程中确证着作为实在的人与自然的必然性。[②]

① 张全新：《现代物理学中的“实在”与“时间”问题》，山东科学技术出版社 2003 年版，第 249 页。

② 参阅，张全新著：《塑造论哲学导引》，人民出版社 1996 年版。

笔者认为，只有作出这样的辨析，才能说明Reality与实体本体的关系，与人的主体性的关系。总之，牟宗三关于"性体"的观点，有其哲学特点和哲学贡献，而他把"实在"与"本体"、"实体"、"存在"混为一谈，是不正确的。

第三节　关于"实证论""新实在论""形而上"，"道"与"逻辑"，主要由严复、胡适、冯友兰、金岳霖哲学来讲

西方实证论哲学思潮兴起后，对近代中国很有影响。这曾由严复等人肇始其端，后有胡适、冯友兰、金岳霖等等。中国近代实证论思潮伴随着近现代西方文化进入中国而形成；然而中国的实证论哲学毕竟是在中国这片土地上出现的哲学，其发育受到中国社会经济、政治诸条件和历史、文化传统的深刻影响，从而呈现出自己独特的面貌。19世纪70年代以后，随着洋务运动的发展，中国近现代资本主义在帝国主义和封建主义压迫的夹缝中艰难地生长。中国近代实证论哲学发轫于维新运动时期，严复被认为是中国的第一代实证论者。

一、实证论的影响

（一）严复："实证论"，"本体""不可知"。

就实证主义哲学的产生来讲，早在19世纪中期，法国人孔德（1798－1857）成为西方实证主义哲学的创始人。严复（1853—1921）早年留学英国。此时正当实证主义思想在英国广泛流传，出现了斯宾塞、赫胥黎、穆勒等著名的早期实证主义思想家。严复阅读了他们的著作，思想上接受了实证主义的洗礼，并把它作为西方当时文化的代表介绍到中国来。这有深刻

的社会原因，严复指出，西方“如汽机兵械之类，皆其行下之粗迹，即所谓天算格致之最精，亦其能事之见端，而非命脉之所在。其命脉云何？苟扼要而谈，不外于学术则黜伪而崇真，于刑政则屈私以为公而已。”①

严复主要继承了英国经验论哲学的传统，强调实证和观察。严复在维新运动中介绍西方实证主义哲学，他在谈到西方实证主义哲学的经验论传统时说，西方“二百年学运昌明，则又不得不以柏庚氏之摧残廓清之功为称首。学问之士，倡其新理，事公之士，窃之为术，而大有功焉。”② 他在谈到西方实证主义哲学的方法论时说，西方格致之学“一理之明，一法之立，必验之物物事事而皆然，然后定之为不易。其所验也贵多，故博大；其收效也必恒，故悠久；其究极也，必道通为一，左右逢源，故高明。方其治之也，成见必不可居，饰词必不可用，不敢絲毫主张，不得稍行武断，必勤必耐，必公必虚，而后有以造其至精之域，践其至实之途。迨夫施之民生日用之间，则据理行术，操必然之券，责未然之效，先天不违，如土委地而已矣。”③ 反观中国，“中土之学，必求古训。古人之非，既不能明，即古人之是，亦不知其所以是。记诵词章既已误，训诂注疏又甚拘，江河日下，以至于今日之经意八股，则适足以破坏人才，复何民智之开与之有耶！”④ 他认为，虽说传统旧学有什么科举八股、汉学考据、宋学义理，名目繁多，不一而足，有一点却是相同的，即“不实验于实物”，“不查事实，执因求果，先以一说，以概余论”。是“无用”和“无实”之学。他痛斥这

① 严复：《论世变之驱》。
② 严复：《原强》。
③ 严复：《救亡绝论》。
④ 严复：《原强》。

种学术"其为惑也起于学术，终于国家"。[①] 严复从认识论和方法论的角度批判封建旧学，是前无古人的。他将西方实证主义哲学概括为"即物实测"之学而与旧学对立起来，这在当时显然具有一定的突破意义。

严复根据他对西学的理解，把西方实证主义的方法归结为"实测内籀之学"，可以说其一定程度上把握了实证主义方法论的特征。他说，西方"其为学术也，一一皆本于即物实测"。[②]"夫理之诚妄，不可以口舌争也，其证存乎事实。""内籀者，观化察变，见其会通，立为公例者也"。[③]"公例无往不由内籀，不必形数公例而独不然也。"[④] 这种重归纳（即内籀）的实证主义基本观点既贯穿于严复翻译的赫胥黎、斯宾塞、穆勒等人的著作中，亦体现于严复本人的哲学思想中。严复在其译的赫胥黎《天演论》序中，指出归纳和演绎二者乃"即物穷理之最要途术"。严复称赞《天演论》说，"所诠观物之理，最为精微。"[⑤] 又说，"然而谈理见极时，乃必至'不可思议'之一境。既不可谓谬，而理又难知，此则真佛书所谓'不可思议'，而'不可思议'一言，专为此设者也。"[⑥] 他称赞达尔文《物种起源》一书"证阐明确，犁然有当于人心"，认为斯宾塞的"群学""其论一事，持一说，必根据理极，引其端于至真之原，究其极于不循之效。"[⑦]

在《穆勒名学·部甲》的案语中，严复叙述了中西方哲学

① 严复：《救亡绝论》。

② 严复：《原强》。

③ 严复：《原富·译事例言》。

④ 严复：《穆勒名学·部乙》案语。

⑤ 严复：《天演论·真幻》案语。

⑥ 严复：《天演论·佛法》案语。

⑦ 严复：《原强》。

史上对“本体”问题的讨论，然后对他本人的观点作了说明。他说：“窃尝谓万物本体虽不可知，而可知者止于感觉。”他同意斯宾塞将世界分为现象界和不可知世界的看法，认为一切知识仅仅是关于现象界的知识，因此“是域而外固无从学，即学之亦于人事殆无涉也”。他否认“本体”可以认识。① 严复在不同场合下一再发挥这个观点，如《天演论·佛法》一节，严复对“不可思议”一词的意义详加讨论。他说，哲学上使用“不可思议”一词，乃指现象界背后的“本体”是经验和人的认识无法达到的。在严复看来，“天地之始，造化真宰，万物本体”等等，一切属于本体论讨论的范畴都是“不可思议”的。严复所译的《穆勒名学》反复阐述外物乃“同时毕现之丛感”这么一个基本观点，于是“人心于物，所谓知者，尽于觉意；至其本体，本无所知，亦无由知”。② 严复称道于这个思想，认为是“释氏一切有为法皆幻非实真诠，亦净明居士不二法门言说文字道断的解。”③ 严复认为本体不可知，其哲学基本倾向属于实证主义是毋庸置疑的。

严复以后，西方实证主义哲学逐渐受到人们十分重视。中国当时许多思想家的一个重要倾向是借用西方哲学来改造中国传统哲学。正是在此过程中，西方实证主义哲学愈益凸现为一些学者提出其哲学见解的立论基础。1903 年前后，梁启超发表“西儒学案”，介绍了霍布斯、笛卡尔、洛克、康德等西方哲学家的思想，使近代中国人对西方学者争论的命题有所了解。后来王国维经过对西方哲学的长期钻研，得出了“可爱者（指叔本华、康德哲学）不可信，可信者（指实证主义哲学）不可爱”

① 严复：《穆勒名学·部甲》案语。

② 严复：《穆勒名学·部甲》。

③ 严复：《穆勒名学·部甲》案语。

的结论。罗振玉说王国维的治学“其术皆由博反约，由疑而得信，务在不悖不惑，当于理而止”。力求贯穿实证主义的归纳法和怀疑精神。他提出的“由博反约”的方法，就是强调广泛收集事实材料，“取地下之实物与纸上之遗文，互相释证”，即据“二重证据法”得出结论。一些学者认为，这里强调的方法不仅是对西方实证主义方法的吸收，而且是对乾嘉学派“朴学”方法的继承。

到了“五四”时期，由于胡适对同样属于实证主义思潮并且发展了的西方实用主义加以介绍，并将实用主义的方法论与乾嘉学派的考据方法相互沟通，形成了具有中西结合特点的实证论特别是实用主义方法论原则。

（二）胡适：实用主义。

胡适（1891—1962）早年留学美国，跟随实用主义哲学家杜威学习，回国以后写了《实验主义》等许多阐发实用主义的文字。与此同时，丁文江、王星拱等发表一系列文章，宣传作为实证主义的马赫主义主张。接着，由于杜威、罗素的相继来华和在华举办哲学讲座和讲演，西方实证主义的各种流派，特别是实用主义、马赫主义和新实在论在中国遂得以流传。胡适提倡的实用主义成为各种实证主义流派中影响最大者。胡适自称思想上受杜威和赫胥黎的影响最大。他以“实验主义”号称这一哲学倾向，讲“实验主义”是“自己的哲学基础”、“生活和理想的一个向导”[①]；认为实验主义的产生是由于“演化论的思想侵入了哲学的全部，实证的精神变成了自觉的思想方法”[②]。胡适强调，实用主义虽有“方法论”、“真理论”、“实在论”三种意义，“其实还是一种方法论”，进而主张“哲学是受它的方

① 胡适：《胡适留学日记·自序》。
② 胡适：《五十年来之世界哲学》。

法论制约的，也就是说，哲学的发展是决定于逻辑方法的发展的”。[①] 他认为，经验就是生活，“就是对付人类周围的环境”，并且以思想作为应付环境的最重要的工具，使哲学“变成解决人的问题的方法”；认为实在“犹如百依百顺，由人涂抹的女孩”；称真理“不过是人造的假设”，“假设的真不真，全靠他能不能发生他所应该发生的效果。”[②] 胡适提倡所谓“健全的个人主义的人生观”，主张以“科学的态度”解决人生观的问题，创建一种“中国未来的新哲学”。胡适称为学的目的“是注重思想学问的方法”[③]。他提出要坚持“大胆的假设，小心的求证”的治学方法。

胡适自称他介绍的是杜威的实用主义，当然他对西方的实用主义也做了一定程度上的解释性匡正。首先，他强调实用主义与实证主义的相同方面。他把达尔文和赫胥黎同视为实证主义的不可知论者，说：“达尔文与赫胥黎在哲学方法上的最重要的贡献，在于他们的‘存疑主义’。”[④] 胡适认为，从达尔文、赫胥黎到斯宾塞，他们的实证主义可以归结为四个字：拿证据来。从这里直接演化出实用主义。第二，胡适对西方实用主义理论做了一些取舍，而取舍的标准仍依据实证主义的原则。例如，他强调实用主义只是一种方法论，是皮尔士所说的“科学实验室的态度”。他批评詹姆士讲的实用主义宗教气味过重：“詹姆士是富于宗教心的人。他虽是实验主义的宣传者，他的性情根本上和实验主义有点合不拢来”。[⑤] 而这所谓“合不拢来”，在很

① 胡适：《先秦名学史·导言》。

② 胡适：《实验主义》。

③ 胡适：《胡适文存·序例》。

④ 胡适：《五十年来之世界哲学》。

⑤ 胡适：《五十年来之世界哲学》。

大程度上是因为詹姆士“反对赫胥黎一般人的存疑主义”。伦理哲学在杜威的实用主义思想体系中占有相当重要的位置，但胡适仅强调杜威实用主义的方法论方面。他说：“杜威始终只认实用主义是一种方法论”。其实，西方实用主义到了杜威，已经发展为包括本体论、认识论、伦理观、宗教观等等的庞大思想体系，而胡适则突出它的方法论的方面。在胡适看来，按照实证主义的观点，哲学只是一种方法论；因此尽管詹姆士的“淑世主义”很合胡适的口味，并成为他的社会改良思想的理论来源，他仍将这种“淑世主义”从实用主义中分割出来，与西方其他个人主义思想相结合，提出一种“易卜生主义”作为反封建和要求个性解放的口号。

不少论者已经指出，胡适的方法论不是西方实用主义的简单翻版，而是实用主义的方法论同乾嘉朴学方法的结合。胡适对乾嘉学派的考据方法予以很高的评价，他说：“中国旧有的学术，只有清代的朴学确有‘科学’的精神。”[①] 胡适这里所谓“科学的精神”，其实指的是重视实证和讲求归纳方法。胡适将严复以来视实证方法为“即物穷理”或“实测内籀”的说法大大推进了一步，即提出“假设”的重要。他在谈到乾嘉学者考据方法的“根本观念”时，肯定“每立一种新见解，必须有物观的证据”，强调“举例作证是归纳的方法”。胡适又指出，“汉学家的归纳手续不是完全被动的，是很能用‘假设’的”。[②] 后来胡适进一步把这种治学方法归结为“大胆的假设”和“小心的求证”，认为这两点与实用主义的方法论原则是一致的。胡适在谈到杜威思想的“五步说”时讲：“杜威一系的哲学家论思想

---

① 胡适：《清代学者的治学方法》。

② 胡适：《清代学者的治学方法》。

的作用，最注意‘假设’。”[①]

胡适不仅在以上所谓综合中西方法论的基础上提出了自己对实用主义方法论的看法，还将这种方法论原则运用于中国文学史、中国历史的研究。例如他对《红楼梦》的考释和对神会和尚事迹的研究，就自认为体现了其实用主义的方法论。他强调，贯穿“整理国故”的方法就是“大胆的假设，小心的求证”的方法，而此方法论核心，乃是寻求证据的实证原则。胡适指出，乾嘉学者在整理“国故”方面“太注重功力而忽略了理解”，[②] 而这里的方法基本上没超出实证主义。

二、冯友兰：新形上学的重建，“新理学”

冯友兰是由形式逻辑而入哲学并信奉新实在论，从而创建自己的“新理学”哲学体系的。冯友兰自己讲，其《新理学》可谓“纯粹哲学”，或自然观、哲学形上学；《新事论》论文化及社会问题；《新事训》论生活方法；另有《新原人》《新原道》《新知言》。此总称为“贞元六书”，由此冯友兰系统地阐述了自己的“新理学”哲学思想体系。

冯友兰在《三松堂自序》中说，他学西方哲学的兴趣是由形式逻辑引起的。在当时的哲学环境中，他对哲学及哲学方法的了解曾经与胡适近似，因为胡适在哥伦比亚大学的博士论文题名为《先秦名学史》，“名学”被认为指“形式逻辑”。冯友兰在早年留学美国时，受到新实在论（New Realism）的影响。新实在论哲学就其主要倾向来说，与老实证主义、与马赫主义一脉相承，立足于经验论，并且强调逻辑分析方法，力图用逻辑推论和逻辑分析的原则来建立自己的哲学体系。新实在论又承

---

① 胡适：《实验主义》。

② 胡适：《胡适的自传·从整理国故到研究和尚》。

认共相的独立存在，因此具有柏拉图和中世纪某些哲学的特点，同时又承认外部世界和人的认识对象的实在性。总之，新实在论表现出折中主义的性质。冯友兰则将新实在论与中国的程朱理学相结合，建立了以"理"为中心范畴的形而上学体系——"新理学"。人们认为，冯友兰的"理"，相当于柏拉图的"共相"，他实际上是认为有先于并可以离开具体事物而独立存在的理或共相，这已经与实证主义的经验论传统相背离。

冯友兰在确立其"新理学"哲学体系时，不同意维也纳学派实证论思潮对一切形而上的否定。在维也纳学派看来："形而上学家因为误解体验与知识的本质，所以将两种意义混淆起来，将不能指示的意义加以指示，不能加以说明的东西加以说明；结果便产生许多形而上学的无意义的问题。"① 如石里克说："所有的形而上学家不是有所主张，而是一无主张。我们经验论者，不是与你们有所冲突，而是不明白你们所说的话到底有何意义。"② 冯友兰不同意维也纳学派这种对形而上学的完全否定。他从休谟、康德哲学说起，予以评述道："康德的批评底哲学的工作，是要经过休谟的经验主义而重新建立形而上学。它'于武断主义及怀疑主义中间，得一中道。'新理学的工作是要经过维也纳学派的经验主义而重新建立形而上学。它也于武断主义及怀疑主义中间，得一中道。这中道也不是只于两极端各机械地取一部分，而是'照原理确切地决定的'。"③ 所以，冯友兰认为，他的"新理学"哲学就是从对实际的肯定出发，而对之作形式分析所成立的形上学，是一种新的形而上。

① 洪谦：《维也纳学派哲学》，商务印书馆1989年版，第8页。

② 洪谦：《维也纳学派哲学》，商务印书馆1989年版，第13页。

③ 冯友兰：《新理学》，《三松堂全集》第5卷，河南人民出版社1988年版，第223页。

冯友兰在建立其“新理学”时，充分注重运用逻辑分析的方法。他说：“新理学的工作是要经过维也纳学派的经验主义而重新建立形而上学。”他又说：“哲学开始于分析实际的事物。此分析是完全在思中行者。”然而，他又不同意维也纳学派认为哲学的任务仅在于对命题或概念的意义加以分析。他说：“我们说哲学开始于追问此诸意义，而不说，哲学即仅是追问此诸意义。若哲学仅是追问此诸意义，则哲学即与逻辑无大差别。近来虽有一部分哲学家如此说，但我们并不如此主张。”① 因此，冯友兰与实证主义哲学的关系表现为：一方面提倡形而上学，背离了逻辑实证主义反对形而上学的宗旨，另一方面又将逻辑分析方法运用于哲学，继承了逻辑实证论者的方法。要指出的是，从严复到胡适，中国近代实证主义哲学的兴起和发展是与中国近代反封建文化联系在一起的，到了冯友兰，则公开倡言“新瓶装旧酒”，用现代的方法，特别是用逻辑实证论的方法，来为封建文化的代表如程朱理学作新的论证。

在冯友兰建立的“新理学”哲学体系中，“实在”被看作是没有内涵或基本上没有内涵的，是对实际作抽象所得的最后结果。所以冯友兰对哲学作如下的定义：“哲学乃自纯思之观点，对于经验作理智的分析，总括，及解释，而又以名言说出之者。”② 在这个定义中，把“名言说出之者”看作是任何哲学体系成立的条件。因此冯友兰提出了他的哲学方法，冯友兰说：“就我所能看出的而论，西方哲学对中国哲学的永久性贡献就是逻辑分析方法。……佛家和道家都用负的方法。逻辑分析方法

① 冯友兰：《新理学》，《三松堂全集》第4卷，河南人民出版社1988年版，第25页。

② 冯友兰：《新理学》，《三松堂全集》第4卷，河南人民出版社1988年版，第7页。

正和这种负的方法相反，所以可以叫作正的方法。……正的方法的传入……给予中国人一个新的思想方法，使其整个思想为之一变”。① 他又说，“各种学说之目的，皆不在叙述经验，而在成立道理，故其方法，必为逻辑的，科学的。……我虽承认直觉等之价值，而不承认其为哲学之方法。哲学方法，即是科学方法，即是吾人普通思想之方法”。② 同时他又认为科学与哲学的区别在于“一种科学只拟解释一种事实，而其解释，是积极的。形而上学则拟解释一切事实，其解释又是形式的。这是形而上学与科学之所异”。③ 冯友兰强调：“真正底形上学”除了逻辑分析这种“形式主义”的方法即“正的方法”以外，还有“直觉主义”的方法即“负的方法”。他是这样讲的：“真正底形上学的方法有两种：一种是形式主义的方法，一种是直觉主义底方法。形式主义的方法以形式主义讲形上学，直觉主义底方法讲形上学不能讲。讲形上学不能讲，亦是一种讲形上学的方法。”④

关于形式主义的方法。冯友兰曾举例说明，在形上学中具体表现为形式命题或分析命题，这种命题是一种不肯定主词存在的“重复叙述的命题”。准确说，在逻辑学中叫“重言式”。冯友兰指出，这种命题中避开了对于甲是否实际存在的肯定，是求真的，形上学所要求的即是这种性质的命题。所以形上学的命题既不同于科学命题、历史命题，也不同于一般的逻辑命

① 冯友兰：《中国哲学简史》，《三松堂全集》第6卷，河南人民出版社1988年版，第293页。

② 冯友兰：《对于哲学及哲学史之一见》，《三松堂全集》，河南人民出版社1988年版，第67页。

③ 冯友兰：《新理学在哲学中之地位及其方法》，《三松堂全集》第11卷，河南人民出版社1988年版，第394～395页。

④ 冯友兰：《三松堂学术文集》，北京大学出版社1984年版，第512页。

题。因为科学命题“灵而不空”，历史命题“实而且死”，逻辑命题“空而不灵”，形上学的命题是“空而且灵”或说“一片空灵”。“空”是说形上学的命题对事物不作实际的肯定，是“所谓‘形式底’”；“灵”是说形而上学的命题普遍适用。冯友兰主张通过逻辑分析对经验进行形式的释义，并认为这是“正的方法”。

关于直觉主义的方法。冯友兰指出，它同逻辑分析的方法相反，这种方法不是从正面阐释形上学，而是以从否定到肯定的方式阐释形上学。因为形上学本身难以讲，而一讲，一言说就不能“不著行迹”，“不落言筌”，但言说中的东西总不是本来的东西。因此，冯友兰以“烘云托月”和“于静默中立义竟”来说明“负的方法”。“烘云托月”是说“画家画月的一种方法，是只在纸上烘云于所烘云中留一圆的空白，其空白即是月”。[1]冯友兰以此比喻，负的方法没有讲“形上学”，不等于否认“形上学”，而恰恰是从反面“表显”。冯友兰进一步讲，“用直觉主义讲底形上学，并不是讲者的直觉。形上学是一种学，学是讲出的义理，而直觉则不是讲出的义理。用直觉主义讲形上学者，可以说是讲其所不讲，但讲其所不讲亦是讲，此讲是形上学”。[2]冯友兰结合哲学史说到，“在哲学史中以负的方法讲形上学，最合乎空灵的标准者，其一是唐宋时代的禅宗”。[3] 因为在禅宗的哲学里，“形上学”作为第一义是不能直接用语言表述的。因此，他们总是借用某种神秘的方法来表显“第一义”，或者做些动作，或者说些答非所问的话。在这里常常是用一些看来不相干的言行启发学僧自己去体认“佛心”。“于静默中立义竟”则主要是以直觉来体认和领悟形上学。在冯友兰看来，从侧面来

① 冯友兰：《三松堂学术文集》，北京大学出版社 1984 年版，第 512 页。
② 冯友兰：《三松堂学术文集》，北京大学出版社 1984 年版，第 512 页。
③ 冯友兰：《三松堂学术文集》，北京大学出版社 1984 年版，第 512 页。

讲形上学，讲形上学不能讲，目的仍在要理解形上学，从正面讲形上学，目的也在把握形上学，使人们达到对宇宙全体的觉解，达到一种最高的思想境界，在这种境界中万物一体，主客为一。这样的领悟和体认是"负的哲学方法"中最重要的内容。

从冯友兰对哲学方法的论释中我们可以看到，他一方面强调运用逻辑分析，以求哲学范畴和命题的清楚明确；另一方面又主张从"负"的方面论释形上学，强调在直觉中领悟和体认形上学对象，以求一种最高的哲学境界。冯友兰强调，"一个完全的形上学的系统，应当始于正的方法，而终于负的方法，如果它不终于负的方法，它就不能达到哲学的最后顶点。但是如果它不始于正的方法，它就缺少作为哲学实质的清晰思想。神秘主义不是清晰思想的对立面，更不在清晰思想之下。无宁说它在清晰思想之外。它不是反对理性的；它是超越理性的"。因为"对于超越于经验者底观念，我们称之为超越底观念，就是形上学底观念"。"康德似乎看出，靠纯粹理性的帮助，没有越过界限的道路。在他的体系中，不论纯粹理性作出多大努力去越过界限，它也总是在界限的此岸。这种努力有些象道家说的'形与影竞走'，但是后来道家却用纯粹理性直地越过界限走到彼岸了。道家的越过并非康德所说的辩证地使用理性的结果，实际上这完全不是越过，而无宁是否定理性；否定理性，本身也是理性活动"。这样，肯定的是理性的东西，否定的也是理性的东西；如道家用"无"来表示，这也是理性的东西。"最后连这个否定的符号也必须自身否定之"，到了最后就无可言说，只有静默，"在静默中也就越过界限到达彼岸"。然而，"讲形上学不能讲，即对于形上学的对象亦有所表显。对于形上学的对象亦有所表显是讲形上学"。这就好像画家的"烘云托月"手法。冯友兰说，"这是我所谓的形上学的负的方法，道家使用的最多，禅宗也使用它"。

基于此，冯友兰论述他的哲学时，专门就“大全”作了一番论述。他说，“所有理之全体，我们亦可以之为一全而思之，此全即是太极”。“总一切底有，谓之大全，大全就是一切底有。借用中国旧日哲学家的话说：‘一即一切，一切即一’”。[①]“一切事物均属于大全。但属于大全者不仅只一切事物。……所谓一切，不只是实际中底一切，而是真际中底一切（真际包括实际）。有有实际底有者，有亦有真际底有者。总一切底有，谓之大全”。[②]“大全亦称宇宙。此所谓宇宙，并不是物理学或天文学中所谓宇宙。物理学或天文学中所谓宇宙是物质的宇宙。物质的宇宙，亦可说是全，但只是部分的全，不是大全”。[③]“大全是一观念，观念在思中，而此观念所拟代表者，则不可为思之对象。……如以大全为对象而思之，则此思所思之大全，不包括此思。不包括此思，则此思之大全有外。有外即不是大全。所以大全是不可思议底。大全既不可思议，亦不可言说，……不可思议，不可言说者，亦不可了解”。[④]冯友兰正是基于看到了这个所谓的“大全”问题，再往前一步就必定要思考哲学到底应该坚持什么样的方法的问题了。所以他作了所能及的出色探索，从而形成了他是谁的关于“真正的形而上的方法”的见解。

这一时期，在冯友兰与洪谦之间发生了一场关于形而上学的论争。张岱年曾在《回忆清华哲学系》一文中写到，“在1936

① 冯友兰：《新知言》，《三松堂全集》第5卷，河南人民出版社1988年版，第56页。

② 冯友兰：《新原道》，《三松堂全集》第5卷，河南人民出版社1988年版，第118页。

③ 冯友兰：《新原道》，《三松堂全集》第5卷，河南人民出版社1988年版，第120页。

④ 冯友兰：《新原道》，《三松堂全集》第5卷，河南人民出版社1988年版，第118页。

年的一次讨论会上，张岱年提出，有的哲学家注重建立‘统一的世界观’，有的哲学家则认为哲学的任务只是对科学命题进行分析。”“洪谦于1936年曾到清华哲学系任教。洪谦在奥国受学于石里克，是维也纳派的成员，坚持维也纳派的关于哲学的观点。他注重运用分析方法，但反对任何建立本体论的企图。因此，洪谦不同意冯友兰的‘新理学’与金岳霖《论道》的学说，因此洪谦与清华哲学系的关系趋于淡化了。”[①] 1946年11月11日，中国哲学会昆明分会举行第二次讨论会，在会上，洪谦发表了《论〈新理学〉的哲学方法》的演讲，对冯友兰的《新理学》的哲学思想方法提出了直接的批评。在洪谦发言之后，冯友兰本人当即提出答辩，金岳霖及沈有鼎亦先后发言设法替冯友兰解围。洪谦演讲的文章全文刊登在《哲学评论》第十卷第一期上。此文是针对冯友兰的《新理学在哲学中的地位及其方法》而写的。

洪谦与冯友兰的争论，主要在如何对待形而上学的问题，而实质上是逻辑实证主义者的观点与新实在论者的观点之争。在冯友兰看来，维也纳学派的哲学纲领就是要拒斥形而上学。而维也纳学派拒斥形而上学的主要手段在于命题的理论及其命题证实的理论。在冯友兰的理解中，维也纳学派拒斥形而上学的主要理由是，他们以为形而上学中的命题都是综合命题，又都是没有可证实性的，所以形而上学中的命题是没有意义的命题。例如，传统形而上学讨论的命题如“上帝存在”、“灵魂不灭”、“意志自由”等命题，无论你对之作肯定还是作否定，这些命题都是没有意义的。冯友兰认为，维也纳学派拒斥这样的形而上学是对的，是有根据的。但是冯友兰紧接着指出，他要

① 张岱年：《回忆清华哲学系》，《张岱年全集》，河北人民出版社1996年版，第535～539页。

建立不被拒斥的形而上学。他强调，他自己的形而上学不在维也纳学派批判的范围之内；而且申明，他是要“经过维也纳学派的经验主义而重新建立形上学”。这一重建的具体途径是，“由分析实际底事物而知实际，由知实际而知真际”。他这里的形而上学的要义在于要从经验事实出发，进而从中演绎出没有任何经验事实的形而上学所需要的全部观念。所以在冯友兰看来，真正的形而上学的命题必须是“一片空灵”的。他认为，他的《新理学》中的形而上学与传统的形而上学是两种完全不同的形而上学。这种不同表现在，传统的形而上学是以“对于事实为积极的肯定”的综合命题为根据的，而他的形而上学却与之不同，是以“对于事实作形式的解释”的分析命题为根据的。维也纳学派能够取消传统的形而上学是因为这样的形而上学的命题是似是而非的命题。而他自己的命题则是空且灵的，所以是维也纳学派所不能推翻的。

然而洪谦并不这么认为。他这样说道：“从维也纳学派立场而言：它的‘反形而上学’（Antimetaphysik）的主要点，并不是如冯友兰所言将形而上学从哲学上加以‘取消’，只想将形而上学在哲学中的活动范围加以指示，在哲学中的真正地位加以确定。换句话说，维也纳学派虽然否定形而上学之为一种关于实际的知识理论体系，但并不否认它在人生哲学方面的重要意义。所以某种形而上学只能被‘取消’或不能被‘取消’，与某种形而上学之以某种命题为根据，毫不相关。某个形而上学家视他的形而上学是否为一种关于实际的知识理论体系，才是其唯一的标准了。”[①] 这就是说，在洪谦看来，冯友兰对维也纳学派有关形而上学的理论是有误解的。第一，维也纳学派并没有

① 洪谦：《维也纳学派哲学》，商务印书馆1989年版，第183页。

拒斥或取消形而上学，只是划定了形而上学的活动范围，把它从实际的知识体系领域中逐出，但是并没有彻底地取消形而上学在哲学中的地位和作用，也没有否认形而上学在人生哲学方面所能起的重要作用。第二，如果说维也纳学派取消形而上学的话，那么他们所运用的标准也并不如冯友兰所说的那样是以什么样的命题为根据，而是看形而上学是不是一种关于实际的知识理论体系。洪谦指出，维也纳学派之所以能“取消”传统的形而上学就是因为传统的形而上学的命题在原则上就没有可证实性，所以这些命题都是一种“似是而非的命题”。

在洪谦看来，冯友兰的形而上学的命题其实也是没有实际的意义的命题。但是与传统的形而上学的命题不一样，《新理学》中命题的没有意义不是因为它们是“似是而非的命题”，而是因为它们是“重复叙述的命题”，所以这些命题才没有意义。“重复叙述的命题”所叙述所传达的对象，我们根本就无法从事实方面加以肯定或否定。同时它是真或假、是否有实际的意义我们也无法从事实方面加以肯定或否定。可见，“冯先生的‘对于事实为形式的解释’的形而上学……在原则上就是一些对于事实无所叙述无所传达的‘重复叙述的命题’，因为这样的命题对于事实所叙述所传达的对象，我们从事实方面亦不能有所肯定或否定，同时这样的命题亦不因其在事实方面不能有所肯定或否定而失去它的真性，而失去其原有的意义的”。这样的形而上学最终不过是“一种‘空话’的理论系统了”。[1]冯友兰把形而上学看作是他所理解的知识中的一种，但是经过洪谦这样的分析，冯友兰的形而上学的命题也与传统的形而上学一样并不能构成关于实际的知识理论的系统。

---

① 洪谦：《维也纳学派哲学》，商务印书馆1989年版，第188页、第191页。

冯友兰自认为，他的形而上学是以维也纳学派的经验主义为基础，而进一步超越了维也纳学派。但是洪谦却不这样看。他说，传统的形而上学，在维也纳学派看来，固然不能成为一种关于实际的知识理论体系，但是他们在人生哲学方面还是具有科学所不具有的深厚的意义和特殊的作用的，“我们从形而上学的体验中和形而上学理想中确能得到内心中的满足和精神上的安慰，确能弥补生活上的空虚，扩张我们体验中的境界”。“我们从传统的形而上学命题如‘上帝存在’、‘灵魂不灭’‘意志自由’中，可以得到在理想上的许多丰富的感觉，优美的境界，得到许多满足许多安慰”。[①] 然而冯友兰的形而上学既不是关于实际的知识理论体系，同时它也不具有传统形而上学所具有的人生哲学方面所能发挥的作用。按洪谦的说法，冯友兰的形而上学是“两者俱无一厝”。所以他的结论是，如果维也纳学派真的要取消形而上学的话，“那么冯先生的形而上学之被‘取消’的可能性较之传统的形而上学为多”。[②]

冯友兰和洪谦可以说有着不同的学术背景。洪谦可以说是在西洋哲学背景之下成长起来的哲学家，他的思维方式明显是西方式的。而冯友兰则不同，他虽然也曾赴美国留学，也曾受过新实在论哲学思想和方法论的影响，但是他的哲学思想主要的还是中国传统哲学的。他本人曾经这样说过，如果一个人听了西洋音乐，再听中国音乐，他肯定喜欢西洋音乐；但是如果他同时阅读西洋的哲学著作和中国传统的哲学著作，难免他会喜欢中国传统的哲学思想。在冯友兰那里，中国传统的哲学思想虽然不重视逻辑的分析，但是却特别注重人生哲学中的人生境界理论。冯友兰继承了中国传统哲学的这一传统，他的哲学

---

① 洪谦：《维也纳学派哲学》，商务印书馆 1989 年版，第 191 页。

② 洪谦：《维也纳学派哲学》，商务印书馆 1989 年版，第 191 页。

工作的路向就是要给传统哲学的人生境界奠定一个现代性的哲学理论或方法论的基础。在这样做的时候，他思考的重点毫无疑问是传统的人生境界说，而从西方借鉴来的逻辑分析方法在他看来只不过是一种工具。

熊十力也被认为基本是一个传统的中国哲学家。他在此意义上维护形而上学或本体论的立场更为积极。他的哲学思想体系被认为就是本体论或形而上学。他说：“学问当分二途：曰科学，曰哲学。科学，根本就是从实用出发，易言之，即从日常生活的经验里出发。……哲学自从科学发展以后，他底范围日益缩小。究其言之，只有本体论是哲学的范围，除此之外，几乎皆是科学的领域。……哲学思想本不可以有限界言，然而本体论究是阐明万化根源，是一切智智，与科学但为各部门的重视者不可同日而语。则谓哲学建本立极，只是本体论，要不为过。夫哲学所穷究的，即是本体”。[①] 洪谦或维也纳学派的哲学家们认为，哲学不是一种知识体系或科学，而是一种活动，它的任务就是要说明或明确科学命题的意义。总之，哲学没有自己的独立性，没有自己独立的领地，而只不过是科学的附庸，只不过是科学范围之内的一种活动。而熊十力却不这么看，他指出人的智有性智和量智的区别。“性智者，即是真的自己的觉悟”。“量智是思量和推度，或明辨事务之理则，及于所行所历，简择得失等等的作用故，故说明量智，亦名理智。此智，元是性智的发用，而卒别于性智，因为性智作用，依官能而发现，即官能得假之以自用。”[②] 他认为，性智是一切智中最上的智，它要高于量智。本体是需要性智才得体认，而量智的运用形成的是知识。他于是这样说道：“哲学所以站得住者，只以本体论

① 熊十力：《新唯识论》，中华书局1985年版，第248页。
② 熊十力：《新唯识论》，中华书局1985年版，第249页。

是科学所夺不去的。我们正以未得证体，才研究知识论。今乃立意不承有本体，而只在知识论上钻来钻去，终无结果，如何不是脱离哲学的立场？凡此种种妄见，如前哲所谓‘道在迩而求诸远，事在易而求诸难’。此其谬误，实由不务反识本心。易言之，即不了万物本源，与吾人真性，本非有二。遂至妄臆宇宙本体为离自心而外在，故乃凭量智以向外求索，及其求索不可得，犹复不已于求索，则且以意想而有所安立。学者各凭意想，聚讼不休，则又相戒勿谈本体，于是盘旋知识窠臼，而正智之途塞，人顾自迷其所以生之理。”[①] 由于人们认识不到本体，所以才凭借量智向外逐物，在知识论上纠缠不休，所以才认识不清哲学的真正目的在于认识本体。

按熊十力的看法，知识论的研究不是哲学内容，更不是哲学追求的目标。从笛卡尔、洛克以后的西方哲学史的重点是在知识论方面的研究，这就是所谓的“认识论的转向”。所以在西方哲学中，一个真正的哲学家如果不去研究知识论，不建立自已的知识理论的体系，就是一件不可思议的事情。在西方哲学中，当知识理论成为是哲学的中心内容，而形而上学在近代以来的历史中却逐渐地失去了原有的神圣不可侵犯的地位，似乎在历史中渐渐地隐去。熊十力的思想似乎就是体现这种发展趋势。冯友兰和金岳霖都在西方学习哲学多年，对于西方哲学的发展可以说是了如指掌，但是他们似乎没有为这种哲学发展的趋势所动，而仍然执著地坚持着形而上学的立场，花了极大的精力来创建自己的形而上学哲学体系。冯友兰认为，形而上学是“最哲学的哲学”。金岳霖也明确地指出“玄学是统摄全部哲学的”。他虽然在知识理论的研究上花了极大的工夫和时间，但

① 熊十力：《新唯识论》，中华书局 1985 年版，第 250～251 页。

他对知识理论的基本观点却是，知识理论应该是以形而上学或本体论为基础的。可以说，上述的哲学家坚持形而上学才是哲学的核心内容。

汤一介、李中华主编，胡军著《中国儒学史（现代卷）》，在作了以上陈述后，评论说：洪谦对冯友兰的批判固然是一个逻辑实证论者对一个新实在论者的批判，而更为根本的是，这一批判也是一个完全站在西方哲学立场的哲学家对一个中国哲学家的批判。这就涉及到维也纳学派与中国哲学对待形而上学的根本态度问题了。可以说，在这个很重要的哲学问题上，他们之间有着很大的分歧。在西方哲学史上有取消形而上学的思潮，维也纳学派只不过将其推向极端而已。但是在中国哲学中却从来就没有这样的排除形而上学的传统，不但没有，而且还积极地维护形而上学。这是因为按照中国哲学家的看法，哲学从本质上说就是形而上学。应该说中国哲学与西方哲学有着某种共性，但不能否认它们之间还是有着很大区别的。西方文化的核心是宗教而不是哲学。与此不同，中国文化的核心却是哲学。西方人的终极关怀和终极托付是宗教，而中国人的安心立命之所却是哲学。准此，我们可以说，西方人具有宗教的本质，而中国人就其本质说是哲学的。把哲学看作是概念游戏是典型的西方人的说法，因此对于他们来说，哲学并不是绝对必须的。相反，对于中国人来说，特别是对于中国的知识分子来说，宗教倒并不是必须的，但哲学却是不可一日或缺的。这倒是应了黑格尔老人的一句名言，一个国家没有哲学，就像一座雄伟壮观的庙中没有神像一样，空空荡荡，徒有其表，因为它没有可信仰的东西，可尊敬的东西。哲学或形而上学就是中国人可信仰的东西，可尊敬的东西。对于形而上的执着追求源于中国人的本性。冯友兰就是这样看的，他认为，人没有必要一定要具有宗教的性质，但每一个人却必须学习哲学，具有哲学的修养，他才有可能成为真正的人。因此哲学才是人的本质。而且他还进一步指出，在不远的将来，哲学一定会代替宗教。[①]

三、金岳霖：中国本体论与西方逻辑的结合

金岳霖（1895—1984）在20世纪30至40年代陆续完成了《逻辑》《论道》《知识论》的写作，以本体论（《论道》）—认识论（《知识论》）—逻辑学（《逻辑》）为主干来阐述其哲学思想。就本体论说，金岳霖与冯友兰不同。金岳霖一直很注重认识论和科学方法论的研究。据说，金岳霖对哲学发生兴趣就是从钻研归纳问题开始的。金岳霖在谈到他的哲学思想发展过程时说："有两部书对于我的影响特别的大：一部是罗素底 Principles of Mathematic，一部是休谟底 Treatise。"[②] 通过休谟，他继承了英国经验论重视感觉经验的传统；通过罗素，他研究了对概念进行逻辑分析的方法。金岳霖力求吸取西方逻辑学研究的成就，并与中国的“道”论及诸范畴相结合，处理形而上学与知识论的问题。在金岳霖那里，由“基础本体论”到“知识本体论”再到“知识论”，构成其整个哲学体系。

金岳霖写的《论道》一书，更多很大程度上是与逻辑实证论结合。《论道》除《绪论》外，八章；分别为《道，式－能》《可能底现实》《现实底个体化》《共相底关联》《时一空与特殊》《个体底变动》《几与数》《无极而太极》。

金岳霖基础本体论的第一个命题是“道是式－能”。[③] 这是金岳霖整个哲学体系的前提。“道”“式”“能”被认为是金岳霖

① 以上见，汤一介、李中华主编，胡军著：《中国儒学史（现代卷）》，北京大学出版社2011年版，第212～223页。

② 金岳霖：《论道》“绪论”，商务印书馆1987年版。

③ 金岳霖：《论道》，商务印书馆1987年版，第19页。

哲学中的本体论开端。其哲学体系中的所有概念和命题，诸如无极而太极、变动、个体、现实等等，都是由这个命题展开的。

对于"道"，金岳霖说："道是哲学中最上的概念或最高的境界"，"万事万物之所不得不由、不得不依、不得不归的道才是中国思想中最崇高的概念，最基本的原动力"。他又说："关于道的思想我觉得它是元学的题材。我现在要表示我对于元学的态度与对于知识论的态度不同。研究知识论我可以站在知识论的对象范围之外，我可以暂时忘记我是人，凡问题之直接牵扯到人者我可以用冷静的态度去研究它，片面地忘记我是人适所以冷静我底态度。研究元学则不然，我虽然可以忘记我是人，而我不能忘记'天地与我并生，万物与我为一'，我不仅在研究对象上求理智的了解，而且在研究底结果上求情感的满足。"① 金岳霖强调玄学的题材就是"道"。他说："每一文化区有它底中坚思想，每一中坚思想有它底最崇高的概念，最基本的原动力。……中国思想中最崇高的概念似乎是道。所谓行道、修道、得道，都是以道为最终的目标。思想与情感两方面的最基本的原动力似乎也是道。成仁赴义都是行道；凡非迫于势而又求心之所安而为之，或不得已而为之，或知其不可而为之的事，无论其直接的目的是仁是义，或是孝是忠，而间接的目标总是行道"。②

在金岳霖的哲学体系中，讲到"式"，这包括所有的"可能"。金岳霖强调，这体现着逻辑的必然。而这里的"逻辑的必然"是 tautology，不是 necessary。"tautology"在现代逻辑中原本指的是"重言式"，是作为"A 是 A"的"同一律"。"式"体现着"同一律"，而在金岳霖关于"道，式、能"的哲学体系

① 金岳霖：《论道》"绪论"，商务印书馆 1987 年版。

② 金岳霖：《论道》，商务印书馆 1987 年版，第 16 页。

中，这逻辑的必然不是 tautology，而是基础本体论中作为开端的概念和命题，已经包含了整个体系结论的所有可能，或者说它包含了整个宇宙的可能。于是，金岳霖强调“式”是所有可能的析取的总和。凡举一个事物，它总是“式”中的可能中的一个。从排中律上看，它或者是 a 或者不是 a，无论它是不是 a，它总逃不出“可能”的范畴。这样，“式”就给出了宇宙的范围，式的大小也就是宇宙的大小，整个宇宙的种种事物，都不出可能的范围，即不出“式”的范围；由此，宇宙就是以“式”为大前提的演绎，“式”本身靠析取的逻辑特性保证演绎的正确性。“可能”是无限的，所以宇宙也是无限的。在金岳霖讲来，“式”是作为概念形态的宇宙，是“being”；无论宇宙是什么样子，它的样子作为纯有的概念形态已经存在于式中了。所谓“现实”，就是宇宙从纯有向实有（reality）的过渡。这种过渡，有过程的意义但不就是时间性过程；有本体显现为现象的意思，又不全是本体显现为现象；而是纯有变为实有。

金岳霖说，“能”是在“式”的各种“可能”之间流动。没有无“能”的“式”，也没有无“式”的“能”。“式”和宇宙同大小，“能”在“可能”间的流动，形成了宇宙的变动过程。金岳霖强调，能不是“气”，不是“质料”，不是物理学中的“Matter－energy”。他强调，“现实即可能之有能”[①]。能进入一个可能，就使这一可能成为“共相”，由此这一可能成为“类”，有具体的东西来表现它，这就是可能的“现实”。金岳霖说：“现是出现的现，不是时间上现在的现，而‘实’就是不空”。[②]金岳霖又指出：“本然世界老是现实的‘现实’。”[③] 这里的现实，

① 金岳霖：《论道》，商务印书馆 1987 年版，第 42 页。

② 金岳霖：《论道》，商务印书馆 1987 年版，第 42 页。

③ 金岳霖：《论道》，商务印书馆 1987 年版，第 64 页。

不是现在的实际存在，而是潜存的有。金岳霖自己明确地表示："现实的现字没有现在底意思，只有现出来底意思，而实字没有存在的意思，只有实在底意思。本然世界是实实在在现出来的世界。"①

金岳霖对他所说的现实就是本然世界，特别他指出，这本然世界是有共相的世界，它虽然肯定能进入某些可能，并且共相在经验世界的影子是有许多个体表现它，但本然世界仍然是个概念世界，仍然没有过渡到经验世界的个体事物；要过渡到具体事物，还必须经过"现实底个体化"这个环节。所以，他提出了"现实底个体化"的两个原则性前提，即"现实并行不悖"和"并行不费"②。"并"，指诸多"可能"同时成为"现实"；"行"，指诸多"可能"交替成为"现实"。这表明，"能"可以同时进入不同的"可能"，并跑出一个或一些"可能"而进入另外的"可能"。显然，"能"的"并行"原则"是能有出入"命题的具体化。而个体化的另一个前提是"现实并行不费"。"费"，是浪费"能"或浪费"可能"。"并行不费"是说现实不浪费"能"，不浪费"可能"。金岳霖指出，现实不并行，一定是费的。如果不并亦不行，那么所有的"能"总是停留在一个"可能"内，这就至少浪费了"能"。如果并而不行，那么，所有的"能"同时平均地套进所有的"可能"后毫无更改，这样，有的可能就不能得到充分的现实，就浪费了可能的现实的机会。如果行而不并，则同一时间内所有的能仅仅套进一个可能，这样一方面浪费了"能"，另一方面又浪费了同一时间内其他"可能"的现实的机会。

金岳霖提出，当同一的能同时套进许多相融的可能的"并

① 金岳霖：《论道》，商务印书馆1987年版，第64页。

② 金岳霖：《论道》，商务印书馆1987年版，第66、68页。

行不费”，这就赋予了“能”把不同的、相融的“可能”串起来的联合能力。一方面能把诸多相融的可能联合起来，成为共相束，这就成为一个具体的共相。另一方面，具体的分解化和多数化就是个体化。个体化是显示并行不费的方式。个体既是“个”，又是“体”。个体包含有谓词能够摹状的内容，也有不能摹状的内容，即“体”。

对于“共相”，金岳霖指出可以有三种说法：一是采用普通的说法，从各个体中分析出共相，指出共相是各个体所共同表现出来的普遍的“相”；第二是利用文字的说法，指出“共相是谓词所能传达的情形”；再次是他自己的说法，即从概念推演到共相，指出“共相是个体化的可能”。关于共相的“有”的问题，在金岳霖看来，共相不是“being”，也不是“existence”。共相是实在的，即是“reality”。金岳霖说：“殊相是个体化的可能的各个体。”[①] 具体分解、多数化之后，出现个体，表现在个体上的应仍是完整的可能，共相不因为个体化或者能的感染就失去了自己的完全性，以至于表现在个体上为殊。所以，共相与个体的关系是月印万川，理一分殊。

金岳霖特别论述了，个体既有共相，也有殊相。“殊相是个体化的可能底个体”[②]。这就是说，殊相是可能表现为现实的个体。金岳霖指出，殊相的关键是“殊”，“殊相的殊是特殊的殊”，“特殊化就是时空位置化”，因此，每一个个体都占有不同的时空位置，都是独一无二、往而不返的。这就是殊相。殊相与共相相对，一个个体实现的共相越多，相应于这些共相的殊相也越多。一个体的共相是综合的可能，它的殊相就是综合可能的特殊的现实。个体的共相不完全相同，殊相则决不会相同。

① 金岳霖：《论道》，商务印书馆1987年版，第73页。
② 金岳霖：《论道》，商务印书馆1987年版，第135页。

所以，个体之所以为个体，不仅在于它表现了共相，更重要的是，它有自己的殊相。显然，金岳霖有这样的认识：个体包含诸共相，共相表现为殊相。个体是一，共相是多；共相是一，殊相是多。一个体在不同时空中的表现都是它的殊相。

金岳霖指出："分别地表现于个体的共相是现实的性质。"① 他又说，"如果有一大堆具有同一性质的个体，这性质是它们所共有的性质。这当然就是说它是共相"。因为共相是现实的可能，所以，个体的性质是现实的。显然，这里所说的性质不是本性（nature），而是一般性质（quality）。

金岳霖指出，性质是实在的，关系也是实在的。性质是针对一个个体而言的。关系是对一个以上的个体而言的。是"联合地表现于一个以上的个体的共相"。关系之所以是实在的，是因为它是个体间的共相。"联合地"是说"关系是对于两个或多数个体才能实现的可能"，比如"比大"、"比小"等等，只能是这个比那个大或那个比这个小；而"这个"与"那个"同时，不能是"这个"比"大"、"那个"比"小"。金岳霖认为，此处的"比大"、"比小"的关系不是两个个体之间的殊相，而是"一套个体与另一套个体之间的共相"②。一个个体有许多性质和关系，这些性质和关系在没有现实以前，是可能，在有了能以后，就成为"共相"。由于性质和关系可以有很多，这些性质和关系有共同的能，所以它们是"综合的可能"。综合的可能与单个的可能有相同之处，也有不同之处。无论单个的可能还是综合的可能，在能够作为事物的性质和关系方面，它们是相同的。基于此，金岳霖还论述到"变动"与"生灭"。他指出，变是现实的

① 金岳霖：《论道》，商务印书馆1987年版，第75页。

② 金岳霖：《论道》，商务印书馆1987年版，第76页。

可能，“是可能底轮转现实”[①]。“生灭是个体中殊相底来往”[②]。

如此等等，在金岳霖的哲学体系讲来，“式”是就形式来讲的。具体事物是形式与质料的结合。现实可能，成为现实，而“居式由能，莫不为道”。这样，“式”和“能”大体相当于中国传统哲学中的“理”和“气”。因此金岳霖论述了“理有固然，势无必至”。于是，金岳霖视“道”为达到“无极而太极”，达到太极便是“至真至善至美”的理想境界。

金岳霖的《知识论》，是试图建立“实在主义的知识论”。“主旨是以经验之所得还治经验”，即知识的形成是得自经验还治经验的过程。金岳霖提出“所与是客观的呈现”，否定以主观的感觉作为认识论的出发点，论证了“所与”是客观事物在人们正常感觉活动中的呈现，是“内容和对象在正觉底所与上合一”，感觉可以作为沟通主客观的桥梁。在概念论上，他提出“摹状与规律”的学说，指出抽象概念对所与具有摹状（摹写）和规律（规范）双重作用，强调“摹状与规律不可分离”。这里，要用得自所与的概念摹写和规范所与。就对象而言，是所与化为事实。就主体而言，是知觉到了事实。事实的秩序是事与理、共相与殊相的统一，知识的进步就在于随着经验的展开不断地在“事中求理”“理中求事”，又以理论作为工具去发现事实。金岳霖就是基于此，以概念的摹写和规范之双重作用论证了知识得自经验还治经验的内在机制。在逻辑理论上，金岳霖提出，逻辑与归纳原则是知识经验“理论上的担保”。他阐述了形式逻辑基本规律的性质和“归纳原则是接受总则”，以此作为知识之所以可能的必要条件。同时，他又把抽象概念与共相的对应关系固定化，把事物的共相关联（理）看作是静止的结

① 金岳霖：《论道》，商务印书馆1987年版，第50页。
② 金岳霖：《论道》，商务印书馆1987年版，第157页。

构，并提出逻辑是先天形式，提出归纳原则是先验原则。

金岳霖还著有《逻辑》专著。于此，他基于对中国传统哲学的深入研究，认为中国古代哲学中的认识论和逻辑学不发达。他在谈到传统学术的演变时，指出中国的认识论与逻辑意识不是没有，比如说在先秦时期的名家学说中也曾一度出现过形式逻辑研究的高潮，他说："这类所谓诡辩背后的实质，其实不过是一种思想大转变，从最终实在的问题转到语言、思想、观念的问题，大概是领悟到了不碰到后者就无法解决前者。"① 金岳霖认为，这就是中国形式逻辑学说的开始。他还把先秦名家学说同古希腊哲学作了对比，认为先秦名家学说同样具有西方哲学那种"理智的精细"。不过总体上说，金岳霖认为形式逻辑在中国没有得到发展，他惋惜先秦名家"这种趋向在中国是短命的；一开始虽然美妙，毕竟过早地夭折了"。因此中国"逻辑、认识论的意识仍然不发达，几乎一直到现在。"②

第四节　关于"诚"与"成"，主要由张东逊哲学说起

一、关于张东逊所论的 being 与 becoming

张东逊曾指出，"西文动词 to be 转为名词 being，实为物的观念之所奇，西洋哲学之本体观念亦即出于此。但在中国思想中，则似只有 becoming 而没有 being。"张东逊认为，西方哲学

① 金岳霖：《中国哲学》，《金岳霖学术论文选》，中国社会科学出版社 1990 年版，第 353 页。

② 金岳霖：《中国哲学》，《金岳霖学术论文选》，中国社会科学出版社 1990 年版，第 353 页。

史上，哲学上的本体（substance）是由“名学”上的主体（subject）而来，中国名学上无主体，哲学上自然不会有本体概念。“中国的文句上‘主体’的重要既不分明，所以中国哲学上始终没有‘本体’的思想。”在他看来，中国最古的哲学是《周易》，所谓八卦只是象征了若干变化的式样，并无“本体”的观念；“一”与“无”亦不含有Being的意思；“天”更不可作“本体”来解；老子一派的“无”只是个消极名词，等于“非甲”“非人”一样，不能指一件东西。中国哲学上始终没有像亚里士多德那样讲Being as Being（to or ηor），无论《周易》还是老子，都是注重讲Becoming而不是注重于Being。这都是中国言语构造上不注重“主体”造成的，“亦可以说中国言语上不注重主体和中国哲学上不注重本体都是同表现中国人的思想上一种特性。”①

这样，张东荪进而认为，“西洋哲学直问一物的背后，像是直穿入的；中国哲学则只讲一个象与其他象之间相互关系如何，像是横牵连的。”“在逻辑上，西洋以同一律为根本；中国不重同一律，却可说有一种相关律。”所以才出现了“在哲学上，西洋以本体论为开始，且作为最重要之一种讨论，中国人却从不见其究问本体。在西洋无论如何只能以宇宙观为人生观之前奏，不能合并为一。然而在中国则宇宙人生合一炉而冶。或且宇宙论吸收于人生论中。中国简直可说只有实践哲学，而没有纯粹哲学。”张东荪论说了如此想法：这里“涉及到‘是’的问题，因为在‘句辞’中，‘缀词’（copula）起了决定作用。在英文中缀词是is，即动词to be。在中国言语中，却很少有与to be相当的字”。“者也”不是正式的缀辞，不能把它当作英文的is看待；

---

① 张东荪：《知识与文化》，商务印书馆出版，第162～163页。

"是"只是"此乃"的意思，亦不能与英文的 to be 相当；"为"字兼有"成"的意思，可说含有 become 之意义，和英文的 is 不完全相同；"系"字与"即"字更是如此。中国言语上没有 is (to be)，可说是相当关键。英文 is 有"存在"(to exist) 的意思，故英文的 Being 一转即为 Existence，由此引出本体论。而中国言语只讲 becoming，没有 is (to be)，所以发展不出本体 (being) 的观念。①

由我所提出的塑造论哲学看过去，于此应注意到这样的情况：以上所说只注意到了 being (to be) 与 becoming 的区别，而没注意到"成"与"诚"的联系。在中国哲学思想史中，诸多哲学理论，主要不由"在""是"生长的，而是由"成""诚"生长的。然而困难在于当中文与西文对译时，"成"的概念和"诚"的概念在西文中不可能一词兼有二义，是由两个词分别来翻译的；西文中所带有以上两种意义的词，是两个词，二者有着非常不相干的含义。

也就是说，在西方哲学史中，"成"与"诚"是用两个不相干的词表示的，中国哲学中的"成"往往与西文中的 Becoming 对译。这里的 becoming，本义是变成。与此词相当的希腊语 gignesthai，生成，即某种新东西的产生。在此本来意义上，亚里士多德曾用以指本体的变化，指认其中有一个"形式—质料"新的合成物产生。与此相应，还有一个希腊词 kinesis (意为运动)，此是指在性质、数量和地点方面的非本体性的变化。再就是 Gignesthai，这相对于希腊词 phthora，意为毁灭。亚里士多德有一部著作的书名就叫"Peri geneseos kai phthoras"(《论生成与毁灭》，拉丁语为：De Generatione et Corruptione)。但是，

① 张东逊：《知识与文化》，第三编第二、三章及附录一、二、三、四各篇，商务印书馆出版。

亚里士多德并不总是坚持 gignesthai 和 kinesis 之间的上述区别，有时互换地使用这些词。在当代哲学中，一般是在亚里士多德本体性变化的意以上来理解“Becoming”一词，指某一存在物在属性方面的变化。有些哲学家（例如麦克塔加特）断言，现在和将来之间的区别并不实在。按这种观点，变成的事物是什么和变成本身是什么的问题，就变得难以回答了。C. D. 布劳德提出，变成是不可分析的、自成一类（suigeneris）的变化类型。

中文的“诚”，在英文中往往对译为 Sincerity。对此，人们常将此译为“真诚”；这主要是指坦白而直率地展现自己于他人，而不是隐藏或添加某些虚伪的东西以把自己展现为与实际情况不同。西方人以此强调，真诚之人的言行是他自己真正相信的事情。对别人不真诚就是欺骗或虚伪，对自己不真诚实际上是一种自欺。在这种意义上，真诚被认为是一种美德，但对是否任何形式的不真诚都是罪恶这一问题存在争议。爱尔斯特特别讲，“真正的真诚意指的是对自身所有矛盾的方面予以自由的表达。”①

以上可见，在西文中，可翻译为中文“成”的词主要是 becoming，当然，其他与“成”相关的词还有“success（成功）”、“achievement（成就）”“konstitution（德文，构造）”、“bilden（德文，构成）”，等等；而翻译为“诚”的词主要是 Sincerity，其他与“诚”相关的词还有“honesty（诚实、敦厚、质朴、正直的、忠诚、笃信）”、“sincerity and enlightenment（诚明）”、“forgiveness（宽恕）”、“fidelity（忠诚）”，等等。总之，在西方语言中，“成”与“诚”不直接相通。而在汉语的古典文献中，

---

① 爱尔斯特：《尤利西斯和海妖》，1979 年版，第 175 页。

“成”与“诚”可作为通假字来看待。“成”与“诚”应当是可以相互通借的。可是，对于“诚”在西方哲学中找不到同时具有“诚”“成”二义的、与之相对应的词，只能以汉语拼音写出“cheng”，就如同翻译“道”这个中国古代思想史上的重要范畴那样，只能以汉语拼音“dao”来表示。对于“诚”只用“sincerity（诚挚的、真诚的、真挚的、实在的、忠实的）”等词来对译是有缺失的、有缺陷的、甚至是不行的。这就出现了两种情况：一种情况是讲到“成”并认为与“becoming”对应，而由此发展不出能把“成”与“诚”联系起来的概念。另一种情况是，延续中国哲学史特点论到“诚”，但由于没有与中国哲学同时带有“成”的含义的相对应概念，所以作不出哲学在比较中的综合之论。这样，在中国近代哲学中，当与西方哲学对应“成”与“诚”时，往往是分别来论的。在中国近现代哲学史中（如新儒学），明显遇到这个问题。于是，在论述自己的思想时，多数人往往忽略甚至躲避这个问题。因为，当以中国的概念与西方哲学史上的概念对应，“成”与“诚”在西文中毕竟不相干。而中国近现代哲学里又毕竟要由中国哲学史理论既论“成”又论“诚”。也就是说，中国哲学史毕竟脱离不了中国思想史的传统，当以中国哲学史范畴来论中国哲学，“诚”与“成”总是联系在一起。所以一些现代新儒学的哲学家尽管意识不到这一点或对这一点缺乏自觉意识，而仍然不自觉地对“成”和“诚”分别进行了论述。

二、中国现代一些哲学家讲到了中国传统哲学中的“诚”，也讲到“成”，但没将二者作为体系中联系在一起的突出范畴。

以下再举出熊十力、牟宗三为例：

例如熊十力。关于成。熊十力在其著作《明心篇》中有一节“人‘得天而立’，天‘得天而成’”，其讲到：“成己成物、通为一体，《中庸》言成物、须与《易大专》载成天地、辅相万物等文参究，辅相，不仅是变化与改造物质、而化导人群，使其互相扶勉、互相合作。”“《中庸》言成物，须与《易大传》，裁成天地、辅相万物等文参究”。[①]“《中庸》言，成己成物。此乃孔子之说，而小儒引述之耳。不务成物、而惟成己是务者、责独善自私，失德已甚”。[②]

熊十力还说：“天何由成、待人而成之微旨。天者，实体之称。实体只有无限的可能、不可谓其一切圆成。宗教家以上帝为全知全能。佛家称真如为圆成。”“真如，即实体之名。真者，真实。如者，不变。圆者，圆满。成者，成就，此谓实体是一切圆满成就。”[③] 熊十力认为，“成，用也，即遍现为一切物，而遂凭之以显，是谓至无而妙有。故本心乃敻然无待，体物而不物于物者也。体物者，谓其为一切物之实体，而无有一物得遗之以成其为物者也。”“形气之灵发而成乎习，习成而复与形气之灵叶合为一，以追逐境物，是谓习心。”“官能即得假借之，以成为官能之灵明。”[④] 熊十力说，“《大易》之内圣学、示人以体元、成性、涵养根源。”“体元之体、乃体现之谓。”“成之为性。元之在人、虽名为人之性，而必人自努力修养德惠、以发展其性。否则将失其性矣。”[⑤]

在熊十力的《新唯识论》中还曾专门写有“成物”一章，其中讲到，“我要说明这个意思，又非从宇宙真际说起不可。”“中译佛籍以真际为真如异名。真如又即本体之异名。真际者，

① 熊十力：《明心篇》，载《熊十力集》，群言出版社 1993 年版，第 449 页。
② 熊十力：《乾坤衍》，载《熊十力集》，群言出版社 1993 年版，第 468 页。
③ 熊十力：《明心篇》，载《熊十力集》，群言出版社 1993 年版，第 450 页。
④ 熊十力：《新唯识论》，载《熊十力集》，群言出版社 1993 年版，第 85 页。
⑤ 熊十力：《乾坤衍》，载《熊十力集》，群言出版社 1993 年版，第 467 页。

真谓真实，无虚妄故。穷理至此方是究意，故说为际。""真际者，恒转也。""恒转即本体之异名。"[①]"恒转"作为熊十力的用语，如前所说，是指本体（本心）显现为大用，为万化的真源，变动不居。他说，"非常非断，故名恒转。"[②]"恒转势用大极，无量无边，故又名之以功能。"[③]其至无而善动，显为一翕（物）一辟（心），摄取物化，形成有形质的万物，但又能保持自身的不变。

关于"诚"。熊十力引进了思孟的"反身而诚"而展开论证："'反身而诚，乐莫大焉者'，皆备之实体，我所固有，不从外得。""此中实体一词，亦云仁体。惟其非外，故万物所以言之理，""所以然者，谓物之本性，即物所由生成之理。""不劳我之逐物推测，直须反身而自尽其诚。则尽己性，而物性即尽，灼然无疑矣。"又说："夫皆备者，仁体也。反身而诚，则本吾所固有皆备仁体而克尽之谓也。诚斯乐，不诚即无乐。何以故？诚即摄万物为一己而无所不足。""不诚，则我乃自亏其所固有皆备者"。又说："故诚，则有乐俱。""俱者，同体不相离异之谓。""此诚字不与妄对，乐字不与苦对。诚与乐，正是仁体故。""此中诚与乐，皆就功夫上说，然功夫即本体，故此诚与乐，是绝待义也。古云诚与乐正是仁体。"[④]

再例如牟宗三。关于成。牟宗三对此有许多关注。牟宗三

① 熊十力：《新唯识论》，载《熊十力集》，群言出版社1993年版，第157页。
② 熊十力：《新唯识论》，载《熊十力集》，群言出版社1993年版，第107页。
③ 熊十力：《新唯识论·功能》。
④ 熊十力：《新唯识论》，载《熊十力集》，群言出版社1993年版，第176页。

讲到“开物成务”；[①] 讲到“小成”“大成”；[②] 他专门论说了，“依理性通过实践以纯洁化一己之生命……就是成德的一部分……‘德者得也’”；[③] 牟宗三就历史讲到：“尧治天下，而‘以不治治之’（如以无为为之），则无心而成化。”[④] 他引用《论语》子曰：“大哉之为君也！巍巍乎唯天为大，唯尧则之；荡荡乎民无能名焉，巍巍乎其有成功也，焕乎其有文章。”[⑤] 进而讲“人人可以为尧舜”，“古云：人一能之，己百之，人十能之，成其成功一也”。[⑥]

牟宗三还讲到，“此‘心性之学’亦曰‘内圣之学’。‘内圣’者，内而在于个人自己，则自觉地作圣贤工夫（作道德实践）以发展完成其德性人格之谓也。‘内圣外王’一语虽出于《庄子·天下篇》，然以之表象儒家之心愿实最为恰当。‘外王’者，外而达于天下，则行王者之道也，王者之道，言非霸道。此一面足见儒家之政治思想。宋明儒所讲习者特重在‘内圣’一面。”“此‘内圣之学’亦曰‘成德之教’。‘成德’之最高目标是圣、是仁者、是大人，而其真实意义则在于个人有限之生命中取得一无限而圆满之意义。此则即道德即宗教，而为人类建立一‘道德的宗教’也。此则既与佛教之以舍离为中心的灭度宗教不同，亦与基督教之以神为中心的救赎宗教不同。”“体现实体以成德（所谓尽心或尽性），此成德之过程是无穷无尽

---

① 牟宗三：《心体与性体》，载《牟宗三集》，群言出版社 1993 年版，第 377 页。

② 牟宗三：《现象与物自身》，载《牟宗三集》，群言出版社 1993 年版，第 492 页。

③ 牟宗三：《圆善论》，载《牟宗三集》，群言出版社 1993 年版，第 545 页。

④ 牟宗三：《圆善论》，载《牟宗三集》，群言出版社 1993 年版，第 565 页。

⑤ 牟宗三：《圆善论》，载《牟宗三集》，群言出版社 1993 年版，第 562 页。

⑥ 牟宗三：《圆善论》，载《牟宗三集》，群言出版社 1993 年版，第 586 页。

的。""圣不圣且无所谓，要者是在自觉地作道德实践，本其本心性体以彻底清澈其生命。"①

牟宗三又讲到，"此'成德之教'，就其为学说，以今语言之，亦可说即是一'道德哲学'（Moral philosophy）。进一步，此道德哲学亦涵一'道德的形上学'（Moral metaphysics）。道德哲学亦即讨论道德的哲学，或道德之哲学的讨论，故亦可转语为'道德底哲学'（Philosophy of moral）。人对于哲学的态度不一，哲学的思考活动（厘清活动）亦可到处应用，故'道德底哲学'其系统亦多端，其所处理之问题亦可有多方面。但自宋明儒观之，就道德论道德，其中心问题首在讨论道德实践所以可能之先验根据（或超越的根据），此即心性问题是也。由此进而复讨论实践之下手问题，此即工夫入路问题是也。前者是道德实践所以可能之客观根据，后者是道德实践所以可能之主观根据。宋明儒心性之学之全部即是此两问题。以宋明儒词语说，前者是本体问题，后者是工夫问题。就前者说，此一'道德底哲学'相当于康德所讲的'道德底形上学'，即其《道德底形上学之基本原则》（Fundamental principles of the metaphysics of morals）书是也。康德此书并未涉及工夫问题。此盖由西哲对此学常只视为一纯哲学之问题，而不知其复亦是实践问题也。然而宋明儒之讲此学则是由'成德之教'而来，故如当作'道德底哲学'而言之，亦当本体与工夫两面兼顾始完备。而且他们首先所注意者勿宁是工夫问题，至于本体问题则是自觉地作道德实践而反省澈至者，澈至之以成全其道德实践者。""由'成德之教'而来的'道德底哲学'既必含本体与工夫之两面，而且在实践中有限即通无限，故其在本体……而所反省澈至之

① 牟宗三：《心体与性体》，载《牟宗三集》，群言出版社 1993 年版，第 308～309 页。

本体，即本心性体，必须是绝对的普遍者，是所谓‘体物而不可疑’之无外者，顿时即须普而为‘妙万物而为言’者，不但只是吾人道德实践之本体（根据），且亦须是宇宙生化之本体，一切存在之本体（根据）。此是由仁心之无外而说者，因而亦是‘仁心无外’所必然函其是如此者。不但只是‘仁心无外’之理上如此，而且由‘肫肫其仁，渊渊其渊，浩浩天下’之圣证之示范亦可验其如此。由此一步澈至与验证，此一‘道德底哲学’即函一‘道德的形而上学’，此与“道德之（底）形上学’并不相同。此后者重点在道德，即在说明道德之先验本性。而前者重点则在形上学，乃涉及一切存在而为言者。”①

关于“诚”。牟宗三讲到“诚意正物即成物时”。② 他论证了“就致知以诚意与正物而言，物是意之所在之行为物”。③ 牟宗三还由“无常之谓性”延伸论到“诚体”、“诚”。

牟宗三说，“关于‘天命之谓性’。《中庸》说此语，其字面的意思是：天所命给吾人者即叫作是性，或：天定如此者即叫作是性。单就此语本身看，尚看不出此天所命而定然如此之‘性’究是何曾而之性。然依下句‘率性之谓道’一语看，性不会是气性之性。又依‘中也者天下之大本也’一句看，如果‘中’字即指‘性体’言，则作为‘天下之大本’之中体、性体、亦决不会是气性之性。又依《中庸》后半部言诚，言尽性，诚是工夫亦是本体，是本体亦是工夫，诚体即性体，性亦不会是气性之性。”“《中庸》说‘天命之谓性’即是与孟子相呼应而

---

① 牟宗三：《心体与性体》，载《牟宗三集》，群言出版社 1993 年版，第 310～311 页。

② 牟宗三：《历史哲学》，载《牟宗三集》，群言出版社 1993 年版，第 181 页。

③ 牟宗三：《现象与物自身》，载《牟宗三集》，群言出版社 1993 年版，第 483 页。

说出也。"①

牟宗三说，"宋明儒如横渠、明道、五峰、蕺山等人不但承认此呼应，且进而表示此'天所命而定然如此'之性，其内容的意义即同于'于穆不已'之天命实体。'天命之谓性'不能直解为'于穆不已'之天命实体即叫作是性，然'天所命而定然如此'之性，如进一步看其'内容的意义'，亦实函此义。从此义说性，则孟子之自道德自觉上道德实践地所体证之心性，由其'固有'、'天之所与'，即进而提升为与'天命实体'为一矣。而此亦即形成客观地从本体宇宙的立场说性之义。如果'天'不是人格神的天，而是'于穆不已'的'实体'义之天。而其所命给吾人而定然如此之性又是以理言的性体之性，即超越面的性，而不是气性之性，则此'性体'之实义（内容的意义）必即是一道德创性之'实体'，而此说到最后必与'天命不已'之实体（使宇宙生化可能之实体）委同意，决不会'天命实体'为一层，'性体'又为一层。依《中庸》后半部言'诚'，本是内外不隔，主客观为一，而自绝对超然的立场上以言之的，此即'诚体'即同于'于穆不已'之天命实体也。言'天地之道'为'为物不贰，生物不测'，则天地之道即是一'于穆不已'之创生实体，而此亦即是'无内外'之诚体也。《中庸》引'维天之命于穆不已'之诗句以证'天之所以为天'，则"天"非人格神的天可知。是则诚体即性体，亦即天道实体，而性体与实体之意义不能有二亦明矣。就其统天地万物而为其体言，曰实体；就其具于个体之中而为其体言，则曰性体。言之分际

① 牟宗三：《心体与性体》，载《牟宗三集》，群言出版社 1993 年版，第 328～329 页。

有异，而其为体之实义则不能有异。”①

牟宗三说，“伊川朱子亦承认此义，惟对于实体、性体、理解有偏差，即理解为只是理，只存有而不活动，此即丧失“于穆不已”之实体之本义，亦丧失能起道德创造之‘性体’之本义。象山阳明则纯是孟子学，纯是一心之申展。此心即性，此心即天，如果要说天命实体，此心即是天命实体。自道德自觉上道德实践地所体证之本心，所扩充推致之良知灵明顿时即普而为本体宇宙论的实体，道德实践地言之者顿时即普而为存有论地言之者。唯不先客观地言一‘于穆不已’之实体而已。而先客观地言之，再回归于心以实之，或两面皆饱满顿时即为一以言之，亦无过。此即横渠、明道、五峰、蕺山之路也。”②

接着，牟宗三由“性命”“性命之本体”说到“性体与道体”，解释了“个体之成”以达于“诚”。他写道：“关于‘乾道变化，各正性命’。天命实体之下贯于个体而具于个体即是性，此意《中庸》虽未显明地言之，而实已函之，而显明地表示之者则为《易传》之《乾彖》。宋明儒即会通《中庸》《易传》而如此断定也。《中庸》《易传》是一个方向（圆满发展）之呼应，宋明儒即如其呼应而亦存在地呼应之。《易传》穷神知化，正式言诚体、神体、寂感真几，此是妙运万物之实体。濂溪即由此而开宋儒之端。此实体即曰天道，亦曰‘乾道’，此乃是‘于穆不已’之天命实体之别名。”“‘乾道变化，各正性命’，此语字面的意思是：在乾道变化底过程中，万物（各个体）皆各得正命其性命。此语本身并不表示所正定的各个体之性命即是以理

① 牟宗三：《心体与性体》，载《牟宗三集》，群言出版社1993年版，第329～330页。

② 牟宗三：《心体与性体》，载《牟宗三集》，群言出版社1993年版，第330～331页。

言的性命，亦可能是以气言的性命。但首先不管是以理言的性命，抑还是以气言的性命，此总是从'乾道变化'说下来，此即是性命之本体宇宙论的说明。此说明之方式尚未见于《中庸》。《中庸》只表示性体与道体统而为一，未直接表示从道体之变化中说性命之正或成。但《易传》却直接宣明此方式，《乾文言》曰：'乾元者始而亨者也。利贞者性情也'。从利贞处说性情即是从个体之成处说'各正性命'也。从利贞处见个体之成，即见性情之实，亦即见性命之正。乾道之元亨利贞即表示乾道之变化。实则乾道自身并无所谓变化，乃假气（即带着气化）以显耳。乾道则健中正，生物不测，即是一创生实体，亦即一'于穆不已'之实体。然此实体虽是一创生的实体，虽是不已地起作用，而其自身实无所谓'变化'。'变化'者是带着气化以行，故假气化以行耳。变化之实在气，不在此实体自身也。""乾道即是元，故曰'乾元'。亨者通也，此是内通。为物不贰，生物不测，于穆不已地起作用，即是内通之亨，言诚体之不滞也。利者向也，言外通也。利而至于个体之成处，即是其'贞'相，故于个体之成处见'利贞'也。否则，乾道之于穆不已只成一虚无流，已不成其为创生实体矣。故濂溪《通书·诚》上第一云：'大哉乾元，万物资始，诚之源也。乾道变化，各正性命，诚斯立焉'。言由'各正性命'处见诚体之利贞，即见诚体之所以立。所以'立'者即诚体（乾道实体）之于此而自立自见其自己也。否则流逝无收煞。故又云：'元亨、诚之通，利贞、诚之复'。"①

之后，牟宗三又特别引申《中庸》说："《中庸》言：'诚者物之始终，不诚无物'。此物字亦可事物两赅。一切事与物皆是

① 牟宗三：《心体与性体》，载《牟宗三集》，群言出版社1993年版，第330～332页。

诚体之所贯而使之成始而成终。此明是‘本体宇宙论的’纵观语句。《中庸》又言：‘诚者非自成己而已也，所以成物也。成己仁也，成物智也，性之德也，合外内之道也。’诚体即成己，亦成物。‘成己’是就事言，‘成物’则是就物言。成己是内，成物是外，就此内外而言，则有仁智分属之权说。然仁与智皆是‘性之德’（本质的内容），亦即皆是诚体之内容，故此成己成物之诚体便是合内外而为一之道。《中庸》言诚，至明道而由仁说，至阳明而由良知明觉说。其实皆是说的这同一本体。是故就成己与成物之分而有事与物之不同，然而其根据则是一本而无二。就成己而言，是道德实践；就成物而言，是自我实践之功化。即在此功化中含有一道德的形上学，即无执的存有论，此是在合内外而为一，依诚体而实践，这实践之下，亦即是在圆教之下的形而上学，故是实践的形上学，因而亦曰道德的形上学，在本书，即名曰无执的存有论。是故阳明落于《大学》上言格物，训物为事，训格为正，是就‘意之所在为物’而言。若就明觉之感应而言，则事物兼赅，而格字之‘正’义，在事在物，俱转而为‘成’义。成非字义之训，乃是就义理之转进而言。落在此感应上予‘格物’一训诂，则格是感格之格。此则倒反较近于原初降神之义；在祭祀之时，以诚敬感神而使之降也。此义若用于格物，就明觉之感应而言，便是明觉感应于物而来物并来一切行事也。来之即成之。故引申就义理言，此时格物最终即成己成物之谓也。此时，格物不但无认知的工夫义，亦且无‘正其不正以归于正’之诚意实践之后天工夫义（依王龙溪，诚意为后天之学）。格物转成‘成物’。成者实现之之谓也。此示良知明觉是实现原理也。就成己言，它是道德创造之原理，即引生德行之‘纯亦不已’。就成物言，它是宇宙成化之原理，亦即道德形上学中的存有论的原理，使物物皆如如地得其所而然其然，即良知明觉之同于天命实体而‘于穆不已’也”。①

牟宗三还特别讲了“诚”、“精诚”与“真诚恻怛之良知”，与“仁”，与“成德”的关系。他说：“就事言，良知明觉是吾实践德行之道德的根据；就物言，良知明觉是天地万物之存有论的根据。故主观地说，是由仁心之感通而与大地万物为一体，而客观地说，则此一体之仁心顿时即是天地万物之生化之理。仁心如此，良知明觉亦如此。盖良知之真诚恻即此真诚恻怛之仁心也”。② 牟宗三进而说，“孔子对仁似乎极有清晰的观念，亦有极旺盛的兴趣。虽对之无定解，无确诂，看似无把柄，然亦可以说任说任通，句句精熟，这是圆音，并非滞辞。他在这里表现了开朗精诚、清通简要、温润安安、阳刚健行的美德与气象，总之他表现了‘精神’、生命、价值与理想，他表现了道德的庄严。性与天道是自存潜存，是客观的，实体性的，第一序的存有，而仁智圣则似乎是凌空的、自我作主地提起来的生命、德性，其初似乎并不能直接地把他置定为客观的、实体性的、自存潜存的存有，因此它似乎是他自己站起来自己创造出的高一层的价值生命。”③ 牟宗三强调，“由践仁知天，说仁与天合一，天是‘实体’义的天，积极意义的天，是从正面说，从‘先天而天弗违’说。（‘天弗违’之天是形而下的天）。至于孔子说‘知天命’，‘畏天命’，以及慨叹语句中的‘天’，则是表示一‘超越的限定’义。此则不纯是以‘实体’言普通所谓以

① 牟宗三：《现象与物自身》，载《牟宗三集》，群言出版社 1993 年版，第 485～486 页。

② 牟宗三：《现象与物自身》，载《牟宗三集》，群言出版社 1993 年版，第 485 页。

③ 牟宗三：《心体与性体》，载《牟宗三集》，群言出版社 1993 年版，第 376 页。

理言的天，当然亦不纯是以气言的天，乃是‘实体带着气化、气化通着实体’的‘天’，此是从‘后天而奉天时’说。”[1] 总起来，牟宗三对于王阳明的“四句教”说道，“四句教中心意知物四者既皆处于‘有’境，则致知以诚意正物而腹心之正这一实践工夫随而亦可以说为是一无现之进程”。[2]

以上这些哲学家，基本上重复阐述了中国思想史上一些哲学家的见解，但在其体系中却并没将“成”与“诚”作为突出范畴出现，更没将“成”与“诚”的联系在其哲学体系中、在与西方哲学的比较中，特别在与“‘是’‘在’的比较中”，充分揭示出联系。

三、中国在20世纪30年代，也有一些人明显地将中国传统思想中关于“诚”的论说引向歧路，为其反动的政治服务。

例如，1933年2月，陈立夫曾在《进展月刊》上发表《唯生论的人生观和社会观》（原系在南京演讲稿），1933年9月他又以《唯生论》为题在国民党中央政治学发表演说，阐述了他的唯生论哲学。但在当时影响不大。1943年在抗日战争后期，以蒋介石的名义发表的《中国之命运》一书出版，该书大讲其“力行哲学”。陈立夫于1944年又发表了《生之原理》等。由于蒋介石集团以唯生论与力行哲学作为他坚持独裁、内战政治纲领的哲学基础，因而造成了极为广泛的有害的社会影响。当时在毛泽东的指导下，周恩来以及艾思奇、胡绳等撰写了大量文章进行批判。

陈立夫唯生论在哲学上的表现形式是二元论。此“唯生论”

① 牟宗三：《心体与性体》，载《牟宗三集》，群言出版社1993年版，第323～324页。

② 牟宗三：《圆善论》，载《牟宗三集》，群言出版社1993年版，第586页。

认为，宇宙的一切事物都由“元子”所构成，而“元子”也就是“生元”即物质和精神的配合体。唯生论主张宇宙的本体是心与物的综合。陈立夫在解释什么是“生元”时说过，它是宇宙间有生无息大智万能的主宰，即西洋人所谓“上帝”，即所谓“造物者”。唯生论在对“元子”加以说明时，陷于了“物活论”。唯生论还从中国传统哲学中借来“诚”这一概念来解说世界的创造者。

对于唯生论和力行哲学的实质，艾思奇说：“唯生论主张宇宙的本体是心与物的综合，就这一点来说，是二元论的表现。”“唯生论只是在表现上是二元论的，在本质上却是完全唯心论的，世界的最后的创造者既是精神的原理，所以是精神决定物质，是精神产生物质了”。[①]

蒋介石以唯生论的本体论为基础，发展出所谓“力行哲学”。对于知识来源，蒋介石宣称：“知的本源在于人类的本性，不必外求。……知识如果‘无得于己’，便不能算是真知。惟有‘有得于己’的知，才是真知，不但真知，而且易行”。[②] 蒋介石借用王阳明，认为“行”也就是“实行良知”。他又说，行的原动力是“诚”，还说：“至于整个的‘诚’字的意义，则是‘择善固执，贯彻始终’的意思。因为惟有诚乃能尽已之性，尽人之性，尽物之性，惟有诚乃为物之始终，乃能一往无前，贯彻到底；惟有诚乃能创造能奋斗，能牺牲。”[③] 他还进一步讲：“惟有至诚……始可以不瞻顾，不迟疑，永往直前。笃实践履。中

① 参见《艾思奇文集》第1卷，第565～569页。

② 《中国之命运》，义信印书局版，第101页。

③ 《三民主义之体系及其实行程序》，《中国现代思想史资料简编》第4卷，浙江人民出版社出版，第332页。

庸说：‘不诚无物’”①。“这一个诚字，就是力行之精髓，可以克服一切，战胜一切。”②

对于蒋介石这种理论的实质，作为中国共产党人的周恩来以及艾思奇等人，进行了尖锐批判。艾思奇指出：“‘力行哲学’和唯生论一样，在本质上仍是唯心论的，仍是以精神的原理，‘诚’作为创造一切的动力”；又指出，他们的“不诚无物”中的“诚”字，是被当作一个迷信符号。③ 周恩来强调说：“蒋介石的哲学思想是极端的唯心论。他最喜欢引这几句古话：‘人心惟危，道心惟微，惟精惟一，允执厥中。’同时，又强调‘心’的作用”，“于是他想消灭共产党，便装着‘不诚无物’的样子，很沉痛地说‘不解决中共问题，死了也不瞑目’，其实这正是他‘无物不诚’之处。于是他要取消边区，虽经过他在庐山谈话会承认，经过行政院三三三次会议通过，他也可一手取消，这又是他‘有物不诚’之处”，“蒋介石提倡力行哲学，其中心是要人民于不识不知之中，盲目地服从他，盲目地去行”④。

① 《中国之命运》，义信印书局版，第 102 页。

② 《三民主义之体系及其实行程序》，《中国现代思想史资料简编》第 4 卷，浙江人民出版社出版，第 337 页。

③ 参见《艾思奇文集》第 1 卷，第 665～669 页。

④ 《周恩来选集》上卷，第 145～146 页。

第二十章　马克思主义哲学中国化与人类文明大道上的中国化马克思主义哲学

第一节　关于马克思主义哲学中国化

一、重大的历史责任

马克思主义传入中国后，使其中国化，对中国发展有重大意义。马克思主义中国化包含着马克思主义哲学中国化。真正结合中国国情使马克思主义哲学中国化，是以中国共产党人为代表的先进分子的重大历史责任。

马克思主义是在西方产生的，后来在向东发展中与俄国的国情相结合产生了列宁主义；先进的中国人接受了马克思主义、列宁主义，使之在东方中国发生了重大历史作用。“自从一八四零年的鸦片战争以后，中国一步一步地变成了一个半殖民地半封建的社会”。① 马克思列宁主义传入中国之前，中国人曾经为改变封建社会的旧中国向西方国家寻找真理，这对冲击中国封建主义的旧文化起到历史作用。这形成的是旧民主主义思想。而中国半殖民地半封建社会性质决定，旧民主主义思想不仅在

① 毛泽东：《中国革命和中国共产党》，《毛泽东选集》第2卷，人民出版社1966年版，第589页。

反对中国封建主义方面软弱无力，而且在面对世界资本主义思想时，难以自身发展，以至成为西方资本主义的附庸。这样，中国一系列属于旧民主主义范畴的革命及思想运动，败下阵来。于是形成了既反封建又反帝国主义的新民主主义历史潮流。经新民主主义走向社会主义，成为改变旧中国的方向。中国的新民主主义运动及文化思潮，在俄国十月革命之后，特别是在中国的五四运动之后，得到了蓬勃发展。毛泽东讲，“十月革命一声炮响，给我们送来了马克思列宁主义”。“十月革命帮助了中国的先进知识分子，用无产阶级的宇宙观作为观察国家命运的工具，重新考虑自己的问题。走俄国人的路——这就是结论。”[①] 中国共产党以马克思主义列宁主义为旗帜，带领千千万中国人民浴血奋斗，走上了光明之路。在此过程中，马克思列宁主义及其哲学思想，在中国得到了空前的传播。

马克思主义列宁主义及其哲学为先进的中国人所接受，使思想理论为之一新。而中国共产党在领导中国人民进行奋斗中，经历了不善于把马克思主义列宁主义与中国实际相结合的教条主义、经验主义等种种错误和教训，越来越认识到，必须把马克思主义中国化，一定要形成中国化的马克思主义，才能形成中国革命和建设的正确实践。

二、马克思主义需要中国化，马克思主义哲学需要中国化

“理论在一个国家实现的程度，决定于理论满足于这个国家需要的程度。”[②] 中国需要马克思主义，需要马克思主义哲学；

① 毛泽东：《论人民民主专政——纪念中国共产党二十八周年》，《毛泽东选集》第4卷，人民出版社1966年版，第1408页。

② 马克思：《黑格尔法哲学批判导言》，《马克思恩格斯全集》第1卷，人民出版社1956年版，第462页。

马克思主义需要中国化，马克思主义哲学也需要中国化。

在中国共产党的历史上，第一个明确提出、使用和界定"马克思主义中国化"概念的是毛泽东。在1938年10月党的六届六中全会所作的《论新阶段》的报告中，毛泽东深刻指出："共产党员是国际主义的马克思主义者，但马克思主义必须通过民族形式才能实现。没有抽象的马克思主义，只有具体的马克思主义。所谓具体的马克思主义，就是通过民族形式的马克思主义，就是把马克思主义应用到中国具体环境的具体斗争中去，而不是抽象地应用它。成为伟大中华民族之一部分而与这个民族血肉联系的共产党员，离开中国特点来谈马克思主义，只是抽象的空洞的马克思主义。因此，马克思主义的中国化，使之在其每一表现中带着中国的特性，即是说，按照中国的特点去应用它，成为全党亟待了解并亟需解决的问题。"①

关于马克思主义中国化的问题，刘少奇在《论党》中也作过深入分析。他说："由于中国社会、历史的发展有其极大的特殊性，以及中国的科学还不发达等条件，要使马克思主义系统地中国化，要使马克思主义从欧洲形式变为中国形式……这乃是一件特殊的、困难的事业"。②"我们的毛泽东同志，出色地、成功地进行了这件特殊困难的马克思主义中国化的事业"。③他还深入分析了毛泽东思想，指出"毛泽东思想，就是马克思列宁主义理论与中国革命的实践之统一的思想，就是中国的共产主义，中国的马克思主义"。"毛泽东思想，就是马克思主义在目前时代的殖民地、半殖民地、半封建国家民族民主革命中的

① 毛泽东：《论新阶段》，《中共中央文件选集》第11卷，中共中央党校出版社1991年版，第658～659页。

② 《刘少奇选集》上卷，人民出版社1981年版，第335～336页。

③ 《刘少奇选集》上卷，人民出版社1981年版，第336页。

继续发展，就是马克思主义民族化的优秀典型……它是中国的东西，又是完全马克思主义的东西”。[①]“毛泽东思想，从它的宇宙观以至他的工作作风，乃是发展着与完善着的中国化的马克思主义。”[②]

马克思主义中国化命题的提出及在此进程中，推动了马克思主义哲学的中国化。1938 年 4 月，艾思奇在《哲学现状和任务》一文中就曾呼吁哲学的中国化和现实化。他提出：“现在需要来一个哲学研究的中国化、现实化运动。过去的哲学只做了一个通俗化的运动，把高深的哲学用通俗的词句加以解释……然而在基本上，整个是通俗化并不等于中国化现实化”。[③]在这里，艾思奇所说的哲学的中国化和现实化，主要是指哲学研究的中国化和现实化，其中特别包含推动马克思主义哲学中国化。1941 年，和培元在《论新哲学的特性与新哲学的中国化》一文中明确地提出新哲学必须使马克思主义哲学中国化。他指出：“所谓新哲学是指马克思列宁主义的哲学，是指辩证唯物主义和历史唯物主义。”[④]“所谓新哲学的中国化，这个问题的本质是在于辩证唯物主义的普遍原理与中国的具体的革命实践的结合，与中国的历史实际的结合。”他援引毛泽东关于马克思主义中国化的论述，指出：“新哲学的研究者，必须领会这一深刻的启示，要把辩证唯物主义的普遍原理与中国革命的具体实际结合起来才是真正的中国化。”他说，“我们在毛泽东同志的一切著作里也可以看出他怎样深刻地灵活地根据辩证唯物主义的理论

① 《刘少奇选集》上卷，人民出版社 1981 年版，第 333～334 页。

② 《刘少奇选集》上卷，人民出版社 1981 年版，第 335 页。

③ 《艾思奇文集》第 1 卷，人民出版社 1981 年版，第 387 页。

④ 和培元：《论新哲学的特性与新哲学的中国化》，《中国文化》第 3 卷，第 2、3 期，中国文化社 1941 年版，第 88 页。

与方法阐明中国革命的规律性，1937年毛泽东同志在抗大的哲学讲座，迄今犹脍炙人口，他的讲授提纲特别是《对立统一律》一章是最好的中国化了的马列主义的哲学著作，他对辩证法原则的阐述之所以那么爽朗、生动、有力，这不仅由于他的文字的流畅易读，更重要的是由于在字里行间呢洋溢着活的中国革命的经验。这就指示着新哲学中国化的正确道路。”①

马克思主义哲学中国化这个命题的提出不是偶然的。在20世纪30年代前后，中国哲学界存在着一种马克思主义哲学中国化的现实运动。此前，中国哲学界在传播马克思主义哲学方面所做的工作，主要是翻译、介绍、转述马克思主义哲学的经典著作和主要观点，重点是唯物史观。这时，李大钊、陈独秀、瞿秋白等都作出了贡献。而到了30年代，中国哲学界关注的重点转向唯物辩证法，并且力图把马克思主义哲学与中国人民的日常生活，与中国人民的革命斗争，与中国社会的现实情况结合起来。此时，李达、艾思奇、杨献珍等发挥了重要作用。在中国哲学界推动马克思主义哲学中国化的过程中，取得了一批影响广泛深远的成果，其中具有代表性的除了毛泽东的《矛盾论》和《实践论》，还包括李达的《社会学大纲》和艾思奇的《大众哲学》等著作。②

三、中国化马克思主义哲学的主要著作和哲学活动

（一）毛泽东在延安时期，结合中国实际阅读了马克思、恩格斯、列宁、斯大林的著作，也包括主要来自当时苏联的阐述

① 和培元：《论新哲学的特性与新哲学的中国化》，《中国文化》第3卷，第2、3期，中国文化社1941年版，第95页。

② 编写组：《马克思主义哲学史》，高等教育出版社、人民出版社2012年版，第373～374页。

马克思列宁主义哲学的著作，这是形成中国化马克思主义哲学的重要文献。

由中央文献出版社1988年出版的《毛泽东哲学批注集》可以看出，毛泽东在1936年至1937年认真研读了由西洛可夫（Ц. Широков，亦译希罗科夫）、爱森堡（А. Айзньберг，亦译艾森贝格）等教科书，李达（1890—1966）、雷仲坚等译的《辩证法唯物论教程》，并作了批注；研读了由米丁（В. Б. Митин，1901—）等著，沈志远（1902—1905）译的《辩证唯物论与历史唯物论》（上册），并作了批注。毛泽东于1937年5至8月在延安讲授"辩证法唯物论"，这期间形成了《辩证法唯物论讲授提纲》。代表中国马克思主义哲学的《矛盾论》《实践论》正是在此基础上形成的，后被收录于正式出版的《毛泽东选集》之中。

关于30年代苏联哲学对毛泽东哲学思想发展的影响，石仲泉等毛泽东研究者曾仔细地把毛泽东的哲学文献同苏联哲学教科书作了比较，评价了毛泽东对其继承和发展的事实。石仲泉不同意关于在毛泽东哲学思想中一直没有独创性这一观点，指出，毛泽东注重的是用马克思主义哲学观点对中国革命的经验进行概括，批判主观主义及教条主义对中国革命实践的危害。不少人提出，毛泽东在总体上贯穿了马克思主义理论与中国革命实践相结合的精神，体现了"实践的唯物主义"的特点，避免了书斋味；因而，对马克思主义哲学理论作了重大发展且表现了自己重要特色。

第一，毛泽东的哲学文献，是马克思主义中国化和现实化的典范。这些文献提供了毛泽东力图从中国革命的具体经验中概括出中国革命的规律和原则的充分证明。毛泽东对《辩证法唯物论教程》等苏联教科书的批注说明了这一点。这里，毛泽东强调了中国革命内在的特殊矛盾，这对丰富矛盾的普遍性特殊性思想和对展示这些矛盾方面的联系和斗争，是十分重要的。这是毛泽东对苏联教科书最长的批注。从这些批注以及其他对苏联哲学著作的批注中，可以很清楚地看到毛泽东对"辩证唯物主义历史唯物主义"哲学在中国实践中加以领会所得出的结论。毛泽东的哲学文献总是由马克思主义列宁主义哲学思想与中国传统哲学结合，对马克思主义哲学中国化作出说明。毛泽东在《实践论》中把中国传统哲学的"知行观"与认识和实践的关系联系起来考察，为中国共产党在实践中形成的"实事求是"思想路线作出基础性论证。毛泽东在《矛盾论》中，利用中国传统哲学中的"事物是相反相成"的道理来阐明矛盾的概念和对立统一规律。这就使马克思主义哲学中的概念被赋予了"中国民族特色"。

第二，毛泽东的哲学文献，所采用的哲学结构，比他所利用的苏联原本，论述得更全面和清晰。其中的许多提法及其中分析和叙述的内容，比苏联哲学教科书更概括、系统和深刻。这可由他对苏联教科书的批注所显出的精辟性，作为有力的佐证。这更表现于《实践论》和《矛盾论》的写作。毛泽东用其明晰展示，呈现出中国的马克思主义哲学新形态。

第三，毛泽东汲取苏联教科书的成果，提出了许多新思想、新见解。例如：在《实践论》中，关于认识是主观和客观、理论和实践、知和行的具体的历史的统一等，这是对苏联教科书中原有思想更明确的阐明；同时，毛泽东也阐述了苏联教科书中没有的思想。例如，在《实践论》中，关于认识运动总规律的概括；在《矛盾论》中，关于矛盾的普遍性特殊性的精辟表述等等。这都发展了苏联教科书的思想。最重要的是，他通过对中国革命复杂的矛盾分析，来阐明新的方法论原则。对于《辩证法唯物论教程》提到的主要矛盾和矛盾主要方面的问题，毛泽东在《矛盾论》中，用很长篇幅详尽具体地论述了这些思想。这其中包括的一系列由毛泽东精辟阐发的若干重要范畴，形成了对苏联教科书观点的发展。这体现于共性和个性、绝对和相对关系是事物矛盾问题的精髓的思想；同一性的两个重要含义以及有条件的相对的同一性和无条件的绝对的斗争性相结合推动事物发展的思想；还有后来在《关于正确处理人民内部矛盾的问题》中对两类矛盾如何认识如何恰当处理的思想；等等。

（二）毛泽东为了更好地运用马克思主义指导中国革命，认真研究哲学。他曾在致何干之的信中说："我的工具不够，今年还只能作工具的研究，即研究哲学，经济学，列宁主义，而以哲学为主"。[①] 在《毛泽东哲学批注集》一书中，较集中地反映了毛泽东学习、研究马克思主义列宁主义哲学的情况。书中编入了毛泽东批注过的书籍 10 件，其中 8 件是延安时期的。这里包括西洛科夫、爱森堡等著的《辩证法唯物论教程》、米丁主编的《辩证唯物论与历史唯物论》（上册）、李达所著的《社会学大纲》、艾思奇所编的《哲学逻辑》、艾思奇所著的《思想方法论》等。1937 年 9 月，毛泽东读艾思奇著《哲学与生活》一书时，写了 17 页的摘录，并在致艾思奇的信中说："我读了得益很多"。[②] 现今保存下来的毛泽东在 1938 年 2 月 1 日—4 月 1 日写的《读书日记》中，记载了读李达《社会学大纲》、潘梓年《逻辑与逻辑学》、和克劳塞维茨《战争论》3 本书的读书进度。这从另一方面反映了毛泽东认真研究哲学的刻苦精神，这是他发奋读书的生动的历史见证。

在抗日战争的艰苦条件下，毛泽东曾多方设法搜集哲学书籍。他曾在 1936 年 10 月 22 日给当时在西安的叶剑英、刘鼎去

① 《毛泽东书信选集》，中央文献出版社 2003 年版，第 136 页。

② 《毛泽东书信选集》，中央文献出版社 2003 年版，第 112 页。

信:"要买一批通俗的社会科学自然科学及哲学书","要经过选择真正是通俗的而又有价值的(例如艾思奇的《大众哲学》,柳湜的《街头讲话》之类)"。[①] 1943年12月20日毛泽东给胡乔木写信:"请你就延安能找的唯物史观社会发展史,不论是翻译的,写作的,搜集若干种给我。"[②]

毛泽东还倡议成立新哲学学会,推动哲学活动的深入开展。同时,他在强调干部政治学习时特别重视党的高级干部的哲学学习。1940年1月中共中央曾指示把"历史唯物论与辩证唯物论"列为高级课程科目。毛泽东还提出:"关于理论方面,暂时以研究思想方法论为主"。[③] 1941年8月、9月中共中央先后作出成立中央学习组和高级学习组的决定:由中央同志组织思想方法学习小组,以毛泽东为组长,王稼祥任副组长,成员是中央委员;高级学习组要特别包括中央、各中央局、中央分局、区党委或省委的委员,八路军新四军各主要负责人,各高级机关某些干部,各高级学校某些教员;计划首先研究马恩列斯的思想方法论与我党20年历史,以达到克服主观主义、发展革命理论的目的。1941年9月29日毛泽东、王稼祥还以中央研究组负责人名义给中央研究组及高级研究组写了封信,指出:"本组研究方针,以理论与实际联系为目的"。信中还推荐了下列材料:(1)《左派幼稚病》;(2)艾译《新哲学大纲》第八章"认识的过程"(即《哲学选辑》第四章);(3)李译《辩证法唯物论教程》第六章"唯物辩证法与形式论理学";(4)河上肇《经济学大纲》的"序论"。[④] 以后,毛泽东还不断开列学习书目,

① 《毛泽东书信选集》,中央文献出版社2003年版,第80页。
② 《毛泽东书信选集》,中央文献出版社2003年版,第217页。
③ 《毛泽东书信选集》,中央文献出版社2003年版,第189页。
④ 《毛泽东书信选集》,中央文献出版社2003年版,第189页。

组织翻译马列原著，为提高全党思想水平和理论水平，做了大量的工作。这促进了全党思想上和组织上的统一，实现了空前的大团结，而毛泽东哲学思想也得以多方面展开。①

建国前后，马克思主义哲学在中国传播进入了一个新阶段，马克思主义哲学的经典著作以及国外学者（当时主要是苏联学者）的研究著作被有计划地大量翻译出版。

毛泽东在七届二中全会前夕曾审定了一套“干部必读”书目，共12种。这12种书以解放社的名义在1949年6月至1950年6月一年时间里出齐，印行了三百万册。这成为建国初期中国共产党内及党外学习马克思主义理论的重要教材。

除此而外，为了适应广大干部和群众的需要，解放初期先是由各出版部门大量重印和再版了解放前出版的经典著作中文译本，同时在报刊杂志上陆续发表了相当数量的新译本，有的还出版了单行本。

为了加强翻译出版工作，中共中央于1949年6月成立了中央俄文编译局，接着中宣部成立了斯大林全集翻译室；1953年1月，又决定将这两个单位合并成立中共中央马恩列斯著作编译局（简称中央编译局），规定其任务是：有计划地系统翻译马克思、恩格斯、列宁、斯大林的全部著作，在保证译文质量的前提下，加快翻译出版《马克思恩格斯全集》《列宁全集》《斯大林全集》。

与此相适应，根据1950年8月召开的全国新华书店第二届工作会议的决定，1950年12月成立了人民出版社，其主要任务是，出版马列著作、毛泽东著作、党和国家的重要文献，以及有关中国共产党历史、党的建设等方面的著作，同时出版哲学、

① 参见，黄楠森、庄福龄、林利主编：《马克思主义哲学史》第六卷，北京出版社1989年版，第561～562页。

经济学、历史方面的研究著作，并有选择地翻译外国政治书籍和理论著作。中央编译局和人民出版社的成立，使马列主义著作和其他学术著作的翻译、编辑出版工作有了专门的机构。

《斯大林全集》的中文译本于1953年9月先出版了第1卷，以后陆续出版，到1956年4月出完13卷。这是中央编译局根据《斯大林全集》俄文版译出的，其中收录了斯大林在1901—1934年1月期间的著作。《列宁全集》于1955年12月开始出版中文版第1卷，到1963年2月出到第39卷。这是由中央编译局根据《列宁全集》俄文第4版译出的，其中收录了列宁在1893年—1923年期间的著作。《马克思恩格斯全集》于1956年12月出中文版第1卷，到1974年11月出完39卷。这是中央编译局根据1955年开始出版的《马克思恩格斯全集》俄文第2版并参照德文原著译出的，其中收录了马克思和恩格斯在1839年—1895年7月期间的著作。以上三大全集中文版的编译出版，是新中国在马克思主义史上具有深远意义的事件。在这三大全集中包括了马克思主义哲学的主要的经典著作，这为中国人民学习和研究马克思主义及其哲学提供了最重要的学习文献。

另外，在建国初期，人民出版社还根据解放社中文译本出版了《列宁选集》（系根据《列宁选集》英文版12卷本译出），并重新编印了一套共7册的《列宁文集》；又按照莫斯科外国文书籍出版局1950年出版的中文版排印了《列宁文集》两卷集。这个时期，还大量出版发行了马克思、恩格斯、列宁、斯大林著作的单行本，其中包括：《共产党宣言》《法兰西阶级斗争》《哲学的贫困》《哥达纲领批判》《〈黑格尔法哲学批判〉序言》《反杜林论》《费尔巴哈与德国古典哲学的终结》《自然辩证法》，等等；《马克思主义底三个来源及三个组成部分》《论马克思和恩格斯》《论战斗唯物主义的意义》《唯物主义与经验批判主义》《哲学笔记》，等等；《辩证唯物主义和历史唯物主义》《马克思主义与语言学问题》《列宁主义问题》《苏联社会主义经济问题》，等等。在出版这些经典著作的同时，中国的报纸杂志上发表了不少介绍著作产生背景、注释著作有关名词、阐述著作理论意义和实践意义的文章。

这时还新版或再版了一批国外学者而且主要是苏联学者研究和介绍马克思主义哲学的著作。如米丁编著的《辩证唯物论与历史唯物论研习提纲》《辩证法唯物论》《新哲学大纲》《历史唯物论》；阿里山大罗夫主编的《辩证唯物主义》；康斯坦丁诺夫主编的《历史唯物主义》以及他著的《进步思想论》《唯物论与唯心论历史观》《个人和人民大众在历史上的作用》；罗森塔尔、尤金编的《简明哲学辞典》；罗森塔尔等著的《什么是马克思列宁主义哲学》（包括苏《共产党人》杂志刊载的三篇哲学讲话）、《什么是马克思主义的认识论》；瓦因斯坦著的《辩证法全程》；波齐涅夫著的《辩证唯物论讲话》；斯特罗果维契著的《形式逻辑与唯物辩证法》；卡尔塔羌主编的《辩证唯物主义与历史唯物主义教学大纲》；普霍夫斯基著的《马克思列宁主义论人民群众在历史上的作用》；沃斯特里科夫著的《马克思主义哲学唯物主义》（这是当时苏共中央直属高级党校使用的一本讲义）；奥泽尔曼著的《德国古典哲学是马克思主义的来源之一》；叶莘著的《费尔巴哈的唯物主义哲学》；费明娜著的《生产力和生产关系在社会主义社会中的辩证关系》；凯德罗夫著的《论恩格斯的著作〈自然辩证法〉》；波兹列尔著的《论〈唯物论与经验批判论〉》；吉谢辽夫著的《关于列宁的〈哲学笔记〉一书》；斯杰潘宁著的《〈论辩证唯物论与历史唯物论〉的解释》；以及从《苏联大百科全书》中的选译的《辩证唯物主义》《历史唯物主义》《辩证法》《唯物主义》《唯心主义》若干词条等等。

这期间还出版了国外另外一些马克思主义哲学家的著作，如英国的康福斯所著的《唯物主义与辩证方法》《科学与唯心主义的对立》《保卫哲学——反对实证主义和实用主义》等等。

建国初期，除了在《新建设》《学习》《世界知识》等刊物上登载翻译成中文的经典著作和国外学者的一些研究著作外，《学习》杂志还于1951年1月编印了《学习译丛》，主要是译载苏联《党的教育》《布尔什维克》《真理报》《文化与生活》《青年布尔什维克》《共青团真理报》等杂志和报纸上的理论文章、马列主义经典著作的介绍文章、理论研究的动态以及联共（布）党内理论教育的方法和经验等。为了给哲学工作者专门提供一些参考资料使之能够及时了解哲学界的国际情况，后来还在1956年4月创办了《哲学译丛》，它的稿源主要取自苏联，同时也顾及到其他诸国。

还应当指出，建国初期一些苏联专家来中国讲学，在宣传和介绍马克思主义哲学方面也起了重要的作用。比如尤金、凯德罗夫、吉谢辽夫、凯列、科洛尼茨基等都曾在中共中央直属高级党校、中国人民大学、北京大学等处讲过马克思主义哲学原理，或辅导过马恩列斯的经典著作，他们的讲课记录稿还被整理出书。这对中国理论界学习和研究马克思主义哲学起过推动作用。当然，苏联理论界的教条主义学风也对中国理论界产生了消极的影响。①

1950年12月29日和1952年4月1日，《人民日报》重新发表了毛泽东在抗战时期的哲学著作《实践论》和《矛盾论》。《实践论》和《矛盾论》的重新发表，促成在全国掀起以学习“两论”为中心的进一步深化马克思主义哲学学习的热潮。广大理论工作者陆续在《新建设》《人民日报》《学习》等报刊上发表介绍、学习、研究《实践论》《矛盾论》的文章。广大干部、

---

① 参见，黄楠森、庄福龄、林利主编：《马克思主义哲学史》，北京出版社1989年版；第六卷第681～682页，第七卷第10～13页。

群众把对“两论”的学习与实际工作结合起来，将“两论”当作指导学习和工作的指南。

李达、艾思奇、杨献珍（1896－1992）、冯定（1902－1983）等中国的马克思主义哲学家结合社会主义革命和建设实践中的新情况和新问题，对马克思主义哲学开展了多方面的研究并取得了大量积极成果，对马克思主义哲学在中国的广泛传播和普及发挥了重要作用。

《实践论》和《矛盾论》重新发表以后，为了帮助人们更好地学习和领会这两本著作的思想，李达先后写了《〈实践论〉解说》和《〈矛盾论〉解说》，对《实践论》和《矛盾论》进行了深入浅出的逐段解说。在毛泽东的提议和支持下，李达还着手在《社会学大纲》的基础上重新编写一部《马克思主义哲学大纲》，并于 1965 年完成了前半部分，即《唯物辩证法大纲》。

新中国成立后，艾思奇在马列学院授课期间完成了《辩证唯物主义讲课提纲》的写作，于 1957 年由人民出版社出版。在这本著作中，艾思奇紧密结合中国革命和建设的具体实际，系统论述了本体论、认识论、唯物辩证法基本规律和唯物辩证法诸范畴，准确阐明了辩证唯物主义哲学的基本原理，明确提出了“认识的问题，就是哲学的中心问题”的思想，强调“哲学原理的实际意义，就是它的作为认识方法的意义”，并且将毛泽东哲学思想与马克思列宁主义哲学统一起来，提出用毛泽东哲学思想丰富和发展辩证唯物主义哲学。1961 年，人民出版社出版了由艾思奇主编的《辩证唯物主义历史唯物主义》一书，这是新中国成立后第一部由我国理论工作者编写的较为完整的马克思主义哲学教科书，充分体现了马克思主义哲学中国化、大众化和现实化的特点，对于教育大学生和干部群众发挥了重要作用。

杨献珍在新中国成立前期长期从事党的宣传和教育工作，

新中国成立后在马列学院和中央党校担任领导工作，同时还从事马克思主义哲学的教学和研究工作。1955年，杨献珍将其为中央党校普通班学员讲授恩格斯的《路德维希·费尔巴哈和德国古典哲学的终结》和列宁的《唯物主义和经验批判主义》等著作的讲稿整理后，以《什么是唯物主义?》为书名在中央党校内部印发。针对一些干部在工作中常犯唯心主义和主观主义的错误，杨献珍指出：“思维对存在的关系这个哲学中最根本的问题，也是我们一切实际工作中最根本的问题。要使干部从根本上克服工作中的主观主义，就必须使干部从思想上解决这个问题。”① 围绕这一问题，杨献珍对马列原著进行解释，系统阐明了唯物主义认识论路线和唯心主义认识论路线的根本对立。杨献珍还指出，唯物主义是每个党员干部都必须学习的，学习的目的在于学会在认识事物上达到主客观一致。

冯定在新中国成立前主要从事党和军队的革命文化与宣传教育工作，新中国成立后，曾担任北京大学哲学系教授、中国科学院哲学社会科学部学部委员等，长期从事马克思主义哲学的教学和研究工作。1948年，冯定出版了《平凡的真理》一书；新中国成立后，他又结合新的经验和形势对原作进行了修改，由中国青年出版社于1955年出版。《平凡的真理》围绕真理问题依次论述了“真理和智慧”、“真理和谬误”、“真理和规律”、“真理和行为”四个基本问题，论述了马克思主义认识论、世界观、辩证法的基本原理。冯定在《平凡的真理》中还把世界观和人生观结合起来，强调要将哲学理论宣传与思想教育结合起来，寓思想教育于哲学宣传中，使广大干部群众在学习马克思主义哲学的同时受到革命传统教育和共产主义教育。

---

① 杨献珍：《什么是唯物主义?》，河北人民出版社1980年版，第44页。

新中国成立后，马克思主义哲学在干部群众中广泛传播和普及。这不仅在理论上进行了马克思主义哲学的启蒙教育，提高了人民群众的思想觉悟，也在一定程度上清除了封建主义和资产阶级思想的影响，确立了马克思主义在意识形态领域的指导地位，为巩固社会主义政权和促进新中国的经济社会发展发挥了重要作用。[①]

（三）中国共产党在领导中国革命、建设、改革的长期实践中，把马克思列宁主义基本原理同中国具体实际和时代特征相结合，不断推进马克思主义中国化，实现了两次历史性飞跃，形成了两大理论成果，一是毛泽东思想，一是中国特色社会主义理论体系。

中国特色社会主义理论体系，是包括邓小平理论、“三个代表”重要思想以及科学发展观等重大战略思想在内的科学理论体系。它围绕什么是马克思主义、怎样对待马克思主义，什么是社会主义、怎样建设社会主义，建设什么样的党、怎样建设党，实现什么样的发展、怎样发展的基本问题，形成了一系列紧密联系、相互贯通的新思想、新观点、新论断，进一步深化了对共产党执政规律、社会主义建设规律、人类社会发展规律的认识。这个理论体系，坚持和发展了马克思列宁主义、毛泽东思想，凝结了几代中国共产党人带领人民不懈探索实践的智慧和心血，是马克思主义中国化的新成果，是中国共产党宝贵的政治和精神财富，是当代中国各族人民团结奋斗的共同思想基础。在当代中国，坚持中国特色社会主义理论体系，就是坚持马克思主义。

中国特色社会主义伟大实践，是在国情极其复杂、外部环

① 编写组：《马克思主义哲学史》，高等教育出版社、人民出版社 2012 年版，第 383～385 页。

境发生深刻变化的情况下进行的。中国共产党始终坚持和运用辩证唯物主义和历史唯物主义的世界观和方法论，善于从千头万绪、纷繁复杂的事物和事物的普遍联系中把握矛盾、认识和处理问题，形成了独具特色的哲学思想。中国特色社会主义理论体系的哲学思想，内容十分丰富，涵盖马克思主义哲学的各个方面，是中国特色社会主义理论体系的世界观和方法论。中国特色社会主义理论体系的哲学思想，是当代中国共产党人对马克思主义哲学思想的重大贡献。①

第二节　关于“辩证唯物主义和历史唯物主义”与对中国化马克思主义哲学产生重要影响的苏联哲学

一、“辩证唯物主义和历史唯物主义”概念的提出

马克思曾在《德意志意识形态》中，将他的哲学称作“实践的唯物主义”。马克思、恩格斯还多次由“现代唯物主义”讲到他们所创立的哲学。在恩格斯的著作中出现“现代唯物主义”这一概念颇多。他特别讲到，“现代唯物主义都是本质上辩证的”。② 而“辩证唯物主义”一词最早是德国工人哲学家狄慈根在1886年发表的《一个社会主义者在认识论领域中的漫游》一文中率先使用的。狄慈根指出，按照恩格斯在《反杜林论》一书中所阐发的思想，“现代唯物主义”不同于18世纪的唯物主

① 编写组：《马克思主义哲学》，高等教育出版社、人民出版社2012年版，第49～50页。

② 恩格斯：《社会主义从空想到科学的发展》，《马克思恩格斯选集》第3卷，人民出版社1995年版，第422页。

义，是吸收了德国古典哲学成果的“辩证唯物主义”。[①] 后来，普列汉诺夫在《论“经济因素”》一文中明确提出：“根据恩格斯的意见，现代唯物主义正是辩证唯物主义。”[②] 列宁在1908年《向报告人提十个问题》之中特别涉及了“马克思的哲学是辩证唯物主义”的提法；列宁在1908年至1909年写的《唯物主义和经验批判主义》中则写有“马克思主义哲学（即辩证唯物主义)”，“马克思一再把自己的世界观叫作辩证唯物主义”，“马克思和恩格斯几十次地把自己的哲学观点叫作辩证唯物主义”。他还在1909年写的《论工人政党对宗教的态度》一文中讲，“马克思和恩格斯曾屡次说，马克思主义的哲学基础是辩证唯物主义”。恩格斯1892年还在《社会主义从空想到科学的发展》一书英文版导言中用“历史唯物主义”这个名词来表述科学的社会历史观。马克思、恩格斯常称历史唯物主义为“唯物主义历史理论”或“唯物主义历史观”。列宁还曾称历史唯物主义为“科学的社会学”，“唯一的科学的历史观”和“社会科学的唯一科学方法即唯物主义的方法”。

二、苏联哲学关于“辩证唯物主义和历史唯物主义”的阐述

由毛泽东的哲学著作可以看出，他与中国共产党一系列马克思主义理论家一起，在形成中国化的马克思主义哲学时，基于中国革命实践对中国实际作出思考和总结，同时与从苏联传来的马克思列宁主义哲学有着不可忽视的联系。

关于毛泽东仔细读过并作了批注的西洛可夫、爱森堡、米

① 狄慈根：《一个社会主义者在认识论领域中的漫游》，《狄慈根哲学著作选集》，三联书店1978年版，第256页。

② 普列汉诺夫：《论“经济因素”》，《普列汉诺夫哲学著作选集》第2卷，三联书店1961年版，第310～311页。

丁等人所写的著作及教程，其中表现出毛泽东较早研读的当时苏联的马克思主义哲学基本的体系和原理，这形成于1908——1912年布尔什维克正式成为独立的马克思主义政党时期。据《联共（布）党史简明教程》第四章的记载，这一时期，面临党内外的一系列情况，“在马克思主义者面前摆着一个迫切的任务”，即“捍卫马克思主义政党的理论基础”。为此，列宁在1909年写作出版了《唯物主义和经验批判主义》等著作。

依1938年的《联共（布）党史简明教程》第四章第二节，对于此时期形成的马克思列宁主义哲学，以“马克思主义的辩证法”、“马克思主义哲学唯物主义”、“历史唯物主义”三个部分作出概括。

关于“马克思主义的辩证法”，文中写道：“辩证法从根本上说来，是同形而上学截然相反的。”“（一）马克思主义的辩证法的基本特征是”：“（1）同形而上学相反，辩证法不是把自然界看作彼此隔离、彼此孤立、彼此不相依赖的各个对象或现象的偶然堆积，而是把它看作有联系的统一的整体，其中各个对象或现象互相有机地联系着，互相依赖着，互相制约着。”“（2）同形而上学相反，辩证法不是把自然界看作静止不动、停滞不变的状态，而是看作不断运动和变化、不断更新和发展的状态，其中始终有某种东西在产生，在发展；有某种东西在破坏，在衰退。”“（3）同形而上学相反，辩证法不是把发展过程看作简单的增长过程，看作量变不引起质变的过程，而是看作从不显著的、潜在的量的变化到显著的变化，到根本的变化，到质的变化的发展，在这种发展过程中，质变不是逐渐地发生，而是迅速地、突然地发生的，表现为从一种状态飞跃式地进到另一种状态，并且不是偶然发生的，是有规律地发生的，是有许多不明显的逐渐的量变积累而成的。”“（4）同形而上学相反，辩证法的出发点是：自然界的对象、自然界的现象含有内在的矛盾，因为它们都是有反面和正面，都有其过去和将来，都有其衰退着的东西和发展着的东西，而这种对立面的斗争，旧东西和新东西之间、衰亡着的东西和产生着的东西之间、衰退着的东西和发展者的东西之间的斗争，就是发展过程的内在内容，就是量变转化为质变的内在内容。”

关于“马克思主义哲学唯物主义”，文中写道：“（二）马克思主义哲学唯物主义的基本特征是”：“（1）唯心主义认为世界是‘绝对观念’、‘宇宙精神’、‘意识’的体现。而马克思的哲学唯物主义却与此相反，它认为，世界按其本质说来是物质的；世界上形形色色的现象是运动着的物质的不同形态；辩证方法所判明的现象的相互联系和相互制约，是运动着的物质的发展规律；世界是按物质运动规律发展的，并不需要什么‘宇宙精神’”。“（2）唯心主义硬说，只有我们的意识才是真实存在的，物质世界、存在、自然界只是在我们的意识中，在我们的感觉、表象、概念中存在。而马克思主义的哲学唯物主义却与此相反，它认为，物质、自然界、存在，是在意识之外、不依赖意识而存在的客观实在；物质是第一性的，因为它是感觉、表象、意识的来源；而意识是第二性的，是派生的，因为它是物质的反映，即人脑的产物，而人脑是思维的器官；因此，如果不愿意大错特错，那就不能把思维和物质分开。”“（3）唯心主义否认认识世界及其规律的可能性，不相信我们知识的可靠性，不承认客观真理，并且认为世界上充满着科学永远不能认识的‘自在之物’。而马克思主义的哲学唯物主义却与此相反，它认为，世界及其规律完全可以认识，我们关于自然界规律的知识，经过就要和实践检验过的知识，是具有客观真理意义的、可靠的知识，世界上没有不可认识的东西，而只有还没有被认识、而将来科学和实践的力量会加以揭示和认识的东西。”

关于“历史唯物主义”，文中写道：“（三）历史唯物主义。”

"从历史唯物主义观点来看，对于归根到底决定社会面貌、社会思想、观点和政治设施等等的'社会生活条件'，应该作怎样的了解?"就此《联共（布）党史简明教程》作了概括。

后来苏联大量介绍马克思主义哲学的书籍在相当一段时间，大体是基于以上斯大林关于辩证唯物主义、历史唯物主义的概括。例如，在中国干部中影响很广泛的罗森塔尔尤金1955年编的《简明哲学辞典》这样介绍："'辩证唯物主义和历史唯物主义'《О диалектическом и историческом материализме》，斯大林（1879－1953）在1938年所写的著作，《苏联共产党（布）历史简明教程》的一个组成部分。这部著作完整地、严格地、系统地叙述论了马克思主义哲学的原理。""它是苏联工人阶级和共产党为社会主义而斗争的极丰富经验的哲学概括，是人类历史上情况复杂、史实丰富的时代的革命经验的概括。斯大林这部著作就是以对马克思、恩格斯和列宁的最丰富的哲学遗产的总结为基础的。这部著作指出了辩证唯物主义和无产阶级社会主义的密切联系，表明了马克思列宁主义哲学的革命实践的意义。斯大林确定辩证唯物主义是马克思列宁主义政党的世界观，是新型马克思主义政党的理论基础，从而指出了科学的哲学在工人阶级及其政党改造世界的斗争中所起的极其巨大的作用。这部著作简单明了地阐述了马克思主义辩证方法，马克思主义的哲学唯物主义和历史唯物主义的基本特征。""斯大林在阐述和形而上学方法根本相反的马克思主义的辩证方法时，把唯物主义辩证法的本质归纳为四个基本特征：（1）辩证方法把现象看作是相互联系和相互制约的；（2）辩证方法把现象看作是经常运动着、发展着、产生着和消亡着的；（3）辩证方法所持的出发点是：发展过程不是简单增长的过程，而是通过量变到质变的转化而实现的前进运动，并且新东西的产生是通过飞跃来实现的，发展是由简单到复杂、由低级到高级的过程；（4）辩证方法要求我们估计到：自然界的事物、现象含有内部矛盾，而对立面的斗争是发展过程的实在内容。”“斯大林在阐述马克思主义的哲学唯物主义这一和唯心主义根本相反的理论时，指出了它的三个基本特征。马克思主义的哲学唯物主义的出发点是：(1) 世界是物质的，世界上形形色色的现象是运动着的物质的各种形态；(2) 物质是第一性的，而意识、思维是第二性的；(3) 世界及其规律性是可以认识的，由我们的实践检验过的关于世界的知识是确实的知识。在这部著作中，根据辩证方法和马克思主义唯物主义作出的结论，对于无产阶级政党的实践活动和人类社会历史的研究具有重大的意义。这些结论表明，马克思主义的辩证方法和哲学唯物主义是认识世界和对世界进行革命的、共产主义的改造所不可缺少的理论武器。”“斯大林在这部著作中非常注意历史唯物主义的问题：关于社会物质生活条件、关于生产方式及其两个方面——生产力和生产关系、关于社会历史中生产关系的基本类型等问题。”“生产方式怎样，整个社会制度也就会怎样，人们的政治机构、法律、理论和思想也就会怎样。……”

当1938年9月由斯大林主编的《联共（布）党史简明教程》（亲自撰写其中的《辩证唯物主义和历史唯物主义》）出版后，于同年11月14日联共（布）中央制定决议。该《决议》强调：“必须给党以关于党史的统一指南，这个指南是正式的、由联共（布）中央审查过的、对联共（布）历史和马克思列宁主义基本问题的解释，而不容许有任何随意的解释。由于联共（布）中央所审定的《联共（布）党史简明教程》之出版，于是就使在从前出版的许多党史教科书中所含有的、在党史叙述方面的随意态度和紊乱现象，使对于党的理论和党史最重要问题的庞杂的歧异观点和随意解释从此终止。"① 有关文献指出，实际上，在1931年11月斯大林写给《无产阶级革命》杂志的《论布尔什维主义历史中的几个问题》那封信，就"终止了社会科学中创造性的讨论"②。事后，历史研究所负责人被免职，《联共（布）党史》（多卷集）的一些作者被开除党籍，亚罗斯拉夫斯基受到批评。③

1935年8月，联共（布）中央为了"纯洁"马克思列宁主义的理论，特指令马克思、恩格斯列宁研究院："……警觉地捍卫马克思、恩格斯列宁的遗产，保证最大限度准确而又原原本本地传达马克思列宁主义经典作家著作的原文，不容许对原文有一点偏离和歪曲。给那些对马克思列宁主义奠基者的原著作任何修改和增补的编者以最严厉的追究党内责任的惩处"。④ 而1938年联共（布）中央关于宣传《联共（布）党史简明教程》的决议，不过是这一"指令"的延续。所不同的，只是不再一般强调要如此对待马克思列宁主义奠基者的原著，而是专门强调要如此对待斯大林主编和撰写的书籍。⑤

斯大林所著的作为《联共（布）党史简明教程》第四章第二节的《辩证唯物主义和历史唯物主义》一书问世以前，理论界的注意力，多放在列宁对马克思主义哲学的贡献上；而该书

① 《联共（布）关于宣传鼓动的决议和文件》，人民出版社1953年版，第313、419页。

② ［苏］敦尼克等主编：《哲学史》（第六卷），三联书店1982年版，第161页。

③ 见［苏］罗·亚·麦德维杰夫著：《让历史来审判斯大林主义的起源及其后果》，人民出版社1983年7月版，第227页。

④ 转引自［苏］维·尼·科洛斯科夫著：《苏联马克思列宁主义哲学史纲要（三十年代）》，求实出版社1985年11月版，第102～103页。

⑤ 见，黄楠森、庄福龄、林利主编：《马克思主义哲学史》第5卷，北京人民出版社1989年版，第393～394。

问世以后，理论界注意的中心，便急速转到斯大林此文之上，认为这部著作“真正是马列主义哲学思想底顶峰”①。米丁曾专门说到过这种对于斯大林这本书的最高评价。他还这样写道：“这一著作可与马克思主义创始人的这些著作，如恩格斯的《反杜林论》、列宁的《唯物论与经验批判论》，齐名。”②

三、《联共（布）党史简明教程》阐述的“辩证唯物主义历史唯物主义”哲学体系与苏联后来的哲学批判和斗争及其影响

这一哲学体系或形态，是列宁主义哲学产生和发展的历史性结果。列宁的哲学在马克思主义哲学传播运用于俄国革命中起到了重大作用。其哲学成果特别被论述于列宁所写的《唯物主义和经验批判主义》《哲学笔记》以及《论战斗唯物主义的意义》等著作中，形成了列宁主义哲学的基本原理和体系。到列宁于1924年逝世后，进入斯大林为苏共最高领导人的时期。20世纪20年代到30年代，苏联哲学界经历了对马克思、恩格斯哲学的进一步研究和宣传，经历了对列宁哲学的深入研究以及对马克思主义哲学产生之前和之后在西方产生的一系列哲学流派特别是对黑格尔哲学与现代西方哲学及自然科学的研究和探讨，经历了关于列宁主义诸如定义、思想来源、基本原则的探讨和争论；其间发生了围绕布哈林《历史唯物主义理论》的讨论，特别是围绕布哈林关于“平衡论”哲学观点所展开的批判；后又出现苏联“辩证论者”与“机械论者”的论争。这之后，紧接着米丁·尤金等苏联当时年轻一代哲学家展开了与德波林学派之间的论战，这得到当时苏共中央支持，导致在斯大林直

① 苏联马恩列学院编：《斯大林传略》，1949年6月版，第118页。

② 米丁著：《马克思列宁主义哲学问题论文集》，君达等译，三联书店1953年版，第48～49页。

接介入中哲学争论变成了全国性的大规模批判运动。这时的批判运动不良风气越来越膨胀，如：把学术领域的问题完全同阶级斗争和党内斗争硬加联系，对争辩论敌或批判对象一概否定，不适当地抬高斯大林在哲学发展中的作用，等等。1936年以后，批判德波林的运动一再升级，变成对“敌人”的斗争，残酷打击。这向整个哲学领域延伸，苏共中央直接由“政治需要”在决议中指责一些哲学著作并下令改写。例如，1944年，苏共中央专门作出《决议》批判由亚历山大洛夫等人主编的《哲学史》第三卷。又例如，1947年苏共介入关于亚历山大洛夫所著《西欧哲学史》的批判，当时的苏共中央政治局委员、书记处书记日丹诺夫（1896－1948）按斯大林要求在苏联哲学界有九十多位代表人物参加的讨论会上作了长篇的严厉批判性发言，等等。还例如，1948年开始的对摩尔根学派的批判，以及这之后以反对资产阶级思想影响为内容，在物理学、化学、生理学、心理学、控制论等领域所广泛开展的批判运动。苏共中央在此类措施和活动中，强调这是苏共中央向资本主义残余（包括思想残余）发起全面斗争的需要。

后来，特别在斯大林于1953年3月5日去世后，人们逐步意识到如此的哲学斗争所带来的一些不良影响，并在保持原总体框架及原理、范畴概念的前提下对《联共（布）党史简明教程》第四章第二节哲学体系作了一些扩展、弥补及纠正。而总起来说，其基本阐述深深影响了社会主义国家及世界各国的马克思列宁主义者，并且将此认作就是马克思主义哲学的基本原理。

在苏联30年代围绕德波林学派的争论和1947年围绕亚历山大洛夫哲学史著作的批判，这两次大的哲学斗争之后，又发生了涉及马克思主义哲学一系列根本问题如对象、结构、定义、方法等等的争论；这被称为苏联哲学界的第三次大论争。这时斯大林已经去世，哲学界开始不僵死地固守于斯大林在《联共（布）党史简明教程》中对“辩证唯物主义和历史唯物主义”的框制，逐渐围绕马克思、恩格斯哲学本身的一些问题展开争论；争论的焦点在于：恩格斯曾把辩证法定义为关于自然界、人类和思维的运动和发展的最一般规律的科学，苏联一直把恩格斯的这个定义当成是马克思主义哲学的定义。而恩格斯又曾说过：“现代唯物主义都是本质上辩证的，而且不再需要任何凌驾于其他科学之上的哲学了。一旦对每一门科学都提出了要求，要它弄清它在事物以及关于事物的知识的总联系中的地位，关于总联系的任何特殊科学就是多余的了。于是，在以往的全部哲学中还仍旧独立存在的，就只有关于思维及其规律的学说——形式逻辑和辩证法。其他一切都归到关于自然和历史的实证科学中去了。”[①] 苏联哲学家当中有一些人强调前者，另外一些人则强调后者，因而形成针锋相对的所谓“本体论主义”观点和“认识论主义”观点。

坚持从“本体论”出发来理解和说明马克思主义哲学对象的苏联哲学家，人数很多，论点互有差别。而他们都强调恩格斯辩证法定义中的客观“存在”（Бытие）方面。列宁格勒的一批哲学家在维护“本体论主义”观点方面比较坚定和彻底。图加林诺夫说：“对科学对象持本体论观点，即研究对象本身，撇开它与认识它的主体的关系，这是每一门科学的主要的和最重要的任务”，“哲学也执行这个任务即说明整个世界。正是由于有了这个任务或职能，它才是世界观，因此不能否认马克思主

① 恩格斯：《反杜林论》，《马克思恩格斯选集》第3卷，人民出版社1972年版，第65页。

义哲学的本体论意义。"[①] 罗任认为马克思主义辩证法的对象应包括四个方面：第一，关于自然界及自然界运动和发展的普遍规律（即自然辩证法）；第二，关于社会及社会发展的普遍规律（即社会辩证法）；第三，关于思维及思维规律和形式（即逻辑）；第四，关于认识及及其规律和形式（马克思主义的认识论）。罗任认为唯物辩证法既是马克思主义哲学的本体论，又是马克思主义哲学的逻辑和认识论，由此他得出结论，唯物辩证法具有本体论职能，具有逻辑和认识论职能、世界观职能、方法论职能等等。[②] 这里的关键在于，罗任明确肯定唯物辩证法首先是本体论。莫斯科的 Г. В. 普拉东诺夫等则支持罗任的观点。普拉东诺夫同凯德洛夫在观点上是一贯对立的。在"本体论主义"一派中，普拉东诺夫是个颇有代表性的人物。他参与主编的《作为体系的马克思列宁主义哲学》（1981）一书，在"辩证唯物主义的结构"一节中，提出一些引人注目的观点。另有 В. И. 斯维捷尔斯基的观点除了同罗任的观点完全相同之外，他还形成了自己更极端的看法。如此等等。

持"本体论主义"立场的哲学家在维护自己的观点的同时，向持"认识论主义"立场的哲学家发起了进攻。他们一致反对把哲学尤其是把马克思主义哲学当成是纯"认识论"或"方法论"。如五十年代末，В·图加林诺夫在他的《论马克思主义哲学的结构和职能》一文中，在批评"认识论主义"观点时指出：这种作法，第一，"缩小马克思主义的作用和意义"；第二，"否定马克思主义哲学是科学世界观"，"否认哲学是关于整个现实

---

① 见图加林诺夫：《论马克思主义哲学的结构和职能》，《列宁格勒大学学报》，1957 年第 17 期。

② 罗任：《唯物辩证法及其对象、体系、结构和职能》，见《唯物辩证法是一门哲学科学》，列宁格勒，1976 年。

的最一般规律的学说”；第三，“助长了”“敌视马克思主义思想的声势”，因为“现代唯心主义”和“实证主义”恰恰就是“否认哲学”、特别是否认马克思主义哲学“具有本体论职能”。图加林诺夫把他们自己的观点做了如下表述：“本体论的方法，从而本体论的职能——即从现象的本质、特性和与其他现象的关系中来说明现象，乃是科学的基本的和决定性的职能”。“我们把马克思主义哲学称之为关于自然界、社会和思维的最一般规律的科学，这样首先就说出了它的本体论的任务和本体论的职能”。“科学和哲学的本体论方面可以说是它们的最客观的方面：它不仅在内容方面而且在形式方面都是客观的，它撇开了主体，因此，本体论职能在哲学中是基本的和决定着所有其他任务和职能的职能”。再例如20世纪70年代末到80年代初，伊利切夫坚持“本体论主义”立场，对“认识论主义”作出了同图加林诺夫几乎一样的指责。伊利切夫表示他反对两种片面性即“思辨本体论主义”和“抽象认识论主义”，但他毫不含糊地认定“从哲学的内容中排除本体论方面的辩证法，就会阉割它的逻辑方法论职能和世界观职能”。“出于这种或那种动机而从辩证法中排除任何‘关于存在的理论’的人，没有看到，被理解为发展理论的关于存在的理论才是对以往那种超历史的本体论的克服”。

反对“本体论主义”而坚持“认识论主义”观点的哲学家，主要有科普宁（1922—1971）、伊里因科夫、凯德洛夫等。他们的论据，除了引证恩格斯关于“在以往的全部哲学中还仍旧独立存在的，就只有关于思维及其规律的学说——形式逻辑和辩证法”的提法之外；还引证列宁的话，即“在《资本论》中，唯物主义的逻辑、辩证法和认识论（不必要三个词：它们是同一个东西）都应用于同一门科学"。[①] "辩证法也就是（黑格尔和）马克思主义的认识论"。[②]

这一派哲学家，无论科普宁、伊里因科夫还是凯德洛夫以及阿拉木图的一些哲学家（如 Ж. 阿勃吉尔金）等，一致反对把"整个世界"定义为哲学特有的对象，反对以任何形式"复活"自然哲学。

科普宁和伊里因科夫相继去世后，凯德洛夫就唯物辩证法的叙述方法、"整个世界"、哲学对象等问题发表了一系列重要文章，从各个方面维护他们这一派的观点。他几乎每篇文章都在苏联哲学界都成为热烈讨论和激烈争论的对象。

凯德洛夫反对"整个世界"的提法。他在 1979 年发表《论"整个世界"是马克思主义哲学的对象这一提法》[③] 一文之前，就曾在 1965 年出版的《科学分类》第 2 卷中把问题提出来，只不过当时并没有引起人们的重视。他曾追问过把"整个世界"这一提法引进哲学著作中来的第一个人，这个人就是 Б. П. 契尔特科夫。契尔特科夫承认说，他是受了 Е. С. 鲍留达的启发。鲍留达 1927 年在他所著《土地规划科学和科学分类》一书中谈到哲学时，说"整个世界（весь мир в целом）"是哲学认识的对象。契尔特科夫把这一提法用在 1952 年出版的《论辩证唯物主义》文集中。凯德洛夫说，有人在肢解马克思主义哲学方面达到荒谬地步，譬如试图创立特殊的"马克思主义的自然哲学"即"自然辩证法"并把它看作是关于自然界的最一般规律

---

① 列宁：《哲学笔记》，《列宁全集》，第 55 卷，人民出版社 1990 年版，第 290 页。

② 列宁：《哲学笔记》，《列宁全集》，第 55 卷，人民出版社 1990 年版，第 308 页。

③ 该文摘译发表在《国外社会科学》1980 年第 4 期上，标题改为《关于"整个世界"是不是马克思主义哲学对象的问题》。

的科学。又如有人想把“本体论”弄成辩证唯物主义的特殊组成部分。凯德洛夫认为“本体论观点”的出现，其原因之一是《联共（布）党史简明教程》第四章第二节造成的，那里把辩证法当作是研究自然现象的方法，而唯物主义是独立于认识论之外的关于世界物质性的学说，从而把辩证法同唯物主义割裂开来。由此而出现了对哲学基本问题的随心所欲的解释：即把哲学基本问题的第一个方面看成是本体论方面，把哲学基本问题的第二个方面而看成是认识论的方面。而列宁则认为整个哲学基本问题（思维与存在的关系）都是认识论问题，并且强调哲学基本问题的第一个方面也是认识论问题。与此同时，也出现了否认列宁的物质定义是认识论问题的观点。

以上关于“认识论主义”的看法颇得当时苏联一些自然科学家的赞同和支持。苏联著名的物理化学家、苏联科学院主席团委员、诺贝尔奖金获得者 H. 谢苗诺夫院士 1968 年在《共产党人》第 10 期上发表的《马克思列宁主义哲学与自然科学问题》一文是最好的例证。

另有一些哲学家在给哲学下定义时采取“综合”方式，这种综合观点在苏联哲学著述中是常见的。这见解成了把各种不同观点融为一体的东西。

直到苏联解体前后，一直有人想把综合观点进一步完善化。如 П. В. 阿列克谢也夫，他说：“哲学的对象，不只是人的‘实存’或只是物质存在，也不只是主客观关系中共同的东西。哲学的对象是‘世界和人’的复杂而多层次的整体系统，其最重要方面是自然界、社会和思维方式发展的普遍规律和物质与意识关系的普遍规律性。”①

---

① П. В. 阿列克谢也夫：《辩证唯物主义的对象、结构和职能》，莫斯科，1978 年，第 53 页。

除了上述几种主要观点之外，在苏联还出现了可以称之为“社会哲学”观点以及“活动”的见解。其主旨在于强调研究和探讨关于社会、关于人们之间和人们对自然界的“关系（特别是在活动中的关系）的学说的哲学基础。按此种社会哲学观点，“哲学的对象”是同“社会学对象”一致的，而作为科学的哲学本身则同关于社会的学说等同。此种观点并不否认辩证唯物主义，但着重强调历史唯物主义是马克思列宁主义的核心。① 另有一些哲学家（如凯列和科瓦尔仲）以“活动”来说明哲学对象，这引起哲学界展开争论。科瓦尔仲指出，“活动”概念并不是可以用来打开所有理论大门的“金钥匙”。而持“活动”观点的哲学家，如M. C. 卡冈、Г. C. 巴吉舍夫、B. H. 萨迦托夫斯基等则试图制定完整的“实践活动理论”。还有的人，如M. B. 热尔诺夫，则把哲学的对象定义为：主观和客观相互作用的现实发生的辩证过程，即产生意识和存在现实关系本身的“物理基础”。②

再就是，有关辩证法的叙述和研究方法之争。凯德洛夫1978年在《哲学问题》第1期和第2期上发表了他在1977年阿拉木图全苏第二次唯物辩证法讨论会上所做的报告，题为《论辩证法的叙述方法——从抽象上升到具体》。这篇文章引起了强烈反响，导致了一场大辩论。

凯德洛夫文章发表后，遭到许多哲学家的反对，甚至引起“义愤”。苏联哲学在几十年的发展中，出版了大量辩证唯物主义、马克思主义哲学原理之类的教科书和研究著作，其中有相当多的作品就其思考问题和论述问题的方式来说确实是按“原

① 参见《历史唯物主义与现代社会发展》，莫斯科，1979年。

② 参见M. B. 热尔诺夫：《哲学史上的哲学对象》，莫斯科，1981年，第63页。

理加例子”的方式进行的。凯德洛夫指出，这种方式或方法根本不是教给人们实际上应当“怎样运用辩证法”，即怎样把辩证法当作科学研究的方法、认识和改造世界的方法、实践活动的方法而加以运用，而只是教给人们应当如何选择和引述例子来作为辩证法原理的例证。这种做法，第一，“实质上是用扼杀辩证法精神实质的折衷主义的方法偷换了叙述和论证辩证法的辩证方法”；第二，这是一种违背对于被研究的对象应持客观立场这一原则的主观主义。

凯德洛夫不指名地批评了米丁和伊利切夫领导下的写作集体的计划。他也不指名地批评了持“本体论主义”观点的哲学家（罗任等）。他说，“另一些作者则主张首先研究‘客观辩证法’（外部世界即自然界和社会的辩证法），然后则离开‘客观辩证法’单独地去研究‘主观辩证法’（人类思维的辩证法）。这样就不得不对自然界的客观辩证法作两次叙述，一次是叙述客观辩证法本身，一次是阐述客观辩证法的反映即主观辩证法。不仅如此，如果把这两个术语相提并论还会造成一种错误印象，似乎主观辩证法不具有客观性质和客观基础，似乎是某种人为的、主观主义的东西。”

研究苏联哲学的专家，对于苏联在第二次世界大战后，辩证唯物主义领域的研究工作，这样概括：从 1945 年到 1953 年 3 月，是最沉寂的阶段；从 1953 年到 1967 年 8 月，是研究工作逐步展开并探索主要发展方向的阶段；从 1967 年 8 月到 1980 年前后，是找到主要方向并加紧工作的阶段。

1980 年至 1982 年，在苏联以“唯物辩证法”为题的专著主要出版了以下几本：一本是费多谢也夫院士领导下有通讯院士 И. Г. 费罗洛夫、列克托尔斯基和 В. С. 施唯廖夫以及哲学副博士 Б. Г. 尤金参加写作的《唯物辩证法（理论概论）》（1980 年，共 287 页）；第二本是由康斯坦丁诺夫和 Б. Г. 马拉霍夫主编、有属于苏联哲学学会西北分会的哲学家们（主要是列宁格勒、波罗的海一带的哲学家）参加撰写的五本《唯物辩证法》的第一卷《客观辩证法》（1981年）；第三本是П. Н. 苏沃洛夫撰写的《唯物辩证法》（1980年）；第四本是伊利切夫主编的《作为一般发展理论的唯物辩证法》，第1卷、第2卷（1982年）。

这其中，作为费多谢耶夫领导下写作的那本书，基本上是"综合观点"。这本书具体阐述了下列问题：（1）唯物辩证法（作为有关发展的一般哲学理论）的范畴；（2）辩证发展规律的一般规律性体现的基本领域，即运用辩证法范畴来表述自然过程发展的主要特点、表述社会和人的发展的辩证法以及认识过程辩证法的主要特点；（3）对世界进行辩证思考的历史主义原则，唯物辩证法中的系统性原则，理论和实践辩证统一的原则，等等。

而作为第二本的，即康斯坦丁诺夫和马拉霍夫主编的《唯物辩证法》，参加该书编委会的还有В. П. 罗任、Б. А. 恰根、Ф. Ф. 维亚科列夫、В. Г. 伊万诺夫、В. П. 别特连科、М. Я. 柯尔涅耶夫等，按其原订计划：第一卷为《客观辩证法》，第二卷为《主观辩证法》，第三卷为《自然界和自然科学辩证法》，第四卷为《社会发展的辩证法》，第五卷为《对现代唯心主义辩证法的批判》。《客观辩证法》可以说相当突出地体现了"本体论主义"的观点。该书认为，所谓"客观辩证法"，指的就是实在的、客观世界的唯物辩证法，既然如此，那么研究的出发点就是对物质概念的分析，物质又被理解为实体（субстанция）及其属性（атрибуты）。该书声明说，把辩证法看作是物质世界的发展理论与代替具体科学来再现世界的无所不包的图景的自然哲学，两者毫无共同之处。

在1981年末，《哲学问题》编辑部组织了一次讨论会。在会上，坚持"本体论主义"观点和坚持"认识论主义"观点的哲学家都借此机会重申了他们的观点。例如：米丁在发言中，明确反对只从逻辑认识论角度来解释辩证法的倾向，即不把客观现实本身而把反映现实的概念看作是辩证法的对象。米丁说，无论如何也不能把客观世界排除在哲学考察之外。当时新当选苏联科学院通讯院士的莫斯科大学哲学系辩证唯物主义教研室主任麦柳欣说：不能在现代哲学唯物主义发展之外，也不能在自然界、社会现象和认识过程辩证法理论的发展之外，来制定一般唯物辩证法理论。凯德洛夫和锡特科夫斯基的发言则明显反对米丁、麦柳欣以及所有“本体论主义”观点。在这次讨论会上，莫斯科大学哲学系教授Д. И. 杜布罗夫斯基对“认识论主义”和“本体论主义”都进行了尖锐的指责。他说：在苏联著作中有明显的“认识论主义”倾向和“本体论主义”倾向。“认识论主义”企图缩小辩证唯物主义，把哲学认识的任务完全归结为认识论问题，妄图复活黑格尔的思维和存在等同的原则；而“本体论主义”则企图在辩证唯物主义范围内单独建立本体论，建立起一个“本体论王国”，企图纯本体论地理解物质、空间、时间等等，否认起码的道理，即任何本体论论断都必须以认识论为前提，关于某物存在的论断要以对其反映为前提。因此辩证唯物主义不能分割成本体论和认识论，这二者是相互融合在一起的。①

第三节　关于人类文明大道上的中国化马克思主义哲学

应当强调，把握历史上的哲学，特别是把握马克思主义哲

① 以上参见：贾泽林、周国平、王克千、苏国勋等编著：《苏联当代哲学(1945—1982)》，人民出版社1986年版，第二章三。

学，要准确、完整，特别在面对不同语言文本、面对不同国情、面对不同历史条件的情况下，此点尤为重要。把握中国哲学，特别是把握中国传统的和现代的哲学要自信、充分，特别在体现中华民族及中国国情特色的哲学方面要下大气力。应在人类文明大道上，在世界哲学的发展中，特别是在人类共同性命题及共同性和特殊性的统一中，正确地汲取外来传入的和本国生长的哲学。对此有待对于中国的马克思主义哲学从中国的国情出发，面对根本的哲学理论，来作出研究，这是非常必要的。

当代马克思列宁主义哲学通常被概括为“辩证唯物主义和历史唯物主义”，这影响了中国的马克思主义哲学。对现有的“辩证唯物主义和历史唯物主义”哲学体系，有一些重要问题需要关注澄清。

一、面对若干命题，澄清几个概念

这要从关于“形而上学”的命题说起。“形而上学”在其原本意义上，可认为是“哲学”的同义语。哲学是一定要追问形而上的。当然对形而上的追问方式，对形而上的解释，对形而上学体系的说明，历史上不同时期、不同哲学流派，有所不同。

形而上学的含义在西方哲学史上和中国哲学史中有其各自的演变过程。西方哲学史上的“形而上学”可以说经历了以下的发展过程：一是以本体论为重心哲学中的“形而上学”；二是以认识论为重心哲学中的“形而上学”；三是以实践论为重心哲学中的“形而上学”。

关于以本体论为重心哲学中的“形而上学”。

在西方哲学史上，“形而上学”最初是用于亚里士多德去世后由安德洛尼克对亚里士多德生前手稿所集编的重要哲学著作的书名。因为亚里士多德有一本名为《物理学》的著作。安德洛尼克在整理完亚里士多德关于“物理学”即自然哲学的手稿之后，还有一些有关“本体”等等关于“第一哲学”的手稿，苦于找不到合适的书名，只好名之为《των μετα τα φυσικα》(“ta meta ta phusika”）另编成书，后被简化为《Metaphusike》（字面上的本义是“物理学之后”）。在古希腊语中，meta这个前缀不仅有“在……之后”的意思，也有“元……”、“超越……”的意思，这些含义恰与亚里士多德“第一哲学”的意思相近。这样，“metaphysics”即“形而上学”便成了“第一哲学”的代名词。

到中世纪，基督教神学在欧洲占据了重要地位。这时，“形而上学”成了对宗教进行论证的学问。经院哲学家托马斯·阿奎那曾说：“一些思辨对象在存在上并不依靠物质，它们能够离开物质而存在，因为它们是有些永远不在物质中，如上帝和天使；有些则有时在物质中，有时不在物质中，如本体、性质、潜能和活动、一和多之类。研究这些对象的是神学。其所以称为神学，是因为它所研究的对象主要是上帝。它也称为形而上学”。

关于以认识论为重心哲学中的“形而上学”。

近代哲学则在希腊哲学和基督教哲学的双重影响之下，形成了富于近代特色的形而上学或本体论。这个时期“形而上学”一词仍然是指研究经验以外对象的哲学。在近代西方哲学的用法中，“形而上学”一般指处理诸如存在事物的种类，存在模式之类的哲学领域。当然不同的哲学家对形而上学的研究对象、内容也有着一些差异，因此“形而上学”一词的内涵也有一些变化。

作为近代经验哲学始祖的培根努力提高经验认识的地位，试图在人的经验能力与理性能力之间建立“真正合法的婚姻”。他强调，形而上学的主要对象就是研究物体统一的形式，“熟习形式的人也就能够在极不相同的实体中抓住自然的统一性”。笛卡尔则要在“我思故我是（在）”的解析中重建“形而上学”，提出了心物平行说，强调"心"和"物"是两个相互独立的"实体"（Substance）。后来，关于形而上学及实体的讨论，越来越围绕认识论，一系列哲学家处于经验论和唯理论之间的争论中，经过贝克莱、休谟，出现康德哲学。在康德眼里，哲学就是形而上学，形而上学就是哲学。他甚至认为形而上学就是纯粹哲学本身："形而上学却是本来的、真正的哲学！"在康德看来，形而上学的基本含义是"先天的"或"先验的"。康德说："形而上学知识这一概念本身就说明它不能是经验的。形而上学知识的原理（不仅包括公理、也包括基本概念）因而一定不是来自经验的，因而必须不是形而下的（物理学的）知识，而是形而上的知识，也就是经验以外的知识。所以它是先天的知识，或者是出于纯粹理智和纯粹理性的知识。"[①] 康德在《纯粹理性批判》中曾经对传统本体论和形而上学持批判态度，但他同时又为"形而上学"寻找出路，以至把他自己的批判看作是为一种未来的能够作为科学出现的形而上学奠定基础。他把自己概述自己哲学的著作起名为《未来形而上学导论》。黑格尔构造的由概念自身运动造成的纯粹逻辑演绎的体系，被认为是纯粹理性的体系，是纯粹思维的王国。对黑格尔来说，重建"形而上学"是历史任务。他曾经充分肯定形而上学的重要性："假如一个民族觉得它的国家法学、它的情思、它的风习和道德已变为无用之时，是一件很可怪的事；那么，当一个民族失去了它的形而上学，当从事于探讨自己的纯粹本质的精神，已经在民族中不再真实存在时，这至少也同样是很可怪的。""一个有文化的民族竟没有形而上学——就像一座庙，其他各方面都装饰得

① 康德：《逻辑学讲义》，许景行中译本，商务印书馆 1991 年版，第 68 页。

富丽堂皇，却没有至圣的神那样。”[①]“至圣的神”是一个比喻的说法，对黑格尔来说，哲学居于为其他科学提供基础并支配其他科学的王者之位。黑格尔对形而上学的这种理解，集中表达了他对哲学的理解。黑格尔在《哲学史讲演录》第四卷论及“笛卡尔的形而上学”的时候说，“笛卡尔的自然哲学纯粹是机械论的；所以他把一切关系都归结到静止和运动，把颜色、滋味等一切物质异质性都归结到机械作用。”于是，黑格尔把笛卡尔主义的“这种形而上学”（即“这种哲学”）作为反辩证法的同义词，这里要注意的是，黑格尔批评的是“这一种形而上学”，即笛卡尔主义的机械论形而上学。然而，中国某些现代翻译家却笼统地将“形而上学”作为与“辩证法”相对立的一个外来词推介给中国读者。这样一来，本义为研究超感觉的、经验以外对象的哲学的“形而上学”一词被赋予了另一层意思：是与辩证法相对立的世界观与方法论，其特点是用孤立、静止、片面的观点看世界。其实反辩证法的思维方式是广为存在的，但用“形而上学”一词来表述这种思维方式则比较勉强，既不能与“形而上”的汉语古义接轨，也无法从“形而上学”这个词中推导出孤立、静止、片面、外因论等等含义。对于孤立、静止、片面、外因论等，不应以“形而上学”来概括，应具体地讲什么是“机械论”、“外因论”、“机械主义”，似乎才是比较贴切的。

关于以实践论为重心哲学中的形而上学。

对本体论，马克思早在其博士论文《德谟克利特的自然哲学与伊壁鸠鲁自然哲学的差别》之中，在谈到关于神的存在的本体论证明时指出：“对神的存在的证明不外是对人的本质的自

① 黑格尔：《逻辑学》（上卷），杨一之译，商务印书馆1966年版，第1、2页。

我意识存在的证明，对自我意识存在的逻辑说明，例如，本体论的证明，当我们思索'存在'的时候，什么存在是直接的呢？自我意识。"[①] 这里围绕着"存在"和"自我意识"的问题，提到了"本体论"。后来，马克思在《1844年经济学哲学手稿》的《货币》一节中涉及到"真正本体论的本质（自然）肯定"的提法，以及"人的激情的本体论本质"这样的提法。[②] 马克思强调的，实质上是以人的实践为本体的本体论，他讲："对实践的唯物主义者即共产主义者来说，全部问题都在于使现存世界革命化，实际地反对并改变现存的事物。"对此，马克思、恩格斯在《德意志意识形态》中的论证是这样的："费尔巴哈对感性世界的'理解'一方面仅仅局限于对这一世界的单纯的直观，另一方面仅仅局限于单纯的感觉。费尔巴哈设定的是'一般人'，而不是'现实的历史的人'。"马克思、恩格斯进而讲到"实体"。他说，"人对自然的关系这一重要问题……，'自然和历史的对立'，好像这是两种互不相干的'事物'，好像人们面前始终不会有历史的自然和自然的历史"。"这是一个产生了关于'实体'和'自我意识'的一切'高深莫测的创造物'的问题。""每个人和每一代所遇到的现成的东西：生产力、资金和社会交往形式的总和，是哲学家们想象为'实体'和'人的本质'的东西的现实基础，是他们神化了的并与之斗争的东西的现实基础，这种基础尽管遭到以'自我意识'和'唯一者'的身份出现的哲学家们的反抗，但它对人们的发展所起的作用和影响却丝毫

① 马克思：《德谟克利特自然哲学与伊壁鸠鲁自然哲学的差别》，《马克思恩格斯全集》第40卷，人民出版社1982年版，第285页。

② 马克思：《1844年经济学哲学手稿》，《马克思恩格斯全集》，第42卷，人民出版社1979年版，第150页。

也不因此受到干扰。”①

马克思基于其关于“实践”的理论，在进行经济社会分析时，使用了“实体”概念。他在《哲学的贫困》中批评蒲鲁东的理论时，有一部分采用了“政治经济学的形而上学”这一提法列为标题。这里的“形而上学”是在以思辨方法来阐述经验以外的各种哲学问题的意义上来使用的。马克思写道，“在黑格尔看来，形而上学，整个哲学，可以概括在方法里面。所以我们必须设法弄清楚蒲鲁东先生那套至少同《经济表》（魁奈所作—引者注）一样含糊不清的方法。”马克思指出，“经济学家们都把分工、信用、货币等资产阶级生产关系说成是固定的、不变的、永恒的范畴。”“蒲鲁东先生把这些关系看成原理、范畴和抽象的思想”，“用这种方法抽去每一个主体的一切有生命的所谓偶性，人或物，我就有理由说，在最后的抽象中，作为实体的将是一些逻辑范畴。”而“如果我们把逻辑范畴看作一切事物的实体，那么我们也就可以设想把运动的逻辑公式看作是一种绝对方法，它不仅说明每一个事物，而且本身就包含每个事物的运动”。“既然把任何一种事物都归结为逻辑范畴，任何一个运动、任何一种生产行为都归结为方法，那么由此自然得出一个结论，产品和生产、事物和运动的任何总和都可以归结为应用的形而上学。”“把这个方法运用到政治经济学的范畴上面，就会得出政治经济学的逻辑学和形而上学”。应当说，“经济范畴只不过是生产的社会关系的理论表现，即其抽象。真正的哲学家蒲鲁东先生把事物颠倒了，他认为现实关系只是一些原理

① 马克思、恩格斯：《德意志意识形态》，《马克思恩格斯选集》第1卷，人民出版社1995年版，第75～76页。

或范畴的化身。”①

值得重视的是，马克思将“实体”这一概念融入其关于实践、社会实践的哲学，使这一概念与“人的本质”相联系，来表达关于社会的“现实基础”。正如他们所说的，“每个个人和每一代所遇到的现成的东西：生产力、资金和交往形式的总和，是哲学家们想象为‘实体’和‘人的本质’的东西的现实基础，是他们神化了的并与之斗争的东西的现实基础。”② 这里的“社会交往形式”，显然是马克思、恩格斯后来所讲的“生产关系”范畴的雏型。马克思、恩格斯此时已经将“人的本质”置于“生产力、资金和交往形式（生产关系）的总和”这个关于“基础”的理论系统之中。由这个基础，可以看到，生产力和生产关系之间的矛盾，成为历史冲突的主要根源，成为社会发展的内在动力。也正是在这个基础之上，关于生产力生产关系、经济基础上层建筑、社会存在社会意识的历史唯物主义原理才得以形成并得到展开说明。

面对以上命题，要澄清以下几个概念。

第一，把“形而上学”当作错误而完全抛弃掉是不恰当的。

由以上情况我们应当认为，正如对“哲学”这一概念，有我们可以赞成的“哲学”，也有我们不赞成的“哲学”，不能因为有我们不赞成的“哲学”就把“哲学”这一概念本身抛弃掉。同样，有不可取的“形而上学”，却不能非得把形而上学这一概念，把所有的形而上学，都当作错误的而抛弃掉。

关于黑格尔讲到形而上学这个概念本身有两种涵义的见解，

① 马克思：《哲学的贫困》，《马克思恩格斯选集》第 1 卷，人民出版社 1995 年版，第 137～141 页。

② 马克思、恩格斯：《德意志意识形态》，《马克思恩格斯选集》第 1 卷，人民出版社 1995 年版，第 92～93 页。

实际上是一种误解。在黑格尔那里，不是说形而上学本身有两义，他所讲的“旧形而上学”是指他之前“笛卡尔、斯宾诺莎、洛克、莱布尼茨等人”的哲学，黑格尔针对的是，哲学史在这些哲学之后出现了离开以他（黑格尔）认为是真正意义的“形而上学”来说明“形而上学”的情况，他针对这种离开了“形而上学”所应有的本来意义所讲的“形而上学”，阐发了他的哲学。黑格尔总结了这种形而上学的若干特点。黑格尔提出的是要避免有这些特点的形而上学。可后来恩格斯、列宁、斯大林认为有这些特点本身就是形而上学，所以要抛弃掉形而上学。这也如同泼水连小孩一起泼掉一样。就如同有唯心论的哲学不一定所有哲学都是唯心论的一样。有不可取的关于形而上的哲学不一定所有关于形而上的哲学都是不可取的。人们却由此认为，即将此误解，现在大量的辞书如此解释：黑格尔除了用形而上学一词指研究经验以外对象的哲学外，还根据西方近代哲学具有与辩证法对立的思维方法的特点用“形而上学”一词指非辩证的思维方法；在哲学史上第一次赋予“形而上学”一词以新的含义；形而上学思维方法把事物看成彼此孤立、绝对静止、凝固不变的，它只看到一个一个的事物而忘记了它们互相间的联系，看到某一事物的存在而忘记了它的产生和消灭，看到了事物的静止而忘记了它们的运动。在后来中国的一系列文献中，包括毛泽东在延安时期讲唯物论辩证法时，也讲到：形而上学只见树木不见森林；离开运动而思考物质，“则有形而上学的宇宙不动论或绝对均衡论”，“他们认为物质是永远不变的，在物质中没有发展这回事，认为绝对的静止是物质的一般状态或原始状态”；中国古代形而上学思想家爱说的一句话：“天不变，道亦不变”，就是这样的宇宙不动论。“他们也承认宇宙及社会现象的变动，但否认其本质的变动，在他们看来，宇宙及社会的本质是永远不变动的”。总之把静止的绝对的观点说成是形而上学宇宙观，认为这与辩证法直接对立而形成一个对子。所以，讲辩证唯物主义就应当否定形而上学。这种误解是不恰当的。

第二，把"形而上学"等同于反辩证法是不恰当的。

恰恰相反，辩证法这个概念作为哲学概念，在一定意义上讲，最初就是伴随确立"形而上学"的过程，而产生的。通常认为，哲学史上从巴门尼德提出与有形物对立的"存在"并把它当作世界的本原以来，人关于世界的二重化意识开始明确地变成人们的哲学思考。二重化的实质是这样的：我们面前的是一个个感性的"存在"，而概念却要把握"一般"，这是超越了诸"个别"的。那"一般的"存在是不是一个独立的存在？与个别是什么关系？由此，划分为个别和一般及现象和本质的哲学范畴，为人所重视，哲学家纷纷在这个问题上表明自己的看法，从中找出了许多关于如何确立一般概念的方法。"辩证法"（达逻克提卡）这个词最初就是指谓一种拟于确立某些一般概念的论辩。苏格拉底在明确一般概念时采用了这样一种"论辩术"：在对话的论辩过程中，首先提出问题，使对方对概念作出个最初定义；其次引进一些事实，若该定义用于这些事实引起矛盾就暴露出此定义不中用；如此不断进行，直至得到一个令人满意的定义。苏格拉底把这种议论方法叫作"达逻克提卡"即"辩证法"，并称之为"助产术"。后来不少人把这看作是"归纳法"的最初表现。显然，这种方法对于确立一般概念来说是很粗糙的，更谈不上可以确立"存在"这样的最一般概念。但是，这样的论辩术毕竟使个别和一般的问题成为中心内容，由此"达逻克提卡"逐渐地不仅指论辩，而且带有了后来被叫作"辩证法"的那些理论含义。这样，基于在"达逻克提卡"中发展的对意识二重化结果的辨析，出现了许多不同的哲学体系以回答本体论的问题（如柏拉图、亚里士多德等及中世纪哲学）以至认识论的问题（特别到近代以后）。在一定意义上，的确可以认为，近代的“归纳法”是在苏格拉底“助产术”基础上发展起来的。与此相辅相成，“演绎法”也丰富起来。从古代哲学以本体论为重心，关心世界的本原是什么，到近代哲学以认识论为重心，关心如何去认识世界，作为总结，怎样才能很好地以观察实验来认识世界的科学归纳法应运而生。现已被人公认的是，在实际上，经验的归纳的确总是不完全的。哲学史上的唯理论曾在反面特别重视演绎的作用。为解决这些问题，康德从“先天综合判断如何可能”入手展开他的哲学体系；其中涉及的大量命题及其整个体系对后来的哲学影响很大，但他在其揭示的“二律背反”面前却无能为力，在他所讲到的“自在之物”面前一筹莫展。黑格尔提出了一个思维与存在一起演进的哲学体系，可以说是集“辩证法”之大成；而用马克思的话讲，其体系“头足倒置”了。马克思主义哲学诉诸于实践证明思维的必然性，这是对以往哲学的一个重大突破，并基于此提出了一种体现于《资本论》方法的辩证法逻辑。笼统地讲辩证法与形而上学是完全对立的，应当说，这是由对“形而上学”误解而形成的不恰当见解。

第三，讲马克思主义哲学没有关于形而上学的“本体论”，也是不恰当的。

《中国大百科全书》在“本体论”这一词条的解释中写到，“马克思主义经典作家没有使用过这一术语”。[①] 这一判断并不符合事实。还有学者讲马克思主义是丢弃了本体论的哲学新形态，这也是误解。毫无疑问，马克思主义哲学的重心在实践论，但并不等于说马克思主义哲学里没有本体论。马克思曾对某些思想家那里的（如蒲鲁东）本体论进行分析批判，提出他关于本

① 《中国大百科全书》第 2 卷，中国大百科全书出版社 2009 年版（第 2 版），第 269 页。

体论的见解。在马克思主义哲学中有关于认识论、真理性的充分论述，而且马克思将真理性的证明诉诸于实践；他强调：“对实践的唯物主义者即共产主义者来说，全部的问题在于实际地反对并改变现存的事物”，“哲学家们只是用不同的方式解释世界，问题在于改变世界。”① 在马克思那里，本体论、认识论、实践论三者是统一的，统一于实践论。不讲实践论，认识论就会是直观的认识论，“对对象、现实、感性，只是从客体的或直观的形式去理解，而不是……当作实践去理解”；这不等于说没有本体论。不讲本体论，那就很容易走向否定形而上，走向否定实体，那就容易走向实证主义。

例如，实证主义者孔德宣称自己是实证知识的拥护者，反对“抽象的推理”。他把一切关于事物本质和原因的学说都斥之为“形而上学”，为了证明他的实证哲学的科学性，他在《实证哲学教程》中说，“我们的每一种主要观点，每一个知识部门，都先后经过三个不同的理论阶段：神学阶段，又名虚构阶段；形而上学阶段，又名抽象阶段；科学阶段，又名实证阶段。”由此他说：“人类的精神受本性的支配，在他的每一项探讨中，都相继地使用了三种性质基本上不同的、甚至根本相反的哲学方法：首先是神学方法，其次是形而上学方法，最后是实证方法。”② 孔德说，神学阶段是人类智力的必然出发点，“探索的目标主要是万物的内在本性”，追求的是“绝对知识”，用一个超自然的主体来说明宇宙间各种现象。形而上学阶段是一个过渡阶段，只不过是前一阶段的改头换面而已，在这个阶段，“人们

① 马克思：《关于费尔巴哈的提纲》，《马克思恩格斯选集》第1卷，人民出版社1995年版，第54～61页。

② 孔德：《实证哲学教程》，《西方现代资产阶级哲学论著选辑》，商务印书馆1964年版，第25～26页。

把那些超自然的主体换成了一些抽象的力量，一些蕴藏在世界万物之中的真正的实体（人格化的抽象物），认为它们能够凭自身产生人们观察到的一切现象，因此要说明这些现象，就只消为他们分别指定一个相应的实体。”实证阶段是人类精神发展的更高阶段，在这一阶段，“人类的精神承认不可能得到绝对的概念，于是不再有探索宇宙起源的目的，不再求知各种现象的内在原因，而只是把推理和观察密切结合起来，从而发现现象的实际规律，也就是发现它们的不变的先后关系和相似关系。因此对事实的解释被限制在现实的范围之内，只不过是把各种特殊现象与某些一般的事实联系起来，这些一般事实的数目随着科学的进步将会越来越少。”① 到第二代实证主义即经验批判主义则是完全从经验出发，对“形而上学”进行更彻底的否定。作为第二代实证主义代表的马赫（Ernst Mach，1838—1916）在其《感觉的分析》一书第一章导言“反形而上学”中提出，那种认为存在着客观的“物自体”、“实体”的想法，是一种非常奇怪的想法。他强调说，“对于我们来说，世界并不是由一种神秘的实体构成的，并不是这些神秘的实体与另一种同样神秘的实体‘我’的交互作用产生出唯一可达到的‘感觉’。”② 如此等等。

二、人类文明大道上的中国化马克思主义哲学，应当继承发展哲学史优秀成果，特别是继承发展本国哲学史上的优秀成果

马克思主义哲学主要是沿着西方哲学史发展出来的。而在

① 孔德：《实证哲学教程》，《西方现代资产阶级哲学论著选辑》，商务印书馆1964年版，第26页。

② 马赫：《感觉的分析》，译文见《现代西方哲学论著选辑》上册，商务印书馆1993年版，第9页。译文有改动。

中国生长中国化的马克思主义哲学，一定要有中国哲学史上优秀成果的中华血肉和中华灵魂。

（一）应结合哲学史特别是中国思想史的实际，形成关于"形而上"的正确设置。

西方哲学史上讲形而上学，主要是在 Metaphysics 意义上讲的；中国哲学史上则主要在"形而上者谓之道，形而下者谓之器"意义上，来讲"形而上学"。

在中国思想上，对"形而上与形而下"这一对范畴，往往是这样认为，"形而上"指无形或未成形质，"形而下"指有形或已成形质。由《易·系辞上》："形而上者谓之道，形而下者谓之器"来发挥，"形乃谓之器"，唐李鼎祚《周易集解》引唐崔憬言："形质之中有体有用。体者，即形质也；用者，即形质上之妙用也。言有妙理之用以扶其体，则是道也。其体比用，若器之于物，则是体为形之下，谓之为器也。"唐孔颖达《周易正义·系辞上》中讲："道是无体之名，形是有质之称；凡有从无而生，形由道而立。是先道而后形，是道在形之上，形在道之下。故自形外已上者谓之道也，自形内而下者谓之器也。"宋以后，形而上与形而下成为哲学讨论的重要问题。北宋张载谓："形而上者是无形体者，故形而上者谓之道也；形而下者是有形体者，故形而下者谓之器。无形迹者即道也，如大德敦化是也；有形迹者即器也，见于事实即礼义是也"（《横渠易说·系辞上》)。程颐谓："所以阴阳者是道也；阴阳，气也。气是形而下者，道是形而上者"（《遗书》卷十五）。南宋朱熹谓："理也者，形而上之道也，生物之本也；气也者，形而下之器也，生物之具也"（《答黄道夫》)。明清之际王夫之则认为："形而上者非无形之谓，既有形矣，有形而后有形而上"，"器而后有形，形而后有上"（《周易外传卷五》)。清戴震则提出："形谓已成形质，形而上犹曰形以前，形而下犹曰形以后"（《孟子字义疏证·天道》）。

中国近代翻译家采用“形而上学”一词来翻译 Metaphysics，最初是受到近代日本翻译界的影响。在 1873 年，日本启蒙思想家西周在《生性发蕴》中已用“形而上学”一词翻译希腊文的 Metaphysics；他还用“超理学”翻译它，表述“超越身体（或自然）”的学问。西周在文中这样说：“超理学家研究所谓的形而上之理”。20 世纪初，留日学生将日译汉字的词“形而上学”传回中国。1911 年出版的《普通百科新大词典》已列有“形而上学”条目，释文为：“形而上学是就考究形而上之对象（即实在），对于考究形而下之对象（即现象）言。”也有人说严复是我国第一个根据《周易·系辞》“形而上者谓之道，形而下者谓之器”一语将 metaphysics 译成“形而上学”的人，这见于张腾宵、杨友吾、卫景福主编的《新编简明哲学百科辞典》（中国卓越出版公司 1990 年版，第 12 页）。但是我国学者、清华大学的方朝晖查证，在多本严译著作中及王栻主编的《严复集》（共五册，中华书局 1986 年版）中均未找到严复使用“形而上学”这个译法的证据。特别是《严复集》第四册第 1055－1074 页有一个很长的汇集严复在各种译著中的译名的“翻译按中西名表”，其中未见严复使用“形而上学”这个译法。① 而不论其中细节如何，由此可透视出，在中国走向近现代的过程中，哲学研究者力求打通西方哲学史上“Metaphysics”与中国哲学史上“形而上学”之间的互译和解释，这成为重要取向。进入现代，诸思想家在中国现代的哲学家那里，“形而上学”往往在与哲学同义的涵义上来理解使用。一些新儒学哲学家就是这样来理解使用的。例如，唐君毅（1909－1978）在其《哲学概论》

① 张明：《“形而上学”概念演变的历史考察》，载《江西广播电视大学学报》2006 年第 2 期。

中的"形而上学"部分，就是将天道论与形上学并举，这表明他基本上是在同等意义上使用这两个概念的。唐君毅的理解是，天道论包括中国所论的玄学、理学和道学中不直接以人生理想价值等问题为对象的部分；在中国哲学中，这一部分也就是所谓的"天道"的内容。在许多人那里，这被认为是西方的Metaphysics，Ontology，Cosmology 意义上的理论。再如，冯友兰（1895—1990）在《三松堂全集》第5卷中曾这样定义哲学和形而上学："哲学是对于人生底、有系统底、反思底思想"，"形而上学是哲学中底最重要一部分。因为它代表人生底最后底觉解。这种觉解，是人有最高境界所必需底"。

在中国早期的马克思主义者那里，"形而上学"也往往作为哲学的同义词理解使用。如1923年11月23日陈独秀作《科学与人生观序》（刊于《新青年》第三期），在论及社会科学的分类时说："社会科学中最主要的是经济学、社会学、历史学、心理学、哲学。"他在括号内对"哲学"作出说明写到："这里所指是实验主义的以及唯物史观的人生哲学，不是指本体论宇宙论的玄学，即所谓形而上学的哲学。"陈独秀在这里涉及到"哲学"、"玄学"、"形而上学"三个近义概念。可见在上个世纪20年代，中国的马克思主义宣传家们把握"形而上学"一词主要是基于"哲学"来讲①，只不过对"哲学"的内容提出了其特定的看法。

"形而上学"的含义在汉语中演变为"反辩证法的思想"与日本人1906年翻译恩格斯的《社会主义从空想到科学的发展》有关，日本翻译者将书中"机械论"一词译作"形而上学的推

① 张明：《"形而上学"概念演变的历史考察》，《江西广播电视大学学报》2006年第二期。

理法”，其特点是“孤立的”，“固定的，僵硬的，一成不变的”。[1]

中国的马克思主义者把形而上学理解为辩证法的反义词。这与恩格斯、列宁译著特别是与苏联哲学传入中国有关。以致后来毛泽东同志在《矛盾论》的第一节“两种宇宙观”中坚持说：“在人类的认识史中，从来就有关于宇宙发展规则的两种见解，一种是形而上学的见解，一种是辩证法的见解，形成了互相对立的两种宇宙观。”“形而上学，亦称玄学。这种思想，无论在中国，在欧洲，在一个很长的历史时间内，是属于唯心论的宇宙观，并在人们的思想中占了统治的地位。在欧洲，资产阶级初期的唯物论，也是形而上学的。”“所谓形而上学的或庸俗进化论的宇宙观，就是用孤立的、静止的和片面的观点去看世界。这种宇宙观把世界的一切事物，一切事物的形态和种类，都看成是永远彼此孤立和永远不变化的。如果说有变化，也只是数量的增减和场所的变更。而这种增减和变更的原因，不在事物的内部而在事物的外部，即是由于外力的推动。形而上学家认为，世界上各种不同事物和事物的特征，从他们一开始存在的时候就是如此。后来的变化，不过是数量上的扩大或缩小。他们认为一种事物永远只能反复的产生为同样的事物，而不能变化为另一种不同的事物。”“在中国，则有所谓‘天不变，道亦不变’的形而上学的思想，曾经长期的为腐朽了的封建统治阶级所拥护。”[2] 这里的“形而上学”，已是一种与本义完全不同的转义了，是指一种反辩证法的思想方法。受此影响，在当代

① 冯天瑜，《汉字术语近代转换过程中误植现象辨析》，武汉大学传统文化研究中心。

② 毛泽东：《矛盾论》，《毛泽东选集》第1卷，人民出版社1966年版，第300～301页。

中国马克思主义研究者的语境中，形而上学是被当作一种反辩证法的、非科学的发展观来加以考察的。把形而上学和辩证法表述为两种根本对立的发展观，是关于世界处于什么状态问题而形成的两种不同的观点。这里强调，坚持用用联系和发展的观点看世界，即认为世界上一切事物和现象都是相互联系、运动不息、变化发展的，属于辩证法；坚持用孤立、静止的观点看世界，即认为世界上的一切事物和现象都是彼此孤立隔绝、静止不动、没有发展的，属于形而上学。认为辩证法与形而上学的根本对立，不仅表现在联系的观点与孤立的观点、运动的观点与静止的观点、发展的观点与不变的观点之间的对立，最根本、最主要的还表现在“辩证法”认为发展是对立面的统一，承认一切现象和过程具有矛盾着的、相互排斥的、对立的倾向，承认世界上一切过程的“自己运动”。而“形而上学”则把发展看作是减少和增加，是重复，看不到事物内部矛盾是一切事物运动、发展的动力源泉。因而“辩证法”是活生生的，而“形而上学对”则是死板的、贫乏的、枯燥的。哲学发展史贯穿着唯物主义同唯心主义的斗争，在这种斗争中总是渗透着、交织着辩证法与形而上学的斗争。后者总受前者的制约；前者又不能不受到后者的影响。[①] 显然这里有许多关于“形而上学”这一概念使用上的误解。

应当认为，形而上学不等于反辩证法；更应当认为，人类不能没有关于形而上的哲学。人们总是不停地追问“形而上学”，重建“形而上学”，从而对“形而上”作出自己的理解，提出关于“形而上学”的哲学理论。在此中会出现种种看法及争论，但谁也取消不掉“形而上学”。因为人类不能没有可信仰

---

① 张明：《“形而上学”概念演变的历史考察》，《江西广播电视大学学报》2006年第2期。

的东西，对形而上的执着追求是成熟人的本性。这体现于人对于理想的追求。我们对未来社会远大理想的确定，是不可能没有关于形而上的哲学论证的；缺乏以至丢弃于此，就会陷于无远大理想而庸庸碌碌之中，也会缺乏高尚的人格塑造。应当澄清苏联哲学影响的关于形而上学的错误看法，在关于形而上学的哲学追问和追求中把哲学建立于与科学的统摄与支持关系之中，实现关于哲学追问的正确的、不断的、扎实的建设和发展。

（二）应结合哲学史特别是中国思想史的实际，作出关于“辩证法”的澄清。

如前所论，关于西方哲学中的“辩证法”一词，由古代在一般概念与特殊概念的辨析中形成“论辩的艺术”，到对于概念的这种辨析而形成的对于哲学及神学的证明方式；到在近代哲学中特别是黑格尔哲学意义上所讲的辩证法；再到马克思主义哲学及列宁主义哲学中再到斯大林所解释的辩证法等等；经过了一个从古代到中世纪到近现代的“辩证法”历程。这里面有以下几点需要澄清。

1. 关于“辩证法”与“两极主义”。

在《中国大百科全书》中，辩证法（dialectics）被定义为，“关于自然、社会和思维发展的最一般规律的科学。文中写道：辩证法这个术语，在哲学史上曾在各种意义上使用，在不同的历史时期和不同的哲学家那里，有不同的含义。”①

前已说到，“辩证法”一词，作为dialectics的译名，源自希腊文的 διαλεxτιkη’（dialektike）。我国学者方朝晖在其《“辩证法”一词考》一文中写道：“讲到辩证法在古代的形成，我们中国人自然会想到赫拉克利特；而西方学者多同意古希腊哲学家

① 《中国大百科全书》第2卷，中国百科全书出版社第二版，第389页。

亚里士多德说过的话，以芝诺为辩证法的创立者。[1] 然而，无论是中国人继承黑格尔的说法，还是亚里士多德的说法，都不是指赫拉克利特或者芝诺本人从哲学上使用过'辩证法'一词。正如许多西方学者所已指出的那样，'辩证法'这一概念在双重意义上都是柏拉图的创造：一方面，是柏拉图第一个在哲学上正式使用'辩证法'这一概念，以表示发现真理的至上方法；另一方面，'辩证法'作为一个特定的术语——hē dialektikē，在形式上也是柏拉图的创造。"[2] "'辩证法'这个词从词源上说来源于希腊字 dialegō，该词由两个部分构成，一个部分是 dia，原意为通过、贯彻，另一部分是 alegō，原意为关心、留意；而 dialegō 原意则为选取、分辨、鉴别等，后来引申为谈话、讨论等。从色诺芬、柏拉图、亚里士多德等人留下的希腊文献中我们了解到，大约在公元前 5—4 世纪左右，希腊语中出现了下述一系列与 dialegō 这一词根有关的词汇[3]：dia＋alegō→dialegō，dialegein → dialegesthai，dialegontas，dialegomai，dialegomenoi，dielegeto…→dialechtheis，dialechthēnai，dialexesthai，dialektikos，dialektikōteron，dialektikōtatoi，dialektikōteroi，dialektike…""从含义上来说这些词几乎都与'对话'、'讨论'有关，其中有些如 dialegein、dialegontas 等同时又有辨析、辨别之意，而 dialektikōtatoi、dialektikōteroi 在色诺芬等人那儿则有

① 参见，北京大学哲学系外国哲学史教研室编译：《古希腊罗马哲学》，商务印书馆 1961 年版，第 56 页。

② 参见 Robinson，pp. 90～91；Kahn，pp. 305；黑格尔，第 537～538 页。

③ Charles H.，Kahn，1996，Plato and the Socratic Dialogue，the Philosophical Use of a Literary Form，Cambridge：Cambridge University Press，pp. 75～79，pp. 302～309。

'善于讨论'（skilled in discussion）之义。① 根据 Charles H. Kahn 等人的意见，这些词中不少都是柏拉图的独创，其中尤其是以'dialektik—'为词头的、在拼写方法上与后世'辩证法'（dialektik/dialectic）相近的一些希腊文写法是柏拉图所发明出来的。具体来说，柏拉图在《美诺篇》75d 中发明了 dialektikōteroi 这个副词，在《理想国》第 7 卷中发明了 dialektikē 这个形容词，而色诺芬在《回忆录》中所使用的以'dialektik—'为词头的词是受柏拉图的影响所致。② 正因为柏拉图的创造，经过亚里士多德的定型，后世的辩证法概念才得以形成并一直沿用至今。”作者对于柏拉图对话录中“辩证法”一词的各种用法作出分类，并且仔细分析柏拉图在不同时期对话中所使用的“辩证法”概念涵义，综合指出：“首先，在内容上，柏拉图对'辩证法'一词的使用有一个从模糊到清楚、从不明确到明确的过程。直到《理想国》第 7 卷明确、集中、突出地把'辩证法'当作一种至高无上的哲学方法或科学加以阐述之前，柏拉图所使用的'辩证法'概念不仅含义不确定，而且在哲学意义方面一直没有脱离'苏格拉底的诘难'的影子。其次，在形式上，柏拉图所使用的'辩证法'一词多种多样，一直不能固定下来；对有些词如 dialegesthai 的使用，含义则表现出相当大的混乱性。相比之下，亚里士多德对'辩证法'概念的使用，无论从内容上还是从形式上都比柏拉图要明确和确定得多。亚里士多德将'辩证法'作为一个专门哲学术语的形式固定下来，基本上只采用 dialektik—为词头的拼写形式，同

① Charles H.，Kahn，1996，Plato and the Socratic Dialogue，the Philosophical Use of a Literary Form，Cambridge：Cambridge Univcrsity Press，pp. 76～77。

② Charles H.，Kahn，1996，Plato and the Socratic Dialogue，the Philosophical Use of a Literary Form，Cambridge：Cambridge University Press，pp. 75～79。

时也对辩证法的含义作了总结。① 造成这种情况的原因可能是在柏拉图之前还没有人从哲学上来阐释辩证法的概念，柏拉图也不可能突然提出一个崭新的哲学范畴让人一下子接受；更重要的是，对柏拉图本人来说，从哲学上使用并发展这一概念也有一个思想上的演变历程，并不是一开始就已深思熟虑好了的。这一事实进一步证明了：是柏拉图第一个从哲学上使用并发展了辩证法这一概念，而亚里士多德则对柏拉图的辩证法概念作了进一步的总结。""综上所述可知，首先，辩证法这一概念在西方历史上经历了一个漫长的演变过程，其含义也是多种多样。因此要用历史的眼光看待它，不能人为地追求统一。在西方，人们一般把爱利亚派的芝诺、智者派以及苏格拉底当作辩证法的先驱。具体地说，辩证法在芝诺那儿主要指一种反证法（antilogike）；在智者派那儿，是诡辩术（eristic）；在苏格拉底那儿，它是一种特有的问答法（Socratic elenchus）；在柏拉图那儿，它是对本质（ousia）进行分析的科学；在亚里士多德那儿，它是或然性推理；在斯多葛学派那儿，它是逻辑学的一个主要部分。从柏拉图、亚里士多德直至中世纪，它一直是指逻辑论证的方法；从亚里士多德到斯多葛派乃至康德以前，辩证法在含义上常与形式逻辑相混。② 导致辩证法含义发生根本转折的关键人物是康德、黑格尔。康德将辩证法用之于人类思维所具有的'幻象的逻辑'，使辩证法一词与思维发展的先天法则联系起来；黑格尔在康德和谢林之后将它用之于直接指'纯粹思维'按照正、反、合方式发展的逻辑规则"。"恩格斯《自然辩证法》

① 参见，苗力田主编：《亚里士多德全集》"索引：'辩证的'"，《亚里士多德全集》第 10 卷，人民大学出版社 1997 年版，第 270 页。

② 参见，北京大学哲学系外国哲学史教研室编译：《古希腊罗马哲学》，商务印书馆 1957 年版，第 372 页。

《反杜林论》，列宁《唯物主义和经验批判主义》等书的出版，辩证法一词才获得了我们今天专指的事物发展过程中对立面的统一等含义。”[①]“说辩证法与形而上学相对立就更不对了。正如我们在前面已看到的，在柏拉图那儿，辩证法与形而上学是不可分的。这一点很多学者都曾指出来：例如，策勒尔在《古希腊哲学史纲》一书第 3 章第 4 节论述柏拉图思想的部分，把辩证法与理念论等而同之，他使用了‘辩证法，或理念论’[②] 这个表达式；中国学者陈康也明确指出：‘柏拉图的辩证法，从总的方面说，相当于后来哲学中所讲的形而上学和认识论。”[③] 将辩证法与形而上学对立起来理解古代辩证法，是用黑格尔以来的辩证法观念曲解古人的结果。’”[④]

关于作为中文译名的“辩证法”，马永康在《“dialectic”译名讨论——以贺麟、张东荪为中心》一文中写道：由于“日本对西方的开放比中国先行一步，由于其地缘因素，以及与中国文化的同质，便于进行迻译。这种迻译，势必引进大量的日本名词。”“‘辩证’和很多现行通用的词一样，是直接从日语中转译过来的”。“在日语中，‘辩证’一词其意义为‘弁别し考证すちこと’，意即为辨别与考证，与中文的字面意思一致。”“但是，‘辩证’译名是否贴切却是有争议的。”“留欧的贺麟。他在 30 年代将其译为‘矛盾思辨法’。”贺麟在《朱熹与黑格尔太极说之比较观》中讲：“黑格尔全系统的中坚是矛盾思辨法[⑤]。”

① 参见 Edwards，p. 385。

② 参见，E. 策勒尔：《古希腊哲学史纲》，翁绍军中文译本，山东人民出版社 1992 年版，第 139 页。

③ 汪子嵩、王太庆编：《陈康：论希腊哲学》，商务印书馆 1990 年版，第 176 页。

④ 方朝晖：《“辩证法”一词考》，《哲学研究》，2002 年第 1 期。

⑤ dialectical method。

(载于《黑格尔哲学讲演集》,上海人民出版社1986年版);"在稍后的《〈黑格尔学述〉译序》中,贺麟明确提出反对'辩证法'的译法,主张用'矛盾'译'dialektik'"[①]。"另一提出异议的是张东荪,他一直批评'辩证'的译法,主张译为'对演法'"。张东荪在《辩证法的各种问题》《动的逻辑是可能的么?》等文章中都集中论述到此。他在1931年世界书局出版的《西洋哲学史ABC》中,讲到黑格尔时,认为"他这种法则即是所谓'对演法'" dialectic旧译辩证法系袭取日本人,实在完全不通"。对于"辩证法"的译法,"在瞿秋白那里遭到了质疑。瞿秋白曾留学苏联,是在中国传播马克思主义辩证法的功臣。他在1924年就将'dialectic'译为'互辨法',明显不满于日译。"瞿秋白在1924年,根据这一术语在古希腊文中原意指"互相辩论"即"辩论术",将"dialectic"译为"互辩法"。瞿秋白在《社会科学概论》中写道:"唯心论的最高点已经探悉人类的观念之流变的公律(互辩律,旧译辩证法,Dialedtique——'正反相成,矛盾互变')。"[②] 当时及后来许多人用了这一译法。如1924年有人发表《李宁与社会主义》也提到"相反相成"的互辩律。[③] 1939年天下书店出版的戈人所著《大众新哲学》,在第100页上写有:"辩证法这个名词是从'第亚力克谛'(dialectic)这个外国文译过来的。'第亚力克谛'是古希腊文,原是'辩论术',即互相辩论可用此术屈服对方之意(所以瞿秋白主张译为互辨法)。"1939年11月珠林书店出版的平生所著《新哲学读本》,

① 贺麟:《〈黑格尔学述〉译序》,载《黑格尔哲学讲演集》,上海人民出版社1986年版,第652~653页。

② 瞿秋白:《社会科学概论》,载《瞿秋白论文集》,重庆出版社1995年版,第939页。

③ 载钟离蒙、杨凤麟主编:《中国现代哲学资料汇编》,第一集第1册。

第 122～123 页上写有，“有人主张译为互辨法”，等等。马永康讲，“但是，和很多从日本转译过来的名词一样，辩证法现在已经深入人心，成为传统中的一部分，参与并塑造着未来的中国文化。现在再对其更改确乎没有必要。但是，随着与西方接触的增多，翻译将越来越多，面对译名，至少应该谨慎，免去社会的干扰，进行独立的讨论。或许，其意义就在于此。”①

由本书的观点，总结以上学者所论，我们应反复重申，在西方哲学史上，“辩证法”一词，希腊文为“διαλεχτικ ή（τ έ χγη)”，本意为交谈的技巧，来自 διαλέγομαι（交谈、议论），在这个词的词根中，就其本义讲就有“对话”、“谈话”的意思。

通常认为，哲学史上从巴门尼德把标志有形物的概念同与之相对立的“存在”概念区别开来并由此说明世界的本原以后，关于世界的二重化意识便明显地被确立起来。这时世界被划分为“本质和现象”或“一般和个别”等等的两层次，自此以后每个哲学家都在这个问题上表明自己的着法，对这两个层次关系的思考就构成了西方思辩史的基本内容。二重化的实质是这样的：我们面前是一个个感性的“存在”即“个别”物在，而语言中的表达概念却是“一般”，这是超越了一个个的个别的东西，似乎成了一个独立的存在。于是这“一般”便成了一种超出个别而存在的绝对的东西。

由此在古希腊经常出现围绕一些概念进行的论辩。哲学史上熟知的例子是苏格拉底与一些人围绕一些概念所展开的对话论辩。苏格拉底用这种方法来明确语言中的概念。这种方法是通过对话，由观点冲突，揭露对方观点中的矛盾来实现的大体步骤是：在对话过程中，首先提出问题，使对方对某一概念提

① 马永康：《“dialectic”译名讨论——以贺麟、张东荪为中心》，《世界哲学》，2002 年第 1 期。

出最初的定义；其次引进一些事实，如果把上述定义应用到这些事实上去，引起矛盾，这就暴露出这些最初定义是不够的，不中用的；这样谈话的对方就不得不推翻原定义而提新定义不断进行下去，直到最后得到一个令人满意的，看起来能揭示本质的定义为止。苏格拉底以后，"διαλεχτική (τεχγη)"，通常就用来指通过答问以明确有关概念或问题的一种技巧或方法，所以这个词也有人译为"论辩术"。后来，这种技巧或方法逐渐发展成为有系统的学问，便称为论辩学。当时，它甚至和逻辑学大体上同义。

柏拉图对于论辩术的研究是在苏格拉底论辩方法的基础上发展起来。这时，他仍认为问答对话的方法就是辩证法。正如他自己说的，"那知道如何提问和回答的人，你称他是辩证法家吗？——是的，这是他的名称"。[①] 柏拉图的理念论就是这样建立起来的。柏拉图除了根据传统含义，把辩证法看作是通过揭露对方论断中的矛盾并加以克服的方法外，还把辩证法看作是认识"理念"过程中由个别到一般、又由一般到个别的方法。他认为，借助于辩证法可以由个别理念上升到普遍理念，又从普遍理念回到个别理念。也就是说，柏拉图把认识理念的方法，把从低级概念到高级概念的"思想进程叫作辩证法"。[②] 柏拉图提出他的理念论，主要思想是来自巴门尼德的关于"存在"的见解。柏拉图在其所著的《理想国》中，就曾借苏格拉底之口提出要把辩证法提高至研究概念思维的专门科学的地位，把辩证法摆在一切科学之上作为科学的基石或顶峰。黑格尔曾经说，"在柏拉图哲学中，辩证法第一次以自由的科学的形式，亦即以

① 柏拉图：《克鲁底鲁篇》，390。

② 柏拉图：《国家篇》。

客观的形式出现”。“在古代，柏拉图被称为辩证法的发明者。”①

古希腊哲学集大成者亚里士多德在提出他的学说时，把辩证法看作是“研究本体的属性”“揭露对象自身中的矛盾”的方法。他称爱利亚学派芝诺（Zeno of Elea，约公元前：470 年）是“辩证法的创立者”。因为芝诺在论证“唯一不动的存在”时，指出承认“多”的“存在”就会陷入无限大和无限小的矛盾，如此等等，这种论辩体现了通过揭露矛盾而探究问题的方法。亚里士多德进而把辩证法作为形成概念、下定义、和检查定义是否正确的方法。由此，“辩证法”更经常地在逻辑学的意义上被使用。

在中世纪，经院哲学家们也使用“辩证法”这一概念。J.邓斯·司各特称辩证法为关于“存在”的专门学说，P. 阿贝拉尔则把辩证法叫作区别真理和谎言的技巧。还有一些经院哲学家，把一些诡辩，如荒唐无稽的提问、空调繁琐的考证、千篇一律的公式证明等等称为“辩证法”。这种“辩证法”窒息了科学的发展，黑格尔称其为“形式的辩证法”。

18 世纪末和 19 世纪初，在自然科学的发展中和在社会历史辩证法的探讨中，辩证法的含义日益丰富起来。在康德哲学那里，辩证法主要指理性自身包含的矛盾，即“纯粹理性之自然的不可避免的辩证法”。康德认为，当人们运用有限的范畴去把握“世界”时便会陷入矛盾，即“二律背反”。这种矛盾，不是可以纠正的逻辑错误，也不是来自于感觉经验中的假象，是不可避免的矛盾。所以，研究和论证这种假象的客观性和矛盾的必然性，揭示先验假象的逻辑，也就是辩证法，或“批判‘辩证法’的幻想之一种逻辑”。黑格尔认为，康德的二律背反指出

① 黑格尔：《小逻辑》，贺麟中文译本，商务印书馆 1980 年版，第 178 页。

了理性一定会必然碰到的矛盾，这是近代哲学界的重要进步。黑格尔很重视概念的发展运动，他把运动原则叫作“辩证法”，又把辩证法视为研究对象本质自身的矛盾。黑格尔强调，“本质是一个反思的存在，一个映现他物的存在，也可以说，一个映现在他物的存在。所以，本质的范围又是发展了的矛盾的范围”。① 黑格尔由辩证法揭示运动和发展的内在联系，从现象的内在联系上揭示运动和发展的源泉和真实内容。

黑格尔的辩证法概念受到康德关于二律背反和费希特关于正题、反题和合题的三一式过程论述的影响。黑格尔认为，按照辩证法，知性首先把范畴看作是有限的和独立于其他概念的概念；其次，思想作为否定的理性认识到，原初的概念其意义依赖于与它的否定者的对比；再就是，思想作为肯定的理性达到了更高的范畴，它把先前的矛盾范畴包含于对立统一之中，自身中就包含着矛盾。这种对立和随后调解的三一式结构不断重复直至达到概念的完整体系。黑格尔强调，“辩证法是一种内在的超越（Immanente Hinausgehen），由于这种内在的超越过程，知性概念的片面性和局限性的本来面目，即知性概念的自身否定性就表现出来了。”②

在马克思的早期，用“辩证法”一词是很谨慎的，可以说在马克思的《1844年经济学哲学手稿》之前，在其发表的文献中或者说在他的主要文稿中，基本没有专门冠以“辩证法”这个概念命名而展开充分论述。就目前看到的文献，马克思正式将“辩证法”这个词写入他的文稿，较早的或者说最早的文字出现，是在《1844年经济学哲学手稿》之中；而且主要是在表述黑格尔思辨哲学时用到这一概念；例如他在《1844年经济学

① 黑格尔：《小逻辑》，贺麟中文译本，商务印书馆1980年版，第246页。
② 黑格尔：《小逻辑》，贺麟中文译本，商务印书馆1980年版，第176页。

哲学手稿》的“序言”中写道：“我认为，本著作的最后一章，即对黑格尔的辩证法和整个哲学的剖析，是完全必要的”。他还写到：“我打算连续用不同的单独小册子来批判法、道德、政治等等，最后再以一本专著来说明整体的联系、各部分的关系对这一切材料的思辨加工进行批判。”① 他又写道：“在这一部分，为了便于理解和论证，对黑格尔辩证法，特别是《现象学》和《逻辑学》中的有关叙述，以及最后对最近的批判运动同黑格尔的关系作一些说明，也许是适当的。现代德国的批判着意研究旧世界的内容，而且批判的发展完全拘泥于所批判的材料，以致对批判的方法采取完全非批判的态度，同时，对于我们如何对待黑格尔辩证法这一表面上看来是形式的问题，而实际上是本质的问题，，则完全缺乏认识。”② 这里说到：“黑格尔辩证法”，“实质上是本质的问题”，是特别就体现于黑格尔《逻辑学》“本质论”中的“反思”的辩证法而言。

马克思的卓越贡献在于，他将黑格尔哲学中的“倒置”，“倒置”过来，形成了关于唯物论和辩证法统一起来的运用。这特别体现于马克思关于政治经济学的方法，集中体现于他的巨著《资本论》的方法之中。马克思在《〈资本论〉第一卷第二版跋》中写道：“我的辩证法，从根本上来说，不仅和黑格尔的辩证法不同，而且和它截然相反。在黑格尔看来，思维过程，即他称为观念而甚至把它变成独立主体的思维过程，是现实事物的创造主，而现实事物只是思维过程的外部表现。我的看法则相反，观念的东西不外是移入人的头脑并在人的头脑中改造过

---

① 马克思：《1844 年经济学哲学手稿》，《马克思恩格斯全集》第 42 卷，人民出版社 1979 年版，第 46 页、第 45 页。

② 马克思：《1844 年经济学哲学手稿》，《马克思恩格斯全集》第 42 卷，人民出版社 1979 年版，第 156 页。

的物质的东西而已。”“辩证法在黑格尔手中神秘化了，但这决不妨碍我们说，他第一个全面地有意识地叙述了辩证法的一般运动形式。在他那里，辩证法是倒立着的。必须把它倒过来，以便发现神秘外壳中的合理内核。”①

马克思留下了他的《资本论》逻辑。这正如列宁后来评论的，“虽说马克思没有遗留下‘逻辑’（大写字母的），但他遗留下《资本论》的逻辑，应当充分地利用这种逻辑来解决当前的问题。在《资本论》中，唯物主义的逻辑、辩证法和认识论〔不必要三个词：它们是同一个东西〕都应用于一门科学，这种唯物主义从黑格尔那里吸取了全部有价值的东西并发展了这些有价值的东西。”② 这里体现着一种矛盾分析方法，用列宁的表述则是：“思维的理性，可以说是使有差别的东西的已经纯化的差别尖锐化，使表象的简单的多样性尖锐化，以达到本质的差别，达到对立。只有达到矛盾尖端的多样性的东西，在相互关系中才成为活跃的（regsam）和有生机的，才能因矛盾而获得那作为自己运动和生命力的内部搏动的否定性”。③ 思维中这样把握矛盾，才从现象进入本质。因为用黑格尔辩证法的语言说，所谓本质，就是对立面双方的互为“反思”，从根本上说就是矛盾。这本质规定，既是抽象的又是具体的，它是包含丰富内容的普遍性，它包含了对象发展的一切矛盾胚芽，体现了活生生运动的内部生命搏动，表现了必定运动的趋势。由这规定携带着种种现象事实，在不同层次的矛盾运动中向具体上升，也就

---

① 马克思：《〈资本论〉第一卷第二版跋》，《马克思恩格斯选集》第2卷，人民出版社1972年版，第217页、第218页。

② 列宁：《哲学笔记》，《列宁全集》第55卷，人民出版社1990年版，第290页。

③ 列宁：《哲学笔记》，《列宁全集》第55卷，人民出版社1990年版，第119页。

把对象在思维中逻辑地历史地复制了出来。

马克思体现辩证法的《资本论》逻辑就是这样实现的。

马克思在《资本论》第一卷中首先考察的是资本的产生过程。而资本，马克思又揭示出，它“是产品和货币的直接统一”。是货币在一定条件下才能转化为资本。而货币又是商品内部矛盾运动的产物。所以，《资本论》的起点是商品。马克思首先以价值和使用价值这个体现商品内在矛盾的二重性规定商品。价值、使用价值、这两个层次，正是普遍性的无限性层次和特殊性的有限层次的相互“反思”（借用黑格尔的术语）。

商品的二重性作为劳动二重性的结果，最初是隐含着的。马克思写过：“潜藏在商品中的使用价值和价值的内部对立”要“通过外部对立，即通过两个商品的关系表现出来”。[①] 这样又形成了商品和价值形式两个层次的互为“反思”。价值形式的发展，实际就是商品自身矛盾向着解决自身困难方向的发展。也就是说，在最初，作为普遍性的价值与作为特殊性的使用价值的对立统一还是潜在的。价值形式的发展，就是实现抽象普遍性特殊化的过程。

在货币中，达到了上面所说的两个层次的统一，这使价值与使用价值这一矛盾形成了一种适当的运动方式。但是，“货币所以能克服物物交换中包含的困难，只是由于它使这种困难一般化，普遍化了”。[②] 因此，作为矛盾解决的“适当的运动方式”进而仍然在一个包含对立和矛盾的运动方式中转化出新的形态，即：货币在一定条件下转化成了资本。这样，从第一卷的第二

① 马克思：《资本论》第一卷，《马克思恩格斯全集》第23卷，人民出版社1972年版，第76页。

② 马克思：《经济学手稿》上册，《马克思恩格斯全集》第46卷上，人民出版社1979年版，第95页。

篇开始,《资本论》体系的中心概念"资本"出场了。为揭示此过程,马克思又把商品和货币作为互为"反思"的两个方面或层次,由此揭示以商品为始末和以货币为始末的两个公式的矛盾。即"W—G—W"(商品—货币—商品)和"G—W—G"(货币—商品—货币)两个公式的矛盾。进而揭示了,在后一过程中只有认为W发生了变化(即包括劳动力这种特殊商品),G中包括△G这个增殖额(即包含剩余价值),这个矛盾才能解决。这样,货币便转化成了资本。可见,要使资本得以成立,关键在于作为商品运动表现形态的"G—W—G"包含着一种剩余价值的生产过程。这个过程,是劳动过程和价值增殖过程的对立统一。这里面又形成了两个层次,即:作为普遍性的资本运动是一个价值增殖过程,而作为特殊性的劳动诸要素的运动是一个劳动过程。这又是同一运动过程的两个方面或两个层次。这两个方面又互为"反思"。一方面作为劳动过程,总是具有自身的独立规定,即不论劳动的社会形式如何,它总是人与自然之间的物质能量交换过程。而这种规定又必然采取一定的社会形式。在资本主义生产中,任何劳动过程都是在资本这种普遍性的力量的约束下进行的。而且作为价值增长过程,资本这种普遍性,也必须以一定的劳动过程作为自身运动的基础,为这种特殊性的劳动过程所制约。但另一方面,资本主义生产的劳动过程与价值增殖过程之间却又是相互对立着的。这种对立也就是资本与劳动的对立。作为资本的人格化的资本家与作为劳动过程执行者之间的对立,这是在雇佣劳动中的对立。资本主义生产方式就是在这种既对立又统一的方式中运行。在这之后,马克思又分析了,资本作为能够带来剩余价值的价值,这是一般的规定。进一步的规定则是:剩余价值的产生有两种形式,绝对剩余价值和相对剩余价值。

《资本论》第二卷,从纯粹本质进入了表层的领域。在这里，资本这一普遍性被进一步特殊化、具体化。这一特殊化、具体化是由于资本自身并不能脱离使用价值的运动过程而独立运动产生的必然结果，这是矛盾发展逻辑的必然结论。因为社会需要的是各种使用价值，使用价值也有自身的运动方式，从而资本必须适应于此而特殊化为货币资本、生产资本和商品资本。这是从资本循环的角度看的。从资本周转的角度看，资本又特殊化为固定资本与流动资本。以上都是从单个资本的情况来考察的。作为社会总资本，就进一步特殊化为各个部门的资本。于是《资本论》又从社会生产的两个部类，考察了资本的这种特殊性。在所有这些过程中，资本的规定性越来越具体、越来越丰富了。

《资本论》第三卷，关于对象的分析在矛盾运动中达到了表层与里层的结合。资本的特殊化已达到了这样的程度，使这普遍性丰富到能成为个别性的程度。在这里，曾经作为起点的只是生产和流通直接统一的资本，现在取得了一个包含诸多中间环节，达到二者现实统一的形式。至此，如果说，在第一卷中资本作为能带来剩余价值的价值，是一个纯粹本质性的规定；那么，现在资本作为普遍性，在作为其对立面的特殊的生产过程的作用下，已达到了一种具体的普遍性的程度。在这一特殊化过程中，事物的本质与其表象实现了渐次接近。展开说明是这样的，在这一卷开头，首先进入考察范围的是剩余价值向利润的转化。开始剩余价值率还是一个纯本质规定，它只是剩余价值与可变资本的比值。资本的比值。这里所考察的只是资本与劳动的对立，而利润率则是剩余价值与总资本的比值。这一比值，如果从剩余价值率的转化形式看，它就是一个更为具体的规定。因为决定利润率的是不变资本与可变资本之和，这其中包含了生产条件的制约作用。由于生产条件的不同，不同生产部门的资本有不同的构成，并由此而引起了利润率的差别，但这差别又由于竞争而平均化，从而价值也就转化为生产价格。此时生产价格代替价值执行其功能。使用价值运动与资本运动之间相互作用，资本便进一步特殊化为产业资本、商业资本和借贷资本；一般剩余价值被分割为产业利润、商业利润和利息。再进一步考虑到土地这一特殊生产条件的作用，便是超额利润转化为地租。至此，资本主义经济的那些表面的基本联系都得到了来自内部本质的说明，使那些以前只是表面联系的范畴取得了实在规律性的内容，成了名符其实的具体概念。也就是说，普遍性特殊化成了个别性。这个别性同时反映着作为普遍性的价值运动与作为特殊性的使用价值运动两方面的对立统一关系。这个别性是多样性的现实的统一，具体的统一。① 这样，整个过程回到社会表面，马克思认为，这就可以揭示资本主义经济的庞大系统。

以上看见，马克思《资本论》逻辑中的辩证法，保持了黑格尔在反思意义的矛盾运动的辩证法，而在唯物主义基础上实现了从本质到现象、从底层到表层的矛盾分析和上升。

我们知道，黑格尔的逻辑学分三个大的阶段。即存在论、本质论、概念论。存在论带有直接性，尚未深入到直接的东西背后。当认识把握对象时，最初是处在直接性当中，在一定意义上相当于感性的直接性，这时面对的是混沌的没有分化的整体。到本质论出现分化，在此表现为一种知性的同一性。以往哲学往往只是看到这种知性的同一性，并把此作为绝对的方法，所以不可能真正具体地把握对象。黑格尔认为，在"本质论"中的各个规定都是'相对的""双层的"，即成双成对、彼此对立而又互相联系、互相反映出来。

① 王南湜：《〈资本论〉中几个辩证方法原则的内在统一性浅谈》。

在此黑格尔使用了“反思”这个术语。这里的所谓“反思”直译也就是“反映”或“反射”。黑格尔曾用光线的反射作出比喻的解释。他说:“反映或反思(Reflexion)这个词本来是用来讲光的，当光直线式地射出，碰在一个镜面上时，又从这镜面上反射回来，便叫 Reflexion，这个现象里有两方面，第一方面是一个直接的存在，第二方面同一存在是作为间接性的或设定起来的东西。”“事物的直接存在，依此说来，就好像一个表皮或一个帷幕，在这里面或后面，还蕴藏着本质”。[①] 因此黑格尔认为，“反思”“构成本质与直接存在的区别，是本质本身特有的规定”,[②]“本质的观点一般地讲来即是反思的观点。”[③]

黑格尔正是紧紧抓住在此意义上的“反思观点”集中论述了他的矛盾学说，形成了他的基于矛盾发展的辩证逻辑。黑格尔说“本质是一个反思的存在，一个映现他物的存在，也可以说，一个映现在他物中的存在。所以本质的范围又是发展了的矛盾的范围，这矛盾在存在范围内还是潜伏着的。”[④]

在黑格尔体系中，本质论置于存在论之后。如果说“存在论”带有直接性，尚未深入到直接的东西背后，那么“本质论”则进入到间接性即已进入到直接东西背后，因此这一部分的各个规定(范畴)，形成表层与底层双方成对出现，即两个各自具有一定独立性的东西互相关联，互相反映(反射，反思)，“成为反思的规定”。而本质论又分为三个大的阶段:(1)本质作为实存的根据，本质尚未表现于外;(2)现象、本质已表现出来;(3)实在、本质与实存或内与外所直接形成的统一。在(1)之

① 黑格尔:《小逻辑》，商务印书馆 1980 年版，第 242 页。
② 黑格尔:《小逻辑》，商务印书馆 1980 年版，第 242 页。
③ 黑格尔:《小逻辑》，商务印书馆 1980 年版，第 246 页。
④ 黑格尔:《小逻辑》，商务印书馆 1980 年版，第 246 页。

中由于本质尚未表现于外，所以是"纯反思规定"，即"同一"、"差别"、"矛盾"。讲本质首先要讲同一性。因为本质论里的范畴是双层的，只有出现双层（而不是单层）才谈得上同一与不同一。同时，既然是双层，讲本质的东西在现象的东西背后，便是题中应有之义：即表层很多不一样的东西背后始终保持一个自我同一，就是本质。这样看来，这里的同一性，必包含着差异在里面，即：不是抽象的同一而是具体的同一。由于这样，同一就要转化为差异，差异可区别分为绝对的差异、杂多、对立。在对立里每一方都依赖另一方，包含于另一方；同时每一方又排斥另一方，独立于另一方。又独立又依赖，又包含又排斥，这就是矛盾。矛盾是从同一到差异到对立发展而来的。同一和差别的统一即根据。在这里，同一之物的"根据本身"，即"作为根据的本质"；差别之物是"被根据的东西"。凡是一个有了根据的存在即"实存"，实际存在便是现象。现象是有据的存在。这里面形成了本质的关系。黑格尔由作为本质的关系的一系列范畴的发展，之后又引入了"内与外"的关系。内与外仅就形式而言才是"正相反的"，而就内容来说，二者是有机地统一在一起的。这徉，内就是依据，外就是表现，或者也可以这样认为，内就是本质，外就是现象。

进一步说，本质与现象的统一就是现实（Die Wiklichkeit）。换句话说，它是内与外的统一，是还未表现于外的本质和已表现于外的现象的统一。因而它具有内在的"可能性"、外在的"偶然性"和这两者结合起来的"必然性"。"现实性"中有"实体关系"、"因果关系"、"相互作用"。

在黑格尔逻辑学体系的"本质论"里面，诸"反思"规定成为双重的，有内在方面的本质，还有外在方面的现象。具体说，每个范畴都有其内的和外的存在。而到了概念论，对立双方才消融在概念里面，成为同一个概念的构成环节：每一方都是对方，双方的关系不再是彼此外面互相限制的关系，而是达到了有机的统一。这就形成了“存在”与“本质”、潜在与展开的具体统一，形成了包含间接性的内在的直接性，即“真正的直接性”。达于此便达到了概念中的对象整体。这展开为概念、判断、推理的“主观性”，机械性、化学性、目的性的“客体”，以至作为“理念”的生命、认识、绝对理念。

黑格尔由此强调说：批判哲学诚然已经使形而上学成为逻辑（指康德的先验逻辑），但是它和后来的哲学（指费希特的哲学）一样，由于害怕客体便给与逻辑规定以一种本质上是主观的意义。“自在之物”，成了“一个无穷的冲突，对于他们，却仍然是一个留下来的彼岸”。所以黑格尔认为康德的“那种批判只不过是使客观的思维形式远离了事物”，“那种批判并没有对这些自在自为的形式本身，就它们特有的内容，在那里加以考察”。[①] 由此黑格尔指出：通常所了解的作为逻辑的那种东西，它在现在的情况下，没有像常识所认为的实在的和真实的事情那一类的内容。但决不能因为这个理由就说逻辑是一门形式的，缺乏有内容的真理的科学。黑格尔就此说，“假如逻辑空洞无物，那并不是逻辑对象的过错，而是唯一在于把握对象的方式的过错。”[②]

对此黑格尔的进一步分析是，逻辑中固然找不到质料，质料的缺乏也往往被算作是逻辑的不足之处，但真理的领域决不是要在质料那里去找。当形式被认为只是固定的规定，四分五裂，没有结合成有机的统一，那么它们便是死的形式。因而“它们缺少坚定的内容——一种本身就是内容的质料”。这种“在逻辑形式中找不到的内容，不外是这些抽象规定的坚固基础和

① 黑格尔：《逻辑学》上卷，商务印书馆 1977 年版，第 28 页。

② 黑格尔：《逻辑学》上卷，商务印书馆 1977 年版，第 29 页。

具体性";而逻辑的理性本身,就是那个客体性的或实在的东西,它在自身中结合了一切抽象的规定,并且就是这些规定的坚实的、抽象—具体的统一。"[①] 因此,黑格尔提出了这样的见解:随着内容这样被引入逻辑的考察之中,成为对象的,将不是事物(die Dinge),而是事情(die Sache),是事物的概念。"这个概念本身是不能以感性来直观或表象的;它只是思维的对象、产物和内容,是自在自为的事情,是'逻各斯'(Logos),是存在着的东西的理性,是戴着事物之名的东西的真理"。[②]

很显然,黑格尔在此表述了这样的思想:只要在考察思维时不仅考察那通常算作外在形式的东西,而且也考察内容,就会显示出这种情况,"即:在最通常的反思中,作为脱离了形式的内容的那种东西,事实上本身并不是无形式无规定的"。"内容不如说是在自身那里就存在着形式,甚至可以说唯有通过形式,它才有生气和实质;而且,那仅仅转化为一个内容的显现的,就是形式本身。"[③] 正是由此黑格尔进一步认为,"我们最好抛开主观性和客观性的区别,而着重对象内容的真实性,内容作为内容,既是主观的又是客观的。"[④] 总之,黑格尔所说的思维内容,既不是感性存在物,也不是直观表象,而是贯穿于认识和质料之中的,既是客体又是主体的客观概念;"这种客观思维就是纯科学(即逻辑学—引者)的内容。"[⑤]

这些思想提示我们,要重视一种情况,正如后来一些哲学家指出的,辩证法不等于两极主义。

---

① 黑格尔:《逻辑学》上卷,商务印书馆1977年版,第29页。

② 黑格尔:《逻辑学》上卷,商务印书馆1977年版,第17页。

③ 黑格尔:《逻辑学》上卷,商务印书馆1977年版,第16~17页。

④ 黑格尔:《小逻辑》,商务印书馆1982年版,第124页。

⑤ 黑格尔:《逻辑学》上卷,商务印书馆1977年版,第31页。

对于辩证法的矛盾方法，人们在解释它时，往往出现误解。常把这里的矛盾简单地理解成只是一种两极化。20世纪60～70年代后，原苏联的有些学者似乎也已在某种意义上看到这个问题，如70年代出版的罗森塔尔（Моисеевич Розенталь，1906—1975）主编的《马克思主义辩证法史》在讲到辩证矛盾问题时曾专门这样写道：《资本论》中“那种被公正地视为最简单之物并立即引人注意的东西，就是确认以两极形式、作为两极性或二重性关系的两个极端方面出现的对立面。不过，要是把对立面的表现看作问题的实质，并按照二重性的模样来构造关于对立面的概念，那就大错特错了。这并不是矛盾的辩证法，而是两极性观点，即两极主义”。①

单纯的两极主义决不是真正的辩证法。要正确地把握辩证法的研究矛盾的方法，很有必要弄清黑格尔关于“反思”的观点。这种辩证法的重要之点，依马克思主义哲学的表述，就是要用本质和现象的观点来把握对象。本质是什么，按黑格尔的见解，本质就是带间接性的东西。马克思主义哲学思想是肯定这一点的。讲本质总是透过直接性去找间接性。这里，不能忽略，“本质的观点一般地讲来即是反思的观点”，必须以底层与表层两相反思的观点来理解矛盾。只有在现象本质互为反思的意义上来理解矛盾，才能和以上所说的两极主义划清界限。而且只有以这个意义上的矛盾观点来看待对象系统，才能超越部分整体、个别一般的矛盾，真正达到对部分、对个别的超越，实现它们的统一。这样的观点对于说明我们塑造论哲学中关于显意识与潜意识的互为反思、相互映照的关系，是很有意义的。

由此很重要的在于，要有哲学的思辨，有形而上统摄形而

① 马·莫·罗森塔尔主编：《马克思主义辩证法史》，人民出版社1986年译本，第185～186页。

下，即底层到表层的思辨，如果否定了关于形而上学与形而下反思意义上的思辨，就很容易走向"两极主义"。

在比较中可以看出：讲究底层到表层的矛盾分析，强调在研究现实对象时把握本质与现象反思的辩证法，马克思《资本论》十分典型；不讲底层到表层的矛盾分析，弱化本质与现象反思的辩证法，斯大林《联共（布）党史简明教程》第四章第二节十分典型。

毛泽东在《矛盾论》中注意阐明，"矛盾的普遍性和矛盾的特殊性的关系，就是矛盾的共性和个性的关系"；他强调，"这一共性和个性、绝对相对的道理，是关于事物矛盾的精髓，不懂得它，就等于抛弃了辩证法"。这种对辩证法的理解，其指向与马克思《资本论》的辩证法是一致的。

毛泽东在《矛盾论》中，一方面讲到阴与阳、正与负、化合与分解、作用与反作用、攻与守、进与退、胜与败等等，"都是矛盾着的现象"，"失去一方，他方就不存在。双方斗争而又联结"；又一方面，他又没停留于此，而是把此纳入现象与本质的框架，在一般和个别、普遍性和特殊性、共性和个性中把握，这体现出与马克思改造黑格尔而主要由"反思"意义上来讲的"辩证法"有更加接近的一致性。

毛泽东将此种对辩证法的理解，具体运用于对中国问题的分析，形成了一系列著述。例如，毛泽东在1936年12月发表的《中国革命战争的战略问题》，由研究战争到研究中国革命战争，再到研究中国革命战争的战略防御、战略退却和战略反攻、集中兵力与运动战速决战歼灭战等等，基于战争的本质向战略战术、战役战法上升，由本质到现象、由底层到表层，体现了如同《资本论》在矛盾分析中从抽象上升到具体的具体问题具体分析。毛泽东由此强调，"具体问题具体分析，是马克思主义活的灵魂"。

这才能与单纯的“两极主义”划清界限。也就是说，讲马克思主义辩证法，一定不能忽略，在本质现象中，在关于一般个别、普遍性特殊性、共性与个性这一辩证法的“精髓”中，才能论及“核心”是“对立统一”、变化是“量变质变”、过程是“否定之否定”；在此意义上才有所谓，不是“孤立的”、“静止的”、“片面的”，而是坚持以联系的、发展的、全面的观点看问题的辩证法。

而后来，在中国哲学界产生了关于“一分为二”与“合二而一”的争论，在争论中甚至只把“一分为二”看作是“辩证法”，把后者看作是“形而上学”。这影响了许多人对辩证法的理解。因为固守于此，一些人或多或少地忽略了在底层与表层中恰当把握一般和特殊、把握普遍和个别、把握现象与本质。应强调的是，实质性问题不在于“分”与“合”何为辩证法，而在于不论是“分”还是“合”如果离开了底层与表层的“反思”、离开了一般与特殊、普遍与个别的“精髓”，那就无所谓“辩证法”，那就会走向朴素的极端两极主义，那就会走向诡辩论或折中主义。辩证法不能没有关于两极的把握，而只停留于列出并固守两极，就会失掉马克思所主张坚持的辩证法。也就是说，重要在于，单纯的“两极主义”关键在于失掉了一般和个别、本质与现象之中的形而上思辨、失掉了形而上与形而下的统摄支持关系。

应当认为，在马克思主义哲学中国化中，固然可以使用“辩证法”这个概念来与 Dialectics 对译，而作为马克思主义辩证法，主要是体现于马克思《资本论》方法意义上的辩证法；主要是在底层表层反思关系中，对极化于矛盾的关系，由一级级的普遍特殊、一般个别，由本质规定现象，由内在着具体矛盾的抽象范畴向丰富的现象具体范畴上升，由这样一种思维来把握对象的辩证法。

在中国的传统哲学中没有"辩证法"这个词，并没有将此作为一个专门的表述而出现。在马克思主义哲学中国化中，由马克思主义辩证法的视角来看待中国传统思想中的丰富遗产，有着大量可作出哲学提升的辩证法的或关于矛盾的范畴。中国古代没有"辩证法"这个词，却有"矛盾"这个词。关于"矛盾"这个概念，与西文中 contradiction 互译。"矛盾"（contradiction），在哲学上作为辩证法的基本范畴，通常指事物自身所包含的既相互排斥又相互依存、既对立又统一的关系。"矛盾"一词在汉语中最早见于先秦时的著作《韩非子·难一》，指逻辑上的不一致，实质是指命题的"反对关系"。《韩非子·难一》篇讲了这样一个故事："楚人有鬻盾与矛者，誉之曰：'吾盾之坚，物莫能陷也。'又誉其矛曰：'吾矛之利，于物无不陷也。'或曰，'以子之矛陷子之盾何如？'其人弗能应也"。对此韩非指出："不可陷之盾与无不陷之矛，不可同世而立。"这一矛盾之说对后世的影响很大。东汉末年的王符曾经评论过韩非的矛盾之说。三国时嵇康用它去驳斥论敌的两可之说。东晋时，孙盛则用矛盾之说反驳老子的自相矛盾。唐朝刘禹锡、柳宗元的论辩著作中，也都可以见到对这种矛盾之说的运用。现代汉语中用"矛盾"这个词表示两个不能同真也不能同假的命题之间的关系，实际上都是从韩非这里借用而来的。

通常认为，中国古代的矛盾之说表现出一种朴素的辩证法。而由马克思的辩证法理论来讲，就在于，对于"矛盾"关系，对于这样的矛盾范畴应纳入底层表层反思的辩证法中，在一般特殊的关系中，在形而上统摄形而下并且形而上一级级地协带诸矛盾范畴之中，才能形成中国化的马克思主义辩证法的范畴体系。决不能为认为只列出一些矛盾对子，如天地、正负、上下、左右等等，这就是辩证法。因为这样会很容易陷入单纯的两极主义，会造成区分不开辩证法与诡辩论的界限，会导致将马克思主义辩证法庸俗化。

总之，辩证法是揭示矛盾的，可要澄清的是，一定要把矛盾范畴纳入底层表层的反思关系中，纳入关于普遍特殊、一般个别的具体分析中，如果将此丢掉了，留下的只能是简单化了的两极主义，这就有问题了。

2. 关于“辩证逻辑”与“形式逻辑”。

“辩证逻辑”这个概念，是恩格斯重视提出的。《中国大百科全书》对“辩证逻辑”（dialectical logic）这一词条，解释说：这是“研究辩证思维的科学，即关于辩证思维的形式、规律和方法的科学。它研究的重点是概念的辩证运动以及思维如何通过概念反映现实矛盾。‘辩证逻辑’一词是F. 恩格斯首先提出的，并把它与形式逻辑对立起来。”[1]

在原苏联哲学界中，有这样的看法：辩证逻辑是关于真理的科学，关于知识内容同客体相符合过程的科学，关于范畴（在范畴的基础上，思维同实在的现实相符合，相一致）的科学。正因为如此，列宁特别强调，逻辑、辩证法、认识论是一个东西。因此一些发挥马克思列宁主义哲学的理论家强调，辩证逻辑和形式逻辑研究思维形式有着重要区别；形式逻辑往往仅限于纯形式的考察，撇开内容，忽略连续的运动方面，在相对割裂、静止之中总结思维形式；而辩证逻辑注意的是思维对客观实在理解形式的本身。当辩证逻辑注意那些理解客观事物及其关系的客观本性的形式（概念、判断、推理、理论等等）时，是把逻辑的东西（思维的运动）看作是历史的东西（客观现实诸现象的运动）的反映。这样要全面地和深刻地反映客观辩证法，思维形式本身必须是辩证的，即运动的、灵活的、相

① 《中国大百科全书》第2卷，中国大百科全书出版社2009年版（第二版），第390页。

互联系的。在此意义上，恩格斯把形式逻辑比作初等数学，把辩证逻辑比作高等数学。恩格斯写到：“辩证逻辑和旧的纯粹的形式逻辑相反，不像后者满足于把各种思维运动形式，即各种不同的判断和推理的形式列举出来和毫无关联的排列出来。相反地，辩证逻辑由此及彼地推出这些形式，不把他们互相平列起来。而使它们互相隶属，从低级形式发展出高级形式。”①

在阐述以上见解时，许多人讲，形式逻辑所遵循的只是A＝A的抽象的同一性，而辩证逻辑所遵循的却是包含矛盾的具体的同一性，这矛盾是在思维中所反映的客观实在的矛盾。所以说，形式逻辑只追求A＝A的纯形式的正确性，并不能完全保证反映客观对象内容上的真实性。当然，于此应当承认在思维中不允许有矛盾，但这有别于辩证矛盾。列宁曾称前者为逻辑矛盾。列宁讲，“‘逻辑矛盾’—当然在正确的逻辑思维的条件下……是不应当有的”。② 形式逻辑由于撇开内容及运动和发展，无法回答思维在把握本质的道路上如何运动这一问题。这样，仅借助形式逻辑的一贯性是解决不了思维把握对象过程中产生的现实矛盾的。这只有辩证逻辑才能奏效。

列宁在谈到辩证逻辑与形式逻辑的区别时，曾经作过如下表述：“要真正地认识事物，就必须把握、研究它的一切方面、一切联系和‘中介’。我们绝不可能完全地做到这一点，但是，全面性的要求可以使我们防止错误和防止僵化。这是第一。第二，辩证逻辑要求从事物的发展、‘自己运动’（像黑格尔有时所说的）、变化中来观察事物。……第三，必须把人的全部实践

① 恩格斯：《自然辩证法》，《马克思恩格斯全集》第20卷，人民出版社1971年版，第566页。

② 列宁：《论对马克思主义的讽刺和“帝国主义经济主义”》，《列宁全集》第23卷，人民出版社，第33页。

—作为真理的标准，也作为事物同人所需要它的那一点联系的实际确定者—包括到事物的完满‘定义’中去。第四，辩证逻辑教导说：‘没有抽象的真理，真理总是具体的’”。[①] 人们强调，在此关键是要注意到第三条中所讲的思想：对辩证逻辑不能不强调它与实践的联系。以这种联系，从总的方面讲，许多论著已做过大量原则上的说明。首先，真理性的认识从实践开始。其次，真理性的认识在实践中发展。再次，真理性的认识在实践中检验。

毛泽东一直很关心辩证法与逻辑的关系问题。

延安时期，毛泽东读了大量的三十年代的苏联哲学教科书。在1930年苏联哲学界开展反德波林学派的斗争以后出版的哲学著作中，基本都是把形式逻辑（当时译为“形式论理学”）看作是形而上学的（在与辩证法对立的意义上的）、唯心论的东西而加以否定。直到四十年代，这种观点一直占据主导地位。毛泽东读到的当时苏联的哲学教科书，都专设章节批评“形式论理学”尤其是“同一律”的客观基础。毛泽东无形中受到了这种看法的影响。

李达、雷仲坚合译的西洛可夫、爱森堡等合著的《辩证法唯物论教程》，毛泽东读过多次，在上面的批注也最多。该书在谈到否定观时有这么一段话：“辩证法的否定，和形式的、形而上学的论理学的否定，在哪一点上不同呢？在形式论理学，所谓否定是绝对的否定。形式论理学把否定看作完全的取消。……形而上学的论理学，没有看见过程内部的矛盾的发展，过程之自己的否定”。这里存在着一个未加任何论证的等式：形式的论理学＝形而上学的论理学＝形而上学。在这段话旁边，毛

① 列宁：《再论工会、目前局势及托洛茨基和布哈林的错误》，《列宁选集》第4卷，人民出版社1972年版，第453页。

泽东用毛笔写了一段批注："形式论理学的错误在于把否定看作过程与过程间的外的否定，再则看作绝对的否定，这是完全不理解现实的看法。"①

在毛泽东于1937年7～8月份写的《矛盾论》中，原来有一节讨论"形式论理的同一律与辩证的矛盾律"，其中也是混淆了"形式论理学"（即形式逻辑）与形而上学（在与辩证法对立意义上），对"形式论理学"作了类似于苏联教科书那样的批评。解放后着手编辑整理出版《毛泽东选集》时，毛泽东于1951年3月8日写信给田家英等人，指出《矛盾论》中"论形式逻辑的后面几段，词意不达，还须修改"。后来《矛盾论》正式发表时，论形式逻辑的那一节全部删去了。

《矛盾论》在发表时所作的"删节"，表明毛泽东的认识前进了，已意识到三十年代苏联哲学教科书所引起的对形式逻辑的误解。毛泽东对形式逻辑性质的认识发生变化，可能与苏联学术界1950年开始的关于逻辑问题的讨论有关。

在中华人民共和国建国初期，大学中使用的逻辑学教科书多是从苏联译过来的。这时在苏联学术界关于逻辑学占主导地位的观点支配了我国的学术界。在1940年斯大林提倡干部学习形式逻辑之后，苏联的逻辑学领域开始复苏，各种观点竞相著书立说。直到1950年以前，占优势的仍旧是三十年代哲学教科书观点的延续，即认为形式逻辑是形而上学（在与辩证法对立意义上）的基础，有阶级性、有党性，因而否认形式逻辑，只承认辩证逻辑。1950年，斯大林发表《马克思主义和语言学问题》，逻辑学界也展开了讨论。由于上述观点与斯大林所批评的马尔的语言学说相类似，在这次讨论中处于被批评的地位，在

① 中共中央文献研究室：《毛泽东哲学批注集》，中央文献出版社1988年版，第119页。

《哲学问题》杂志关于逻辑问题讨论的“总结”中，甚至把持有这种观点的人，斥为“马克思主义庸俗化者”。继之而起占主导地位的观点是，承认形式逻辑，但认为形式逻辑与辩证逻辑是低级与高级的关系。持这一观点的代表性教科书，即斯特罗果维契的《逻辑》，很快被译成中文，成为流行的教科书。

毛泽东读了斯特罗果维契的《逻辑》一书，不同意此书中对形式逻辑地位的看法。而他在批语中曾表示：对于逻辑学，无多研究”，还“不敢有所论列”。[①] 因而，在1956年以前，他对《逻辑》一书为代表的逻辑观没有随便品评。

1956年，《新建设》二月号上发表了周谷城的《形式逻辑与辩证法》一文。该文提出：形式逻辑的对象是推论方式，它的法则只是对推论过程的形式规定，它的任务侧重于依据大前提如何推论，却不追问大前提是怎样成立的；它对任何事物都没有主张，因而没有观点上的倾向性，没有阶级性；它既可为辩证法服务，也可为形而上学（在与辩证法对立的意义上）服务；既能为正确的主张服务，也能为错误的主张服务；在认识活动中，“辩证法是主，形式逻辑是从；主从虽有别，却时刻不能分离”。这种关于辩证法与形式逻辑关系的“主从”说，对于当时流行的“高低级”说是一种挑战。

周谷城的文章一登出，毛泽东就注意到了。他十分欣赏这篇文章的探索精神和新见解。1957年2月16日，毛泽东召集中央报刊、作家协会、科学院负责同志开会。当谈到批评要有说服力时，毛泽东说：《新建设》上周谷城写了一篇逻辑问题的文章，我看也不错。毛泽东的赞许态度，对周谷城本人也流露过。当时参加讨论的文章绝大部分都是与周谷城“商榷”。毛泽东鼓

① 《毛泽东书信选集》，中央文献出版社2003年版，第544页。

励周谷城，不要怕，积极写文章，继续辩论。毛泽东与周谷城之间还有一段直接的对话。周谷城说：我的意见很少人赞成，我很孤立，成了众矢之的。毛泽东告诉他：你的意见有人赞成，并不孤立。周谷城说：怕不见得。如果有人赞成，那当然好。毛泽东说：人民大学的刊物《教学与研究》上，有人写文章，和你的观点相同。周谷城说：我没看见。毛泽东说：我可以叫人寄给你看看。这次谈话的地点在上海。毛泽东回到北京后，叫人给周谷城寄去了几本刊物，有关地方还折角作出记号。

这期间，毛泽东多次邀集有关人士谈逻辑问题。1957 年 3 月 15 日，毛泽东在中南海颐年堂召集康生、陆定一、陈伯达、胡乔木、胡绳、田家英等聚谈过一次逻辑问题。在这次谈话中，毛泽东反复强调了两个观点：一是形式逻辑与辩证法之间没有低级、高级之分（毛泽东还举了很多例子进行说明）；一是形式逻辑是普遍适用的，没有阶级性。

1957 年 4 月 10 日，毛泽东接见《人民日报》负责同志和有关人员。在谈到哲学界正在讨论的形式逻辑问题时，毛泽东说，周谷城的观点比较对。他还说：我曾告诉周谷城，人大有个王方名，他的观点和你相同。

上面提到的毛泽东和周谷城在上海的谈话，是在 1957 年 4 月 10 日以前。在这之前，王方名在《教学与研究》上与周谷城的观点相似的文章共三篇，分别登在当年的第一、二、四期上，均署名"求实"。这三篇文章，对关于逻辑的三个流行观点提出质疑。第一篇是对所谓形式逻辑是"初步规律"的说法的质疑。第二篇是对所谓形式逻辑的客观基础是事物的相对稳定状态和质的规定性的说法的质疑。第三篇是对形式逻辑内容和体系方面的质疑。毛泽东对这三篇文章相当欣赏。经毛泽东建议，王方名的几篇文章还汇集成一小册子《论形式逻辑问题》，由中国人民大学出版社于 1957 年 10 月作为《教学与研究》丛书出版。

1957年4月11日，毛泽东在中南海颐年堂又邀集逻辑学界、哲学界人士研讨逻辑学讨论中提出的问题。周谷城、王方名都在场，此外还有金岳霖、冯友兰、郑昕、贺麟、费孝通等人。这次聚会在周谷城和王方名之间，起到了牵线搭桥的作用。毛泽东从中撮合说：你们两人的观点很接近，可以作学术上志同道合的朋友。这次谈话，除了谈及各个人的专业经历、研究成果和一些逻辑问题之外，毛泽东还以自己的革命实践经验为话题，说到领导革命必须实事求是、独立思考；搞科学研究，也必须实事求是、独立思考。不能让自己的脖子上长别人的脑袋，即使对老师，也不要迷信。

在当时学术界的气氛中，毛泽东强调这一点，有特别的意义。这里面包含着对周、王二人勇于探索的鼓励，也包含着对逻辑学界的期望。当时周谷城关于逻辑学的观点在讨论中的处境，确如他自己所说的，很孤立，成为众矢之的。坚持“高低级”之说、并在讨论中批评周谷城的“主从”说的作者们，主要是援引引恩格斯的一个比喻。在《自然辩证法》中，恩格斯把使用“固定不变的范畴”比喻为“就好像是逻辑的初等数学”。① 在《反杜林论》中，恩格斯又说：“初等数学，即常数的数学，是在形式逻辑的范围内活动的，至少总地说来是这样；而变数的数学—其中最重要的部分是微积分——本质上不外是辩证法在数学方面的运用。”②

毛泽东当时没有公开地明确发表自己的看法，主要是因为“问题还在争论之中”，出于对学术讨论自由的维护，对专家学

① 恩格斯：《自然辩证法》，《马克思恩格斯全集》第20卷，人民出版社1971年版，第546页。

② 恩格斯：《反杜林论》，《马克思恩格斯全集》第20卷，人民出版社1971年版，第147页。

者的尊重。而他并不掩饰自己的观点，也不避讳什么教条。在私下里，他就和周谷城说过。他夹用英语很风趣地说：formal logic 本来就是 formal 的，它是一门独立的学问。

在 1958 年 6 月 17 日晚上毛泽东和周谷城又一次谈话之后，于 1958 年 6 月 19 日，毛泽东给机要秘书高智写了一封信，信中写道："《新建设》1956 年全年各期，1957 年全年各期都找来，更好。马特和周谷城两篇在《人民日报》发表的文章，在江青那里，请给我于上午找来。"这里所讲的"马特和周谷城两篇在《人民日报》发表的文章"，分别指《人民日报》1958 年 4 月 15 日刊登的马特《关于逻辑问题的讨论》、6 月 14 日刊登的周谷城《六论形式逻辑与辩证法——略答马特》。马特的文章是对讨论情况的综述，但带有倾向性，而且把争论看作"两条不同的学术路线的斗争"，批评周谷城、王方名的观点"是一条逻辑理论中的修正主义路线"。当时，马特是坚持斯特罗果维契观点的主要代表。周谷城的《六论》与马特的文章是针锋相对的。

周谷城的文章刚登出，毛泽东就请周谷城从上海到北京中南海来共同讨论逻辑问题。6 月 17 日晚上，毛泽东在中南海游泳池同周谷城专就逻辑问题进行了长谈。毛泽东对逻辑问题讨论在《人民日报》上展开，十分关注。他认真读了这两篇文章，并把这两天的报纸收藏起来，留待仔细研究。

毛泽东借《新建设》，还安排借《哲学研究》，显然也是为了查阅有关逻辑学方面的文章。因为有关逻辑问题的讨论最初是在《新建设》上展开的。毛泽东要该刊 1956 年第一期，可能是想了解讨论开始前的情况。在他这张条上开列的刊物中，关于逻辑的文章，《新建设》上有十五篇，《哲学研究》上有两篇。

1958 年 6 月 26 日，毛泽东在中南海游泳池再一次与一些人聚谈逻辑问题。参加的有康生、陆定一、陈伯达、胡绳、田家英、周谷城。从下午五时四十五分一直谈到晚上十一点半。

1958年毛泽东与周谷城说过，最好把古今的逻辑书搜集起来，印成一部丛书。[①] 关于毛泽东是否写按语，他在1958年7月28日给周谷城写了一封信。信中说："两次热情的信，都已收到，甚谢！大著出版，可资快读。我对逻辑无多研究，不敢有所论列；问题还在争论中，由我插入一手，似乎也不适宜。作序的事，不拟应命，可获谅解否？"[②] 这里所说的周谷城在逻辑学方面的"大著"是论文集。一本是以周谷城的逻辑学论文为主篇的论文集《形式逻辑与辩证法问题》；此书以周谷城1956年那篇文章为开卷篇，一批一驳，依次展开，共20篇论文，其中周谷城的占10篇。另一本是《形式逻辑与辩证法》，收的全是周谷城个人的逻辑论文。毛泽东组织人汇集专题文献，是要为逻辑学研究做出一项基础性工作。

毛泽东曾十分关心对章士钊1943年重庆出版的《逻辑指要》的重版事宜。1959年6月7日，他在给章士钊的信中说："各书都收，读悉，甚谢！实事求是，用力甚勤，读金著而增感，欲翻然而变计，垂老之年，有此心境，敬为公贺。既有颇多删补，宜为几句说明。即借先生之著，为之筹策。"接着毛泽东附上了为其代拟的一篇"说明"。[③]

1959年7月28日，毛泽东在给康生的信中谈到："我有兴趣的，首先是中国近几年和近数十年关于逻辑的文章、小册子和某些专著（不管内容如何），能早日汇编印出，不胜企望！姜椿芳同志的介绍甚为有益，书目搜编也是用了功的，请你便时代我向他转致谢意。"毛泽东提议编印逻辑论文集和专著，在这

① 周谷城：《回忆毛主席的教导》。《毛泽东同志八十五诞辰纪念文选》，第191页。

② 《毛泽东书信选集》，中央文献出版社2003年版，第544页。

③ 《毛泽东书信选集》，中央文献出版社2003年版，第559～560页。

封信之前就提出。根据章士钊 1959 年 5 月为重版《逻辑指要》所写的序言来推断，早在五月份以前毛泽东就抓了这两件事。章士钊在他写的一份后来未用的序言（手稿）中提到，“近日”中央政治研究室逻辑组和人民出版社哲学组的同志为重印《逻辑指要》的事宜“见访，并提示校勘质疑若干条，知两君已于鄙著浏览有素……自后，余自行拎阅一遍，稍有增改”。5 月份章士钊已把《逻辑指要》全书校改完毕。逻辑学文章篇目的“搜编”自当也已基本完成，送毛泽东阅览。当时这两件事是由两个单位分工做的，中共中央马恩列斯著作编译局分工负责收集、编辑逻辑学论文集，中共中央政治研究室分工负责挑选、编辑逻辑学“专著”。姜椿芳当时任中央编译局副局长，编辑逻辑学论文集的工作即由他负责；“书目搜编”可能指的就是搜集编印的论文篇目。

毛泽东说逻辑学论文篇目的“搜编也是用了功的”。在此之前，《哲学研究》编辑部编过一本《逻辑问题讨论集》，于 1959 年 4 月出版发行。但这个集子“并不是把所有的逻辑文章都选入”，特别是争论中的有些文章“也未收入”；需要另编一套“论文集”。姜椿芳等人编的《逻辑学论文集》，收入了 1953 年以后发表的大量逻辑学论文，共一百五十篇，分为六集。其中第三集、第四集是两个专集。第三集收入的主要是苏联译文，第四集收入的主要是数理逻辑和中国逻辑思想史论文。这套论文集 1959 年 8 月印出，而后来由于某些原因最终未公开出版。

1965 年 2 月 13 日，毛泽东在一本《近代逻辑史》封面上写了一个批语：“田家英同志：此书印成大字本 10000 册，这种小字本是不适合老头子读的。”《近代逻辑史》是苏联巴·谢·波波夫所著，1964 年 12 月由上海人民出版社出中译本。它正好满足了毛泽东希望了解西方逻辑学史的愿望。顺便说一句，《逻辑丛刊》重印了解放前出版的较为有影响的逻辑学专著，至于解放后出版的各种逻辑学书，毛泽东几乎搜集全了。

1965年10月8日上午，毛泽东在一次谈话中提到："《光明日报》今天有篇文章，谈逻辑的。"毛泽东这里指的是朱波的《形式逻辑同一律客观基础的探索》一文。该文既不同意把形式逻辑的同一律与客观事物规律等同起来，也不同意将此与客观事物完全割裂开来，而认为其反映的是思维的确定性，它的客观基础是客观事物的确定性。在这次谈话中，毛泽东还不无遗憾地指出：我们的党员研究哲学，就是不研究逻辑。

1965年12月，《红旗》杂志第12期上刊登了《充足理由律在形式逻辑中的地位和作用》一文，署名邵友勋，其实还是朱波所写。该文提出，充足理由律能否作为形式逻辑的一个规律，要看对它如何理解：要求推理前提真实可靠这样意义上的充足理由是不存在的，要求人们在思维过程中具有连贯性、论证性（前提与结论之间有逻辑联系、前提是推出结论的理由）这样意义上的充足律是有的，它属于形式逻辑的一个要求，也与形式逻辑一样，没有阶级性。毛泽东读了这篇文章。对这个问题他有自己的看法。1965年12月在杭州的那次谈话中，当有人提到朱波这篇文章时，毛泽东说：什么充足理由律？我看没有什么充足理由律。不同的阶级有不同的理由。哪一个阶级有充足的理由？毛泽东这里说的"理由"，即推理的前提、论证的论据。人们常说的充足理由律是相对于推论和证明而言的，它包括两方面的要求：（1）理由（即前提、论据）的内容真实；（2）理由能必然地推导出结论，换句话说，推论的形式正确。一个推论或论证的真实正确要靠这两条共同保证。由于形式逻辑是撇开内容，仅从形式方面来研究推理论证的，而真实与否是认识的内容问题，涉及到作为前提的命题的思想内容，毛泽东从这个意义上否认充足理由律在形式逻辑中的地位。人们认为，毛泽东这里否认的是价值判断中存在各个阶级共同的充足理由。

1965年12月，毛泽东在杭州明确地说：“说形式逻辑好比低级数学，辩证逻辑好比高等数学，我看不对。形式逻辑是讲思维形式的，讲前后不相矛盾的。……任何著作都要用形式逻辑，《资本论》也要用。形式逻辑对大前提是不管的，要管也管不了。那得由各门科学来管。他还举例说明，各个阶级可能从不同的前提出发进行推理，政治上互相对立的派别会从对立的前提作推理，得出的结论也相反，但并不妨碍他们的推理都是合乎形式逻辑的”。

毛泽东直到晚年，读逻辑书，关心“形式逻辑”和“辩证逻辑”关系的兴趣仍旧很浓。他让有关方面把某些逻辑学的书刊印成大字本送他阅读。①

由毛泽东的思想来看，可以见得，毛泽东十分关心形式逻辑的实质以及“形式逻辑”与所谓“辩证逻辑”的关系问题。这渗透着毛泽东体会出里面有难以自洽之处。显然，应当认为，恩格斯指认“形式逻辑”相当于初等数学、“辩证逻辑”相当于“高等数学”，由此来说明“形式逻辑”与“辩证逻辑”的关系，是无法在理论上说清楚的。固然，专门提出一种“辩证逻辑”是针对所谓“形式逻辑”只讲“思维形式”而特别强调的。但“逻辑”就是逻辑，是关于“概念、判断、推理”，或关于“命题”形式规律的科学；“形式逻辑”本身就内在着辩证法，“辩证逻辑”一点也离不开“形式逻辑”；没有形式也就没有思维的辩证法，没有辩证法也就无所谓关于思维规律的形式。形式逻辑坚持A=A的同一性，一点也不否认A中的矛盾；确立A=A的同一性丝毫也离不开实践确立的辩证法；在以哲学观点去看A=A时，才有抽象的同一性与具体的同一性之分，对于A

① 以上参见，高路：《毛泽东与逻辑学》，龚育之、逄先知、石仲泉主编：《毛泽东的读书生活》，生活·读书·新知三联书店1986年版。

＝A本身无所谓“形式逻辑”与“辩证逻辑”之分。可以对思维形式作出辩证法的分析，但不存在一个在形式逻辑之外的辩证逻辑。就如同可以对某人的形式作出辩证法的分析，而所分析的恰恰就是附着于某人内容的形式。离开形式的逻辑就无所谓逻辑，在形式逻辑之外再单独分离出一个辩证逻辑是无言以对的。

3. 关于“自然辩证法”与“自然界成为人这一过程的现实部分”。

有一部恩格斯阐述“自然界”和“自然科学”之“辩证法”的未完成著作，叫《自然辩证法》(Dialektik der Natur)。恩格斯在19世纪50年代就开始注意对于当时科学成果概括，从1870年起着手系统研究自然科学的哲学问题。1873年2月初，他计划写一本类似《反毕希纳论》的著作，以批判当时流行的庸俗唯物主义。为此，他写了第一批札记。同年5月30日，他在给马克思的信中提出了运动形式的转化等思想。此时，他决定写作一部内容更为广泛的著作。从1873年5月至1876年5月，恩格斯写出“导言”和大量片断。1876年5月至1878年7月，他为了写作《反杜林论》，暂时搁下了该书的写作。1878年5月至1878年3月，他写了该书几乎所有的论文和相当数量的片断。1883年3月马克思逝世后，恩格斯为了整理马克思的《资本论》遗稿，完全中断了自己这部著作的写作工作。直到他逝世前不久，才把这部著作的手稿分成了四束，并把其他有关材料归并其中。

恩格斯逝世后，这部著作的手稿由当时德国社会民主党领导人E·伯恩斯坦掌握。伯恩斯坦仅仅分别在《新时代》杂志1896年第2号和1898年《世界新历画报》年鉴上发表了其中的两篇论文，即：《劳动在从猿到人转变过程中的作用》和《神灵世界中的自然科学》，而把其余部分搁置了30年。1924年春，苏联共产党中央委员会派Д·Б·梁赞诺夫（1870—1938）从伯恩斯坦手中拍摄了全部手稿，并准备发表。这时，伯恩斯坦述说了他没发表恩格斯这些书稿的理由。据他说，在恩格斯逝世后不久，德国社会民主党中央曾将马克思与恩格斯关于数学与自然科学的遗稿交给党员物理学家M·L·阿隆斯（1860—1919）审查。阿隆斯认为文稿“陈旧不堪”，不能发表，“因此，党便不愿意单独出版这些著作”。伯恩斯坦接着说：“而此后我曾想过阿隆斯对恩格斯的自然科学作品不会没有成见及偏见，因为阿隆斯是非常反对辩证法的”。因而伯恩斯坦在梁赞诺夫找他以后不久，又请A·爱因斯坦对此手稿发表意见。爱因斯坦于1924年6月30日在给伯恩斯坦的信中认为，从现代物理学和物理学史的眼光看，手稿无特殊价值，但值得公布，因为这是了解恩格斯思想有价值的材料。1925年，手稿以《自然辩证法》为题作为《马克思恩格斯文库》第2卷用德文和俄译文对照的形式在苏联第一次出版。这一版大体上是按照恩格斯写作年代的次序编排的。1931年，该书编入《马克思恩格斯全集》苏联第一版第14卷。这个版本把论文排在前面，把片断、札记排在后面。1940年，在纽约出版了英译本，英国生物学家J·B·S·霍尔丹写了注释和序言。1941年苏联出版了新的俄译本，这个版本，将论文和札记两部分分别按照恩格斯所设想的总计划案做了编排。《自然辩证法》现有28种文字的译本。中文译本于1932年8月，由上海神州国光出版社了杜畏之译的《自然辩证法》全文，这是根据1925年德俄对照版本翻译的。1950年，三联书店出版了郑易里的中文译本。1955年3月，人民出版社出版曹葆华、于光远、谢宁的合译本，这是根据1953年的俄译本译出的，编排次序与1941年的俄译本相同。中共中央马克思、恩格斯、列宁、斯大林著作编译局的中译本先后收编在人民出版社1966年出版的《马克思恩格斯选集》第3卷和1971年出版的《马克思恩格斯全集》第20卷中。1984年，人民出版社出版了于光远等重新翻译的《自然辩证法》。这个译本根据德国文本并参照英文本作了校订，纠正了以往中译本中的一些错处，增加了马克思、恩格斯关于自然辩证法的一些通信，并根据自然科学的新成就，对书中的内容重新作了一些注释。在排列上也不同于以往的译本，它是按问题分类编排的。①

对于恩格斯的《自然辩证法》，许多人提出批评。卢卡奇在其《历史和阶段意识》一书中，最先对恩格斯的自然辩证法理论和方法提出责难。他认为，辩证法产生于主体和客体的相互作用，围绕着对历史的总体认识而旋转，在客观自然界不存在这种相互作用，因而也谈不上辩证法的存在。他批评恩格斯抛弃了辩证法的实质，“即在历史过程中主体和客体的辩证关系”。“没有这个因素，辩证法就不再是革命的。”在卢卡奇看来，“最重要的是要意识到，这种方法在这里只限于历史和社会领域。来自恩格斯的关于辩证法定义的误解主要地是基于这样的事实，即恩格斯仿效黑格尔的错误引导，把这种方法也扩展到自然界。但是，辩证法的决定性的因素：主体和客体之间的相互作用，……历史变化……等等，并不是来自我们关于自然界的知识”。②卢卡奇对恩格斯的自然辩证法理论和方法的责难在西方，特别在西方马克思主义中间，产生广泛影响。雅克·利德萨认为：“马克思主义中最使人苦恼的问题之一就是自然辩证法问题。”③实用主义者胡克指出：“必须排除把辩证法推广到自然界的这种

① 见《中国大百科全书》（哲学卷Ⅰ），中国大百科全书出版社1987年版，第1256年版。

② 卢卡奇：《历史和阶级意识》，中文译本，商务印书馆1972年版，第3页、第24页。

③ 雅克·利德萨：《马克思主义的危机》，新泽西1981年版，第160页。

企图。这和一个自然主义的起点是不相容的。马克思从未说过自然辩证法，虽然他清楚在物理和化学的基本组织中量的逐渐变化会导致质的变化。"[①] 存在主义者萨特讲到，自然辩证法也许可能存在，不过必须承认我们还没有最微小的初步证据。他说，相信自然辩证法的存在，就是从普罗提诺到黑格尔的每一种形而上学唯心主义体系的中心学说。法国新托马斯主义者马利旦说，马克思主义把辩证法放到物质里，就是回到老黑格尔泛神论那里去了。克拉科夫斯基则指出："从恩格斯对方法和内容的统一的研究中，从他在达尔文的模式中把人类历史同自然历史联系起来的概念中，可以断定恩格斯是接近于那个时代的实证主义者。"[②] 莱文也说，"实际上，恩格斯赶走了哲学，他用实证科学代替了哲学。"[③] 他由此认为，马克思是一个人类中心论者，这和恩格斯的宇宙中心论相去甚远。

对此，一些论著如黄楠森等主编的《马克思哲学史》明确指出："认为在马克思著作中没有自然辩证法思想或否定自然辩证法的观点是错误的，也是不符合历史事实的。马克思为了集中精力、集中时间写作《资本论》，没有对辩证唯物主义自然观，即自然辩证法进行系统的研究和阐述。但是，马克思在他的著作中对自然界的物质统一性和自然过程中的辩证性论述是很多的。"书中进而写到：例如，1843年马克思在《黑格尔法哲学批判》一书中论证了自然界中磁的南极与北极的对立统一的思想。他说，"'两极是相通的'，北极和南极相互吸引"，"任何极端都是它自己的另一极端"，"北极和南极都同样是极，它们

① 胡克：《从黑格尔到马克思》第75页。

② 克拉科夫斯基：《马克思主义的主要流派》牛津1981年版，第1卷，第377页。

③ 莱文：《一个可悲的骗局：马克思反对恩格斯》第153页。

的本质是同一的”，“北和南是同一种本质的两种对立规定。”①1844年马克思在《1844年经济学哲学手稿》中论述了自然界的客观实在性和自然界物体之间的对立统一关系。他说：“像月亮和彗星这样的物体是对立物的自然形式，按照《逻辑学》，这种对立物一方面是以自身为根据的肯定的东西，而另一方面又是以自身为根据的否定的东西。地球是作为对立物的否定统一等等的逻辑理由的自然形式。”②

其实，这里很重要的在于，应区别开两个概念：一是自然观的辩证法，二是自然界的辩证法；关于“自然观的辩证法”，这是自然界成为人这一过程的现实部分而被人所看过去并在观察中思考的某种自然观的辩证法；关于“自然界的辩证法”是硬硬把人排除于自然之外，即站在自然界之外（这在实际上是不可能的）去看自然界所说的自然界本身的辩证法。

应当说，只是在第一种意义上，即在自然观的辩证法，即人所看过并在观察中思考的某种自然观的辩证法的意义上，才谈得上，是把自然界看作是普遍联系的、运动的、在内部矛盾之中有质量互变否定之否定而变化发展的，还是局部领域分割孤立的、静止的、没有对立统一量到质及否定之否定变化发展的；才谈得上一般和个别、普遍性和特殊性、共性和个性的联系和区别；这才谈得上在反思意义上的辩证法意义上把握自然界的规律。如果在第二种意义上，即在人完全处于自然之外去看自然界而不把自然界看作人这一过程的现实部分的意义上讲辩证法，那就谈不上自然界是什么样的，谈不上“证实”“证

① 马克思：《黑格尔法哲学批判》，《马克思恩格斯全集》第1卷，人民出版社1956年版，第355页。

② 马克思：《1844年经济学哲学手稿》，《马克思恩格斯全集》第42卷，人民出版社1979年版，第179页。

明”；我们讲“证实了”辩证法，“证实”什么？只能是证实人的关于辩证法观点，即辩证法的自然观，这是人所持的自然观，这才涉及人是以孤立、片面、静止的观点还是以联系、全面、发展的观点，去认识和把客观世界；这是两种不同之“观”意义上的分野、对立和争辩，这是人关于自然观的争辩。

可以说，马克思是坚持第一种观点，是在“自然观”的意义上讲辩证法的。马克思曾明确讲到：“感性……必须是一切科学的基础。科学只有从感性意识和感性需要这两种形式的感性出发，因而，只有从自然界出发，才是现实的科学。全部历史是为了使‘人’成为感性意识的对象和使‘人作为人’的需要成为［自然的、感性的］需要而作准备的发展史。历史本身是自然史的即自然界成为人这一过程的一个现实部分。自然科学往后将包括关于人的科学，正像关于人的科学包括自然科学一样；这是一门科学”。①

在自然观中，“自然界成为人这一过程的一个现实部分”，这是题中必有之义。这是自然观的辩证法。如果一定讲“自然界的辩证法”即“自然辩证法”，那也是人在“自然观辩证法”之中的“自然界辩证法”。

马克思在这一点上是明确的；而恩格斯在这一点上是模糊的，起码在表述上，往往是在前所述两种观点之间来回跳动的。

在现已出版的《自然辩证法》文献中，登录了恩格斯给《自然辩证法》中每一束材料所加的标题以及他所编写的有关材料的目录。依据其中第二束中写有的《费尔巴哈》删略部分，中文译者判定此目录写于1886年之后。这写于恩格斯生前的最后几年。这反映出他一生中关于“辩证法”的最后思考。

① 马克思：《1844年经济学哲学手稿》，《马克思恩格斯全集》第42卷，人民出版社1979年版，第128页。

这里，四束材料的标题是："［第一束］"辩证法和自然科学；"［第二束］"自然研究和辩证法；"［第三束］"自然辩证法（于光远译为'自然界的辩证法'[①]）；"［第四束］"数学和自然科学。不同的东西（于光远译为：'数学和自然科学'。Diversa 札记，[②]）"。由此可见，恩格斯关于第一束、第二束、第四束的标题，体现出是通过面对自然科学、自然研究以诸学科而面对学科对象来讲自然辩证法，这可认为是在科学、研究及学科中讲辩证法，是人去研究的关于自然的辩证法；而第三束标题"自然界的辩证法"则显示出，在恩格斯那里，"自然观的辩证法"与"自然界的辩证法"之间的区分是不明确或说是不精确而有误解或说是易被人误解的。例如，在苏联的哲学书籍中有专门的论述，在中国的大百科全书中甚至专门列出一个词条，专门解释"自然界的辩证发展"，其中讲到，这是"自然界存在的形式，指它在内部固有矛盾的相互作用下永恒地生长着和消灭着、进化着和退化着，经历着量变与质变、无序与有序相互交替的历史过程。"[③]

恩格斯由自然辩证法、社会辩证法、思维辩证法提出了客观辩证法与主观辩证法的区分。其实，凡是讲"辩证法"都是在主客体关系之中的辩证法，是处于走向主客体统一之中的辩证法，无所谓完全排除人去思考的纯粹自然界自身的"客观辩证法"。自然辩证法如此，社会辩证法如此，思维辩证法也是如此。应当讲，对于"自然界"，当把它当作客观对象时，这是人

① 恩格斯：《自然辩证法》，于光远中文译本，人民出版社 1984 年版，第 350 页。

② 恩格斯：《自然辩证法》，于光远中文译本，人民出版社 1984 年版，第 350 页。

③ 《中国大百科全书》（哲学卷Ⅱ），中国大百科全书出版社 1994 年版，第 1259 页。

以辩证法去确定的自然对象；对于"社会"，对于"思维"，当把它当作客观对象时，这也是人以辩证法去研究对象，即人去研究社会、思维所揭示的辩证法。

（三）应结合哲学史特别是中国思想史的实际，对"本根论、致知论、践形论"在与"本体论、认识论、实践论"的比较中，作出深入研究和正确说明。

马克思主义哲学的重心在实践论，是在西方哲学史上，由本体论为重心、认识论为重心而走向的实践论为重心。中国哲学史则经历过本根论为重心、致知论为重心、践形论为重心的历程。

关于"本根论"。按《中国大百科全书》解释，"在中国古代哲学中，本体论叫作'本根论'。指探究天地万物产生、存在、发展变化根本原因和根本依据的学说。中国古代哲学家一般都把天地万物的本根归结为无形无象的与天地万物根本不同的东西，这种东西大体可分为三类：①没有固定形体的物质，如'气'；②抽象的概念或原则，如'道'、'无'、'理'；③主观精神，如'心'。这三种观点分别归属于朴素唯物主义、客观唯心主义和主观唯心主义。中国的道学、玄学、理学、心学都是本体论。马克思主义经典作家没有使用过这一术语，而是用世界观一词来指称对宇宙的整体研究。当代中国哲学家在世界观意义下使用本体论一词，并于20世纪80—90年代开展过关于本体论的讨论，主要有三个问题：①本体论能否成为一种科学的哲学理论；②本体论在哲学理论中的地位是什么；③自然本体论或物质本体论、实践本体论何者是科学的。讨论至今仍在进行。"[①] 这里面的许多表述是要商榷的。这里讲，本体论在

① 《中国大百科全书》第二卷，中国大百科全书出版社2009年版（第2版），第269页。

中国哲学中叫作“本根论”是大家认可的，而笼统地讲这是“指探究天地万物产生、存在、发展变化根本原因和根本依据的学说”，就要进一步澄清了。其实，以这一表述概括西方哲学本体论，尽管不十分精确、准确，而从其指向性上，大体上尚能认可；但对于中国哲学来说则不然了。前者讲“本体论”重在于由“物”而起，后者讲本根论“本根论”重在于“事”而起，简要讲，前者主要在于“求真”，后者主要在于“明善”；前者主要由世界之物的视角看过去，后者主要由世事人伦的视角看过去。

关于“致知论”。这在中国思想史上的来由，《礼记·大学》中有：“欲诚其意者，先致其知；致知在格物”。东汉郑玄注：“格，来也；物，犹事也。其知于善深，则来善物；其知于恶深，则来恶物；言事缘人所好来也。”① 这一根括显然是由“言事缘人”来讲“致知”，后来，二程也从“事”“至善”来讲“格”“知”。二程从各个角度和层次论证了格物致知，构筑了格物致知论系统，主要包括以下要点：其一，对格物致知的界说。“格，至也，如祖考来格之格。”②“格犹穷也，物犹理也，犹日穷其理而已也。”③“物者，凡遇事皆物也。”④“格，至也；物，事也。事皆有理，至其理，乃格物也。”⑤ 其二，格物致知的途径和方法。“如何可以格物？曰：但立诚意去格物，其迟速却在人明暗也。明者格物速，暗者格物迟。”⑥“凡一物上有一理，须是穷致其理。”格物穷理的方法便是积习和贯通。“若只格一物

① 《礼记注疏》。
② 《遗书》卷十八。
③ 《遗书》卷二十五。
④ 《外书》卷四。
⑤ 《外书》卷二。
⑥ 《外书》卷二十二上。

便通众理，虽颜子亦不敢如此道。须是今日格一件，明日又格一件，积习既多，然后脱然自有贯通处"。[①] 其三，格物致知的宗旨。"致知，但知止于至善"[②]，"要在明善，明善在乎格物穷理"[③]。这是明显指向伦理道德论。另外还有指向政治论，"人之学，莫大于知本末始终。致知在格物，则所谓本也，始也；治天下国家，则所谓末也，终也"[④]。胡宏继二程格物致知之学更强调了格物致知在于"意诚"，他强调："致知在格物。物不格则知不至，知不至则意不诚，意不诚则心不正，心不正而身修者，未之有也。是故学为君子者，莫大于致知。"[⑤] "彼夫随众人耳目闻见而知者，君子不谓之知也"。[⑥] "是故儒者莫要于穷理，理明然后物格而知至，知至然后意诚而心不乱。"[⑦] 张栻继此"格""训"至"说"又写道："格，至也；格物者，至极其理也。此正学者下工夫处"。[⑧] "知者，吾所固有也，本之《六经》以发其蕴，泛观千载以极其变，即事即物身亲格之，超然会夫大宗，则德进业广有其地矣"。[⑨] 这里明确将"格知"归结于"德进业广"。朱熹综合前人格物致知论的成果，进一步构筑了理论体系。他指出："格，至也；物犹事也，穷至事物之理，欲其极处无不到也。"[⑩] "格，尽也，须是穷尽事物之理。若是穷得

① 《外书》卷十八。
② 《外书》卷七。
③ 《外书》卷十五。
④ 《外书》卷二十五。
⑤ 《知言·大学》。
⑥ 《知言·大学》。
⑦ 《胡宏集·姜嫄生稷》。
⑧ 《答江文叔》。
⑨ 《送张荆州序》。
⑩ 《大学章句》第一章。

三两分，便未是格物，须是穷尽得到十分，方是格物。”[①]“致，推极也；知，犹识也。推极吾之知识，欲其所知无不尽也”[②]。“知者，吾自有此知。此心虚明广大，无所不知，要当及其至耳。”[③]“格物，谓于事物之理，各极其至，穷到尽头，若是里面核子未破，便是未及其至也”[④]。“盖人心之灵，莫不有知”[⑤]。“知者，因物因事皆可以知，觉则自心中有所觉悟。……盖知是知此一事，觉是忽然自理会得”。[⑥]“格物，是物物上穷其至理；致知，是吾心无所不知。格物是零细说，致知是全体说”。[⑦]陆九渊认为理无二理，“天下事事物物，只有一理，无有二理，需要到其至一处”[⑧]，穷理、明理便是这一理，不需要从“一物上有一理”地去穷至。“到某这里，只是与他减担，只此便是格物。”[⑨]朱陆格物致知同异，成为当时与后来学者论争的问题。叶适沿前者而讲格物致知：“《中庸》曰：‘诚者物之终始，不诚无物。’是故君子不以须臾离物也。夫其若是，则知之至者，皆物格之验也。有一不知，是吾不与物皆至也；物之至我，其缓急不相应者，吾格之不诚也。”[⑩]元明以后，薛瑄尊奉朱学，以复性为宗。认为格物之物便是“耳目口鼻身心皆物也”[⑪]，“圣贤

---

① 《朱子语类》卷十五。
② 《大学章句》第一章。
③ 《朱子语类》卷十五。
④ 《朱子语类》卷十八。
⑤ 《大学章句·格物致知补传》。
⑥ 《朱子语类》卷五十八。
⑦ 《朱子语类》卷十五。
⑧ 《语录下》。
⑨ 《语录下》。
⑩ 《水心别集》卷七。
⑪ 《读书录》卷二。

之书，六艺之文，历代之政治，皆所谓物也"[①]。吴与弼之学得自朱学，但初显偏离朱学的倾向。比如其为学强调"圣人教人，必先格物致知以明其心，诚意正心以修其身"。[②]"与弼之学，实能兼采朱陆之长，而刻苦自立。其及门陈献章得其静观涵养，遂开白沙之学。"[③] 陈献章认为，"唯在静坐，久之然后见吾此心之体，隐然呈露"[④]。"六经，夫子之书也；学者徒诵其言而忘味，六经一糟粕耳。一开卷尽得之矣。非得之书也，得自我者也。盖以我而观书，随处得益"[⑤]。许衡则认为，"知其性是物格，尽其心是知至也"[⑥]。这里强调格物致知便是知性尽心，从而发展出王阳明的致良知说。王阳明指出："若鄙人所谓致知格物者，致吾心之良知于事事物物也。吾心之良知，即所谓天理也。致吾心良知之天理于事事物物，则事事物物皆得其理矣。致吾心之良知者，致知也；事事物物皆得其理者，格物也，是合心与理而为一者也。"[⑦] 他对格物作了新解："物者，事也。凡意之所发必有其事，意所在之事谓之物。格者，正也。正其不正以归于正之谓也。正其不正者，去恶之谓也；归于正者，为善之谓也，夫是之谓格。"[⑧] 王阳明所谓知，强调着"良知"；致知，即"致吾心之良知"[⑨]。之所以要格物，是由于人容易动于欲，蔽于私。格物就在于去私欲之蔽而正心明善。王阳明的弟

① 《读书录》卷二。

② 《励志斋记》。

③ 《四库全书总目》卷十七〇《康斋集》提要。

④ 《复赵提学佥宪》。

⑤ 《道学传序》。

⑥ 《许文正公遗书》卷二。

⑦ 《答顾东桥书》。

⑧ 《大学问》。

⑨ 《传习录》上。

子钱德洪对良知实现功夫又讲到："格物之学，实良知见在功夫，先儒所谓过去未来，徒放心耳。见在功夫，时行时止，时默时语，念念精明，毫厘不放，此即行著习察，实地格物之功也。于此体当切实，著衣吃饭，即是尽心至命之功"①。王艮亦有所创新，提出"淮南格物说"，在当时思想界很受重视。有所谓，"越中良知，淮南格物，如车之两轮，实贯一毂"。② 王艮淮南格物以格物知本、安本立身为主旨。他强调，"身与天下国家，一物也，唯一物而有本末之谓。格，絜度也。絜度于本末之间，而知本乱而末治者否矣，此格物也。物格，知本也；知其固有德性之知。"③。

关于"践形论"。其作为在中国思想史上出现的特有理论，强调的是指人之性体现于"形色"。《孟子·尽心上》中有："形色，天性也；惟圣人然后可以践形。"清焦循注："形色即是天性……惟其为人之形、人之色，所以为人之性。圣人尽人之性，正所以践人之形"。④ 到宋代，朱熹由"性即理"说："惟圣人有是形，而又能尽其理，然后可以践其形而无歉也。"⑤ 明清之际王夫之重践形，以践形论证理欲统一，他说："形之所成斯有性，情之所显惟其形。故曰：形色天性也，惟圣人然后可以践形"⑥。他还将"践形"强调为人生准则："人之体惟性，人之用为才。……形者性之凝，色者才之撰也。故曰汤武身之也。谓即身而道在也。……性焉安焉者，践其形而已矣"。⑦ 此时期的

① 《论学书》。

② 赵贞吉：《王艮墓铭》。

③ 《慈湖精舍会语》。

④ 《孟子正义》。

⑤ 《孟子集注》。

⑥ 《周易外传》卷一。

⑦ 《尚书引义》四。

颜元更是十分强调"性"和"形"合一。他讲，离性则无形，离形则无性，所以求其性必须于形尽之，因此尽性之道在于践形；践形需"见之事"、"微诸物"，要在践中习形；"尽性"与"践形"一事，与天地同流，乃是二者最高境界，有所谓"神圣之极皆自践其形也"。清戴震把"践形"看作是人的形质利用不失于"人之道者。"他强调，"人之形，官器利用大远于物，然而于人之道不能无失，是不践此形也，犹言之而行不逮，是不践此言也。践形之于尽性，尽其才，其义一也"。①

以上这些阐述中的说明及其所涉及的范畴，需要在马克思主义中国化中加以研究，以汲取其中有益的思想成分来丰富自身的理论体系。

由中西哲学史比较来看：西方哲学史经历了本体论为重心、认识论为重心、实践论为重心，这里的本体论主要指向自然世界万物之本体；认识论主要指向逻辑认识之知识；实践论主要指向把握真理之主体去改造客观实在。中国哲学史经历了本根论为重心、致知论为重心、践形论为重心，这里的本根论主要指向世间人事之本根；致知论主要指向伦理意识之良知；践形论主要指向面对客体之主体尽人性而践人之形色。"实践"强调着"践"物之"实"（实在），"践形"强调着"践"人之"形"（形色），而对于"践"来讲则在于"行"，于是才有"知"与"行"的关系问题。中国思想史是在其特定的意义上讲知行关系的。

"知""行"是中国哲学史上的一对重要范畴。"知"不仅指认识、知识，而且更在于指伦理道德意识；"行"指行动、行为、实行、践形等。在中国古代，知行问题不仅涉及认识论，而且更涉及伦理道德。《左传·昭公十年》写有："非知之实难，

① 《孟子字义疏证·才》。

将在行之”。《书·说命中》写有：“知之非艰，行之惟艰”。这都强调了认识实行比知晓道理更困难、更重要。先秦儒家承认天赋的伦理意识，孔子说：“生而知之者上也”。[①] 孟子发挥孔子的思想，提出：“人之所不学而能者，其良能也；所不虑而知者，其良知也。”[②] 道家则提倡“涤除玄览”，强调虚极、静笃的“不行而知”[③]，但在老子那里“不行而知”又有“我无为而民自化”[④] 的意思，指向一种统治术。庄子发挥老子思想，认为只有在“堕肢体、黜聪明、离形去知”[⑤] 的状态中，才能达到真知。后期墨家和荀子等则强调“知”来源于感觉经验。《墨子·经说上》：“知也者，以其知过物而能貌之。”《荀子·正名》：“心有征知，征知则缘耳而知声可也，缘目而知形可也。”荀子还说：“知之不若行之……知之而不行，虽敦必困”[⑥]，强调实行的重要。韩非则从统治术的角度发挥了老子的“不行而知”说，《韩非子·主道》：“人主之道，静退以为宝。不自操事而知黜与巧，不自计虑而知福与咎。”宋以后，知行问题受到更多的注意。北宋程颐认为知先行后，知难行亦难，提出：“以知为本”[⑦]，“人力行，先须要知，非特行难，知亦难也”。[⑧] 南宋朱熹提倡知行相须，不可偏废，认为：“知之愈明，则行之愈笃，则知之益明”[⑨]，但说：“论先后，知为先；论轻重，行为重。”[⑩] 明王阳明

---

① 《论语·季氏》。
② 《孟子·尽心上》。
③ 《老子·四十七章》。
④ 《老子·五十七章》。
⑤ 《庄子·大宗师》。
⑥ 《荀子·儒效》。
⑦ 《遗书》卷十五。
⑧ 《遗书》卷十八。
⑨ 《朱子语类》卷十四。
⑩ 《朱子语类》卷九。

提出知行合一，"我今说个知行合一，正要人晓得一念发动处，便即是行了"。[①] 王廷相则批判程、朱、王阳明等人的说法，指出："行得一事即知一事，所谓真知矣。"[②] 明清之际王夫之认为："知行相资以为用。"[③] 他强调："知非先，行非后，行有余力而求知"；"行可兼知，而知不可兼行"；"君子之学，未尝离行以为知也必矣"。[④] 至近代，对于知行问题，谭嗣同说："吾贵知，不贵行也。知者，灵魂之事也；行者，体魄之事也。""真知则无不能行矣。"[⑤] 他强调了"知"。章炳麟则认为："人心之智慧，自竞争而后发生。今日之民智，不必恃他事以开之，而但恃革命以开之。"[⑥] 他强调了"行"。孙中山提出"知难行易"，认为"不知而行"、"行而后知"、"知而后行"是人类发展的三个时期，强调"以行而求知，因知以进行"[⑦]。

近代以后，关于知行问题的讨论，跨进了一个新的历史阶段。这表现为关于知行问题的说明初步地被置于近代科学之上。孙中山的"知难行易"说是这一时期知行说的重要理论成果，也是从中国传统思想中的知行观转向毛泽东《实践论》的重要过渡环节。

辛亥革命失败后，在革命党人中出现了"信仰不笃定、奉行不力"的倾向。在孙中山看来，究其思想根源，是受古代"知之非艰，行之惟艰"[⑧] 说的影响。他指出："革命党之心理，

---

① 《传习录》下。
② 《与薛君采》。
③ 《礼记章句》卷三十一。
④ 《尚书引义·说命中二》。
⑤ 《仁学》。
⑥ 《驳康有为论革命书》。
⑦ 《孙文学说》。
⑧ 《古文尚书·说命中》。

于成功之始，则被‘知之非艰，行之惟艰’之说所奴，而视吾策为空言，遂放弃建设之责任”。[①] 因此，要扫除迷信、盲从、保守、因循守旧、苟且偷安等意识，使“中国人无所畏而乐于行”。于是，孙中山便在近代自然科学和社会科学的基础上，吸取了中国古代知行问题争论中有益东西，提出了“知难行易”说。

“知难行易”说的基本内容概括来说有四点：(1)“以行而求知”。他以近代科学知识为依据，从饮食、用钱、作文、建屋、造船、筑城、开河、电学、化学、进化等十个方面来证明。例如饮食是人人不可一日无有。但是研究饮食之道的科学，如生理学、医药学、卫生学，以及研究粮食之生产，粮食之运输、粮食之分配，及饥饿之预备等问题的科学，却是在经过长期的总结而后逐渐形成起来。用钱也是“人人日日行之”，但研究金钱的货币金融学，则是在总结历来商业交换实践的基础上，在“总览人文之进化，详考财货之源流”，“详考工商历史，银行制度，币制沿革”之后，才建立起来的。(2)“因知以进行”。就是说要“因已知而进于行”。“知之则必能行之，知之则更能行之”。他说：社会“由草昧而进文明，由文明而进于科学。其近代之进化也，不知固行之，而知之更乐行，此其进化不息，所以得有今日突飞之进步也”。(3)知行“进行不息”。孙中山认为“以行而求知，因知以进行”是相生相长、反复前进的过程。孙中山正是由此，把人类的进化分为三个时期；“第一由草昧进文明，为不知而行之时期；第二由文明再进文明，为行而后知之时期；第三自然科学发明而后，为知而后行之时期”。[②]

孙中山先生的“知难行易”说，很重要的一点在于，他讲

① 《孙文学说》。

② 《孙文学说》。

所谓的“知”已不是只就中国传统的“旧学”而论，而是以自然科学和社会科学为主要内容的“新学”。他所谓的“行”，已主要不是伦理道德的“躬亲践履”，而主要是指“生徒之习练”、“探索家之探索”、“科学家之试验”、“伟大杰士之冒险”等等。

孙中山的这些学说，与世界历史到近代后各门实证科学经长期积累出现了重大发展有关。尽管在中国长期历史上由于种种原因，科学技术发展一直为学者及思想家少有重视，但进入近代以后，一方面有社会发展的迫切要求，一方面也由思想家们对于必然性的追求，有识之士把目光注视到科学技术发展上。

从龚自珍、魏源到严复以及康有为、谭嗣同等等，对于近现代科学思想科学理论都给予了特别的重视。类似的这些人在知行之辨中同时穿插上了道器之辨。谭嗣同曾专门强调“道，用也；器，体也。体立而用行，器存而道不亡”。一些人还针对以往常把科学技术说成是“奇技淫巧”的观点，进行了“有用之物”“奇器而非淫巧”的论述。这丰富了关于知行问题的研究，此时名实问题也以科学理论与科学实在的关系面目出现，使之立于近现代科学理论之中。总之，关于科学技术作用的论述，对于科学技术、对于发展哲学的重视，促使中国传统的名实、知行问题的争论，基于近现科学知识来进行，这在中国近现代哲学史上产生了重要影响。

孙中山是这方面的思想代表。但是，孙中山以及当时的其他思想家，尽管十分关注了近现代科学发展，而对知行关系的理解仍是不全面的。

毛泽东的《实践论》明确以“认识和实践的关系——知和行的关系”为副标题把论证主旨列出来：努力吸收马克思主义并且主要是列宁主义的关于认识和实践关系的思想，力求对中国长期进行的知和行关系的论辩进行澄清；这对于中国人民的伟大实践起到了重大作用。毛泽东基于马克思列宁主义理论家所概括的辩证唯物主义和历史唯物主义，从人类最基本的实践活动说起，强调实践首先是社会实践，他讲："人的社会实践，不限于生产活动一种形式，还有多种其他的形式，阶级斗争，政治生活、科学和艺术的活动，总之社会实际生活的一切领域都是社会的人所参加的。"① 这种概括跳出了中国思想史上以往对于"行"的狭隘理解。后来毛泽东提出"实事求是"作为思想路线，倡导整顿党风、学风、文风。这里渗透着对于中国传统哲学中关于名实知行各个方面争辩的回答，他强调的是，实现"主观和客观""具体的历史的统一"。这在中国现代历史上产生了重大的社会效应。在这过程中形成的毛泽东思想，推动着中国的民族民主解放运动，使中国完成了新民主主义革命走上了社会主义。在哲学史发展的道路上，这也成为中国哲学在实现对必然性追问过程中的一个重要环节。并且也给人们留下了许多要深入研究探索的课题。在毛泽东思想的基础上，邓小平同志提出建设中国特色社会主义理论，其中邓小平理论、"三个代表"重要思想、科学发展观成为重要的内容。中国共产党十八大以后，党中央新领导集体的领导同志特别强调，"实现中华民族伟大复兴，就是中华民族近代以来最伟大的梦想"；"实现中华民族伟大复兴的中国梦，就是要实现国家富强、民族复兴、人民幸福"。这又把中国特色社会主义理论的关于理想的理论命题，向中国化的社会文化、社会心理的命题延伸。一届届中国共产党中央领导集体沿着中国特色社会主义的道路，推进着马克思主义中国化与时俱进、不断发展。

① 毛泽东：《实践论》，《毛泽东选集》第 1 卷，人民出版社 1991 年版，第 283 页。

三、中国化的马克思主义哲学，要同中国优秀传统文化相融合，为中国特色社会主义理论体系提供强有力的哲学支撑

中国特色社会主义是当代中国的主题，是对近代以来中国人民争取民族独立、人民解放和实现国家富强、人民富裕伟大事业的继承和发展。在当代中国，中国共产党高举中国特色社会主义旗帜，坚定不移走中国特色社会主义道路，努力完成当代中国的历史任务，实现中华民族的伟大复兴。中华民族，创造了辉煌灿烂的历史文化。数千年来，中国虽然历尽沧桑，其历史文化却始终绵延发展、传承不绝。近代以来中国曾沦为半殖民地半封建社会，曾经备受帝国主义、封建主义和官僚资本主义的压迫。实现民族独立、人民解放和国家富强、人民富裕，成为近代以来中华民族始终面临的两大历史任务。完成这两大历史任务，直接关系中华民族的伟大复兴。

中国共产党担当起了领导人民完成两大历史任务的重大责任，这集中体现为中国共产党紧紧依靠人民完成和推进了三件大事：一是完成了新民主主义革命，建立了新中国，实现了民族独立、人民解放；二是完成了社会主义革命，确立了社会主义基本制度；三是进行了改革开放，开创、坚持、发展了中国特色社会主义。这三件大事把近代以来中华民族面临的两大历史任务连接起来，把历史中国和当代中国连接起来。当代中国的历史任务，就是要在此基础上继续书写中华民族伟大复兴的辉煌篇章。进入新世纪，中国共产党明确提出：到2020年要建成惠及十几亿人口的更高水平的小康社会，使经济更加发展、民主更加健全、科教更加进步、文化更加繁荣、社会更加和谐、生态环境得到改善、人民生活更加殷实。到21世纪中叶基本实现现代化，建成富强民主文明和谐的社会主义现代化国家。这一奋斗目标，是近代以来中华民族两大历史任务的继续和发展，是当代中国历史任务在现阶段的具体体现。

中国特色社会主义，是凝聚全党全国各族人民团结奋斗的旗帜。这把社会主义发展与中华民族伟大复兴的历史任务紧密联系在一起，把实现社会主义现代化与人民共同富裕紧密联系在一起，把国家的安危荣辱和个人的幸福紧密联系在一起，代表了中国最广大人民的意愿和利益，是激励全党全国各族人民的强大精神力量。只有在中国特色社会主义伟大旗帜下，才能最大限度地团结和凝聚不同社会阶层、不同利益群体的人们，为实现中华民族伟大复兴而共同奋斗。①

总结十年奋斗历程，坚持以马克思列宁主义、毛泽东思想、邓小平理论、“三个代表”重要思想为指导，勇于推进实践基础上的理论创新，围绕坚持和发展中国特色社会主义提出一系列紧密相连、相互贯通的新思想、新观点、新论断，形成了科学发展观。科学发展观是马克思主义同当代中国实际和时代特征相结合的产物，是马克思主义关于发展的世界观和方法论的集中体现，是对新形势下实现什么样的发展、怎样发展等重大问题作出的新的科学问答，把对中国特色社会主义规律的认识提高到新的水平，开辟了当代中国马克思主义发展新境界。科学发展观是中国特色社会主义理论体系最新成果，是中国共产党集体智慧的结晶，是指导工作的强大思想武器。科学发展观同马克思列宁主义、毛泽东思想、邓小平理论、“三个代表”重要思想一道，成为中国共产党长期坚持的指导思想。

中国共产党面向未来，深入贯彻落实科学发展观，对坚持和发展中国特色社会主义具有重大现实意义和深远历史意义。现在中国共产党正带领中国人民，把推动经济社会发展作为深

① 编写组：《中国特色社会主义理论与实践研究》，高等教育出版社 2012 年版，第 1～4 页。

入贯彻落实科学发展观的第一要义，牢牢扭住经济建设这个中心，坚持聚精会神搞建设、一心一意谋发展，着力把握发展规律、创新发展理念、破解发展难题，深入实施科教兴国战略、人才强国战略、可持续发展战略，加快形成符合科学发展要求的发展方式和体制机制，不断解放和发展社会生产力，不断实现科学发展、和谐发展、和平发展，为坚持和发展中国特色社会主义打下牢固基础。中国共产党提出要求：必须更加自觉地把以人为本作为深入贯彻落实科学发展观的核心立场，始终把实现好、维护好、发展好最广大人民根本利益作为党和国家一切工作的出发点和落脚点，尊重人民首创精神，保障人民各项权益，不断在实现发展成果由人民共享、促进人的全面发展上取得新成效。必须更加自觉地把全面协调可持续作为深入贯彻落实科学发展观的基本要求，全面落实经济建设、政治建设、文化建设、社会建设、生态文明建设五位一体总体布局，促进现代化建设各方面相协调，不断开拓生产发展、生活富裕、生态良好的文明发展道路。必须更加自觉地把统筹兼顾作为深入贯彻落实科学发展观的根本方法，坚持一切从实际出发，正确认识和妥善处理中国特色社会主义事业中的重大关系，统筹改革发展稳定、内政外交国防、治党治国治军各方面工作，统筹城乡发展、区域发展、经济社会发展、人与自然和谐发展、国内发展和对外开放，统筹各方面利益关系，充分调动各方面积极性，努力形成全体人民各尽其能、各得其所而又和谐相处的局面。

世界上任何一个民族都不可能依只靠照搬外来理论而割断自身的文化传统，来走向繁荣富强。任何一种思想理论，如果不与本民族的文化传统相结合，不可能在民众中间扎下根来；不可能沟通思想理论与人民群众的心灵。马克思主义来到中国后，恰恰是因为融入了中国元素、变换为中国面孔，才在中国的人民群众中得到广泛接受和认同，从而有效地指导中国革命和建设取得胜利。中国特色社会主义理论体系作为马克思主义中国化的最新成果，它生长于中国沃土，一定要对中国优秀传统文化加以吸纳、继承和发展，从而被赋予鲜明的中国魅力、中国风格、中国气派。脱离了中国优秀传统文化的滋养，中国特色社会主义理论体系就不可能枝繁叶茂、保持强大的生命力。

中国共产党历来重视中国优秀传统文化对理论和实践的推动作用。1938 年 10 月，毛泽东在党的六届六中全会上谈到党的学习任务时指出："从孔夫子到孙中山，我们应该给以总结，继承这一份珍贵的遗产。"毛泽东强调，马克思主义必须和我国的具体特点相结合"通过民族形式才能实现"。[①] 邓小平善于从中国传统文化中汲取精华，他的讲话和著作直入民意，言简意赅、通俗易懂，深受人民喜爱，展现了中国优秀传统文化的朴实和智慧。江泽民在庆祝中国共产党成立 80 周年大会上的讲话中指出："中华民族的优秀文化传统，党和人民从五四运动以来形成的革命文化传统，人类社会创造的一切先进文明成果，我们都要继承和发扬。"胡锦涛同志在党的十七大报告中指出："中华文化是中华民族生生不息、团结奋进的不竭动力，要全面认识祖国传统文化，取其精华、去其糟粕，使之与当代社会相适应、与现代文明相协调，保持民族性、体现时代性。"这些涉及中国传统文化的重要论断，必将对丰富和发展中国特色社会主义理论体系产生重大而深远的影响。

中国特色社会主义理论体系继承和坚持马克思主义的立场、观点和方法，对中国传统文化中的优良成分加以阐发，使当代马克思主义与中国优秀传统文化相得益彰、相映生辉。例如，"实事求是"、"以人为本"、"和谐社会"……，而且在总结社会

---

① 毛泽东：《论新阶段》，《中共中央文件选集》第 11 卷，中共中央党校出版社 1991 年版，第 658～659 页。

主义核心价值体系时特别把"诚信"概括其中，这一系列充分体现中国文化传统的思想理论概括，成为马克思主义中国化的重要结晶。中国优秀传统文化为中国特色社会主义理论体系的形成和发展奠定了基础，既是中国特色社会主义理论体系的重要思想文化渊源，又是中国特色社会主义理论体系大众化的重要纽带。

回顾中国历史，中国传统文化蕴含着丰厚的文化资源，中华文明几千年薪火相传、源远流长，塑造了中华民族醇厚中和、不屈不挠、奋发图强的品格，孕育了鲜明独特、博大深邃的经世智慧，深刻地影响着中国人的思维方式、心理积淀和行为方式。继承和弘扬中国优秀传统文化，是实现中华民族伟大复兴的内在要求，是建设中国特色社会主义的应有之义。

马克思主义学说创立于西方，列宁主义学说创立于俄国，毛泽东思想是马克思列宁主义同中国革命和建设具体实践相结合的产物。中国特色社会主义理论体系是同马克思列宁主义、毛泽东思想一脉相承又与时俱进的科学理论体系。它的形成和发展本身就是洋为中用的过程；它的丰富和发展需要不断吸取和借鉴人类创造的一切优秀文明成果。毛泽东思想和包括邓小平理论、"三个代表"重要思想以及科学发展观在内的中国特色社会主义理论体系，是中国共产党人在对中国革命、建设和改革规律长期探索中，以马克思主义为指导，吸取中国优秀的传统文化，根据中国历史经验与现实情况，对人类文明成果进行吸收、借鉴，并加以综合创新的产物。中国文化之所以传承至今而具有巨大的生命力，一个重要因素就是有求同存异的包容。在当代，我们要始终坚持发展中国特色社会主义理论体系，同时需要坚持洋为中用、古为今用，以开放的视野、包容的气度，大胆吸收和借鉴人类历史上的创造的一切文明成果。

优秀传统文化作为国家软实力、民族凝聚力的重要资源，要世代传承、与时俱进、适应时代、发扬光大。中国优秀传统文化具有强大的自我更新能力，必将融于中国特色社会主义伟大实践，为中国特色社会主义理论体系不断丰富和发展提供强有力的文化支撑。中国优秀传统文化融化在中华民族成员的灵魂深处，内化为人们的一种心理和性格，渗透到经济、政治、社会生活特别是精神生活的各个领域，会形成引导和制约人们的思想行为直至社会发展的力量。实现中国优秀传统文化与中国特色社会主义理论体系在价值取向、话语习惯等方面的相互契合，才能有力地促进中国特色社会主义理论体系得以广泛认同。人民群众是社会实践的主体，只有尊重人民群众的首创精神，善于总结人民群众在历史实践中涌现出来的新创造、新经验，才能有力地推动中国优秀传统文化不断地推陈出新，有力地推动中国特色社会主义理论体系不断丰富和发展，[①] 有力地推动中国与全世界各国人民一起创造人类社会更加美好的未来。

① 参见，周忠轩：《中国特色社会主义理论体系需要优秀传统文化支撑》，2012年7月10日《学习时报》。

“泰山学者”建设工程专项经费重大项目资助

“‘是’‘在’”“‘诚’‘成’”的哲学

——交汇点上的塑造论哲学

下

张全新 著

山东人民出版社
国家一级出版社 全国百佳图书出版单位

目　录

第三篇　塑造论哲学："'是''在'""'诚''成'"的交汇与综合

第三篇

塑造论哲学：“‘是’‘在’”“‘诚’‘成’”的交汇与综合

第二十一章　哲学的任务和难题

第一节　哲学的任务：追问形而上，统摄形而下

（一）我在专著《塑造论哲学导引》中强调：哲学要追问形而上。尽管对形而上的追问相当困难，但人类智慧总是要有这学问。有人提出这样的学问有无必要性的问题。我在很早就这样回答：奥运会上，跳高运动员跳过了某个高度的世界纪录，还力争往更高的世界纪录上冲刺，等等，这有无必要？当然，这并不是每个人都要去争取的。可这毕竟是人类向自己运动能力的极限冲刺。我把此推广称作人类“奥林匹克冲刺”。人类的思维也总是向自己的极限冲刺。哲学关于形而上学的追问，每一时代有代表性的哲学家都在努力着这种冲刺。在这种冲刺中所做出的哲学体系建构，很难说能很快显示出其实际应用性，但其研究可以调动人类的思维和智慧，推进和带动许多学科的研究和发展。就如同数学中关于数学基础的证明，很难说在科学技术应用中能很快显示其作用，但可以由此带来许多命题或学科的研究，推动科学的和技术的研究。道理是一样的。

所以《塑造论哲学导引》就是本着这一精神，从哲学最根本的元问题出发，由塑造论哲学关于元哲学问题的看法立论，一开始便揪住此书所讲的哲学对象性难题以及方法难题和体系

难题，在解决这些问题中展开一个力求严整的庞大哲学体系。①

（二）形而上是统摄形而下的普照之光，形而下是支持形而上的殊相之火。科学不能离开形而上的统摄，哲学不能离开形而下的支持。如果说科学要在哲学理性导引下探究形而下，那么哲学则要在经验支持中追问形而上。

要实现哲学统摄形而下，实现形而下支持哲学对形而上的追问，这里强调：形而上与形而下，不能"脱离"，如果脱离，形而上就成为空洞的；形而上对形而下，不能"陷落"，如果陷落，哲学就成为非哲学。

（三）哲学要追问形而上，而人直接生活于形而下的世界，而这其中内在着形而上。人们总是摆脱不了在形而下中以形而上的视角去看世界，去体悟形而上，去确立形而上；关键又在于，形而下的经验视野中，经验世界要么是某个感知域中的，要么是一个个感知域总合起来的；那如何实现形而上的追问，这成为哲学必定要思考的，而于此又往往遇到诸多难题。

塑造论哲学明确指出，哲学所要追问的应是关于形而上的问题，把哲学的形而上本性凸显出来。"塑造论哲学努力把哲学的形而上特质凸现出来，这对于克服目前哲学研究中存在的庸俗化、经验化、非哲学化的倾向，恢复哲学的本性及睿智，有重要意义。"同时，塑造论哲学在确立哲学观的问题上不仅意识到关于形而上视野的设定，而且进一步将这一取向贯穿于全书的展开当中。②

① 参见，丁祖豪、郭庆堂、唐明贵、孟伟著：《20世纪中国哲学的历程》，中国社会科学出版社2006年版，第655～670页，"第十六章：哲学难点问题探索"，"第六节：新哲学体系探索。"

② 何中华：《探索哲学创新之路——读张全新著〈塑造论哲学导引〉》，载《马克思主义与现实》1997年第4期。

塑造论哲学的作者，以“把自己当作历史”作为座右铭。以这种历史感和使命感，力求站在人与自然、人与社会、社会与自然，东西文化、历史和未来的交汇点上进行哲学沉思。塑造论哲学，一是注重“言哲学史以言哲学”，二是注重“面对哲学所面对的困难”，而提出关于塑造论哲学的原理和体系。①

第二节　对象难题、方法难题、体系难题

一、关于对象的难题

讨论和建立哲学体系，要对哲学的对象有所说明。

哲学是一门很高的学问，这门学问主要问的是什么？简而言之，问的是“形而上”。这形成了哲学区别于其他任何学问或科学学科的特征。古中国的传统经典中有所谓“形而上谓之道，形而下谓之器”之说，这翻译成中文便是“形而上”。古希腊的传统文献标出了有别于“物理学”的“物理学之上”的题目……诸如此类的提法，就强调了应当有不同于重在探究形而下之学问的关于形而上的学问。

应当强调：哲学是一定要追问形而上的。尽管对形而上的追问相当困难，但人类智慧总是要有这学问。作为体现人类最高智慧而追问形而上的哲学，总是在那里追问普遍的“存在”必然的“成”。哲学史往往提出并力求回答这样的问题：“在”是什么？世界的本原或本根是什么？思维或意识的必然性何以可能？人与自然的主客体关系式如何成立的？何为“成”？人何

① 参见，大公报记者专访：《不只为本世纪的人看，更是为下世纪的人看》，载香港《大公报》1998年4月11日。

以成?"天之道,人之道"的必然性何以可能?"心"与"物"关系是如何成立的?对此,任何一门科学部门学科都不去专门或主要地加以考虑,而哲学却一定要思考回答这些问题。当然,这些问题的解决又有赖于部门学科组成的整个科学的发展。

既然讲哲学要追问普遍的"存在"必然的"成",如果从形而下的视角提出,那么就应当说哲学研究所面对的是"世界整体"或"宇宙整体"。然而,面对这所谓的"整体",哲学主要关注的在于追问关于"整体大全""普遍必然"的形而上。人们常常满足于这样来说明哲学的对象:哲学所要研究的是自然、社会、思维的一般规律。但是这并不足以把哲学同科学学科区分开来。因为许多科学学科面对的也是"世界整体"或"宇宙整体",是自然、社会、思维的一般规律。不仅如此,如果仅仅意识到这一点,还往往会使哲学只限于强调由感知中的"物在""物成"去进行世界构成或结构的研究,甚至只在那里找感性物质最小的砖块基质。哲学史已表明,哲学若只限于这样的研究,实际上完不成哲学的任务,不可能真正解决在整体大全、普遍必然意义上把握哲学所追问的问题。因为这会导致:把哲学研究的方法与部门科学学科的方法一样地看待,从而不管"是""在""诚""成"的必然性是何以能够成立的,认为哲学也只是对人及思维本身必然性不必加以证明就事先确定了的,并且是以完全站在经验对象之外的既定思维主体去反映外在的世界。这就会带来一系列很难缠的哲学问题:如果说哲学的考察也只是对经验对象进行反映的结果,那一个个的反映则永远是不完全的。这样,完全的整体、普遍的必然就是没有法被证明的。在哲学史上,欧洲有人提出所称的"归纳问题",就涉及到这一点;中国有人论到可称之为的"格物诘难",也涉及于此。而更要命的是:就算是这种基于对外界反映的认识、致知有达到"完全"的可能性,如果认为哲学只是站在经验对象之外的思考者对它之外的事物进行反映，这显然就把思考者自身排除在对象之外了；于是，对于包含一切特别又包括人自身的整个世界大全来说，这又成为不完全的。这里的问题在于：既然面对的是世界大全，那么它就是“至大无外”的“一切”，就应当包括去认识的作为思考者的那个“人”或“人脑”；当说到这“人”或“人脑”非得站到这“一切”之外成为不是这“一切”中的东西才能认识，这里的“一切”当然就又成为不是包括一切的“一切”了。也就是说，要是站在外面研究“至大无外”，那整体大全、普遍必然是否真正如此是值得怀疑的。这里有与数学史上有人曾经提出的“集合论的悖论”相类似的情况。看来，一涉及整体大全、普遍必然等等，若对以上问题等闲视之，这门学问就很难成立。哲学应当确立这样的立场：哲学不是站在世界之外去思考世界，而是作为世界中的一种物质形态反过来思考包括其自身在内的整个世界；“至大无外”的“一切”不能把作为思考者的人或人脑排除在外，总之，哲学的对象不只限于思考者之外而且思考者本身也在其内；哲学是世界自己认识自己；这种情况是任何科学学科都不能实现的，只能由哲学来完成这个任务。①

二、关于方法的难题

（一）古希腊的亚里士多德曾经讲道：“自古已经提出，我们今天仍在提出，将来还会提出的一个永远使人困惑的问题就是：在是什么？”通常认为，哲学史上从巴门尼德提出与有形物相对立的“存在”并把它当作世界的本原以来，人关于世界的二重化意识开始正式明确地变成人们的哲学思考。二重化的实

① 参见，张全新：《塑造论哲学导引》，人民出版社 1996 年版，第 4～6 页。

质是这样的：我们面前的是一个个感性的“存在”，而概念却是“一般”，这是超越了诸“个别”的。那“一般的”存在是不是一个独立的存在？与个别是什么关系？由此，划分为一般和个别及现象和本质的哲学范畴为人所重视，哲学家纷纷在这个问题上表明自己的看法，从中找出关于如何确立一般概念的方法。“辩证法”（达罗克提卡）这个词最初就是指谓一种拟于确立某些一般概念的论辩。苏格拉底在明确一般概念时采用了这样一种“论辩术”：在对话的论辩过程中，首先提出问题，使对方对概念作出个最初定义；其次引进一些事实，若该定义用于这些事实引起矛盾就暴露出此定义不中用；如此不断进行，直至得到一个令人满意的定义。苏格拉底把这种议论方法叫作διαλεχτικη（达罗克提卡）即“辩证法”，并称之为“助产术”。后来不少人把这看作是“归纳法”的最初表现。显然，这种方法对于确立一般概念来说是很粗糙的，更谈不上可以确立“存在”这样的最一般概念。但是，这样的论辩术毕竟使个别和一般的问题成为中心内容，由此“达罗克提卡”逐渐地不仅指论辩，而且带有了后来被称作“辩证法”的那些理论含义。这样，基于在“达罗克提卡”中发展的对意识二重化结果的辨析，出现了许多不同的哲学体系以回答本体论的问题（如柏拉图、亚里士多德等等及中世纪哲学）以至认识论的问题（特别到近代以后）。在一定意义上讲，的确可以认为，近代的“归纳法”是在苏格拉底“助产术”基础上发展起来的。从古代哲学以本体论为重心，关心世界的本原是什么，到近代哲学以认识论为重心，关心如何去认识世界，作为总结怎样才能很好地通过观察实验来认识世界的科学归纳法应运而生。近代的培根以及穆勒等人由经验论哲学观点所提出的归纳法，对于如何整理经验材料上升到一般，对于如何判定因果关系了解规律，在方法论上做了充分的总结。这对近代科学认识论的发展起到了非常重要的奠基作用。但是这只能成为科学认识方法的一个方面，或者说只是在科学方法中的有限应用方面。由此并不能真正解决关于必然性的证明问题，当把这看作是哲学方法，那更暴露出其有很大局限性。因为，由这样的方法所提供的思想，是认为要得到一般的普遍的规律性认识，在认识中得经历一个从感知的经验开始不断撇开事物差异撇开复杂的现象因素而抓住共同点向普遍上升的抽象过程。这样，一般是越来越简单的。如果这样来理解“存在”这样的最一般概念是怎样得到的，就得认为：要实现于此，在思考中也得有一个不断撇开事物差异而找到其最一般规定性的抽象过程，其结果一直到带有极简单的性质，甚至成为空洞的以至到了无法以什么来规定。哲学史上追求世界万物的本原，追溯到“存在”这个范畴，的确达到了思维抽象所能足以达到的程度，其中关于事物有差异的具体属性可以说是趋于“零”的，当把事物属性都去干净了，那就是“无”。正因为这样，有的哲学就把“无”当成其最高范畴。而实际上，以哲学思考的抽象来把握“存在”，所撇开的应当只是万物的形而下属性，是要用形而上的内涵来统摄形而下的万物属性。“存在”撇开了万物的种种复杂属性，但万物种种复杂属性又都归于“存在”。虽然对于人们从其面对的眼前世界去思考所作出的哲学抽象来说，“存在”这个概念确实是极度形而上的，却不能把它只归结于简单性，因为这在实际上往往成为空洞性；因为其中应包含着真正具体的普遍必然性。但是，严重的问题是，正如一些哲学家所看到的，普遍的必然性从根本上说，是不可能在归纳中得到证明的。现已被人公认的是，在实际上，经验的归纳的确总是不完全的。哲学史上的唯理论曾在反面特别重视演绎的作用。笛卡尔、莱布尼兹等哲学家在这方面作出了卓越贡献。由于人们在逻辑总结方面所做的一系列工作，使人们更加看到逻辑带有一种无可证明的普遍必然性。而这种普遍必然性又不是从经验归纳而来的，那是怎么来的？作为在近代哲学史上起了重要作用的休谟，他在提出“归纳问题”时把这样的问题更加明朗化了，从而把经验论和唯理论的争论推到了山穷水尽的地步。如前所说，难就难在，要保证对世界的认识就得有经验的支持，这就不能没有经验的归纳，可是经验的归纳却证明不了普遍的必然性；而思维的理性又是可以带有普遍必然性的，要提出带普遍必然性的初始概念、范畴、公理，以及推理的格式等等，而这又不能说是仅从经验中归纳出来的。为解决这些问题，康德从“先天综合判断如何可能”入手展开他的哲学体系；其中涉及的大量命题及其整个体系对后来的哲学影响很大，但他在其揭示的“二律背反”面前却无能为力，在他所讲到的“自在之物”面前一筹莫展。黑格尔提出了一个思维与存在一起演进的哲学体系，可以说是集“辩证法”之大成；而用马克思的话讲，其体系“头足倒置”了。马克思主义哲学诉诸于实践证明思维的必然性，这是对以往哲学的一个重大突破，并基于此提出了一种体现于《资本论》方法的辩证法逻辑。但实践对于证明思维的必然性所具有的判决性，在一定意义上说，只是对思维是否有真理性的否证判决具有充分性，对于确证还有待于作出相当多得补充说明。在19世纪末到20世纪初还出现过叔本华、尼采、柏格森等人关于生命哲学的方法和直觉主义方法，这种方法与经验论注重实验的见解形成对照，其追求形而上的哲学取向对人们很有启发意义，其中的哲学思维方法很值得认真研究。但这些哲学方法带有很突出的否定逻辑理性的倾向，并没能基于科学对逻辑理性展开很好的说明。除此之外，就更为触及哲学难题的意义上说，胡塞尔提出的现象学方法对现代哲学产生了重大的影响。这里引起我们注意的是他所主张的现象学还原中的“本质还原”和“先验还原”。关于胡塞尔提出的现象学，可认为是旨在达到一种既指向科学的又不同于科学学科的哲学。为此他后来特别反对以心理主义和历史主义的方式来解决哲学问题。然而，胡塞尔是一个思想多变的思想家。在 1894 年以前他主要接受 19 世纪传统哲学的影响，主要是一个心理主义者，认为逻辑必须从心理学那里得到最终解释；后来他受弗雷格和托尔普的影响转变为反心理主义者。前段注重本质还原的思想，后段更加注重先验还原的思想，他把“先验还原看作是真正意义上的现象学还原”。关于什么是胡塞尔所讲的“本质还原”，要对之加以理解，须得对胡塞尔所讲的“本质”和“现象”有所弄清，这是在此还来不及认真去详细阐述的。出问题之处很大程度上在于其内在着“本质的循环”。后来胡塞尔对“本质”强调要用柏拉图的 Eidas 加以说明，但实质问题并没有解决。作为补充，胡塞尔强调“悬置”“加括号”。而怎样区分是否“纯粹现象”，又得有标准。一讲标准就涉及到“本质”，这就不能不又陷入本质的循环。为此，胡塞尔诉诸主体，强调“意向性”、“意向性结构”的问题。而意向性结构是怎么来的？所以有的人说现象学只在解释学上有意义。然而，胡塞尔毕竟重视了先在给予性。那先在给予性如何获得其被科学研究所去考察的、能作为对象的意识之外的地位？这存在着我们在论对象性问题时所揭示的问题。因此，胡塞尔不停地改变谁先谁后，并不得不讲二者相辅相成，而意向性的根本问题其实是回避不了的。可是若是不回避就难以使现象学的整个原理成立。正因这样，后来海德格尔等人的存在主义利用了基尔凯郭尔关于存在即我的学说，提出“存在”，从“缘在”（亦常被译为“此在”“亲在”等）开始，而“缘在”就是人的存在。这实际上把哲学很大程度地限于了人学。胡塞尔等人的学说是非常有创见的，给我们以很多的启示，也有其局限性。而后来发展起来的存在主义哲学，特别是海德格尔“语言是存在之家”这一命题与解释学思潮相交融，这被人称为“语言的转向”，对后人很有启发意义。另一方面作为以实证论为特点而开先河的科学哲学的思潮，对于发展科学认识起到了重要作用，但对于哲学却出现了一种拒斥形而上的倾向，这实际上否定了哲学，而且形成了一种严重的哲学非哲学化的问题。①

（二）在中国古代，围绕着《易》有所谓“怀尔明德，何诚谓之也”；“诚命之也信矣”；以及“允恭克让”，这里的“允”即“诚信”，故有“诚允成功”；另有“闲邪存其诚”“修辞立其诚”；等等。随着人们对于世界二重化意识的发展，在哲学追求中达到了所能达到的高度。中国先秦哲学经过了孔子的“仁”、墨子的“义利”、老子的“道”，等等，子思更明确地区分了人之道和天之道，提出了“诚者自成”，重视了带根本性的“诚(成)”。在这过程中，伴随着人的概念思维发展，起初出现过一种可称之为“名辨”的方法，辅助着人们的哲学追求。孔子提出了所谓“正名”说；墨子则认为是“取实予名”；惠施着重论述“合同异”；公孙龙重在讲“离坚白”；后期墨家强调“以名举实”；荀况强调“制名以指实”；等等。这里面名家所论的概念辨析方法和墨家所论的墨辨逻辑，极富有特色，渗透着一种从差异中寻同一、在“别名”与“共名”中思考，等等的卓越思想方法。而荀况提出的“推而共之”与无共然后止便可到“大共名”，“推而别之”“无别而后止”便可到“大别名”，等等，这成为对哲学思维方法的重要总结。这样的总结一方面反映出人的意识二重化的发展，另一方面也对于在哲学思想体系上确立起真正带一般性的根本起到了方法论带动作用。然而，中国哲学由一系列社会历史条件决定，是与从古希腊哲学走过去的西方哲学传统不一样的。如果说，西方哲学是从重在研究

① 参见，张全新：《塑造论哲学导引》，人民出版社 1996 年版，第 19～23 页。

自然事物再联系人来看世界的本原，来追究真的必然性何以能够成立，从而确立哲学的形而上；那么，中国哲学则是从重在探究社会事理再联系自然来看世间的根本，来追究善的必然性何以能够成立，从而确立哲学的形而上。这样，中国哲学作为世界根本的最高哲学范畴往往不是从人外的自然事物提取出的本原，而是从人内的社会人事提取根本。所以，像“大共名”“大别名”这样的名辨逻辑方法后来多与一些诉诸“体悟”的方法相融汇，以致于在有些学说中由一种常被人们称之为带有直觉主义性质的方法所代替，而且把这种哲学提升与道德修养紧紧地联系在一起。这在子思哲学关于“诚者自成”，“不诚无物”的理论中；在孟子哲学关于“尽心”“知性”而“诚”便“万物皆备于我”的论述中；在庄子哲学关于“以明”“见独”须去好恶爱憎忘生死得失“离形去知同于大通”的看法中；在荀子哲学关于要养成“无蔽”的心境、“解蔽”以及由分推全的见解中；在道家及后来佛学关于去污取净的修持方法中；等等；都有所体现。特别在中国哲学由探究世间的本根进而探讨何以能在致知中确立起根本，即发展到以致知论为重心时，一系列关于体悟的方法纷纭而出。北宋周敦颐说“无思本也，思通用也”，是讲“思维后能通微，无思然后能无不通”，强调“主静”。邵雍讲“观物”非观之以目，而观之以心，“非观之以心，而观之以理”，是讲以心来“反观”体会，此心循于理以观物，当我观物如物自观便是以物观物了。张载的“大其心则能体天下之物”，是讲要以心体天下之物，不能务物而累于物，不能物身而误于身；体物即视物为我与物合一，如此方能神而体道、穷神知化。程颢说他讲的“天理”靠“体贴出来”，是讲“心便是天，尽之便知性，知性便知天”，“言天下之化，已剩一体字”，他强调“定性”“诚敬”；以至到程頤那里，又突出论述“涵养”“主敬”，强调“格物穷理”乃恍然有悟于万物共有之理，理会得多，"自然豁然有觉处"。朱熹的"欲致吾之知，在即物而穷其理"，是讲"欲穷理""须养得心地本原虚静明澈"，"用力"于"考之事为""察之念虑""求之文字""索之讲论"，"使于身心性情之德，人伦日常之用，以至天地鬼神之变"等等，"不知不觉，自然醒悟"。陆九渊的"诚能反而思之"，是讲"义理之在人心，实天之所与而不可泯灭者焉也"，由其"心即理"说而来，认为天下万物之理皆蕴于吾心中，只启发吾心，则自明众理了。王阳明的"求理于吾心"，是讲"万事万物之理不外于吾心，而必穷天下之理"，"殆以吾心之良知为未足，而必外求于天下之广，以裨补增益之，是犹析心与理而为二也"。……后来在中国思想史上有许多人重视发掘践形论对道德伦理的必然性何以能够成立进行深入探讨。王夫之十分强调一种基于"践形"及他所谓的"践履""实践"之上的方法论，他说"非格物则知非所用""非致知则物无所裁"；他所谓格物以体验为主，他所谓致知以辨析为主；彼有点接近把归纳和演绎结合于一起的意思；由此他说，"诚者心之独用也，明者心依耳目之灵而生者也"，"善言道者，由用以得体"。颜元特别注重实际习行的作用，他说，"格物谓犯手做其事"，"致知在格物""且如讲究礼乐，虽十分透澈，若不身为周旋，手为吹击，终是不知"，"心与手忘，手与弦忘，私欲不作于心，太和常在于室，感应阴阳，化物达天，于是乎命之能琴"。关于哲学方法论，如果说在西方思想史上主要的生长点重在于科学（知识）的方法论，那么在中国思想史上主要的生长点重在于修养（经世）的方法论。实际上，现在常用到的方法论一词，在通常意义上主要是从西方引入的，重在于从"知识论"或"认识论"的角度，进行哲学追问。也正因为这样，正如张岱年所说的："至于方法论一词，中国以前实在没有相当的名称"。与此相联系，在中国古代思想史上的种种哲学见解与自然科学的联系比较薄弱。所以到近现代以来，随着西方思想的引入，一些学者注意把西方哲学中的方法论思想同中国传统哲学相融汇，以此来改造中国传统哲学，形成哲学体系。这里，有过的一种情况是，把孔孟程朱王的思想作为中国哲学的根本精神，以它为主体来吸收和改造西方近代思想和西方哲学，寻求中国传统哲学的出路；所谓的现代新儒家就是如此。他们之中有的人也提出了一些十分有特点的哲学方法。如冯友兰在提出他的新理学时强调了一种“正的方法”和“负的方法”。冯友兰认为，“真正的形上学”，除了“逻辑分析”的方法（这是“正的方法”）以外，还有“直觉主义”的方法（这是“负的方法”）。他说，“一个完全的形上学的系统，应当始于正的方法，而终于负的方法，如果它不终于负的方法，它就不能达到哲学的最后顶点。但是如果它不始于正的方法，它就缺少作为哲学实质的清晰思想。神秘主义不是清晰思想的对立面，更不在清晰思想之下，毋宁说它在清晰思想之外。它不是反对理性的；它是超越理性的。”因为“对于超越于经验者的观念，我们称之为超越的观念，就是形上学的观念”。“康德似乎看出，靠纯粹理性的帮助，没有越过界限的道路。在他的体系中，不论纯粹理性作出多大努力去越过界限，它也总是在界限的此岸。这种努力有些像道家说的‘形与影竞走’，但是后来道家却用纯粹理性直地越过界限走到彼岸了。道家的越过并非康德所说的辩证的使用理性的结果，实际上这完全不是越过，而毋宁是否定理性，否定理性本身也是理性活动”。这样，肯定的是理性的东西，否定的也是理性的东西；如道家用“无”来表示，这也是理性的东西。“最后连这个否定的符号也必须自身否定之”，到了最后就无可言说，只有静默，“在静默中也就越过界限到达彼岸”。然而，“讲形上学不能讲，即对于形上学的对象亦有所表显。对形上学的对象有所表显是讲形上学”，这就好像“画家画月的一种方法，是只在纸上烘云，于所烘云中留一圆的空白，其空白即是月”。冯友兰说，“这是我所谓的形上学的负的方法，道家使用得最多，禅宗也使用它”。在禅宗的哲学里就“形上学”作为“第一义”来说，是不能直接用语言来表述的，因此总是或做一些莫名其妙的动作或说一些答非所问的话来启发学僧自己去体认“佛心”。可见，冯友兰提出新理学，本来面对着中国以往的传统哲学的薄弱方面，试图在方法论上引入“逻辑分析”方法而使之接近科学化；但最终仍难于实现“逻辑分析”与“直觉体悟”在哲学中的统一。在他那里哲学的形而上仍是被归于来自一种神秘直觉的东西，与科学的理论与理性的东西仍旧难以协调。近现代中国的许多哲学在这一点上是有共同之处的。所以这些哲学的影响后来呈减弱的趋势。另外的情况是，以随着马克思列宁主义传过来的辩证唯物论历史唯物论为主导，用中国传统哲学中思想来丰富之，形成了对于中国具有强大影响力的哲学思想。当然这种哲学在一些根本问题以及体系构成上也仍需要完善，其中也遇到不少方法论上的困难。①

（三）以上我们简要对东西方哲学的方法作了一个历史性的回顾性例举，并没设想把历史上所有的优秀哲学家及其提出的哲学体系都涉及到，可能是挑出了一些主要的，或从我们的角度所关心的。无论怎样评说，这里意在说明，人们在追问哲学的问题过程中对于哲学方法本身作出了许多探索，但一直面对着重大的难题。哲学应在以往哲学探讨的基础上力求探索出更好的通向哲学之路。塑造论哲学在以往哲学探讨的基础上，在东西方哲学的交汇点上，力求提出自己的哲学方法。②

塑造论哲学强调，通常说哲学是世界观方法论，这成为所

---

① 参见，张全新：《塑造论哲学导引》，人民出版社 1996 年版，第 23～26 页。
② 参见，张全新：《塑造论哲学导引》，人民出版社 1996 年版，第 26～27 页。

有部门学科进行研究的方法论基础；然而，哲学本身的方法应当是什么样的，也就是说自身何以才能实现其任务？关于这个问题，许多人不以为然。因为各部门学科的科学研究只关注该学科自身的方法论问题，虽然这已自觉不自觉地由他所持的哲学观作为基础，但是却并不专门注意考虑那提供了基础的哲学本身的实现方法，即不专门注意考虑这作为方法之方法的本身。可哲学工作者一旦面对哲学本身的难题，这“方法的方法”就是回避不掉的。塑造论哲学不回避这一问题，通过深入揭示哲学方法的困难，提出其特有的哲学方法。

三、关于体系的难题

（一）说到哲学体系问题，立即就涉及到这样几个方面：思想体系、理论体系、语言体系。

作为思想体系，主要是就所谓已意识到的东西而言。这样，不论对无意识的和超意识的，还是对潜意识的和显意识的，都是以已经意识了的面目出现的。哲学思想体系总要以显意识的东西显现出来。

作为理论体系，主要是就已逻辑化了的东西而言。这样，不论是对理论的意识，还是对艺术的、技术的意识，以至对道德的意识，还有对经济的、政治的及社会的意识，都是以已经有逻辑了的面目出现的。哲学理论体系总要以理论的方法构建出来。

作为语言体系，主要是就已言表了的东西而言。这样，不论是对理论言表的、艺术言表的、技术言表的、道德言表的；不论是对可以言表的，还是对不可言表的；都是以理论言表的面目出现的。哲学语言体系总要以显意识的理论言表方式表达出来。

（二）然而，作为言表，对于去“表”哲学来说，是有问题的。对理论体系加以叙述的语言流总有头有尾。而作为整体的意识却无所谓头和尾。另外例如，固然由此可以用一个整体联系的图形来表达，可是由于图形呈现的是空间的同时性，它又缺乏在语言流时间延续性中对内涵的深入揭示。不论是语言流还是图形符号，对于表达哲学的丰富内容来说，总是有缺陷的。

作为理论，对于去“论”哲学来说，也是有问题的。任何理论，不论是科学学科的还是整个哲学的都以逻辑去思考，不论讲有序的还是讲无序的都纳入逻辑的有序，不论对精确的还是对模糊的都力求带上逻辑的精确性。固然可以不用理论来把握对象，但哲学不成为理论，就不成其为哲学。不论涉及科学理论的还是涉及技术的、艺术的、道德的哪个方面，虽然它们并不都等同于理论，但总得以理论来表达，总得有理论的精确性，总得成为理论之序，总得有理论的逻辑。对于理论所论的内容来说，总得有理论形态，而理论表达这些对象的内容，又总是不足的。

作为思想，对于去“思”哲学来说，仍是有问题的。因为去思就是去意识。固然可以提出无意识、潜意识、显意识、超意识的系列，或超意识、显意识、潜意识、无意识的系列，但对无意识来讲是无所谓思想的，而一提出什么思想，无意识的东西已成为被意识了的。也就是说，思想去思无意识，实际已投入了意识。没有意识之光照过去，就无所谓“无意识”和“有意识”云云，思想去思考那与“显意识”有区别的“潜意识”，其实总已经是显意识的。思想中没有显意识的显化，潜意识的形而上是“思”不出来的。思想去思超意识，但由于超意识是关于形而上的，而思想对这形而上却又无从下手，一下手它又成为显意识的，这里显然区分不开“超意识”“显意识”，等等。

（三）由于以上这一系列问题，把一个哲学体系在思考中形成理论并用语言表达出来，确实是不管怎么写，怎么论，怎么思，都会感到捉襟见肘，非常难堪。而且总是处在一种循环之中。例如关于体系如何开始。这是对在思想中形成的理论体系并用语言表达出来，所回避不掉的问题。按照展开理论体系的要求，一开始作为逻辑起点的范畴，需成为推导该系统中其他范畴的根据，而不应该成为该体系中由其他范畴推导的结果，而且这个范畴必须有能统摄该体系中其他一切范畴的地位。要做到这一点，必须经过思维的抽象，撇开种种复杂因素。但由于哲学的对象至大无外，抽象到最后那只能是个“无”。而不从“无”开始，又只能是面对着的形而下感性世界开始，可是形而下感性世界又总是证明不了必然性。形而上要由形而下来支持，当作前提的似乎只能是形而下的；可形而下并不能证明必然性，这样当作前提的又只能是形而上的。形而下要有形而上来统摄，当作前提的似乎只能是形而上的，可形而上无从下手，这样当作前提的又只能是形而下的。

可见，形而上既是哲学追问的结果，又应成为哲学体系展开的前提；形而下既成为哲学支持的前提，又应成为哲学统摄的结果。与此相关，关于哲学形而上的超意识结果，既应当是始又应当是尾；关于科学形而下的无意识前提，既应当是尾又应当是始。这似乎是非常难缠的事情。①

第三节　力求解决哲学难题的塑造论哲学

一、面对哲学何以可能，往往出现的情况

在哲学研究中面对哲学难题往往出现两种情况：

---

① 参见，张全新：《塑造论哲学导引》，人民出版社 1996 年版，第 51～53 页。

一是认为，要把握哲学对象实现哲学的任务，只能诉诸于外在于思考者的非人为感性自然之物。这种只诉诸于关于对外物之感知的见解是不足取的。因为单凭经验证明不了必然性。把哲学研究的对象看成是只在“人脑”之外并只由其面对的东西，固然可认为能得到关于物之形而下的某种认识，但这样的哲学研究只注意了外在世界却忘记了人自身。那哲学研究只能是陷于关于世界的经验材料之中，这会使哲学不成其为哲学。

二是认定，要把握哲学对象实现哲学的任务，只能诉诸于内在于思考着的人心之理性。这种完全诉诸于对内思之反省的见解也是不足取的。因为十分显然，哲学的研究必须统摄整个世界，把哲学研究的对象看作只是在“人脑”之内及由其所反省的东西，这固然可以设想能得到关于“心”的形而上的某种认识，但这样的哲学只注意了人自身却忽略了外在世界。那哲学就失掉了关于世界的经验材料之支持，这会使哲学丧失科学性。

看来哲学的很大困难在于：怎样才能以哲学方法把握住完全的对象，如果把思考者自身只作为“去思考者”来看待，但因为思考者自身又是整个世界的一部分，在进行哲学思考时把此只划成“去”的而不划成“被”的，即站在“至大之外”去研究“至大无外”，那就变成了“至大有外”；那“被思考者”就成为不完全的，确立不起完整意义上的哲学对象。而如果把思考者自身也作为“被思考者”，又形成用自己的思考去思考自己的思考，难又难在如何使“去思考者”本身获得处于本身思考之外的“被思考者”的地位。也就是说，要把握完全的对象又有个如何使思维意识主体的思维意识本身得以对象化的问题。这本身关涉于哲学追问方法的问题和体系问题。

为了解决好以上提出的哲学问题，塑造论哲学既不笼统地讲要诉诸于对于外物之感知，不也笼统地讲要诉诸于对内心之反省，而是力求找到一种自然之光和人类之光都投射其中的东西，把它作为既可向外去感知又能由其向内去省悟的“着手之处”或“上手之物”。[①] 塑造论哲学诉诸于此来实现哲学的任务，由此来解决哲学对象、方法、体系的难题，实现哲学对形而上的追问，把握形而上与形而下的关系。

二、塑造论哲学在解决哲学难题中，体现着哲学史重心转移的新转向

考察哲学历史走向可以从不同的角度进行。哲学在历史的不同时期有其不同的发展重心。重心不同于中心，就像两脚立地或者以左脚为重心或者以右脚为重心。有时哲学讨论的中心和发展重心一致，有时则不一定一致，但发展重心是客观存在着的。

塑造论哲学的提出，体现着东西方哲学历史上重心的转移。

塑造论哲学提出的哲学研究重心转移，是延续着整个哲学史而寻找的哲学之路。

在哲学史的开始，大多数哲学家主要是围绕万物的本原或世界的根本是什么，以本体论或本根论为重心进行哲学探究。古希腊的巴门尼德在意识到人类意识二重化中提出与有形物相对立的“存在”作为世界本原，亚里士多德继柏拉图提出“理念世界”与“现象世界”的区分以后，提出把研究“本体的原理与原因”作为第一哲学。但是这种类型的本体论研究，从总体哲学倾向上说是撇开了主体的。这就不能不遇到本体论研究的困难。古中国在有了关于世界的“天之道”与“人之道”的二重化之后，曾把“诚”作为“人之道”的根本，但论证了人由“人之道”所成，毕竟不等于说明了“天之道”存在，不等于确立了整个世界的存在，这样总是陷于在归结世界本根时不

① 见，张全新：《塑造论哲学导引》，人民出版社 1996 年版，第 6～7 页。

能不遇到的困难。问题很大程度上在于怎样才能保证我们所了解的普遍的"存在"和必然的"成"确实是带有普遍必然性的。后来，出现哲学重心的转向，许多哲学家开始围绕思维和意识的必然性何以可能，以认识论或致知论为重心进行哲学研究。这又遇到了新的认识论或致知论的困难。法国的笛卡尔在经验论和唯理论的争辩中强调各种感知世界都是值得怀疑的，而不能怀疑的就是"进行思维的我"，因此提出"我思故我在(是)"，论证"自明公理"是无可怀疑的"天赋观念"，以证明"我思"的先在性，从而形成了他的哲学中的"第一原理"。中国的王阳明在理学与心学的争论中则提出"心外无理"，以表明"心"具有与"理"同在的先在给予性，如此等等。然而这作为"我思"的"我"，作为"天理"的"心"，到底是如何得以确定的，仅在认识论或致知论范围内是难以回答清楚的。因为认识关系或致知关系，在主客体关系中、在人与自然的关系中，毕竟只是一方面的关系。人与自然之间除了有人来认识自然而格物致知的一面以外，还有自然对于人及其思维、意识塑造的一面。马克思及其后的许多哲学家特别注重实践的地位，强调实践确证着人的本质，理论难题的解决在于实践，实践是由现实来证实理论的条件。这是非常卓越的见解，这对于确立主体的必然性，对于解决认识论中的一系列难题起到了重大作用，这本身趋向于新的哲学重心转移。但人们在阐发"实践"这个概念时，往往有仅把它作为在认识关系中的认识论范畴的倾向，其中对于离开自然衍生而孤立讨论以实践改造自然的问题也是很明显的。所以，对于人在大自然塑造的衍生中通过积淀本身而把普遍必然性赋予给"我"，赋予给人，才能成为意识普遍必然性的承担者、才能成为去实践的"文化人类"，才能在实践中塑造"人类文化"，就此有必要作出新的补充性论证。现时代的全球问题，现时代人们在人与自然的关系上遇到种种严重问题，也迫切需要哲学对自然塑造人在衍生中形成文化人类与人塑造自然在实践中形成人类文化，二者如何和谐统一，作为哲学重心进行哲学研究，从而确立起主体客体的关系。塑造论哲学把人与自然的塑造论关系作为重心，就是为了对主客体不限于“认识关系”同时也不限于只从人改造自然这个方向看过去，而加以说明，提出来的。这样，塑造论哲学不只是面向客体，不只是面向主体，也不只是从主体对客体的“认识”“实践”这一方面或一个方向的关系看过去；而是在人与自然的相互塑造中提出其作为主客体及其相互协调和谐关系得以成立的根据，实现对形而上的追问并回答形而上与形而下如何相统一的问题。总之，围绕人与自然在相互塑造中的主客体关系如何得以确立这个问题，形成着以塑造论为重心的新的哲学转向。形成哲学重心的转移。①

三、塑造论哲学建立于东西方哲学的交汇点上

（一）东西方哲学的不同特点。

由本书前面第一篇第二篇较长的论述可以看出，在塑造论哲学看来，西方形成的欧洲哲学和东方形成的中国哲学在历史上各自显示出的特点是：西方哲学主要由“是”“在”来追问形而上而说开去，当然在过程中特别是后来也涉及“成”，由此现实关于本体论、认识论、实践论的讨论。中国哲学主要是由“诚”“成”进行追问而说开去，当然在过程中特别是后来也涉及“在”，由此实现关于本根论、致知论、践形论的讨论。

（二）造成不同特点的社会历史原因。

不同地域的民族，怎样来实现关于形而上的追问，毕竟有

① 见，张全新：《塑造论哲学导引》，人民出版社 1996 年版，第 8～10 页。

着重要的不同。形成各自哲学不同特点，有其社会历史基础。

关于古代各国民族向文明的过渡，马克思和恩格斯所进行的大量历史研究涉及到它们之中有不同的类型。马克思在1857—1858年的《经济学手稿》中曾涉及过三种形态：其一是东方的如亚细亚的形态；其二是古希腊和罗马的形态；此外还有日耳曼的形态。[①] 恩格斯在《反杜林论》里涉及这方面问题时实际上把日耳曼的形态的特点概括于第二类之中，从而主要归结为两条。这基本上概括了西方和东方文明开端的历史类型，或者可以认为，这两种类型是较为典型的极端情况，其他的可看作两大类型的中间的或复杂化了的情况，两大形态的特征在其中或兼而有之或偏重这面或偏重那面。

造成这种不同，有其深刻的原因：

1. 延伸说，有地域环境方面的因素。

在第一种类型中，作为东方文化代表的中国文化，诞生于东亚大陆。这里东面濒临茫茫沧海，西北横亘漫漫戈壁，西南耸立着作为世界屋脊的高原。这是一种一面临海，其他三面陆路交通不便利，而内部回旋余地又相当于开阔的环境，造成了一种与外部世界相对隔离的状态。中华民族的祖先主要繁衍生息在黄河流域的华北平原和黄土高原。平坦的地势、温暖的气候、充沛的水源、茂密的丛林等，很适宜农业的发展。而东部濒临太平洋，就远古的航海能力讲，附近缺少近距离的海上邻国，西北和西南又为沙漠和高原所阻，因此无论海上通商还是陆路贸易都十分困难。这样的地理环境立于农耕，很容易使农业在生活中成为主要的生产方式。中国人很早就从主要以采集生果实为生进入到主要以耕种农业为生的阶段。上古传说的三

① 马克思：《政治经济学批判》，《马克思恩格斯全集》第46卷上，人民出版社1979年版，第472～482页。

皇，其中的神农氏就是因“教民耕农故号曰神农”。在当时，黄河流域已是个独特的农耕中心，这里已培育出适应黄土高原的自然农作物——稷，即小米。被周人尊为始祖的弃，传说很小就已懂得选择适当的土地进行耕种，故其名以农作物称谓，叫作后稷。可推知，早在6～7千年以前，中国的农业就很发达了。这种与外界相对隔绝的地域中的农业生活，易于保存古代基于血缘关系的氏族制度；人们之间的联系比较稳定，易于形成注重人伦关系的习惯。在以合作农业为主要基础的经济发展中，由于以血缘宗教为基本单位，常使人们更加注意以自身克制为起点进而求得家族和谐，求得社会的和谐安宁。古代的农业生产主要依赖于土地和风调雨顺，对制造技术要求并不高，因而在思维方式上往往偏重于天人关系的整体思维，不注重对自然界的东西加以分解再组合。

在第二种类型中，作为西方哲学之发端的古希腊，位于地中海之滨。从西面的直布罗陀海峡到东面的黑海，到处都有希腊统割的人口居住地，直至与希腊本土隔海相望并通过爱琴海岛屿相连的小亚细亚西海岸，形成了希腊的诸多城市。整个地区除北部外，没有一个地点离海达50公里以上。全境山岭延绵，群山把各地分成小块，内陆交通阻塞，耕地有限，加之气候恶劣多变，决定了希腊人并不主要以农耕为主。而爱琴海港湾众多，海岛星罗棋布，利于海上贸易，造成希腊民族一开始就是一个以从事航海业为主的民族。因为这时水上交通比陆地上的交通要容易，特别是希腊国土支离破碎的地形，再加上希腊的山谷地形也大都是面向大海而开放的，这势必使居民充分注意到海洋的作用。这往往使人日趋重视交换贸易，并为开发而竞争、冒险。在希腊远古的神话传说中就有很多关于航海的记载；文学作品中，《荷马史诗》特别是《奥德赛》对此有生动的写照。重于航海为生比重于农耕为生更易于引发人们对于制造业的兴趣，注重对于其所面对的东西加以分解再组合，这为人们较重视技术理性造成基础。

2. 更要说，有社会关系方面的因素。

在第一种类型中，基本点在于，所形成的阶级所有制，在形式上几乎没有对原来的氏族土地公有制作任何改变，氏族土地公有制“跟这种形式完全不矛盾”①；因而，长期在各种社会关系和制度上，几乎少有在形式上发生重大的变化。古代中国大体属于这种情况。

这种形态的基础是作为诸部落的许多小的共同体，相当于某种意义上的公社，每个小共同体在自己十分狭小的范围内实现着农业和手工业的分工和结合。简单地再生产出其物质生活和社会关系，自给自足，难得改变；生活和生产几乎同远古一样，年复一年地继续着，呈现一种少有大变动的渐变状态。在这些小的共同体之上，那代表着全部落的社会统一体，便是天然的最高的唯一的所有者。但是，实际上这社会统一体的公共职能是由少数人保持的。君主、贵族们由于掌管着全社会的公共事务和神圣的祭祀事务，就成了全部土地和民众的最高所有者，成了社会的主宰。正如马克思所说，“在大多数亚细亚的基本形式中，凌驾于所有这一切小的共同体之上的总合的统一体表现为更高的所有者或唯一所有者，……并且是公共财产的真正前提，所以统一体本身能够表现为一种凌驾于这许多实际的单个共同体之上的特殊东西，而在这些单个的共同体中，每一个单个的人事实上失去了财产，或者说，财产……对这单个的人来说是间接的财产，因为这种财产，是由作为这许多共同体之父的专制君主所体现的统一总体，通过这些单个的公社而赐

① 马克思：《政治经济学批判》，《马克思恩格斯全集》第46卷上，人民出版社1979年版，第473页。

予他的。因此剩余产品……不言而喻地属于这个最高的统一体”。[①] 在东方专制制度下，剩余劳动表现为各种贡赋，以及确立统一体而共同完成的巨大工程上，有的是为了颂扬现实的专制君主，有的是为了颂扬想象的部落统一主宰即神。

由于以上情况，在这种过渡类型里，从原始社会变成奴隶制社会，在国家建立的时候，基本没挣断原来的氏族血缘关系；后形成宗法氏族占主导的状况。如中国殷周时期出现的宗法制度，保护着氏族关系的血缘纽带。所以原先氏族制度的血缘关系所形成的人们的自然纽带，在形式上非但没有遭到破坏和改变，反而由于对统治者的维护使之更加强化了。由于原始社会末期没有出现土地私有和发达的工商业、高利贷经济，直到奴隶社会鼎盛时代的西周，也基本上是“溥天之下，莫非王土；率土之滨，莫非王臣”的君主贵族们占有生产资料的生产关系。

侯外庐等学者的《中国思想通史》对中国殷、周社会各个方面作了这样的概括：“土地所有制是氏族贵族的公有（国有），国家是‘宗子维城’的统治阶级的工具，政治是‘宗法政治’的专制，法律是宗教礼的专制形式，因而在思想方面，便成为‘学在官府’，只有贵族文化，而无民间私学”。[②] 因为这样，在这种类型的文明演进过程中，没有形成像古希腊那样大量出现自由民的城邦经济政治，没有出现古代希腊、罗马那样势力强大的平民及其反对贵族的斗争，更没有像提秀斯、梭伦和克利斯提尼那样的变法，而是由氏族贵族变来的奴隶主贵族控制着政权。在哲学的产生过程中，也就没像古希腊那样出现大量非统治者（自由民）走向对自然对自由思考的学说，产生由自然

① 马克思：《政治经济学批判》，《马克思恩格斯全集》第46卷上，人民出版社1979年版，第473页。

② 侯外庐等：《中国思想通史》第1卷，人民出版社1957年，第80页。

本身去寻求万物根本原因的学说，而大量的却是产生了与社会主宰或社会统治者直接相关的天对人统治的理论。当然这种天人理论的产生最初也与原始神话的演变密切联系。

在第二种类型中，如古希腊，作为原始部落动荡变化的产物，虽然"也要以共同体作为第一个前提，但不像第一种情况下那样：共同体是实体，而个人则只不过是实体的附属物，或者是实体的纯粹天然的组成部分。这种第二种形式不是把土地作为自己的基础，而是把城市即已经建立起来的农村居民（土地所有者）的居住地（中心地点）作为自己的基础。在这里，耕地表现为城市的领土；不像在第一种形式中那样村庄表现为土地的单纯附属物"。[①] 在这里出现了这样的私有制的情况："公社财产——作为国有的财产，公有地——在这里是和私有财产分开的。在这里，单个人的财产不像在第一种情况下那样，本身直接就是公社财产"；如果说，"在第一种情况下"，个人只是共同体的附属物，而公社是土地的附属物，都是以氏族的关系联结在一起，"单个人的财产并不是同公社分开的个人的财产，相反，个人只不过是公开财产的占有者"；那么，"在第二种情况下"，由于有了个人的财产形式，成员之间的关系，就同第一种类型大不相同了；如同马克思所说，"公社成员的身分在这里依旧是占有土地的前提，但作为公社成员，每一个单个的人又是私有者"。[②]

由古希腊来说，当考虑到沿海许多居民所进行的日益增多的海上贸易，显然其自由度比起东方农耕类型为主的生产方式

---

① 马克思：《政治经济学批判》，《马克思恩格斯全集》第 46 卷上，人民出版社 1979 年版，第 474～475 页。

② 马克思：《政治经济学批判》，《马克思恩格斯全集》第 46 卷上，人民出版社 1979 年版，第 475～476 页。

来说要大得多。赫西阿法在《工作与时令》里描写了这种人：氏族部落或城邦已经以自由民的经营为基础。这些人有时还能买来一个或几个奴隶到家里；他们从事航海业、农业、畜牧业，以及商业。社会还逐步产生了专门的手工匠和商人。因此，这些私有的公社成员便形成后来作为自由公民的希腊人的前身。他们已经是某种程度的自由民了。

3. 直接说，有文化传统方面的因素。

就人类早期的原始观念的主要特征来说，重要的在于接近直观的整体性，对于人与外物、主体与客体还没能作出真正的区分。一切现象在其看来只有一种“互渗”的关系。人们塑造出某些东西，而由于各种感性现象中有一种神秘的力量在起作用，因此产生天然的崇拜和敬畏。这突出地表现在诸如图腾崇拜之类的原始迷信活动中。这里的重要特点之一便是拟人化的自然观，即把万物看成是同人一样的能行动、能生殖、有生命、有意志的东西。形成一系列人格神，以致由诸多人格神集中于几个、甚至一个神的身上。据考古学的发现，人类的宗教观念大约产生于旧石器时代的晚期。这一时期，人类的思维能力还只处在低级阶段，观念仅是对自然界的朦胧意识，只能模糊地知道人类与自然界之间的对立。在观念上真正实现把人类自身同自然界区分开，是在后来逐步达到的。

从古希腊神话情况来看，较早产生的是创世神话。在创世神话中，人并没有被当作主要的思考对象，主要思考的往往是物的构成和本原开端问题。关于“人我”的思想观念或者是尚未诞生，或者是还处于尚未成形的状态之中。等到神话涉及到人类自身的产生、痛苦、灾难之时，则已进入了英雄神话。在此过程中形成的人和自然的关系，人是站在自然面前，站在自然界之外。这种情况表现在当时的一系列思想观念之中。例如，关于天空中的星座，古希腊人称谓的星座有 48 个，其中的 3/4

以动物和器皿命名。所以天文学中的希腊体系素有“空中动物园”之称。这表现了古希腊人着眼于外部世界，表现出在自然面前的自信与骄傲。其中也包含着对自然界的关心和把握自然界的炽烈愿望。

而在中国的原始神话中，创世神话的地位显得并不十分重要，而且产生也比较晚。据史书记载，中国远古较为突出的倒是关于“帝”和“神”的神话。这里的帝和神往往是祖先或首领的化身。大家普遍认为，殷代的“帝”是全族先神。在中国远古，人们的祖先崇拜和天神观是合二为一的。敬祖宗成为氏族存在和繁衍的保障，因而成为最好的道德。然而随着人们从拟人的自然观中走出来，当逐步把人之外的不以人为转移的自然力量看作是与人不一样的物在物成，远古的中国人并不把它理解为像古希腊人所理解的那种“自然”，而是把它叫作“天”。《尚书·舜典》说：舜“在璇玑玉衡，以齐七政。肆类于上帝，禋于六宗，望于山川，遍于群神”。马融注道：“上帝太已神，在紫微宫，天之最尊者”。有人推测，大概在舜以前人们就已经考虑帝在“天”中的地位问题。据文字学家考证，“天”字和“人”字在商代的甲骨文中已有，“天”字的本来意义是人的头部。可见，天本来就是和人分不开的。而这时它们又要分开。在此便首先表现成了“最尊者”与“天”的分和合的问题。于是“帝”升到了天上，或称之为“天帝”。“最尊者”既与“天”相分，又与“天”相配。这里已涉及到主体与客体的分开与相合的问题。在《大雅》中有篇《文王之什文王章》，在祭祀文王的诗中就讲到：“文王在上，於昭于天。周虽旧邦，其命维新。有周不显，帝命不时。文王陟降，在帝左右”。其中天授王权的思想是很明显的；但是天帝显然又是与文王分开的，同时又强调文王须与之相配。之所以分开了又强调相配，是因为天授王权之说有一个漏洞：既然都是由天授命为什么周要灭商？关键是能否以德配天。这里实际上已涉及到与“天”分离了的主体又要与之符合的问题。强调以德配天，既显示了此时人们已把“人”与“天”分开，又显示了周人的思想中“天”的地位已确立起来，而这又不是对作为祖先神的“帝”的否定，而是对“帝”的改良。这可认为是一种“维新”，之所以情况如此，是适应当时社会的发展而产生的。周人在“小邦”的基础上建立了王朝，却保存了以往的氏族组织，其新内容是“宗子维新”的古代制。这成为中国古代史的一个关键，后来的许多典章文化和思想观念都与此有关。可见，当中国远古的思想观念从拟人的自然观走出来的时候，与主体分开的并不是古希腊人所理解意义上的“自然”，而是有其特定含义的“天”。这种“天”从某种意义上说也有自然的含义，但与其说是自然界的自然，不如说是作为社会的自然。这里，人不是站在它面前，而是处于它之内。对这种与主体分开了的客体的描述本身就带有很重的道德伦理意义。这表现在许多文化观念之中。例如，在中国的天文体系中大部分是以人或者官职命名；后来形成的医学体系也多以社会机构作比附；五行说的要素用自然物质形态命名却仍是多用人的关系来说明它们的关系。①

由此可见，由地理环境、社会关系、原始观念方面的因素，影响着文化人类在不同地域上是有其各自走向文明之特点的。而这种文化人类尽管是初始的人类，它们又总是塑造着自己的人类文化。这样，在各自进行哲学思考时，首先抓住的“上手之物”有所差异，在从这显意识“上手之物”进行哲学追问时，其视角表现出很大的区别。②

① 见，张全新：《中西哲学方法史研究》，中国人事出版社 1996 年版，第 70 页。

② 参见，张全新：《塑造论哲学导引》，人民出版社 1996 年版，第 63～71 页。

在比较中，塑造论哲学认为：西方形成的欧洲哲学更多地由“‘是’‘在’”关注逻辑理论何以真的问题；东方形成的中国哲学更多地由“‘诚’‘成’”关注伦理道德何以善的问题。西方欧洲哲学以讨论逻辑理论真为切入点，往往多纠结于知识论的问题，由此注重指向思的智力，进而在哲学体系中直接延伸于技术论再连带美学及伦理学；东方中国哲学以伦理道德善为切入点，往往多纠结于人事论的问题，由此注重指向心的定力，进而在哲学体系中延伸于美学再连带逻辑学及技术论。整体说，西方欧洲哲学由主要关注存在（是）与实在，来探究形而上与形而下；东方中国哲学由主要关心诚（成）与成就，来探究形而上与形而下。这形成了西方欧洲哲学与东方中国哲学所不同而又互补的主要特点。这应成为东西方哲沟通交融的重要焦点。

（三）塑造论哲学基于明确东西方哲学的特点，抓住其突出方面在交融中使之互补，努力形成一种交汇点上的哲学体系。

实际上，东西方哲学在历史上一直有着互相交流相互交融。

通常论述西方哲学，往往从古希腊哲学讲起。的确，古希腊哲学向西发展，形成了西方欧洲哲学的鲜明特点。但古希腊时期的许多哲学思想最初又是在偏于东方的地域上长出。暂不论古希腊文字是在腓尼文字影响下形成的，也暂不论作为古希腊哲学最早学派发祥地的米利都是亚洲大陆小亚细亚临地中海的一个城邦，就连古希腊最早的许多哲学家也是多出生或早年活动于东方的土地上。如泰利士、德谟克利、赫拉克利特、毕达哥拉斯、克赛诺芬尼、阿那克萨戈拉等。正如有人考证，从这些人的思想中可以看出许多东方文化传统的影响。总之，古代的希腊人与古老的东方文化交流非常频繁，而且他们的许多文明基础是从东方文化中吸收进的；但是，在一些决定性的时刻，他们并没被东方古国的文明的征服。历史表明，古希腊哲学产生后对西方发生的影响，比对东方发生的影响大得多。古希腊哲学后有古罗马哲学再到中世纪哲学以至近现代哲学，直接影响着欧洲哲学的传统。所以说，古希腊哲学是西方哲学的开端，是其童年。[①]

从完整的意义上说，论述东方哲学不能只论及中国哲学，与古中国哲学同样十分远古的还有古印度、古埃及以及周围的哲学，有后来发展起来的远东、东南亚等地区的种种哲学等等。而在这当中尤其以中国哲学，有着东方哲学典型性；当然也不排除印度、中东等地区的哲学；这些哲学对东方哲学的影响很大。而且东方的中国没像西方的欧洲那样分裂成种种的小地域国家，大一统占主导。所以在整个影响中，中国哲学是比较成系统且一贯的，是真正以哲学的方式影响大面积地域的哲学。中国与印度曾是并驾齐驱的文化区域。中国成为一个自成一体的世界，中国保留着丰厚的文化传承。在中国，老子（约公元前 609—前 517）的鼎盛时期大约在公元前 6 世纪中期，孔子（公元前 551—前 479 年）紧随其后。人们往往认为，老子的学说与印度《梵经》所言的教义有某种相仿之处。《梵经》认为，获得永恒的物我统一与解脱是人生的最高境界。要获得解脱就要亲证"梵""我"，使"我"和"梵"合成一种无差别境界。大约与老子、孔子同一时期，在印度出现了耆那教的创始人大雄（约公元前 599—前 527）以及之后不久的出现的佛教的创始人佛陀（约公元前 563—前 483）等。印度曾经是对于文化缺乏见诸文字的文献记载、保留的国度，而其后来的哲学影响曾主要体现于佛教的传播之中。如果暂不顾及现在的远东及东南亚地区中当地的部族之局部宗教的和习俗的信仰、传统，暂不顾及西亚的一些国家所信仰的伊斯兰教、基督教等等的复杂情况，

① 参见，张全新：《塑造论哲学导引》，人民出版社 1996 年版，第 74 页。

真正从哲学上看，成理论系统在东方产生重大影响的不外是两个方面：一是中国传统哲学，二是印度佛教哲学。当然不排除这些哲学在与各地域具体文化结合中发生种种演变和变形的情况，可总地说不外乎这些方面。中国哲学在发展中吸纳了从印度及附近地域所产生的佛教思想，所以介绍中国哲学就一定要涉及佛教思想；这样印度佛教的基本哲学思想是容纳于其中的，基本的哲学特征也是体现于其中的。虽然也不排除在儒道释相互影响、结合乃至合流中的变形，但中国哲学在哲学追问上具有东方哲学的代表性是不可否认的。而另外看到的是，在宗教文化方面，基督教对西方产生了很大影响，后来在世界各地散播；佛教在东方产生了很大影响，后来在世界各地散播；伊斯兰教主要生长于东西方交接的中东，与西方基督教、与东方佛教，在交融中渗透，后来在世界其他地域散播；如此等等。① 而总起来说，解析东西方哲学的基本特征，可主要抓住西方的欧洲哲学和东方的中国哲学，这最具有典型性。

以上可见，东西方哲学总是既有区别又有联系，而这种联系的真正实现，又以各自的充分发育为历史基础。

无论西方哲学，还是东方哲学，作为哲学，都有关于形而上的追问，都在实现形而上与形而下统一中作出自己的贡献。过去人们往往盲目地对东西方哲学作出优与劣的断定，要么只讲西方哲学文化的优越性，要么只讲东方哲学文化的优越性。还有的对于东西方哲学的各自特点，并没有也不去抓住实质性的关键；例如费尔巴哈讲：“东方人见到统一而忽略了差异，西方人则见到差异而遗忘了统一”。② 塑造论哲学则认为，西方哲

① 参见，张全新：《塑造论哲学导引》，人民出版社 1996 年版，第 74～75 页。

② 费尔巴哈：《黑格尔哲学批判》，《费巴尔哈哲学著作选集》（上），三联书店 1962 年版，第 45 页。

学，主要由“是”“在”追问形而上而进行统摄形而下的体系建构、中国哲学主要由“‘诚’‘成’”追问形而上而进行统摄形而下的体系建构；基于此，强调东西方哲学既有各自文化特色和发展道路的差异性，又在各自追问贡献和互相交溶中有在哲学追问形而上方面实现融合的可能性；基于此，努力使东西方哲学融为一体，建构起塑造论哲学体系。塑造论哲学把对哲学史上真正可称得上是认真研究了而提出的学说的容纳程度作为哲学理论体系是否有成就的标尺；在塑造论哲学看来，无论在西方哲学史上还是在东方哲学史上，可称得上有建树的哲学体系，都成为形成塑造论哲学所要经历的哲学方法的实现环节，有合理内容的哲学体系都从不同角度在不同层面上成为塑造论哲学体系的组成部分。①

塑造论哲学，延续着整个哲学史，体现着东西方哲学历史上哲学研究重心的转移，生长于东西方哲学的交汇点上，从而在东西方哲学的比较中实现二者沟通。

人们总是力求说明东西方哲学的相互联系及互相融合。过去人们对于东西方哲学的比较，往往只是把东西方各哲学学派之间的思想观点孤立地简单加以对照；甚至只在一些枝节的问题上比较异同；或只以西方哲学为主架或局限于中国哲学，使之一方纳入另一方；因而很难实现东西方哲学的真正沟通。塑造论哲学的著作进行东西方比较，注重围绕对“形而上”的追问及关于形而上形而下关系的论述，比较东西方哲学的异同。从而找到东西方哲学的交汇点，即能真正实现东西方哲学互相联系及相互融合的交汇点，从而实现对东西方哲学的真正

① 参见，张全新：《塑造论哲学导引》，人民出版社 1996 年版，第 59～60 页。

沟通。[①]

总之，本人提出塑造论哲学，重要在于，明确东西方哲学的特点、抓住其突出方面而使之互补，形成一种交汇点上的哲学。于此塑造论哲学特别通过强调：西方思想中，"是""在""有"一直是关注的中心而形成一系列哲学体系的演进；中国思想史中，"诚""成""信"一直是关注的中心而形成一系列哲学体系的演讲。塑造论哲学基于明确东西方哲学的特点而努力使之互补，在东西方哲学交融中确立起使"是""在""有"和"诚""成""信"统一起来的哲学。

① 参见，唐明贵：《塑造论哲学与中国哲学的重新解读》，新华出版社 2007 年版。

第二十二章　由“塑造之物”追问“是”“在”“诚”“成”

第一节　“塑造之物”与“第一立论”

一、“塑造”与“塑造之物”

基于以上哲学背景，更为解决好哲学对象方法体系的难题，塑造论哲学既不笼统地讲要诉诸于对于外物之感知，也不笼统地讲要诉诸于对内心之反省，而是力求找到一种自然之光和人类之光都投射其中的东西，把它作为既可向外去感知又能由其向内去省悟的“着手之处”或“上手之物”。对此，以塑造论哲学的表述来说：它是“自然塑造人”和“人塑造自然”的结晶。这样，“塑造之物”成为哲学要避免对象性难题而切入对象的首当“着手之处”；这样，由其中涉及的“‘是’‘在’”“‘诚’‘成’”，解决好哲学方法及体系的难题。

在塑造论哲学体系看来：自然塑造人，是自然向人的发出；作为能实践的人，其衍生是自然向人发出的。在“自然塑造人”的过程中，实践的人“被文化”，才形成“文化人类”。人塑造自然，是人向自然的发出；作为得以衍生的人，其实践是人向自然发出的。在“人塑造自然”的过程中，衍生的人“去文化”，才形成“人类文化”。这实质上又是在讲，人既是“被文化"的，又是"去文化"的。这被概括为"塑造"。对塑造论哲学讲的"塑造"，如果粗略地体会，关涉的就是这两个方向的发生。

按通常的惯例，对"塑造"这个概念应当凝括地给出一个规范而又明确的定义。这要在深入而又广泛的研究中才能实现。如果急于给出一句话或几句话的定义，简单讲，可否这样："塑造"，是人或"人在""人成"与自然或"物在""物成"所形成的一种作为自然的"存在"和作为人的"至诚"之间，相互"有成"或"构成"的关系。

"塑造"这个词的含义与"造成""制造""制作"以及"雕塑""塑成"等等的词汇有相近或相衔接之处，但这些词又不能与塑造论哲学中作为重要概念的"塑造"相等同。因为，塑造论哲学中的"塑造"一定要从自然塑造人和人塑造自然两个方向看过去，从"文化人类"和"人类文化"的"构成"或"有成"两个方向看过去，从人既是"被文化"的又是"去文化"的两个角度看过去。塑造和实践接近，要强调的是：实践是塑造，而实践主要指向的是社会的人向自然的发出，主要指在社会的人塑造自然过程中的实践；"塑造"包括"实践"，而同时又强调着自然向社会的人的发出，重视在自然塑造中形成的社会的人的衍生。这里，对于人的"实践"应十分强调这是基于人"衍生"的"实践"；对于人的"衍生"应十分强调这是基于人"实践"的"衍生"。其中含义综合起来，便是"塑造"。这形成着自然塑造人和人塑造自然的双向构成或有成的关系，这才是"塑造"。

有人会问到塑造论哲学中的"塑造"相当于通行的外文什么词，如相当于英文的什么词。关于这个问题，应当认为，作为提出塑造论哲学的《塑造论哲学导引》等著作文本（text）是中文的，正是这个中文的文本表达着塑造论哲学，建构着塑造论哲学的范畴体系。

这里涉及到一些思想方法问题。塑造论哲学吸取当代解释学等学说的一些观点表明，哲学以语言来表达，而且这是用一个语言系统来呈现的。这形成着“文本”或“本文”，人们总是面对并沿着这“文本”或“本文”来从事进一步的哲学追问和论证。尽管就哲学来讲都在追问形而上，但构成哲学体系时会出现以不同语言写出或说出的范畴体系。人们可以在对话中相互沟通、容纳，但并不一定每个范畴、概念都得在不同语言中找到完全对应的词汇。如果死抱着那种以中文写哲学非得找西文词汇来直接对应其中每个范畴表达的想法，本身就很难形成真正用自己语言写出来又能与世界沟通的好的哲学体系。

正如外国哲学家写作其哲学著作，当用他们的语言来表达、构成范畴体系时，并不首先想到相当于中文什么词一样；我们用中文写作哲学著作时，也并不一定非得首先考虑到相当于外国语言中的什么词。只是在相互翻译或解读时，才着重考虑对应于什么词以及怎样解释，能更接近、更准确。然而，不同语言之间的翻译或解读，对于有些词往往难以找到完全相吻合而相对应的词来表达。

例如，在中国思想史上，对于“诚”与“成”，诸思想家有其特有的概念内涵外延和使用处理。另外关于“道”、关于“理”、关于“气”、关于“心”，等等，也都有其特有内涵外延和使用处理。正因为这样，当在与外文中难以找到现成的词汇相互对译，往往以拼音来解决。例如，一些文献在翻译中国传统哲学老子书中的“道”，就很难在西文中找到相应的词而贴切地与之对译；所以西方很多著作只得采取音译，用“Dao”来表示。“诚”“成”以及“气”、“理”等等也可如此。同样，我们在把外国哲学中的一些哲学概念翻译成中文时也有类似情况。如“逻各斯”就只是音译；再如“隐得来希”，再如“利比多”，再如“格式塔”等等，都是很难在中文中找到十分贴切的词来等同互译的，所以采取音译，对此介绍时要作出许多它在其体系中确切含义的解释。另例如“实践”这个词，很显然的是：西文中的“practice”与作为中国传统哲学中以本土语言写出的“实践”，毕竟并不完全是一回事，是经过反复解释才使“实践”有了现在的含义。

如果一定要为翻译来找一下别国大体与“塑造”相应的词汇，在英文中可由粗略体会，找出以下几个词与塑造论哲学中的“塑造”一词相接近，如 portray，model，mould 等。这里的 portray 带有描绘、生动地描写、以形象扮演或饰演某种角色之意。这些意思是塑造论哲学中的“塑造”其中之义，但概括力似乎还不够充分。这里的 model 作为名词有模型、模样、模特等等的意思；作为动词则带有制作某种模型，以及模仿、仿效、作模特之意。用此词与塑造论哲学中的“塑造”对应，也显得不够贴切。关于 mould，最初带有铸模即以模子压成或制成什么东西的意思，同时由其可表达用什么造型，还可引喻为形成或塑造一个人的性格等等。另外，这词往往可表示软松的泥土、沃土，再就是可意指发霉、发散。这些含义是偏于形而下的。而哲学上许多表达形而上之义的词，是由形而下含义之词向形而上提升的。此词与塑造论哲学中，作为在形而下向形而上提升中，所表达的：既有人塑造自然形成什么，也有自然塑造人生成什么，以及在塑造中既有飨成人的方面还有不飨成人的方面等等的丰富含义，更接近些。

然而还是前面讲到的，这里要说的只是，作为外文翻译理解，可以用此词作为引子。必须明确，塑造论哲学中的“塑造”是以中文写成的哲学，其范畴体系之中的一个重要的基本范畴。书中是中文的“塑造”，别的词难以代替之。不一定非得找出某个外文词与之完完全全等同或一致。[①]

重要的是，正如对“‘是’‘在’”“‘诚’‘成’”可以作出形而上的追问，而其在生活语言中大多处于形而下的境遇中；在西方语言中，“是”“在”同时与“有”互译，带有“有”的意思；在中国语言中，“诚”“成”同时讲“诚者‘信’也，‘信’者诚也”，本身就是“信”；由其作出形而上的追问，在于探求“‘是’‘在’”“‘诚’‘成’”的必然性是何以可能的。在塑造论哲学体系中，当把“塑造”提升为关于形而上追问的范畴，并没否定其“经验”意义，可由此指谓具体操作上的“制造”、“塑型”，在塑造中“是在有”、在塑造中“诚成信”等等；同时又提取其中的形而上意义，使之形而上学化，强调其指向形而上的“‘是’‘在’”“‘诚’‘成’”。这其中使“存在唯在于其是”“诚自成”的潜意识一面，与“存在者成就”、“诚者实在”的显意识一面，相互映照、互相对待；从而将其哲学的和科学的意义揭示出来，在“形而上为之道”“形而下为之器”的相互对待中，使“塑造”得以在塑造论哲学中确立起来。只有研究、了解整个塑造论哲学体系，才能对“塑造”这个在塑造论哲学中的基本概念范畴，作出准确把握。

二、“塑造之物”与“文化”

塑造论哲学确立“塑造之物”，重要在于面对塑造论哲学所揭示的哲学对象方法体系难题。在塑造论哲学看来，哲学的很大难题在于：怎样才能把握住完全的对象。如果把思考者自身只作为“去思考者”来看待，会因为思考者自身又是整个世界的一部分，在进行哲学思考时把此只划为“去”的而不划为

① 参见，潘立玉：《塑造论哲学研究》，山东人民出版社 1999 年版，第 58～61 页。

"被"的，即站在"至大无外"之外研究"至大无外"，那就变为了"至大有外"，那"被思考者"就成为不完全的，确立不起完整意义上的哲学对象。而如果把思考者自身也作为"被思考者"，又形成了用自已的思考去思考自已的思考，难又难再如何使"去思考者"本身获得处于本身思考之外的"被思考者"的地位，也就是说，要把握完全的哲学对象又有个如何使思维意识主体的思维意识本身得以对象化的问题。

正是基于这样的分析，《塑造论哲学导引》讲到，实现哲学难题的解决，关键在于找到一种"自然之光"和"人类之光"都投射其中的东西，把它作为既可向外感知又能由其向内去省悟的"着手之处"或"上手之物"。这就是塑造论哲学所说的"塑造之物"。因为"塑造之物"既是在自然塑造人中所积淀于人的普遍必然性的外化，又是在人塑造自然中人所加入自然的。自然塑造人，是自然的"出窍"；人塑造自然，是意识的"出窍"。而意识一旦"出窍"这个被塑造之物和去塑造之我就构成了对象性关系，使意识处于了既去意识又被意识的地位，由此也就实现了主体的对象化。为了对哲学能够"上手"的"塑造之物"加以准确规定，塑造论哲学作了这样的表述：它是"自然塑造人"和"人塑造自然"的结晶，由此提出了"文化人类"和"人类文化"这两个概念，并指出："自然塑造人是自然向人的发出，人的衍生是自然向人的发出；人塑造自然是人向自然的发出，人的实践是人向自然的发出"；在"人塑造自然"和"自然塑造人"的过程中，人既是"被文化"的又是"去文化"的。在"人塑造自然"的过程中，实践的人"被文化"，才形成"文化人类"；在"人塑造自然"的过程中，衍生的人"去文化"，才形成"人类文化"。文化不一定是文明，而文明一定是文化。"文化是自然塑造人与人塑造自然的交汇点，这形成着人的塑造之物（我塑之物，人我塑造之物，社会塑造之物）"。这样《塑造论哲学导引》一方面对向来被人们称为难以定义的文化概念给出了一个适应性很强的定义，又将其纳入哲学元问题之中，由此确定人与自然如何成为哲学上的主体与客体，并真正构成统一于形而上与形而下的主客体关系。

塑造论哲学由人既是“被文化”的又是“去文化”的，强调文化人类是自然对人塑造的产物，人类文化是人对自然塑造的产物。基于自然塑造人和人塑造自然，在交织的意义上全面地说，在衍生中才有实践的人，在实践中才有人的衍生；在衍生中才有人的实践，在实践中才有衍生的人。于是，在自然的历史前提下出现着人的历史，在历史的自然结果中出现着历史的人。自然衍生之光和人类实践之光聚焦于“塑造”，文化是自然塑造人与人塑造自然的交汇点。这形成着人的塑造之物（我塑之物、人我塑造之物、社会塑造之物）。它是人为（wéi）的，它是为（wèi）人的。它是人为（wéi）的自然，它是自然的为（wèi）人。文化人类和人类文化是对立统一的，互为对待，有反思关系，既可在二律背反中冲撞起来，也可在相互协调中达到和谐。

这样，“文化”其结晶于“塑造之物”，成为“文化人类”和“人类文化”既对立又统一的显现；这是“身在”“身成”的延伸、“心在”“心成”的显示，这是“物在”“物成”的展新；这既是“‘在’‘是’”“‘成’‘诚’”的延续，又是“‘诚’‘成’”“‘是’‘在’”的呈现。“文化”既是在自然对人塑造中自然成为人的标志；也是在人对自然塑造中人成为自然的痕迹。在这上面既投射着自然之光也投射着人类之光，二者在结晶体上闪烁，又合汇在一起。这既是“自然之镜”，又是“人之镜”，是“人与自然之镜”。以此为镜，返照着人之“心”与自然之“物”，从中映照着“镜中之自然”和“镜中之人”，看到“镜中之人与自然”。这就可以看出一个光谱系列，从而映照出普遍的必然的存在和成，映照出关于“物”的“‘是’‘在’”形而上、关于“心”的“‘成’‘诚’”形而上，形成形而下与形而上关系的辉映相照，由此确立人与自然如何成为哲学上的主体和客体，并真正构成统一于形而上与形而下的主客体关系。总之，文化作为塑造的“结晶”；在结晶处看，“塑造”中的文化是人与自然作为哲学上的主客体关系得以确立的根据。塑造论的研究重心就在于以塑造论哲学方法在塑造论中回答人与自然社会的主客体协调、和谐是何以确立起来的，从而在对形而上的追问中给出形而上与形而下关系的进一步说明。[①]

三、“塑造论哲学”的“第一立论”

基于以上哲学之见解，塑造论哲学提出的“第一立论”是，“我塑故我塑之物和我‘在’‘成’”；与之相映照的命题是，“塑我故我和塑我之物‘成’‘在’”。笛卡尔哲学把“Cogio，ergo sum”作为其哲学的“第一条原理”；强调，可以怀疑一切，什么都可怀疑，而“我思故我在（是）”是无可怀疑的；这是只面对外在感知证明不了必然性逼出来的，因而内缩到以“思”本身来证明必然性。王阳明哲学讲“成大”“成小”“诚是心之本体”；强调“心外无理，心外无事”，“提出诚意来正是学向大头脑处”；这是面对外在格物证明不了必然性逼出来的，因而内缩到以“心”本身来证明必然性。

塑造论哲学把“我塑之物”与“是（在）”“成（诚）”联系起来，提出“我塑故我塑之物和我在成”，将此作为“第一立论”；既不只诉诸于外在感知、外在格物来证明必然性，也不只内缩到以内在的“思”、内在的“心”来证明必然性，而是以

① 参见，张全新：《塑造论哲学导引》，人民出版社 1996 年版，第 7～8 页。

“塑造之物”来证明必然性。[①]

第二节　基于“塑造之物”的“分阶映照”

一、关于“意识”的分阶

塑造论哲学强调，有“塑造之物”才有所谓“意识”。这是因为，人的意识之所以成其为意识，关键在基于塑造之物的意识。没有人的塑造之物，也就无所谓意识。这里，带有根本标志性的是，内涵着“实践”和“衍生”的“塑造”。

作为“意识”，可解析出“潜意识”和“显意识”的区分。没有显意识也就谈不上潜意识，没有潜意识也就无所谓显意识。意识是潜意识显意识的统一。

由作为潜意识显意识统一的意识为中心点向两端延伸，一端指向“无意识”；而说出个无意识是就意识而言，没有意识也就提不出无意识。没有意识观照过去的所谓无意识是无所谓的，即无可言说的。另一端指向“超意识”，超意识是潜意识显意识在对立中达到统一、达到同一，实现对意识的超越。“超意识”往往呈现出似乎不去意识的状态，似乎与“无意识”汇为一流；出现“超意识”状态，就“有意识”与“无意识”的“有”“无”来讲，其间往往看不出区别，而其间又是有根本区别的。

这样，塑造论哲学基于“塑造之物”，围绕“意识”，区分出：基于科学的“无意识－潜意识－显意识－超意识”，映照哲学的“超意识－显意识－潜意识－无意识”。

---

① 参见，张全新：《塑造论哲学导引》，人民出版社1996年版，第10页。

二、关于“分阶映照”

（一）塑造论哲学从其第一立论出发，形成了分阶映照方法。其中的枢纽是“显意识一潜意识”的相互映照。不论是显意识还是潜意识都基于“塑造之物”。正是由此塑造论哲学第一立论既定了“我塑”“塑我”，即什么都可怀疑而“我被塑造”“我在塑造”无可怀疑。这就出现了关于三个“在”的三个“成”：“塑物之我”、“我塑之物”、“塑我之物”。这里面，“塑物之我”与“塑我之物”处于两极，“塑造之物”连结这两极。这里有“两阶形而下”即“物在”“物成”、“身在”“身成”的“在成”形而下；这里指向着但而还尚未达到“人在”“成人”。这里有“两阶形而上”即“心在”“心成”、“存在”“至诚”的“诚是”形而上；这才达到真正意义上的“是人”“诚人”。综合起来，其均体现于“我塑之物”（“塑造之物”）；其中不仅内在着“‘是’‘在’”，而且内在着“‘诚’‘成’”。

塑造论哲学强调，从“塑我之物”到“塑物之我”，这是自然对人塑造形成文化人类的过程。这塑成的我既是“被塑的东西”又是“去塑的东西”。由“塑物之我”到“我塑之物”，这是人对自然塑造形成人类文化的过程。这“塑造之物”既是“塑成的东西”又是“塑着的东西”。

正是由“我塑之物”，才形成“塑物的我”与“塑我之物”的相互对待。当单纯写出“塑我之物”到“塑物之我”，大自然的塑我之物是塑造的主导方面，作为“塑物之我”的人是由此而成的。可这里的自然是并没被照亮的，人与其说是“被塑”或“去塑”之我，不如说就是自然。因为这里还谈不上有去意识的主体（这一切都是自在无意识的）。当不谈或者说没有那有意识的主体，也就谈不上把自然作为被反思的客体。也就是说，在都是自在无意识的意义上讲，自然和人的区别与联系是无所谓的。正因为这样，作为塑造论哲学的第一立论，并不从自然对人的塑造切入，而是首先强调：我塑故我塑之物和我在和成。也就是说，有“我塑”和“我塑之物”，我才“成”其为“在”。如果没有“我塑之物”人是否有意识是不能被明了的；就算是人潜在地有意识（人在自然塑造过程中形成了潜在所成的意识结构，即潜意识），那也只能在我塑之物中才能被显现出来，才能被对象化地加以证明。而且这我塑之物又是作为物的“在”“成”与大自然融汇在一起的，这成为人之主体和自然客体得以对象化的中介。总之，在“塑我之物”和“塑物之我”之间加进“我塑之物”，我的“在”和“成”才能被确立为去意识的“人在”“人成”至“人诚”“是人”的主体，世界才能被确立为被意识的“自然”即“物在”“物成”客体，人才被确立为具有“心在”“心成”的主体。自然与人才能反思地成为哲学所面对的带普遍必然性的“在”与“成”，才能作为有反思意识并超越了意识的哲学对象被确立起来。于是我们给出以下关系图示，这被塑造论哲学指认为内在着形而上与形而下而作为其中介的图式：

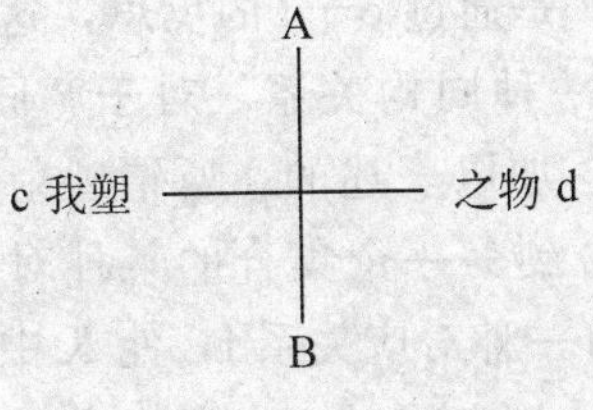

这里应注意到：关于中间的 c—d 既指向 A，又指向 B，或者说它是“向”着 AB 的。c—d 向 A，是趋向于并且趋近于 A（主体、心）极限状态的，也就是说 A 是 c—d 所趋向的极限。A 是其“边际”。c—d 向 B，是趋向于并且趋近于 B（客体、物）极限状态的，也就是说 B 是 c—d 所趋向的极限。B 是其“边际”。

由此可见，A与B之间或者说主体客体之间很难确定出绝对的严格界限。有c—d或者说有语言工具符号行为，才谈得上主体客体。A、B显现，便是c—d；没有c—d，A、B显现不了；甚至可以说没有c—d，也就无所谓A、B。

作为中介的“塑造之物”c—d是“有”意识或由意识所“成”的“人之所为”或“人为之物”。它是与A和B双面映照的，既可映现出（在自然塑造人的过程中形成的）人之主体意识A（在人塑造自然的过程中）所把握了的自然客体B；又能映现出（在人塑造自然过程中）去把握自然客体B的（在自然塑造人的过程中所形成的）人之意识主体A。要强调的是，塑造之物作为中介，它凝成形而下的晶体，而它又聚着形而上的光亮。

（二）哲学追求的是形而下与形而上的统一。在这里，形而上达到的是普遍必然性，形而下体现着这种普遍必然性。人去意识，追求形而下与形而上的统一，重要的是在A、c—d、B之间同构、同态、同规、同律关系中实现映照。

A与B的反思，是通过c—d的反思，这是一种映照，在这种映照中首先有着一种同构关系。对于“同构”，在数学语言中，是通过“映射”加以表述的。所谓映射，又叫函数，主要在于建立从一个集合到另一个集合的某种对应关系。设有集合X与Y，如果我们有一种对应关系f，使X中的每一个元素x都有Y中确定的元素y与之相对应，则这个对应关系f叫从X到Y的映射或叫从X到Y的函致。与x对应的Y内的元素y叫作x的像，而x则叫y的像源。这样，上述映射（或函数）可以表示成f：x→y；或写成XfY；以及y=f（x）。可见，映射是一种对应关系，是一种特定的对应关系。由此可以得到同构的定义：设（X，·）与（Y，*）是两个代数系统，它们各自的运算·

与 * 都是二元运算。如果存在一个一对一对应的映射 g：X→Y，使得，如果 x_1，x_2∈X，便有 g（x_1 * x_2）=g（x_1）*（x_2），则称 g 是一个从（X，·）到（Y，*）的同构映射，或称代数系统（X，·）与（Y，*）同构。可记为：（X，·）≃（Y，*）。同构映射要求 X 与 Y 的元素间是一对一对应，是 X 一对一映到 Y 上，即两方一对一，因此 X 与 Y 所含的元素的个数相等；并且同构映射特别要求保持像源元素间的运算关系与像元素间的运算关系的对应。“同构”，是近世代数学中常用的一个重要概念。通过这一概念旨在揭示，有些代数系统之间，虽然表面上似乎不相同，但它们实际在构造上是相同的。我们在本书里讲的同构，与代数学中的同构概念虽大体相仿，但它的含义要宽许多，我们是把它作为哲学概念来使用的，它泛指结构形式相同。从哲学上讲，结构和形式属同一系列的概念。用亚里士多德的解释说，形式是有别于质料而决定事物规定性的东西。不同的事物表现不同，但可以归结成相同的形式结构。这样，一个系统的结构可以用另外的系统表示出来。这种表示能通过映射建立起来。

在数学中同态是比同构宽泛的映射，它的定义只须把上述同构的定义中的“一对一对应的映射”改为包括如下一些映射：一是：一对一对应。X 一对一映到 Y 上，即两方一对一，要求两集合元素的个数相等，这是单射并满射，即同构。二是：一一对应。X 内不同元素映入 Y 后仍为不同元素，但不一定要求两集合的元素个数相等。这里不一定是满射，即 X 不一定映到 Y 上；还可以是内射，即 X 映到 Y 内。三是：多对一对应。X 对于 Y 来说，既可映到其上也可以映到其内，即不一定非得是满射，还可以是内射。在我们塑造论哲学的论述中也借用“同态”这个词，但与代数学中的“同态”并不具有完全同样的意义。这里借用着代数中“同态”带有推广了的“同构”（不限于一对一对应还可以多对一对应）的意义，还特别包含着在情绪、情感意义上的情势、态势的呼应，如此等等的意义涉及到，一个系统当忽略某层次的各个局部的细节构成时，其整体所呈现的粗框、粗略构成与另一个系统的整体或某部分的构成有某种对应关系。

另外同规、同律，更与规律有关，但又不等同于规律。所谓同规，主要指在规程上或程序上的统一，借它表示的是侧重于程序上的一致性。所谓同律，则主要指在规律上或律令上的统一，借它表示侧重于律令上的一致性①。

（三）我们应当强调，哲学的追问和确立离不开经验。但在塑造论哲学看来，哲学作为上手之物的东西首先不能认为是人们通常所谓的“非人为的自然”，而应认为是把人的行为处理及语言符号所呈现了的带有人为性质的东西作为首要的上手之处。这是坚持塑造论哲学方法的重要之点。

我们知道，哲学要讨论“是”“在”“诚”“成”，追问的是普遍的必然性。要实现于此，是否得从感性经验开始？在人们对那种只强调诉诸感知归纳的经验论观点看出问题之后，许多哲学家曾经对此加以完全否认，强调应从主体的先在给予性开始。的确，如果真正从哲学的问题上来考虑，是应当承认，感性不能达到普遍必然性。换言之，感性经验并不能真正达到哲学上所要确立的带有普遍必然性的“是”“在”“诚”“成”。但只强调从主体的先在给予性开始实际上又无从开始。塑造论哲学也认为经验的归纳不能达到普遍的必然性，但不否认应从经验开始。而对于这里说的经验的东西不同于经验论所笼统讲的是从“感知自然”着手，而强调先抓住的是作为人之“塑造之

① 见，张全新：《塑造论哲学导引》，人民出版社1996年版，第31～33页。

物”的感性世界，即从“人为的感性世界”着手。

实际上，人们只要一对自然世界进行感知，就离不开人的行为符号，这里的感性世界总是带有“人为的因素”。因为在人的塑造中，进行感知的主体是无可怀疑地先在着的，不管事先是否作出了证明，要思考就要有思考机制，要感知也得有感知机制，这无疑是前提。这样，就应当确立，本来可认为是由对象作用于主体才使人感知到对象，而这时则可认为主要是由主体去照亮对象。对于感觉，通常强调这客观实在作用于人的感官，在此过程中，人是被动接受的。这个见解对于一般的动物性质讲，是可以充分肯定的。例如就简单的生物体来说，其行为主要是刺激反应，一般是有了刺激才有反应，无刺激则无反应。而对于人来说则不然，这里面有刺激反应的层次，而大量的还是为作出反应而有意向地去反映刺激。对于这种情况，在以往的科学研究及哲学研究中有许多的理论说明。以往哲学中关于目的性、关于意向性结构等问题的研究对此是多有涉及的。也就是说，即便是在人的感知上，也有人的意向性在起作用。这是主体与客体发生关系所必不可缺的，而且应认为这是本来大自然已经造成了的主体又反过来对自然对象的一种返照。但是承认感觉经验是主客体发生关系的通道，讲这是一种“返照”，也并不等于说承认感性经验能确立普遍必然性；可反过来说又有，不承认感知经验能确立普遍必然性，也并不等于说要把握普遍必然性就可以不去感知形而下的东西。因为不从感知形而下的东西着手，科学的认识就无从着手，符合科学的即追求形而下与形而上相统一的哲学研究也无从着手。这样作为“主体与客体”“心与物”之间的联系是割断的。那什么东西可作为首先着手的东西呢？这东西便是人的“塑造之物”，是行为处理系统中的语言符号系统。因为人之有意识的感知（包括观察实验，包括人与人之间的体验）不论是意向性地去感知还是感知过程和感知结果，都显现于人的行为处理及语言符号之中。也就是说，其中总是或表现为人的处理活动或表现为语言符号表达或表现为工具仪器系统，等等。这既是主体有意识去感知这一过程的经过显示，也是实验结果的记录呈现及对人与人之间作用关系的记录呈现。这种显示和呈现已是主客体相互作用了的结晶，既表现着对象的联系也表现着意识的参与，主体已经在塑造世界。

可见，经验归纳在过程和结果中已经渗进了主体。也就是说，经验的归纳作为过程的本身，不可能撇开人；固然作为归纳的对象可认为是能去掉人为的，而人只要有归纳就有了人为，于是作为进行着的归纳过程是去不掉人为的，意识总是在里面起着作用。归纳过程和结果一旦外现出来，就已把人的意识印记在上面了，这就成为显意识的。所以在此应强调这样的论题：作为部门学科的科学，特别是自然科学，主要关注的是对象是否被主体所反映，即对象作用主体，客体给了主体什么；而作为哲学，则主要是关注主体怎样造成了感知，即主体如何把对象照亮，主体给了客体什么。从塑造论哲学考虑，一方面应注意到的是，归纳总是不完全的；另一方面应注意到的是，在感知过程中意识已把涉于“心”和“物”的“是”“在”“诚”“成”的形而上加上去了。也就是说，人只要面对对象、去认识探索对象，对象就成为人所看过去的，这对象已不是完全与人无关的自然而是已把人的意识必然性加于其上即已把人的意识必然性加到自然之上了的对象；在此意义上，归纳只能是面对作为人的“塑造之物”的对象，不可能是面对完全撇开人的、纯粹无人为因素的而不成其为“对象”即无所谓的“对象”。而又由于这归纳毕竟只是对感知对象的归纳，主体在与客体于此相遇时，真正形而上的东西并没在意识中被提取出来也并没有被确证，也即普遍的必然性并没有被真正意识到。所以说，经验的归纳证明不了必然性，达不到真正的形而上；而由于人之“塑造之物”之上印记着心在形而上，可以体现普遍必然性；这样，把作为处理过程的人之行为处理系统和作为处理结果的人之语言符号系统作为阶梯，便可由此来返照心在形而上和存在形而上。

总之，人脑之内的思维意识，是个不可感知的黑箱，而抓住人为的感性世界对于结晶体中混合闪烁着的自然之光和人的理性之光的光谱加以分析，再分别向着人的“心在”“心成”返照过去、向着在自然与人关系中产生的“是在”“诚成”返照过去，就可以看出一个光谱系列，从而照亮人的心在心成形而上与身在物在形而下的关系，照亮自然的形而下与人去把握自然的形而上的关系。这时，人的思维或意识的黑箱就会成为明了的。自然实在的“在”与“成”的“那么一回事”就会成为被证明了的。

（四）塑造论哲学映照方法的根据在于，如前所说，自然塑造人形成“文化人类”，人塑造自然产生“人类文化”，而文化则是在“自然对人塑造”与“人对自然塑造”交汇处的“结晶”。

这种结晶既凝成形而下的晶体，又聚着形而上的光亮，体现着的形而下与形而上的统一。

可是，这作为我的“塑造之物”，并没有离开世界，而是作为结晶镶嵌在世界之中。而只要能镶嵌在世界的有序结构中，它本身就包含着“物在”“物成”形而下和“存在”“至诚”形而上的统一，它既是意识的产物，又是属于形而上形而下统一着的世界的。而意识去把握了的形而下与形而上相统一的世界又是超越了意识的（所以我们以“超意识”称谓）。也就是说“我塑之物”一旦能放到世界的有序结构中就体现着形而上与形而下的统一；它一定属于形而上与形而下统一着的世界；可见，这种塑成之物是融化于超意识之中的。它本身就成为超意识的。

这样，要把塑造之物作为实现两面反照而加以着手的上手之物，作为前阶的是把这超意识的“晶体”看作是人塑造出来的人之意识的产物，也就是说，要在意识中首先去意识到这看来是离开了我们意识的东西是“我塑”之物。历史上的确有过这样的时期，自然塑造之“我”对自己的“塑造之物”并不认为是自己所为的，而只是把它归于一种非人力量而成的，这是人类在开始如同其他物种一样不能把自己同自然相区别的重要表现。

但是，自然塑造的文化人类，其在塑造自然中形成的有利于自己的人类文化，不管人们是否已经能理解它，它总是被塑造出来放在世界的有序结构之中，陈列在那里；它总是作为身在身成形而下的延长，心在心成形而上的显现，在那里显示着意识，这是一定如此的；它作为物在物成形而下展新，作为存在至诚形而上的呈现，在那里呈示着主体面对客体的对象，这也一定如此。总之，它是超意识的。而我们为了证明超意识的心在心成形而上和存在至诚形而上即“是在”“诚成”形而上又不能仅停留在对它由不理解而只是伴有惊异和陌生的和仰望和崇拜，而首先要把它看作是能体现形而上与形而下相统一的东西，在此意义上它又是显意识的。把它弄明白，才能进一步去明白关于形而上的“是在”“诚成”的意识，才能明白潜意识与显意识。

“塑造之物”，从广义上说包括一切人为之物，人们一作用于自然甚至一看自然，就使之带上了人为性质。它是存在形而上与心在心成形而上的“是在”“诚成”的结晶，这里离表现作为心在心成形而上意识结构最近的是：人之行为世界突出的是劳动（行为＋工具），还包括其他种种处理活动及其所形成的人的符号世界，并且突出的是语言（符号＋言语），也包括其他种种用品工具等等。这些人为的感性世界，作为人的塑造之物，是我们所说的在哲学方法中首先当作上手之物的东西。这些塑造之物，只要是飨成于人类的，它就是身在身成和物在物成的延长与展新，又是心在心成和存在至诚形而上即“是在”“诚成”的显示和呈现。人们不可能通过感性经验来确立关于整个世界的普遍必然性，但在这种“塑造之物”中可以影映窥察映照出的印于其上的关于普遍必然性的心在心成形而上，可由此在与广泛的感性世界的映照中把握存在至诚形而上。

当把这种塑造之物的结晶体从世界中拿为上手之物，就可以由它而进行双面映照了。这就进入了塑造论哲学方法的枢纽部分，这是哲学对于科学来说加以证明的枢纽，即由显意识影映潜意识，在显意识中窥察潜意识，实现显意识与潜意识的相互映照。从而由首先把握心在心成形而上，加强对物在物成形而下的自觉意识，达到对“是在”“诚成”形而上的追问。

人们在把显意识与潜意识加以映照时，总是这样：

首先，抓住人之行为处理系统中的语言符号，或者抓住符号语言系统中的人之行为处理，考察语言符号所言世界或处理行为所理世界之同构同态同规同律。这虽没有直接指向潜意识的心在形而上，却在这种同构同态同规同律之中影映着潜意识的心在形而上。

进而，在此种影映中，仍进一步抓住人之行为处理系统中的语言符号，或者抓住符号语言系统中的人之行为处理，不仅考察语言符号所言世界或处理行为的所理世界之同构同态同规同律；而且考察它们与语言符号的言之主体或处理行为的理之主体之间的同构同态同规同律，由此直接反观潜意识，从而窥察出潜意识的心在心成形而上。

然后，基于以上影映、窥察综合起来，一并抓住人之行为处理系统中的语言符号和符号语言系统中的人之行为处理，既考察它们与所言世界和所理世界之同构同态同规同律，也共同地考察它们与语言符号的言之主体和处理行为的理之主体的同构同态同规同律。还在理论的、艺术的、技术的、道德等等的各个方面实现显意识潜意识之间的整个相互映照，并由把握着的体现普遍性必然性的意识自觉地去意识关于自然的感性世界，返照出心在存在形而上。形成着对超意识状态、潜意识显意识运行、无意识前提的，科学学科之实证。

无意识的自然之物，应当说它是漫无边际的，所以仅在感性形式中证明不了其必然性。但人的塑造之物是扎扎实实的，从中可以透视出在长期积淀中自然所赋予意识的必然性形式。这种意识形式潜在于作为“人在”“人成”的主体之中，使其能够以普遍带必然性的逻辑、韵律、程序、伦理形式去意识。这是以意识必然性之序与无意识的序关系加以映照。正因为这样，由这种带必然性的意识形式去把握感性中证明不了必然性的关于自然塑造过程的无意识前提，便会在意识中达到普遍必然性即把握关于人与世界的普遍必然性。这种情况就与自然科学（广义上说也包括社会科学及所有的部门科学）的研究汇合到一起了。作为科学的证实材料，就是这样被提出来的，它可以对科学的结论起到肯定或否定的作用。哲学的结论也依靠它来支持。

三、关于“证明系列”与“证实系列”

归结起来，塑造论哲学方法，总起来说有首尾相接的两大系列：一是从超意识到显意识、显意识到潜意识、潜意识到无意识的哲学对于科学来说的证明系列；二是从无意识到潜意识、潜意识到显意识、显意识到超意识的科学对于哲学来说的证实系列。

在第一个系列中。第一阶：超意识—显意识，这是塑造论哲学分阶映照方法实现的前阶；第二阶：显意识—潜意识，这是塑造论哲学分阶映照方法实现的枢纽；第三阶：潜意识—无意识；这是塑造论哲学分阶映照方法实现的超越。

在第二个系列中。第一阶：无意识—潜意识，这是塑造论哲学分阶映照方法实现的前阶；第二阶：潜意识—显意识，这是塑造论哲学分阶映照方法实现的枢纽；第三阶：显意识—超意识，这是塑造论哲学分阶映照方法实现的超越。

对两大系列完整地看：两系列总起来形成一个首尾映照相衔接的循环圈，两系列各阶映照成阶梯推进；两系列之间的各因素也形成各自映照。从而在各自的映照中经过成阶梯推进达到形而上与形而下的映照、统一。

这里，关于哲学对于科学来说的证明系列，关于科学对于哲学来说的证实系列，应作出以下解析：

关于哲学对于科学来说的证明：在进入这个枢纽之前，首先把“超意识—显意识”作为前阶。这里的关键在于抓住“塑造之物”。“塑造之物”是显意识的，当它加入塑造人的自然界，即与无意识的自然界融为一体，它又是超意识的。可这并不是一个空洞到无的存在，也不是空穴来风的心在，是人塑造自然而使“心在”“心成”加入自然塑造的“存在”“诚在”。尽管人们未必意识到其中体现的普遍必然性，但由于它是自然塑造的人所塑造的；这样，那个未必被人们意识到的普遍必然性是首先内在地陈放在那里的。这超意识结果是自然塑造人所生成的潜意识与人塑造自然所成就的显意识的统一，它融进了自然无意识。所以由此开始既是从超意识开始，也是从无意识开始；既是从“至诚”“存在”形而上开始，又是从“物成”“物在”形而下开始。

然而，这时对无意识并没在意识到必然性中得到证明，它有待于意识到在以显意识表现出来的超意识结果中有潜意识必然性，这才能成为被证明的。因此哲学证明由前阶进入枢纽：

“显意识—潜意识”。经过由显意识影映潜意识，在显意识中窥察潜意识，实现显意识和潜意识相互映照；在这种映照中，生成显意识的潜意识心在形而上所具有的普道必然性被照明，使之成为被证明的。

由此去了解人对无意识自然的科学研究，其必然性也就成为被证明的。这就又进入了“潜意识—无意识”。意识到潜意识的必然性与无意识的自然性的统一，这便实现了对于意识的超越。

这里，科学研究中关于无意识自然界的实证材料，已经成为证实能去塑造自然的人何以被自然塑造的无意识前提，这是证实人有潜在的潜意识并显现为显意识的无意识前提。于是体系的演进又基于科学实证材料而掉转回过头来从而进入“潜意识与显意识”映照的前阶。

塑造论哲学体系在此同样把作为心在心成形而上的潜意识与作为塑造之物的显意识之间的相互映照作为整个哲学证实的枢纽。在这个枢纽中关于科学的证实与关于哲学的证明其论证同时形成相互映照，这成为哲学证明的科学证实。

关于科学对于哲学来说的证实系列：在进入这个枢纽之前，又首先把“无意识—潜意识”作为前阶。这里的关键在于，面对“塑我之物”。“塑我之物”这时已成为被意识的，但它作为人塑造自然的前提，它仍是无意识的。可这并不是一个没被意识的“物在”“物成”，而是自然塑造加入了人的“物在”“物成”。这“物在”“物成”是由体现普遍必然性的“心在”“心成”形而上达到意识了的自然客体的“存在”“至诚”，从而成为由人向前追溯的前提。这无意识的前提是自然塑造人所形成的潜意识与人塑造自然所形成的显意识的基础，它参与了超意识。所以由此开始既是从无意识开始，又是从超意识开始；既是从“物在”“物成”形而下开始，又是从“存在”“至诚”形而上开始。

然而，这时对超意识并没在意识到意识的自然性中得到证实，它有待于意识到潜意识必然性是由无意识发展过来而在显意识中被成就，这才能成为被证实的。因此，科学证实由前阶进入枢纽：“潜意识—显意识”。经过进入在理论的、艺术的、技术的、道德等等的各领域中的潜意识与显意识相互映照；在这种映照中，成就着潜意识的显意识物在形而下所体现的普遍必然性被实证，使之成为被证实的。

由此去揭示作为显意识与潜意识统一并融进无意识自然过程的超意识，其自然性也就成为被证实的，这就进入到“显意识—超意识”。意识到显意识达到必然性而成为超意识的自然性，这便达到了对于意识的超越。

这样，“科学对于哲学来说的证实”与“哲学对于科学来说的证明”，又首尾相接了。

总结一下，由塑造论哲学的方法成为塑造论哲学的体系，如前所说，总起来讲有首尾相接的两大系列：一是从超意识到显意识、显意识到潜意识、潜意识到无意识的“哲学对于科学来说的证明系列”；二是从无意识到潜意识、潜意识到显意识、显意识到超意识的“科学对于哲学来说的证实系列”。

这便实现了，在第一系列中，第一阶：超意识—显意识，这是塑造论哲学分阶映照方法实现的前阶；第二阶：显意识—潜意识，这是塑造论哲学分阶映照方法实现的枢纽；第三阶：潜意识—无意识，这是塑造论哲学分阶映照方法实现的超越。在第二系列中，第一阶：无意识—潜意识，这是塑造论哲学分阶映照方法实现的前阶；第二阶：潜意识—显意识，这是塑造论哲学分阶映照方法实现的枢纽；第三阶：显意识—超意识，这是塑造论哲学分阶映照方法实现的超越。

对两大系列完整地看：

1. 两系列总起来形成一个首尾映照相衔接的循环圈：

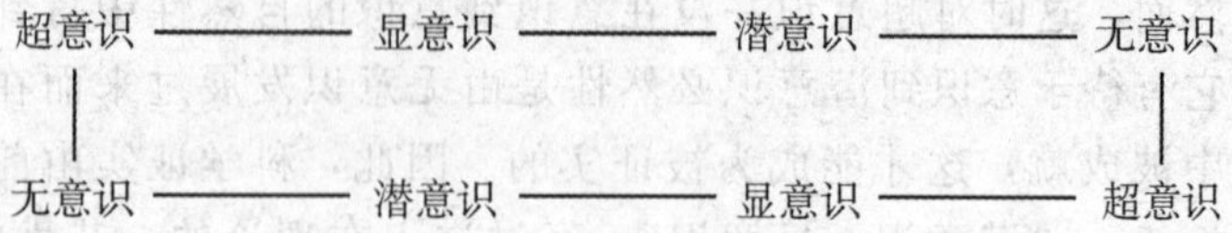

2. 两系列各阶映照成阶梯推进：

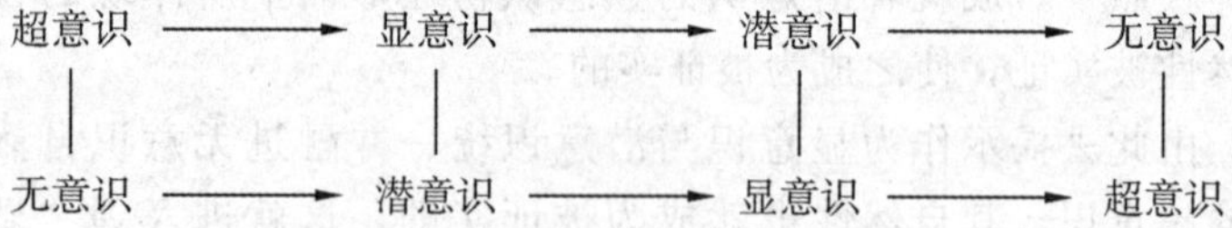

3. 两系列之间的各因素也形成各自映照：

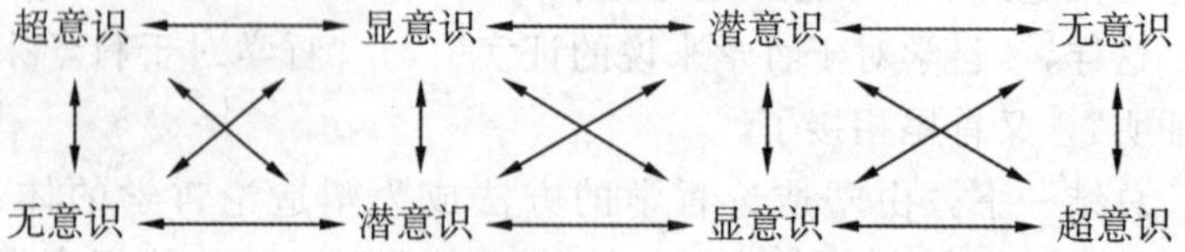

这样，在各自的映照中经过成阶梯推进，达到形而下与形而上的映照。它们之间是互补的。

关于带有互补映照性质的揭示，中国古代，西方近代，对于易学中的阴阳太极球发生极大兴趣。太极球可以用一种太极圈来演示。这种太极圈类似于在拓扑几何中因 17 世纪德国数学家莫比鄂斯解析而称作的“莫比鄂斯带”。这是一种“正反相接，左右相交，归于一”的“单侧曲面”带。在这种带子中，从局部看有两侧的面，但整个地又不能区分两侧：沿着带子的中线运行，从某点开始，运行一周以后又能回到该点，但已路经了与原来出发时不同的一侧，而且带子的边界是一条封闭曲线。

由塑造论哲学所重视的这种带子，突出特点是：（1）充分刻划太极球的阴阳两面。这演示着有反思关系的相互映照。(2) 它首尾相接，归于同一个面，不论从何开始都能走遍这个面而终又回到开始。这演示了不论从何开始都不会中断而且能遍步体系的所有范畴。(3) 把这个带看成一个至大的大圈，这演示了这个整体是至大无外的。对于这个大圈再分为二、分为四、分为八，……圆圈总是那样大，只增加个数。这演示了它是同一个整体的分解并统一于同一个整体。

把我们体系的首尾相接标志在这样的圈上，正成为塑造论哲学体系的一种很好演示。①

第三节　关于“枢纽”，关于“两端”

上节对塑造论哲学“分阶映照”整个地作出了论述，此节重点解析两点：关于“枢纽”、关于“两端”。

一、“枢纽”：“显意识－潜意识”“潜意识－显意识”

(一) 塑造论哲学强调，以大自然塑造而成的人去塑造自然而成的塑造之物作为首先的着手之处，由此实现对象方法体系难题的解决。塑造论哲学方法，把作为塑造之物的显意识和作为心在心成形而上的潜意识之间相互映照，当作整个哲学立足于科学证实而加以证明的枢纽。

塑造论哲学提出的第一立论是：“我塑故我塑之物和我在成”，与之相映照的命题是“塑我故我和塑造之物成在”。讲“我塑”就涉及“我”的对象性。这就是，在“塑造”中，“我”

① 参见，张全新：《塑造论哲学导引》，人民出版社 1996 年版，第 54～58 页。

一定会"从我中"出窍。因为只讲"思"不讲"塑"是谈不上出窍的，所以"我塑故我和塑造之物在成"与"我思故我在"的根本区别就在于此。如果说"我思故我在"实现不了对象化证明，仍摆脱不了自己对付自己；那么"我塑故我在和塑造之物在成"就在对象性方面，开始让自己与既在自己之内又在自己之外的东西相对待。这既是自己又是自己之外的东西，就是人的塑造之物，而它又是加入塑我之物的。也就是说，人塑造自然与自然塑造人是加入在一起的。

"塑造之物"在行为（处理）中集中于语言（符号）和工具（器具），也就是说，语言（符号）和工具（器具）是考察"塑造之物"存在及其生成首先要"注目""注意"的。语言是文化的符号，文化是人类的语言；语言符号是凝缩着的文化，文化是放大着的语言符号。工具是文化的器具，文化是人类的工具；工具器具是凝固了的文化，文化是放宽了的工具器具。

在我塑中，"我"得以从"我"中出窍，就诞生了与我同在又与我异在的"我塑之物"。所以由"我塑故我和塑造之物在成"的题中之义，立即就有这样的命题："我塑之物"一旦出窍，这"被塑造之物"就与"去塑之我"相互对待，构成对象性关系。于是，只要有对象处于我之外，那么我就是与处于我之外的对象所不同的他物，成为另一个现实；同样，只要有"我"处于对象之外，那么对象就是与处于对象之外的我所不同的他物，成为另一个现实。"我塑之物"是与"我"不同的另一个现实，"它"是"我"的"他者"；"我"是与"我塑之物"不同的另一个现实，"我"是"他"的"他者"。这样，"我"与"我塑之物"都折射着对方之光，在来回折射中互相映照。

由于"我塑之物"是"我"在塑造中把自己的力量发挥出来的产物，把"我塑之物"当作对象也就是把自己的力量作为对象来对待，因此我的本质力量便在"我塑之物"中得到证明。

这“我塑之物”便成为对象化的自我意识。总之这里确证着“自我意识”。

提出“我塑故我塑之物在成”显然先是从“我”讲起，即首先是从“塑”是我所发出的角度讲问题。能否不从“我所发出”的角度首先讲起。固然也可以认为，能从“塑”是“他所发出的”的角度讲起。可是当下如此是“我”在思考。如果只研究“他所发出”，那就又把我本身排除在“至大无外”之“外”了，实现不了关于整体大全的普遍必然性的形而上追问。

然而，“他所发出”的“他”，从他自身讲，也是一个“我所发出”。作为“他”那里的“我所发出”，是可以“告诉”“我”的。通过什么告诉我？他得通过他的“我塑之物”，如符号语言、行为处理等等“告诉”我；同样，我也得通过我的“我塑之物”，如符号语言、行为处理等等“告诉”他。这样“我”通过“我塑之物”告诉一个个的“他”，或一个个的“他”通过他的“我塑之物”即“他塑之物”告诉“我”，这就形成了一种“塑造之物间”的关系。

如果说，“我塑之物”是“我”在塑造中把自己的力量发挥出来，把“我塑之物”当作对象也就是把自己的力量作为对象来对待；那么，“塑造之物间”则是把“人我”把“人我间”的力量发挥出来，把“塑造之物间”当作对象也就是把“人我间”的力量作为对象来对待。因此“人我间”的本质力量便在“塑造之物间”得到证明。这“塑造之物间”说明这塑造之物是“人我塑造之物”，这“人我塑造之物”便成为对象化的“人我意识”。总之这里确证着“人我意识”。

“人我塑造之物”体现着由一个个“我塑之物”（或者说“我塑之物”与“他塑之物”）使一个个我与一个个他的沟通和谐，这是一种“塑造之物间”的“沟通”“和谐”。这时“我”成为整个人类的“大我”，人我成为社会的人我。于是人我“塑造之物"就成为社会的。这实际上形成着一种"社会塑造之物"。

如果说，由于"我塑之物"是"我"在塑造中把自己的力量发挥出来，把"我塑之物"当作对象也就是把自己的力量作为对象来对待；如果说，由于"人我塑造之物"是把"人我间"的力量发挥出来，把"人我塑造之物"当作对象也就是把"人我间"的力量作为对象来对待；那么，把"社会塑造之物"当作对象，也就是把社会力量作为对象来对待。因此社会的本质力量便在"社会塑造之物"上得到证明。这"社会塑造之物"便成为对象化的社会意识，即对象化的社会人我意识、对象化的社会大我意识。总之这里确证着"社会意识"。

其实，凡是塑造之物都是"社会塑造之物"，它总是处在"塑造之物间"，我塑总是处在人我社会之中。单独提出"我塑造之物""人我塑造之物"，不过是从不同角度聚焦的视点上来看"社会塑造之物"；任何塑造之物处在社会之中，由"我塑造之物"着手考察起，这有着"滴水见太阳"的作用。对于自然来说，社会是自然的；对于社会来说，自然是社会的。按塑造论哲学方法所强调的，就是要从"我塑造之物"来看人我，看社会、看人类整个文化形态，看人塑造自然和自然塑造人的必然性。

（二）哲学从"塑造之物"着手，特别是从"我塑造之物"着手，其在哲学方法论上的可贵之处就在于它是"出窍"的。由"出窍"来考虑，应注意到这样一种紧紧联系在一起的区分：一是作为"出窍经过的"；二是作为"出窍记录的"。

提出"塑造之物"或"我塑造之物"，本身就有二义："塑造"或"我塑造"，这是"出窍经过的"；"之物"或"塑造之物"，这是"出窍记录的"。作为"出窍经过的"，集中注意的是"行为处理"或"处理行为"；作为"出窍记录的"，首先要注目的是“符号语言”或“语言符号”。

例如，我们对于“塑造之物”，基于空间时间，可以这样来提出：“经过”“行为外理”而在“语言符号”中得以“记录”；或者说在“符号语言”中“记录”着“处理行为”之“经过”。当把所能涉及的种各因素综合起来考虑，可以提出以下种种相互交错的情况：

在劳动的行为中造出工具或使用工具，这是生产的“经过”。同时由使用工具的行为才成其为劳动，所以人制作的工具可认为是一种符号，从而是劳动的记录，这是生产的“记录”。

生产造成用品，它在人口繁衍的活动中被使用即品用，一方面因人给用品造成一定的形式才被使用，另一方面在对用品使用时改变着其形式，所以用品可认为是一种符号，从而是使用的记录，这成为消费的“记录”。同时由于在用品符号中体现着使用用品或改变用品，这成为消费的“经过”。

用品有的很快被消费掉，有的作为工具进入新的生产而逐步被消费掉。这是消费的“经过”。同时，由于对它们的占有和管理使之成为财富。这其中，工具的占有和管理对于新工具、新器具以及一系列用品等等的生产和消费，有决定意义。这上面“记录”着人的生产和消费以及对其占有和管理的形式。这不能不联带上符号（物质财富的和精神财富的）性质，这成为财富的“记录”。

财富总是被人口在生活中品用，它“记录”着人口的水平；这使人口得以延续，而这又是在人的行为中来实现的。“经过”这种行为（生产行为、消费行为）才能有人口繁衍的活动，这成为生活的“经过”。

在以上例举的情况中，作为塑造“经过”的行为外理如劳动、品用以及人口繁衍的活动等等，从人之个体即从出窍的“我塑”来说，它不是长期放在那里的，它往往随着人之个体的消失而消失，甚至是稍纵即逝，一闪而过的。作为塑造“记录”的符号语言，以及人为制做的工具以及器具、用品等等，从它是人之个体即从出窍“之物”来说、它可以长期放在那里，它并不随人之个体的消失而消失，甚至是世代相传、经久可考的。例如文化人类学、考古学面对的“遗存”、“文物”，恰恰就是如此。

从塑造之物（我塑造之物、人我塑造之物、社会塑造之物）着手，无非是从“出窍经过的”和“出窍记录的”共同物在形态着手。

然而，人们首先能揪住的是“出窍记录的”，而同时又紧紧联带着“出窍经过的”。

自然塑造的人去塑造自然，总得经过行为。行为进行着处理，处理记录于符号，符号集化为语言。在此，语言符号或者说语言符号性质，在塑造之物中占有突出的地位。

语言符号既可附着在种种的工具、器具、用品之上，又可以单独形诸笔墨及话之语音，成为更能直接外现意识必然性的物在物成形态。而且，人之塑造之物，从塑造“经过”到人塑造所涉及之物都可以用语言符号加以“记录”。所以由语言符号作为直接上手之物，可以十分集中地由此映照意识必然性。

当代文本释义学在这方面的许多见解是有启发性的，另外还有人提出应当有社会行为释义学。在现代释义学中，“全部符号”成为理解的对象，用符号形式表达的事件获得独立于当事人和最初受众的符号自主性。历史上的行为事件成为语言符号文本的独立物在，被归结为其解释的历史。每一文本都把人们行为处理的历史事件同理解的释义联系起来，同时也表明有着“无限的不可言说的东西”。作为有符号语言的行为、活动，还往往以典章、规章、法规形式表现出来。社会行动释义学建立在把行为活动看作可以阅读的文本的观念之上。关于人的各门科学是个人和集体与社会相互作用的领域行为活动作为社会科学的中心可以进行释义分析。人作为相称的行为者，介入历史生活，行为在历史典章、规章、法规上固定下来，而且在语言符号的中得到独立表达。语言符号是符号语言，特别当强调它是语言，其在历史积淀中，其上既直接结晶着人类的文化积累，又把必然性加于人的行为处理，透过作为历史积淀的语言，可以看到必然性之光灼亮地闪耀着。

哲学对必然性的窥视，很大程度上首先得通过对人所创造的同时又镶嵌于自然界的文化进行窥视。当然，有的是先从语言符号的层面上看过去，有的是先从行为处理的层面上看过去。这形成人们在追问必然性时出现的领域或视角的差异。但是从语言符号层面上看过去，离不开从中看到人的行为处理；从行为处理的层面上看过去，离不开从中看到人的语言符号。人们进行考察的视角虽有所不同，但都从中实现对普遍必然性的追问。

笛卡尔哲学提出“我思故我在（是）”是面对通过外在感知证明不了必然性逼出来的，因而内缩到以“思”本身来证明必然性。王阳明哲学提出“心外无理”，也是面对通过外在格物证明不了必然性逼出来的，因而内缩到以“心”本身来证明必然性。塑造论哲学提出“我塑故我在成”这基于“我塑故我塑之物在成”，既不只诉诸感官接触、外在格物来证明必然性，也不内缩到以内在的‘思’本身、以‘心’本身来证明必然性，而是以“塑造之物”来证明必然性。

人的感官所能接触到的，通常称作感性自然界。直接的感性自然界，对人说来直接地就是人的感官接触到的自然界，这大体是就一个问题的各种说法。

人的直接对象是自然界、感性、或者说“感性自然界”。而“人”本身，就“我”与“他”来说，“我”可以把“他”作为感性的对象，也就是说"另一个"对于"我"，直接地就是感性地存在着的。但是只诉诸以感官来了解另一个，避免不了把自身排除在"至大无外"之外，所以证明不了普遍必然性。

可是塑造之物，既是自然的人化，又是人化的自然。它是人去塑造而给予自然的，同进又加入自然的塑造之中，既在对象中使自然的人得到证明，又在对象中使人的自然得到证实。

这样，在使人的本质得到确证的同时，同时伴随着对自然的本质的确证。只有在关于人的自然本质的科学中才能获得关于自己的自我认识。关于人的自然本质的科学，其实也就是人以自身本质去研究的自然科学。

人在塑造之物中确证着人的本质，这使人有其必然性得到证实。这样，得到证实的人的必然性以自身本质与感性自然相对待，形成与感性自然的反思，这时人去研究感性自然的必然性也就有了根据。由此也就说明了经过这样的研究而掌握的自然及社会的规律，其必然性是可以成立的。

这种规律表明，自然界经历着一个漫长的物质演化过程，并且有着复杂的物质构成结构。在大自然的物质运动中，由无机物到有机物到生命到社会的人，这经历着自然塑造人，无意识是有意识的前提，正是在这种塑造中，自然的必然性积淀于人，使人有着体现必然性的有意识塑造。从而在塑造中形成塑造之物确证着我，确证着人我，确证着社会；并且确证着人与自然，确证着自然与社会。

在塑造中形成塑造之物，塑造之物从"我"出窍，同进也是从自然出窍。由"我"出窍加入着"自然"，这便是人塑造自然而实践出人类文化；由"自然"出窍加入着"我"，这便是自然塑造人而衍生出文化人类。

因为"我塑"必有"我塑之物"从我出窍，所以必有这样的命题在那里："我塑故我塑之物和我在成"；因为"塑我"必有“物塑之我”从自然出窍，所以又有这样的命题相映照：“塑我故我和塑我之物成在”。

总之，不是“我思”是无可怀疑的，而是说固然什么都可以被怀疑，而“我在塑造”是无可怀疑的。由这种无可怀疑确证着去塑之我或人我或社会的必然性；由此必然性又证明：认识了的“我总被塑造”也是不可被怀疑的。“我总是被什么来塑造”，因此作为造成我的东西和作为被东西造成的我，是既定存在而成的。我塑造着自然，这样我的必然性便外化于“我塑之物”，这既是我的外化又是社会历史的结果。当我塑之物出现并加入塑我之物，在塑造过程中便或者有成于衍生的我、人我、社会，有成于实践的我、人我、社会；或者无成于衍生的我、人我、社会，无成于实践的我、人我、社会。当实践与衍生统一，即当自然塑造衍生的人的“身在”“身成”体现着必然性把“心在”“心成”实践于人塑造的自然“物在”“物成”而融于“存在”实现“至诚”，即当人在塑造中将实践的“成物”体现着必然性使之“成就”衍生于自然塑造的“实在”“人成”，实现其间统一，这就形成了：

我以我的心在心成使我的身成身在与自然融为一体，我塑之物既是我的延长扩大，又是与大自然合一运动的，所以就超越了我，以至无所谓我了，故“我和我塑之物成在便后大无我”；而我又是自然社会塑造而成的，我的行为活动成就着自然社会的实在，这里我与自然社会同在，自然社会通过作为我之形而上心在心成来意识自身，我越是把自然社会赋予我的体现于身在身成而进入物在物成并体现着存在至诚的普遍必然性实现出来，就越是与关于自然社会普遍必然的存在至诚形而上成为一体，所以这时便超越了我以达于“至大”，因此，“塑我之物和我在成故无我而后大”。这成为对意识的超越。

（三）塑造论哲学认为，能实现显意识与潜意识相互映照的整个前提是"我塑故我塑之物和我在成",与此相照应的是"塑我故我和塑我之物成在"。这里不仅讲"在"而且讲"成",这里讲"成"十分重要;如果只讲"在",却不一定达意于"成"。因为就"自然塑造人""人塑造自然"来说,往往既有"有成"于人的方面,也有"无成"于人的方面。

每当"我塑之物"成为"我上手的感性之物"立刻会基于我的感知、感受、体验、经验而意识到:对于处在世界之中的"我"(在自然、人我、社会之中的"我")来说,它或者有成于"我""人我""社会"或者不成于"我""人我""社会"。有成于的是证实或确证了的,便肯定取纳,不成于的是否证或证伪了的,便否定抛弃。不论是对于理论的、艺术的,还是技术的、道德的及至社会的,都有个或肯定取纳或否定抛弃的问题。固然可以在动态调控中改变不成于"我""人我""社会"的而使之愈益有成于"我""人我""社会"的,但这里总是可以意识到两种情况:有成于的便成为有序的,不成于的便成为无序的。在此情况中,有序的便与熵减之箭同一方向,信息量增加,从而得到与自己相合的生命力,离自己越来越近,并显示自己,成为自己的"养料",这是走向再生的;无序的便与熵增之箭同一方向,信息量减少,从而失去与自己相合的生命力,离自己越来越远,不显示自己,成为自己的"垃圾",这是走向毁灭的。当这个"我"变成整个人类的"大我",便形成了关于"大我"的"有成于"或"不成于","养料"或"垃圾","再生"或"毁灭"的问题。

当代科学中有关于"负熵"的公式,作为"有序""无序"的量度。这可基于 $H(x) = -K\sum_{i=1}^{i=n}P(x_i)\log P(x_i)$。这一"信息熵"的公式来刻划;"熵"与"负熵"成为判定一个系统是失去还是获得"有序度"的量度;这里"熵减""有序化"和

“熵增”“无序化”，互为负值。这里当把人的行为考虑进去，其中突出体现着：人行为注入“负熵”的飨成，形成的是良性的有序系统；否则便会形成有害于人的系统，这是“熵增”而走向无序的系统。

基于主体形而上对客体形而下的把握，在由意识之序把握着的科学学科的实证材料中，现在人们往往对世界的有序和无序形成这样的看法：

从有序到无序：在宇宙演化中太阳系生成、地球生成。当在宇宙演化中太阳系分化出来，地球又以某种方式被从中甩出时，不仅地球的能量来自宇宙来自太阳系，而且地球的物质也来自宇宙来自太阳系。这时地球作为一个开放系统在演化中走向了自身的有序结构。而地球一旦形成，开始形成了一个自身基本不与外界进行物质交换的系统。地球上的物质基本上只是靠着宇宙并且基本上是靠着太阳系所给予的能量进行着自身的热力学运动。于是直到现在，地球虽与其之外的环境有能量交换，外界的物质除了有偶尔的流星和微乎其微的宇宙尘埃进入以外，并没有对地球热力学运动产生重大影响的物质交换。在此意义上，地球可被看作一个封闭系统。固然不排除随着人的能力提高会在将来打开地球这个封闭系统而使之整个地成为开放系统，但起码到目前为止它还基本是个封闭系统。在把整个地球看作是封闭系统时，就其总过程说，这个系统中的熵增是在不断增长的。服从着热力学第二定律，形成着“自然熵增之箭”，这是一种从有序走向无序的过程，是走向热寂的。由于这种无意识的自然熵增，对于人来说是恶性的，所以我们称之为“自然熵增的恶性无意识”。

从无序到有序：地球随着太阳系，在宇宙中生成。就宇宙原是个混沌的气团，太阳系本浑然一体而言，地球尚未独立，处于一种并没有现在有序结构的无序状态。而就宇宙演化中太阳系被分化出来地球又以某种方式被从中甩出而言，由于地球能够成为一个不仅能量来自宇宙来自太阳系而且物质也来自宇宙来自太阳系的开放系统，这才形成着自身的有序结构。地球形成后，虽然形成了一个自身基本不与外界进行物质交换而只进行能量交换的封闭系统，但地球内的各个子系统却不总是封闭系统，因而在各种情况下出现着既进行能量交换又进行物质交换的开放状态。这就形成了从无机物到有机物再到蛋白质又到复杂的生物体一直到人类产生的进化过程。在地球中的某部分成为开放系统时，就其过程说，这些系统中的熵是不断减少的，它服从着耗散结构的原理，形成着“自然熵减之箭”。这是一种从无序走向有序的过程，是走向进化的。由于这种无意识的自然熵减，对于人类来说是良性的，所以我们称之为“自然熵减的良性无意识”。

当把人考虑进去，集中于人与自然来讲，便出现了如下情况：大自然在发展中，塑造着人，形成着文化人类，这一过程是从无序到有序的熵减（进化）过程，是信息量增加的过程。这是作为开放系统的耗散结构自组织过程。在此自组织过程中由无意识形成人的潜意识，及由潜意识到与之一致的显意识。这是有意识的人把自然进化造成的有序结构加以延伸，这里形成着人类文化。在此过程中，人按照自己的序参量塑造着自然，如果人类文化成为一种飨成于人之有序必然性并有成于自然有序性的开发，就带来人为的熵减，从而形成着文明的文化。走向文明文化的过程，与自然熵减之箭形成同一方向。这是走向有序的过程。由于这种有意识的人为熵减对于人类来说是良性的，所以我们称之为“人为熵减的良性有意识”。而如果人类文化是一种不飨成于人之有序必然性，出现无成于自然有序性的破坏，就带来人为的熵增，从而形成着非文明的文化。出现非文明文化的过程，与自然熵增之箭形成同一方向。这是走向无序的过程。由于这种有意识的人为熵增对于人类来说是恶性的，所以我们称之为“人为熵增的恶性有意识”。

可见人的塑造是一剑两刃的。人之塑造既能成为人为的有序，也能造成人为的无序。由此可以看出，显意识的塑造之物，不仅有体现人为有序的文明塑造之物，而且有体现人为无序的非文明塑造之物。

然而，对此作出判定须在哲学证明和科学证实两个方向的交汇中才能实现。一是哲学对于科学来说的证明，即通过由塑造之物追问必然性进而使这种追问结果成为科学的“立法”，使科学处于哲学的统摄之下，这是使塑造之物成为科学由以把握必然性的潜意识根据。二是科学对于哲学来说的证实，即通过对塑造之物进行是否飨成于人类进行验证从而使验证的结果为哲学提供实证，使哲学处在科学的支持之上，这是让塑造之物成为哲学由以提取必然性的显意识根据。在这两个方向的交汇中，塑造之物是否体现必然性，即到底是成为人为有序的文明塑造之物还是造成人为无序的非文明塑造之物，得到判定。

特别应当注意到的是，人塑造自然形成的人类文化在一定程度上说总是对大自然的界定和截断，所以人对大自然的每一塑造如果撇开同时进行着的自然对人塑造过程中带耗散结构性质的自组织过程一面，很有可能成为封闭系统。一旦形成封闭系统，就会形成从有序到无序的熵增（热寂），这是作为封闭系统的热力学趋衡过程。在此意义上，开发往往又意味着破坏。但是，在自然塑造人的过程中，由于文化人类是个开放系统，正是在这个开放系统中，输入着负熵，使人有了新陈代谢，有了自然积淀其上的普遍必然性。这样，在人的有意识塑造之物中（即在文明的文化中）是可以由自然对人塑造而输入负熵的。正是因为这样，才会使其潜意识的普遍必然性发挥作用，使显意识的塑造之物飨成于自己，使人为有序和自然有序在建设中相一致，从而建设起一个有利于人类进化的有序世界。这里的关键是显意识与潜意的统一和谐。超意识形态就是达到显意识与潜意识运行统一并与自然熵减的无意识合流的状态。这是一种人之有意识的有序与自然无意识的有序相统一的状态。这就实现了关于人的意识的超越。

这时我们的论证已经倒回头来，作为前阶的已经是从意识所把握着的能作为感知对象的自然物开始，即从经过意识必然性把握了的关于无意识的实证材料开始。也就是说，首先是基于自然科学（及所有部门科学）在对于自然的研究中所提供的实证材料，证实从无意识到潜意识是个自然塑造过程。由此我们会意识到，所谓形而上与形而下的区别，是由于有了能意识的人，有了作为主体的人，才出现的。也就是说，"无意识"的东西，不可能意识到（或者说是思维到）形而上与形而下的区分。因为世界还没有去反思的主体，存在的形而上没法被心在形而上反思出来。在此意义上讲，世界是自在的，形而上与形而下是自然地原本混一的。在这种情况下，世界中的某个物在物成可以引起另外物在的反应，甚至一物可以感知另一物，但这些物在物成却是无意识的。这可被称之为塑造过程的"无意识前提"。是在这无意识的前提之后或以它为基础，才出现了有意识、有思维的人及社会运行。①

"塑造之物"既实现着人为熵减也会出现人为熵增，它们各自分别与自然的熵减或自然的熵增形成同一方向。

由关于"塑造之物"的研究，可联系于一系列人生情况。个体的人于生长存在中，就其处于整个人类而言，是处于熵减序列之中的；可就其是人之个体来说，其自身一生是走向熵增

① 见，张全新：《塑造论哲学导引》，人民出版社1996年版，第41～44页。

的。也就是说，在人的个体生命一生中靠负熵来支撑，而从其一生来说，是在熵增中终其一生；当生命机体终止熵减过程，死亡是不可避的。死亡是个体人之生命的一种超脱。因为，从总体上讲，人类是在保持熵减中走向不断再生而进化发展的。所以，我们要讲，个体的人只有融入整个人类，才能纳入整个的人类熵减大道，走向再生。这样，一方面，对于作为生命个体的人来讲，尊重生命延续并力求延长寿命，成为人道主义的重要内容。没有此，就没有正常的思维、正常的精神，产生非正常的行为，精神病患者的行为就是离开了正常精神的行为。另一方面，对生命不尊重，残害生命、恐怖杀戮，这是对人类的反动。不基于人类进步目标不基于人道主义的他杀、自杀，害人和自残，都属于不正常的行为。人们作出过许多涉及生命个体生与死问题的研究，如对优生、优育的研究，如对安乐生、安乐死的研究；这都是面对人之生死的探索和思考。但任何人都有这样的意识：人之生命个体终究要从生到老到死，为延迟这一过程，人们还专门开辟了养生学、老年学的研究。而生命只能达到相对延长。在古代“人到70古来稀”，在现在人的寿命到八九十岁并不罕见，这仍距有人计算的由人的生命潜力能过一百多岁甚至上几百岁，还差很远。人们总是很珍惜自己的生命，因为人之个体生命总是十分有限的甚至可以说是十分短暂的。而重要的是，个体的人是整个人类的承担者，个体的人只有融入整个人类的发展之中才使自身得以延续。人的个体生命纳入人类的延续，才有如中国哲学史上哲学家所说的“无我而后大”。塑造论哲学要指出的是，这里，大就大在纳入整个人类的延续；大就大在这延续不仅在于子孙的延续更在于人的塑造之物；大就大在在塑造之物中，人与世界同在，成为与世界同一的共存。

在“自然塑造人”“人塑造自然”中，在人的“衍生”和

"实践"中，在"无意识—潜意识—显意识—超意识"的系列中，"潜意识—显意识"是"枢纽"；而这集中体现于"塑造之物"，此两头联系于"无意识""超意识"，此在"自然熵减""自然熵增"、"人为熵减""人为熵增"中直接关系着人在自然、社会中实现和谐。深入些说，这在于：不论是作为个体的人还是整个人类处于自身的生存中，总是为着走向再生，而这里的关键在于"塑造之物"是否基于自然而飨成自己、显示自己、延续自己。这体现于，在塑造论哲学所刻画的"塑造单子"中的c—d在A、B之间是否能共同达到同构同态同规同律的和谐统一。

飨成自己意味着显现"人的意识"，即显意识；而被显现的则应当符合潜于意识中的普遍存在必然性，即潜意识。潜意识是在自然塑造人之中由自然赋予文化人类的。这是自然熵减而形成的进化之序在人身上的积淀。它成就于显意识，成为人为的"塑造之物"，而这种"塑造之物"的人为熵减继续着自然熵减。

不飨成自己意味着显意识与潜意识分离。这是与潜意识中的普遍必然性相悖的，因而实际上是毁坏着潜意识，这就把自然熵增而造成的退化无序由人来放大了，正是在这种人为熵增中加强着自然熵增。

总之，显意识与潜意识合一，有意识的人为熵减才能同无意识的自然熵减形成同一方向，从而实现有意识的有序与无意识的有序同步和谐；那就沿着有序之路不断再生，形成进化。而显意识与潜意识分离，那有意识的人为熵增就会同无意识的自然熵增形成同一方向，因而出现显意识的无序与无意识的无序同流合污；那就沿着无序之路走向毁灭，形成退化。不管人们知道不知道"熵"，人们总是力图再生、进化，避免毁灭、退化。因此人们总是很自然地去寻找作为显意识的"塑造之物"

与作为潜意识的形而上的同一，使之协调、和谐；从而实现有意识与无意识的同一，使之协调、和谐；达到物在物成、身在身成形而下与心在心成、存在至诚形而上的同一，使之协调、和谐。

然而，人们有待证明的关于有序的普遍必然性，在经验中是难以达到的。哲学研究的过程中把形而上的普遍必然性当作推论的前提。这普遍必然性是基于“塑造之物”而被意识的。因为由大自然塑造而成的人类总是在那里塑造，我（大我）和塑造之物总是既定地成着在着；能够在有序结构作用下带上大自然赋予给它的普遍必然性，服从着自然的有序结构；塑造出来的“塑造之物”镶嵌在世界之中，并与人之主体和客体自然处在相互映照之中。塑造论哲学方法的主要部分就是要紧紧抓住作为人之塑造之物的结晶，由它以“显意识－潜意识”“潜意识－显意识”为枢纽而进行两面返照，进而实现延伸于无意识一端、延伸于超意识一端的分阶映照。这是刻画于“塑造单子”、在A、c—d、B之间同构、同态、同规、同律关系中的分阶映照。正是通过这种分阶映照，让其间辉映着光芒的心在心成形而上和存在至诚形而上成为相互照亮的。

二、“两端”：“无意识”“超意识”

（一）“超意识与无意识”、“无意识与超意识”。

前面已说到，塑造论哲学揭示“分阶映照”有两大系列。一是哲学对于科学来说的证明系列：“超意识－显意识－潜意识－无意识”；二是科学对于哲学来说的证实系列：“无意识－潜意识－显意识－超意识”。这里面“显意识－潜意识”或“潜意识－显意识”作为“枢纽”，其“分阶”和“超越”，在“哲学对于科学来说的证明”中与“科学对于哲学来说的证实”是有所区别的。

“哲学对于科学来说的证明”，“前阶”在于“超意识”，“超越”合流于“无意识”。关于这里的“前阶”，在于“超意识”。这是由于哲学首先面对的是意识作用下的“塑造之物”。在塑造论哲学中，“塑造之物”被认为是与有意识的人同在的、共成的；人的“塑造之物”不管其多么简单、粗糙，它总是被人塑造出来放于世界中；它既是意识的产物，又是属于形而上与形而下统一着的世界的。而其一旦与整个世界的进化融为一体，作为显意识的“塑造之物”与超意识的“存在”所“成”就成为同一的。关于这里的“超越”合流于“无意识”。这是由于“塑造之物”一旦出现，它本然地陈放在那里的；人们对自己的“塑造之物”经过有潜意识作用的显意识使之成为意识的显化，而它是加入于无意识的世界的，它不同于无意识世界而又与之溶化为一起，合流于无意识。

“哲学对于科学来说的证实”，“前阶”在于“无意识”，“超越”指向于“超意识”。关于这里的“前阶”，在于“无意识”。这是由于科学首先面对的是并没被意识的“自然界”。在科学中，“自然界”被认为是产生有意识的人的前提；尽管人面对的是人去意识的自然界，而自然科学总是假定它先于人的意识而存在，离开人而成；在人们对其尚未意识的意义上讲，它总是外在于人的意识的，是并没被人的意识投射于其中的未开发之地。其中固然内在着形而上但它毕竟是形而下的。它有待于人的意识之光投射于其中，而它是无意识的。关于这里的“超越”指向于“超意识”，这是由于自然界一旦成为塑造之物，它就在潜意识显意识的统一中超越意识，而进入与自然的更高统一。

基于无意识前提，才说到人。这是大自然塑造人类的结果。也就是说，自然界的塑造，经历了漫长的从简单到复杂的过程，人才得以脱颖而出。即所谓“天造万物，人为其尊”。

人作为高级的自然物质形态，在无意识的前提下或基础上，具有了自身特有的器官，即人之既有饮食男女又有意识功能的身在、身成、心在，心成。在人具有可解剖可观察性质的意义上说，其生理和心理的现象具有自然物质形态的形而下性质。然而，又正是因为这是大自然塑造而成的，由此决定了其本身可以积淀着整个世界存在形而上而有心在形而上的普遍必然性。在此意义上，关于普遍必然性的形而上是内在于其中而潜在着的，这就是所谓潜意识，它体现存在形而上成为心在形而上。这种潜在着形而上的作为由大自然长期塑造而成的具有这种性质的器官所带有的功能，是作为“文化人类”或者说每一个健全的人在其由自然塑造而成的生理和心理结构中所一定潜在着的。固然它要通过行为处理及语言符号才外化出来，而且要使之真正能体现潜意识必然性而显化出来，在显意识中发挥出潜意识功能，得有一个学习教育训练的激发过程，但首先应提到的是，它毕竟是潜在着的。所以说，在无意识前提下，出现着潜意识，而潜意识与无意识又不同，它已是有意识，这是已能称得上是“文化人类”的功能属性。“无意识”是“潜意识”的前提或基础，“潜意识”是“无意识”的发展和结果。只是就其是尚未显现出来的潜能而言，称之为“潜”的，而它又是一定要“显现”出来的。“无”的滋长“潜”的，“显”的现出“有”的。只有在潜意识成为显意识的意义上，才可称得上是真正有意识，不然也就称不上是有意识。

在这种过程中，无意识带有冲动性，有意识带有规范性；有意识与无意识之间有着“约束”和“挣脱”的关系。约束，在于有意识使无意识纳入带真美益善的人的必然性之中；挣脱，在于无意识力求使有意识纳入自然进化发展的本然之中。

可是，要实现“有意识”约束“无意识”，使之纳入自然熵减发展的必然性，必须力求使主体不被自然熵增的恶性无意识所染，归依让它去显示的心在形而上和存在形而上的必然性；

应引导人对自然的塑造，体现“人类文化”的本质，贯彻人为熵减的良性有意识，使自然在人的支配下，发展人化的自然。“无意识”挣脱“有意识”，要不离开人在熵减中发展的必然性，必须力求使主体不被人为熵增的恶性有意识所误，融于使之得以成立的存在和心在形而上的必然性；顺应自然对人的塑造，应体现“文化人类”的本质，延续自然熵减的良性无意识，使人在自然进化基础上保持自然化的人。总之，无意识和有意识在挣脱和约束中相辅相成地运行着，力求实现协调和谐。

而这里的关键又在于，基于无意识而内生的潜意识与基于潜意识而外现的显意识之间达到协调和谐的过程中，潜意识带有生成性，显意识带有成就性。

至此，论证便又进入塑造论哲学方法的枢纽部分，这是科学对于哲学来说加以证实的枢纽，即在潜意识与显意识运行中，专门考察潜意识与显意识的映照。由此我们便会意识到，“文化人类”面对着世界总是要去思维、去意识，或者说去文化，其“潜”的功能一定要“显”出来。潜的一旦显出来，便表现为显意识，文化就是显现出来的塑造之物。显意识一旦显现出来，当它作为深处潜意识之泉的涌出，它在潜意识的滋养下，必然性对它的决定没有中断；然而显意识的东西，它既可以与潜意识决定相衔接，同时也流入无意识之河，这就有与自然熵增无意识合流的可能性。当显意识与潜意识不中断而和谐统一，便形成体现必然性的文明、良性的显意识；当显意识与潜意识中断而分离，便造成脱离必然性的非文明、恶性的显意识。

可见，潜意识生成显意识，显意识成就潜意识，关键在于它们的和谐统一。潜意识的必然性是在自然对人的塑造中生成的，但如果没有人对自然塑造的显化，则实施不出显意识的必然性；显意识的必然性是在人对自然塑造中的成就，但如果不与自然对人塑造的必然性一致，则体现不出潜意识的必然性。

没有显意识与潜意识的统一，那就谈不上有意识的必然性。就显意识与潜意识统一而言，显意识显现于可由人直观感知到的物在形态之中的，它借人之行为处理的符号语言（以及劳动、操作的工具、器具等等）这些感性世界把潜意识成就起来。在此意义上说，它是人之身在的延长，具有形而下的性质，成就着潜意识。这种物在物成形态既融进世界的普遍必然性之中，又体现着一种意识思维潜在的普遍必然性，所以它又是显示形而上的。总而言之，作为潜意识，它潜存着心在形而上同时依托于身在物在形而下，它生成着显意识；作为显意识，它显示出心在形而上同时物化为物成身成形而下，它成就着潜意识。

在这过程中，由于潜意识的生成性和显意识的成就性，使潜意识和显意识之间有着“发散”与“收敛”的关系。因为产生潜意识的形而下的生理心理运动，是自然的人的运动功能，而显意识是这种功能在运动中的实现。这样，“潜意识”成为发散的，它既与无意识衔接而发散，又在发散中生成显意识；“显意识”成为收敛的，它既把无意识断开而收敛，又在收敛中成就潜意识。因此，由显意识成就的潜意识的为了保持来自自然无意识的有序必然性，往往竭力在发散中冲开显意识的收敛，使人向自然回归；而由潜意识生成的显意识又为了做到给予自然无意识以有序必然性，往往极力在收敛中凝固潜意识的发散，让自然向人靠拢。潜意识和显意识就是在这种发散和收敛中相辅相成地运行着。

“潜的”和“显的”在发散和收敛中，往往产生某些冲撞，这就不能不在理论、艺术、技术、道德及社会领域中形成一系列的悖论。这实质上是表现着“文化人类”与“人类文化”的二律背反。要变二律背反为协调和谐，关键是在理论、艺术、技术、道德及社会各方面实现主体潜意识的意识结构与显意识的行为语言和操作工具系统，及其与客体对象的同构、同态、同规、同律。由此，潜意识和显意识才实现“收敛”和“发散”的统一。这才能实现心在形而上与身在形而下，物在形而下与存在形而上，心在形而上与存在形而上的统一。达到了这种对立统一，便进入“超意识状态”。

这样，方法便进入超越部分，即从显意识到超意识状态。达到超意识状态，一系列“悖论”得到解决，“文化人类”与“人类文化”的二律背反得到解决，人与自然在文明的文化形态中实现统一。借用中国古代的哲学术语讲，这就达到了“天人合一”。

因为这样，“超的”和“无的”相仿佛，似乎是进入了“无意识”之中。这便涉及到灵感即直觉和顿悟的问题。然而，“超的”和“无的”并不同。“超意识”是有意识、有文化的文明结果，是其高级的形态。高就高在，它是在潜意识与显意识之间的那种“收敛”与“发散”关系达到协调和谐时出现的。而这种协调和谐又使得有意识与无意识之间的那种“约束”与“挣脱”关系达到协调和谐。这就形成了超意识统摄无意识，无意识支持超意识的关系。在这里由于达到了“心在形而上”与“存在形而上”的对立统一，达到了形而下与形而上的对立统一，便使得超意识与无意识之间的统摄和支持的关系达到协调和谐。

由此就可以与前面一开始相连接，重新进入塑造论哲学方法的前阶，即作到，从与无意识世界合一了的超意识形态中把显意识的塑造之物提取出来；然后进入塑造论哲学方法的枢纽，即实现由显意识映照潜意识；并进而进入塑造论哲学方法的超越，即在对意识必然性的把握中自觉去进行科学认识，认识无意识的自然界的形而下，使关于超意识形而上的结论得到科学证实。这就使科学与哲学的支持与统摄关系达到协调和谐。

基于以上一些规定性，“分阶映照方法”实现于哲学和科学的整个历程之中。在此简要概括如下。先说“哲学对于科学证实”系列的分阶映照：(1)“塑造之物”一上手，便可以进入分阶映照的前阶：“超意识－显意识”的映照。说到超意识，是因为人塑造自然所形成的“塑造之物”总是被塑造出来放在自然界中，一旦与世界融为一体就成为超意识的。说到显意识，是因为这种塑造之物作为一种感性的存在物，它显现出主体在塑造过程中“经过”行为处理和语言符号“记录”所印于其上的主体意识结构。(2)由此就可以踏进分阶映照的枢纽：“显意识－潜意识”的相互映照。通过“由显意识影映潜意识，在显意识中窥视潜意识，实现显意识与潜意识的相互映照”。(3)在显意识与潜意识的统一之中便可以向着与无意识的统一超越：“潜意识－无意识”的映照。这是因为，作为人之主体的潜意识的意识结构，一旦体现于人的“塑造之物”而被镶嵌于自然界中，这塑造之物又成为似乎是无意识的自然物。在这一超越中，主体才能把自然界看成人这一过程的现实部分，形成在人的本质被确证中，用确定了思维的意识普遍必然性去把握自然的各门科学。于是，这形成了一个“超意识－显意识－潜意识－无意识”的系列，这是以“我塑故我塑之物和我成在”为前提而实现的“哲学对于科学的证明系列”。哲学历程走过的正是这样的系列。与此相衔接，又可进入“科学对于哲学证实”系列的分阶映照：(1)又可以进人分阶映照的前阶：“无意识－潜意识”的映照。这里面对的是“塑我之物”。这“塑我之物”是无意识的，但当它成为人去考察的对象，又是人的潜意识加人进去了的。这里实际上是由人向前追溯，其中体现着科学研究中许多人所讲到的“人择原理”。在这过程中对人的潜意识结构生成有着从无意识前提所作出的证实。这就以实证材料表明了，有意识的人是由无意识的自然界进化出来的，从而实证地确证能外化成显意识的人之主体的潜意识普遍必然性是由大自然积淀赋予给人的。(2) 由此又可以踏进枢纽:"潜意识一显意识"的相互映照。即证实这种潜意识的意识结构通过人之主体的"塑造之物"或"我塑之物"显现出来时,在潜意识与显意识的相互影照中,显意识对潜意识有着既成就又规范,既发散生成又生成收敛,既延长自身又约束自身的"一剑两刃"性质。(3) 当显意识与潜意识在塑造中达到和谐,便达到对于意识的超越:"显意识一超意识"的映照。从而既使潜意识必然性得到证实,又由于显意识塑造之物加人大自然的有序之中;从而证实了它是体现着超越了意识的存在,这也就不断地对物在形而下支持着的存在形而上作出着证实。于是,这形成了一个"无意识一潜意识一显意识一超意识"的系列,这是以"塑我故我和塑我之物在"为前提实现的"科学对于哲学的证实"系列。科学历程走过的正是这样的系列。把以上两系列总和起来,便形成了一个首尾相接的循环圈,而且两个系列各阶映照,成阶梯推进,两个系列之间各因素也形成相互映照。由此不断展开其内容丰富的塑造论哲学系统,实现着形而上与形而下的统一。

(二) 灵感:直觉和顿悟。

塑造与塑造之物诸要素达到和谐,便会出现一种意识的超越。就意识主体来说常常会有一种"灵感"之类情况的到来。

"灵感"往往有两种情况,一是"直觉",二是"顿悟"。

1. 关于"直觉"。

在日常,直觉往往是一个意义十分广泛,并有多种使用的词。它在英文中是"intuition",在俄文中是"интуиця",在德文中是"anschanung"。这个词有时也译为"直观"。而在我们来说,把"直觉"与"直观"区分开作为两个词使用。"直观"主要是就感知而言,曰"感性的直观"。而直觉则主要不就感知而言。对于"直觉",历史上常常赋予它以神秘的色彩。作为哲学概念,在不同的哲学体系中往往给它以不同的解释。

在古希腊，亚里士多德曾对其看成是呈现一切知觉前提的内心活动。在亚里士多德说来，认识主要是当作推理的认识来看待的。因为人们不仅要知道P是真实的，而且要知道为什么P。同时，推理要有一个起始点，而这个起始往往是不能被说清楚的，因此必须把这种存在作为一种无理性的事实接受下来。这只能有一种呈现一切知觉前提的内心活动。

到中世纪，由于宗教的发展，“直觉”便常被用来表示一种神秘的和与主同在的有自居作用的宗教经验，代表“上帝”“显圣”。

同时，也有人认为，“直觉”应是与“抽象认识”相对立的东西，这就是人们所理解的“知觉”。因为在许多人看来，“抽象认识”含有“记忆”和“想象”，而作为“知觉”的“直觉”则不然。

后来，以上作为“知觉”的“直觉”的含义被德斯卡特斯(Descartas)、斯伯克（Spinc）和洛克（Lock）改变或延伸了。德斯卡特斯在其著作《规则》之X中对直觉作出了一种极端理性主义的解释。因为他主张，感官直觉实际上根本不是认识。不仅如此，而且他还进一步坚持认为它们实际上不是心理事件，而仅仅是物理事件。所以他不承认有两个直觉的能力（一个感觉，另一个是非感觉），而是只有一个，即非感觉。洛克用“直觉”这个术语直接表达一种和感官中的知觉不同的东西。例如，他在《知识随笔》第二册第二章第一节的论述中，把“直觉”用来指谓诸如数学公理和分析真理以及合法推理的那些带有直接合法性的非推理知识。而休谟则又说，我们人唯一的直觉能力是感官直觉。

笛卡尔在他的“我思故我在”的意义上谈到了“直觉”。他声明，关于他的“我思故我在”的原理，不是三段论式，而是一个直觉的认识。他企图借此维护他这一原理作为“不证自明的公理"的第一原理的地位。而且笛卡尔还列举例子，陈述"被直接理解的东西"。按照笛卡尔的观点，任何连续的物理事件都不能引起心理事件（例如，开始认识 coming－knom），然而只有能导致开始认识的内在关系才形成被推理的关系。显然这就使予先不加推理的开始认识成为非能由以引起的。这里暗示着有一种特有的神秘的心理状态。这是人应有的一种独特的能力。

斯宾诺莎则认为人有三类理解能力，即感觉的、理智的、直觉的能力。显然斯宾诺莎不把直觉能力和感觉等同，也不和理智等同，而是一种独立的能力。按他的观点，直觉是特别的东西，它不是概念。与一些人往往把直觉看成是一种理性的活动不同，斯宾诺莎则似乎把直觉看作是一种在头脑和身体之间没有区别的行为。

康德在他的先验感性论中讲到了直觉（Anschanung）。在汉译文献中，人们常在此把康德讲的 Anschanung 翻译成"直观"。之所以这样，是因为康德讲的 Anschanung 与他对"现象"的界说分不开。康德说："经验的 Anschanung 之对象（未规定其内容者）泛称为现象"。此意义大体与感性直观重叠。这是与我们所要说的直觉有区别的。但是，康德讲的这个概念又强调它指一种先验的形式。因为康德认为，现象中既包含质料，又有它的形式。他说，"现象中与感觉相应者，我称之为现象之质料（Materie）；其所以规定现象中之杂多使之能在某种关系中整理者，我名之为现象之方式（Form）（应译为"形式"，下同——引者）"。在此，康德强调"一切现象之质料仅后天地授予吾人，而现象之方式则必先天地存于心中以备整理感觉，故必容许离一切感觉而考虑之也"。康德认为，这现象之形式就是先验感性的"空间与时间"。由此他对数学是如何成为可能的这一问题作以回答。康德强调，这是数学之所以成为可能的根据。

费希特否认理性直觉的存在。费希特表明，他实际上不同意康德的观点。因为直觉的结果，先验E，是一个活动不是一个物体。人们常说，费希特的直觉是先验自我的直觉。

叔本华讲，要达到意志的必然性，就必须"把人的全副精神能力献给直观（实际上应译为"直觉"，下同，——引者注），沉浸于直观，并使全部意识为宁静地观审恰在眼前的自然对象所充满，不管这对象是风景，是树木，是岩石，是建筑物或其他什么。人在这时，按一句有意味的德国成语来说，就是人们自失于对象之中了，也即是说人们忘记了他的个体，忘记了他的意志；他已仅仅只是作为纯粹的主体，作为客体的镜子而存在；好像仅仅只有对象的存在而没有觉知这对象的人了，所以人们也不能再把直观者其人和直观本身分开来了，而是两者已经合一了，这同时即是整个意识完全为一个单一的直观景象所充满，所占据。所以，客体如果是以这种方式走出了它对自身以外任何事物的一切关系，主体也摆脱了对意志的一切关系，那么，这所认识的就不再是如此这般的个别事物，而是理念，是永恒的形式，是意志在这一级别上的直接客体性。"①

在柏格森（Henri Bergson）的哲学体系中，"直觉"成为一个重要范畴，所以其哲学被谓之直觉主义。柏格森在其著作《形而上学导言》中，给直觉下了这样一个定义："所谓直觉，就是一种理智的交融，这种交融使人们自己置身于对象之内，以便与其中独特的从而是无法表达的东西相符合。"在柏格森说来，一切理智的认识都"意味着我们迂回于对象的外围"，"停留于相对的领域"。而直觉则达到了绝对的领域，所谓绝对的领域也就是他所谓的绵延、生命冲动的领域。他在《形而上学导

① 叔本华：《作为意志和表象的世界》，商务印书馆1982年版，第249页。

言》中进而说：直觉"把自己置身于可动性中，或者说置身于绵延中，二者意思相同"。因此柏格森强调，在直觉中，"我将不再从我处的外部来了解运动，而是从运动所在的地方，从内部，事实上就是从运动本身之中来了解运动"。由此柏格森指出，直觉"既不决定于某一观察点，也不依赖于任何符号"。总之，柏格森的直觉主义把直觉和分析看作两种根本不同的认识方法。他认为，直觉可以深入于事物的内部，分析却只能停在事物的外围。前者得到的认识是绝对的，后者得到的认识是相对的。只有直觉才能把握川流不息的世界"绵延"；分析却把时间空间化，也就是把"绵延"的时间分割开来，从而使活动中的实在僵化为静止的事态。他指出，直觉是使人得以体验事物本身运动的精神状态和洞察终极实在的非概念性认识。

胡塞尔直接从追问形而上学的方法论意义上讲到"直观"，也可译为"直觉"。这里的直观，有与康德相近的方面。胡塞尔现象学还原的重要一环就是本质直观。胡塞尔常常把直观又分为经验直观与本质直观。人们通常认为，胡塞尔的本质直观就是对于失去的不变本质所进行的直观，这种直观是靠所谓"自由想象的变换"的方法完成的。通过这种方法，任何对于个体的经验直观都可以转化为本质直观。

还有大量从美学角度谈论直觉的哲学家。如，克罗齐的直觉主义。克罗齐把知识分为两种形式，即直觉的知识和逻辑的知识。前者是通过想象力得出的关于个体的知识，后者是通过理智得出的关于共相的知识。他认为，美学是研究直觉知识的科学，正如逻辑是研究概念知识的科学一样。在他看来，直觉就是创作活动，所以它在美学中占有至高无上的地位。"直觉即表现"成了克罗齐有名的美学公式。

还有一种伦理学的直觉主义。主要代表是摩尔、O·约翰逊等。摩尔认为，"善本身"存在于宇宙中，是不依赖于具体事物、社会生活和人的意识而独立存在的本质。他认为，善的这种性质，只能靠直觉来认识，以为善和善事物都是“自明的”，它不需要从别的判断中推导出来。善是简单概念，不能分析，因此不能被定义。但是，正当、义务等道德概念不是自明的，必须从善那里导出，并且只能通过善来下定义。H. 普理查德则认为，义务正当是不能被定义的直觉范畴，它们是“自明的”。只有道德直觉才能给人指明他的义务是什么，什么是正当的。人们在道德问题上之所以会发生分歧，是由于人们并不具有同等发达的道德直觉。

在近现代数学史上，有一种直觉主义学派。其把直觉强调为数学的可靠性基础。然而，有的学者指出，直觉主义者所谓的“直觉”并不是指主体对于客体的感知的或洞察的能力，而是一种构造性活动。克林（S. C. Kleene）的《元数学导论》的俄译者就此书这样指出：“虽则这样的数学基础实际上由布劳维所领导的直觉主义学派所建立的，但多数著者（包括本书著者在内）所使用的‘直觉主义数学’‘直觉主义逻辑’等不应认为是完全正确的，因此这些用语所指的正面内容通常（例如……）并不与直觉主义有任何关系。较正确地说‘构造性数学’，‘构造性逻辑’为妥”。[①]

也有不少人认为，数学领域中的直觉主义者的思想是对于康德先验感性论的直接继承。对此，直觉主义的主要代表布劳维似乎直言不讳：“我们可以在康德那里找到直觉主义的一种古老形式”。但是，直觉主义者由于非欧几何的建立“放弃了康德关于空间的先验性；而更加坚持了关于时间的绝对的先验性”。作为对数学直觉的具体分析，布劳维提出了“原始数学直觉”

---

① S. C. 克林《元数学导论》上册，科学出版社 1984 年版，第 60 页。

的概念。他在《直觉主义和形式主义》一书中写道：“这是人类智力的一个基本现象，时间把生活分割成不同质部分的相继瞬间的同时又把它们联结起来。而如果从其中抽去了感性内容那就得出了数学思维的基本现象：即空的（赤裸裸的）对象——对偶的直觉”。这就是所谓“原始数学直觉”。布劳维指出，一般的数学直觉就是指上述原始数学直觉的反复活动。所以在直觉主义看来，真正的数学就是指这种心智活动的领域，它可以通过数学直觉而得到构造。而且他们认为，只有建立在“数学直觉”之上的数学才是真正可靠的。因为，这能使“概念和推理十分清楚地呈现在我们面前”，它们“对于思想来说是如此的直接，其结果又是如此的清楚，以致不再需要别的什么基础了”。因此，A·黑丁的《直觉主义导引》这样讲，在直觉主义那里，数学概念在“主观直觉上的可构造性”，即“心智上的可构造性”，成了数学理论可靠性的唯一标准。正式在此意义上，直觉主义者提出的口号往往是：“存在必须等于构造”。

另外，在近代自然科学研究中，许多自然科学家在总结科学研究过程时提到直觉。例如，W·I·贝费里奇（W·I·B. Beveridge）在他的《研究科学的艺术》一书中写道：“直觉一词有几种略为不同的用法，所以一开始就必须指出：直觉用在这里的是指一种突如其来的颖悟或理解，也就是人们在不自觉地想着某一题目，虽不一定但却常常跃入意识的一种是问题得到澄清的思想。”而且他认为，“灵感”、“启示”和“预感”这些词固然有其他的意思，但能用来形容这种现象。从贝费里奇举的大量例子看，他是用直觉指那些在作了大量的理论思考之后怎么也解决不了问题，而在一定情况下又突然产生的顿悟。作为他概括问题的根据，他列举了许多例子，并且特别重视爱因斯坦这样一句话：“真正可贵的因素是直觉”。

爱因斯坦在总结他的科研活动的体会时，说过一系列关于

“直觉”的话。他说：“我相信直觉和灵感”。[①] 他还说：“物理学家的最高使命是要得到那些普遍的基本定律，由此世界体系就能用单纯的演绎法建立起来。要通向这些定律，并没有逻辑的道路；只有通过那种以经验的共鸣的理解为根据的直觉，才能得到这些定律”。

2. 关于“顿悟”。

人们往往总结其有这样一些特征，如突发性、瞬间性、难言性等等。对此人们曾从心理学的角度加以研究加以解释。例如，完形理论（也叫“格式塔”学说）认为，这种突发现象实现于一种“格式塔”转换。克勒（W·Koehler）认为这里面有一种“场效应”，有一个力场，如同一个电磁场，其中力的组成几乎是瞬间完成的，转换也是瞬时的。皮亚杰不满意以上见解，他指出，“克勒专注于场效应，导致他只是在‘顿悟’中才看到有真正的智力行为，好像在最后的直觉出现以前的那些摸索还不是智力行为似的。尤其是，‘格式塔’学派对于功能与心理发生的观点以及最后还有对主体的活动极少重视，无疑场模型是要负责任的”。[②]

皮亚杰从他的行为活动的观点出发，对顿悟加以说明，给我们以很好的启示。皮亚杰写到，儿童在行为当中，“能够寻找新的方法，不仅用外部的或身体的摸索，而且也用内部的联合，达到突然的理解或顿悟（insight）。例如，儿童面临着一只稍微开口的火柴盒内有一只顶针，他首先使用身体摸索，试图打开这火柴盒……但终于失败了，继之以一种完全新的反应：他停止动作，细心地观察情况（在这过程中，他把自己的小嘴巴缓

① 爱因斯坦：《爱因斯坦文集》第1卷，范岱年、许良英中文译本，商务印书馆1978年版，第284页。

② 皮亚杰：《结构主义》，商务印书馆1984年版，第38页。

慢的一张一合了几次，或是如另一个儿童所做的，他的手好像在模仿所要得到的结果，即是把火柴盒的口张大），然后他突然把手指插进盒口，成功地打开了火柴盒，取得了顶针"。[①] 皮亚杰以为以上情况主要是因为，"处于时空动力变化中的物理世界，它把主体作为一个组成部分而整合进去，这时对于能客观地'直接理解'物理世界的某些规律的来说，就成为可以达到的了"。[②] 由此皮亚杰在讲到"感知一运动"图式时说，"顿悟依赖于感知一运动图式在各种不同水平（……）上持续不断的同化作用，才能导致新联合和内化作用，最后才能对一定情境立即理解"。[③] 皮亚杰把顿悟放在直接行为中加以说明，是很有意义的。

3. 对于直觉和顿悟，人们往往都把它归之于"灵感"。

我们现在通常所讲的"灵感"一词，在古希腊文中写作Θεοπυεõοτια，它的原意是指神的灵气。它由两个词复合而成：（Θεós）是神，（Πυεσóτια）是气息的意思，加在一起，可以理解为灵气。据说这个词在公元12世纪以前，一直没有像后来所作的那样，从灵感的意义上加以说明，而只是把它用之于一种神性的着魔（enthousiasmos）。而处在那样一种情况下的人就叫作神的着魔者（entheos）。灵感，英语作inspiration，意思基本与上述相同，spirit也是指一种灵气，inspiration也就是一种灵气的吸入。希腊词（Πυευσοτια）还有微风轻吹的意思，据说澳大利亚某些土著妇女声称他们能像听见一阵微风那样听见神的降落，这种说法也被用来比拟灵感一词曾经有过的那种原始意义。在古希腊时代，今天称之为灵感的东西，被认为是一种可以向

① 皮亚杰：《儿童心理学》，商务印书馆1980年版，第11页。

② 皮亚杰：《发生认识论原理》，商务印书馆1981年版，第56页。

③ 皮亚杰：《儿童心理学》，商务印书馆1980年版，第11～12页。

神祈求的东西，指认那种灵气简直如同一块银币一样可以直接被传递。《希腊神话》一书中，还有一幅荷马向缪斯祈求灵感的插图，似乎也印证了当时希腊人确有这类想法。① 当代学者奥斯本（H. Osborne）在他的《论灵感》一文中说：“在（灵感）这个术语的一般用法上，我们常常说当一个人（在他自己或者别人看来）仿佛从他自身以外的一个源泉中受到了帮助和指导，尤其是明显提高了效能或增进了成就之时，那我们势必会说这个人是获得灵感了。对于那样的灵感源泉可以被认为是系自然所赐或系自然所赐或系超自然的力量所赐。……当这种源泉表面上是超自然的时候，宗教人士就会说这是由于上帝的恩赐，并且相信是上帝给与了他们以他们意识到的那种帮助、指导和力量”。②

我国古代文论中并没有“灵感”这个词。20 世纪 20 年代，人们按照英语“inspiration”的音译，称之为“烟土披里纯”。当时一些赶时髦的文人，大讲特讲“烟土披里纯”，至于究竟什么是“烟土披里纯”，恐怕连使用它的人也是十分茫然的。后来，对它的用法有时还略带一点讽刺意味，例如说某作家“时常左手抱着一个坐在他膝上的幼子，右手拿着笔做他的本分的工作。还说这时候，烟土披里纯才出来”。③

单从术语翻译的角度来看，把“烟土披里纯”从音译翻译成意译的“灵感”，是译得很形象的。灵感的灵，繁体靈字，从巫。《说文》：“巫以玉事神”曰靈。照许慎的解释：“巫，祝也。女能事无形以舞降神者也。象人两褎舞形。”所以灵感这个词的

① 朱狄：《灵感概念的历史演变及其他》，载《美学》第一辑，上海文艺出版社。

② 奥斯本：《论灵感》，载《英国美学杂志》1977 年夏季号。

③ 何若：《如此刘穆》，载杨之华编：《文坛史料》，第 210 页。

翻译，可谓与柏拉图时代的含义相近，一是有神通的意思，二是与巫有关。① 大量事实表明，灵感的突然出现，确实给人以“若有神助”之感。

结合整个哲学史来简要地读一下以上种种引述，可以看出，“直觉”“顿悟”或总起来说“灵感”，在哲学追问形而上学的过程中对之是回避不掉的，而在各部门科学学科中对之又是难以实证的方式加以解析的。

人们的这些概念所指，尽管有种种不同说法，但共同之处又是很明显的：人们往往把那些在意识中出现，但又不能在理性思考中，在经验感知中，说明其来由、根据，所以对这那些情况归之于“直觉”“顿悟”以及“灵感”。

这是指向形而上的。

在我们塑造论哲学体系说来：直觉标志着客体经由人的行为语言或劳动工具向主体内化，这是直觉心在心成形而上的过程；逻辑、韵律、程序、伦理的必然性都离不开这个过程。顿悟标志着主体经由人的行为、语言或是劳动、工具向客体外化，这是顿悟存在至诚形而上的过程。（逻辑＋现象事实）的真、（韵律＋形象意蕴）的美、（程序＋备件材料）的益、（伦理＋性情欲求）的善，都离不开这个过程。

但是对这两个方面，如果只是分别地认为，那么体现普遍必然性的真善美都亦不会成立。塑造论这些强调，它们出自“塑造单子”诸要素的和谐，出自“塑造单子”的“圆满”，出自“塑造单子群”中的“圆满”。

这圆满中，既达到着显意识与潜意识的和谐统一，也达到着有意识与无意识的和谐统一；人与自然同步的对应性制、取

① 朱狄：《灵感概念的历史演变及其他》，载《美学》第1辑，上海文艺出版社。

悦性机制、权变性机制、共生性机制等等，一起发生作用，形成自组织的活力。

处在这种“圆满”中的单子是个有机的系统，其中似乎有一种“气”或者说是有一种“灵气”“灵性”贯通着，这是“灵感”的根据。

可以借用现代科学中，普利高津耗散结构论里的“自组织”，哈肯协同学里的“序参量”，艾根超循环理论里的“吸引子”，等等，来对于这种贯通着“灵气”或“灵性”的“塑造单子”作出进一步的说明，首先，它是一个自组织系统，体现着“非平衡是有序之源”，走过着从无序到有序的过程。其次，它里面包含着自己的“序参量”，支配这其中诸子系统，形成着特有的有序结构。另外，它能成为相对稳定下来的“吸引子”，实质在于它是“相空间的某部分”，而随着时间的推移则会吸引附近的区域逐渐趋近于它。[①]

三、有灵性的人与自然界的灵性

（一）说到“灵性”，其在原初意义上讲者是带神秘主义的。灵性往往贴近于神学的用语，如“神灵”“显灵”等等。无神论批评有神论往往集中否定着这种“神灵”的存在。如中国思想史上的“形神之辩”，如西方思想史上的“世界是否有神灵”的争论，等等。在历史上，这些争论，对于摆脱愚昧摆脱宗教迷信，对于打破天、帝、神的禁锢，对于确立人的自尊，对于确立科学思想，对于人从自然界中站出来去改造自然界，都起到了重要的积极作用。

但是，此过程中，在人们心目中把自然有灵的魅力完全清

---

① 参见，张全新：《塑造论哲学导引》，人民出版社 1996 年版，第 936～947 页。

除掉，常常也会使人形成对自然魅力的不尊重。

为此一些思想家批判了一种"自然祛魅"倾向。如有的学者说，席勒曾谈到过自然的"祛魅"，用的是 Entgotterung 一词，字面上的含义是自然的非神化。现代的韦伯在形容祛魅时用的是 Entzauberung 一词，字面上的含义是"祛除魔力"。韦伯由其关于"世界的祛魅"（the disenchantment of the world）的论述，表达了其对现代性的看法。

美国学者大卫·格里芬在其组编的《后现代科学——科学魅力的再现》的"引言：科学的反魅"里写道，"关于自然的现代科学导致了自然本身的祛魅"，"这种祛魅的世界观既是现代科学的依据，又是科学本身的结果和前提"。①

在这些学者看来，坚持二无论和还原论的现代哲学是一种"祛魅的哲学"，正是这种"祛魅的哲学"最终导致了世界和"自然的祛魅"。在这个过程中，由伽利略所始创，继而被笛卡尔所完善的分析的方法起了重要作用。作为科学的分析方法，是一种有重要作用的研究方法，在科学发展史上功不可没。但它毕竟是一种有限的方法，不能将这样一种科学方法过分地夸大。因为根据这种方法，要了解事物的真相，就必须对于对象加以分解，而且要尽可能地了解构成事物的最简单的要素或粒子。这带来，往往把世界看成是被分割了以后又结合起来的东西，世界整体的有机系统性，总或多或少地被轻视或忽略了。

所以格里芬等哲学家提出了要使自然返魅或附魅的口号。"返魅"或"附魅"在一定意义上强调着，要正视自然有灵的魅力，要像重视人的精神之灵一样地尊重自然的灵性。当然，应当讲，强调对于这种灵性加以尊重，并不是要重新回到宗教迷

① 大卫·格里芬编：《后现代科学——科学的魅力的再现》，马季方编译中文本，中央编译出版社 1995 年版，第 1～2 页。

信意义上对神灵统治一概肯定。可是在系统自组织性意义上的灵性，却不能加以否定。

塑造论哲学强调，大自然的灵性使人的意识带上灵性，人的意识的灵性又给予大自然，这形成着在灵性上的统一。人所塑造而成的任何一种与自然熵减一致的塑造之物，都体现着这种灵性，它既是人之显意识的，又成为超意识的。

固然，人的精神之“灵”与自然的普遍必然性之“灵”不可同日而语。活生生的人有灵魂，人死了便没了灵魂。然而，自然，却总是有其“灵性”的。这自然的灵性在自然塑造人中给了人，使人有了自己的灵性。这不是一般的灵性而是人特有的灵性。人以自身的灵魂，即以自己特有的灵性塑造自然；又把自己的灵性给予自然，这灵性与自然万物的灵性是相通的。人一定不能割断这种相通的灵性，更不能以自身灵性是不同于无意识之物的灵性而妄自傲慢，甚至盲目地据此与其他物种的灵性为敌。这其中毫无意义的取乐性伤害是伤天害理，这里面不得已而为之的伤害要节制。人与其他物种有相通的灵性，其他物种的生灵都是自己灵性实现的环节或人之生灵系统不可缺少的因素，滥伤了这些生灵就是伤害自己，就会遭到大自然的报应。

在自然塑造人和人塑造自然中，当这灵性贯通其中，那就成为人这个有机体的扩大，在息息相通中自然是属人的，人是属自然的。这会使你与万物共生，你拥有万物，你在人与自然的统一、同一中是有使命的。

自然塑造养育着人这个有意识有灵魂的生灵，人是大自然生育即塑造的子孙。自然界要依靠这聪慧的生灵保护延续自己，而不是育出一个反叛，处处向自然母亲宣战，去任意宰割塑造自己的自然母亲。人不得不向大自然索取的东西，这是接受大自然的奉献，就像孩子吮母亲的乳汁。然而人一定要考虑到有灵性的自然的承受能力，不能“竭泽而渔”伤害自然。人向大自然索取，接受了大自然对自己塑造的奉献，同时也要向大自然进行奉献。对这，不能看成是心目中忘了自己而只有自然，而恰恰也是为了自己，是为了保护塑造自己并使自己有所塑造从而确证自己的灵性。这就是大自然之所以能塑造人类的必然性，这就是大自然与“熵化”搏斗才塑造着人类的有序结构。人不尊重不支持自然与“熵化”的搏斗，恰恰又以人为的方式为自然增加“熵化”，这使自然的正熵增加，极而为之，就会断绝自然对人和人对自然的塑造之源，断送自己。

（二）如同自然总是处在“负熵”与“正熵”的搏斗中一样，人也总是处在“负熵”与“正熵”的搏斗中。人要通过自己的塑造让负熵增加而抵御正熵，不得已而一定带来的正熵要力求降低到最小限度，这才有可持续发展。

普利高津把系统分为三类：一是孤立系统：与外界既没有物质交换也没有能量交换的系统。孤立系统实际上是人为设定的。在现实中很难找到真正意义上孤立的系统。孤立系统可认作是死系统，这种系统的平衡是无序的、无信息量的、熵极大的平衡。二是封闭系统：与外界有能量交换，但没有物质交换的系统。在这种系统中最终总是从有序走上无序，不可能实现无序向有序的转化。例如，在物理学中，固体、液体等，当封闭系统的平衡结构，在低温条件下，它们的分子呈有序排列，即保持稳定而有序的结构；当温度上升到一定程度后，原有的分子排列遭到破坏，系统整体由有序状态转变为无序状态，最终形成一种“热寂”的死结构。这是自然界中的一条从有序走向无序的系列。三是开放系统：与外界既有能量交换又有物质交换的系统。由于它与外界既有能量交换又有物质交换，会在非平衡运动中排除无序而出现有序结构。从这意义上说，“非平衡是有序之源”。这是自然界从无序走向有序的规律。一个系统只有作为远离平衡态的开放系统才有可能形成新的有序结构，并且不因外界微小扰动而消失，保持一种活的稳定性。由于这种结构的形成是以消耗外界的物质、能量和信息为代价的，故称为“耗散结构”。

耗散结构是一种“自组织系统”。耗散结构理论认为，处于远离平衡态的开放系统，可以在随机因素扰动（即涨落）的诱发下，从不稳定态跃迁到一个新的稳定态而保持一种有序结构；在此过程中，其内部各要素之间必定发生非线性的相互作用，各要素之间产生相干效应和协调动作，这能在多种演化的可能性中出现一个稳定的参数，从而自行产生一种组织性，这是一种自组织现象。而孤立系统、封闭系统只能走向“死寂”，不可能产生这种“活的”自组织机制。总之，耗散结构理论把系统与外界的物质、能量、信息的交换，看作是实现自组织的外部条件；把各要素之间发生非线性的相互作用，看作是实现自组织的内在依据；把随机涨落的出现，看作是系统实现自组织的直接诱因。因此，耗散结构理论又被称为自组织理论。

在对宇宙的形成和发展的认识上，近代德国物理学家克劳修斯曾由热力学第二定律提出过一个“自然增熵原理”。由此人们曾认为，既然物理过程总是自发地从有序走向无序，系统的“熵”是增加着的，因而宇宙的演化最后将达到“热寂”，由此而失去一切运动的活力。然而达尔文进化论则认为，生物的发展是由低级到高级，由简单到复杂，是朝着由无序向有序方向发展的。这就产生了物理学理论与生物学理论的矛盾，产生进化论与热寂说的冲突。以致后来又产生《增长的极限》与《没有极限的增长》的争论，产生悲观的与乐观的种种论调，并引起哲学上的重大论争。作为现代科学的耗散结构理论得出结论：对于孤立系统和封闭系统来说，“熵”是增加的，是从有序到无序；而对于开放系统来说，则由于与外界有物质和能量的交换，可以从外界吸取“负熵”来抵消自身“正熵”的增加，使系统实现从无序到有序、从简单到复杂的演化。这就解决了热寂说与进化论的矛盾，使物理学与生物学所揭示的规律得到统一。

（三）可见，关于世界到底是走向热寂还是走向进化，关键要看是否有开放系统的机制。人自身的生命过程是开放系统。自然塑造人，人塑造自然，里面保持着一种开放系统的机制。当代许多学者，如赫尔曼·哈肯（Hermenn Haken）提出了协同学（Synergetics）的理论，并用其阐明了系统中子系统出现协同运动的条件和规律，找到了系统有序的理论根据。在此理论的启发下，一些学者将人口、资源、环境与发展（PRED）相协调的问题，用人类社会与自然互动作用的人地协同论来表征。

由塑造论哲学来说，讲“人地协同”，这里有一个实质性问题是，重视“人”和“地”有着不可分割的联系。人们常讲到古希腊神话中有这样一个故事：大地女神该娅的儿子安泰，对生育抚养他成人的母亲非常依恋。没有谁能战胜安泰。安泰这个无敌的英雄，其力量在于每当遇到困难，便往地上即往母亲该娅身上一靠就取得了力量；同时，安泰的最大弱点也在于，什么时候割断了他与大地的联系，便不攻自败。故事中的安泰最后确实就是因此而死去。这提供了一个很深刻的比喻：既然是大地母亲该娅的灵性才使英雄安泰有力量；那么人作为万物之灵的英雄，一定不能离开大地母亲。“人”和“地”一分割开，就必定失败、灭亡。当然，这个故事还仅仅是强调了英雄不能离开大地；引申可使我们认为，最重要的在于，人必须保护与自己息息相关的大地母亲不被伤害，要保持“该娅”的活力，关键是要使人地协调系统不被破坏。

正如人们强调的，人地协同论就是要研究人类与自然之间和谐共存，要研究人与自然之间的反馈与制约、利用与合作、发展与协调等一系列关系及规律。在人地复杂系统中，各子系统之间存在的非线性相互作用，这会使整个系统产生时空上的自组织结构，而表现出有序状态。人地协同论着重研究人类与自然的协同演化，寻求在适当约束人类自身行为的条件下达到最佳优化组合的途径与策略；要回答人地关系怎样才叫协调，需运用动力系统的动态周期解的理论和方法；人地关系协调或协同，是指一种符合自然和社会发展规律的，同时又是生机蓬勃的运动状态，即人类的综合作用力与环境的总体承受力之间应满足的动态周期平衡。可见，整个问题的关键在于维护自然与人的熵减系统。这就要让人的灵性与自然界的灵性得以贯通。保持这灵性主要在于保持系统的自组织性。

第一，要把人类活动带来的熵增减少到最低限度。作者提出塑造论哲学时早就强调，应提出一种“生存常量的逆推方法”，以此来加以计算，找出一系列旨在控制熵增的常数。首要的一个常数是人口常数。通过确定出全球人口的最高指标，再来推算出人口营养的最基本的总需求额。饮食的观念，应定位于达到人体最佳健康状态而提供营养。事实表明，人的饮食应当有一个常量。不足，显然不利于健康；而过分，显然也有损于健康。建立起饮食是为了给人口提供基本营养的观念，还应当去掉在伙食活动中加进种种五花八门的因素。如社交、祝贺等，一些人习惯于把大吃大喝的饮食方式当作社交、祝贺方式。应当说这是在人类生产力不发达把吃喝看得非重而遗留下的习俗。对此应当在人类生产能力发展中、在人类的觉醒中尽快加以改变。特别是一些地方，把一些主要着眼点不在于饮食营养，而在于饭菜花花绿绿，在于宴席如何排场等等的所谓“饮食文化”“酒文化”，当作优秀文化传统发扬，讲排场、大吃大喝。不仅挥霍粮食，而且大量伤害动物。有的以吃生猛和稀有动物为荣耀；有的把猴子、猫等动物以残忍手段在餐桌上烧天灵盖取脑而食；有的把禽、兽、鱼、肉一盘盘地上席而吃不了几口便全部倒掉，等等；这是伤天害理的。再加上大量地饮酒不论对资源还是对人自身伤害都是很大的。人的饮食按有利于健康的基本数量计算，粮食、蔬菜、肉类等等应当有个最合理的比例。总量上合理，比例上合理，都有利于避免浪费。粮食、蔬菜的节约，可以减少土地的浪费以及使用种种肥料特别是化肥而引起的生态破坏。肉类的节约同样如此。关于肉类的来源，除养殖业以外，还有捕杀，应逐步地尽量地减少非养殖的捕杀，以保持各种生物、动物在生态系统中的作用。衣、食、住、行是人生存的最基本需要。饮食是最基本的，而其常数又是最易于定量计算的。对于衣、食、住、行的需要常数则不那么容易计算。特别是行，人们除追求舒适以外，更追求速度。这就要涉及耗费大量的能源和材料。不仅如此，为了使行、住、衣、食提高质量，人们就得造出更有效的工具、机器，这也得耗费大量的能源和材料。通过计算出人生存的基本需要常数，就可以进一步减少能源和材料耗费的某些项目。对于那些不能不耗费的能源和材料，也得力求减少到最低限度。不仅如此，还应在进行材料和能源开发的同时，找到以给自然加入负熵而弥补甚至抵消因消耗能源和材料而带来熵增的途径。

第二，人类应尽量向自然环境输送负熵。这是造成人类与自然共生的积极行为。苏联学者 И. В. 维尔纳茨基在 1945 年提出的“智慧圈”（或叫“智能圈”、“智力圈”）思想就已比较明确地阐述了人类与地理环境共生的思想。其中讲，人类始终都在改造着自然，但“技术圈不应该去毁坏而应当遵循生物圈的组织原则，补充生物圈，并作为统一的运动体系的组成部分”，进而形成技术圈与生物圈的共生。地理学家 В. В. 索哈瓦（ConoBa）在《地理系统学说导论》中阐述了人类与地理环境共同创造的思想。他指出：所谓人与自然的共同创造是指人类对于提高自然力的有益作用的努力，使潜藏在自然界中的一切有益的可能性得到发挥。英国学者 R. J. 本耐特（Bennett）和 R. J. 乔利（Chorley）合著的《环境系统》有一章专门论述了共生问题。他指出，自然系统和社会系统的相互关系分为调节和共生。调节是指短时间和小范围内对小规模的能流和物流进行的认为控制；而人类对长时间、大范围和大规模的能流和物流没有能力调节，而只有通过共生来实现人类与自然界的和平共处，即协调共生。我国生态学家马世俊提出的“社会一经济自然复合生态系统”的思想，也充分体现了共生的思想。许多学者强调，人类系统和地理环境系统构成了更高级的系统。人在这个系统中具有双重作用。一方面，人类系统从环境系统获得负熵而维持有序结构，收到地理环境的影响；另一方面则通过输出来影响地理环境，使其向有利于人类的方向变化（当然，也客观地存在着向不利于人类方向发展的情况）。因此，人类与地理环境共生应当是人类社会使自然结构、社会结构和经济结构互相促进，应当不断为自己的发展创造有利条件。不应当只顾眼前利益而破坏地理环境的结构和功能。随着人们认识水平和科学技术的进步，不断从自然界取得更多的物质财富，又不断与自然界一起共同创造出更适合人类生活的次生地理环境。正如人们所说，共生就意味着“人与自然界的新的同盟”。人们又强调，人地共生要求人类系统和地理系统之间及人类系统内部和地理内部建立有利于人类的因果反馈关系。人类与地理环境的共生构成了复杂的高级系统。自我强化的正反馈作用和自我调节维持稳定的负反馈关系相互耦合决定了系统的行为。而人类与地理环境共生的实现就在于人对其行为干预的成功。地理环境的反馈机制是经过长期进化适应才形成的。人类作用的时间与地理环境演化的时间相比是极短暂的，但作用程度比较深刻、比较强烈。因此，积极干预也并不是轻而易举的事情。大家还注意到，景观生态学的发展已经开始成功进行景观的生态设计。景观生态设计通过调整系统的结构或输入、输出而使共生内部及其与外部环境之间的矛盾得到协调。第一，尽可能减少人类技术经济系统从地理环境得到的负熵和向地理环境输出正熵的量；第二，改变自然的结构，加快其物质、能量流动的速度，提高地理环境的承受、转化能力；第三，在某些情况下，技术系统还应向地理环境系统输送负熵，使共生系统与其外在环境之间的矛盾得到缓解。总之，遵循共生思想，充分利用人地系统的因果反馈关系，对人地关系地域系统的设计具有重要的意义。要依据正、负反馈关系的耦合效应，不仅借助自然的力量，而且依靠人为的力量，建立理想的人工生态系统。这才能充分发挥自然生产潜力，取得最佳的经济效应和生态效应，才能产生理想的社会效应。① 然而，以上讲的人地协同主要还是在地球内进行的过程而言，而要从根本上达到总体上熵减的目标，最终还是有赖于使地球整个地在宇宙中成为开放系统。

第三，力求打开地球与外界的负熵输入和正熵输出通道。对于人类来说这有待于宇宙空间的开发。当然，对于开放系统要求的既有能量输入输出又有物质输入输出的要求来说，地球与外界还远远达不到这一点。然而人类作为地球的儿子始终没忘记力求从地球摇篮走向宇宙空间。特别 20 世纪后半叶以来，这方面已取得了突出的成就。但这种探索一直也有两面性，一方面这正朝着地球成为开放系统的目标迈进；另一方面为着这种探索开发又耗费着地球的大量负熵。为此人类在当前必须作出这样的选择：努力用对地球来说较小的负熵耗费，来换取使地球成为开放系统的成果。目前，人类对于宇宙空间的探索开发，仍还是初步的。但遗憾的是，就是对这微小的开发，一些

① 潘玉君、王丽华：《走进人类中心主义》，载《自然辩证法研究》，1996 年第 4 期。

人还总想把它用于人们之间相互控制、征服、威慑甚至战争。如果说对宇宙的开发离能打开地球外的负熵输入之路还为期较远，那么似乎能确立起一个近期目标，通过这种探索打开向地球外输出的正确之路。人类生存在利用自然时，形成着大量的垃圾，以往最终的归宿是投入大海，或排到大气层，但这对于地球整个系统来说，带来的仍是正熵增加，这使得连人类最根本依托的海洋和大气层也被正熵污染，带来海洋和大气的生态环境被破坏。人类应该把对宇宙空间的最初开发目标先定在，力求找到一种使一些污染性大的垃圾排送到地球之外，如核废料以及种种难以使之转换的种种化工废料等等；而且要尽可能远地抛向宇宙空间，近距离抛送恰恰又会影响人类及其飞行器的空间飞行及工程，这已在目前有所影响。可见，这项工作是相当艰巨的。但把这作为使地球成为开放系统并维持自然正熵增加减低到最少限度的近期目标，似乎是应当在宇宙空间开发中先去争取的。在21世纪议程中，地球上的人类应首先通过各种联合、协作，把这个目标确立起来，并在今后的世纪中逐步扩大这个目标。只有朝着这个目标前进，才能保护使地球负熵增加的自组织系统的灵性，保持其活力。

总之，塑造论哲学强调，大自然既有熵增过程也有熵减过程，自然塑造人形成文化人类，这从本质上说应是一个自然熵减过程。文化人类在大自然进化当中由无意识前提到潜意识显意识运行，它们的合一形成良性的超意识状态，这表现于塑造单子中诸要素的协调统一。这一过程同时伴随着人塑造自然形成人类文化的过程。在人类文化中，如果显意识是有成于潜意识的，便是人为的熵减过程，这是一种走向有序的，与无意识熵减形成同一方向的良性有意识，这产生着一种有成于人的文明。这是一种良性的进化，是从无序到有序，是信息量的增加，是与自然熵减一致的。而在人类文化中，如果显意识是无成于潜意识的，便是人为的熵增过程，这是一种走向无序的、与无意识熵增形成同一方向的恶性有意识。这产生着一种无成于人的反文明。这是一种恶性退化，是从有序到无序，是信息量的减少，是与自然熵增一致的。

（三）从整个自然说，既有熵增也有熵减；从整个人类说，也是既有熵增也有熵减。而就人所生长的地球说，如果人类没法把地球变成开放系统，很难抵御整体上的熵增过程。因此，为了保持地球的活力，人的最起码的立足点是，必须以自身的及人为的熵减过程去克服自身的及人为的熵增过程，并进而发掘自然的熵减过程并征服自然的熵增过程，这就应当正确张扬真、美、益、善的追求，应当建设既有个体的全面发展又形成有机的社会整体，应当实现人与自然、人与人、人与社会的和谐。①

人们必须充分意识到，只有在自然塑造人和人塑造自然中让"灵性"贯通于其中，才能使人与自然相辅相成。这才不至于把人这个有机体与大自然割断，才能在塑造中使人这个有机体扩大，在息息相通中使自然成为属人的，使人成为属自然的；才能不辜负自然塑造养育了人这个有意识有灵魂的生灵。自然是期望人脑成为她的高级头脑并以它来意识；在意识中保护自己，同时也是保护自然对人的塑造。

这一切有赖于人的意识，同时又超越于人的意识，要实现显意识与潜意识的统一，有意识与无意识的统一，实现有灵性的人与大自然的灵性的统一。

① 参阅，张全新：《塑造论哲学导引》，人民出版社 1996 年版，第 949～955、973～974 页。

第二十三章　塑造论哲学与形而上、形而下的统一

第一节　基于形而下的形而上设置

一、原始崇拜的形而上设置

可以说，这种设置的生成存在，从人类历史的早期就有。也就是说，这种“设置”得以可能，即人类在历史上之所以能有这种设置，离不开人之所以成为人本身就伴随着“语言工具”。扩展说，这伴随着“符号（语言-工具）行为”；这特别体现于劳动，这融于物质产品的生产再生产和人口的生产再生产之中。

在人类远古的历史时期，人塑造自然所形成的“塑造之物”，不管其多么简单、粗糙，它总是被塑造出来放在世界中，它既是意识的产物，又是属于形而下与形而上统一着的世界的。而一旦与整个世界的进化融为一体，作为显意识的“塑造之物”与超意识的“存在”和“成”就成为同一的。

可是，在人们对自己的“塑造之物”并没作出显意识思考，即并没有意识到它是意识的显化之前，人的“塑造之物”是本然地陈放在那里的。这时就开始逐步有一种原始的形而上学设置。

历史上的确有过这样的时期，自然塑造之"我"对自己的塑造之"物"并不认为是自己塑造的，而只是把它归于一种非人力量的产物；这是在人类开始，如同其他物种一样，不能把自己同自然相区别的重要表现。例如对于原始崇拜中的图腾、神以及祭祠、巫术等等。这些东西，既是自然生成的人所使之，又是人面对的自然而由之。但这毕竟已用人的符号系统、行为系统，或者说，由操作系统、礼仪系统表现出来。在这种发展中，与图腾、神由多向单并由简单向丰富的演化相同步，语言文字和典章制度的体系也演变出来；此时，人对世界的意识二重化伴随于其中。

这就形成了一系列文化集合。流传下来的关于远古的故事或传说就是这些文化集合的体现。这些关于远古的故事和传说，既包含着形而上与形而下的统一，同时本身又是一种解释系统。正如许多学者已强调的，它们是远古先民的"哲学"和"科学"，在其中包含着远古先民对自然现象、对人际关系的理解，并由此解释着他们自身的来源和历史。先民的传说或故事，既体现着人与神的原始同一性，又在逐步划分出人与神的界限中宣告着神与人的对立。此情况表明着，人类力图超越自然而站出来同时又不能不依托于大自然而生存的地位。

这些传说或故事成为后来文化一系列演变的"母题"。伦理情结、技术范型、艺术原型、理论命题等等的产生与演变，都可以从中找到根据。后来这些母题在一系列变形中适应不同社会历史的变化，展现出由一组组文化信息转变成的文化体系。而不论是理论的、艺术的、技术的、道德的命题、原型、范型、情结等等，它们都要以显现着人之意识的语言符号和处理行为物化出来。而其中内在的形而上总是在起着作用，并可以成为当时的人虽不明白却可以提取出来设置在那里而崇拜的东西。①

二、宗教信仰的形而上设置

塑造论哲学特别揭示了这样的情况：在人们真正实现对显意识与潜意识映照关系作出理解之前，是不可能把形而上，把普遍必然性作为意识了的“在”和“成”而理解的。也就是说，这时不可能理解超意识的在成。可是“我”和“塑造之物”的的确确地在那里既定地生成和存在着。作为“语言”“符号”的“塑造之物”，它总是可以被塑造出来，放到并没被理解的“存在”之“成”中，放到那尽管还没被理解但却可以感知的物在物成之中。作为“语言”“符号”的“塑造之物”带有一种奇特的性质：它可以把意识中不论被理解还是没被理解的东西设定出来，既可设定一个个符号与一个个的感性“物”和“成”相对应，又可设定某符号与一个关于整体大全而统摄万物的“在”和“成”相对应，于是设定出某符号成为一种至高无上无所不能的宗教信仰物。神佛等等就是由这种情况的符号设定而出现的。

特别是当人们在实际关系中，对于不得不服从的带普遍必然性的规范与人的活生生性情的关系，难以恰当说明和把握；人们面对其间形成的一系列冲突，诸如欲求性和节制性、规范性和生动性、确定性和不确定等等得不到解决；因而在神学宗教体系中便形成了这样的情况：既然人在世俗世界中生动的欲求显得那么杂乱、污浊，而体现崇高的东西是完美的，于是诉诸超越杂乱、超越污浊的归结，这就是天、帝、神、佛等等。在西方，上帝是至高无上的，是全在、全知、全能、全善的；

① 参见，张全新：《塑造论哲学导引》，人民出版社1996年版，第62～63页。

基督引导圣事，救赎世人；人在赎罪中才能获得重生。在中国，天是可以与人合一的，仙界、佛界系统的秩序，实际就是人间秩序的神化；天意、神旨、佛性是可以在人身上的。而这种带超越性的东西似乎具有无限的力量，所有的人都应遵循天或神仙或佛所体现的法则。以上各种宗教都由此制定了种种礼教或戒规，这可用来劝诫并约束世人。这里面既有把人所造成的显意识产物变成压抑潜意识的东西、以至使人之潜意识完全与无意识相对抗的一面；也有在对那些被当作宗教崇拜的东西加以阐发中实际上考虑着行为与所处世界的同律，因而在其中有影映潜意识的一面。这样，对行为与世界同律关系的探讨，便同对于人塑造出来的作为人格神的上帝、基督，仙、佛与世界诸关系的探讨，平行发展了。这种情况充分体现在宗教的发展之中。①

列宁在《哲学笔记》中，在摘录亚里士多德批判毕达哥拉斯和柏拉图学说的言论时，曾特别评述人类认识二重化和宗教的可能性问题。他指出：“智慧（人的）……是复杂的、二重化的、曲折的、有可能使幻想脱离生活的活动；不仅如此，它还有可能使抽象概念、观念向幻想（最后＝神）转变（而且是不知不觉的、人们意识不到的转变）。”“人类认识的二重化和唯心主义（＝宗教）可能性已经存在于最初的、最简单的抽象中。”②

与意识二重化及哲学实现形而上对形而下的超越相同步，宗教大都把超越凡俗世界、把超凡脱俗作为其学说论证的主旨。

① 参见，张全新：《塑造论哲学导引》，人民出版社 1996 年版，第 108～110 页；张全新：《佛学的理论文本与佛教的符号行为》，山东友谊出版社 2008 年版，第 1～2 页。

② 列宁：《哲学笔记》，《列宁全集》第 38 卷，人民出版社 1959 年版，第 421 页。

而这又面临着如何看待形而下的生活世界的问题。

例如，基督教在讨论“圣父圣子圣灵”三位一体的设置时，解释阐发的是教义，实际上在形而上与形而下的关系中内在着确立形而上何以可能的问题。

“三位一体”中处于第一位格的是“圣父”，即“上帝”或“天主”、“耶和华”。《圣经》在“出埃及纪”中写有：摩西对天主耶和华说，“当我到以色列子民那里，对他们说‘你们祖先的天主派我到你们这里来’。他们一定会问我‘他叫什么名字？’我该如何回答他们呢？”天主向摩西说：“我是我所是”；“你要这样告诉以色列人：那‘我所是’派我（摩西）到你们这里来”。天主接着又对摩西说：“你告诉以色列人：‘耶和华，你们祖先的天主，亚伯郎的天主，伊萨格的天主派我来的’。‘这是我的名字，直到永远；这是我的称号，直到万世’。”[①] 这里我们应充分注意到的是，天主耶和华讲，“我是我所是”（Ego sum qui sum/I am who I am/I am what I am）。这句话在中文《圣经》中还常常被译为“我是自有者”、“我是自有永远的”或“我是存有者”。这其中，拉丁文的 sum，可同时作“是”“在”“有”解。sum 是单数第一人称，相当于英文中的 am，即 to be 的第一人称单数形式。sum 与 esse 是相关词，带有本体、存在、本质的意思。esse 相当于英文中的 being，英文中的 essence（本质）同它有词源的联系。在神学中，与在哲学中一样，由对 sum 可作不同解释，或解释为“上帝自为自在”、“自有永远”，或解释为“上帝拥有一切”。再就是，作为天主与以色列人立约的名字“耶和华”，系 Jehovah，本身就含有“自有”“永有”或“自有永远”的意思。关于 qui，带有“如何”、“何以”、“用何”

① 《旧约全书·出埃及纪》，3：14。

以及“作为”、“以……资格”的意思，这个词与quomodo相同。qui等于atemin（is enim），带有“是”、“原因”、“由于”、“其实”等意思。相关的形态有quia，这同于quod，直译是“因为”、“由此”。quod等于subst，辞典上往往解释为：食料、财富、体质、原素、自主体、支柱、支撑、生存、存在以及实质、本体（实体）等等。

“三位一体”的第二位格“圣子”，即耶稣基督。圣子是上帝的“独生子”。他在世界尚未造出前便与上帝同在，体现上帝的逻各斯。为救赎世人，降为世人，成肉身；这是借童女马利亚因圣灵感孕才实现的。因此基督既有完全的神性又有完全的人性，是圣父启示的传递者，是救世福音的宣告者。他甘愿钉死在十架上牺牲，替人类祭献上帝，作为赎价；后复活升天，将来还要来临，施行最后的审判。基督的事工理论则被称为“救赎论”，主要讨论基督如何完成拯救世人的使命。教会是由基督所建立，具有圣洁性和普世性，它宣传福音，组织引导圣事圣礼。

“圣灵”处于“三位一体”的第三位格。由于人是上帝“按自己的形象”所造的，它由身体和灵魂组成，在万物中居最高地位，但人有原罪，背离上帝而陷于魔鬼的罪恶势力之下，不能自救，唯有信赖基督才能蒙救称义，获得永生。正是圣灵使人知罪、悔改、成圣。

对“三位一体”的说明体现着，涉及到在讨论“形而上设置何以可能”时，要遇到矛盾。因为，作为基督教核心形象的耶稣基督是否确有其人，固然说法不一，但流传下来的耶稣应当说首先是个活生生的人。而教义宗旨在于信奉一个全在全能的上帝。这种宗教追求与人们对世界本原的哲学追求是近似的、异曲同工的，伴随着人类意识二重化过程。为使全在全能的上帝在基督身上得到体现，首先可做到的是说他是上帝派生出来的，所以说耶稣基督是圣父上帝的儿子，是圣子，使之成为体现上帝“逻各斯”的化身。但这里不可避免地要遇到耶稣能否具有上帝的全在全能属性的问题，需要解决。公元325年的尼西亚会议争论的问题就体现这一点。会上阿里乌斯教派及其门徒认为，基督是上帝的创造物，秉赋自由意识，上帝预见他将用以为善，从而在创造时予他以神的尊严。这种看法中的耶稣尽管为上帝所造，但基本还是人，因为它的神性毕竟还是外在地被给予的；他既然被创造，就像整个形而下的世界被创造一样，似乎有同样的性质。正因为这样，反对派阿塔纳西乌认为，圣父之子作为救世的本原，是圣父所生却不是由他创造的；他同圣父一样悠久，同圣父是本体同一的（homoousios）。但父和子毕竟还是两个，所以只能同时又讲，圣子充分享有圣父的天性，而无损于圣父，又不失其为另一存在方式；耶稣在本质上是逻各斯，这是上帝或圣父之子同人体的结合；这种化身是全在全能的化身。当然同时还有圣灵，但这被看作是另一个或第三个存在。这里意在强调，上帝是由本性同一的“三”中存在方式所组成，是同一本体的“三位一体”。在尼西亚会议上阿里乌斯教派被否定，“是圣父所生，而不是由他创造的，同圣父属于一个本体”这样的字句被编入尼西亚的信经。而对于圣灵，则是坚持“从父出来”。可是如果讲父亲，他也被理解成活生生的人，这成为讲人格化的神不可避免的，那他怎么能有全在全能而超越形而下的大全性质？如果说自3世纪中叶德尔良图率先论述“三位一体”，但当时并没能真正确定三者间的关系，而且对“圣灵”并不重视；那么后来的争论则又似乎更加关注形而上意义更强的“圣灵”问题。只讲“圣灵从父出来”显然不利于把基督的核心形象耶稣所具有的全在全能性质确立起来。于是出现了至11世纪西部教会坚持将《尼西亚信经》的“圣灵”“从父出来”一句改为“从父和子出来”的情况。显然后者比前者更加抬高了圣子的与上帝同样全在全能的意义。同时，圣灵贯彻于圣父圣子的性质也得到了加强。这就进一步提升了“三位一体”的超在全能的形而上性质。

于是，基督教当时经历了这样的过程：《尼西亚信经》《使徒信经》在对“圣父、圣子、圣灵”加以说明时认为：“圣灵”“从父出来”。西派教会改为“从父和子出来”。而东派教会则坚持“从父出来”。这形成了东西教派争端的“和子”问题，并形成了东西教派的分裂。基督教史上所称的“和子”问题的争论，既代表着早期基督教与当时古希腊哲学结合所能达到的水平，也显示了东派基督教沿着与古希腊哲学结合后而向其偏于东方特点发展的趋势。①

又例如，佛教在确立“佛”的设置时，同样，解释阐发的是教义，实际上也在形而上与形而下的关系中内存在着确立形而上何以可能的问题。

佛教真实创始人相传名为悉达多，姓乔达摩，这就是后来被佛界尊称的释迦牟尼。释迦牟尼是佛教徒对他的尊称，意思是“释迦族的贤人”。这样，在后来的佛教中，教义中最高的“佛”和教义的最早创始人，被认为是释迦牟尼（Sakyamuni）。既然释迦牟尼本是个活生生的世间之人，而其作为“佛”，如何才能具有超越凡俗世界、带有全在全能的遍及一切的性质，这就要对佛教的信仰作出形而上的设定。于是才有关于“佛身”的理论，才有了“毗卢遮那佛”等等的出现。

历史上到目前为止，尚未发现留存下来的直接见著于释迦牟尼笔下的佛学经书，多为释迦牟尼涅槃以后，他的弟子将其生前说教结集而成的经典。其中，被认为是释迦牟尼在世时说

---

① 参见，张全新：《塑造论哲学导引》，人民出版社 1996 年版，第 110～115 页。

法的朴实记录，主要体现于《阿含经》，这成为了解原始佛教时期的根本经典。《阿含经》由四部经典组成，即《杂阿含经》《中阿含经》《长阿含经》及《增一阿含经》，所以又称为《四阿含》。在《杂阿含经》中就开始有了作为"法身"之体现的毗卢遮那佛。后来一系列佛学经典，如作为佛学三大经典之王之一的《华严经》等对此作了进一步的论证。《华严经》有许多特点，它强调"诸佛真法"是作为本体的佛菩萨"法身"，佛法高于佛身；如果说"法身"的体现者是就是毗卢遮那佛，那么一切佛菩萨全是毗卢遮那佛的应化身；他们教化世间并拯救众生的善行，这都是毗卢遮那佛秘密神力加被的结果。在这里，释迦牟尼和其他诸佛似乎黯然失色，对毗卢遮那佛的崇拜取代了对其他佛的崇拜。就佛教信仰体系而言，《华严经》中的毗卢遮那佛的出现，标志着在信奉释迦牟尼为唯一教主的佛教体系之中，产生了一种全新的形态，这为大乘教创造了一个新的或称作"佛日"的教主。

"毗卢遮那"这是梵文 Vairocana 的音译，原有"光明普照"的意思，是太阳的别名，毗卢遮那佛后又被意译为"大日佛"。他无形无质，无言无行，无思无虑，但遍及一切，感应五方，所示十方诸佛，无边无际，其量不可计数，能发大光明，普照三界六道。这样，对于毗卢遮那又有意译之为"大日如来"。说到"如来"，这是梵文 Tatgāgata 的音译，音译还常有"多陀阿伽陀"、"答塔葛达"、"怛佗仪多"等等。"如"，亦名"如实"，即"真如"，往往被理解为一切"法"的真实状况，意谓佛所说的"绝对真理"；循此真如才达到佛的觉悟。

音译为"毗卢遮那"的梵文 Vairocana，还往往音译为"卢舍那"。例如旧译《华严经》（东晋佛陀跋陀罗译，六十卷）对此就译为"卢舍那"。而唐实叉难陀所译的八十卷《华严经》则将此译为"毗卢遮那"。华严宗据此认为，毗卢遮那与卢舍那分别为全称和略称。而后来，"卢舍那"又变成"报身佛"，成为《华严经》所说莲华藏世界（佛报身之净土）的教主。在《维摩诘经》等经典中，就有"报身佛"的思想。"报身"指佛自身应该享受的特殊国土和形体；据说，只有积得与该佛功德相同的菩萨，才能见之于这种"报身"。

值得注意的是，"毗卢遮那"和"卢那舍"其实都是梵文Vairocana的音译，后者是前者的简称。而后来一佛化成二佛，这种变化之事是由其构造佛之系统的特殊需要而产生的。有人对"三身佛"打了这样一个比方，让人们来体会其中的联系和区别："法身"是"最理想化的标准像"，"应身"是"贴在工作证上的像"，"报身"是"取得最高学位时贴在博士证书上的像"。

通常认为，后被编进大部《华严经》而成为其中《序分·名号品》的《兜沙经》，是《华严经》的最早提要。与此类多佛信仰相应，出现了一系列有关佛身的经典。支类迦译《佛说内藏百宝经》谓："诸佛合一身，以经法为身"，意为"佛身"由佛的"生身"上升到了以佛经所说法为"身"的"法身"。在公元3世纪的汉译大乘佛经中，"法身"已被普遍抽象化和神格化，认为"法身"无形无体，无作无言，不可以言说得，不可以思维求，亦不接受众生的供养布施，但它真实、圆满、寂静、永恒、充塞于世界万物之中，并构成万物的普遍本质，平等仁慈地对待天地诸有，悦护一切众生。

与"法身"相对，佛的"生身"，即"色身"。当说到"色身"由"法身"而化为满足众生信仰需要的一种示现，亦称"化身"，后来也有的称作"应身"。"化身"随民俗不同，众生构想不同，形象各异，差别很大，但大多认为其具有"十力"、"四无所畏"、"十八不共法"等超人的能力和"三十二相"、"八十种好"等超人的形体。此类"化身"遍布三世十方，"其密集的程度，犹如甘蔗、竹芦、稻麻等”。

佛学中关于“佛身”理论的发育形成，体现出从一个活生生的人之形而下到至高无上的神“佛”的形而上提升，由此才能作出神学化了的佛的宗教设置。也就是说，佛身本来应当是就作为佛教创始人的释迦牟尼自身而言，后来被逐渐神秘化。而作为佛教术语，“佛身”（buddhakaya），则涉及以关于佛的诸法实相之智、所修福德、所说教法和所制律仪。因为在释迦牟尼之生身入灭后，其弟子们认为，佛陀的特质不止在于“觉悟”，更在于其有多种的理想品质，遂以佛陀“难证能显”诸法实相之智和“所显所证”的法理及其所修福德等为修身；由此延伸亦把佛陀所说教法和所制律仪称为佛身。在实际的历史上，因为必须面对释迦牟尼“成佛”之后同样要入灭，其成佛的意义何在，这是个很重要的问题。所以在小乘佛典中提出了“肉身灭，法身不灭”的论证。《中阿含经》卷十称：“若见缘起便见法，若见法便见缘起。”可见这里讲到“法身”，重要的在于“缘起”。缘起的法则，是法尔道理，不生不灭。释迦牟尼成佛，即契证缘起法，不再迷惑，所以讲，法身不灭。再就是，戒、定、慧、解脱、知见五法，作为佛陀因地修持和成佛后教导弟子的法门大纲，由此强调了“五法”在果位上即转成“五分法身”。五分法身是佛陀积聚的智慧和功德，不会消失，所以法身不灭。大乘佛教曾对佛身理论作进一步发挥，指出当年成佛的释迦牟尼只不过是“从本垂迹”到“驾慈航”的应化之身，他在无量劫前早已成佛，这带有淡化佛陀人间现实性的趋向。在大乘经典中，有时说是一法身，有时则说有二身，即常住身与方便应化身，或生身与法身。这才延伸形成了通常关于“法身、应身、报身”的“三身”。“法身”指我空真如、法空真如所显之法性。“应身”，即应物现身，指佛为普度众生随三界六道之不同状况和需要而显现之身，也指2500年前诞生于印度、化导人间、80岁入灭的释迦牟尼。"报身"指佛陀的智慧和悲愿以及福德庄严所成之身，此又分为两种：以"如如智"证"如如理"，是唯佛与佛所自证的境界，称"自受用报身"；为初地以上菩萨现起相好庄严之身而转无上法轮，称"他受用报身"。

在佛教史上，从上座部佛教说起，那时就称佛身有32相、80种好之多；到了大乘时期，佛身不仅可指佛陀，甚而泛指佛教所说的一切佛了。"身"已不只是指肉体，而更侧重于指精神本体。大乘佛教就是将这种由积聚功德和觉悟而成就的佛体，从称为佛身，到称为法身。当讲到佛的"三身"，讲法身、应身、报身，形成的是：以理法聚而为法身，功德聚而为应身，智法聚而为报身。佛具此三性，三身即成一佛，一佛具此三身。与此相应，才有"三身佛"之说，即通常所说的法身佛、应身佛、报身佛。这里面"法身佛"是将佛法人格化，象征佛法的无所不在，强调先在具有的佛性，这是成就佛身之因，所以名为法身佛，即毗卢遮那佛；而"应身佛"是指为救度世间众生而随机应化的变化之身，即释迦牟尼佛；"报身佛"是指以法身为因，经不断修习而获得佛果之身，即卢舍那佛。

当然，在佛教经典中关于"法身""报身""应身"。有种种不同说法，名称也往往各有不同：(1)《法华论》《大乘义章》等讲到的是"法身、报身、应身"。《大乘义章》卷十九上讲："法者所谓无始法性"；"后息妄想，彼法显了，便为佛体：显法成身，名为法身"。此处之"法性"或"法"，被认为指的就是人的先天可有的"如来藏"、"真心"、"本觉"，此为成就佛身之因，故又名"法身佛"或"法佛"。"报身"亦称"报身佛"或"报身"，"此真心体"，为缘薰发，诸功德主，为名报佛"。此指以法身为因，经过修习而获得佛果之身，分为证知与享受，强调是佛境的报身，以及为适应"十地菩萨"需要而呈现出来之报身。"应身"亦称"应身佛"，有所谓"众生机感，义如呼唤，如来示化，事同响应，故名为应”，此指佛为度脱世间众生，随三界六道之不同善和需要而现之身。这也指释迦牟尼之生身，或指变现混迹于世间的天、人、鬼、龙等。在中国佛教的历史实际中，天台宗是较早系统提出“三身佛”说法的，明确讲，毗卢遮那佛为“法身佛”，卢舍那佛为“报身佛”，释迦牟尼佛为“应身佛”。(2)《成唯识论》《佛地经》讲到的是“法性身(或‘法身’‘自性身’)、受用身、变化身”，而《胜鬘经》为“法佛、受用佛、化佛”。据《成唯识论》卷十等载：“自性身”指“法界、法性”，亦即法身。“受用身”有两种：“一自受用”，指佛累劫积德所得永恒不灭、能使自己受用“广大法乐”之色身；“二他受用”，指佛“为住十地诸菩萨现大神通”，令其“受用大乘法乐”之“功德身”，此即上述之报身。“变化身”，相当上述之“应身”。在中国佛教的历史实际中，法相宗就是称毗卢遮那佛为“自性身”的。而卢舍那佛为“受用身”、释迦牟尼为“变化身”。(3)《最胜王经·分别之身品》讲到的是“法身、应身、化身”。据此所载：其中“法身”即上述的“自性身”及“受用身”中的“自受用身；“应身”即“受用身”中的“他受用身”；“化身”即“变化身”。在中国佛教的历史实际中，密宗最崇拜作为毗卢遮那佛的“大日如来”（摩诃毗卢遮那，梵文Mahāvairocana)。总起来说，“三身”可归为以下几类：一是法性、法界，即成佛之根据；二是修习佛法所得之佛果，即佛之本身；三是佛为大乘菩萨说法而变现之身。以上三种情况中，在大部分地区以第一种比较流行。另外，还要讲到的是，有的列出，利乐世间众生而变现之色身或其他种类之幻身；故由此有法身、报身、应身、化身等所谓四身之分法。

这里，不容忽视的是，当“佛”由人变为神，在此情况下，如何既塑造出一具全智全能的最高佛又与活生生的人间世界相联系，这是很重要的问题。这样才出现了由觉悟了的释迦牟尼扩展为三世佛、四世佛、七世佛等说法。支娄迦谶译出的《兜沙经》，把世界分为十方，每方都是无量无边。佛徒修行的目的，最终在于成佛，但成佛是异常艰辛的，是须经无数劫才有希望完成的漫长过程。从修持的角度，这过程可分“十住”、“十行”、“十无尽藏”、“十回向”、“十地”、“十定”六个十阶次，每一阶次都规定有为众生必做的功德和为自己应积累的福与智，由此体现自利利他和自觉觉人的大乘精神。

总之，种种佛身之论，特别是“三身佛”的构成，反映出“人的思维二重化”过程充分体现在关于佛的思维或说佛学思维之中。这是实现佛教信仰形而上设置的关键性环节。这使佛教的偶像崇拜与哲学本体论的抽象设置结合起来。把“佛”塑造得至真至善、至高至尊、全知全能，具有拯救人生的救世主品格，这对于佛教在宗教领域发生重大变化而成为有影响力的宗教，是至关重要的。①

三、哲学思想的形而上设置

在历史上人们总是基于当时科学所能达到的认识，在哲学上给出形而上的设置。

（一）例如，在西方哲学史上，古希腊巴门尼德伴随着人们关于世界二重化意识的发展，提出与变动不居的有形物相对的不变不动的“存在”（öν）。在他讲来，存在唯在于其存在，别无其他概念能规定之。柏拉图强调，作为“灵魂之眼”的“思想”去把握（看）的 είδοζ、ίδ έα，是普遍的形式、是真正的“是”、是真正的“存在”（on os alehtes）。亚里士多德指出，

① 参见，张全新：《佛学的理论文本与佛教的符号行为—由塑造论哲学视角看过去的佛学、佛教及佛界、佛事》，山东友谊出版社 2008 年版，第 141～143、207～210 页。

“那过去被提出，现在被提出，始终被提出，并始终是困惑的问题，即什么是‘是’‘存在’（το ον，to on），也就是这样一个问题，什么是作为‘是’‘在’的‘本体’（ουσία，ousia）?”[①] 他由此展开了其关于“本体”及各种“范畴”的一系列论述；他这方面手稿整理汇编的书，被冠名为《metaphusike》（翻成中文即“形而上学”）。

中世纪，很重要的是，关于哲学形而上的设置与宗教形而上的论证平行发展。在中世纪的哲学讨论中，对古希腊哲学提出的一些哲学范畴进行了解析。如用希腊文写成的“尼西亚信经”强调，“我们信独一的上帝，全能的父，创造有形无形万物的主。我们信独一主耶稣基督，上帝的儿子，为父所生，是独生的，由父的 ουσία（ousia）所生的。从神出来的神，从光出来的光，从真神出来的真神，受生而非被造，与父本体同一（homoousia），天上、地上的万物都是借养他而受造的。他为拯救我们世人而降临，成了肉身的人，受难，第三日复活升天。将来必再降临审判活人死人。我们也信圣灵”。后来的拉丁神学家，在讨论“三位一体”时，倾向于用拉丁文 substantia 代替希腊文 ουσία（ousia），以 subsistantia 代替 hypostasis，并对 postasis 和 peresona 一系列概念作出辨析和新的规定，形成更为完善的基督教哲学系统；后在走向近代哲学中则出现了用以标志本体论的由 ousiology 到 ontologia。

近代西方哲学经过培根的“在极不相同的 substence 中探索自然统一性”的“实验哲学”、笛卡尔在“Cogito、ergo sum”的解析中“重建形而上学”，经过唯理论经验论在诸哲学家那里关于确定“本体”（“实体”）的一系列争论，经过 18 世纪法国

---

① 亚里士多德：《形而上学》，1028b3～5。

哲学以唯物论的方式确认"物质"概念；到康德那里以先验哲学的方式论证了作为本体的 substens 与 noumeno 的区别与联系；经过费希特、谢林，黑格尔由 Sein、wesen、Gegriff 建立了他的客观唯心论体系。黑格尔区分了"客观的形而上学""主观的形而上学"，并且，一方面强调形而上学的必要性，一方面对他所讲的旧形而上学进行了强烈的批评。这后一方面批评开了把"形而上学"看作一种绝对的、孤立的、固定的思维方式之先河。

在理性主义哲学充分发展的同时，非理性主义哲学也在生长。尼采由其非理性主义哲学家，把哲学史归于由"无意识的形而上"到"形而上学的兴起"直至"形而上学瓦解"的过程。他认为，欧洲哲学史几乎就是一部形而上学解体的历史，同时也是虚无主义走向成熟的历史。

而在实证主义及实在论的思潮中，则经历了：对形而上学拒斥，到对形而上学认可，又向形而上学回归。

在现象学及存在主义的发展中，胡塞尔的哲学缘起于有关"形而上学成为可能的条件"的分析，他由关于 Phenomenon（显现）的理论，划分了"现象学（Phanomenologie）考察的三个阶段"。海德格尔《存在与时间》导论"概述存在（sein）意义的问题"，第一节开头便说，"我们的时代虽把重新肯定'形而上学'当作自己的进步，但这里所提出的问题如今已久已遗忘了人们认自己无需努力来重新展开……［巨人们关于存在问题的争论］。然而，这里提出的问题绝不是什么随随便便的问题。"于是他特别由 Sein、Seiend、Dasein 展开了他的研究。海德格尔还专门写了《什么是形而上学》一书。后来萨特又提出了他关于 Sein 的哲学。

马克思的哲学重在论证"社会存在""社会实践"，他在不同于经验的方式意义上使用了"形而上学"这一概念。例如，他在《哲学的贫困》这部著作中就"政治经济学的形而上学"，围绕蒲鲁东的理论进行了论辩。恩格斯、列宁以及后来的一些理论家，则把在里格尔那里本来是批评笛卡尔、斯宾诺莎、洛克、莱布尼兹等人所持的"这一种形而上学""旧形而上学"，看作就是形而上学；把形而上学认作是与辩证法相对立的"绝对的、孤立的、片面的、静止的、固定的思维方式或观点。

后来西方马克思主义沿着社会存在本体论、实践哲学等作了许多重要的哲学思考和建设，一些学者如哈贝马斯还专门写了《后形而上学思想》等著作。

后现代主义哲学特别冲击传统形而上学。而一些学者主张完全否定形而上学。而一些学者主张建设性地修补形而上学，如罗蒂论证了《后形而上学的希望》。当代有学者又专门对后现代主义否定形而上学进行了辩驳，如格拉切专门写了《形而上学及其任务》，等等。

（二）再如，在中国哲学史上，《易》书中有关于"形而上者谓之道，形而下者谓之器"之说。[①] 这里强调，"形乃谓之器"，在这之上有形而上的"道"。老庄由"道"的形而上，建立了其道家学说的理论体系。子思基于"天之道，人之道"讲到"诚者自成"，把形而上归于"诚""成"。子思讲，"诚者自成""不诚无物"，"诚者天之道也，诚之者人之道也"；把"诚""成"确立为最高的形而上范畴。后来的孟子继承这一传统，并归之于"心"，在"反身而诚"中确立"心"的形而上。荀子则由"物之所以成"讲"养心莫善于诚"而指向形而上。韩非则开始将"理"形而上学化，在形而上的设置中论证"审合刑名"。

① 《易·系辞上》。

汉代董仲舒以"天瑞应诚而至"来强调"天道成"及"得人之诚"。王充注重讲"务实诚",以"成气而行之"的形而上命题为基础。魏晋玄学围绕"贵无论"与"崇有论"之争,来展开关于"有"与"无"的哲学体系。

唐李鼎祚《周易集解》引唐崔憬言:"形质之中有体有用。体者,即形质也;用者,即形质上之妙用也。言有妙理之用,以扶其体,则是道也。其体比用,若器之于物,则是体为形之下,谓之为器也。"他强调形而上为用、为道,形而下为形质、为体、为器,形而上不离形而下。唐孔颖达《周易正义·系辞上》说明道:"道是无体之名,形是有质之称;凡有从无而生,形由道而立。是先道而后形,是道在形之上,形在道之下。故自形外已上者谓之道也。自形内而下者谓之器也。"谓形而上为无体无形,形而下为有质有形。

宋以后,形而上与形而下成为哲学讨论的重要问题。北宋周敦颐由"无极而太极"的形而上来为"诚立通明"立论。张载讲:"形而上者是无形体者,故形而上者谓之道也;形而下者是有形体者,故形而下者谓之器。无形迹者即道也,如大德敦化是也;有形迹者即器也,见于事实即礼义是也。"① 程颐谓:"所以阴阳者是道也;阴者,气也。气是形而下者,道是形而上者。"② 南宋朱熹则强调:"理,形而上者;气,形而下者。自形而上下言,岂无先后。"③ "理也者,形而上之道也,生物之本也;气也者,形而下之器也,生物之具也。"④ 明清之际王夫之则认为:"形而上者非无形之谓,既有形矣,有形而后有形而

---

① 《横渠易说·系辞上》。

② 《遗书》卷十五。

③ 《朱子语类》卷一。

④ 《答黄道夫》。

上”，“器而后有形，形而后有上。”① 他强调没有脱离形而下的形而上。清戴震则提出：“形谓已成形质，形而上犹曰形以前，形而下犹曰形以后。”② 他把未成形质的都看作“形而上”，把已成形质的都看作是“形而下”。

到现代出现的，受实证论、新实在论影响的新儒学，受苏联马列主义影响而形成的哲学，都在哲学追问形而上方面遇到诸问题。这促使许多哲学家为解决这些问题而做出努力。

（三）基于以上哲学史，在中西哲学的交汇点上，塑造论哲学由“‘是’‘在’”“‘诚’‘成’”，形成对形而上的特定设置。也就是说塑造论哲学关于形而上的设置，在于把西方哲学长期追问的“‘是’‘在’”与中国哲学长期追问的“‘诚’‘成’”提取出来，既不简单地诉诸于似乎与人不相干的非人为感性之物，也不笼统地诉诸于离开感性之物的人主体之心，而是诉诸于人之“塑造之物”。这是诉诸于“‘是’‘在’”“‘诚’‘成’”都内在其中的“塑造之物”。由此来追问形而上。

在塑造论哲学看来，塑造之物是内在着“‘是’‘在’”“‘诚’‘成’”的外在之物，这外在之物是内在着形而上的形而下。“形而上”设置于其中。人们总是由形而下去“看”形而上，去体悟形而上，去确立形而上，而这摆脱不了人的塑造之物。在追问形而上时，如果认为只能从非人为的感性之物上手，这只是一个虚拟，因为人只要一上手、一上眼，它就不可能是纯粹的完全“非人的”感性之物；在追问形而上时，如果离开塑造之物认为可以只从人之心开始，这只是一个空想，因为人之心离开感性之物，只能是空泛无际的；如此等等都不可能将形而上设置起来。而面对人的塑造之物才可以有边有际、实实

① 《周易外传》卷五。

② 《孟子字义疏证·天道》。

在在，可以将其中内在着的形而上确立出来。离开了人的塑造之物，不可能找到真正的形而上，不可能将统摄形而下的形而上设置起来。

总之，塑造论哲学关于形而上的设置，不是只诉诸于非人为的感性之物、不是只诉诸于人之心，也不只是基于"'是''在'"、或者只是基于"'诚''成'"；而是在"'是''在'""'诚''成'"共同融合于人的塑造及塑造之物之中，来探寻统摄形而下的形而上。

第二节　关于形而下到形而上的中介

在塑造论哲学中，特别揭示了形而下到形而上之间的中间环节，即"中介"。

一、中介一："延异"与"到得"

(一)关于"延异"。

前已论述到，在德里达哲学中，有德里达自创的"differance"，现有的一些汉语文献常对此并不十分恰当地译为"延异"，还往往译为"分延"。这是由法文词 difference（即"差异"）演化而来的。difference，由 defer（迟延）与 differ（分隔）两词组合而成。德里达对 difference，把其中 ren 音节里的字母 e 换为 a，发音上没有改变，在书写上却是有区别的。法文中有 differrer，其源自于拉丁语的 differre。differre 有两层含义：拖延，区分。根据法语语法，动词现在分词的构成是将原动词中后缀"－er"去掉，加上－ant，读音为［a：n］；而动名词则与现在分词不同，去掉－er 后加上－ence，读音为［a：ns］；Differance 便是这两个派生词的结合。一方面－ance 与－

ant 相近，因此保留了原动词的主动性、动作性；而另一方面它又与－ence 相通，所以也拥有名词 difference 的种种含义，比如它具有被动性，常常表示 differer 活动的结果。借助这些语法语意的歧异，德里达在阐释中强调 differance 是既主动又被动的活动。人可以有意识地去接触客观外界事物，但是于此意识不能控制无意识，而是相互作用。

而就读音来说，－ance 也只能读［a：ns］，所以从语音上无法区分 differance 与 difference。德里达曾反复强调 differance 既不是一个单词也不是一个概念。人们知道，一个单词（word）通常意义上往往有：语音符号和它所代表的意义。而德里达那里的 differance 没有自身与 difference 所不同的语音；也很难直接说出其特定的意义；甚至可以说它没有与 difference 所不同的特定意义；也可以让人认为它有一定的意义，所以不能把它当作一个普通的单词来对待。通常讲，概念的思维是在语言意识的层面进行的，是逻辑的，是线性的，并且意义要力求透明。而德里达试图借助 differance，解说 differance 介于无意识与意识之间，在生生灭灭的流动中不可能透明。所以 differance 既不是一个多义词也不是一个简单的或复杂的概念。德里达曾为此写过专题，这可见于其著作《哲学的边缘》，他还曾在种种场合对此进行过解说。

德里达在《论书写学》一书中写道："我们说'写'是外在于声音序列的：电影胶片、舞蹈布置，当然也是图画式的，音乐的，雕刻的'书写'"。[①] 德里达认为这种书写脱离了一切形而上学概念，它是经过"涂改"的书写符号。différance 可称为德里达心目中的象形文字，它的 a 脱离了拼音的束缚，所以不是

① 参见，德里达：《论书写学》（《Of Grammatology》），汪堂家中文译本为《论文字学》，上海译文出版社 2005 年版。

différence。对这只能从字形上分辨它们之间的区别，从读音上无法区别，因而是独立于语音的。

德里达自认为其推出"延异"（differance)，根本目的是要对传统哲学关于本体追寻的最高目标进行解构。在他讲来，对"延异"，不能与"本原"、"本体"的理论同语；它无所指涉也没有确定的意义，它在场而又不在场。就differance讲，其不确认有所谓现象背后的本质和能够决定整个世界的本体；不确认存在着所谓永恒不变的知识基础和能够指导人生的、超历史的基本原则；要给出的并不是西方在传统上所讲的真理。

德里达强调，延异有三层含义："差异－区分－延宕"(difference－differing－deferring)。

可见，这里的两极是"差异"、"延宕"。关于"差异"。按德里达的论述，"差异"是"延异"的空间方面，指一个文本或符号的意义并不在于它与"所指"的对应关系，而在于它在差异系统中的不确定的位置。关于"延宕"。按德里达的论述，"延宕"则与"延异"的时间方面相关，在差异系统里，"在场"与"不在场"相辅相成，文本或符号的终极意义无法从"在场"中获得发现，不显现出完整的观念，而总是一再地被延宕，总是没有最后的确定和完成。关于"区分"。在德里达那里，"区分"处于"差异"和"延宕"的中间。由德里达理论讲来，"差异""延宕"相辅相成、相互渗透，而其间要有"区分"为中介："差异"需要"区分"，"区分"需要"延宕"；"区分"成为"差异"和"延宕"的联结，成为"差异""延宕"在时空中的综合。

所以，德里达说，"延异""是一种从在场和不在场的两相对立的基点上所无法想见的结构和运动。延异是差异的游戏系统，是使各种因素相互联系的间隙中的系统游戏。"在这基础上才实现"延宕"。这样，德里达的"延异"全然相异于传统形而上学的概念。传统形而上学指向“中心”、“本原”、“本体”，以此为归宿，而这又始终离不开那个具有本体功能与作用的“逻各斯”；而“延异”却是无目的性、无确定性、无本原性的，是在“差异－区分－延宕”中实现的“踪迹（trace)、替补、播散(dissémination)”。

德里达强调，“延异”实现于“踪迹”（trace)、“替补”、“播撒”（dissémination）的理论解构之中。

关于“踪迹”（trace)，往往也中译为“痕迹”。讲到此，要从作为“差异”和“延宕”中介的“区分”说起。在德里达的理论中，对于 differance（延异）来讲，“区分”不是主体的有意识活动，而是 differance 的活动。因为在“心灵书写”中，外部事物对知觉神经的刺激每每不同，所以刺激与其留下的踪迹（痕迹）不同；痕迹即“踪迹”在活动中积累、衍变，其中一部分上升到意识的层面；意识与无意识不同，当我们有种种区分，即看到种种事物有所不同，以至形成似乎是势不两立的观念时，德里达告诉我们，这都源自 differance 的活动。

在德里达讲来，“延异”中的“自身”总是历史“踪迹”(trace）的“他者”。他认为，我、你、他，我们、你们、他们，在自身与他者的相互作用中形成本体。这个他者既是自身又不是自身；这个自身既是他者，又不是他者。而“延异”表明，只有既区别于时间 T_0 和空间 S_0 意义上的自身，又区别于自身所处的时间 T_1 和空间 S_1 意义上的他者，才存在。这样，“自身”成为既在时间上又在空间上与“他者”相区别的“自身”；“他者”成为既在时间上又在空间上与“自身”相区别的“他者”。二者在这种相对中确定自己的本体地位。基于此，德里达还依托语言学说到“替补”，这是一种互补关系。

关于“替补”。德里达理论确立于这样的背景：在传统语言学里，互补作为一种历时的现象，成为进入语境中的一个语素，这不同于没有进入语境中的语素。换句话说，两个语素可同处于一个集合体，但不能共现。而德里达的"替补"概念是指在一个集合体中的两个事物可以共时的互补。即使不能共时的互补即共现，仍然是以"踪迹"形式起作用。也就是说，一个语素之所以具有本体性，是因为另一语素的"踪迹"在起作用；我们之所以是我们，是因为有你们和他们的踪迹与我们形影不离。在种种"踪迹"的包围之下，我们可知道我们自身的渺小，所以才要关注种种互补关系，重视"替补"的作用。正如德里达所说，我们是历史踪迹中的他者，是文化踪迹中的他者。而我、你、他，我们、你们、他们，之所以在他者的互相作用中形成本体而相互"替补"，原因在于自身加入人类的发生、演化、发展、存在，这类似生物进化的多元发生。这是宇宙和历史以播撒的形式或者说以多元发生的形式创造出来的，这正是播撒的结果。

关于"播撒"（dissémination），这是德里达在解说其"解构"的意义观时出现的一个重要术语。

德里达阐发了他关于"解构"的意义观。德里达所讲的"解构"，否认文本的终极意义，因为意义是生生不息的。德里达认为，文本的意义属于言语。德里达这里所说的言语不是通常意义上作为表达和交流工具的语言，而是解构意义上的语言，即"广义书写"。德里达认为，写作、阅读都属于广义书写，都是"心灵书写"的活动，是无意识与意识的对话。

德里达本人对"播撒"的描述是："播撒把自己放在开放的'dlifférance'的链条中……。（播撒）并不意指什么，无法给它下定义……播撒产生了许多不确定的语义效果，它既不追溯某种原始的在场，也不神往将来的在场，它标志着……生衍着多样性"。德里达认为这使自己处于书写与阅读的"零度"。与逻各斯传统比较，文字学不在"书"中，不在"话"中，它不出台。用传统目光见不到它，它隐不可测，而文字的播撒就是写。

有学者专门提醒说，德里达关于解构的“播撒”与燕卜逊（Empson）讲的“含混”（ambiguity）不同。前者属于哲学认识论的范畴；后者在语法修辞领域。后者讲意义的“含混，是说意义多而难以确认某一个，这种意义的模糊能丰富读者的想象；而前者强调意义的“播撒”（dissemination），是说意义没有穷尽，它在阅读中生长。

德里达自认为其关于 differance 的理论超越了海德格尔的理论。德里达评析了海德格尔那里的“onticoontological oppositiom or difference”。海德格尔以 Being 代表本体的存在，认为他的 Being 与形而上学的 Presence 已有很大不同。德里达认真分析了海德格尔对“存在”与“在场”的区分。而德里达指出，这本身即表明海德格尔还没有走出传统形而上学思维的模式。德里达自认为，他关于 differance 的理论超越了传统形而上学的模式。因为这里强调 differance，以致关于它的思想甚至 differance 这个术语本身都是 differance 活动的产物。我们可以说，这对于海德格尔关于 Being 与 Presence 的区分，即“存在”与“在场”之分，在这之间补充了中间环节即中介。

（二）关于“到得”。

如果说德里达提出一个“differance”，成为“在”与“是”之形而下到形而上的中间环节；那么，我们可提出一个“到得”，这是“成”与“诚”之形而下到形而上的中间环节。

在一定意义上讲，“到得”是未达而待达的“得到”，而这又是未达而待达的“到德”，在我国古代文字演变中，“得到”成为“到德”，这其中实现着“德道”，指向“道德”。

直接说，“道德”的前身是“到得”。这样，应认为“到得”有三层含义：“得到－德道－到德”。

可见，这里的两极是“得到”、“到德”。“得到”是就“到得"的完成而言，"到德"则与"到得"的正在进行相关；而"德道"是二者的综合。"到得"实现于"道可道非常道""名可名非常名"而由"不可道"指向"可道"及"不可名"指向"可名"的建构之中。可以说，"到得"，一方面指向难以言说的"道"，一"可道"便是"非常道"；一方面又正欲推出作为"常道"的"道"，"到"了才能"得"，而这时毕竟是未到，也未真正"得"，到了才真正"得道""德道"，达于道德。

在西文里，"是"必与"差异"相联；在中文里，"得"与"成"本身就是相关的。

准确讲，应当认为，"differance"（延异）生长于没意识到"差异"与意识到"差异"之间，没有意识到"差异"就不可能对"存在""存在者"作出规定；显然，differance处于"存在"与"存在者"之间或"是"与"是者"之间。

形而上的"存在""是"什么，是难以言说的，或者说是言说不出来的；亚里士多德有所谓"永远使人困惑的问题就'是在'是什么"。只有当"存在""是"于"差异"之中，才能处于"可言说"的规定之中；才有可能出现内在着逻辑的理论。一旦"可言说"是某"存在"是某"是者"；"不可言说"的"存在"已不是没被规定的"存在"而是指向了到达被规定了的"存在""是者"。在这之间要有一种尚不可言说而又尚待言说的"延异"，这就是被变了字母的difference，即differance。

应当讲，"到得"生长于没意识到"得到"与意识到"得到"之间，没有意识到"得到"就不可能对"成""诚者"作出规定；显然，"到得"处于"成"与"成者"之间或"诚"与"诚者"之间。形而上的"成""诚于何"，是无可名状的，是不可言说的。《道德经》有所谓"道可道非常道，名可名非常名"。只有当"诚""成"于"得到"之中，才能处于"可名"的规定之中；才有可能出现内在着伦理的道德。一旦"可名"为某

“成”为某“诚者”；“不可名”的“成”已不是没被规定的“成”而是指向了到达被规定了的“诚”“成者”。在这之间要有一种尚不成为可名而又尚待可名的“到得”，这就是被易了字位的“得到”，即“到得”。

如前所说，译为“延异”的 differance 这个词似乎是拼写错误，其实这个词是由差异“difference”变化而来的。有意这样写出，是为了使之处于 difference 的前身，differance（延异）→“差异（difference）—区分（differing）—延宕（deferring）”，实现于“踪迹”“替补”“播散”的解构之中。德里达有意使 differance 区别于“差异”这个词，又萌芽着“差异”。因为，没有“差异”那就是“共性”。所以，“差异”反衬于共性。于此，才生长出共性个性，特殊一般，一般寓于特殊、特殊包含一般，这才有了逻辑；进而反思规律：发展主客体（二元一元），理论、实践。

而写出“到得”，这个词似乎是易了位的“得到”，（如同德里达 differance 看起来是 difference 的书写错误）。有意这样出现，是为了使之处于“得到”的前身，“到得”→“得到—德道—到德”，实现于因“道可道非常道”“名可名非常名”而由“不可道”指向“可道”、“不可名”指向“可名”的建构之中。可以说，“到得”是由“常道”之语演化而来。因为，提出“到得”，其既区别于“得到”，又趋向于“得到”。反复“得到”，被认为是“有常”。所以，“得到”反衬于“有常”。于此，才生长出“有常”“无常”，“恒转显现为翕辟”，“翕为物”“辟为心”及其“体用”，这才有了伦理；进而自省君子：发展心物（二元一元），道德、践履。

可以说，“延异”处于形而下形而上中介的第一层面，处于“在是”中的“在”与“是”之间。意识到“在”有差异才意识到“是”。这是形而上指向形而下的。在意识中，说到“在”必说到"是"什么，这才在意识中谈得上"在"；在混沌中意识不到"是"所以也就无所谓意识所把握（规定）了的"在"；一旦有了，才有在"是"中形成的所谓"属概念加种差"的逻辑形式。当既无所谓"是"又无所谓"在"，同时又指向既有所谓"在"又有所谓"是"，所以才有了既接近于差异（difference）又不是差异（difference）的延异（differance）。意识到"是"，"潜意识"才成为"显意识"的，"在是"才成为被把握（规定）了的显意识的"是在"。可见，在"延异"中，再细致说，有着"在"到"是"的过渡，这本身就开启着形而下向形而上的过渡。无意识无所谓"在"和"是"，在潜意识指向显意识时，"在"和"是"才出现分开又统一。"在是"，到显意识，才有所谓"是在"，有所谓"是什么在"；"是什么"延伸于"什么在"，才有所谓"有什么"。从"潜"的逻辑到"显"的理论，这开启了形而上向形而下的延伸。而这就要在形而下到形而上之间补以中间环节（中介），即 differance。

同样，可以说，"到得"也处于形而下形而上中介的第一层面，处于"成诚"中的"成"与"诚"之间。意识到"成"之"得"（德）才意识到"诚"。这是形而上指向形而下的。在意识中，说到"成"必说到何以"诚"，这才在意识中谈得上"成"；在浑浊中意识不到"诚"，所以也就无所谓意识所把握（规范）了的"成"；一旦有了，才有在"诚"中形成的所谓"道以成身"的伦理形式。当既无所谓"诚"又无所谓"成"，同时又指向既有所谓"成"又有所谓"诚"，所以才有了既接近于"得到"又不是"得到"的"到得"。

意识到"诚"，"潜意识"才成为"显意识"的，"成诚"才成为被把握（规范）了的显意识的"诚成"。可见，在"到得"中，再细致说，有着"成"到"诚"的过渡，这本身就开启着形而下向形而上的过渡。无意识无所谓"成"和"诚"，在潜意识指向显意识时，“成”和“诚”才出现分开又统一。“成诚”，到显意识，才有所谓“诚成”，才有所谓“诚如何成”；“诚如何”延伸于“成”，才有所谓“信什么”。从“潜”的伦理到“显”的道德，这开启了形而上向形而下的延伸。而这就要在形而下到形而上之间补以中间环节（中介），即“到得”。

就总体而论，对“是”“在”、“诚”“成”与“实在”“成就”之间细究，可区分出以下几个层面的意义：第一层面是“在是”　“成诚”。关于“在是”，这指混沌的“在”走向于“是”，即混沌的“在”走向规定了的“是”。关于“成诚”，这指浑浊的“成”走向于“诚”，即浑浊的“成”走向规范了的“诚”。第二层面是“是在”“诚成”。关于“是在”，这指潜在的“是”显成“实在”，即由可能的“在”到了现实的在。关于“诚成”，这指潜在的“诚”显成“成就”，即由可能的“成”到达了就的“成”。综合起来讲，经过哲学的“超意识一显意识一潜意识一无意识”系列落实于科学的“无意识一潜意识一显意识一超意识”系列，经过“在是”“成诚”于无意识到潜意识之中，“是在”“诚成”于潜意识到显意识之中。当“是在”“诚成”于潜意识到显意识之时，便指向“是在”“诚成”及“在是”“成诚”之超意识与无意识统一的超越。

二、中介二：空间时间

塑造论哲学认为，人的时空意识，是由人的塑造及塑造之物内化，又外化附着于塑造之物上的。对附着于“塑造之物”上的、附着于“塑造”中的“时空”，亦可这样说，在“塑造之物”中，“时空”才得以出窍。这成为形而上与形而下联系的中介。

由塑造论哲学来讲，提出的第一立论是：“我塑故我塑之物和我在成”，与之相映照的命题是“塑我故我和塑我之物成在”。

讲"我塑"就包含着"我"的对象性问题。这就是，在"塑造"中，"我"一定会"从我中"出窍。因为只讲"思"不讲"塑"是谈不上出窍的。如果说"我思故我在（是）"实现不了对象化证明，仍摆脱不了自己对付自己；那么"我塑故我塑之物和我在成"就在实践对象性方面，开始让自己与既在自己之内又在自己之外的东西相对待。这既是自己又是自己之外的东西，就是人的塑造之物，而它又是加入塑我之物的。也就是说，人塑造自然与自然塑造人是加入在一起的。

哲学从"塑造之物"着手，特别是从"我塑造之物"着手，其在哲学方法论上的可贵之处就在于它是"出窍"的。由"出窍"来考虑，应注意到这样一种紧紧联系在一起的区分：一是作为"出窍经过的"；二是作为"出窍记录的"。提出"塑造之物"或"我塑造之物"，本身就有二义："塑造"或"我塑造"，这是"出窍经过的"；"之物"或"塑造之物"，这是"出窍记录的"。出窍"经过"出窍"记录"，就内在着时间空间意识。

这样，由"塑造之物"成为对象化的自我意识，其中就演化着塑造之物内化并且又外化附着于塑造之物的时空意识。对此，张全新所著《现代物理学中的"实在"与"时间"问题——关于相对论、量子力学、超弦理论及当代宇宙学的塑造论哲学审视》之中，进行了如下考察。

（一）形而下意义的时间，关于时间在空间中的计量符号表示。

1. 由结绳、土圭、日晷等标示的时间。

（1）结绳。在人类之初曾用许多简单的空间实物方式标示时间。例如，结绳就是一种方式。这是以绳之小结的组合、大结的组合、小结和大结的共同组合记录。进而人们又往往能用圆圈和黑点把不同的结刻画出来，或者是画出来，或者可以刻在木或石之上。

（2）土圭。据考，伏羲氏以前的智能人还创造了一种叫土圭的符号：这是由远古人在地面堆土立竿以其影来表示时日所源。“圭”这个字本身就是堆土立竿即“⫯”的象形。人们很早就知道，日出日落之时，竿影很长很远无法作出记号，可以在日中竿影最短最近时加以记录。从我国所处的北半球上看，当太阳在南回归线上即午时竿影最长的时间最短，当太阳在北回归线上即午时竿影最短的时间最长，竿影总是在这最长最短两点之间来回往复地变化，这种变化的点正好连成一条直线，它正显示着那条被后来称为的子午线。从竿影最长之日起在每天的竿影所到之处插一小棍，插至竿影最短之日止，可插 183 根或 182 根。从竿影最短之日起在每天竿影所到之处插一小棍，插至竿影最长之日止，可插 182 根或 183 根。一个来回往复可插 365 根或 366 根，正好是一个冷热寒暑变化周期，于是定 365 或 366 天为一年，定竿影最长之日为冬至日即年初，定竿影最短之日为夏至日即年中，定竿影至半之日为春分或秋分。这就是四季，再分便有了八节。于是有人在阴阳变化区间内画上记号，作为分度，并将阴影阳迹变成两个基本符号表示阴阳，组合成若干符号表示阴阳变化。因为这是用堆土立竿观察日影掌握阴阳变化规律，所以远古人叫圭，后人叫土圭。土圭阴阳变化区间的八分度，也叫八分圭或八圭，这成为后来八卦早期符号表示，叫八卦是八圭用于占卜后的名称。八圭在远古表示一年之中的四季八节，也表示天地之间的四方八位。有了八圭符号，远古人才有了最初的历法和方位法。① 远古人从事农业生产曾根据这种简单的历法。半坡村文化遗址、河姆渡文化遗址的发掘，显示那时农业已很发达。远古无文字，没有写成文字的

① 参阅，李友仁：《易学通解》，辽宁人民出版社 1995 年版，第 34～35 页。

历书，有了土圭的记录，对安排农业是很有用的。可是用插棍数棍的方法毕竟太麻烦，由此才产生了在阴阳变化区间内画出图来表示分度，才产生了画出来的、更为细致的分度法和符号标示记录。这与八卦展示种种组合变化是相合的。据说八卦占卜就用着这种八圭符号。"卦"字由"圭"和"卜"组成，也体现出古人以"圭"的符号系统来占卜。这足以见得八圭形成与卦的符号系统形成大有关系，而八卦与古代的时空模态表示有很大关系。

(3) 日晷。与以上情况的发展相伴随，利用一根针投出日影方向和长度以测定时间的"日晷"，发展了起来。人们通常认为，中国的日晷就起源于圭表。"晷"字的古义就是太阳的影子。由《史记·司马穰苴列传》中的记载，能看出春秋时代已广泛用此来标示时间。但用这种方法在一天里只有一次机会得到读数，因此往往用于校正漏刻的快慢。后来发明了把时角坐标网通过表顶投影到一个平面上，这样白天无论何时都能从太阳的影子得到时刻读数。这种仪器就是日晷。日晷的部件包括一根晷针和关于时间刻度的晷面。日晷按晷面安置的方位可以分为地平日晷、赤道日晷、立晷（晷面平行卯酉面）、斜晷（晷面置于任何其他方向）等。晷面也可以制成半球面形，晷针顶点处于球心，这就造成了球面日晷。

2. 由机械钟、电子钟、原子钟等标示的时间。

(1) 机械钟。它可以粗略地标示时间间隔和时间流逝。在历史上，燃香或燃烛、计时沙漏以及滴漏、水钟等等都可认为是较早用过的钟类计时器。这种计时器往往偏于指示时间间距。当产生日晷，便开始有了不仅指示时间距而且标示时间轮回的用处。由此演化，后来出现了机械摆钟。机械摆钟大体由两部分组成：一是摆动部分（这主要是一种频率控制装置）；二是计数部分（通常用指针和刻度盘或数字形式指示）。

（2）电子钟。在电子钟中引进的控制振荡器输出达到100000赫的频率，并用电子仪器使之产生每秒钟一次的脉冲，由这作为钟的基本计时标，而其他计时标是在10、100、1000和10000赫的情况中产生的。时、分、秒以两种方式显示出来。在某些钟中有一同步马达带动钟的指针，而在全电子钟中没有机械运动，是靠光或数字来进行显示。石英振荡器常与电子钟结合成石英钟。石英钟利用石英或其他晶体所具有的弹性和压电性，靠准确控制电路的振荡频率来标示时间，其原理总之是基于石英晶体的压力效应。因为，如果有一电力作用于晶体，晶体就变形；而晶体变形就产生电力。于是可以将一晶体插入振荡电路，使得其频率等于晶体的弹性振动频率。

（3）原子钟等。其问世开辟了时间计量和守时的新纪元。人们早就知道在一定条件下原子和分子以固定的频率作电磁辐射，能够以大约$5x10^{14}$赫的辐射在光谱上表现出来。如果发明对这些周期的计算方法，那么就能构造出一种原子钟。原子钟是将电子钟和原子振荡器组合起来，是利用原子内部的量子跃迁（能级跃迁）产生极规则的电磁波辐射，通过计数这种电磁波而进行计的。后来由谱线控制振荡器的原理，出现了氨控钟，以及利用氨的放射线而形成的振荡器，后又制成一架利用铯原子束而达到高精度的原子振荡器（铯束频标）。再后来出现了，通过用双速月球照相仪加以测量，确定与铯频率相对照的历书时秒长，进而确定了国际单位制，即现代公制中秒的定义人们还以铷蒸气并应用“光激升”原理制造出原子钟。

3. 由地球自转、地球公转、宇宙观测而标示的时间。

（1）地球自转与时间：旋转时。人们很早就使恒星、太阳、月球和其他天体位于假想的天球上。因为地球绕自转轴旋转，天球看来就好像是基于两个固定点（天北极和天南极）旋转，地球的旋转轴延伸出去和天球交于这两点，旋转时就是根据天球来刻划的。对此要精确测定，需要专业用的天文仪器。在旋转时的测定中，人们往往有这样一些时间标示：恒星时：每天可看到星球和太阳东升西降，这种以春分点时角定义的每日之视运动是恒星时的基础。恒星时是以观察中记录的一个已知位置的星球过中天的时刻来测定的。视恒星时：日晷所指的真太阳时角可用来确定视太阳时，因为地球绕太阳运动，在观察中太阳看来像是相对于星球和二分点向东移动，这个运动速度一年等于一整圈（360°），即每天几乎是1°。平均太阳时：由于视太阳时不是均一的，所以才引进了平均太阳时的概念。对于平均太阳时不一定非得观察太阳，只要观察各种星球以获得均一恒星时，之后根据以往对太阳相对于这些星球的观察，以此为基础而建立数学公式，便可将之转换成平均太阳时。

(2) 地球公转与时间：历书时。"历书时"是根据太阳、月球或行星与其他参考星的相对位置来确定的。历书时可以从任一行星沿轨道绕太阳的运动或从一个卫星绕一个行星之运动得到，也可以从月球绕地球沿轨道的运行得到。

(3) 宇宙观测与时间：关于相对论效应的时间测量。在狭义相对论中一个已为实验所支持的基本结论是：如果A、B和C是三只同样的钟，其中A和B各在两个相对固定位置上且同步，C在它们之间通过，相继和A、B的位置重合。根据相对论，由C钟单独测定与两钟重合之间的时间间隔要比C钟通过并相继重合时在A和B上的读数之差略小。不论你认为是C钟固定或A、B两只钟固定，C钟总是要比A、B两只钟所测得的时间间隔小。这种相对论效应，在实验中对于电子和质子等能被加速到接近光速的微粒来讲，能显著地测定出来。用电子钟可以测定这种效应。

（二）形而下衔接于形而上意义的时空，关于从经验物理学到"物理学之上"的时空。

塑造论哲学认为：就科学研究来说，“无意识－潜意识”成为前阶。这里的关键在于，“塑我之物”成为人之所以成为有意识的人的进化前提，同时人又总是面对着无意识的自然。“塑我之物”，当把它看作人进化的前提时可以被认为是无意识的，而在科学研究中又毕竟已成为被意识的。在科学研究中，这并不是一个没有被意识的物在物成，而是自然塑造加入的物在物成；这是人去意识的实在，当意识到潜意识必然性是由无意识发展过来而在显意识中被成就的，才成为被证实的。

由此，人的这一科学研究过程，被看作是由前阶进入枢纽：“潜意识－显意识”。经过进入意识各领域的潜意识与显意识相互映照；在此映照中，成就着有潜意识的意识主体去意识物在形而下而呈现出显意识，从而使其中所体现的普遍必然性被展现出来，使之成为能被证实的。

应当说，无意识的自然之物是漫漫无际的，所以仅在感性形式中证明不了必然性；而塑造之物是扎扎实实的，从中可以透视出在长期积淀中自然赋予了普遍必然性的意识形式。这种意识形式潜在于作为“人在”“人成”的主体之中，使其能够以带普遍必然性的形式去意识，这是以意识必然性之序与无意识的序关系加以映照。正因为这样，由这种带必然性的意识形式去把握感性中证明不了必然性的关于自然塑造过程的无意前提，便会在意识中达到普遍必然性即把握关于世界的普遍必然性。这种情况就与自然科学（广义上说包括所有的部门科学）的研究汇合到一起了。

体现以上精神，塑造论哲学揭示道，当从人与自然相互塑造的角度讲，就时空而言，在意识把握的科学学科的实证材料中，经历了经典物理学的时空观、相对论的时空观、量子宇宙论的时空观等等。

1. 经典物理学关于时空的认识。

在经典力学中，空间和时间被认为与任何物体及运动无关，存在着绝对空间和绝对时间。牛顿在《自然哲学的数学原理》中说："绝对空间，就其本性来说，与任何外在的情况无关，始终保持着相似和不变"。对于"绝对的、纯粹的数学的时间，就其本性来说，均匀地流逝而与任何外在的情况无关"。这就涉及到，物体的运动形式和规律与采用怎样的空间和时间来度量的关系。相对于绝对空间的静止或运动，才是绝对的静止或运动。只有以绝对空间作为度量运动的参照系，或者以其他作绝对匀速运动的物体为参照物，惯性定律才成立。即不受外力作用的物体，或者总保持静止，或者总保持匀速运动。这一类的参照系，被称为惯性参照系。

这样便可以认为，任何两个不同的惯性参照系的空间和时间量度之间，满足伽利略变换。牛顿力学规律在伽利略变换下保持不变；在这种变换下，位置、速度是相对的，即相对于不同参照系其数值是不同的；长度、时间间隔是绝对的，即相对于不同参照系其数值是不变的。同时性也是绝对的。相对于某一惯性参照系同时发生的两个事件，相对于其他的惯性参考系也必定是同时的。

莱布尼兹、贝克莱、马赫等先后都对绝对时空提出过异议，指出没有证据能表明牛顿绝对时空的存在。这构成了对牛顿的绝对时空概念的怀疑。如果存在绝对时空，则物体相对于这个绝对时空的运动就应当是可以测量的。这相当于要求在某些运动定律中含有绝对速度。然而由相对性原理，会导致不能认为在运动规律中物体有绝对速度，绝对速度在原则上是无法测定的。

2. 相对论关于时空的认识。

在通常的物理学意义上，空间和时间往往被认为是事物之间的一种次序。空间用以刻划物体的位形，时间用以刻划事件之间的顺序。伴随着物理学认识的发展，人们又越来越意识到，空间和时间的物理性质主要是通过它们与物体运动的各种联系而表现出来。

基于历史发展，爱因斯坦提出了他狭义相对论中的相对性原理。在狭义相对论中，不同惯性系的时空遵从洛仑兹变换。根据这种变换，同时性不可能再被认为是绝对的，相对于某一参照系是同时发生的两个事件，相对于另一参照系可能并不同时发生。在狭义相对论中，长度和时间间隔也成为相对量，运动着的尺度相对于静止的尺度来讲会变短，运动着的钟相对于静止的钟会变慢，光速在狭义相对论中是绝对量，相对于任何惯性参照系光速都是c。

爱因斯坦在相对论中提出应把空间和时间合在一起来考虑，这是一个很重要的转变。如前所说，人们在生活常识中会认为两者之间并无联系。物理空间被认为是一个平直的三维连续体（是点的所有可能位置的一种配置），在其中体现着欧几里得几何。对于这样一种空间流形来说，笛卡儿坐标系看来是最适合的坐标系。同时，时间作为与空间分开的一维连续体，被认为是与空间无关的，并且在无限的延续中是均匀的。任何一个“现在”时刻都可以取作原点，从它向过去或未来取一段时间间隔，便可以达到别的时刻。匀速运动的空间坐标系添上均匀的时间连续体可表达所有非加速运动，这是特殊的惯性参照系。服从这些规定的宇宙被称为牛顿宇宙。而就现代几何学观点而言，时间可被描述为空间的第四维。以此而论，四个数字（坐标）可明确描述一个事件：其中三个定出事件在空间中的位置，而第四个数字则指出事件发生的时间。而由四维时空连续体则可以构造出另外一种平直几何学的刻划，这就是闵可夫斯基的几何刻划。由此可提出闵可夫斯基宇宙。闵可夫斯基宇宙惯性参照系，其中的每组坐标，或者说特别的时空事件，被说成是一个“这里一现在”或一个世界点。人们所观测到的事件之间的时间间隔和空间间隔依赖于观测者的速度，而在任何情况下观测者的速度都不超过光速。爱因斯坦正是由此描述并证明，对于某静止的观察者而言是同时发生的事件，对另一个运动中的观察者来说却不一定如此。

经典力学认为一个惯性参照系可以适用于整个宇宙。相对于某一个惯性参照系，宇宙任何范围中的物体运动都遵从惯性定律。而爱因斯坦在他后来提出的广义相对论中指出，如果考虑到物体万有引力，一个惯性参照系只能适用于一个非常局部的范围，不可能适用于大的范围或全宇宙。如果对于描写一个局部范围中的物体来说，某一参照系是惯性的，那么对其他范围中的物体运动而言，它一般就不再是惯性的。为了描写在一个大范围中的运动，对不同局部范围要用不同的惯性参照系。

用几何学的语言来表达，各个不同的局部范围的惯性参照系之间的关系，可以通过时空曲率来确定。在此，引力的作用使时空成为弯曲的，而不再是经典力学中的无限延伸的欧几里得几何的绝对空间，也不再是经典力学中的无限延伸的闵可夫斯基空间，在爱因斯坦的广义相对论中，连续体由世界点组成，它们仍可以用坐标（虽然不是唯一的）来辨认。对应于每个世界点有一个坐标系，利用它可以在该点周围的局部小区域内，近似地表示狭义相对论的时间。表示粒子轨道或光线路径的任何世界点的轨迹，这被称为测地线或世界线。相对于一个观测者的最大速度，由光的世界线来确定，光速是常数c。闵可夫斯基连续体（无质点加速度）的测地线是直线，当考虑广义相对论所揭示的含有质量集聚的宇宙，即黎曼几何刻划的宇宙，测地线则是弯曲的；引力场则可以被解释为时空曲率的一种表现。然而，总可以找到一些坐标系，在其中的局部不存在引力场的作用。这样一个附在选定的世界点的参照系，在某个质量集聚体的附近，自然地具有自由落体加速度。自由落体加速度这个概念只有在世界点的一个领域，也就是说在空间和时间上的一个有限的区域内，才有确实的定义。它之所以表现为具有质量的物体自由下落，可以说是由于外部产生的引力场的作用，或者可以等价地说是由于惯性参照系的内在性质。在数学上，由黎曼空间，引力势可以通过度量张量场 $g_{\mu\nu}$ 来表示。这使我们能够对于任一特殊的物质分布，在质点之外求解爱因斯坦的引力场方程。

德国天文学家史瓦西首先得到了关于单一球形质量的严格解（1916）。在质量不大时，这个解与牛顿引力定律给出的解没有明显差别。但在质量很大时，时空曲率半径可以超过实际物体的曲率半径，史瓦西解显示出不平常的性质。正是由此，对于白矮星的天文观测才导致美国天文物理学家奥本海默与斯奈德作出了存在超密物质状态的假说（1939）。这个以及其他一些关于引力崩溃的假设，后来被脉冲星和中子星的发现所证实，而且进一步可被黑洞所证实。这样一些时空理论及其他一些推论，对于统一场论及宇宙学等等来说，后来成为十分重要的。

3. 量子论宇宙学关于时空的认识。

（1）关于“时间顺序”、“时间反演”、“时间机器”。

关于“时间顺序”。由量子力学若干实验设计及实施，让人不能不承认，量子论的发展，对时间概念提出了更复杂的问题。仔细说也就是，其中似乎得要人承认，对于一个体系在过去可能是什么状态的判断结果，好像是决定于在现今的测量中做怎样的选择。所以，除非一个体系的过去状态是已经被记录了的，不能认为这体系的历史是独立于现今选择而存在于过去时间中的。这种关于“现在”与“过去”之间相互关系的结论，与我们通常的因果顺序观念十分不同。这似乎还意味着，过去的存在竟然与现在的存在没有依赖关系。另外，量子论还表明，在

10^{-33}厘米、10^{-43}秒这样小的时空尺度中，描写事件顺序的“前”“后”概念将失去意义。由此有些物理学家认为，用时间来描述事件发生的顺序，可能并不总是合用的。有的物理学家还这样讲，空间与时间是事物之间的一种次序，但并不一定是最基本的次序，它可能是更基本次序的一种近似。

关于“时间反演”。根据波函数的统计诠释，Wigner 曾经论证过①：量子力学中的对称性变换，或为反幺正变换，但对于连续对称性变换，则必为幺正变换，对于离散的对称性变换，则可能出现反幺正变换。最常碰到的反幺正变换就是时间反演(time reversal)。“关于时间反演概念、人们常常感到很神秘。但正如 Wigner 曾经着重指出那样，‘时间反演态’并不意味着真正时间倒流，而只不过是‘运动方向的倒转’（Reversal of direction of motion)，两个逆向的运动过程中，时间都是正向流动，因果关系也是相同的。所以时间反演概念并没有什么神秘的东西”。“Wigner 还指出，量子体系的时间反演不变性并不导致相应的某种守恒量（这一点和时间反演算符是一个反线性算符有密切关系）。尽管如此，时间反演不变性可以导致一个反应过程与其逆过程的概率之间存在一定的关系（例如反应过程中的细致平衡关系）。此外，还可能导致某些选择定则。在某些情况下还可以导致能级简并（Kramers)。”“时间反演态概念在金属的超导理论和原子核物理的对关联理论中有广泛的应用。在粒子物理中，关于相互作用的时间反演不变性问题，有过长期的探讨。实验分析表明，强作用和电磁作用具有时间反演不变性。但有确切的实验证据（例如中性 K 介子的衰变）表明，在弱作用中时间反演不变性不再完全成立。”“时间反演不变性只

① 可参阅：E. P. Wigner, Group Theory and its Application to the Quantum Mechanics of Atomic Spectra, Academic Press, chap. 26, 1959.

存在于微观过程中。在宏观世界中，基于热力学的熵增加原理，运动过程是不可逆的，时间反演不变性不存在。这里涉及从微观世界到宏观世界过渡时出现的退相干（decoherence）现象，是一个值得深入探讨的问题。”①

关于“时间机器”。所谓“时间机器”，乃是1895年英国著名科幻小说家威尔斯一本著作的名称，书中的主人公是一位工程师。他发明一种可逆时旅行的机器，坐上它，人们可以返回到过去历史中。近若干年有人经过认真研究认为，逆时旅行并不违反物理学基本规律。然而霍金对“时间机器”的问题，讲到他的看法。他认为，“回到过去”即时间机器是不可能的。霍金在其书中“坚持认为时间机器实际上是不可能的”，“理由是，在接近闭合类时区边界或科西视界时，极强的真空涨落（真空极化能）将摧毁掉这一特殊的时空结构，这就使得闭合类时线或时间机器实际上是不可能存在的”。霍金试图“引人一条新的原理‘时序保护猜想’（或‘护卫过去’）来排除时间机器的可能性”。

（2）关于“虚时间”和“实时间”。

量子宇宙论中所涉及的问题，进一步使时间含义更加复杂化了。美国物理学家理查德·费因曼曾提出一种宇宙有多重历史的思想。后来人们把爱因斯坦的广义相对论同费因曼的多重历史的思想合并成一个统一的理论。这个统一理论能够计算宇宙如何发展，但自身并没解决宇宙如何开始，或者说讲不清楚初始条件是什么。这就要有所谓的“边界条件”，即在空间和时间的边缘上是怎样的。在考虑空间时间的情况下；要去定义有意义的边界条件，是非常困难的。为此，霍金与其合作者詹

① 曾谨言：《量子力学》卷Ⅱ，科学出版社2000年版，第530页。

姆·哈特尔努力论证了，宇宙在空间和时间中没有边界。他们试图指出，宇宙有开端；然而还有另外一种时间，即"虚时间"。因此，当霍金试图统一引力和量子力学时，便引入了"虚时间"的概念。霍金指出，"虚时间，那是和我们感觉到正在流失的通常的实时间成直角的时间。宇宙在实时间中的历史确定其在虚时间中的历史，反之亦然，但是这两种历史可以非常不同。特别是，宇宙在虚时间中可不必有开端或终结"。

霍金围绕，M理论中的空间和时间以普朗克尺度为基本单位，在M理论中时空是十维或者是十一维的；对于为什么日常生活中所见的时空是四维，他认为，存在着两种可能的解释：一可能是所有额外维的尺度非常小，甚至如普朗克尺度那样小，实在难以观察到；二可能是额外维的尺度相当大，甚至可达无穷大，只是在目前的观察条件下尚未观测到。

霍金认为，在四维"膜"世界中，人类生活在一个胚中，邻近还有另一个"影子"胚。因为光被限制在胚中，不能传播到另一个胚，所以人类不能看到影子世界。但是人类会感觉到影子胚中物质的引力影响。这种引力在人类所在的胚世界中，会显示成一种"暗"源。检测"影子"胚的仅有办法是通过引力的途径。这样，霍金由无边界设想认为胚世界的自发创生有虚时间的历史。在这历史中，宇宙像一个果壳，可想象成一个四维球面。不过果壳是空的，在这胚世界图像中的四维果壳是满的。人类生活其中的胚在虚时间中的历史是一个四维球。这是一个五维泡泡的边界，而余下的五维或六维是卷曲的，并且卷得非常小。也就是说，霍金认为，宇宙是从一个果壳状的高维泡泡演化而来的，果壳上的皱纹将演化出今天所认识到的全部宇宙结构；人类所在的宇宙是一个胚世界，这个胚能够从黑洞中产生和消失。霍金理论刻划了，胚在虚时间的历史相关于它在实时间的发展。高维泡泡在虚时间中产生一个完全光滑的球形四维“果壳”的概率是极高的；然而，这又对应于在实时间内以暴胀方式永远膨胀的胚。星系若不能在这种胚世界中形成，那么智慧生命也不会出现。然而，高维泡泡在虚时间中会产生一个有点不光滑和偏离球形的四维“果壳”，虽然其概率稍低一些，却能与实时间中的减速暴胀过程（胚在开始时有一个加速膨胀即暴胀的相，随后膨胀又缓慢下来）相对应。在这个减速暴胀的过程中，星系则可能形成，智慧生命也会出现。

总之，霍金讲，如果设想宇宙在虚时间中的历史类似于一张闭合的曲面，就不会有边界条件的问题，即人们就不必非得指定边界条件；否则，如果把宇宙的历史理解成一种非闭合曲面而伸展开去，人们就会遭遇到如何在无穷处选取边界条件的问题。因此可以说，宇宙的边界条件就是它没有边界。这样，宇宙不仅仅只有一个单独的历史。这就迎合了费因曼所讲的，它具有多重历史。对应于每一种可能的闭合曲面，在虚时间中都有一个历史，而在虚时间中的每一历史都确定其在实时间中的历史。

(3) 关于“时间箭头”。

众所周知，当人们考察日常生活中所知道的“时间”，或说当人们考察“实时间”时，其中的前进和后退方向有着十分显然的差别。而这“虚时间”则是不能在空间方向上加以区分而形成单一箭头的。在虚时间里，往前和往后之间没有重要的差别。霍金曾就此说明道，“科学定律并不区别过去和将来。更精确地讲，科学定律在前面已提到的 CPT 中，即在称作 C、P 和 T 的联合作用（或对称）下不变。……在正常情形下，制约物体行为的科学定律在 CP 联合对称下不变。如果科学定律在 CP 联合对称以及 CP 联合对称下都不变，它们也必须在单独的 T

对称下不变"。①

然而，对于日常生活来说，人们意识到的"实时间"，前进和后退的方向之间还是有很大差异的。霍金曾讲到，我们理解这一问题，可以想象一杯水从桌子上滑落到地板上被打碎。如果你将其录像，你可以很容易地辨别出它是向前进还是向后退。如果将其倒回来，你会看到碎片又集中到一起离开地板，并跳回到桌子形成一个完整的杯子。你可断定录像是在倒放，因为落到地面摔碎的杯子又倒着演化为放置在桌面上完好的杯子。这一过程，人们在日常的现实生活中不可能见过。②

正如霍金指出的：我们为何从未看到碎杯子集合起来，离开地面并跳回到桌子上，通常的解释是这违背了热力学第二定律所表述的，在任何孤立的或闭合的系统中无序度或熵总是随时间而增加。换言之，这是穆菲定律的一种形式：事情总是趋向于越变越糟！桌面上一个完整的杯子是一个高度有序的状态，而地板上破碎的杯子是一个十分无序的状态。人们很容易看到从早先桌子上的杯子变成后来地面上的碎杯子，而不是相反。

霍金认为，无序度或熵随着时间增加是一个所谓的时间箭头的例子。实时间的箭头将过去和将来区别开来，使时间有了方向。他认为，这里至少有三种不同的时间箭头：第一是，热力学时间箭头，即在这个时间方向上无序度或熵增加；再就是，心理学时间箭头，这就是我们感觉时间流逝的方向，在这个方向上我们可以记忆过去而不是未来；另外是，宇宙学时间箭头，在这个方向上宇宙在膨胀，而不是收缩。

---

① Stephen W. Hawking, A History of time. 参阅：许明贤、吴忠超中文译本，湖南科学技术出版社 1995 年，第 132 页。

② Stephen W. Hawking, A History of time. 参阅：许明贤、吴忠超中文译本，湖南科学技术出版社 1995 年版，第 132 页。

关于热力学意义上的时间箭头。这里的特点在于，总存在着比有序状态更多的无序状态。这是使热力学第二定律成立的根据。假设一个孤立系统有高度有序的初始条件，在时间的流逝中，这个系统的无序度会随时间的流逝而增大。

关于心理学意义上的时间箭头。假定不管宇宙从何状态开始，它都要结束于一个高度有序的状态，于是在早期这宇宙则可认为是处于无序的状态。这意味着无序度将随时间而减小。如果这样，人们的心理学时间箭头，对于原在桌子上后来摔碎到地面上的杯子来说，似乎就应当是指向摔碎的杯子又集合起来并跳回到桌子上的方向。可以讲，能认为人们是生活在无序度随时间而减小的宇宙中。从心理学上讲，人们能在记忆中重现“摔碎的杯子”倒溯为“回到桌子上”的情况，这又成为走向有序的过程。但又应指出的是，人们对时间方向的这种心理学箭头，在思维中又是伴随热力学时间箭头才实现的。正像一台计算机，机器运转过程中必同时伴随有熵的增加。这显然又表明，人们仍不可避免在无序度增加的方向上来走过时间。

关于宇宙学意义上的时间箭头。这就要综合地考虑到：究竟为何必有热力学时间箭头？或换句话说，在我们称之为过去时间的那一端，为何宇宙能处于高度有序的状态？为何宇宙不在所有时间里处于完全无序的状态？为何无序度增加的时间方向会和宇宙膨胀的方向相一致？在经典的广义相对论中，因为所有已知的科学定律在大爆炸前的奇点处失效，人们讲不出宇宙是如何开始的。固然可认为宇宙能从一个非常有序的状态开始，这才能导致符合于定义得很好的热力学乃至宇宙学的时间箭头。但是，在此同样地又可设想从一个非常无序的状态开始。这种情况下，既然宇宙早已是处于一种完全无序的状态，所以也就谈不上无序度会随时间而增加。如果在这种情况下它保持一个常数，那么也就没有定义得很好的热力学时间箭头；或者它会减小，这样宇宙学时间箭头与热力学时间箭头就会成为相反向的。以往的广义相对论预言了这里的情况。当"空间一时间"曲率变大、量子引力效应变得十分重要、并且在经典理论不再能很好地描述宇宙时，人们又必须用量子引力论去理解宇宙是如何开始的。

正如我们所看到的，在量子引力论中，为了指定宇宙的态，人们必须说清在过去的"空间一时间"边界上宇宙的可能历史是如何的。只有这历史满足这种无边界条件，才可能避免我们所面对的困难：其有限，但没有边界，也就是说无所谓有边缘或奇点。在这种情形下，时间的开端可认为是有规则的"空间一时间"点，并且宇宙在一个非常有序状态下开始其膨胀。同时它又不可能是完全均匀的，否则难以与量子理论的不确定性原理相吻合。因此，这里必有着密度和粒子速度的微小起伏；而无边界条件又意味着，这些起伏在与不确定性原理相一致的条件下又会尽可能地小。可这里又要注意到的情况是，宇宙刚开始时有一个"暴涨"时期，在这期间其尺度要增加一个非常大的倍数。在膨胀时，密度起伏开始很小，而后来开始变大。在密度比平均值稍大的区域，额外质量的引力使膨胀速度放慢。这可使人们认为，这样的区域最终将停止膨胀，坍缩而形成星系、恒星以及形成我们这样人类生存的星球。

再剩下的问题是：为何我们观察到的热力学方向会与宇宙学箭头指向同一方向？或换言之，为何无序度增加的时间方向正是宇宙膨胀的时间方向？也就是说，为何宇宙是处在"膨胀相"中而不是在"收缩相"中？这就要以"人择原理"来说明了（后面我们还要专门谈到，并论及于此）。因为，在收缩相的条件下不可能产生智慧人类，也不可能使智慧人类存在；正是人类才能够提出无序度增加的时间方向和宇宙膨胀的时间方向是否一致的问题。正如无边界假设所预言的，宇宙在早期阶段的暴涨意味着一定是以非常接近为避免坍缩所需要的临界速率而膨胀。这就又意味着是走向有序。这样，只能认为宇宙在很长的时间内不会坍缩。而一旦坍缩，恒星就会烧尽，恒星及其中的质子和中子就会衰变成轻粒子和辐射。这样，宇宙将处于几乎完全无序的状态，这时也就无所谓会有强的热力学时间箭头。从智慧生命在进化中的产生来说，显然这是从无序到有序。然而，对于智慧生命的行为来讲，又必定同时伴随着一个强的热力学箭头。因为人类生存下去，必定消耗能量的一些有序形式，如食物等等，并将其转化成能量的一种无序形式——热量等等，在此意义上讲，智慧生命不可能在宇宙的收缩相中存在。霍金等人正是就此对于为何我们观察到热力学和宇宙学的时间箭头指向一致，作出分析。他同时也认为，并不是宇宙的膨胀导致无序度的增加，而是无边界条件引起无序度的增加，并且恰在这种膨胀相中才有适合智慧生命的条件。补充说，也正是在这种情况下才出现总体指向有序的生命进化。

总之，正如霍金在做了以上分析后指出的：心理学箭头本质上应和热力学箭头相同。宇宙的无边界假设预言了定义得很好的热力学时间箭头，因为宇宙在某种意义上可认为是从有序的状态开始。并且我们看到，智慧生命只能在膨胀相中存在，收缩相是不适合于其存在的。这一事实身就证明了热力学箭头和宇宙学箭头的一致。可见，宇宙的无边界条件和人择原理一起，才能对于为何几个箭头所指向的方向作出一定的解释。为此霍金强调，必须有一个定义得很好的时间箭头。重复讲也就是说，心理学箭头是由热力学箭头决定的，并且这两种箭头总的来说应当指向相同的方向。固然，如果人们假定宇宙的无边界条件，就会看到有定义得很好的热力学时间箭头。但对于宇宙的整个历史来说，它们又并不总是指向同一方向。然而，霍金指出，只有当它们指向一致时，在宇宙膨胀的时间方向上，才会有智慧生命发展的合适条件。这与后面将要讲到的人择原理及其与塑造论哲学具有一致性的见解是相吻合的。近期，有报道讲，美英科学家提出了一种其所称的"循环宇宙"模型，认为"大爆炸"既不是宇宙的起点也非终点，而只是宇宙不同阶段的"过渡"，宇宙是处于这种过渡不断循环的过程中。这样就更能说明"有序"与"无序"相之间的转换和循环。如果这样的理论模型能成立，就能使宇宙的演化理论更加自洽了。

霍金曾这样讲，"有一次爱因斯坦问道：'在制造宇宙时上帝有多少选择性?'如果无边界假设是正确的，在选择初始条件上它就根本没有自由。当然，它仍有选择宇宙所服从的定律的自由。然而，实在并没有那么多的选择性；很可能只有一个或数目很少的完整的统一理论，它是自洽的，并且允许复杂到像能研究宇宙定律和能询问上帝本性的人类那样结构的存在。"①当然，霍金这里用了"上帝"这个词；从基本精神上讲，对此我们可用"必然性"来替换。这样，关于以上的基本精神用塑造论哲学原理来讲，这恰恰是与自然塑造人与人塑造自然相统一的原理是相吻合的。恰当地说明这些道理，并为这些科学思想提出哲学上的原理，这正是塑造论哲学的使命以及塑造论哲学站在科学前沿所要完成的重要任务。

以上可见，在经历经典物理学的时空观、相对论的时空观、量子论的时空观等等的过程中，其中，人们依托于对世界和宇宙有序和无序的看法，形成着关于"时间箭头"的以下见解：这里首先举出两极。一极：如果认为大爆炸生成的宇宙是走向热寂的。那么，宇宙的无边界假设就定义了关于热力学的时间箭头。因此宇宙在某种意义上可认为是从有序的状态开始。这

① Stephen W. Hawking, A History of time. 参阅：许明贤、吴忠超中文译本，湖南科学技术出版社1995年，第155页。

就可推论出，宇宙从大爆炸到热寂，是从有序走向无序的。这是一种方向的“时间箭头”。另一极：如果认为在物质集中于密度无穷大的奇点上，所有的物理定律都失效，在数学上也决不允许任何其他的可能性存在；那么在此就可认为宇宙是从一个非常无序的状态开始。在宇宙早已是处于完全无序的情况下，也就谈不上无序度的增加。如果在此情况下它保持一个常数，那么也就没有定义得很好地热力学时间箭头。在此意义上讲宇宙又可认为是从无序走向无序的。这是另一方向的时间箭头。

正因为这样，当代的物理学中，霍金等人为了解决无边界条件的问题，提出应以虚时间与实时间相对称。至于虚时间的物理意义或实在意义如何，在此难以给出很确切的分析和结论，但这起码表明了，科学家力求找出一种理论模型，以实现对时间箭头的对称性刻划。由此，霍金认为他一生的重要贡献是：在物理学的框架里，证明了黑洞和大爆炸奇点的不可避免性，黑洞越变越大；但在量子理论的框架里，他指出，黑洞因辐射而越变越小，大爆炸的奇点被量子效应所抹平。

实际上，整个宇宙从有序到无序和从无序到有序是交错在一起的，甚至可以说是对称地存在着的。从自然科学理论构架上来说，应当认为，新近有科学家提出的循环宇宙论给出了一个很好地说明问题的思路。该理论认为，宇宙是处于不断循环的过程中。如今的宇宙是在上个宇宙中的尘埃中诞生。大爆炸只是宇宙的两个不同阶段中的过渡，大爆炸是某些事件的果，而并非所有时间的因。宇宙永远不会结束，而是处于演变的循环过程中。

而当我们特别注意从地球上的人类角度看过去，在一定意义上讲也是从“人择原理”的基点上看过去，对于依托于宇宙、世界的“时间箭头”，就熵增和熵减之箭而论，可以形成这样的看法：

在宇宙演化中太阳系生成、地球生成。当在宇宙演化中太阳系分化出来，地球又以某种方式被从中甩出时，不仅地球的能量来自宇宙来自太阳系，而且地球的物质也来自宇宙来自太阳系。这时地球作为一个开放系统在演化中形成了自身的有序结构。而地球一旦形成，开始形成了一个自身相对不与外界进行物质交换的系统。地球上的物质是靠着宇宙并且基本上是靠着太阳系所给予的能量进行着自身的热力学运动。十是直到现在，地球虽与其之外的环境有能量交换，外界的物质除了有偶尔的流星和微乎其微的宇宙尘埃进入以外，并没有对地球热力学运动产生重大影响的物质交换。在此意义上，地球可被看作一个相对封闭的系统。固然不排除随着人的能力提高会在将来打开地球这个封闭系统而使之整个地成为开放系统，但起码到月前为止它还基本是个封闭系统。在把整个地球看作是封闭系统时，就其总过程说，这个系统中的熵是在不断增长的。服从着热力学第二定律，形成着"自然熵增之箭"，这是一种从有序走向无序的过程，是走向热寂的。由于这种无意识的自然熵增，对于人类来说是恶性的，所以塑造论哲学称之为"自然熵增的恶性无意识"。①

地球随着太阳系在宇宙中生成。就宇宙原是个混沌的气团、太阳系原本浑然一体而言，地球尚未独立，处于一种并没有现在有序结构的无序状态。而就宇宙演化中太阳系被分化出来地球又以某种方式被从中甩出而言，由于地球能够成为一个不仅能量来自宇宙来自太阳系而且物质也来自宇宙来自太阳系的开放系统，这才形成着自身的有序结构。地球形成后，虽然形成了一个自身相对不与外界进行物质交换而只进行能量交换的封

① 参阅，张全新：《塑造论哲学导引》，人民出版社 1996 年版，第 41～42 页。

闭系统，但地球内的各个子系统却不总是封闭系统，而且主要形成不了完全的封闭系统。因而在各种情况下出现着既进行能量交换又进行物质交换的开放状态。这就形成了从无机物到有机物再到蛋白质又到复杂的生物体一直到人类产生的进化过程。在地球中的某部分成为开放系统时，就其过程说，这些系统中的熵是不断减少的，它服从耗散结构的原理，形成着“自然熵减之箭”。这是一种从无序走向有序的过程，是走向进化的。由于这种无意识的自然熵减，对于人类来说是良性的，所以塑造论哲学称之为“自然熵减的良性无意识”①

这样，我们再集中于人与自然来讲，出现了如下情况：大自然在发展中，塑造着人，形成着文化人类，这一过程是从无序到有序的熵减（进化）过程，是信息量增加的过程。这是作为开放系统的耗散结构自组织过程。在此自组织过程中由无意识形成潜意识，而由潜意识又到与之一致的显意识。这是有意识的人把自然进化造成的有序结构加以延伸，这里形成着人类文化。在此过程中，人按照自己的序参量塑造着自然，如果人类文化成为一种飨成于人之有序必然性并有成于自然有序性的开发，就带来人为的熵减，从而形成着文明的文化。走向文明文化的过程，与自然熵减之箭形成同一方向。这是走向有序的过程。由于这种有意识的人为熵减对于人类来说是良性的，所以塑造论哲学称之为“人为熵减的良性有意识”。而如果人类文化是一种不飨成于人之有序必然性，出现无成于自然有序性的破坏，就带来人为的熵增，从而形成着非文明的文化。出现非文明文化的过程，与自然熵增之箭形成同一方向。这是走向无序的过程。由于这种有意识的人为熵增对于人类来说是恶性的，

① 参阅，张全新：《塑造论哲学导引》，人民出版社 1996 年版，第 42 页。

所以塑造论哲学称之为"人为熵增的恶性有意识"。①

也正是由此，我所著的《塑造论哲学导引》论述了自然塑造的人在塑造自然时必须认真考虑形成着人类两个方向的时间箭头的情况，必须服从其面对着的熵增、熵减系列。由此决定着人所应采取的基本态度和行为准则。

然而，由以上的情况我们也可以见得，这里所达到的关于时间的认识，两个时间箭头毕竟主要还是分离地加以揭示的。只有使之成为同一个概念的或统一理性的构成环节，即每一方都是对方，双方的关系不再是彼此外在的相互限制的关系，才能达到具体的统一。这样，塑造论哲学强调，要达到于此，就得有更进一步的哲学认识了。应当认为，只有由此去揭示作为显意识与潜意识统一的、并融入无意识自然过程的超意识，有意识与无意识才能成为统一的、而且是具体地有机统一的。也就是说，在此过程的完成中，便进入到"显意识－超意识"。

（三）关于时空的形而上学，哲学上不断得到升华的时空。

上升为哲学形而上，对于空间和时间特别是对于时间的哲学认识经历了许多形态。

1. 寓于本体论的、偏向客体化的时空观。

（1）在西方，古希腊的德谟克利特（Demckritos，约前460—前370页），最早提出有独立意义的空间概念"虚空"，认为万物的始基是原子与虚空；原子是不可再分的最小的物质微粒，虚空是原子运动的场所；虚空虽然是不同于原子那样"存在"的"非存在"，但"非存在"不等于"不存在"，这"并不比实体不实在"。原子和虚空是无限的，因而空间不是"创造"出来的。这种时空观为伊壁鸠鲁（Epikouros，公元前341－前270）、卢

① 参阅，张全新：《塑造论哲学导引》，人民出版社1996年版，第42～43页。

克莱修（Lucretius Carus，公元前 90—前 55）所继承。涉及时间，此时期的许多思想家主张时间的循环性。这概念有两种意义：一是赫拉克利特（Heracleitos，公元前 540—前 470）预言，世界从其形成到毁灭和复生有其周期；二是简单地把大年视为太阳、月亮和行星要达到其相互间在先前某个时间所保持的同样相对位置所需要的时间间隔，此即柏拉图（Plato，公元前 427—前 347）曾采用的概念意思。这两种意义后来被斯多葛学派（Stoics）哲学家们结合。斯多葛学派的哲学家们相信天体回到相同的相对位置时它们已是处于世界的开端，万物就会恢复到先前的样子，而且整个循环就会在各个细节上重新开始。

（2）亚里士多德（Aristoteles，公元前 384—前 323）对于空间，认为不存在无物质的空虚的空间，只有充满着物质的"充实的空间"。空间不只是个别物体的广延性，而且是某物体与另一些物体之间的关系。因此，"充实的空间里面能够有变化"，而"空虚其实倒会把运动取消"。至于时间，则是"按照先后得出的运动的数目"，同运动一样不生不灭。同时他在说明时间是可以计算的"数目"时，认为只有灵魂才能计数，因而时间的存在依赖于"灵魂"。亚里士多德还认为，运动是用时间量度而时间是用运动量度。他承认时间不能停止，但除天体运动之外的其他运动又是可以停止的，由此认为时间必与天体运动密切联系，而天体运动是等速运动的完美典范。希腊人曾将宇宙的形成看成是各种对立的力之循环变换而不是连续演变的结果。亚里上多德也说过，就连重物下坠和轻物上升的趋势，也都是属于循环过程中的一部分。他认为，这些明显的直线运动实际上也是天体循环地做永恒的圆周运动，既无开始，也无终止。

（3）到中世纪，早期基督教领袖或学者们对于传统的时间循环观点进行了许多争论。后来在奥古斯丁（Augustinus，354—

430）那里，又讲了许多关于时间的见解。他特别强调耶稣被钉死于十字架上必须被认为是唯一的事件，不会重演。就此他强调时间是线性的而不是周期性的。许多人讲，奥古斯丁关于时间的整个见解，可被认为是研究内在时间的先驱。奥古斯丁把时间视为有记忆、注意和预期能力的“灵魂（或精神）的活动”。奥古斯丁在其所著的《忏悔录》第11卷第13～31章中，从讲述主创造天体开始，然后从各个侧面谈到了对时间的看法。这其中触及关于时间形而上的要害问题。

奥古斯丁突出论证了：上帝作为永恒，存在于时间之外。因为早期教父们通常认为，神及其所在的地方是永恒的。所谓永恒，意在指超出时间之外，时间和万物一起是神所造的。而据《圣经》中的“创世纪”讲，上帝创造世界用了七天，这很容易使人想到，既然上帝创造世界也需要时间，那么上帝是在时间之中的。这同上帝在时间之外因而得以永恒的说法矛盾。正因为如此，卡帕多奇亚的教父大巴兹尔解释说：“上帝创造了时间的本性，制定‘日’为它的量度和标记，以‘周’重复计算时间的运动。一周是一日的七次重复，这是始于自身，归复自身的循环。它像是永远回归自身的万古之期。因此，他（指摩西）不把时空的开端称作第一天，而是一天，这说明了时间接近于永恒。”[①] 大巴兹尔的说法显然有破绽。尽管七天被缩为一天，或者说由时间长度变为时间单位，这一天的时间还是有长度的，作为时间的单位总是包含着起初的一个量。因此，大巴兹尔的弟弟格列高利提出了“瞬间说”。他讲，“创世是上帝在时间之外的活动。上帝在瞬间创造出所有事物潜在的种质，并让种质在时间中演化为现实存在的万物，上帝不需要随时干

① 转引自赵敦华：《基督教哲学1500年》，人民出版社1994年版，第131页。

预种质的演化过程。至于《圣经》'创世纪'中所写的六天过程，不能按照字面理解它。'六天说'只是隐喻着'灵魂的哲学，说明演化的必然顺序以完美的被造物为最后结果'。'完善的被造物'指人，'演化的必然顺序'指宇宙的形成过程。上帝创世按照从宇宙到人的顺序进行。"[①] 他凭着思辨，自由地发挥了对宇宙和人的解释。奥古斯丁由思辨的角度对上帝作为永恒存在于时间之外的观点进行了说明。他把上帝创世解说成是彻底从无中生有的过程：在上帝造成宇宙之前，还没有创造宇宙的场所；上帝创世也不用任何工具，因为没有一样东西是可以不经上帝创造而存在的。奥古斯丁认为，上帝创世用的是"logos"。"logos"不在时间中。他这样论述说："这'logos'是'和你天主同在'的，是永远不寂的言语，常自表达一切，无起无讫，无先无后，永久而同时表达一切，否则便有时间，有变化，便不是真正的永恒，真正的不朽不灭。"奥古斯丁接着说："你用了和你永恒存在的'logos'，永永地说着你要说的一切，而命令造成的东西便造成了，你唯有用言语创造，别无其他方式；但你用言语创造的东西，既不是全部同时造成，也不是永远存在"。[②] 可见，奥古斯丁认为，上帝的言语即 logos，这与我们用肉体的耳朵听得到的言语不同。肉体的耳朵听到的言语有时间上起讫，是有声响的，声响需借助于发生的物体，还有赖有声音传播时振动的媒体。可是在上帝创世前，这些东西都是没有的。上帝的言语是用理智去听取永恒的言语。

奥古斯丁对关于"上帝不在时间"的一些诘难，作出回答。这些诘问是："（1）天主在创造天地之前做些什么？（2）如果闲

① 转引自赵敦华：《基督教哲学 1500 年》，人民出版社 1994 年版，第 134 页。

② 奥古斯丁：《忏悔录》，周士良中文译本，商务印书馆 1987 年版，第 237 页。

着无所事事，何不常无所为，犹如他以后停止工作一样？(3) 如果天主为了创造从未创造过的东西，有新的行动、新的意愿，那么怎能说是真正的永恒？……天主的本体中如产生一些前所未有的东西，则天主的本体不能说是真正的永恒；既然天主创造的意愿是永远的，那么受造为何不也是永远的呢？”① 奥古斯丁关于第一问题的论证是：“你既然是一切时间的创造者，在你未造时间之前，怎能有无量数的时间过去？能有不经你建定的时间吗？既然不存在，何谓过去？”② 奥古斯丁关于第二个问题的论证是：“既然你是一切时间的创造者，假定你创造天地之前，有时间存在，怎能说你无所事事呢？这时间即是你创造的，在你创造时间之前，没有分秒时间能过去。如果在天地之前没有时间，为何要问在‘那时候’你做什么呢？没有时间，便没有‘那时候’。”③ 奥古斯丁关于第三个问题的论证是：“你也不在时间里超越时间，否则你不能超越一切时间了。你是在永永现在的永恒高峰上超越一切过去，也超越一切将来，因为将来的，来到后即成过去；‘你永不改变，你的岁月没有穷尽。’你的岁月无往无来，我们的岁月往过来续，来者都来。你的岁月全部屹立着绝不过去，不为将来者推排而去，而我们的岁月过去便了。你是‘千年如一日’，你的日子，没有每天，只有今天，因为你的今天既不递嬗与明天，也不继承着昨天。你的今天即是永恒。你生了同属永恒的一们，你对他说，‘我今日生你’（按，指生圣子）。你创造了一切时间，你在一切时间之

① 奥古斯丁：《忏悔录》，周士良中文译本，商务印书馆 1987 年版，第 239 页。

② 奥古斯丁：《忏悔录》，周士良中文译本，商务印书馆 1987 年版，第 241 页。

③ 奥古斯丁：《忏悔录》，周士良中文译本，商务印书馆 1987 年版，第 241 页。

前，而不是在某一时间中没有时间。”[①] 依他的看法，“时间不论如何悠久，也不过是流光的相续，不能同时伸展延留，永恒却没有过去，整个只有现在，而时间不能整个是现在。”[②] 因此，永恒就是指永远的现在。这是我们世界里的时间所没有的性质。奥古斯丁进一步论述过“现在是没有丝毫长度的”。[③] 如果说“瞬间”的概念总还丝连着经验，那么没有丝毫长度“现在”就与经验断绝了关系，纯粹是思想上的一个概念了。这两者的区别就如之上画出一个点与几何学上的一个点。

奥古斯丁由论证上帝存在的时间问题，触及关于时间形而上的问题，并开始关注关于时间的主体性问题。他讲到：“我的心灵啊，我是在你里面度量时间。不要否定我的话，事实是如此。也不要在印象的波浪之中否定你自己。我再说一次，我是在你里面度量时间。事物经过时，在你里面留下印象，事物过去而印象留着，我是度量现在的印象而不是度量促起印象而已经过去的实质；我度量时间的时候，是在度量印象。为此，或印象即是时间，或我所度量的并非时间”。[④] 奥古斯丁提出了一个关于时间的意义：“对我来说，时间似乎只是延伸（distentio）而已。但我不能确定它是什么的延伸。如果它不是心灵自身的延伸，那就太奇怪了。”这是他在《忏悔录》11卷26章33节讲的。总起来说，奥古斯丁总是反复表达他对于时间问题的充分

① 奥古斯丁：《忏悔录》，周士良中文译本，商务印书馆1987年版，第241页。

② 奥古斯丁：《忏悔录》，周士良中文译本，商务印书馆1987年版，第240页。

③ 奥古斯丁：《忏悔录》，周士良中文译本，商务印书馆1987年版，第244页。

④ 奥古斯丁：《忏悔录》，周士良中文译本译，商务印书馆1963年版，第254～255页。

不解。正如他所讲："时间究竟是什么？谁能轻易概括地说明它？谁对此有明确的概念，能用言语表达出来？可是在谈话之中，有什么比时间更常见，更熟悉呢？我们谈到时间当然了解，听别人谈到时间，我们也领会"。"那么时间究竟是什么？没有人问我，我倒清楚，有人问我，我想说明，便茫然不解了。"①

2. 启于认识论的、趋于主体化的时空观。

(1) 哥白尼的拥护者布鲁诺反对亚里士多德的时空观，继承和发展了德谟克利特的虚空说。伽利略进一步把时空看作物体运动的不变的框架，建立了运动相对性的原理（即在诸惯性系中物理定律等效）和落体定律。牛顿在前人的基础上系统论述了关于"绝对空间"和"绝对时间"的概念。他认为，"绝对的空间，就其本性而言，是与外界任何事物无关而永远是相同的和不动的"；"绝对的、真正的和数学的时间自身在流逝着，而且由于其本性而在均匀地、与任河其他外界事物无关地流逝着，它又可以名之为'延续性'"。按他的说法，空间时间是不依赖于任何物质系统而独立存在的"实体"，是物质的"容器"和呈现物理事件的"舞台"；空间和时间本身是绝对均匀、处处同一，没有任何差别的。在这种时空观的基础上，牛顿建立了经典力学的庞大体系。如果说，牛顿认为时间是与具体事物无关而独立自行均匀"流逝"的，那么，与他同时代的德国哲学家和数学家莱布尼兹（Leibniz）则视时间为现象的系列顺序。莱布尼兹反对牛顿的时空观，从"单子论"出发，继承和发展了亚里士多德的时空观。他认为空间是事物并存的秩序，时间是事物接续的秩序；时间和空间都是事物之间的关系，是纯粹相对的东西，不是独立存在的实体。当时，在牛顿"实体论"

① 奥古斯丁：《忏悔录》，周士良中文译本，商务印书馆1963年版，第342页。

和莱布尼兹的“关系论”之间，展开了激烈的争论。

(2) 18世纪的德国哲学家康德（Immanuel Kant，1724—1804）曾是牛顿自然哲学的热心追随者，但他反对牛顿的时间观。康德依近代科学的成就，建立了一个庞大的先验哲学体系。在时空观问题上，他提出了涉于时间问题的“二律背反”。

在康德看来，即使在经验 Anschanung 中也总有和必须有 Anschanung 的纯形式。这些形式使出现的杂多能在某一种关系上得到整理。正如康德所说，“通过我们受到对象的刺激这个方式而接受表象的这个能力即感受性（reptvotät），称为感性（sinnlichkeit）。对象借助于感性而向我们被给予出来，而且只有感性才给我们产生 Anschanung”。[①] 在康德那里，作为其是验前所给予的 Anschanung，其纯粹形式本身又可称为纯粹的 Anschanung。因此，对于这里的综合来说，一种纯粹的 Anschanung是必要的，而这一感性 Anschanung 的纯粹形式，即空间和时间。

康德强调，先验感性论要研究的，就是作为纯粹 Anschanung 的空间和时间。这种研究的任务是双重的，即先验阐明和形而上学阐明。先验阐明“说明空间（或时间）是怎样使综合的验前知识之可能性成为人所理解的”，[②] 也就是验前综合知识是如何成为可能的。形而上学阐明则表明时空的内在可能性，“确定空间（时间亦然）概念的本性”。[③]

康德还说，“我们之所以能给一个 erscheinyng（通常译为

① 康德：《纯粹理性批判》，韦卓民中文译本，华中师范大学出版社 2000 年版，第 65 页。

② 康德：《纯粹理性批判》，韦卓民中文译本，华中师范大学出版社 2000 年版，第 65 页。同时参看康蒲·斯密《解义》中译本第 148 页。

③ 康德：《纯粹理性批判》，韦卓民中文译本，华中师范大学出版社 2000 年版，第 65 页。同时参看康蒲·斯密《解义》中译本中第 148 页。

'现象'——引者注)赋予 substanz(实体)之名只是因为我们预设了它在一切时间中的存在,这一点是就连通过持存性这个词也没很好地表达出来的,因为这个词更多地针对着时间"。[①]

关于对时空的形而上纯粹分析。在康德讲来,时空不仅是Anschanung 的形式,而且这些 Anschanung 中还有被 Anschanung 的东西,因为两步阐明已清楚地指出,时空是统一整体和被给出的。"给出"意味着"在纯 Anschanung 中被 Anschanung"(intuited in intuiting)。时空是纯粹 Anschanung 的形式同时又是 Anschanung 某物,其暗示着"让被遇到"(letting－be－encountered),即它们源自有限的 Anschanung,但这个过程是心灵中完成的。时空是派生 Anschanung 又是本源 Anschanung,来自有限主体本身。当康德说时空是 Anschanung 的纯粹形式时,"形式"是指可能的秩序。人们往往由形式想到与它相对应的质料。形式与质料的区分自古就有。而在康德看来,应当认为质料是作为可确定的什么,而形式是指由什么去确定。只有在先行具有的时空关系中,物才能先行地向我们展示。

康德认为,"作为对象而表现的空间……不止包含着直观的纯然形式;它还含有按照感性的形式在一个 Anschanung 性的表象中被给予的杂多的联系"。[②] 康德又说,"我们时间概念说明了一般运动学说中所揭示的验前综合知识的可能性,而这种知识并非没有其丰富的效果的"。"只有在时间里,两个矛盾对立的述项才能在同一个对象里碰见,那就是一个跟在另一个后面。"[③]

---

① 康德:《纯粹理性批判》,韦卓民中文译本,华中师范大学出版社 2000 年版,第 175 页。

② 康德:《纯粹理性批判》,韦卓民中文译本,华中师范大学出版社 2000 年版,第 175 页。

③ 康德:《纯粹理性批判》,韦卓民中文译本,华中师范大学出版社 2000 年版,第 74 页。

正是由此，康德才说运动的概念包含了时空这两个要素。[①]

(3) 关于时间与空间，德国古典哲学集大成者黑格尔(Georg Wilhelm Friedrich Hegel，1770－1831) 则认为，空间和时间是事物自身的规定性，他指出："人们决不能指出任何空间是独立不依地存在的空间，相反，空间总是充实的空间，决不能和充实于其中的东西分离开"；"事物本身就是时间性的东西"。他还指出："空间和时间都属于运动"，运动是"空间和时间的直接的统一"。

(4) 马克思在《资本论》中，曾特别强调，社会、历史意义上的"时间"与自然时间是有区别的，衡量这一层面时间的不是物理的尺度，而是社会的尺度、资本的尺度的、人的尺度，时间成为人类发展的空间。这离不开人、人的活动和人的感受。用马克思的话说，"时间实际上是人的积极存在，它不仅是人的生命的尺度，而且是人的发展的空间。"[②]

基于马克思和恩格斯的著述，后来形成辩证唯物主义哲学，此中强调，时间和空间（time and space）是物质固有的存在形式。空间是物质客体的广延性和并存的秩序；时间是物质客体的持续性和接续的秩序。空间、时间与物质运动不可分离，空间与时间也不可分离。

(5) 19世纪下半叶，还有一位在时间哲学史上占据重要位置的哲学家，即亨利·路易·柏格森（Henri Bergson，1859－1941)。我国有位出色的哲学家曾这样写道："他最先以惊世骇俗的声音，将时间的独特性显示出来，并提升为哲学的首要问

---

① 以上可参阅：张全新指导的研究生韩连庆学位论文《论海德格尔对〈纯粹理性批判〉的现象学解释》。

② 马克思：《经济学手稿（1861－1863)》《马克思恩格斯全集》第47卷，人民出版社1979年版，第532页。

题。他自己说，伟大的哲学家一辈子实际上都只想一个问题。对他而言，这个问题无疑就是时间。”柏格森的哲学，很突出地体现于其著作《时间与自由意志》（这是英译本书名，原名为：Essai sur données immdiatesde la cousience 即《论意识的直接材料》）之中。正如许多哲学家指出的，从这部著作开始，柏格森发展了一个以“绵延”（duration，法文 duree 的意译）为支撑概念的庞大的直觉主义生命哲学体系。

柏格森的用语“绵延”，意指生命具有一种超时空的、永恒的、运动着的无限延续的特征，是一股无底、无岸的“流”，由于有它，世间才有生命创造一切的、不断“创化”的过程。柏格森说：“纯粹绵延是，当我们的自己让自己生存的时候，即当白我制止把它的现状和以前各状态分离开的时候，我们的意识状态所采取的形式。”纯粹绵延把过去和现在做成一个有机整体，其中存在着相互渗透，存在着无区别的继起。“在我们的自我之内，有不带相互外在性的继起；在自我之外，即在纯粹空间内，有不带继起的相互外在性”。“凡是有什么东西生存的地方，就存在把时间记下来的记录器，暴露在某处”。

柏格森提出“绵延”，来自于他对时间的特殊理解。柏格森在其著作《时间与自由意志》的第二章“意识状态的众多性，关于绵延的观念”中对此作了十分详细的阐述，指出“若不同时有了关于空间的直觉，则我们不能构成关于数目的观念或影像”。“我们习惯于在时间内计数而不在空间内计数”，这是因为“我们在绵延中，仅仅在绵延中，构成了这个数目”。柏格森指出：“毫无疑问，我们所这样数出的是绵延中的瞬间，而不是空间的点。但是这里的问题正是：我们是否不会利用空间的点来数出绵延中的瞬间。我们确实可在时间内（而且只在时间内）觉到一种有下列情况的陆续出现：它不是旁的而只是一种陆续出进，它不是一种相加的过程，即不是一种最后使得我们得到一个总和的陆续出现。因为虽然我们要顾到不同项目的陆续出现才能达到一个总和，可是每个这样的项目必得在我们过到下一项目时停留下来，并且（好比说）等待我们把它加到其他项目上去。如果它不是旁的而只是绵延中的瞬间，则它怎能等待呢？如果我们不把它放在空间，则它在什么地方等待呢？我们不知不觉地把我们所数的每一瞬间放在空间的一个点上；只有在这种条件下，抽象单位才能构成一个总和。事后将指出，我们无疑地可以离开空间而觉出时间的先后各瞬间。但是我们若把以前各瞬间加到现在这一瞬间上去，如同我们把各单位相加起来时所做的那样，则我们所涉及的就不是这些瞬间自身（因为它们已经消失永不复返），而是这些瞬间当它们经过空间时所好像留在那里的持久余迹。”

柏格森特别用心地解析到：由于每一个数目自身是一个“单位”，当人们“在数目构成之后将空间的连续性赋予数目”，这就使“数目”成为被人们设定的“一种在空间的并列排置”。如果“它们可以在空间被数出来”[①]，这样，“纯一的时间作为一种媒介”。

由此而言，柏格森论述说，这必定形成一系列悖论，正如古希腊哲学家作为例子所陈述的“阿基里斯永远追不仁乌龟”的数学系列那样。[②] 这里的原因在于：如此的“时间不过是空间而已”；而“纯绵延是另外一种东西”。“照这样解释的时间”“是一个记号、一种象征，又绝对跟真正绵延不相同”。关于“真正的绵延”“跟空间”的关系，“一方面，如果时间（照思索

① 柏格森：《时间与自由意志》，吴士冻中文译本，商务印书馆 1958 年版，第 55～57 页。

② 柏格森：《时间与自由意志》，吴士冻中文译本，商务印书馆 1958 年版，第 75～76 页。

意识把它表示出来的样子讲）是一种媒介，而我们的意识状态在这媒介里构成一个无连续性的系列以使之可被计算；在另一方面，如果我们关于数的概念终于把一切可直接被计算的东西散布在空间，那么，在这种情况下，我们可以认为这是没有问题的：即倘若我们把时间解释为一种媒介并在其中区别东西和计算东西，则时间不是旁的而只是空间而已"。于是"有这个事实：我们不得不借用种种有关空间的影像，以使我们能描述意识对于时间，甚至对于陆续出现，有着怎样的感觉，从此可推论，纯绵延一定是另外一种什么东西"。这说明，如果人们对于无连续性众多性进行这番分析，便会使人们注意到，"除非我们对于空间观念与时间观念在其相互关系上直接加以研究，我们就不能阐明这些问题"。

因此，柏格森讲，"人们一般地同意把时间当作没有止境的媒介，跟空间有所不同，但跟空间一样具有纯一性。人们从而假定纯一的东西具有两种形式，在一种形式一下，内容是同时存在的；在另种形式下，内容是陆续出现的。诚然，当我们把时间当作意识可在其中开展的纯一媒介时，我们认为时间已被全盘托出；这等于说，我们从绵延里把时间抽取出来"。"这样做就已经是不知不觉地重新依靠空间而真正地放弃了时间"。于是"我们可以认为：由于空间观念越过界限而擅自冲进纯意识的范围内，时间，作为一种纯一媒介来看，乃是一个冒牌的概念"。可是，无论怎样，我们若不事先问明二者之一是否不能还原为其中之另一，则我们终于不能承认纯一的东西具有两种形式，时间与空间。"外在性是占空间物件所以异于他物的特征，而意识状态在本质上是不外于彼此的；只因时间被当作一种纯一媒介，而意识状态被散布于时间之中，意识状态才变成外于彼此的。人们认为纯一的东西具有两种形式，时间与空间；如果其中之一来自其中之另一，则我们可以'先天式'地忆度，空间观念是基本的张本。但是那些企图把二者之一还原为其中另一的哲学家们，由于他们为时间观念之明显的简单性所迷误，就认为他们能把绵延变为广度”。这样“我们可以看出：时间既被人们设想为一种没有止境的纯一媒介，那它就不是旁的，而只是空间的鬼影在思索意识上作祟”。[①]

由此，柏格森又讲到，“我们可把空间里的位置关系界说为时间上可逆过来的陆续关系。但是这样的定义已使我们陷入循环论证的泥坑，至少牵涉到一种很肤浅的时间观念”。所以，我们“就要指出，对于时间确有两种可能的概念，一种是纯粹的，没有杂物在内，一种偷偷地引入了空间的观念。当我们的自我让自己活下去的时候，当自我不肯把现有状态跟以往状态隔开的时候，我们意识状态的陆续出现就具有纯绵延的形式”。[②]

总之，“我们把时间投入空间，用有关广度的字眼来表示绵延；因而陆续出现变成一根连续不断线条或链环的样子，其各部分彼此接触而不互相渗透”。这“又意味着：我们如果设想陆续出现一方面仅仅是陆续出现，一方面却又是在同一瞬间的全部出现，则我们就自相矛盾”。“当我们谈论绵延中陆续出现的次序以及这次序的可逆性时，我们所涉及的陆续出现或者是纯陆续出现，如方才已界说的那样，没有任何广度掺杂在内；或者是在空间发展着的陆续出现，它的发展方式使我们对于彼此有别而又并排置列的各因素可以一下子顾到好几个”。“所以关于绵延中一个可逆系列的观念，甚至仅仅关于时间内某种先后次序的观念，自身之内就涵有关于空间的表象，因而不能用来

① 柏格森：《时间与自由意志》，吴士冻中文译本，商务印书馆 1958 年版，第 66 页。

② 柏格森：《时间与自由意志》，吴士栋中文译本，商务印书馆 1958 年版，第 67 页。

界说这种表象"。

这样，柏格森作为结论特别指出，"纯绵延是完全性质式的。除非被象征地表示于空间，它是不可测量的"。"诚然，我们对于绵延的各先后瞬间加以计算；诚然，由于时间跟数目发生某种关系，时间起初好像是具有大小而可测量的东西。正如空间一样。但是这儿有一个重要的区别值得我们注意"。他以时钟的摆为例，解析说，"因为空间来把前一次摇摆的余迹保存下来"，"我若这样做，则我就使自己永远停留在现在，而对于设想绵延或设想绵延陆续出现的企图就不得不加以放弃"。因为"严格讲，纯绵延并不是一种数量；一旦我们企图测量它，则我们就不知不觉地使用空间来代替它"。① 因而，柏格森指出，"从这番分析可以知道，只有空间是纯一的；可以知道，空间的各物构成一个无连续性的众多体；可以知道，每一个无连续性的众多体都是经过一种在空间的开展过程而构成的。从此又可知道：如果我们照意识对于这些字眼所了解的意义来使用它们，则空间没有绵延，甚至没有陆续出现。至于所谓在外界的先后状态，它们每个单独地存在着；只是对于我们的意识而言，它们的众多性才是真实的；我们的意识能首先保持它们，然后把它们在彼此关系上加以外在化，从而把它们并排置列起来。意识所以能保持它们，乃是由于外界的这些不同状态引起了种种意识状态，而这些意识状态互相渗透，不知不觉地把自己组成一个整体，并通过这个联系过程把过去跟现在联在一起。意识所以能把它们在彼此关系上加以外在化，乃是由意识想到它们的根本区别（当后一状态出现时，前一状态已经不再存在），就把它们看成一个无连续性的众多体；而这等于在它们每个原来

① 柏格森：《时间与自由意志》，吴士栋中文译本，商务印书馆1958年版，第70～72页。

分别存在于其中的空间里，把它们排成行列。意识为了这个目的所使用的空间恰恰是所谓的纯一时间”。[①]

后来，柏格森又特别论证了，我们的自我特别寄托在这个活生生的绵延之上。过去由物质来行动，而心灵通过想象来保存它。物质是没有记忆的大机器，心灵具有记忆的力，其特性是像滚雪球那样积累往事，在绵延的每一瞬间，把作为实在创造的某种新东西同往事组织在一起。通过记忆，物质参与绵延的创造。

(7) 进一步，在哲学史上关于时间问题的研究，被人们十分重视的哲学家是德国的埃德蒙德·胡塞尔（Edmund Husserl，1859—1938）。

胡塞尔特别强调指出，“作为一切体验之普遍特性的现象学时间，应当予以专门讨论”。[②] 由此他强调了“现象学时间”和“客观的”即“宇宙的时间”之间的区别。他说，“宇宙时间”与“现象学时间”的关系在某方面类似于属于某具体感性内容（或许是在视觉材料领域内的视觉内容）之内在本质的“延展”与客观空间的“广延”的关系。“前者是在一个体验流内的（一个纯粹自我内的）一切体验的统一化形式”，[③] 后者即显现的和在此感觉材料中从视觉上“侧显”的物理客体的“广延”。胡塞尔就此曾涉及其所讲的“作为意识相关物的自然界”。[④] 他讲到，

---

① 柏格森：《时间与自由意志》，吴士栋中文译本，商务印书馆 1958 年版，第 81～82 页。

② 胡塞尔：《纯粹现象学通论》，李幼蒸中文译本，商务印书馆 1992 年版，第 203 页。

③ 胡塞尔：《纯粹现象学通论》，李幼蒸中文译本，商务印书馆 1992 年版，第 203 页、第 533 页注释 328。同时参阅，胡塞尔：《内在时间意识现象学》，第 3～8 页。

④ 胡塞尔：《纯粹现象学通论》，李幼蒸中文译本，商务印书馆 1992 年版，第 129 页。

"只有通过将意识和有机体联结到一个自然的、经验直观的统一体上去，属于一个世界的诸生物之间的相互理解才能成立"。[①]

胡塞尔又仔细解释说，"宇宙时间在现象学时间中借以呈现的方式，正是相同于世界的其他实质因素借以在现象学上呈现的方式"，"二者在诸方面之间处处都有共同性"。而"时间是一组完全被界定的问题范围的名称"。这触及时间意识问题，胡塞尔说，"时间性一同所表示的一般体验的这个本质特性，不仅指普遍属于每一单一体验的东西，而且也是把体验与体验结合在一起的一种必然形式。每一现实的体验（我们根据一种体验现实的明晰直观进行这一明证）都必然是一种持续的体验；而且它随此绵延存于一种无限的绵延连续体中——一种被充实的连续体中。它必然有一个全面、被无限充实的时间边缘域。同时这就是说，它属于一个无限的'体验流'"。"每一作为时间性存在的体验都是其纯粹自我的体验"。对此若加以解释，那就是"属于独一流即属于独一我，属于纯我"。[②]"它必然有如下的可能性（如我们所知，它不是空的逻辑可能性），即自我使其纯粹自我目光指向此体验，并将体验把握为在现象学时间中现实存在的或延存的东西"。"但这一情境的本质也具有如下的可能性，即自我使其目光指向时间性的所与性方式"。而"这种时间性体验的所与性方式本身又是一种体验，虽然是体验的一种新的类型和新的方面。""然而我也可以注意其所与性样式：我注意某特定的'现在'的方式，并注意到一个新的和连续更新的'现在'紧接在这个现在之后，并本质上紧接在必然连续流中的每一

① 胡塞尔：《纯粹现象学通论》，李幼蒸中文译本，商务印书馆 1992 年版，第 145 页。

② 胡塞尔：《纯粹现象学通论》，李幼蒸中文译本，商务印书馆 1992 年版，第 534 页。

‘现在’之后；同时也注意到，与其相统一的每一实显的现在都变为一个当下（Soeben），这个当下又接着连续地变为一些当下的永远更新中的当下，如此等等。对于每个新的被联接的现在来说都是如此”。因为，“实显的现在必然”“始终是某种即时性因素”，“‘当下’的连续性，它是一种永远更新的内容的形式连续性”。“这个绵延的体验是‘以意识特有的方式’在一恒定形式的意识连续体中被给与的；一种作为印象的时间位相相当于持存连续体的限界位相（Grenzphase），然而诸持存不在同一层次上，而是在连续中和意向关系中彼此相关着——它是不同诸持存间的连续综合体。这种形式永远包含着新的内容，因此连续地‘联接于’每一现在体验（Erlebnis－jetzt）在其中被给与的印象中，这是一个对应于连续的新绵延点的新印象；这个印象连续地变为持存；后者连续地变为一种被变样的持存，如此等等”。[①]

（8）由于胡塞尔的工作，后来在哲学界形成了一个“现象学运动”。在这个运动中，生长出一系列新的哲学流派，存在主义当属其中最有影响、最具特色的。胡塞尔的学生海德格尔（Martin Heidegger，1889－1976），被认为是存在主义的重要代表，也被认为是德国现象学三大家之一。海德格尔将“存在”和“存在者”作出了区分。海德格尔赋予这种存在者以一特定的名称：Dasein，即“此在”亦有译“缘在”“亲在”。这是海德格尔特别作出区分的一个概念。这个词在德语中由两个基本词Da和Sein拼合而成。海德格尔赋予Dasein的含义与以往的含义不同。许多人解释说，这是特指“存在着的人”这样的存在者。翻译者之所以把它译为“此在”取“存在在此”之意。海

① 胡塞尔：《纯粹现象学通论》，李幼蒸中文译本，商务印书馆1992年版，第206页。

德格尔声明，"此在"既指被意识反思着的客体，又指进行着这种反思的主体；既指自我的意向性活动，又指意向所指向的对象；既指人，又指人的本质处境。

海德格尔基于以上论述，特别指出，"在未经明言地领会着和解释着存在这样的东西之际，此在所由出发之域就是时间"。他说："我们必须把时间摆明为对存在的一切领悟及对存在的每一解释的境域。必须这样本然地理解时间"。而"当我们须得源源始始地解说时间性"，把之解说为领会着存在的此在的存在，并从这一时间性出发解说时间之为存在之领悟的境域"。这样，"作为我们称为此在的这种存在者的存在之意义，时间性将被展示出来。我们将把暂先展示的此在诸结构作为时间性的诸样式重新加以阐释；时间性之为此在存在的意义这一证明也由这一解释得到检验。把此在解释为时间性，并不就算为主导问题即一般存在的意义问题提供了答案，但却为赢得这一答案准备好了地基"。①

海德格尔在酝酿其哲学体系的过程中，对时间问题作了许多深入思索。在《海德格尔全集》第 64 卷中有篇作为附录发表的 1924 年 7 月他在马堡神学家协会上关于《时间概念》的讲演。从中可以看出他在时间问题思索中而形成的后来《存在与时间》(1927年) 中公布的生存论时间观的雏形。一开始他就开宗明义地问道："什么是时间?"他讲，"如果时间是从永恒中获得其意义的，那么我们就必须从永恒方面来理解时间。因此，这一探究的出发点和道路就被先行标示出来了：从永恒到时间。假如我们有了上述出发点，也就是说，我们认识并且充分领会到永恒，那么这种提问方式就是顺理成章的。倘若永恒不过是

① 海德格尔：《存在与时间》，陈嘉映等中文译本，三联书店 1987 年版，第 22～23 页。

某种空洞的永久存在，即ἀεί倘若上帝就是永恒，则我们开头所提出的思考时间的方式就必定会处于一种难堪的境地中——只要这种方式不了解上帝，不理解对上帝的追问。如果我们通达上帝的道路是信仰，而且我们体验永恒的方式也不外乎是这种信仰，那么哲学将决不会具有永恒性，而且相应地，我们也决不能在方法上把永恒用作一个可能的角度来讨论时间。”“神学家是从几个方面来讨论时间的”。“首先，神学讨论作为在上帝面前的存在的人类此在（Dasein），讨论这种与永恒相关的人类此在的时间性存在。上帝本身是不需要神学的；上帝的存在不是由信仰来论证的。”“其次，据说基督教信仰本身是与某种在时间中发生的东西相关联的——正如我们一度听到的，关于时间，人们说：‘当时间充满了的时候……’，时间才是时间。”“哲学家不信仰。如果哲学家来追问时间，那么他就是下决心要根据时间来理解时间，或者说，就是要根据ἀεί来领会时间了；这个ἀεί看起来像是永恒，但实际表明，它只不过是一种时间性存在的衍生物。”①

海德格尔由此讲到，“首先要对我们日常所碰到的时间，即自然时间和世界时间，作一个暂先的提示。当前，对什么是时间这个问题的兴趣又被重新唤起了，这是由于物理学研究的进展，即它在对那种把捉和规定的基本原则的沉思方面的进展；这里要实行的把捉和规定就是在一个时空参照系中对自然的测量。这种研究的现状确立在爱因斯坦的相对论中。相对论的几个命题如下：空间本身是虚无的；没有绝对空间”。“时间只因在它之中发生的事件而存在。没有绝对的时间，也没有绝对的

① 海德格尔：《时间概念》，见《海德格尔选集》（上），陈嘉映、王庆节中文译本，熊伟校，上海三联书店1996年版，第7～8页。

同时性"。"人们看到了这一理论的破坏性，而忽视了它的积极性，即它恰恰证明了那些与任意的变化相对的、描述自然过程的方程式的恒定性"。"时间就是其中发生着事件的东西"。"因为时间本身不是运动，所以它必定以某种方式与运动相关。时间首先是在变化的存在者中照面的；变化是在时间中变化。在这种照面方式中，也即作为变化之物的寓所（Worin）"。那么，"时间是如何与物理学家照面的呢？物理学家对时间的把捉和规定具有测量的特征。测量指示出多长、何时、从何时到何时。一只时钟显示着时间。时钟是一个物理系统，假如这个物理系统不受外在影响而发生变化，那么在这个系统上就始终重复着相同的时间序列。这种重复是一种循环。每一周期都具有相同的时间延续。时钟给出一种不断重复的相同的延续，人们总是能够回头抓住这些延续。对这种延续的时间段的划分是任意的。时钟测量出时间，因为我们把某个事件的延续期限与时钟上的相同序列相比较，并且由此而在数字上规定其多少"。这样，"关于时间，我们从时钟上经验到了什么呢？时间是某种东西，在其中可以任意地固定一个现在点（Jetztpunkt），使得两个不同的时间点总是一个在先一个在后。在此，无论时间的哪个现在点都不优先于其他现在点。作为现在，它可能是比后一个现在点更早的点；作为后一个现在点，它是比更早一个现在点更后一个点。这种时间完全是统一的、均匀的。唯因为时间被构造为均匀的东西，它才是可测量的。于是，时间乃是一种滚动，这种滚动的阶段处于早与晚的相互关系中。每一种早与晚都可以根据一种现在来确定，而现在本身却是任意的。如果我们带着一个时钟走向某个事件，那么时钟就会使这个事件变得清楚明了，但人们更多的是着眼于此事件在'现在'中的展开，而较少考虑到它延续的多少。时钟向来做的初始规定并不是对当前流逝着的时间的长短和多少的报告，而是对现在的当下确定。”还有，“我们在时钟上看到的这个现在是什么呢？现在——就是我这般作为的时候；现在——譬如这里的灯光熄灭的时候。什么是现在呢？我支配着现在吗？我是现在吗？其他每一个人都是现在吗？倘若这样，则时间就会是我自己，而其他每一个人都是时间。而且在我们的相互并存中，我们就会是时间”。再就是，“人类此在在发明怀表和日晷仪之前就已经为自己装备了一个时钟，这是怎么一回事？是我支配着时间的存在，并且也在现在中意指我自己吗？我自己就是现在，并且我的此在就是现在吗？或者，它说到底就是在我们身上为自己装配了时钟的时间本身吗？”基于这种种解析，海德格尔说：“人们长期以来所熟悉和讨论的自然时间已经为时间之阐释提供了基地。假如人的存在是在一种突出的意义上在时间中，以至于我们能够从它身上读出什么是时间，那么，我们就必须把这种此在的存在的基本规定性刻划出来。”①

海德格尔紧紧联系着解析时间，通过对此在的诠释，引出了诸多范畴。他认为，此在的存在就是在世界中同形形色色的存在者打交道。他将此在的这种最基本的生存状态称为“在一世界一之中”（In－der－welt－sein），或曰“在世”。而此在在世的本质是“烦”，紧接着有“畏”，再就是“死”。

海德格尔在其早期著作中就提出了时间（Zeit）与时间性（Zeitlichkeit）的区分。他在1924年7月关于《时间概念》的讲演中讲到，“时间就是此在。此在是我的当下性，而且我的当下性在向确知而又不确定的消逝的先行中能够是将来的东西中的当下性。此在始终以一种他的可能的时间性存在的方式存在。此在就是时间，时间是时间性的。（更应该说）此在不是时间，

① 海德格尔：《时间概念》，见《海德格尔选集》（上），陈嘉映、王庆节中文译本，熊伟校，上海三联书店1996年版，第9～13页。

而是时间性。因此，'时间是时间性的'这一基本陈述乃是本真的规定——它不是一个同语反复，因为时间性的存在意味着不相同的现实性。此在就是他的消逝，就是在向这种消逝先行中的可能性。在这种先行中，我本真地是时间，我具有时间。只要时间向来是我的时间，就会有许多种时间。时间本身是无意义的；时间是时间性的。"[①] 后来海德格尔一直十分强调，就时间说，不仅显现着存在，而且是此在的存在方式。对此在而言，时间显现为时间性（Zeitlichkeit）。此在与时间通过时间性进入相互共属的一体化关系中。时间归属于此在，没有此在就没有时间。同样，此在也归属于时间，没有时间就没有此在。作为原始而本真的时间，时间性是其"绽出"（Ekstase）。Ekstase一般用来指一种"狂喜"、"出神"的精神状态，而其原意乃是带有"站出"、"绽出"的意思。海德格尔在此意义上使用了这个词，所以海德格尔说，"时间性在本质上是绽出的"。正是在此意义上讲，时间性是以将来、曾在、现在三种样式绽出的。而时间性的这三种绽出样式则分别与此在的三种在世方式关联，即先行于自身的生存、已经在世的被抛、寓于世内存在者的沉沦。此在在世的三种方式即领悟、现身、沉沦，分别对应于将来、曾在和现在三种时间性。时间性以此三种绽出样式组建着此在的在世。因为时间性的绽出，所以它构成了此在的"绽出之生存"（EK－sistenz）的存在论基础。

关于将来（Zukunft），海德格尔强调，这不是指尚未到来的现在，而是指"此在借以在最本己的能在中来到自身的那个

---

① 海德格尔：《时间概念》，陈嘉映、王庆节中文译本，熊伟校，见《海德格尔》（上），上海三联书店1996年版，第24页。

‘来’”。[1] 因为，在海德格尔看来，此在的本质是生存，而生存只有基于将来这一绽出样式才是可能的。由此可知，时间性的将来的绽出样式与此在的生存乃是相互共属的关系，将来成为生存得以可能的时间性条件。

关于曾在（Vergangenheit），海德格尔强调，这不是指不再现成存在的过去，而是指“如其一向已曾是的那样本真地是此在”。[2] 因为在海德格尔看来，此在之在世是被抛的在世。也就是说，此在根本上是被抛入世界之中并作为被抛者而生存的，此在之拥有自身根本上是由被抛给予的，被抛是此在获得自身拥有自身的在世方式。被抛植根于时间性的曾在这一绽出样式。曾在构成了被抛得以可能的时间性条件。

关于当前（Gegenwart），海德格尔强调，这不是指现成存在的当前，而是指“让周围世一界在场的东西来照面”。[3] 当前就是让世内存在者来相遇照面，世内存在者只有在当前的绽出样式中才能显现出来。而在世内存在者相遇照面之际，此在总是固执于存在者，遗忘自身而沉沦于世。现在则构成了此在之沉沦得以可能的时间性条件。

海德格尔十分强调，时间性虽然总是以三种样式绽出自身，并不是互不相干、各自独立的。海德格尔说：“上述现象各具的时间性建制向来都引回到这样一种时间性；这一时间性担保领悟、现身、沉沦与言谈可能从结构上达到统一。”[4] 这样，在每一

① 海德格尔：《时间概念》，陈嘉映、王庆节中文译本，熊伟校，见《海德格尔选集》（上），上海三联书店1996年版，第317页。

② 海德格尔：《存在与时间》，陈嘉映等中文译本，三联书店1987年版，第371页。

③ 海德格尔：《存在与时间》，陈嘉映等中文译本，三联书店1987年版，第371页。

④ 海德格尔：《存在与时间》，陈嘉映等中文译本，三联书店1987年版，第398页。

种绽出样式中同时也有其他两种样式同时绽出。曾在只有在将来中才显现自身，当前则始终包含在曾在和将来中，而将来则根本上是向曾在的返回。因此，三种绽出样式不是前后相继的序列，它们在相互达到或相互传送中获得其本已统一性。这种本已统一性是时间性的原始本质，它根本上先行于各绽出样式，并构成了此在之在世的结构整体性的时间性条件。所以海德格尔指出："从将来回到自身来，决心就有所当前化地把自身带入处境。曾在源自将来，其情况是：曾在的（更好的说法是：曾在着的）将来从自身放出当前。我们把这般作为曾在着的所有当前化的将来而统一起来的现象称作时间性。只有当此在被规定为时间性，它才为它本身使先行决心的已经标明的本真的能整体存在成为可能。"① 可见，海德格尔主张，没有与此在无关的时间，也没有与时间无关的此在。时间性就是标志此在与时间相互共属的本质关系。正因为此在之在一世本质上是时间性的，所以此在同时才是历史性的，历史性才构成了此在的本质领域。

由此，海德格尔进而认为，从存在方面看，时间是存在既澄明着又遮蔽着的到时，是存在显现自身的维度。从此在方面看，时间就是时间性，是此在之在世结构整体性的存在论意义，这构成了此在获得自身（曾在）、丧失自身（当前）和返回自身（将来）之所以可能的存在论根据。总之，通过时间之维，存在与此在构成了相互共属的一体化关系。

这样，在海德格尔那里，时间性成为超越性的根据。即：过去时态是"事实"，或被抛状态；当前时态是注定沉沦，依附于存在物；将来时态是经常影响我们的"设计"、"筹划"。在这

① 海德格尔：《存在与时间》，陈嘉映等中文译本，三联书店1987年版，第387页。

个意义上讲，曾在、当前、将来是统一到时的。十分重要的是，海德格尔认为将来具有优先地位。

海德格尔在《时间概念》中就讲到，“此在本真地在自己近旁，他真实地生存着，只要他把自己保持在这种先行中。这种先行不过是本己的此在的本真的和唯一的将来。在此先行中，此在是他的将来（Zukunft），而且是这样：他在这种将来存在中返回到它的过去（Vergangenheit）和当前（Gegenwart）。在其最极端的存在可能性中被把握的此在就是时间本身”。“将来存在给出时间，构成当前，并且让过去重演在它所度过的存在的‘如何’中。”“先行把消逝把捉为每一个瞬间的本真可能性，把捉为现在确定的东西。将来存在作为当下此在之可能性给出了时间，因为它就是时间本身。”“对时间之‘多少’的追问意味着：投身于对当前的‘什么’的烦忙。此在逃避‘如何’，并把自己拴在当下当前的‘什么’上。此在就是他所烦忙的东西；此在就是他的当前。在世界中照面的一切东西与逗留在现在中的此在照面；因此此在与他向来所是的、但却作为当前而是的时间本身打照面。”由此海德格尔讲，“着眼于时间来看，这就是说：时间的基本现象是将来”。[1]

这样，海德格尔在《存在与时间》中又进一步说，“将来在源始而本真的时间性的绽出的统一性中拥有优先地位……源始而本真的时间性是从本真的将来到时的，其情况是：源始的时间性曾在将来而最先唤醒当前。源始而本真的时间性的首要现象是将来”。[2] 所以，在海德格尔讲来，时间是由将来“绵延”

---

① 海德格尔：《存在与时间》，陈嘉映等中文译本，三联书店1996年版，第19～20页。

② 海德格尔：《存在与时间》，陈嘉映等中文译本，三联书店1987年版，第390页。

的。在本真状态中，此在恍然于死是最本己的可能性，如此谋划着“将来”而安然于过去已“曾在”的可能性并即体现为“当前”。海德格尔认为，如此谋划着“将来”“曾在”“当前”的时间性，就是赖以领会“存在”的视野。因此，对以将来为优先的时间的时间性出窍特性的本真领会，烛明了超越性的核心意义。存在的澄明只有在此在在世的不断超越中才能达到，而时间性是使在世和此在的超越成为可能的东西。

海德格尔在对时间和时间性加以区分时还认为，时间属于自然科学，时间性则属于历史科学。在这里，时间实际上指的是物理时间。海德格尔在《历史科学中的时间观念》一文中指出，物理时间实际上是一种空间性的东西。所有物理客体及其运动都在时间中，这个“在……中”，本质上具有空间性特征。十分明显的是，物理时间总是以参考系的形式出现，是一种时间测度。这意味着，时间在自然科学中被规定为空间中的运动，时间自身的规定性并没有给出。而在历史科学中，时间总是意味着质的差异和区别，是有内容的规定。所以，海德格尔在《存在与时间》中，力图将时间性建立在人生有死性之上，并且认为物理时间和人文科学的时间性要在这种时间性基础上得以重建。

(9) 海德格尔之后，法国哲学家让－保尔·萨特（Jean Paul Sartre，1905－1980）又提出了他的存在主义哲学体系。正如人们所认为的：如果说，海德格尔的《存在与时间》是吸收胡塞尔的现象学方法将存在进行现象学的改造，即从“此在”的在世结构出发，将“存在”的过程性显现出来，因此它所谓的“存在”首先是指主体的存在，或者说得更准确一点儿，是由于“此在”主体才是有意义的存在；那么，萨特的《存在与虚无》（L’Être et le Nèant. 英译名为 Being and Nothingness.）则要将海德格尔用以承担“存在”的“此在”进行现象学的进一步处理，即从“反思前的我思”出发，将“此在”的

"虚无"性论出来，并以此种方式来面对存在。

这形成了萨特追问存在形而上的一种更为极端的方式。萨特通过对笛卡儿之"我思"的现象学还原，认为自己终于找到了"反思前的我思"这一切实可靠的哲学研究的出发点。而"反思前的我思"只是一种"意向性"的意识，它本身并没有内容，它的内容是从外在对象中借来的。因此，与其说它是"存在"，不如说它是"虚无"，或者退一步，只有从非存在是对存在的否定这一最广泛的出发点，才可以从中引发出存在。于是他说，"有一种不是从反思的我思，而是从感知者反思前的存在获得的'本体论证明'。这就是我们现在要讨论的问题。"

萨特在《存在与虚无》一书的导言中强调，他写作此书的目的就是要解决他以往十年来感到棘手但又必须解决的关于自我存在与外部世界的关系问题。萨特指出，"存在"与"虚无"构成实存的存在方式，他的《存在与虚无》主要意旨不是讨论"存在"(Etre，Being)，而是考察"实存"(Existence)。而实存是通过把存在虚无化，即把虚无引人自为和超越的存在而显露自身。在《存在与虚无》中，萨特凡提到存在，指的必是"自在的存在"；凡提到虚无，指的则是作为意识的"自为的存在"。《存在与虚无》几十万字，仅有不到十页是论及存在（"自在"）的，其余则基本都是为虚无（"自为"）而设。

萨特用了大量篇幅，详尽地描述"自为"的结构及性质，这里面很重要地涉及了"时间性"问题。他由"时间性"论到"超越性"，并在"否定性"中加以论证，又拓展到关于"为他"的论述。在萨特看来，自为是一种"缺乏"(Lack)，一种"不在场"，即一种不完全的存在，一种"成问题"的存在。这种存在不是通过外力作用，而是依靠自己不断地否定自身，造就自身，使自己成为其所是。"人是虚无由之来到世界上的存在"。人是处于存在与虚无之间的存在，世上唯有人不像存在那样为了存在而只需要是，却是为了存在必须不是（即不是某种东西）。这种导致关于自由中的否定定义：自由的本质就是否定性，就是虚无化的能力。

关于时间性。萨特讲"时间性明显地是一种有组织的结构"。它具有原本的综合构成，即"过去"、"现在"和"将来"，它们被看作是三个"向度"。萨特认为，这些时间元素只是一种整体的"时间性的直觉"，是一种现象学的描述。这种"时间性"的综合构成，就是"自为"；换言之，只有"自为"才能实现这一综合的构成。这样，"自在"就没有这三个向度，因为它已经是自在的、已经是其所是了。萨特说，我们关于这三个时间性元素的现象学描述，使得我们从现在去接近作为一种整体构成的结构，这就是所谓"时间性的本体论"。也就是说，"自为"通过时间性的一系列过程实现自己。

萨特认为，意识就其本身内在的结构而言是"面对自我在场"，而它被抛入存在时，它是"人为性"的，这种没有自己存在基础的存在是"存在的缺乏"。这种"缺乏"，给以"超越"的动力。这里，向外超越创造价值，创造世界，向可能超越创造"自我性"。自为就是"世界上的存在"。这样，自为的超越表现出自为中包含着三重关系：与自我的关系、与自在的关系、与他人的关系，而这三重关系又表现出人的实在的三种存在方式，也可以说是它存在的"三维"：时间性、超越性和为他。

萨特由自为向它自己的可能的超越，引出了时间性的问题。在萨特讲来，时间不是自在存在的方式，而自为存在的方式。时间性体现出自为与其自身的关系，是自为体现其自我性的一维。萨特说，时间是不可分割的整体。时间的过去、现在和将来，这不是时间的组成部分，而是一个综合整体的几个环节。

萨特认为，通常人们往往把时间看成是从过去向将来的流逝，因此讲过去是将来的基础；而萨特由其学说则强调"现在的存在是它自己的过去的基础”。[①]“过去”是在与“现在”的联系中才有了意义的。没有了现在的过去是自在的，过去“是同世界上的那些事物一样的一种自在”。[②]这当然指的是时间的不可挽回、无法改变、不在意识的直接控制之下而言的。但是另一方面，意识这种虚无化总是某种存在的虚无化，在这个意义下，过去正是意识的最直接的否定对象或意识能虚无化的条件。对人的实在而言，过去就是它的本质，“本质是过去了的存在”。[③]可见，萨特之所以说“存在先于本质”，是因为过去作为自在，总是“是其所是”的；例如当为一个人盖棺论定或给一个人绝然的评价等等时，总是说的他的过去。但是“过去”是由总处在“现在”中的自由存在者所创造而产生的，是这个过程留下的轨迹。过去的意义，总是在现在才显示出来；可见，过去的意义，是现在的选择所给与的。因此，“现在”总是在“过去”之先。

因此，对于所谓时间性，萨特讲，就是自为的这样一种连续不断的自我否定的存在方式。因此，时间的真正起点是将来而不是过去。过去不作为时间的起点，是因为时间并不是一种自在的存在，不是自己存在然后自我否定的存在，它只是自为的整体性、不可分割性、不断的自我否定的方式。一句话，唯有了人才有了所谓时间。而人正是生活在将来的，因为人是自由的。当然，一切存在都以某种方式存在，因此，自为与时间性之间也不可分，可以说自为就是时间性，自为被时间化了。

① ［法］让－保尔·萨特：《存在与虚无》，陈宣良等中文译本，三联书店 1997 年版，第 158 页。

② ［法］让－保尔·萨特：《存在与虚无》，陈宣良等中文译本，三联书店 1997 年版，第 160 页。

③ ［法］让－保尔·萨特：《存在与虚无》，陈宣良等中文译本，三联书店 1997 年版，第 164 页。

由于自为总是从自己的出生之日出发开始否定自己的，一个时间性的世界才被描绘出来。

在萨特看来，如果说时间性或绵延是意识的存在方式，那么意识当然就有时间的意识。在这个意义下，时间处在反思前的我思的位置上，是反思的对象。萨特认为，由于反思前的我思是一种不间断的时间之流，纯粹的反思不可能使它固定下来，自己反而被带入时间性之中。同时，当不纯粹的反思力图在意识中的那些互相渗透、杂乱无章的心理现象之间建立起一种秩序的时候，就把在反思前的我思中获得的时间性给予了意识状态，从而在意识中产生了一种"心理的时间性"。它与反思前的我思的那种"原始的时间性"是不同的。原始的时间性不是自立的，它是没有自己的存在的。而心理的时间性却表现为一种虽是被动的、被设定的，却是作为对象自己存在着的秩序。

由此，萨特紧接着认为，时间性是自为存在向自为的自我即"可能"超越的方式；而"认识"则是自为存在向自在的自我即世界、自在的存在超越的方式，这体现了自为存在的另一维：超越性。

萨特认为，既然认识肯定了一切都是存在，除了存在之外什么也没有，世界就被肯定为一个"整体"了。他说，"认识就是世界"。[1] 这种直觉的认识首先建立的是一个外在的、空间性的世界。空间意味着事物成为有边际的具体对象。我们就能说事物是"这个"、"那个"了。所谓潜在性，是自为把自己的可能性赋予自在存在而产生的一种规定。是自为的时间性使得自在中"是其所是"的事物带上了是其所不是的特性：潜在性。而工具性则是自为把自己的目的性赋予自在而产生的一种规定。

① ［法］让-保尔·萨特：《存在与虚无》，陈宣良等中文译本，三联书店 1997 年版，第 230 页。

“宇宙时间是通过自为来到世界中的”。[1] 这样，认识作为自为和自在的关系，使自在和自为构成一个“准整体”，这就是那个“存在”。那个“存在”不是自在，它是一个人化了的世界，是自为向外的超越中与自在结合而产生的世界，这向外无限扩展，建立的是一个“自在的自我”。这个超越性的自我，是外在化了的自我，是在直觉认识的出神状态中表现出来的自我。[2]

在萨特那里，“自为”本身就是超越。“超越是意识的构成结构”。在萨特的哲学体系中，超越性是自为存在的又一维，是自为与自在的关系中表现出来的又一存在方式。而使自为有了“边际”的是他人，与他人的关系揭示了自为存在的再一维，就是“为他(pour autrui)”。正是由此，在萨特讲来，“自为的存在”所具有的否定性、时间性、超越性本身就包含着一个新的范畴，即自由。萨特的自由观是其“反思前的我思”的逻辑结果。

3. 诉诸于“塑造之物”，重在于主客体相互塑造的塑造论哲学时空观。

塑造论哲学强调，时间空间是形而上与形而下连结的中介，并认为人的时空意识是由人的塑造及塑造之物内化又外化附着于塑造之物之上的。于此，塑造论哲学将时间空间纳入这样的分析：这是一个由塑造之物表示的时间空间、到形而下时间衔接形而上时间空间、向形而上时间空间升华的系列。

第一，在日常，时间是在所感知的实在之上刻划出来的。也就是说，其符号表示是空间中的感性存在物，准确地说是附着于塑造之物之上的。对于感性的实在物来讲，不管其朝何方

① ［法］让-保尔·萨特：《存在与虚无》，陈宣良等中文译本，三联书店 1997 年版，第 226 页。

② 以上论述参阅，徐崇温主编：《存在主义哲学》，中国社会科学出版社 1988 年版。

向演化，总可附着之上表示出一个时间系列。所以就此而言，是无所谓箭头的。也就是说，作为一个某方向时间矢量，对于由以表示塑造之物的演化来说，是无关紧要的，都可表示一个方向的时间。

第二，在科学学科中，形而下使时空跳动于两极。一是，时空有限之中总会遇到无可奈何的无限，要么时空有限，要么时空处于无限，即像1+1+1……这样的"恶的无限；二是，既有"实时间"又有"虚时间"，关于宇宙的"实时间"有开端，而关于宇宙的"虚时间"无开端；三是，只由要素的关系考虑"空间"，只由序的系列考虑"时间"；或者认为宇宙世界只是从无序走向无序，或者认为宇宙世界只是从有序走向无序，这就会形成令人难堪的两个方向时间箭头。

第三，在哲学中，关于形而上的思维在时间空间相辅相成中使时间在有箭头和无箭头中，升华为无所谓箭头的。用柏格森以及胡塞尔等人的用语讲，这是"绵延"的。在海德格尔等人关于时间的见解中，"将来"具有优先的地位。塑造论哲学强调，塑造论析学提出的第一立论是："我塑故我和我塑之物在且成"，与之相映照的立论是："塑我故塑我之物和我成而在"。讲"我塑故我和我塑之物在且成"，这里，我的塑造之物由在到成，塑造之物有将来的优先地位，因为，"我"是天经地义的，我站在这里是既定的前提。在塑造之物上我能意识到，我指向一种模态世界，在此意义上是指向未来的。这是因为有塑造之物就有符号世界，有符号世界才有模态世界，这就有带"可能性"的选择；这才有"设计""筹划"，这才有"将来"的优先地位。应当说，这优先地位是在理论模态关于真的建构和预设中建立起来的优先地位；是在艺术造型关于美的意象和预示中建立起来的优先地位；是在技术模型关于益的重组和役使中建立起来的优先地位；是在伦理姿态关于善的自律和他律中建立起来的优先地位……这样，在思维的构成中：理论的“模态”，以最抽象范畴为起点构成理论体系；艺术的“造型”，以典型意象为中心形成艺术体系；技术的“模型”，以优选设计为起点构成技术体系；伦理的“姿态”，以理想人格为中心形成伦理体系；……这都创造着可能世界，形成着理想境界。在此意义上能够认为，在人的实践中，这些可能世界及理想境界，是指向未来的，可成为时间在先的。这样，未来的、理想的，在人当中交汇，进入人的生命行为，体现于人生，成为无箭头的；而当指向经验世界，便会在无箭头与有箭头之间跳动。由“塑我故塑我之物和我在且成”，同时也就有过去的前提地位。因为“我塑之物”和“塑我之物”是放在那里的，是天经地义的；我能意识到我是从过去走过来的，将来是以此为历史前提的。这是以科学为实据的。科学延伸至知性概念的思维也就是这样来建立的。当这与人的生命发生联系：生命走向生存，这是取向有序；生命走向死亡，这是指向无序。生命过程中总是吐出正熵，纳入负熵；同时也发出负熵，产生正熵。当进行科学的分析，这就使时间成了有箭头的。当时间箭头附着于塑造之物，不管感性的实在物朝何方向演化，总可附着之上表示出一个时间系列。当时间系列附着于符号，用以表示时间的物在物成形态，其演变方向成为无关紧要的，任何演变方向的物在物成形态都可表示一个时间系列。由此而言，虽然塑造之物可以是作出时间箭头刻画的，而它作为所表示时间的符号承担者又是无所谓时间箭头的。

体现以上精神，塑造论哲学作出了这样的论述：从一定意义上说，生命本身就是一个记录器，也是一个储存器。大自然塑造的生命在进化中，其所积淀的序的系列本身就带有历时性，而其所积淀的要素的序的关系本身就带有共时性。历时性形成着时间性效应，共时性形成着空间性效应。这样，人在其所带有的生命形式所积淀的序的系列和序的关系之中，在纳入时间性效应和空间性效应中，面对着感性经验中的对象。也就是说，因为人是在物种进化中才产生的，正是在这种进化中，时间性空间性效应在人身上被积淀下来，成为人所具有的。①

就有意识的人来讲，综合起来，塑造论哲学强调，时空意识是在自然与人之间的相互塑造中，由行为（连同工具、语言等等）向主体内化和向客体外化，才得以形成的。正因为有"时空意识"，才会有关于模态的可能世界。

模态中的可能世界，产生于人的行为的目的调控。这内在着时空中的种种可能性。因为"感性世界"作为"主体"与"客体"在局部直接接触中起作用的中介形式，并不能使"主体"对自身"全息"着的世界普遍必然性作出形而上的把握并使之充分体现出来。依此所进行的调控只能使在某种意义上的所谓"主体"基于直接感性作出当下如此的反应；所以处在这种调控中的"主体"，只能局部地适应外界，尚不能在对整个世界必然性的把握中，在事先形成的模态中，实现有目的选择；不能为实现真正飨成于人而顺应自然并改造自然、保护自然。而有了"理性世界"的真正意义上的主体则不然，它是由人这个主体意识到的。人这个主体由于大自然的塑造，在无意识前提下出现潜意识和显意识运行。只有在这种运行中，主体所"全息"着的存在的自然与人所成的普遍必然性，才能够被理性地反思到、并经验地表现出来。因为思维的机制能在人的行为格局与人的符号（主要是语言）系统的相互作用中，通过它们内化为意识系统，外化到由人的行为所造出的符号上。在此过程中，全息着世界普遍必然性的主体思维乃至整个意识的机制，

① 参见，张全新：《现代物理学中的"实在"与"时间"问题——关于相对论、量子力学、超弦理论及当代宇宙学的塑造论哲学审视》第六章，山东科技出版社2003年版。

能依托于与动作行为同构、同态、同规、同律的语言符号及广义的符号系统，在意识系统中对感知经验进行信息处理；又让动作行为产生的语言符号及广义的符号系统，与体现着普遍必然性的意识系统，在同构、同态、同规、同律中，携带着经验内容呈现出来。这里呈现出的东西，可以展现出客体关系即对象发展的各个可能世界，因而从中可以作出主体的有目的选择。这在时空意义上不仅有对“当前”的把握、对“过去”的把握，更有对“将来”的把握。这才谈得到“将来”具有优先地位的问题。这样，在此调控下的人的反应行为，就不是只陷于对局部世界的直接感知和当下如此的反应，而是基于把握世界普遍必然性，对可能世界，作出富有远见的反应；这就不是仅仅地局部适应外界，而是能在对整个世界普遍必然性的把握中有目的地顺应自然、改造和保护自然。人就是在这种情况下实现着对大自然的塑造。这里非常重要的在于，此时塑造之物成为主体意识的出窍。

这时再回过头来看，就会看出，符号行为的表示，它实际上是意识的“出窍”。塑造论哲学对此区分了两种情况：一是“出窍经过的”；二是“出窍记录的”。作为“出窍经过”，集中注意的是“行为外理”或“处理行为”；作为“出窍记录”，首先注目的是“符号语言”或“语言符号”。因此，对于“塑造之物”可以这样来提出：“经过”“行为处理”而在“语言符号”中得以“记录”；或者说在“符号语言”上“记录”着“处理行为”之“经过”。塑造的“出窍经过”恰恰体现着时间系列，“出窍记录”恰恰体现着空间构成。“出窍经过”“出窍记录”是相辅相成的，这体现着时间空间的相辅相成。“经过”“记录”与“宇宙”相对应。在中国语言中，“宇”指空间、“宙”指时间。“出窍记录”之“宇”与“出窍经过”之“宙”的共同的“在”与“成”，与宇宙世界相应。宇宙世界，其内在着时间而突显着空间。"塑造之物"在"出窃经过""出窍记录"中纳入宇宙，这便形成人所面对自然所塑造着的"世界"。

塑造之物作为体现着宇宙的"在","成"实实在在的"物"。这包括着作为实物的工具以及种种器具甚至建筑等等，这是三维的，其空间性是突出的。而这些空间性突出之物，当被图画出来便成为二维的，当被言语出来，便成为一维的。这里，要言语出来，凭借着语言符号。就语言的主要方面来讲，它或者表现为语音，这是以喉咙的颤动带起空气颤动而形成带时间延续性的听觉语言流，这是一维的，它或者表现为文字，这是把书写的墨迹留在纸上而形成带空间并存性的视觉语言面，这是二维的。符号主要是后者，但也离不开用前者加以说明解释。当然还可以用图像、造型表示出来，这已向关于形象的艺术表现延伸；亦可以由此做出模型、做出实物，这已向技术表现延伸；还可表现于人的行为，体现于道德行为。于是综合的空间性成为显然的。而这一切又都离不开以语言来解释。于是，空间性连带着时间性，就被硬硬地压缩在语言流的隧道中，或压缩在语言面的模块中。这样，就把多维的世界空间做了"维向"上的收敛压缩。如果说压缩到文字的语言面中是把多维世界收敛到了二维平面上，那么压缩到语言流中则是把多维世界收敛到了一维流中，而且，由于人们在阅读文字时总是在视觉一行行扫描中，在时间中，进入语言流，所以总是把多维压缩在一维之中。①

哲学从塑造之物着手，认为由理性来照亮这一着手之处，无非是从"出窍经过的"和"出窍记录的"共同物在物成形态着手。人们往往先能揪住的是"出窍记录的"，而同时又紧紧连

① 见，张全新：《塑造论哲学导引》，人民出版社1996年版，第767～768页。

带着“出窍经过的”。在此过程或结构中，人们的意识总是牢牢地揪住或连带着时间的和空间的系列和构成。

自然塑造的人去塑造自然，总得经过行为。行为进行着处理，处理记录于符号，符号集化为语言。在此，语言符号在塑造之物中有着突出的地位。符号语言在历史积淀中，其上既结晶着人类的文化积累，这里包括基于时空意识的文化积累；又把必然性加于人的行为处理，这里包括体现时空意识的行为处理。基于科学的哲学对必然性的窥视，很大程度上先得通过对人所创造的、同时又镶嵌于自然界的文化进行窥视，总是先从语言符号的层面上看过去或再从行为处理的层面上看过去。从中实现对普遍必然性的追问。

由此去了解人对无意识自然的科学研究，其必然性才能成为被证明的。意识到潜意识的必然性与无意识的自然性的统一，这便实现了对于意识的超越。这实现着对无意识的把握，这是达到了无意识与超意识重叠而实现的超越。

正因为这样，塑造论哲学援用马克思的话引申出：哲学照亮的科学是人以自身本质去研究的科学。这与关于人的自然及社会本质的科学是并行的。人在塑造之物中确证着人的本质，这使人有其普遍必然性得到证实。这样，得到证实的人的普遍必然性以自身本质与感性相对待，形成与感性自然的反思，这时人去研究感性自然的必然性也就有了根据。这样，在使人的本质得到确证的同时，也就伴随着对自然的本质的确证。这其中包含着以时间空间连接形而上形而下，这才能实现，在关于人的自然及其本质的科学中获得关于自然世界的认识和关于人自己的自我意识。

三、中介三：塑造单子及单子群

（一）塑造论哲学对于作为单子基本图式的刻划，在最简单意义上，可以这样给出：

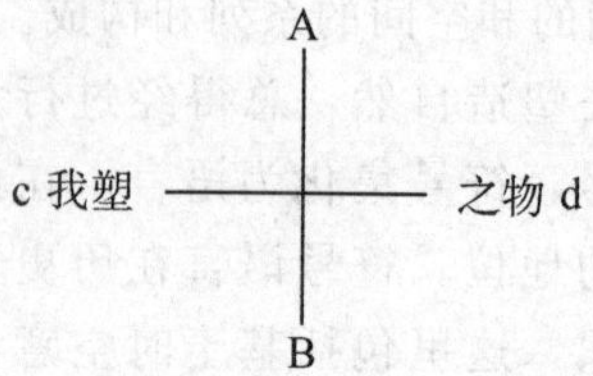

如果以交叉点 O 为中心做一个圆，把交叉线的 4 极连接起来便可以形成以下的图式。这里的 A、B，表示主体和客体的两极；c、d 系塑造之物，它处在主体与客体之间，既是主体的又是客体的。在圆的轨迹上表示着 A 与 c、c 与 B、B 与 d、d 与 A 之间所形成的更丰富的要素，形成圆表示着的“圆满”。

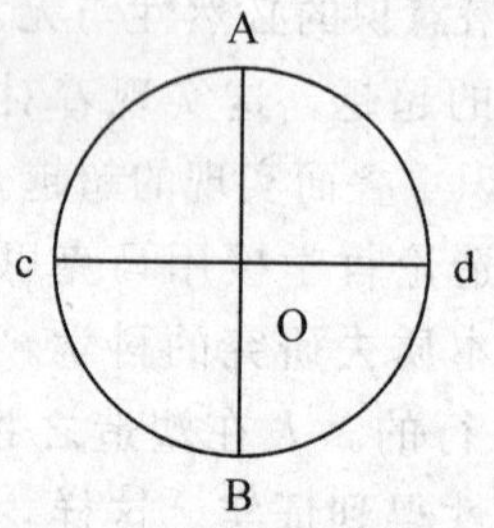

这里，中间的 c—d 在圆中向上移动指向 A、在圆中向下移动指向 B。

c—d 指向 A，是趋向于并且趋近于 A（主体、心）极限状态的，也就是说 A 是 c—d 所趋向的极限，是其“边际”。

c—d 指向 B，是趋向于并且趋近于 B（客体、物）极限状态的，也就是说 B 是 c—d 所趋向的极限，是其“边际”。

作为中介的 c—d 是“我”“塑”“物”的组合，是有意识或由意识所成的人之所为或人为之物。它是与 A 和 B 双面映照的，既可映现出（在自然塑造人的过程中形成的）人之主体意识A（在人塑造自然的过程中）所把握的自然客体B；又能映现出（在人塑造自然过程中）去把握自然客体B的（在自然塑造人的过程中形成的）人之意识主体A。

然而要强调的是，c—d作为中介，就其与人之主体和自然客体的联系上说，有这样几个方面：一是身在身成的延长，二是心在心成的显示，三是物在物成的展新，四是存在至诚的呈现。这里作为身在身成的延长和物在物成的展现，它凝成形而下的晶体；而作为心在心成的显示和存在至诚的展现，它又聚着形而上的光亮。

（二）再详细说明是这样：

关于A—B之间的关系：从A去意识B而B被A意识的意义上说，A是主体、边际主体，B是客体、边际客体；在此情况中，一定与c—d相联系。c—d成为A—B之间联系的中介，这才谈得上潜意识显意识的运行问题。同时，这里面包含着以感官为通道的感知、感受、体验、经验；作为成为主体的人与成为客体的自然的关系，经由感官系统对刺激加以反应或反映，是处在意识活动统摄之下的，但作为机制前提，可以在无意识的生命基体意义上对之作出前提性的考察。因为，自然进化出人，人演化于自然，这里有着直接的物质能量信息联系，这形成着意识中主体与客体的无意识前提。

关于c与d之间的关系：他们属于作为A—B中介的塑造之物。就前面提到的而言，c表示“出窍经过的”，集中注意的是“行为处理”或“处理行为”；d表示“出窍记录的”，先要注目的是“符号语言”或“语言符号”。c—d还涉及在使用人为制做的工具中造成用品的劳动以及在使用器具中品用用品的人口繁衍的活动，等等；故亦可以“符号行为活动”或“活动行为符号”来概括。总之涉及塑造之物的塑造“经过”及其物的“记录"的各个方面。

c—d作为人（主体）与自然（客体）之间的"行为处理——语言符号"中介结合线。与关于A—B的直接结合线相交于O，这标示着有意识与无意识的交汇点、潜意识与显意识的交汇点。这在扩展于经济的、政治的乃至社会的图式之中，又成为体现于"交换流通"、"统治治理"、"交往交流"的"交汇点"或称为"辐射点"。

当以上诸要素在主体客体联系中实现"同构""同态""同规""同律"即实现"协调运转"的"同步和谐"，也就实现了人在潜意识与人为的显意识的对立统一，这形成了有意识与无意识重合的"超意识"。这才能实现，把握意识当中的"心在形而上"，从而实现对关于物质世界的"存在形而上"的把握，实现其对立统一以至同一。也就是说，在塑造过程中只有实现于此，才能达到"两阶形而上"的统一，乃至同一。

"塑造单子"中的诸要素一旦达到上述那样的统一，便可认为达到了"塑造单子"的"圆满"。所以对此才以形成了以O为圆点过A、B和c、d以及后面要标示出的p、q如此等等诸点而形成的一个圆，来标示。如果加以补充说明，那就是，这标志主体与客体的统一，这便是在主体和客体关系中所实现的"得体"。我们这里讲的"得体"，实质上就是主客体所有"实在"因素在"塑造单子和谐"意义上"成就"为统一整体。因此，《塑造论哲学导引》还进一步指出，这种情况标示在这个圆上，诸点都有它不可偏离的适当位置；任何一个点离开这个位置，都可以认为是没真正"得体"，也就没达到或破坏了"圆满"。也就是说，从O分别指向A、指向B、指向c、指向d，以及指向p、指向q，这几个矢量是相等的即均衡的，这样形成的圆表示着一个"圆满"单子。为此，塑造论哲学强调，作为建立在科学之上的哲学和哲学统摄之下的科学，重要的就是依这种塑造单子理想图式中各因素所体现的关系，对于理论、艺术、技术、道德以至于经济、政治及整个社会（文化社会）的塑造如何由上述的那种不协调统一而实现如前所述的那种协调统一作出解析，给出由其作为根据的回答。

这里，当我们以 cOd 这条线为界可把圆划为两个域。从上面的（cAd）部分看过去，可以认为是从“主体域”（或叫“主体世界”）看过去；从下面的（cBd）部分看过去，可以认为是从“客体域”（或叫“客体世界”）看过去。同样，当我们以 AOB 这条线为界可把圆划为两个域。从左边的（AcB）部分看过去，可以认为是从“行为域”（或叫“行为世界”）看过去；从右边的（AdB）部分看过去，可以认为是从“符号域”（或叫“符号世界”）看过去。从图中又可以看出，作为主体和客体的联系线 AB 与作为行为符号的联系线 cd 在相交时，当不经过最佳的结合点 O，就不可能形成圆，象征着不可能“圆满”，这四个域是不可能相均衡的。在这种情况下表示着：主体与客体相互塑造过程中没能通过行为世界与符号世界中介达到和谐运行的最恰当状态；行为世界与符号世界在主体与客体相互塑造过程中没能承担起使之同步运行的最恰当作用。

因此，在一个“圆满”的塑造单子当中，对于连接 AB（人之主体——自然客体）线来说，如果以 O 为中心不论朝哪个方向转动，都能与 cd 线重合并使 A、B 运行点各自落在 c、d 点上以及落到 p、q 点上。这表示着由主客体相互塑造和谐地显露于符号世界行为世界。这表示，在主体与客体相互作用中的符号和主体与客体相互作用中的行为，是显露为显意识的。对于连接 cd（行为活动——符号工具）线来说，如果以 O 为轴心不论朝哪个方向运转，都能与 AB 点相重合并使 c、d 点分别落在 A 或 B 运行线上。对于 p、q 同样如此。这表示着由行为符号潜生于主体与客体协调的相互塑造。这表示，行为和符号在主客体相互作用中，前者是潜生于潜意识并表现于显意识的。

如前所说，如果撇开cd（即符号工具活动行为）那么，A与B（人与自然）之间呈现出天然的关系，即至多只有作为机体生命新陈代谢和作为生命机体刺激反应这样的联系，这是自在无意识的，还谈不上真正作为主体、客体的A、B。然而，只要是真正的人（主体）与自然（客体）的联系，就一定伴随着符号工具行为活动作为中介而联系，这是自然塑造人所形成的文化人类所特有的；而人（主体）只要通过符号工具行为活动与自然（客体）相联系，就一定有意识，这是人塑造自然去形成人类文化所必备的。“人在”与“有意识”同步，“文化人类”与“人类文化”映照存在，才成为“有意识”的“人在”。

作为人类文化是显现出来的意识，而就其尚未显现出来而言，它是文化人类潜在的意识功能。也就是说，人一定有其符号工具行为活动的潜在功能，这是潜意识的；但人的潜意识只有外化到符号工具行为活动之上，才能成为显意识的。应当讲“潜意识”与“显意识”总是互为表里地对称着的。而且，“潜意识”一定以“显意识”刻划出来，“显意识”必定依“潜意识”得以形成。在“圆满”的“塑造单子”中，图中连结A、B点的线与连结c、d点的线，向不同方向旋转总能实现线与点的重合，这表明，文化人类与人类文化定要同步发展，潜意识与显意识必是互为映照的。而“塑造单子”一旦达到“圆满”，即其中的诸因素达到了协调统一、人（主体）在以符号工具行为活动与自然（客体）发生联系时达到了同构同态同规同律，潜意识与显意识、有意识与无意识，文化人类与人类文化，自然塑造人与人塑造自然达到了协调统一，这就进入了一种自然无意识与人类有意识统一乃至同一的状态。这才能到达形而上与形而下的统一或同一。如果不是这样，那么由A－B，和c－d构成的“塑造单子”就不会“圆满”；这在“单子圆”或“单子球”的图形上表示出来便是，A、B、c、d 及 p、q 各点不是处在“单子圆”或“单子球”的所在位置上。

塑造论哲学以此解析了“逻辑真、韵律美、程序益、伦理善”所涉及的基本要素及其关系，并以此为“底衬”，形成关于“程序伦理”或“伦理程序”的架构。

另外，《塑造论哲学导引》还由“塑造单子圆”展开，进一步论述了塑造“单子球”及塑造“单子群”的情况，对其中涉及的更复杂因素，以及扩展于经济、政治乃至社会构成的诸问题，以其特有的范畴分析综合方式给出了说明。

（三）在前面讲到的单子圆中，中间的 O 既是 c－d 线的交叉点也是主客体联系线 A－B 的交汇点。因此，当 c－d（行为处理与符号语言）与 A－B（主体与客体）相联系，再与作为人口繁衍生存和建设进化发展的 p、q 相联系，其连线之间在理想化中形成直角，由此拓展成为一个三维的球体，原来的单子圆便能形成一个单子球。

也就是说，“塑造单子”可以是一个三维的“单子球”。于是由塑造单子“A－B、c－d”的四极表示，形成“塑造单子球”“A－B、c－d、p－q”的六极表示：

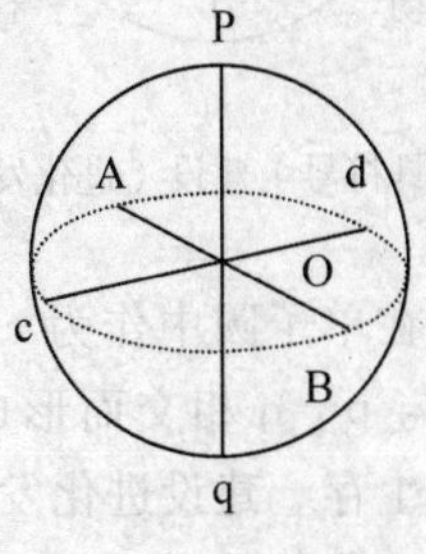

这里，如果只从“A－B、c－d”面正视过去，“塑造单子球”是这样的：

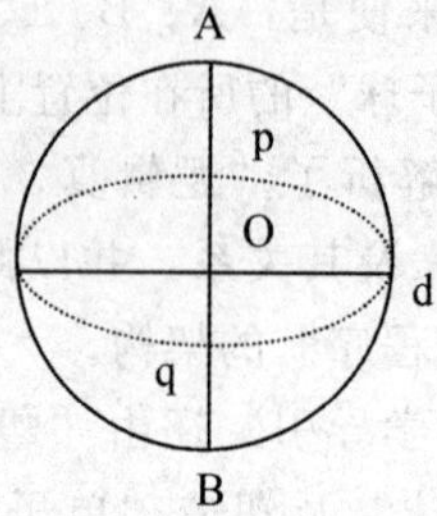

在此，p、q两个点重合在了AB线上；调转90°从另一个方向来看，那A、B两个点投射在O点上，重合成了一个点O。将此单子球沿cpOqd形成切面，即与A－B、c－d切面，成90°切面，便可给出如下图式：

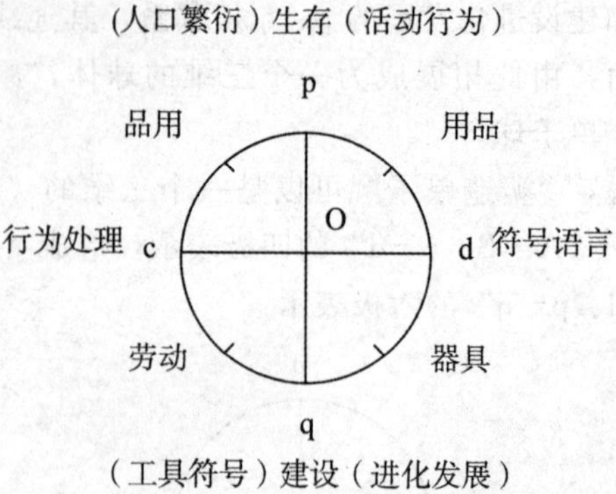

在这其中，由原来在单子圆中作为c－d的中介线，又有了单子球当中作为c－d与p－q相交而形成的"行为处理——符号语言"与"人口繁衍生存－建设进化发展"相交的中介面。

这样，如果说，前面我们为使表述显得单纯，在以A、B、c、d构成图式对塑造单子作出解析时，先是以c－d作为一条中介线所形成的纵向平面图式进行解析的；那么，就横断面细究一下，即从横断面的图式来讲，实际上，c 作为集中注意的行为处理，关涉于劳动品用，指向人口繁衍生存的活动行为；d 作为先要注目的符号语言，关涉于用品器具，指向工具符号建设的进化发展。对于它们之间的交融关系，再概括地分析一下，可以这样认为：作为自然的人口繁衍生存的活动行为，是伸向原本基础的一极；作为人为工具符号建设的进化发展，是伸向根本目的的一极。

再把“塑造单子球”仅依“A－B、c－d”正视面，联成“塑造单子群”（这里同有调转后的各种情况，为表示方便，此图仅从由“A－B、c－d”正视过去的一种情况解析，其他省略），于是有以下图式：

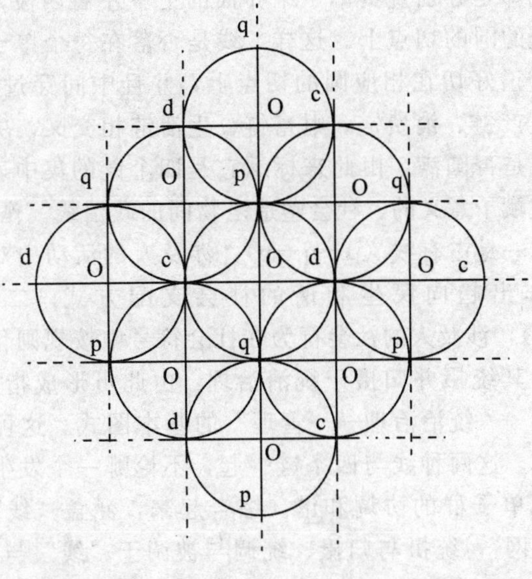

这里，在 qOc 域中的相交，凸显于劳动，表示生产交往。在 pOd 域中的相交，凸显于用品，表示消费交往。在 qOd 域中的相交，凸显示器具，表示财富交往。在 pOc 域中的相交，凸显示品用，表示生活交往。由关于“单子群”的如此情况可以看出，这里形成了赋予意义的、可认为是塑造之物间的若干条链“⋈⋈⋈⋈”：一是生产链（q ⋈ c ⋈ q）；二是消费链（p ⋈ d ⋈ p）；三是财富链（q ⋈ d ⋈ q）；四是生活链（p ⋈ c ⋈ p）。它们相互交错在一起，其统摄并归摄于交换流通，由此可形成基本范畴图式。这可被称之为经济链，这是指向“义利”的“（财富）生产——交换流通——消费（生活）”的经济链。这制约着单子群的和谐。另外，由此图又可以看出，还有贯穿社会塑造之物间的两条线，这两条线与前四条链形式上有所不同。前面的链其形式是，每一个链都是由单子之间互渗构成的。而这两条线却是分别直贯单子中介面的上下左右四极，并且处在与之相交的圆的切点上。这样，线是否落在每个单子圆的四极上，是否正好切在相应圆的切点上，并且中间穿过相应圆心、分别与生产链、消费链、财富链、生活链相交叉，决定着单子圆的构成是否圆满，由此来标示它是四个链的集中表现。这可认为是被赋予意义的、社会塑造之物间的政治线。作为政治线，这其中，一是占有线（p—q—p），涉及人的活动中对工具及生产成果作出趋向民生和谐的社会支配方式；二是管理线（c—d—c），涉及人的社会行为在社会符号中按规则化要求而指向和谐。其统摄并归摄于统治治理，由此可形成指向“正义”的“占有——统治治理——管理”的基本图式。这可被称之为“政治线”。这两种线与四条链一起，不论哪一个发生偏差都影响单子及单子群的协调和谐。综合起来，涵盖“线”与“链”形成的“网”，统摄与归摄、统调与被调于“线”与“链”，共同表示“交往沟通”；这便形成指向“在成”的“（人口繁衍）生存（活动行为）——交往沟通——（工具符号）建设（进化发展）”的“社会网”。基于“线”“链”综合的“网”，在总体上形成着在塑造单子群中表示的和谐。

总之，以上所描述的每个单子圆都是个完整单位，而由诸多单子构成的单子群，又形成一个大的单位，这又可看成是一个大单子。其中单子的诸极是要伸展（发展）的，在此过程中会带来单子圆或单子群的不协调；这又带来单子诸因素、单子群的诸链和诸线在新的变化运动中，开始趋于新的协调与圆满和谐。在新的协调中，单子或单子群又形成着新的圆满。新的圆满又形成着一个更大单子圆的圆满，……。这时可以看到这样的图式表示：A－B以O为中心向c－d、p－q等等转动，总能圆满地与c－d、p－q等等重合，这是协调和谐的显露；而c－d或p－q等等向A－B转动，也总能圆满地与A－B重合，这是协调和谐的潜生。

在塑造单子群中，整个的和谐圆满有赖于每个单子诸因素的和谐及其圆满；而单子群的整体和谐圆满又制约着每个单子自身诸因素的和谐及其圆满。这种和谐圆满标示着所走向的文明。

概言之，哲学追求的是形而上与形而下经由“对立统一”而走向“同一”。在这里，形而上达到的是普遍必然性，形而下体现着这种普遍必然性。人去意识，追求形而下与形而上的统一，重要的是在A－B、c－d、p－q之间的同构、同态、同规、同律关系中实现科学与哲学的映照，以达于“和谐”“圆满”。

走向圆满的和谐，体现着人们所意识到的形而下与形而上经由“对立统一”走向“同一”，这符合于圆和多边形作为例子所标示的情况，它们之间各因素关系线与理想图式所标示的各因素线的接近或走向同一，就像渐近线一样，在延伸中彼此不断接近，既不重合，而其极限状态又是重合的。它们之间经由“对立统一”而达到同一似乎是在渐进中的无止境过程，而同时又是可以在突变的超越中经由“对立统一”形成同一的过程。

这可以说明：哲学并非无条件地直接就是科学，科学也不直接就是哲学；然而哲学是统摄科学的，并且科学是指向哲学的；同时在趋于极限的意义上，哲学走向超越的指向是指向科学的，科学走向超越的指向是指向哲学的。①

《塑造论哲学导引》由塑造单子和谐的思想，对哲学与科学的关系作出的论述是：从学问的角度说，哲学是追问形而上的，科学是探究形而下的。这里就前面所说单子圆的运转来讲：作为形而上向形而下的显露，可认为是哲学向科学显露的轨迹；作为形而下依形而上的潜生，可认为是科学依哲学潜生的轨迹。

也就是说，由塑造单子及单子群和谐的理想设定，及其内在诸因素走向和谐的运转，便可确定哲学与科学的关系：

哲学只有当塑造单子处于能达到圆满才能显露为真正的科学，从而成为哲学统摄下的科学；科学只有当塑造单子处于能达到圆满才能潜生为真正的哲学，从而成为科学支持着的哲学。

科学只有被哲学所理解才成为真正科学的，但哲学本身并不等于科学学科；哲学只有成为科学的才能成为真正被理解的，但科学本身又不等于哲学。如果把科学学科当成哲学，就会产生哲学的非哲学化倾向；而要确立哲学，又必须有科学的支持。哲学体系是依赖于科学而成为科学的哲学体系的，通过科学的语言才能表达出哲学，但哲学并不是科学理论本身，而是塑造单子的"圆满"。塑造论哲学就是要借助于"塑造单子"刻划的那种关系，对如何才得以指向"圆满"、"圆满"如何成为可能或讲"何以可能"作出哲学论证。

所以，哲学应抓住塑造单子及单子群所刻划的关系及其各种情况，追问若干情况中运转的协调统一，这才能实现基于科学的

① 见，张全新：《塑造论哲学导引》，人民出版社1996年版，第935页。

哲学潜生。因此，真正展开哲学体系，就必须抓住塑造单子就其中刻划的具体关系为细胞来显露各门学科与哲学的关系。①

在塑造论哲学的展开中，由以上哲学原理：首先，塑造论哲学强调了哲学方法实现于哲学史之中，这是一个层次。其次，塑造论哲学对于理论、艺术、技术、伦理这几个领域由塑造单子及其和谐为基础，进行解析，这是又一层次。再一层次，是具体论证塑造论哲学之经济学哲学基础、塑造论哲学之政治学哲学基础、塑造论哲学之社会学哲学基础。这其中，从经济人悖论说起，特别证明经济必然性和有成性；从政治人悖论说起，特别证明政治必然性和有成性；从社会人悖论说起，整体证明社会必然性和有成性；在总体上实现着从文化人悖论说起，特别综合地证明处于文化人类与人类文化关系中的人类必然性和有成性的情况。这种展开了的研究，是为了把塑造论哲学体系完整地建构起来，既表现为塑造论哲学对各门科学学科结论的统摄，又显示了各门科学学科对塑造论哲学原理的支持。总而言之，本书所要论证的是塑造论哲学之各门科学学科的哲学基础，不是各门科学学科本身。也就是说，我们书的这种建构不能直接说就是具体科学学科体系，而是在塑造论哲学视野下把塑造论哲学的原理和方法贯彻于科学学科而为其提供解决自身难题的关于其哲学基础的体系，这里是依塑造论哲学原理通过塑造单子解析为各门科学学科提供寻求必然性证明的基础；同时又是依塑造单子实现塑造论哲学所揭示的“两大系列”的证明和证实，这也是对人与自然普遍必然性何以可能的证明，是为了对塑造论哲学加以证实，旨在使塑造论哲学体系完成得更加彻底。

① 见，张全新：《塑造论哲学导引》，人民出版社1996年，第935页。

第三节　成为形而下的形而上落实："实在""成就"

对于"'是''在'""'诚''成'"延伸说，可区分出以下层面：

第一层面起于"'在''是'""'成''诚'"：诚"：关于"'在''是'"，这指混沌的"在"走向于"是"。这是混沌的"在"有待走向被思维规定的"是"。关于"'成''诚'"，这指浑浊的"成"走向于"诚"。这是浑浊的"成"有待走向被意识规范的"诚"。

第二层面展开"是在""诚成"：关于"是在"，这指潜在的"是"显现成意识到的"在"。这时已由可能的"是"达到现实所"是"的"实在"。关于"诚成"，这指潜在的"诚"显现成"成就"，这时已由可能的"诚"达到实现了"诚"的"成就"。

总起来讲，经过"超意识－显意识－潜意识－无意识"落实于"无意识－潜意识－显意识－超意识"，"在是""成诚"处于无意识到潜意识，"是在""诚成"处于潜意识到显意识，"在是""成诚"统一于"是在""诚成"趋于超意识的统一同一。

这里面，既由"在是""成诚"到"是在""诚成"而设置形而上，又由"是在""诚成"到"在是""成诚"而贯通形而下；"是在""在是"及"成诚""诚成"，于形而上的生长及其与形而下之统摄和支持中，实现"成就""实在"、落实"实在""成就"。此中，从"形而上"到"形而下"，塑造论哲学论述了这样一些概念过渡。

一、西方哲学史上关于 ousia，Substance，Substance、Noumena到 Entity，中国哲学史上关于成，诚，诚信与孚；还原接近、系统接近

（一）由西方哲学史的情况来说：关于 ousia，Substance，[Substance、Noumena]，到 Entity。

1. 欧洲不同研究重心之哲学，关于形而上学论述向“实在”的指向。

（1）在以本体论为重心之哲学论述中的形而上。

A. 作为 ousia 意义上的“本体”。在亚里士多德体系中，以 ousia 讲本体，区分了第一 ousia、第二 ousia，即第一本体、第二本体。第一 ousia，是带终极性的，指“这一个”，又指“形式”；第二 ousia，在“种、属”中，往往作为谓项说明主体。亚里士多德所强调的“第一哲学”，是讨论 to on 的哲学；讨论作为 to on 现在分词的 ousia，这成为亚里士多德哲学解析的主要内容。由亚里士多德对 ousia 作出的分析，后有人便将其哲学名为 ousiology。如果把 ousia 译为“本体”则 ousiology 便成为“本体论”。所以出现了用 ousiology 这个词表示本体论的情况。

B. 作为 substance 意义上的本体。在中世纪，拉丁神学家在讨论“三位一体”时，曾倾向于把希腊文的 ousia 以拉丁文的 substantia 来代替。根据当时的情况，以中文理解翻译而进行区别，曾把前者译作“存有”或“存在”，把后者译作“本体”或“实体”。与此相联系，中世纪的一些哲学家还主张以拉丁文的 Persona 代替希腊文的 hypostasis；由当时讨论“三位一体”的解释，以中文来理解，前者因为带有“存有者”或“存在者”的意思，故把此用于表示相当于“三位一体”中的“位格”，以区别于可当作“本质”讲的 hypostasis。从哲学史的演进上说，这固然有利于避开以往在说明"圣父、圣子、圣灵"时，以希腊文表述，对"本质"与"本体"概念说不清楚的困难；但因为与此相关的若干概念的意义不能在拉丁文中找到相应的概念词来表示，阻碍了拉丁学者关于形而上及神学体系的建构。所以后来的波埃修主张把 essentia 归结为本质，使与希腊文 einai 相当的 esse 表示存在，用 id guod est 表示"是这个"。这就要对 substantia 与 subsistantia 作出区分，让 subsistantia 代替 hypostasis，体现了它带"本质"含义又有与 essentia（本质）不同的意义，在中文翻译中人们往往用以指认"实质"，并且表示"种"和"属"这类性质的实在性。这就把"位格"的概念确立了起来，即将其留给了与 hypostasis 不同的 persona。从而保持了既不用原来表示本质的 hypostasis 表示本质，又用 persona 来表示作为"位格"的存在者。同时，波埃修主张，以带有 subs（在下面）意义的 substantia 表述"本体"。所以他以 substance 去译 ousia，开了以 substance 表示本体的先河。

（2）在以认识论为重心之哲学论述中的形而上。

A. 关于 substance 意义上的"实体"。对 substance，在与中文对译时，往往既可译为"本体"也可译为"实体"。西方中世纪以前的哲学主要以"本体论"为重心，近代以后的哲学走向以"认识论"为重心。在经验论与唯理论的争辩中，对于 Substance 开始更重更多地在认识论框架中加以讨论。所以对于这时论述中的 Substance，其中文译名本书译为"实体"。

这时，培根所讲的 Substance（实体），强调人所面对的是"极不相同的" Substance。这里的 Substance 已开始在其经验论意义上由认识论来论证。笛卡尔由其在"我思故我在（是）"的解析中重建"形而上学"，他对于"实体"定义说："对于实体，我们理解为无非是那样存在着的一个东西，以致它不需要任何其他东西就能存在。”[1] 后来的霍布斯、斯宾诺莎、洛克、莱布尼兹，直到贝克莱、休谟，都围绕唯理论和经验论的区别与联系，发表了他们对于“实体”的见解。

B. 在 Substance 和 Noumena 之哲学论述中的“实体”和“本体”。

到康德，通过对 apparance 与 phaenomena 的区分，对 substance 和 noumena 作出区别，中文译者往往把前者译为“实体”把后者译为“本体”以示区别。这形成了康德关于物自体（自在之物）在其哲学体系中的界定和论证，由此构成他的哲学体系。

康德将 Substanz（实体），与相应于其先验感性论的概念 erscheinyng（德文，英文系 appearance，常译为“现象”）相联系。以此相对于知性而言，他讲到，“实体（Substanz）在 erscheinyng（现象）的一切变化中持存着”。“实体（Substanz）在存有中不会变更”。[2]

康德对于 Noumena（本体），与相应于其先验分析论的概念 Phaenomena（希腊文：phainomenon，也往往译为“现象”，另有译者译为“现相”等等）相联系。以此相对于理性而言。他讲到，“为了不使感直观扩展到物自体上去，进而限定感性知识的客观有效性，本体概念是必须的，这种感性知识所不能达到的其余东西，叫作本体（Noumena）。”[3] 于是康德区分了“消极意义上的本体”和“积极意义上的本体”，他确定了认识的界限，为其哲学体系向先验辩证论过渡打下基础，从而给信仰腾出位置。

---

① 笛卡尔：《哲学原理》第一部分。

② 康德：《纯粹理性批判》，A182，B225。

③ 康德：《纯粹理性批判》，A308，B309。

康德有关于“现象界”和“自在之物”相区分的理论框架，这其实是源于柏拉图的两个世界论，但是在观点上和具体的表述中有很大不同，可以说康德是从外部世界转向人的自身。柏拉图称为“可见世界”（horatos topos）或“可感世界”（doxasta）的东西，在康德那里称为“现象（界）”（Phaenomena，这个词是古希腊词“phainomeinon”的转写）；而柏拉图的“noumenon”一词，在康德那里则借用过来讲他所说的“自在之物”（Ding an sich，汉语中还往往译为“物自体”或“物自身”），与“现象”相对而言。但是，康德所说的“自在之物”具有两重性即两种含义。一方面称它是“理智（存在）物”、“思想（存在）物”。例如他说：“作为我们的感官对象而存在于我们之外的物是已有的，只是这些物自身可能是什么样子，我们一点也不知道，我们只知道它们的现象，也就是当它们作用于我们感官时在我们之内所产生的表象。”① 另一方面，下面这段话又表明他对此同时讲了两个方面：“理智由于承认了现象，从而也就承认了自在之物本身的存在，并且因此我们就可以说，把这样的东西表现为现象的基础，也就是说，它不过是理智存在体（Verstandeswesen）”②

（3）在以实践论为重心之哲学论述中的形而上。

人们往往认为马克思不讲“本体论”，不讲“实体”，而彻底抛弃了形而上学，这是误解，是不恰当的。

关于本体论，马克思早在其博士论文《德谟克利特的自然哲学与伊壁鸠鲁自然哲学的差别》之中，曾讲到，“只是现在，伊壁鸠鲁派、斯多葛派和怀疑体系为人理解的时代才算到来了。

① 康德：《未来形而上学导论》，商务印书馆 1978 年版，第 50 页。

② 康德：《未来形而上学导论》，商务印书馆 1978 年版，第 86 页。

他们是自我意识哲学家。”[①] 马克思认为，原子不外是抽象的、个别的自我意识的自然形式，感性的自然是客观化了的、经验的、个别的“自我意识”。这样，马克思在谈到关于神的存在的本体论证明时指出：“对神的存在的证明不外是对人的本质的自我意识存在的证明，对自我意识存在的逻辑说明，例如，本体论的证明，当我们思索‘存在’的时候，什么存在是直接的呢？自我意识。”[②] 这里围绕着“存在”和“自我意识”的问题，提到了“本体论”。

后来，马克思在《1844年经济学哲学手稿》的《货币》一节中讲到：“如果人的感觉、激情等等不仅是在［狭隘］意义上的人类学的规定，而且是真正本体论的本质（自然）肯定；如果感觉、激情等等仅仅通过它们的对象对它们感性地存在这一事实而真正肯定自己，那么，不言而喻的是：（1）它们的肯定方式决不是同样的，相反，不同的肯定方式构成它们的存在、它们的生命的特殊性；对象以怎样的方式对它们存在，这就是它们的享受的特有方式；（2）如果感性的肯定是对采取独立形态的对象的直接扬弃（如吃、喝、对象的加工，等等），那么这也就是对象的肯定；（3）只要人是人的，因而他的感觉等等也是人的，那么对象为他人所肯定，这同样是他自己的享受；（4）只有通过发达的工业，也就是以私有财产为中介，人的激情的本体论本质才能在总体上、合乎人性地实现；因此，关于人的科学本身是人在实践上的自我实现的产物；（5）如果撇开私有财产的异化，那么私有财产的意义就在于本质的对象——

① 马克思：《德谟克利特的自然哲学与伊壁鸠鲁自然哲学的差别》，《马克思恩格斯全集》第40卷，人民出版社1982年版，第286页。

② 马克思：《德谟克利特的自然哲学与伊壁鸠鲁自然哲学的差别》，《马克思恩格斯全集》第40卷，人民出版社1982年版，第285页。

既作为享受的对象，又作为活动的对象——对人的存在。”①

马克思所强调的，在实质上是以人的实践为实体（本体）的本体论。他非常强调，“对实践的唯物主义者即共产主义者来说，全部问题都在于使现存世界革命化，实际地反对并改变现在的事物”。于此，马克思、恩格斯在《德意志意识形态》中的论证是这样的：“费尔巴哈对感性世界的‘理解’一方面仅仅局限于对这一世界的单纯的直观，另一方面仅仅局限于单纯的感觉。费尔巴哈设定的是‘一般人’，而不是‘现实的历史的人’”。

马克思、恩格斯进而讲，“只要这样按照事物的真实面目及其产生情况来理解事物，任何深奥的哲学问题……都可以十分简单地归结为某种经验的事实。人对自然的关系这一重要问题……，‘自然和历史的对立’，好像这是两种互不相干的‘事物’，好像人们面前始终不会有历史的自然和自然的历史，就是一个例子，这是一个产生了关于‘实体’和‘自我意识’的一切‘高深莫测的创造物’的问题。然而，如果懂得在工业中向来就有那个很著名的‘人和自然的统一’，而且这种统一在每一个时代都随着工业或慢或快的发展而不断改变，就像人与自然的‘斗争’促进其生产力在相应基础上的发展一样，那么上述问题也就自行消失了。”②

后来，马克思基于其关于“实践”的理论，在进行经济社会分析时，使用了“实体”的概念。他在《哲学的贫困》中批评蒲鲁东的理论时有一部分采用了“政治经济学的形而上学”

① 马克思：《1844年经济学哲学手稿》，《马克思恩格斯全集》第42卷，人民出版社1979年版，第150页。

② 马克思、恩格斯：《德意志意识形态》，《马克思恩格斯选集》第1卷，人民出版社1995年版，第77页。

这一提法列为标题。这里的“形而上学”是以纯思辨的方法来阐述经验以外各种问题的意义上来使用的。马克思写到，“在黑格尔看来，形而上学，整个哲学，可以概括在方法里面。所以我们必须设法弄清楚蒲鲁先生那套至少同《经济表》（魁奈所作——引者注）一样含糊不清的方法。”马克思指出，“经济学家们都把分工、信用、货币等资产阶级生产关系说成是固定的、不变的、永恒的范畴。”“蒲鲁东先生把这些关系看成原理、范畴和抽象的思想”，“用这种方法抽去每一个主体的一切有生命的或无生命的所谓偶性，人或物，我就有理由说，在最后的抽象中，作为实体的将是一些逻辑范畴。”而“这里谈的是抽象，而不是分析”，“形而上学者也就有理由说，世界上的事物是逻辑范畴这块底布上绣成的花卉：他们在进行这些抽象时，自以为在进行分析，他们越来越远离物体，而自以为越来越接近，以至于深入物体。哲学家和基督徒不同之处正是在于：基督徒只有一个逻各斯的化身，不管什么逻辑不逻辑；而哲学家则有无数化身。”固然，“正如我们通过抽象把一切事物变成逻辑范畴一样，我们只要抽去各种各样的运动的一切特征，就可得到抽象形态的运动，纯粹形式上的运动，运动的纯粹逻辑公式。”而“如果我们把逻辑范畴看作一切事物的实体，那么我们也就可以设想把运动的逻辑公式看作是一种绝对方法，它不仅说明每一个事物，而且本身就包含每个事物的运动。”“既然把任何一种事物都归结为逻辑范畴，任何一个运动、任何一种生产行为都归结为方法，那么由此自然得出一个结论，产品和生产、事物和运动的任何总和都可以归结为应用的形而上学。”“把这个方法运用到政治经济学的范畴上面，就会得出政治经济学的逻辑学和形而上学”。所以说，“经济范畴只不过是生产的社会关系的理论表现，即其抽象。真正的哲学家蒲鲁东先生把事物颠倒了，他认为现实关系只是一些原理或范畴的化身。"①

值得重视的是，马克思强调"全部社会生活是社会实践的"。马克思、恩格斯用"实体"这一概念，与"人的本质"相联系，来表达关于社会的"现实基础"。正如他们所说的，"每个个人和每一代所遇到的现成的东西：生产力、资金和交往形式的总和，是哲学家们想象为'实体'和'人的本质'的东西的现实基础，是他们神化了的并与之斗争的东西的现实基础。"②这里的"社会交往形式"，显然是马克思后来所讲的"生产关系"范畴的雏形。马克思此时已经将"人的本质"置于"生产力、资金和交往形式（生产关系）的总和"这个关于"基础"的理论系统之中。由这个基础，我们可以看到，生产力与生产关系之间的矛盾，成为历史冲突的主要根源，成为社会发展的内在动力。也正是建立在这个基础之上，指向社会实在的，关于生产力生产关系、经济基础上层建筑、社会存在社会意识的历史唯物主义原理得以形成并得到展开说明。

2. 关于形而上到形而下之间的"Entites"。

就西方哲学史上的情况来说，在"本体""实体"与"实在"(Reality)之间，有哲学家关注了entites这个概念。如罗素使用了Metaphysical entites这个词组。对此在中文译著中往往译为"形而上学实体"，罗素称之为"推论出的实体"。罗素用这个词来指称的是诸如空间和时间这样的东西，这些东西本来被规定为实在的最终的成份，但不能被直接经验到，而是由推论而为人所知。正因为这样，罗素将它们称为未知实体或推论

---

① 马克思：《哲学的贫困》，《马克思恩格斯选集》第1卷，人民出版社1995年版，第137～141页。

② 马克思、恩格斯：《德意志意识形态》，《马克思恩格斯选集》第1卷，人民出版社1995年版，第92～93页。

出来的实体。在罗素的逻辑原子论中，这些实体被认为可以被消除的，并由逻辑构造来取代，因此无需将其纳入世界的真正组成部分之中。相反，由逻辑构造组成的那类实体称为“已知实体”。罗素说，“所谓形而上学实体，我指的是这样的东西，它们被认为是世界的最终成分的一部分，但不是在经验中所予的东西。”① 显然，这里带有边界意义，即在“不是在经验中能与的东西”与“实在”之间的“边界”意义。

关于 entity，在英文里原本的字典意义及通常使用，既讲“实体”，这与性质、关系等相对；又指“存在者”、“实在物”。这就使之带上了在形而上与形而下之间跳动的“存在（物）”、“实在（物）”的“实在”“存在”的意义；以至带有与“实质”“本质”相关的意义；另外延伸，法学中有所谓“实体法”，又名“主法”、“主体法”（Law of subject entity），还有“实体意义之诉”（entity meaning of action），如此等等。

简单讲，可以认为“entity”是一个既带“实体”意义又涉及“实在”意义的形而上与形而下之间带有过渡性的概念。

（二）由中国哲学史的情况来说：关于成，诚，［诚、信］，到孚。

2. 中国不同研究重心之哲学，关于形而上学论述向“成就”的指向。

（1）在以本根论为重心的哲学论述中的形而上。

A. 作为“成”意义上的形而上“本根”。

中国古代哲学早期起于“本根论”，此被认为是探究天地人所成的根本原因和依据的学说。

中国思想史上，《易》书中有“形而上者谓之道，形而下者

① 罗素：《罗素文集》，第八卷，第 238 页。

谓之器”之说。如同古希腊哲学从巴门尼德伴随着人类思维的二重化提出与有形物相对的“存在”（ὂν），开启了将此看作世界本体的先河；相类似，中国古代哲学则伴随着人的思维二重化逐渐提出与形而下之物相对的形而上的“成”，由此来说明人世的“本根”。

“本根”的“本”，从构字上讲，即“木”之根处加标示“一”而指为“本”。所以说“本根”，实际上指谓作为“本”的“根”。这原是形而下的概念。同样，水有源头，所以说水本为源。这也是形而下的概念。源与原同，才有所谓“本原”。在此意义上“本根”亦即“本源”。由此使本根论向形而上提升。

在中国早期思想史中，关于世事原初本根的讨论，曾重视对如何“成百物”进行解析。可以说这已重在开始关注“成”。这似乎也体现着对于世界基质本原的探究，而中国古代思想史中关于世界基质本原的见解与古希腊哲学关于“在”“是”的追问有所不同，甚至可以说一开始就十分薄弱；又不可否认，中国古代人们的在生产中不能不与自然物打交道，也朦胧的涉及到自然的基质本原问题。但重要的是，中国古代关于“本根”的讨论，一开始就重视功能性及在关系中的“成”“诚”。这又恰恰体现出中国古代哲学与西方古代哲学有所不同的优越之处。

中国古代哲学基本是从人事问题谈起，进而才在比附中涉及与大自然的物质构成有关的问题。例如，人们经常引用《国语》中记载的，周幽王的太史官史伯的一段话。郑桓公问他“周其弊乎？”史伯这样说：“殆於必弊者也。泰誓曰：‘民智所欲，天必从之’。今王弃高明昭显而好谗慝暗昧，恶角犀丰盈而近顽童究固，去和而取同。夫和实生物，同则不继。以他平他谓之和，故能丰长而物归之；若以同裨同，尽乃弃矣。故先王以土与金、木、水、火杂，以成百物。是以和五味以调口，则四去以卫体，和六律以聪耳，正七体以役心，平八索以成人，建九纪以立纯德，合十数以训百体。出千品，具万方，计亿事，材兆物，收经入，行姟极”。这里讲到“成百物”“成人”；涉及到土、金、木、水、火，这通常被称之为“五材”，后来被叫作“五行”。这里似乎也是在谈世界本原问题，但与西方关于这问题的见解有所不同。这里主要是从成“人事”出发来探讨根本或“本根”的。

再如，《国语》上讲到周幽王与伯阳父论地震，伯阳父议论的是，地震预示着“周将亡矣!”原因在哪里？在于“天地之气”，是因为“失其序”、“过其序，民乱之”。地震就表示了“阳伏而不能出，阴迫而不能蒸”。[1]

以上所讲到的“土与金、木、水、火”、“阴阳”及“天地之气”以及“序”，与其说是要论物质构成的基质，不如说主要是以此为依托来论人事、世事之“成”；偏重的主要不是“物”，而是“事”，主要不是从自然世界存在的角度看过去，而是从人事世界所成的角度看过去。

后来的事实表明，在中国思想史上非常有影响的“阴阳五行”说及“气”论，多是重在社会伦理中来论“人”，在“天人关系”中来论“道德”。在这样的理论框架中展开学说体系。于此，处于“阴阳”之中的“五行”（“五材”）、“气”，已失却其单纯物质基质的材料形态意义而具有了系统中某种构成的功能符号意义。正是因此，沿着这种哲学思想，延伸于具体的部门学科，在中国形成的主要不是偏重于“原子论”“元素论”“解剖学”那样的物质对象结构理论，而是偏向于在人与客体的统一中讨论的关于人之整体及社会构成的理论。这明显地体现于中国传统医学、兵学及治国理论之中。于是“本末”成为中国

① 《国语》，《周语》。

古代哲学的一对重要范畴。“本”、“末”原为形象的指事字:“木下曰本”,“木上曰末”。本指木之根,末指木之梢。后来这分别衍生出本根、本原、本体、本始、本质、本性和末节、末端、末终、末后等多种含义。先秦时期已广泛地用“本”“末”概念来说明事物的各种关系。这样,关于“本”,中国古籍由解释为“本,根也”,到解释为“原也”,进而解释为“始也”。这已向形而上提升。例如《庄子》《知北游》则由“今彼神明至精,与彼百化;物已死生方圆,莫知其根也”;讲到“今已为物也,欲复归根,不亦难乎!其易也,其唯大人乎!”然而,“万物有成理而不说”;“惛然若亡而存,油然不形而神,万物畜而不知”。重要的是,“六合为巨,未离其内;秋豪为小,待之成体”。于是《庄子》强调,“此之谓本根,可以观于天矣。”① 这就使“本根”这个概念,超越了仅仅指“木”之“根”、“水”之“源”的形而下意义,而上升到了“成体”,并上升到关于“成理”的形而上意义。

B. 作为“诚”意义上的形而上“本根”。

如果说,基于“形而上者谓之道,形而下者谓之器”之说,老庄由“道”的形而上,建立了其道家学说的理论体系,孔子则由“名”与“言”、“事成”与“礼乐”等等论证了“成仁”、“成人”,以“仁”为“本”,墨子则把“义利”、“尚贤”与“功成”统一起来;那么,到子思那里,则基于“天之道,人之道”讲到“诚者自成”,把形而上归于“诚”“成”。子思讲,“诚者自成”“不诚无物”,“诚者天之道也,诚之者人之道也”;他把“诚”“成”确立为最高的形而上范畴。后来的孟子继承这一传统,并归之于“心”,他讲,“诚者天之道也,思诚者人之道

① 《庄子》《知北游》。

也”，主张“反身而诚”，“养心尽性”。这是在“反身而诚”中确立“心”的形而上。荀子则由“物之所以成”讲“养心莫善于诚”而指向形而上。韩非则开始将“理”形而上学化，在形而上的设置中论证“审合刑名”。

汉代董仲舒以“天瑞应诚而至”，来强调“天道成”及“得人之诚”。王充注重讲“务实诚”，以“成气而行之”的形而上命题为基础。魏晋玄学围绕“贵无论”与“崇有论”之争，来展开关于“有”与“无”的形而上哲学体系。关于贵无论，夏侯玄有关于“道本无名”“与本无之义正合”。何晏讲，“有之为有，恃‘无’以生，事而为事，由‘无’以成”。王弼说，“物生功成”“必生乎无形、由乎无名”，崇本以举末则“形名俱而邪不成”，“弃其本而弃其末，名则有所分，形则有所止”。嵇康则反问，“天下孰有本不足而末有余者乎?”持崇有论者中，裴頠针对“以无为本”的观点提出了“自生而必体有”的观点。向秀强调有个“不生不化”的“生化之本”。调和贵无论崇有论的张湛，一方面讲“忽尔而自生”以明“无不能生有”；一方面又讲“忽而生”以明“有之为有”“恃无以生”“无为之本”。

唐李鼎祚《周易集解》引唐崔憬言：“形质之中有体有用。体者，即形质也；用者，即形质上之妙用也。言有妙理之用，以扶其体，则是道也。其体此用，若器之于物，则是体为形之下，谓之为器也。”他强调，形而上为用、为道，形而下为形质、为体、为器，形而上不离形而下。唐孔颖达《周易正义·系辞上》说明道：“道是无体之名，形是有质之称；凡有从无而生，形由道而立。是先道而后形，是道在形之上，形在道之下。故自形外已上者谓之道也。自形内而下者谓之器也。”他谓形而上为无体无形，形而下为有质有形。孔颖达基于“万物之本，有生于无”，对“诚身有道”解释道：“须诚信于身然后可得之事”。

在佛教中，“本”和“根”是重要范畴。有“本”“佛”等等之称谓；有“佛”“根”等等之所谓。《华严经》在讲“三生成佛”时，有所谓“下根之义”“上根之机”之说。佛学理论由本根也讲到“本体”，此谓诸法之根本自体。佛学中特别对于应身来讲，谓真身为本体。《大日经·七》曰：“一身与二身，乃至无量身，同入本体”。《梵纲古迹·上本》曰：“化归本体，言还至也”。可见，佛教中论成佛特别讲到“本体”。佛教基于成佛、崇佛，而重视“诚”“信”“真”“实”。佛书中讲，“至者即是真也、实也、诚也”，“信者即是真也、实也、诚也、满也……”；“明智至心，即是真实诚种之心”，“信乐即是真诚满之心”。①

（2）在以致知论为重心之哲学论述中的形而上。

A. 由“诚”与“理”与“心”，论形而上的本体。

宋以后，形而上与形而下成为哲学讨论的重要问题。北宋周敦颐由“无极而太极”的形而上来为“诚立通明”立论。张载谓：“形而上者是无形体者，故形而上者谓之道；形而下者是有形体者，故形而下者谓之器。无形迹者即道也，如大德敦化是也；有形迹者即器也，见于事实即礼义是也。”② 基于此，张载讲“太虚无形，气之本体”，强调“至诚得天之谓”；强调“诚明所知乃天德良知非闻见小知而已”；强调“至诚而能化”，“化而后能有其大”，“无我而后大”“大成性而后圣”。

二程通过引入“理”，对“形而上”“形而下”作了比张载更为明确的论说。二程说，“形而上者谓之道，形而下者谓之器。若如或者以‘清、虚、一、大’为天道；则乃以器言，而非道也”。③ 程颐强调：“所以阴阳者是道也；阴者，气也。气是

① 《教行信·证信卷》。

② 《横渠易说·系辞上》。

③ 程颢、程颐：《遗书》卷十一。

形而下者，道是形而上者。”① 他批评张载以为气化过程就是天道，指出这实际上是形而下之器，而非形而上之道。二程认为，虽然道与器不容分割，但不能以器为道。程颐说：“气是形而下者，道是形而上者。形而上者则是密也”。② 这里的“密”即《易传》所说的“通藏于密”之“密”。“密者，用之源”，指无声无嗅的本原。二程由天理出发，提出“天人一本”，弥合以往关于“天人合一”论、“天人感应”论的不足，指出：“天人本无二，不必言合”。而且，二程不同意把穷理、尽性看成是前后相接的观点。二程认为：“‘穷理尽性以至于命’，三事一时并了，原无次序，不可将穷理作之事。若实穷得理，即性命亦可了”。③ “穷理尽性至命，只是一事。才穷理便尽性，才尽性变至命”。④ 在二程看来，“心、性、天只是一理”。

南宋朱熹谓：“理，形而上者；气，形而下者。自形而上下言，岂无先后。”⑤ “理也者，形而上之道也，生物之本也；气也者，形而下之器也，生物之具也。”⑥ 朱熹由“诚”论到太极、论到道、论到气、论到理。朱熹说：“诚即所谓太极也”，“太极只是一个理字”，“道即理之谓也”，“诚者……天理之本然也”。基于此，朱熹论到“理生气”。失熹讲：“太极生阴阳，理生气也。”⑦ 他又讲：“以本体言之，则有是理，然后有是气。”⑧ “气

① 程颢、程颐：《遗书》卷十五。
② 程颢、程颐：《遗书》卷十五。
③ 程颢、程颐：《二程集》，王孝鲁点校，中华书局1981年版，第15页。
④ 程颢、程颐：《二程集》，王孝鲁点校，中华书局1981年版，第193页。
⑤ 朱熹：《朱子语类》卷一。
⑥ 朱熹：《答黄道夫》，《朱文公文集》卷五十八。
⑦ 朱熹：《周子太极图说注》。
⑧ 朱熹：《孟子或问》卷三。

虽是理之所生，然既生出，则此理寓于气了。”[①] 论到太极与理与气，朱熹对理一分殊的体系展开了充分论述。他说：“天地之间，理一而已。”这如同“月印万川”，“理一分殊”。“物物各具此理”是“理一”，“物物各异其用”是“分殊”。朱熹沿用《周易》以及张载、二程的一些说法讲：“天地之间，有理有气。理也者，形而上之道也，生物之本也。气也者，形而下之器也。生物之具也。是以人物之生，必禀此理然后有性；必禀此气然后有形。”[②] 朱熹由此讲到“物”，说到“盖统体是一太极，然又一物各具一太极。”[③]“人人有一太极，物物有一太极”。[④] 进而他论仁义礼智为性，认为此未发为之体，“已发则有恻隐、羞恶、恭敬、是非、诚实之情以为之用”。[⑤]“因用以著其本体”。由以上的基础，朱熹着重论述了“致知”的问题。他讲，“知，如应变曲当皆是。”朱熹说：“须是‘知’运用，方成得物。”[⑥] 朱熹曰：“物既格，知既至，到这里方可着手下工夫。朱熹强调：“致知，分别善恶了……而后意可得其诚也。”[⑦] 朱熹发挥《中庸》“不诚无物”的思想，说：“凡应接事物之来，皆当尽吾心以诚心应之，方始是这个物事”。又说：“物只是眼前物事，都唤作物，若诚实，方有这物。”

如果说，朱熹重在使天理成为独立于心之外的形而上本体；那么陆九渊则针对朱熹把“理”作为形而上之道，把阴阳、五行看作万物形而下之器的说法，指出《易传》说：“形而上者谓

① 朱熹：《性理精义·性命》。
② 朱熹：《答黄道夫》，《朱文公文集》卷五十八。
③ 朱熹：《朱子语类》卷九十四。
④ 朱熹：《朱子语类》卷九十四。
⑤ 朱熹：《朱子语类》卷四。
⑥ 朱熹：《朱子语类》卷六十四。
⑦ 朱熹《朱子语类》卷十六。

之道”“一阴一阳之谓道”，可见圣人把阴阳也是归为形而上的。陆九渊认为，“心之体甚大，若尽我心，便与天同”，“非诚之外有所谓德也”，“明得此理即是主宰”；陆九渊尽力使天理内在于“本心”，重在理与心的合一。陆九渊的这一观点，成为其论证“发明本心”的理论基础。陆九渊强调：要“发明本心”，必须“剥落心蔽”。才能“保吾心之良”。[①] 陆九渊讲，“剥落心蔽”，“去欲”“保吾心之良”，才能实现“存心”“养心”“求放心”而“防闲其邪”。[②] 于是，“至诚哉！诚之在天下也”。陆九渊由“孟子言‘诚身之道在于明善’”[③]，指认“发明本心”的“简易工夫”，是“切己自反，改过迁善。[④]”“人皆有是心，心皆具是理，心即理也。”[⑤]“明得此理即是主宰”。[⑥] 达于“明善”之“诚身之道”实现不陷于“支离”的“心”之“主宰”，以实现“心之体甚大”“能尽我之心”“与天同”。[⑦]“宇宙内事乃已分内事，已分内事乃宇宙内事”，“宇宙便是吾心，吾心便是宇宙。……同此心同此理也。”[⑧]“理”与“心”等同，“此心”与“我心”等同，便达到了“万物皆备于我”。[⑨]

王阳明对作为“诚”意义上的本体作了充分阐发。他特别由“天地之道，诚焉而已”，言“诚意”，论“诚是心之本体”；由“诚是心之本体”，讲“心即性”“性即理”“心即理”，论

① 陆九渊：《与邓文范书》，《陆九渊集》卷一，中华书局 1980 年版。
② 陆九渊：《养心莫善于寡欲》，《陆九渊集》卷三十二，中华书局 1980 年版。
③ 陆九渊：《与胡季随书》，《陆九渊集》卷一，中华书局 1980 年版。
④ 陆九渊：《象山语录上》，《陆九渊集》卷三十四，中华书局 1980 年版。
⑤ 陆九渊：《与李宰二》，《陆九渊集》卷十一，中华书局 1980 年版。
⑥ 陆九渊：《与曾宅之书》，《陆九渊集》卷一，中华书局 1980 年版。
⑦ 陆九渊：《象山语录》，中华书局 1980 年版。
⑧ 陆九渊：《杂著》，《陆九渊集》卷二十二，中华书局 1980 年版。
⑨ 陆九渊：《象山语录上》，《陆九渊集》卷三十四，中华书局 1980 年版。

"诚是实理","求复其本体,便是思诚的功夫";由"诚是实理",讲"良知成致",论"知致则意诚","知行合一"。王阳明将"诚"之本体归于"良知",并论证说"'先天而天弗违',天即良知也。'后天而奉天时',良知即天也。",这样"良知"成为连接"先天""后天"的重要环节;因此,在王阳明哲学中,"良知"既与"本体明觉"、与"道"、与"心"贯通,"良知"又与"气"与"性"与"生"贯通;王阳明于是将"良知诚致"与"格物致知"贯通。由此讲"致知之功",讲"未发""已发",讲"体"与"用";最归结于"良知良能"与"知行合一",以至形成他所强调的"立言宗旨"、"四句教"。

B. 由"诚""成"与"实"与"用",论形而上的"本根"和"本体"。

王夫之的哲学论证形而上的"诚""成",在其体系上说更为充分与完整,他注意从澄清"本根"论到"本体"。

关于"本根",王夫之说:"言道者,必有本根以为持守;而观浑天之體,浑沦一气,即天即物,即物即道,则物自为根而非有根,物自为道而非有道。非有根者,道之所自运;非有道者,根之所自立。无根则无可为,无道则无可知。……故知其无可知,而知乃至"。他论证说,"无物非道,则抑无物为道。茫然四顾,无一而非道,则不可指何者而为道。道无可知,知不可以测道,故无为谓真是也。狂屈曰'予知之',则虽交臂且失,而似有一恍惚之光与道相合;非不是也,而道抑不至于此,故但似之而已。此釋氏所谓相分滅而見分未滅也。若无思虑,无处服,无从道者,为可以体道,则无思、虑、处、服、从、道者,固道矣,有思、有虑、有处、有服、有从、有道者,又岂道外之有此耶?皆求其可知、可安、可得,而执小以为大,执短以为长,执无以为有者,故终不近也。生死相贸,新故相迭,浑然一气,无根可归;则因時,因化,因物,不言而照之以天，又奚荅哉？则又奚问哉？问则已失之矣。不知故问，问故不知也。”“天地之不言，四時之不议，万物之不说，非不言，不议，不说也，不能言，不能议，不能说也。不能言，不能议，不能说者，无可言，无可议，无可说也。今一动物于此，使自说其目何以视，耳何以听；一植物于此，使说其华何以𦺇，实何以成；其可说乎？有形者且尔，况天地四时乎？然而自古固存之大常，人固见为美，见为法，见为理，而得序；则存者于其无待存也，神者神于其无形也。意者其有本根乎？而固无根也。孰运行是？孰主张是？孰纲维是？沈浮以遊，日新而不用其故，何根之有哉？名之曰本根，而实无本无根，不得已而谓为本根耳。故不言之教，庶几乎近之。不言之教，无教也。圣人不知，而万物恶从知之？故唯知无本无根，而沈浮不故者，乃可许之观天。”①

王夫之基于对“本根”的辨析，上升于由“诚”“成”来论“本体”，厘清关于“形而上”“形而下”的关系。王夫之在读《孟子》时写道：“易曰‘继之者善也，成之者性也’……朱子曰：‘虽曰已生，然其本体，初不相离也。’”② 王夫之沿着《正蒙》书，评述了“太和所谓道”、“太虚无形，气之本体”、“致静无感，性之渊源”等等之后，在“客感客形与无感无形，唯尽性者一之”此句处，专门评批写道：“静而万物皆备，心无不正，动而本体不失，意无不诚，尽性者也。”③ 接着，王夫之又在《正蒙》“天地之气，虽聚散、攻取百涂，然其为理也顺而不

① 王夫之：《庄子解》，载《老子衍·庄子通·庄子解》，中华书局2009年版，第258、259～260页。

② 王夫之：《读四书大全说》卷八《孟子·滕文公上篇》，中华书局1975年版，第567页。

③ 王夫之：《张子正蒙注》，中华书局1975年版，第4页。

妄"这一句之后强调，"聚则见有，散则疑无，既聚而成形象，则才质性情各依其类"，"不妄者，气之清通，天地之诚也"。[①] 他在读《孟子》书时写到，"自形而上徹乎形而下"[②]，"于形而下处见形而上之理"[③]。

王夫之引入"形而上者谓之道，形而下者谓之器"，就此论述了"形而上""形而下"，与"道""器"、与"成""诚"的关系，进而强调"有实之谓诚"。他写道："形而上，即所谓清通而不可象者也"。然而，"器有成毁而不可象者寓于器以起用"；作为"形而上"其"清而不可象"，"未尝成，亦不可毁，气敞而道未尝息也"。[④] 这涉及到了"气"，涉及到阴阳二气。这带来"形之成毁"。[⑤] 王夫之对《正蒙》首篇进一步述评说："盖阴阳者气之二体，动静者气之二几，体同而用异则相感而动，动而成象则静，动静之几，聚散、出入、形不形之从来也"。[⑥] 由此王夫之对"诚"作出规定："诚者，天之道也，阴阳有实之谓诚"。在另外之处，他又讲，"形而上之道丽于器之中，则器以精其义，万事万物无不会通于至诚之变化"。[⑦] 他又强调，"人得其至诚之本"，"而人能成其至诚之体，则可以受天不息之命。"[⑧] 他特别讲，"成，犹定也，谓一以性而达其用也"。[⑨]

---

① 王夫之：《张子正蒙注》，中华书局1975年版，第5页。

② 王夫之：《读四书大全说》卷八《孟子·滕文公上篇》，中华书局1975年版，第569页。

③ 王夫之：《读四书大全说》卷八《孟子·滕文公上篇》，中华书局1975年版，第570页。

④ 王夫之：《张子正蒙注》，中华书局1975年版，第7页。

⑤ 王夫之：《张子正蒙注》，中华书局1975年版，第13页。

⑥ 王夫之：《张子正蒙注》，中华书局1975年版，第9页。

⑦ 王夫之：《张子正蒙注》，中华书局1975年版，第202页。

⑧ 王夫之：《张子正蒙注》，中华书局1975年版，第322页。

⑨ 王夫之：《张子正蒙注》，中华书局1975年版，第110页。

(3) 在以践形论为重心之哲学论述中的形而上。

在中国思想史上，作为践履意义上的本体理论，起于践形论。关于“践形”：“践”指“履”；“形”指“形色”、“形体”，也被认为指“实体”。早在孟子那里就曾讲到“践形”，《孟子·尽心上》中有：“形色，天性也；唯圣人然后可以践形。”说到“形”，中国古代哲学中有关于“形名”之说。多数中国思想史研究者认为，形名指实体与名称的关系。《庄子·天下》引《故书》写道：“有形有名，形名者古人有之。”《尹文子·大道》这样分析形与名的关系：“大道不称，众（形）有必名。（形）生于不称，则群形自得其方圆；名生于方圆，则众名得其所称也”；并且指出：“名也者，正形者也”；进而提出“形正由名，则名不可差”，区别了具体概念（名）与抽象概念（名）；又讲到“有形者必有名，有名者未必有形”，“形而不名，未必失其方圆白黑之实”，但“名而无形，不可不寻名以检其差”，要“名以检形，形以定名，名以定事，事以检名”《公孙龙子·白马论》举例说“马者，所以命形也；白者，所以命色也。命色者非命形也，故曰‘白马非马’”，认为“马”与“白马”这两个名不能等同。《韩非子·扬权》把“刑名”与“法术”相联系，把“名”引申为法令、名分、言论等；提出“形名参同”，主张“君操其名，臣效其形”；《韩非子·二柄》提出要根据人臣的言行（“形”）给予一定的官位（“名”），并“审合刑名”，以定赏罚，主张“人主将欲禁奸，则审合刑名者，言与事也”；《韩非子·主道》强调，“有言者自为名，有事者自为形。形名参同，君乃无事焉，归之其情”。

中国古代由“形名”之说还引起“名实”之辩。这里“实”，被思想史家认为是指“实体”，也有讲指“实在”。在中国哲学史上，名实之辩由来已久。在春秋战国时期，孔子提出“正名”说。《论语·子路》讲：“名不正则言不顺，言不顺则事不成。”《邓析子·无厚》中将“实”与“名”正式作为一对范畴加以分析，主张“按实定名”“循名责实”。墨子重视名辩，要求“取实予名”，《墨子》《贵义》讲：“非以其名也，以其取也”。“所以谓，名也；所谓，实也”。[①] 后期墨家主张“以名举实”[②]，认为还可以“二名一实”[③]。《老子》书上写有：“道可道，非常道；名可名，非常名”。“圣人不行而知，不见而名，不为而成”。庄子认为“名者，实之宾也”。名是从属于实的，不能完全合乎实，所以“圣人无名”。儒、道、墨三家在名实关系问题上展开了争辩。战国中期名辩思潮大盛，出现了“辩者”，即以惠施、公孙龙为代表的“坚白同异之辩”的“名家者流”。《公孙龙子》中的《名实论》一篇，论述名实关系十分详细，他强调名必须与实相当，“夫名，实谓也”。要求“审其名实，慎其所谓”“其正者，正其所实也；正其所实者，正其名也”。荀子关于正名的理论具有总结先秦名辩思潮的意义。荀子主张“制名以指实”“名闻而实喻”。[④] 同实者同名，异实者异名。“有循于旧名，有作于新名”[⑤]。同时还指出，“名无固实，约之以命实，约定俗成谓之实名”[⑥]，他把名辩分为“名、辞、辩”三个方面。所著《正名》，既注重正名“明贵贱”，又注重正名的“别同异”。反对用名乱名、用实乱名、用名乱实。韩非认为：“名实相持而成”[⑦]。要求“循名而责实”[⑧]，“循名实而定是

---

① 《墨子》，《经说上》。
② 《墨子》，《小取》。
③ 《墨子》，《经说上》。
④ 《荀子》，《正名》。
⑤ 《荀子》，《正名》。
⑥ 《荀子》，《正名》。
⑦ 《韩非子》，《功名》。
⑧ 《韩非子》，《定法》。

非”[①]。

中国古代的名实之辩联系着“知”与“行”的讨论。沿此可以看出一个一个由“名实”到“知行”，到“践形”到“践履”及“实践”的思想脉络。早在先秦的孔子就强调“行”高于“言”：“君子耻其言而过其行。”[②] 他说：“始吾于人也，听其言而信其行；今吾于人也，听其言而观其行。”[③] 墨子讲，“政者，口言之，身必行之。”[④]“言，足以复行者常（尚）之，不足以举行者勿常（尚）；不足以举行而常（尚）之，是荡口（空谈）也。”[⑤] 关于知和行，荀子说：“不闻不若闻之。闻之不若见之，见之不若见之，知之不若行之，学至于行之而止矣。行之，明（明达事理）也，明之为圣人。”[⑥] 同时，他又讲，“学至于行之而上”。韩非对于知行问题有这样一个见解：“先物行，先理动，之谓前识。前识者，无缘而妄意度也。”[⑦]

两汉时期，在知行问题上的争论，围绕圣人是“神而先知”还是“学之乃知”这一问题而展开。董仲舒认为“天意难见”，“其道难理”。只有“不学而自知”，“见人之所不能见”[⑧] 的圣人，通过“内视反听”[⑨] 的方法，才可以“察物之异，以求天意。”[⑩] 西汉末年，扬雄批评董仲舒哲学，强调见闻之知并肯定

① 《韩非子》，《奸动弑臣》。
② 《论语》，《宪问》。
③ 《论语》，《公冶长》。
④ 《墨子》，《公孟》。
⑤ 《墨子》，《耕柱》。
⑥ 《荀子》，《儒效》。
⑦ 《韩非子》，《解老》。
⑧ 《春秋繁露》，《效语》。
⑨ 《春秋繁露》，《同类相动》。
⑩ 《春秋繁露》，《循天之道》。

“学”的重要性。他说:“多闻则守之以约，多见则实之以卓。”[①]“多闻见而识乎正道者，至识也。多闻见而识乎邪道者，迷识也。”[②]“人而不学，虽无忧，如禽何!”[③]所以，应当“强学而力行”[④]。刘向虽然也讲“天人感应”，但他指出“耳闻之不如目见之，目见之不如足践之，足践之不如手辨之。”[⑤]他指出“言之者行之役也，行之者言之主也”。[⑥]

到宋代，程颐提出了“知先行后”说。朱熹继承了和颐的“知先行后”说，他又论述说，“致知力行，论其先后，固当以致知为先；论其轻重，则当以力行为重”。[⑦]在先后上，他认为就一个具体认识来说，先有知后有行。“今就其一事之中而论之，则先知后行，固各有其序矣”。[⑧]在轻重上，他提出了“知轻行重”、“知行相须”、“知行并进互发”等命题。他说：“知行常相须。如目无足不行，足无目不见。”他强调：“致知力行用功不可偏，偏过一边，则一边受病”。[⑨]“不可废一”。[⑩]“常相须而不相离”。就“如车两轮，便是一轮转，一轮不转”。[⑪]强调知行“须是齐头并进”。

朱熹基于其知行观，由“践形”讲到“践履”。他论述说，

① 《法言》,《吾子》。
② 《法言》,《吾子》。
③ 《法学》,《学行》。
④ 《法言》,《学行》。
⑤ 《说苑》,《政理》。
⑥ 《说苑》,《权谋》。
⑦ 朱文公文集》卷十五,《答程正思》。
⑧ 《朱文公文集》卷四十二,《答吴晦叔》。
⑨ 《朱子语类》卷九。
⑩ 《朱子语类》卷九。
⑪ 《朱子语类》卷一一三。

“唯圣人有是形，而又能尽其理，然后可以践其形而无歉也。”① “义理不明，如何践履？……如人行路，不见便如何行？今人多数人践履，皆是自立标致去教人”。② 朱熹的高足陈淳又专门说：“知行不是两截事，譬如行路，目视足履，岂能废一？若瞽者不用目视，而专靠足履，寸步决不能行。跛者不用足履，而专靠目视，亦决无可止之处”。③ 与朱熹同时期的心学代表陆九渊在论“至矣哉！诚之在天下也”“宇宙便是吾心，吾心便是宇宙”，④ 这些命题时，也讲到“践履”。他说，“吾予践履，未能纯一，然才自警策，便与天地相似”。⑤

中国宋代后逐渐形成一种提倡研究现时社会政治、经济等实际问题，要求经书研究与当时社会的迫切问题联系起来，并从中提出解决重大问题方案的治学方法，史称经世致用之学。其特点是以解释古代典籍为手段，从中发挥自己的社会政治见解，用于社会改革。南宋时浙东学派吕祖谦为首的金华学派提倡经世致用，主张治经史以致用。金华学派对朱陆理学的争执持调和和折衷态度。而薛季宣、陈傅良、叶适为代表的永嘉学派和以陈亮为代表的永康学派，把经世致用之学与功利之学结合起来。

明代的王阳明针对程朱的“知先行后”说，提出了“知行合一”论。王阳明说：“外心以求理，此知行之所以为二也；求理于吾心，此圣门知行合一之教”。⑥ 王阳明的“知行合一”，包括三层意义：（1）知行互涵，即知中含有行、行中含有知。

① 《朱子集注》。
② 《朱子语类》卷九。
③ 《宋元学案》卷六十八，《北溪学案》。
④ 《年谱》，《陆九渊集》卷三十六。
⑤ 《象心语录下》，《陆九渊集》卷三十五。
⑥ 《答顾东桥书》。

(2)知行并进，不分先后。他讲"一念发动处便即是行"。[①]
(3)知行合一即复良知之本体。王阳明强调所谓知与行，实际上是良知的显露、表现。他一再指出："被私欲隔断，不是知行的本体了"。"圣贤教人知行，正是要复那本体"。[②]所以"知行合一之功，正所以致其本心之良知"。同时，他提出"必待身亲履历而后知"和"无有不行而可以言不学"等命题。他论证道："路岐之险夷，必待身亲履历而后知，岂有不待身亲履历而先知路岐之险夷者邪？"[③]

王阳明之后的王廷相发挥"知行兼举"说，涉及"践履"、"实践"。他指出："学之术有二：曰致知，曰履事，兼之者，上也。察于圣途，谙于往范，博文之力也；练于群情，达于事几，体事之功也。然而师心独见，暗与道合，亦有不博文者也。虽然，精于仁义之术，优入尧舜之域，必知行兼举者能之矣。"[④]在王廷相看来，"察于圣途，谙于往范"，固然是致知的重要途径，而要在"实践处用功，人事上体验"。他论证说：不在"实践处用功"如同"闭户而学操舟之术者"，"彼徒泛讲而无实历者，何以异此？"[⑤]王廷相以"至越"和"操舟"为例，证明"讲得一事即行一事，行得一事即知一事，所谓真行"。他反复强调"实历"或"笃行实践"。可见他已十分重视用"实践"这个词。

明末大儒刘宗周曾拜王学大师许孚远为师，针对王阳明的"良知不由见闻而有"的观点说："文成（指王阳明）云：'闻见

① 《传习录》下。
② 《传习录》上。
③ 《答顾东桥书》。
④ 《慎言》，《小宗篇》。
⑤ 《石龙书院学辩》。

非知，良知为知；践履非行，致良知为行。……’然须知良知之知，正是不废见闻；致良知之行，正是不废践履”。[①]

到明清之际的王夫之，关于践行、践履、实践的理论越来越成为关注的重心。王夫之认为：“形而上者非无形之谓，既有形矣，有形而后有形而”，“器而后有形，形而后有上。”[②]“有形而后有形而上”。他强调没有脱离形而下的形而上。王夫之阐述了这样的思想：“以人道率天道”，“天道者，人者器，人之所知也；天者器，人者道，非知德者其孰能知之？……人道之流行，以官天府地，裁成万物，而不见其迹，故曰天者器人者道”。[③]“先天而天弗违，人道之功大矣”。[④]“官天府地，裁成万物”。“圣人尽人道而合天德。合天德者，健以存生之理；尽人道者，动以顺生之几。”[⑤] 由此王夫之强调“践形”为人生之准则。王夫之讲；“形之所斯有性，情之所显惟其形。故曰：形色天性也，惟圣人然后可以践形”。[⑥] 相反，“贱形必贱情，贱情必贱生，贱生必贱仁义，贱仁义必离生，离生必谓无为真，而谓生为妄”。[⑦] 王夫之认为：“人之体惟性，人之用惟才。……形者性之凝，色者才之撰也。故曰汤武身之也。谓即身而道在也。道恶乎察？察于天地。性恶乎著？著于形色。有形斯以谓之身，形无有不善，身无有不善，故汤武身之而以圣。……性焉安焉者，践其形而已矣；执焉复焉者，尽其才而已矣”。[⑧]“惟圣人然

① 《大学古记义约》。
② 《周易外传》卷五。
③ 《思问录》，《内篇》。
④ 《思问录》，《内篇》。
⑤ 《思问录》，《内篇》。
⑥ 《周易外传》一。
⑦ 《周易外传》二
⑧ 《尚书引义》四。

后可以践形。践其下，非践其上也。故聪明者，耳目也；睿知者，心思也；仁者人也；义者事也；中和者礼乐也；大公至正者，刑赏也；利用者，水火金木也；厚生者，谷蓏丝麻也；正德者，君臣父子也。如其舍此，而求诸未有器之先，亘古今，通万变，穷天穷地穷人穷物，而不能不能为之名，而况得有其实乎?"[①] 张岱年先生评论说，这里的"即身而道在"，是谓践其形。践形必即物以践之，内而发展耳目心思之机能，外而使五行百物各得其所，以使君臣父子礼乐刑政各得其正。

王夫之在知行观上，基于践形论，更完整地论述了他的知行统一观。第一、"行可兼知而知不可以兼行"。[②] 第二，"知行相资以为用"。[③] 第三，"知之尽，则实践之而已"。这里强调了"实践"这个概念。于此，王夫之的完整表述是："'反身而诚'，谓行无不慊于心，则乐莫大焉。知之尽，则实践之而已。实践之，乃心所素知，行焉皆顺，故乐莫大焉。"[④]

王夫之坚持"践形""实践"实质上坚持着以物为凭籍的观点，为此他论述了关于道、器与象、辞以及与名、形的关系。王夫之讲，"天下惟器而已矣，道者器之道，器者不可谓之道之器也"。这里强调了器的实在性、强调了有器才有道的观点。"古之圣人能治器，而不能治道。治器者则谓之道。道得则谓之德。器成则谓之行。器用之广则谓之变通。器效之著，则谓之事业。故易有象，象者，像器者也。卦有爻，爻者，效器者也。爻有辞，辞者，辩器者也。故圣人者，善治器而已矣。""形而上者，非无形之谓。既有形矣，有形而后有形而上。无形之上，

① 《周易外传》五。

② 《尚书引义》，《说命中二》。

③ 《读四书大全说》，《中庸》第二十七章。

④ 《张子正蒙注》卷五，中华书局1975年版，第173页。

亘古今，通万变，穷无穷地，穷人穷物，皆所未有者也。故曰：‘惟圣人然后可以践形”。[①]基于这样一些见解，王夫子对作为语言符号系统的“名”、“辞”、“推”，并对“言”“意”“象”“道”的关系作了充分论述。这是基于践形论对名实之辩作的一个总结性论述。

王夫之由其关于“践形”“践履”“实践”理论见解，强调道德不脱离外物并以物为凭籍，强调一动一言必依物起，等等；由此他还就人的行为与语言之间的关系作了论说。王夫之在讲能践形是人区别于其他动物的特征时，同时讲有语言是人区别于其他动物的特征。可见他已认为践形与行为、语言是联在一起的。王夫之认为人有语言才能绍天力，即继而有力，接受自然力来增强自己的力量。

后来的颜元论证践形论着重从“性”和“形”合一入手。他认为，求尽性，必须于形尽之；尽性之道，在于践形。而如何践形呢？则需“见之事”、“微诸物”，要在事物中习形。颜元说：“形色天性，惟圣人然后可以践形。形性之形也，性形之性也；舍形而无性矣，舍性而无形矣。失形者据形求之，尽性者于形尽之，践其形则践其性矣。”颜元强调，性与形合一，离性故无形，离形故无性，尽性与践形实是一事。他要说明的是，与天地同流，乃是践形之最高境界，有所谓“神圣之极，皆自践其形也”。[②]

张岱年先生在讲到颜元时说到，颜习斋讲人生，与王夫之颇相近。然而对于宋明道学，王夫之攻击陆王心学，而不甚反对程朱理学；颜习斋则对于程朱陆王，理学心学，一齐反对，而主张完全返于孔孟，企图将后来儒家所吸收之道家佛教的思

---

① 《系辞上传》，第十二章。
② 《存学编》。

想成份，彻底涤除净尽。颜元人生论的中心观念是“践形以尽性”。他讲性形是合一的，求尽性，必须于形尽之；尽性之道，在于践形。颜元力求说明佛老的空静是要不得的，应当注重实动。什么是最实的呢？便是身与物。所以要用自己的身体，以万物为对象来活动。须使一身的百体无一不灵，天下的万物无一不称其情。由下而上，由粗而精，从日常事情做起，直至赞化育参天地，然后本性乃得到充分的发挥。颜元又说：“孔门后，惟孟子见及此，故曰：形色天性，惟圣人然后可以践形。形性之形也，性形之性也；舍形而无性矣。舍性亦无形矣。失形者据形求之；尽性者于形尽之；贼其形则贼其性矣。……去非礼之声，则耳达四境之声，正以宣吾耳性之用”。① 颜元强调：“内笃敬而外肃容，人之本体也，静时践其形也。六艺习而百事当，性之良能也，动时践其形也。絜矩行而上下通，心之万物皆备也，同天下践其形也。”② 他强调了，为静时践形，为动时践形。实絜矩之道于天下，而与天地同流，乃是践形之最高境界。践形是唯一的总赅的生活准则，所谓“神圣之极，皆自践其形也”。③

颜元坚持践形论，同样对道和物、行和形以及与心的关系作出了论证。颜元强调，活动为事，形器为物；引申之，凡有状况可辨者谓之事，凡有形迹可睹者谓之物。有状有迹之事物，乃是基本；而道与学，德与艺，皆不可离事物。不见于事，则只是空言，不是真实的正德利用厚生；不微诸物，则只是虚幻；不是真实的六德六行六艺。为此，颜元又说：“见理已明而不能处事者，多矣。有宋诸先生便谓还是见理不明，只教人明理。

① 《存学编》。
② 《年谱》。
③ 《存学编》。

孔子则只教人习事，迨见理于事，则已彻上上彻下矣”。[①]

颜元重视“实事实物”，反对“空虚之学”，否理学家的“道统”为虚构，指责理学所谓的“心传之奥”源于佛、老。他认为“理在事中”，“理气一致”，反对理学家“理在事上”，“理气二本”等观点。颜元由其“践形论”，由注重“习事”以至“习动”、“习行”，由尚“事功”，提出了一套经世的思想。颜元的经世思想把“义”和“利”看作是统一的，鲜明地提出了“正其谊以谋其利，明其道而计其功”的义利观，说：“利者，义之和也”，“以义为利，圣贤平正道理也”。利有合乎义，有不合乎义，故“义中之利，君子所贵”。[②] 主张要取合义之利，反对纯粹排斥功利的观点。

张岱年认为，程朱理学，注重明理，以为能明理则能循理，自然处事得宜；颜元则以为这只是“静中之明”，是不足恃的，而注重习事。习事既久，则能“见理于事”，方是实见。颜元讲，如以习事为充要，则能于事见理。“心有事则必存，身有事则身修”，所以讲治心修身之道，都注重有事。心常习于事，则自然正而不妄。可见，颜学之最大特色，是注重形，认为形即一物，践则是事。由此颜元又最注重身体习行，他说：“人之为学，心中思想，口内谈论，尽有百千义理，不如身上行一理这为实也”。[③]

关于颜学之主旨，李恕谷有一段话讲到，“圣学践形以尽性；耳聪目明，践耳目之形也。手恭足重，践手足之形也。身修心睿，践身心之形也。践形而仁义礼智之性尽矣。……形既

① 《存学编》。

② 颜元：《四书正误》卷一，《大学》，《颜元集》，中华书局1987年版，第163页。

③ 《言行录》。

不践，性何由全?"[1] 可见，颜李之学，与理学及心学之不同，实即在于理学心学都分性形为二，而颜李则合性形为一。

清代的戴震以"形而上者谓之道，形而下者谓之器"，为其整个理论的导引。他对于"道"这样理解："道指其实体实事之名。……语道于天地，举其实体实事而道自见。……语道于人，人伦日用咸道之实事"。[2] 戴震讲，"行亦道之统称"，"阴阳五行道之实体也，血气心知，性之实体也"。[3] 戴震又讲，"'物'者，指其实体实事之名""实体实事罔非自然，而归于必然"。[4]

戴震提出："形谓已成形质，形而上犹曰形以前，形而下犹曰形以后。"[5] 他把未成形质的都看作"形而上"，把已成形质的都看作是"形而下"。戴震的《孟子字义疏证》中记载了这样一段问答，"问：易曰，'形而上者谓之道，形而下者谓之器"。……'易'之解可得闻欤？曰：气化于物品，则形而上下之分也。形乃品物之谓，非气化之谓。……古人言辞，'之谓''谓之'有异。凡曰'之谓'，以上所称解下，如《中庸》'天命之谓性，率之谓道，修道之谓教'，此为性道教言之，若曰：性也者天命之谓也，道也者率性之谓也，教也者修道之谓也。《易》'一阴一阳之谓道'则为无道言之，若曰：道也者，一阴一阳之谓也。凡曰'谓之'者，以下所称之名辨上之实。如《中庸》'自诚明谓之性，自明诚谓之教'，此非为性教言之，以性教区别'自诚明''自明诚'二者耳。《易》'形而上者谓之道，形而下者谓之器'，本非为道器言之，以道器区别其'形而

① 《恕谷年谱》。

② 戴震：《孟子字义疏证》卷下。

③ 戴震：《孟子字义疏证》卷中，《天道》，《戴震全书》第六册，第175页。

④ 戴震：《孟子字义疏证》卷上。

⑤ 《答黄道夫》。

上’‘形而下’耳。形谓已成形质。形而上犹曰形以前；形而下犹曰形以后。（如言‘千载而上，千载而下’），《诗》，‘下武维周’（郑笺云：‘下犹后也’）。阴阳之未成形质，是谓形而上者也，非形而下明矣。器言乎一成而不变，道言乎体物而不可遗。不徒阴阳非形而下，如五行……有质可见，因形而下也，器也，其五行之气，人物咸禀受于此，则形而上者也。……六经孔孟之书，不闻理气之辨，而后儒创言之，逐以阴阳属形而下，实失道之名义也”。[①]

戴震由“道”论“性”。他把“阴阳五行”看作“道之实体”，把“血气心和”视为“性之实体”。戴震由“性”论“成”。他说：“天道，五行阴阳而已矣。分而有之以成性。”[②] 戴震由“成”论“形”。他讲，“由其成性各殊，故形质各殊，则其形质之动而为百体之用者，利用不利用亦殊。”[③] 戴震由“形”论“行”。他讲，“《大戴礼记》曰：‘分于道谓之命，形于一谓之性。’言分于阴阳五行以有人物，而人物各限于所分以成其性。阴阳五行，道之实体也，血气心知，性之实体也。有实体，故可分；惟分也，故不齐。古人言性惟本于天道如是。”[④] 戴震由“行”“形”论“践形”。他讲，“人之形官器利用大远乎物，然而于人之道不能无关，是不践此形也，犹言之而行不逮，是不践此言也。践形之于尽性，尽其才，其一也。”[⑤]

戴震分别自然与必然。戴震在《孟子字义疏证》的定稿中写道：“人之异于物者，人能明于自然，百物之生各遂其自然

① 戴震：《孟子字义疏证》卷中，《天道》，《戴震全集》第六册，第 176 页。
② 戴震：《原善》卷上。
③ 戴震：《孟子字义疏证》卷中。
④ 戴震：《孟子字义疏证》卷中，《天道》，《戴震全书》第六册，第 175 页
⑤ 戴震：《孟子字义疏证》。

也"。[①] "自然之与必然非二事也"。

戴震重要的在于在道与行的统一中达到成诚，他使用了"道"或"人道"这样的概念。而他所讲的"人道"是"人伦日用，身之所行"，故"居处，饮食，言动，自身而周身之所亲，无不该焉"。[②] 他强调"理在事情"，而对于"道"，则说"道犹行也"，[③]"道指其实体实事之名……语道于天地举其实体实事二道自见……语道人，人伦日用咸道之实事"。[④] 这样，戴震把行与名、实与物贯通起来，他讲："天地之物事为，不闻无可言之理者也。'诗'曰'有物有则'是也。'物者'，指其实体实事之名，'则'者，称其纯粹中正之名。实体实事罔非自然，而非于自然，天地之物事为之理得矣。"[⑤] 依此戴震还提出了一个重要论点，这就是"由词以通道"。戴震基于其践形论，基于其"由词以通道"的方法论见解，论述了"道"、"理"，"名"、"实"中的形而上与形而下的问题。

明以后到清代，从龚自珍、魏源到严复以及康有为、谭嗣同等等，对于近代科学思想科学理论给予了重视。类似的这些人在知行之辩、名实之辩中穿插上道器之辩。谭嗣同曾专门强调"道，用也；器，体也。体立而用行，器存而道不亡"。一些人还针对以往常把科学技术说成是"奇技淫巧"的观点，进行了"有用之物""奇器而非淫巧"的论述。这丰富了关于知行问题的研究，此时名实问题也以科学理论与科学实在的关系面目出现，使之立于近现代科学理论之上。总之，关于科学技术作

① 戴震：《孟子字义疏证》。

② 戴震：《孟子字义疏证》。

③ 戴震：《孟子字义疏证》。

④ 戴震：《孟子字义疏证》。

⑤ 戴震：《孟子字义疏证》。

用的论述，对于科学技术对发展哲学的重视，促使中国传统的名实、知行问题的争论，基于近现科学知识来进行，这在中国近现代哲学史上产生了重要影响。

进入近现代，知行问题的讨论，跨进了一个新的历史阶段。这表现为关于知行问题的说明初步地把它置于近代科学之上。可以说，孙中山的“知难行易”说是这一时期知行说的重要理论成果，也是从中国传统思想中的知行观转向毛泽东《实践论》的重要过渡环节。

辛亥革命失败后，在革命党人中出现了“信仰不笃、奉行不力”的危险倾向。在孙中山看来，究其思想根源，有是古代“知之非艰，行之惟艰”[①] 说的影响。他指出：“革命党之心理，于成功之始，则被‘知之非艰，行之惟艰’之说所奴，而视吾策为空言，遂放弃建设之责任”。[②] 因此，要扫除迷信、盲从、保守、因循守旧、苟且偷安等意识，使“中国人无所畏而乐于行”。于是，孙中山便在近代自然科学和社会科学的基础之上，吸取了中国古代知行问题争论中有益东西，提出了“知难行易”说。

毛泽东的《实践论》明确以“认识和实践的关系——知和行的关系”为副标题把论证主旨列出来：努力吸收马克思主义并且主要是列宁主义的关于认识和实践关系的思想，力求对中国长期进行的知和行关系的论辩进行澄清，对于中国人民的伟大实践起到了重大作用。毛泽东基于一些马克思列宁主义理论家所概括的辩证唯物主义和历史唯物主义，从人类最基本的的实践活动说起，他强调实践首先是社会实践，他讲“人的社会实践不限于生产活动一种形式还有多种其他的形式，阶级斗争，

① 《古文尚书·说命中》。

② 《孙文学说》。

政治生活、科学和艺术和活动"。[1] 这种概括跳出了中国思想史上以往对于"行"的狭隘理解。后来毛泽东提出"实事求是"作为思想路线，倡导整顿党风、学风、文风。渗透着对于中国传统哲学中关于名实知行各个方面争辩的回答，他强调的是，实现"主观和客观""具体的历史的统一"。这在中国现代历史上产生着重大的社会效应。在这过程中形成的毛泽东思想推动着中国的民族民主解放运动，使中国完成了新民主主义革命走上了社会主义。在哲学史发展的道路上，这也成为中国哲学在实现对必然追问过程中的一个重要环节。并且也给人们留下了许多要深入研究探索的课题。[2]

2. 关于形而上到形而下之间的"孚"。

就中国哲学史上的情况来说，"孚"字具有值得重视的十分独特的意义。塑造论哲学认为这是在"本根""本体"与"成就"之间的一个重要概念。

对于"孚"，《说文》中有："孚，卵即孚也。从爪子。一曰，信也。""段注"中如此解释，"卵化曰孚"，"卵因伏而孚"。"段注"又专门写道："鸡卵之必为鸡……不失信也"。《说文系传》则写到，"鸟之乳卵，皆如其期，不失信也"。《集韵》说，"孚，育也。方言，鸡伏卵而未孚，或从卵"。另有文献，如在《一切经音义（七）》之中，由"卵化曰孚"进而讲"孚，生也"。可见"孚"：既指未"生"（"育""伏"），又指必"生"能"不失信也"；既蕴含着"成"，又蕴含着"卵化""待成"，而"诚亮询信也"。所以《尔雅释诂》中有这样的文字："允孚亶展谌诚亮询信也"。

《周易》里有"中孚"之经文。通常在解释"中孚"这一卦

① 毛泽东：《实践论》。

② 见，张全新：《塑造论哲学导引》，人民出版社 1996 年版，第 625～627 页。

名时，强调："信发于中，谓中孚。孚，信"。《易传》在《象下》里当解释"中孚"卦的卦爻之象里的"九五，有孚挛如，无咎"，强调"'有孚挛如'位正当也"。这里"有孚挛如"，"挛"即"恋"，所以这是说"有诚信系恋"，即"以诚信恋"。这强调如此的结果才能"位正当也"。而若要"位正当"就得有"节"。正如《程氏易传》所说，"节而信之"，"节者为之制节，使不得过越也。信而后能行，上能信守之，下则信从之，节而信之也，中孚所以次节也"，"故受之以中孚"。

这样，"中孚"就成为"行"之预始，即所谓"信而后行之"。由"中孚"来讲，此"行"尚处于"未发""有发"之间，这赖于"上能信之，下则信从之，节而信之也，中孚所以次节也"。这才有"中孚"之象。所以"中孚"之经文，重在强调，此既有"中虚"又有"中实"。《程氏易传》讲："中虚，为诚之象"；"中实，为孚之象"。因此《彖》曰，"中孚，柔在内而刚得中"。《程氏易传》解释道："二柔（阴）在内"，"二刚（阳）得上下体之中"，"卦所以为中孚也"；"内外皆实而中虚，为中孚之象"；这里的特点是，"在二体则中实，在全体则中虚"。因此，就"中孚"讲，就如同"利涉大川，乘木舟虚也"：一方面"卦虚中为虚舟之象"，"天之道孚贞而已"；一方面"以二体言卦之用也"，"信道至矣，所以吉也"，"下有孚以说其上，如是其孚乃能化于邦国也"。

清代易学家张尔岐对于《易》之"中孚"，这样写道："中孚"，"下说以应乎上，下之孚上也；上巽以顺乎下，上之孚下也。上下交孚如是"。这里强调了"上下交孚"。张尔岐的解释是："此卦二阴在内为中虚，二五之阳皆得其中为中实，皆孚信之象。又，下说而上巽，亦为上下交孚之义。故名中孚，言其中心诚信也。""中虚、中实，不是两事，只是一个诚信"。"一诚相感，彼此交孚"。"下说从乎上""上巽顺乎下"，"君臣相孚如此，而治化成矣"。[①] 这样，"下之孚上"，指向形而上的"心中诚信"；"上之孚下"，指向形而下的"治化而成"；总之，"中孚"处于"上下交孚"。

简单讲，可以认为，"孚"是一个既带"成诚"意义，也带"诚成"意义，又由"诚信"引向"成就"的形而上与形而下之间带有过渡性的概念。

（三）形而上落实于形而下，有还原接近（Apporoach），有系统接近（Apporoach）。

在形而上落实成形而下的过渡中，还生长着连接形而上和形而下的还原接近（Apporoach）和系统接近（Apporoach）。这里的Apporoach，人们往往取中文的"方式"为其译名。而Apporoach亦可被译为"方法"，但这又不同于method意义上的方法，因此往往又宁可译为"思路"，另又有人译为"研究"。重要的是，Apporoach带有"接近"的意思。所以这里要讲的与其说是"还原方式""系统方式"，不如说是"还原接近""系统接近"，是还原和系统的"接近"。这是在形而上与形而下之间的双向接近。这是形而上落实成形而下，作为进一步延伸的中介。形而上接近于形而下，离不开统一性。形而上的统一性向形而下的统一性接近，离不开在统一性中的还原接近，进而才使所谓同一和差异、共相和殊相、一般和个别等等，落实于形而下的"实在""成就"。形而上接近于形而下，离不开整体性。形而上的整体性向形而下的整体性接近，离不开在整体性中的系统接近，进而才使所谓整体和部分、完整和缺失、组织和参量等等，落实于形而下的"实在""成就"。

关于"还原"的Apporoach，由"'在''是'""'是''在'"

---

① 张尔岐：《周易说略·老子说略》，齐鲁书社1993年版，第266～269页。

的形而上形而下意义来讲，很明显地内在于“统一性的解析”；这体现于人在语言中思维的“主谓性结构”，这内在着“个别是一般”，“属概念加种差”，详细些说即“个别是差别中的一般”的结构形式。例如科学中的还原论（Reductionism）原初就形成于生物学中把生命运动形式归结为“物理－化学”运动形式这样的方式。这体现着这样的预设：表面上不同种类的存在物或特性是同一的；于是，某一种类的东西能够用与它们同一的更为基本的存在物或特性类型来解释；由“类型－类型”的同一或“殊型－殊型”的同一来解释现象。据此，不同种类的谓项或语句可以被表明是在差别中等同的。在形上学中，现象论将关于对象的语句还原为关于实际的或可能的直接经验的基本语句。建立统一科学的纲领正是基于这样的还原论前提；一种科学的理论可以用另一种更为基本的科学的理论来进行系统的解释，或者复合体的定律可以还原为关于构成复合体的部分的定律。奎因曾在其著作《从逻辑的观点看》之中，就此说到“两个教条”：“其一是关于‘分析’真与‘综合’真之分野的信念，另一个教条则是‘还原论’：相信每一个有意义的陈述都等同于某种基于直接经验术语的逻辑建构”。

关于“系统”的Apporoach，由“‘成’‘诚’”“‘诚’‘成’”的形而上形而下意义来讲，很明显地内在着“整体性构成”，这体现于系统的“整体大于部分之和”。对于系统，其部分一旦从整体分割出来，就失却了其在原系统整体中的性质。对此常举出从人体中割下来的手不同于原在人体有机系统中的手作为例子。例如在中国古代传统的医学、兵学及治国理论中，由此看待健康与疾病、用兵与谋略、治与乱；把人体、军事、国事看作处于整体调控中的系统整体。这体现着如此的预设：看起来是由各部分组成的整体，是不可分割的；不能把各个部分简单加合起来看作是系统整体；由各个部分的组合难以达到对系统的认识和把握。正因为如此，关于系统的Apporoach，既成为形而上落实为形而下，处于起联系作用的过渡环节；又在发展中，从朴素的系统观念而体现于致知、医学、兵学及治国之中，到成为认识及体悟方式而体现于对于对象、自身的把握之中；以至形成辩证法的系统方法、普通系统论的系统方法、系统工程学的系统方法。这成为人类在把握人与社会以至在人的建设中形成系统认识、系统方法、系统工程中的重要 Apporoach（接近、方式）。

由以上关于还原的 Apporoach 和关于系统的 Apporoach 的比较可见，如果说，只讲"还原Apporoach"难以达到真正的统一性；那么，只说"系统 Apporoach"难以达到真正的整体性。这二者在人们把握"实在"而达到"成就"中，形影不离。这关于统一性还原和关于整体性系统的Apporoach，是形而上达于形而下的"接近"。①

总之，"'是在''诚成'"及"'在是''成诚'"，于形而上与形而下之统摄和支持中，在实现"成就""实在"、落实"实在""成就"之中，"本体""实体"，经过"Metaphysical entites"走向"Reality"（实在），经过"信""孚"而走向"成就"。此中，指向着"实在""成就"，在"还原接近"与"系统接近"中，才进入形而上对形而下"实在""成就"的把握。这里塑造论哲学指出，至此环节才谈得上经过"逻辑→理论、韵律→艺术、程序→艺术、伦理→道德"，而直指向形而下；经过于此，"实在""成就"使自然成为人这一过程的现实部分，并实现成为人的社会：这体现于，经济的、政治的、社会的"价值"和"文明"建设。

① 参见，张全新：《系统方法概论》，黄河出版社 1989 年版，第二章。

二、逻辑→理论、韵律→艺术、程序→技术、伦理→道德，形而上落实成形而下

（一）逻辑→理论。

1. 无意识前提。

自然科学表明，大自然的塑造，服从大自然中一定的序参量，物质进化经历了由无机物到有机物到蛋白质以及由此出现的各种生命物种直到出现人这种高级的生命体，使得对外界产生反应的能力越来越强。这种反应开始是直接的反应行为，后来有了经感知再作出反应的行为，直到产生经过思维的理性才进行的反应行为。在这些反应中，有一种对应性机制在起着作用，即反应得“对头不对头”，简而言之，即“对与不对”。经过发展，主体才得以确立。在主体与客体之间起中介调控作用的机制经从无到有而日趋完善。

无机物以及非生命形态的有机物之间的物理的化学的反应，呈现出一种简单的物质相互作用。原初的生命物质如原生质，已开始能对外面的物质是否“可食”作出刺激反应而或“收”或“斥”；到出现专门化的感知细胞以至发展出神经系统或带有中枢神经的脑，就形成了能通过感知外界而调节反应的器官。在以上这种状态下出现的反应，还谈不上有意识主体与被意识客体之间的反应。当出现能思维的人脑，这就意味着有意识主体出现了，同时也形成了被意识的客体。这时主体对外界的反应，不但不是只停留于简单的物质相互作用，而且也不是仅处于感知调节的反应，而是一个在感知基础上有思维来调控主体与客体相互作用的过程。这里经历了，从刺激感觉级的对应层次，到感知表象级的对应层次，到思维意识级的对应层次的过程。这里，人脑所进行的思维调控，是最高的形态。之所以说是最高的形态，是因为它已不是只在感性中面对世界，不是只

基于感知信息进行反馈调控，换言之，起调控作用的并不是只有那种“感性世界”；而是能在理性中面对世界，是在感知信息的反馈调控层面之上还有一个思维处理信息的反馈系统，起调控作用的已有一个“理性世界”。这是一种有思维有意识的调控，是一种高级形态的调控。然而这高级形态毕竟是低级形态发展的结果，并且低级形态总成为高级形态的构成基础。也就是说，有思维有意识是从无思维无意识发展而来的，无思维无意识成为有思维有意识发生作用的基础。在这过程中经人之行为的内化和外化，形成关于逻辑真的潜意识结构。

从一定意义上说，生命本身就是一个记录器，也是一个储存器。大自然塑造的生命在进化中，其所积淀的序的系列本身就带有历时性，而其所积淀的序的关系本身就带有共时性。历时性形成时间性效应，共时性形成着空间性效应。在物种中，一种刺激一定会形成另外一种反应，这本身就是记忆的萌芽。带表象心理的主体，感觉后的知觉在脑的结构中汇合成表象，这已有了特定的信息记忆。在表象的心理活动中，记忆信息被重新调动出来。这样，表象中的感知材料便会纳入其所带有的生命形式所积淀的序的系列和序的关系之中，纳入时间性效应和空间性效应中，从而成为感性经验中的对象。

总之，人是在生物、动物进化中才产生的。正是在这种进化中，时间性空间性效应在人身上被积淀下来，成为人所具有的。人所感知的东西，在“时间”和“空间”效应中才成为人所面对的现象，即“识真对象”。不然的话，就无所谓识真对象。这一层次上讲的时间性和空间性效应，在无意识中并没成为被意识到的，只有在意识中才被意识到。在意识中它会在感知现象事实时起着作用，当受意识的调动，它便会涌现出来，从而加人有意识的建构和预设，并为建构预设所统摄。作为潜意识的逻辑形式是以此为前提才得以成为意识的。

2. 潜意识显意识。

（1）人们在理论研究中要涉及逻辑问题。逻辑带有形式特征，由此人们常常提到形式真。特别那些逻辑公设或公理，人们公认其有不证自明的性质。由于逻辑（或公设、公理）本身既不能从感知中来，也不是由其他命题推论出来的。因而许多人常常把它归结为先验的。

在回答理论真何以可能的问题时，常常会遇到一系列难以解脱的难题。例如，休谟曾揭示过的“归纳问题”休谟讲，“关于实际存在的一切论证都是建立在因果关系上的，而我们对于这类关系所有的知识又是从经验来的；而我们一切经验上的结论又都是依据‘将来是和过去相契’这个假设进行的”。休谟认为，这个归纳假设本身是不成立的。首先，“各种事实的反面总是可能的”，“不可能有理证的论证来证明：我们所没有经验过的例子类似于我们所经验过的例子”。[①] 其次，经验的证明只会导致循环论证，即用有待证明的归纳来证明归纳本身，这“又会引起同样性质的新问题，以至于无限的地步”。[②] 所以归纳以及归纳为根据的这类知识“不是凭着其他的原则，而只是凭着作用于想象上的习惯”[③] 建立起来的。人的理论认识真离不开感知的归纳，而感知的归纳又是达不到必然性的。那理论的真又是何以可能的呢？这里的重要问题在于，逻辑（公理）形式的根据到底在哪里？塑造论哲学认为，这是在自然塑造人和人塑造自然的过程中，主要经过行为（工具＋语言）内化而成的。

如前所说，有意识主体的形成有其无意识前提。在无意识前提中，就产生着一种对应性机制。逻辑意识是对应性机制发

① 休谟：《人性论》，商务印书馆 1983 年版，第 107 页。
② 休谟：《人性论》，商务印书馆 1983 年版，第 109 页。
③ 休谟：《人性论》，商务印书馆 1983 年版，第 123 页。

展的产物。对于"逻辑"这个词，既在主体理论活动的意义上使用，也往往在自然客体本身就有逻辑的意义上使用，但我们所讲的真正意义上的逻辑，是在主体与客体关系中体现同构对应性意义的逻辑。在此意义上，有学者评论说，塑造论哲学不主张完全以主客体分离而又由主体去认识客体的二元论去诠释认识论，强调主客体之间的相互塑造。这在当代科学哲学中有所回应。"以交互认知为代表的认知科学研究印证了塑造论哲学认识论的这一内涵。"[①]

（2）对于逻辑公设或公理，人们历来承认它有"不证自明"和"无需用经验来证明"[②] 的性质。对于其产生，列宁曾围绕三段论规则，写出过这样一段话："人的实践经过千百万次的重复，它在人的意识中以逻辑的格固定下来。这些格正是（而且只是）由于千百万次的重复才有着先入之见的巩固性和公理的性质"。[③]

马克思主义哲学是基于"实践"来解释逻辑公设的发生的。

实践这个概念，就其本义讲偏重于"行"或"行动"。这个概念在康德、黑格尔哲学体系中占有重要地位。而马克思主义更是特别重视这个概念。马克思曾专门强调它是"人的感性活动"。他还把实践与劳动相联系。因为劳动被认为有劳动行为本身、工具和劳动对象这些要素，所以马克思主义理论家常常把工具看作是实践的标志性因素。另外，恩格斯还曾经专门强调了语言与劳动共同产生，并由此论证了其在由猿到人过程中的

---

① 参见，孟伟：《塑造论哲学的认知科学哲学解读》，知识产权出版社 2011 年版，第 135 页，以及第三章、第四章、第五章、第六章。

② 恩格斯：《自然辩证法》，《马克思恩格斯全集》第 20 卷，人民出版社 1971 年版，第 611 页。

③ 列宁：《哲学笔记》，《列宁全集》第 38 卷，人民出版社 1959 年版，第 233 页。

作用。这样，劳动作为有目的（意识）的活动，语言作为有意识（思维）的产物，因而劳动、语言、意识（思维），被看成是人之所以已不是一般动物而成为人的带种差性的标志。这些思想都是很可贵的。

马克思曾在批判费尔巴哈时写道："从前的一切唯物主义——包括费尔巴哈的唯物主义——的主要缺点是：对事物、现实、感性，只是从客体的或者直观的形式去理解，而不把它们当作人的感性活动，当作实践去理解，不是从主观方面去理解。"① 马克思讲得非常清楚，对事物、现实、感性应该当作人的感性活动，当作实践去理解，离不开从主观方面去理解。这说明，马克思持这样的见解，固然事物、现实在经验中是客观存在着的，但没有有意识的主体也就无所谓客体，不讲有意识去把握，那么哲学上讲的事物、现实、感性是无法去讲的。只能是因为有了有意识的主体，才谈上去理解和被理解着的事物、现实、感性。这是在寻求普通必然性，而对必然性仅从感知当中是得不到的，但体现于实践之中。

之所以讲在实践中体现着必然性，是因为实践作为人的感性活动它本身就是一种"感性的存在"，或者说是一种客观存在。它不是纯"主观"的，因为它在"客观"的必然性之中；它也不是纯"客观"的，因为它是由本身积淀着潜在必然性的人所发出的。

黑格尔讲实践，说它是"行动"，重在强调一种"实践理念"。在黑格尔看来，这实践理念是"绝对理念"发展的结果，对于黑格尔的"理念"如果在世界必然性的意义上对之加以理解是很有哲学概括力的。黑格尔在论述"概念论"时，涉及到

① 马克思：《关于费尔巴哈的提纲》，《马克思恩格斯全集》第 3 卷，人民出版社 1960 年版，第 3 页。

“推论”的环节，讲到机械性、化学性、目的性，他讲到：“目的既然把自身建立于客体的直接关系，并在自身和那个客体之间插入另一客体，这就可以认为是理性的狡狯”（die List der Vernunft 在有些中文版《小逻辑》中又往往译为“理性的机巧”）[①]。黑格尔强调，“理性的机巧，一般讲来，表现在一种利用工具的活动里”。[②] 当“自为的概念现在是自在而自为的规定的概念，理念就是实践的理念，即行动”。“在理论的理念中，主观概念作为普遍的东西，自在自为的无规定的东西，与客观世界是对立的，它从客观世界为自己取得规定的内容和充实。在实践的理念中，它却是作为现实的东西而与现实的东西对立”。而“把对个别的、外在的现实之要求包括在之内的规定性，就是善”。[③] 黑格尔认为，实践理性既有普遍性的资格又有直接现实性的资格。黑格尔认为“绝对理念”是“理论理念”和“实践理念”的同一。

马克思讲的实践吸取了里格尔哲学的合理内核，不过由于马克思在整个哲学上把黑格尔的“头足倒置”正立过来，因而把黑格尔完全合在一个“理念”中的意识与世界客观必然性区分开，强调人意识中的思维必然性同客观世界的必然性的一致性，体现于人的实践。可是这“实践”本身就有的必然性是从何而来的？在黑格尔体系中这是“绝对理念”外化或演化出来的。因为理念这个词，既可理解成“客观”世界之理，也可理解成“主观”想法之理（通常 ideal 翻译成理念，而它本义又带有“思想”“想法”，“主意”等义，也有译成“意式”、“型相”，本书多采用“形相”的译名）。显然，如果认为实践只是从人的

① 黑格尔：《逻辑学》下卷，商务印书馆 1976 年版，第 437 页。

② 黑格尔：《小逻辑》，商务印书馆 1980 年版，第 394 页。

③ 黑格尔：《逻辑学》下卷，商务印书馆 1976 年版，第 522、523 页。

"想法"而来，这就会落入主观随意性，证明不了也实现不了必然性。而如果认为实践不是从世界的必然性演化而来的，认为实践不带有在这种演化中所造成的必然性，那就更有问题了。

塑造论哲学没有笼统地使用"理念"这个词，而注重用"必然性"这个词。以塑造论哲学的观点讲，在大自然对人的塑造中衍生出能劳动有工具有语言的文化人类，这就把必然性积淀于人，文化人类在实践中塑造着自然，这是一种目标在于主客体达到统一，从而使自然衍生的人在实践中飨成自身的过程，这一定要体现必然性。

从哲学论证上说，不透过实践就难以证明意识的必然性；从发生过程来说，人不去实践也形不成意识的必然性。而论不出意识的必然性，理论认识的真理性是无法被证明的；人发挥不出以带必然的意识去意识必然性，认识过程也就达不到真理性。

也就是说，从塑造论哲学的观点讲，自然对人塑造，在衍生中形成着人的意识必然性的前提，而人真正有意识是体现于以有语言有工具的劳动为主要标志的实践上；然而只讲人有了意识，还不足以使自己意识真正成为被意识了的，那只能是潜意识的。问题在于如何使之成为被意识了的。而意识一去意识那被意识的东西，有个重要条件是，它一定得成为显现了的，没有显意识，潜意识难以说出是有意识的。而显现了的意识，显现于"我塑造之物""人我塑造之物""社会塑造之物"之中。"我塑造之物""人我塑造之物""社会塑造之物"属物在物成形而下，但它还是心在心成形而上的外现，同时映照着存在形而上。这正与"实践"的真正含义相合。在此意义上讲的"实践"，其囊括的因素有：有目的的行为或劳动、有意识的行为或行动，工具、语言、符号等等。应当认为，目的的必然性体现着逻辑的必然性，就逻辑本身讲它不可能从感知中得来，它里面体现着形而上的必然性，但它若没成为形而下的物在和物成的状态，便无法使之对象化；而工具、语言符号以至行为、行动或借用马克思主义通常讲的那"劳动本身"，却是有其物的状态的，可以作为形而下的东西来对待，因而可作为对象化了的东西。也就是说，在工具、语言、符号、以及行为、劳动本身中，其形式结构体现着的逻辑意识或处在逻辑模态中的目的结构，这是其有必然性的必要条件。为此，塑造论哲学把实践这个概念基于"塑造之物"来解析，先抓住的由人塑造的物在物成的形而下方面；这样，虽然意识的必然性无法加以对象化地去研究，而通过对行为（以及劳动本身）符号、语言、工具的研究却可以使之对象化，从中可以透视出意识必然性的根据，由此证明形而上必然性是何以可能的。

(3) 马克思主义基于实践来说明逻辑的形式，说明思维公设、公理的根据。当代心理学家皮亚杰的"发生认识论"或"建构论"，基于大量心理学的实验材料也对逻辑结构如何产生，作出了一些很好的证实。

皮亚杰认为，认知结构来自行动，但认识不是消极被动的直观，而是积极能动的同化（assimillation）与顺应（accommodation 或译适应）。因此皮亚杰提出了 S⇄R 的公式，即个体通过同化和顺应来达到机体与环境的平衡（equihbration）。在阐述这过程时，皮亚杰使用了一个重要概念："图式"（Schema 还常常译为格局、图型等）。皮亚杰还把 S⇄R 确切地表示为 S（A）R。也就是说在同化和顺应达到平衡的过程中，所引起的重要作用是使格局得到建构。

皮亚杰说："我们必须既不认为只有环境才对认识结构发生作用，也不认为认识结构是先天地预先地形成的，而应看作是在循环往复的通路中发生作用的、并且具有趋向平衡的内在倾向的自我调节的作用”。[①]

在以上机制中，许多在思维当中被当作预先承认的思维公设可以找到它产生的根据。在皮亚杰看来，对于婴儿来说，格局首先是动作的结构。例如，初生婴儿在吃母乳时，就存在着一系列“反射练习”。当奶头滑口时，能比第一次吃奶时更容易地找到奶头。凭这种练习重复进行，使反射获得巩固，实现着同化过程，并引起同化的泛化（如吮乳而泛化为吮其他物体）。这就越来越造成肢体的充分联合运动。这里包含着一种最初的感知一运动格局。后来通过不断地同化，在整合中更为扩展这个格局，发展成为一种“动作逻辑”。这种动作逻辑开始“包括各种关系和对应（即函数）的建立以及图式（即格局——引者）的分类”，“简言之，发展成为先后有次序的和彼此集合的结构，组成日后思维运算的基础”。[②] 随着这种发展，儿童逐步摆脱以自己的身体和动作为中心的“自我中心主义（egocentrism）”，开始建立起“以空间一时间状态组成的永久客体”。[③] 因为儿童开始“并不存在含有以物体和事件作为内容（如……）的单纯的空间或时间次序”[④]，“随着对永主客体的定位和寻找的行为模式的发展，‘位移’（即指位置的移动）最后组成了实际空间的基本结构”。这结构一旦内化，这“位移”便形成了几何学上所谓的“位移群”，这“将成为欧几里德几何学的运算基础”。[⑤] 当儿童思维水平过渡到具体运算阶段时，动作进一步发生了内化，即“动作内化为运算”。运算“是具有很大普遍性特征的动作，

① 皮亚杰：《发生认识论原理》，商务印书馆 1981 年版，第 67 页。
② 皮亚杰：《儿童心理学》，商务印书馆 1980 年版，第 12 页。
③ 皮亚杰：《儿童心理学》，商务印书馆 1980 年版，第 12 页。
④ 皮亚杰：《儿童心理学》，商务印书馆 1980 年版，第 14 页。
⑤ 皮亚杰：《儿童心理学》，商务印书馆 1980 年版，第 14 页。

因为进行结合和按次序排列等的动作，都是参与到各种特殊动作的协调中去的。运算同时又是可逆性的（结合的对立面是分离，加法的对立面是减法等）"。另外"它们决不是孤立的，而总是能协调成为整个体系（例如，一个类别，数的序列等）"。这时"以恒等性或可逆性（逆向或互反）为基础"的守恒概念已发展起来。[①] 皮亚杰认为，所谓守恒就是内化的可逆的动作。守恒是通过两种可逆性实现的：一个是逆向性（inverlsion），即否定性。例如，一个动作朝一个方向进行，再朝相反方向进行，＋A是－A的否定。再就是互反性（reciprocitre），这是对称的。例如，儿童自身内左右和对面人的左右就是互反而对称的。A＞B和B＞A也是如此。由此便产生了种种直接性运算。如：组合：两个类如类A和它的补余A'组成类B，A＋A'＝B（鸟十兽＝动物）。逆向：总类B去掉类A，得与之互补的余类A'；B－A＝A'（动物－鸟＝兽）。恒等或同一：＋A－A＝O（鸟去掉鸟是零）。重复或多余：A＋A＝A（鸟＋鸟＝鸟）。等等。这样就可以有包括了分类、序列、对应等等的"群集"运动，"形成分类和序列等的相加和和乘的'群集'相继开始出现"，"并由此达到一种完全可逆性的变化，最后达到连贯性的演绎合成形式"。[②]

皮亚杰说："具体运算，它直接同物体或一组物体（类）有联系，直接同物体间的关系有联系，或是直接同物体的计算有联系"。[③] 所以，这阶段的思维活动只能把运算应用到具体的或观察所及的事物，还不能把运算结合为各种可能的变换形式。随着行为的进一步发展，"这种分类运算和次序关系运算的概括

---

① 皮亚杰：《儿童心理学》，商务印书馆1980年版，第73、75页。

② 皮亚杰：《儿童心理学》，商务印书馆1980年版，第76页。

③ 皮亚杰：《儿童心理学》，商务印书馆1980年版，第99页。

最后发展成为一个组合系统”。[①] 这就进入了形式运算阶段。于是出现可以在思维中找出一切可能性的命题组合，形成一个基于可逆性（即逆向性和互返性）的基本结构，即四变换群的结构。这里面，围绕可逆性出现四种变换。一是恒等变换；二是作为恒等变换否定的逆向变换；三是作为恒等变换之对称的互反变换；四是作为恒等变换之逆向再互反的对射变换。这就形成了形式运算的图式。在这图式中“思维脱离了具体事物”，“形式从内容解放出来”。因为，构成这个图式的命题组合，是一个“认知的可能性王国”，“在这里认识超越于现实本身，把现实纳入可能性和必然性的范围之内；从而就无需具体事物作为中介了”。[②] 人们借助这形式，思维可以处理从组合、包含、排除，到比例、双参照系、概率等种种复杂情况，完成分析综合、归纳演绎的思维行程。

皮亚杰是根据一系列心理学资料得出以上结论的。尽管不能说已经相当全面，但给我们提供了从行为活动本身考察逻辑结构的一系列启示。由这些实际的材料，可以对说明思维中一系列公设的发生提供说明问题的基础。例如，布尔巴基学派在寻求数学统一的过程中把全部数学追溯到几个最普遍的结构“使各种不同门类的数学或成分，不问这些成分来自哪个领域，完全根本不管它们各自的特殊性质，都能服从于这些最普遍的结构”。这导致发现了三种“母结构”，它们被认为是其他结构的来源，而且它们之间被认为再也不能互相合并了。

首先，是被归结为群的“代数结构”。“代数结构都是以存在着正运算和逆运算为其特点，即有从否定意义上体现的可逆

---

① 皮亚杰：《儿童心理学》，商务印书馆 1980 年版，第 100 页。

② 皮亚杰：《发生认识论原理》，商务印书馆 1981 年版，第 52 页。

性（如 T 是正运算，T^{-1}是它的逆运算，则 $T^{-1}\cdot T=0$"）。[①] 其次，是研究关系的各种"次序结构"。它的原型是"格"（reseau 或 treillis，英文为 lattice 或 network），"格"用"后于"（succède）和"先于"（prícède）的关系把它的各种成分联系起来；因为每两个成分中总包含有一个最小的"上界"（后来的诸成分中最近的那个成分，或叫"上限"［supremum］）和一个最大的下界（前面成分中最高的那个成分，或叫"下限"［infimum］）。"格"的可逆性普遍形式"不再是逆向性关系了，而是相互性关系：如用加号（±）替换乘号（·），用'先于'关系替换'后于'关系，就使'A·B先于A＋B'这样一个命题换成了'A＋B后于A·B'这样一个命题"。[②] 最后，"第三类母结构是拓扑学性质的，是建立在邻接性、连续性和界限概念上的结构"。[③]

对这些结构产生的根源，皮亚杰的建构理论给出了他的说明。这对于回答那些既带不证自明性质又有高度普遍必然性的思维公设的来源问题，提供了很好的研究思路和心理学的实际材料。

皮亚杰认为，协调动作就是以后思想中逻辑结构的基础，逻辑形式是从原始动作中得来的，"它不是从客体里抽象出来的，而是从人们对于客体所加上的动作、并且主要的是以这些动作的最普遍的协调作用（coordination）之中抽象出来的"。[④] 皮亚杰把这种抽象叫作"反身抽象"(abstraction réflechissante)。对此皮亚杰说，其"本质，不是来自客体，而是来自加在这些

① 皮亚杰：《结构主义》，商务印书馆 1984 年版，第 16 页。

② 皮亚杰：《儿童心理学》，商务印书馆 1984 年版，第 17 页。

③ 皮亚杰：《儿童心理学》，商务印书馆 1984 年版，第 17 页。

④ 皮亚杰：《儿童心理学》，商务印书馆 1984 年版，第 13 页。

客体上的那些动作（即使原先的客体已经是这样抽象得到的一个结果），这些事实，对于结构构成的性质和方法而言，是很宝贵的”。① 这种抽象主要在于“把活动内化”，②“由于对运演进行运演的反身抽象的结果，就出现了主体的逻辑数学运演的逐步内化，这最后导致可能转换系统所特有的超时间性的出现，而主体就不再受实际转换的束缚了”。③“形式化”就“是思维发展中已经出现的反身抽象过程的一种扩展”。④ 由此才出现能实现“一种跟通过可能性借以预测现实性的过程相类似的过程”。⑤ 基于以上情况，皮亚杰曾反复向人们强调“反身抽象”对于逻辑形式结构的意义。

皮亚杰的论证是有说服力的。当然，皮亚杰的论证主要从行为说起，没有充分涉及劳动、工具、语言等等。但在皮亚杰考察的儿童行为过程的实际事实中，毕竟涉及到了儿童对诸如棋子、火柴盒、木棍、容器等等的操作。他强调，正是在这种操作当中才显示出行为结构。在考察事实中涉及的操作物，就其与行为结构的关系说，推而广之与人使用工具的关系是相衔接的。工具的内在结构与行为结构是构成在一起的。正因为这样，在皮亚杰论述中“实物性动作”是一个重要概念。关于语言，实际上在皮亚杰的考察事实中涉及到的棋子、绘画等等已承担着符号化功能。皮亚杰虽然没非常重视语言在他所考察的“结构”生成中的作用，但他谈到了“有名的语言学家乔姆斯基”，并得出结论说“‘生成语法’的转换规则最终将揭示出一

① 皮亚杰：《结构主义》，商务印书馆1984年版，第23页。

② 皮亚杰：《发生认识论原理》，商务印书馆1981年版，第23页。

③ 皮亚杰：《发生认识论原理》，商务印书馆1981年版，第56页。

④ 皮亚杰：《发生认识论原理》，商务印书馆1981年版，第72页。

⑤ 皮亚杰：《发生认识论原理》，商务印书馆1981年版，第72～73页。

种固定内核，这种内核包含有诸如主语与谓语的关系之类的某些必要结构”。他除陈述了他与乔姆斯基的不同观点外，还明确讲到：“这里就涉及到一个问题，也就是要去说明使获得语言成为可能的大脑中枢的形成问题”。[①] 暂不论皮亚杰的看法如何，但当代许多语言学家，包括一些结构主义、解释学的研究者，对于语言本身潜在的必然性结构，对于人在学会语言时一定进入人类文化积淀并进入意识结构必然性，有许多重要论述，这可在有些章节中从许多角度涉及，在此就不过多加以引证了。[②]

在哲学史上，对于带有很高普遍性并能导致必然性推理的思维公设的来源问题，一直是许多哲学流派纠缠不休的问题。曾有一些哲学家由于它带有不证自明性、不必由其他命题推理出来，所以把它归之于“天赋概念”，把它先验化，等等。这没回答出它们的真正来源。也曾有许多哲学家认为，具有普遍必然性的命题只有经过经验归纳从一系列对象材料中提取共同点才能得到。然而这样的解释总是遇到困难。休谟提出的归纳问题就给了这种观点以致命的打击。这又正如康德所揭示的，“从感觉、静观根本不可能了解数学的本性”，例如，欧几里得几何的“自明公理”，使得由此建立的欧氏几何一般被公认具有普遍必然的客观有效性，但是它的普遍必然性不可能从经验中归纳出来，不管多么大量的感觉经验也没法证明这些公理，没法保证它们的普遍必然性。皮亚杰的理论对此作出证明，他明确指出：逻辑的种种基本形式“不是从归纳外在事物而来，而是从抽象主体活动而来”。

可见，数学公理以及种种逻辑公设，不是从对象经验归纳

① 皮亚杰：《发生认识论原理》，商务印书馆1981年版，第62页。

② 参见，张全新：《逻辑哲学引论》，山东教育出版社1989年版，第137～142页。

的结果，也不是由某种前提推论的结果。因为这样，人们把它归之于直觉（直观），可这直觉发生的机制是什么，它是基于什么而发生的？近代以来许多思想家在思考这个问题。哥德尔就曾说："它们（指那些支配思想特别是支配数学的那些给子的东西）也可能代表客观实在的一个方面，但是与感觉相反，它们在我们内部出现，也许是由于我们自身和实在之间的另一关系"。

皮亚杰学说的成果就在于，他以心理学的事实材料证明逻辑形式的根据首先不在于对外在感性事物的归纳，而在于对主体感性活动的"抽象"。这主要不在于人们与外世界的感知关系，而是另一种关系：思维的逻辑结构是由人的行为结构内化而成的。这种内化过程不同于归纳演绎、分析综合的思维行程。它直接与人的行为相联系。在历史上人们常把它归之于直觉。如果沿用直觉这个概念，应当认为它指的是，作为逻辑之始的逻辑公设由行为内化而发生。这可看作是"直觉"的一个重要含义。

马克思的"实践"概念与此是相通的。但是，这并不是像有人理解的，经过实践首先获得的只能是"感性认识"，然后才有逻辑；而是讲经过实践这样的感性活动，可以直接内化为主体带必然性的逻辑形式。

用塑造论哲学的完整说法来讲，这是来自自然与人之间的相互塑造，而且在此首先要说到的是：这是在主体客体的相互作用中由行为（联同工具、语言等等）向主体内化才得以形成的。

正是因为在这种内化中产生着逻辑形式，才能形成带有形式真的逻辑格局，才有模态，形成着可能世界。模态是逻辑格局所展示出的一种结构，可能世界蕴含在模态之中。

有了模态中的可能世界，才能有基于逻辑真的有目的调控。

因为“感性认识”作为在“主体”与“客体”（之所以加引号，是因为在此意义上还算不上真正意义上的主体客体）的局部直接接触中起作用的中间状态，并不能使“主体”对自身体现着的世界普遍必然性作出形而上的把握并使之充分体现出来。依此所进行的调控只能使“主体”基于直接感知作出当下如此的反应；所以处在这种调控中的“主体”，只能局部地适应外界，不能在体现世界必然性中，由其形成的逻辑结构在其中实现目的理想的模态选择，而达到顺应自然以改造自然。而有了“理性世界”的主体则不然，它是有主体意识的。人这个主体由于大自然的塑造，在无意识前提下出现潜意识和显意识运行。只有在这种运行中，主体所体现着或者说“全息”着的世界的普遍必然性，才能够被理性地反思到并经验地表现出来。因为思维的机制能在人的行为格局与人的符号（主要是语言）系统的相互作用中，通过它们内化为逻辑的格和式及运演系统，外化到由人的行为（物质地）造出的带有符号性质的塑造之物上。在此过程中，体现世界普遍必然性的主体思维机制能依托于与动作行为同构的语言符号在逻辑的格式、运演系统里对感知经验进行信息处理，让动作行为造出的语言符号，在与体现着普遍必然性的逻辑的格、式及运演系统的同构中（通过动作行为以及语言符号），协带着感知经验内容呈现出来。这里呈现出来的东西，能在局部感知的情况下或者说能在还没全部感知的情况下，就展现出客体关系即对象发展的各个可能世界，因而从中可以作出有目的的选择。这样，在此调控下的人的反映行为，就不是只陷于对局部世界直接感知的当下如此的反应，而是对基于普遍必然性而产生的各个可能世界的富有远见的反应；这就不是仅仅局部地适应外界，而能在对普遍必然性的把握中有目的地顺应自然、改造自然。人就是在这种情况下实现着对大自然的塑造。

(4) 总之，逻辑公设在行为（工具+语言）的内化中形成，从而形成逻辑意识。

逻辑公设体现着理论的形式真，它在人的意识过程中有着向感知中的现象之内容拓展的涌动。由于逻辑形式的作用，前面讲到的在无意识前提下形成的作为带时间性和空间性效应的感性形式，被调动起来并包摄于其中，从而形成了求真意识中的建构和预设。

建构和预设是对应性机制的延伸，但已不仅仅处在感性的时间性和空间性效应之中；而是对处在感性的时间性和空间性效应之中的现象事实，以逻辑形式在空间上作出新的构成，在时间上给出新的预见。从而求得理论的内容真。这扩大着可能世界，形成着对于现象事实的把握。

这是以逻辑来意识，从而成为关于现象事实的求真过程。这是以逻辑来意识现象事实，并携带着感知中的现象事实，在建构和预设中形成外现于语言并体现于行为的理论体系。概言之，理论潜意识外化为理论显意识。

这与康德所说的有相通之处："这些条件就构成一个逻辑体系……最后把一切现象都包摄在这些概念之下的诸原则，就构成一个形而下的体系，也就是一个自然界体系"。①

(5) 由潜意识作用中的显意识，以逻辑形式去统摄现象事实，经历着两条交织进行的道路：完整的表象蒸发为抽象的规定，抽象的规定导致为具体（具为一体）的再现。这里第一条道路可认为是抽象化过程，第二条道路可认为是具体化过程。上述两列过程连接起来，便是"具体－抽象－具体"。这里不可能截断开分别进行，而是相互渗透地往复进行。理论体系是在

---

① 康德：《任何一种能够作为科学出现的未来形而上学导论》，庞景仁中文译本，商务印书馆1978年版，第73～74页。

"具体－抽象"、"抽象－具体"的往复循环中日益成熟并发展的。

这里成为生长细胞的是作为范畴的概念。概念范畴可认为是理论体系的基本单位。它是在"抽象化"和"具体化"道路上经过反映和再现所形成的理论体系的凝结。概念既带个别性又带普遍性。说它带个别性是指它反映着现象，说它带普遍性是指它把握着本质的一般。所以它是抽象和具体的统一。概念既是抽象化的结果又成为具体的，是具为一体的。这是以本质的一般规定着现象的总和，从而达到理论事实真的真理性。

这样，概念便形成了它自身内在矛盾的两个方面，即内涵和外延。内涵集中着本质的一般，外延涉及着现象的总和。体现本质的一般规定着现象总和，在概念中则是内涵规定着全部外延。

概念在内涵和外延的相辅相成中导致为展开了的判断。判断对于规定概念来说可以出现两种形式，即定义和划分。同时种种判断又导致为推理，从而形成理论体系。在此意义上讲，理论体系也就是概念范畴系统、判断系统、推理系统。它展开着由逻辑协带着种种现象事实的系统。其中可以形成种种理论模态。并且，在抽象和具体的矛盾运动中形成着理论体系的发展更替。

在理论关于事实真的反映和再现中，具体化和抽象化的矛盾不断出现并不断得到解决，这既是对应性机制作用的结果，又是对应性机制的进一步调动，同时不断解决着建构和预设的矛盾。随着在对应中不断地通过一定的预设达到一定的建构，主体反映和再现的理论认知也随之扩大。

而随着自然塑造人和人塑造自然的发展，会不断有新的现象事实闯入理论世界。这便向主体的理论认知提出新的挑战，同时又带来具体化抽象化矛盾的进一步发展。

面对新的现象事实，当概念范畴的规定性规定不了新的现象事实，这便会引起规定性的转换。理论体系在这种转换中向前更替发展着。

每一个成熟的理论体系都应当是自身完备的，这是具体和抽象矛盾的统一。然而，这种完备性总是就确定范围而言。这种完备性离开确定范围就会表现出不完备。当发生了这样的情况，理论的反映和再现便面对新的现象事实进行新的层次上的抽象具体矛盾运动，抽象出新的理论规定上升到具体，构成新的理论体系，这就形成了理论体系的更替。这样的情况在理论发展史上是大量可见的。

科学理论发展的历史充分说明，随着理论反映再现在抽象具体的矛盾中运动，理论发展总经历着从不成熟到成熟的过程，而一旦达到成熟就会又在新的事实面前展开新的层次上的具体抽象矛盾运动。这种理论更替的情况，显示着抽象具体矛盾运动的阶段性。在这样的理论体系更替之中，理论的反映和再现便形成着一种"……协调——不协调——协调……"；"……连续——不连续——连续……"；"……相对稳定——急剧变革——相对稳定……"的发展系列。

理论的发展在相对稳定和急剧变革中交替，这是人们对世界认识一步步深化和广泛的表现。随着新的现象事实的闯入，遇到由已有的抽象规定不能说明的现象时，就要完全改变原有的抽象规定，形成新的抽象，展开新的理论体系。当代科学哲学家对理论发展提出过许多动态模式，如波普尔的科学知识增长的模式、库恩的科学革命的结构、拉卡托斯的科学研究的纲领等等，在实际上（当然是在他们的观点之下，以他们的术语）涉及了这种事实。

随着这种系列的发展，人们的认识一级级扩大一层层深入，实现着相对真理绝对真理的辩证统一，解决着认识能力有限性和无限性、至上性和非至上性的矛盾，一步步向着越来越正确、全面地把握客观真理发展。[①]

3. 逻辑携带经验事实的理论外现。

(1) 前面，研究分析了联系着主体与客体的行为（工具+语言）如何内化成逻辑意识，回答着逻辑形式真的必然性何以可能。这是对于理论潜意识内化的论证，同时说明了这是向理论显意识外化的必要条件。

进而，又概述了在主体客体相互作用中如何始于感知返回感知即在抽象化和具体化中形成作为理论具体的真实再现，回答逻辑统摄现象事实内容真的真理性何以可能。这是阐述由潜意识作用而在显意识过程中所发生的运行，同时说明了在理论方面关于心在心成形而上与物在物成形而下的关系，说明逻辑形式如何把握现象事实而形成理论体系。

这里，重在论述逻辑携带着经验事实如何成为理论外现。对于直接地落到“塑造之物”，要综合研究体现主客体认识关系的理论体系如何外化于语言符号，同时语言和行为的内化又如何完善着确立主客体关系的知识理智，回答理论求真何以可能。这里要论到在潜意识显意识运行中理论体系“发散生成”并“生成收敛”于“塑造之物”之上的情况，从中去看体现心在心成形而上与物在物成形而下与存在形而上相统一而成为理论真，及其所实现的可能性。

(2) 如前所述，人被塑造，同时人又总是塑造着什么。人在塑造中对客体发生作用，总是通过其活动行为，而活动行为又总是留下痕迹。例如，把一种物的材料（如颜料）落在另一种物的材料之上，使某种物的材料（如空气）发生某种带频率

① 参见，张全新：《形成科学理论的思维方法》，山东人民出版社 1982 年版，第二章、第三章、第四章。

的颤动，等等。对这些痕迹，如果把它看作像“伴随着雷电出现闪光”一样，这是一种“征兆”或“征候”，人的塑造之物的确也可认为是显示人之活动行为的“征兆”或“征候”。但是人之活动行为出现的“痕迹”，不仅是活动行为的“征兆”“征候”，而且是某种活动、行为的“信号”。信号反应，是人与动物所共有的。而人并不是像一般动物那样只是无意地留下某种征兆，也不是只被动地接受某种征兆信号；而是可以任意选取某种物件或事件去代表另一种他认为是更重要的东西，如插标示意、点火示意，从而形成信号。正是在此种情况的延伸中，这种信号成为指示人如何动作的行为“指号”。

符号是一种特定的指号。劳勃特·游克斯曾经指出，“指号和符号在许多场合被用作同义的。我想提出这两个术语的不同的意义……。指号是一种‘经验－活动’（experiennce－act），这种‘经验－活动’包括着要求一个继起的‘经验－活动’作为它在效用方面的根据；但是，符号不只是这样。符号是这样一种经验活动：这种经验活动代表任何所被代表的东西或可以替代任何所被代表的东西而起作用。指号离开它的语域，就迟早会失去它的意义；符号就不会”。[①]

莫里斯针对以上表述，基于人们通常就一些例子所作出的概括，讲到：“如果机体给它自己提供了这样一个指号，这个指号在控制它的行为方面代替了另一个指号，意谓那个被代替的指号所意谓的东西，那么，这个指号就是一个符号，这个‘指号－过程’是一个‘符号－过程’”。莫里斯还进一步指出，“符号的好处，是它可以在环境所提供的信号不出现的情况下出现”，“说简单一点，符号就是符号的解释者所产生的、作为一

① 转引自莫里斯：《指号·符号和行为》，上海人民出版社 1989 年版，第 30 页。

个与它同义的指号的替代物而起作用的那种指号”。[①]“诚然，符号作为一个指号也许比那种为其所指示（denotatum）所伴随或跟随的信号更持久一些；但是，符号最终是信号的替代物”。[②]

语言是一种更有特殊性质的符号体系。莫里斯由指号的范围强调，其定义起码应包括以下几个方面：

“第一，一种语言是由许多指号组成的”；“第二，一种语言中的每一个指号，对于若干解释者都具有共同的意谓”；“第三，构成一种语言的那些指号必须是公指号，也就是说，这些指号是‘解释者一族’的诸成员所能产生的并且它们对于产生者同样具有它们对于其他的解释者所具有的那种意谓”；“第四，构成一种语言的诸指号都是多情境的指号，也就是说，当这个‘指号一族’的指号出现在情境中，它们在每一个情境中都具有相对地稳定的意谓”；“第五，语言中的诸指号，必须构成一个由相互联系的指号所组成的体系，在这个体系中指号可以以某些方式而不以其他的方式组合，以形成多种多样的复杂的‘指号一过程’”。[③]

可见，指号、符号、语言都带有语言间的交际性质；但是，符号却不一定非得是“解释者一族”诸成员的公指号，不一定非得在诸成员“族”中自然产生并基于对其共同意谓的约定在多情况中普遍接受其意谓的性质；而语言则一定是公指号，一定带有“解释者一族”诸成员所能自然产生并基于共同意谓的约定并在多情景中普遍接受其意谓的性质。语言是一种在某个族类中意谓比较稳定的符号体系。

这样，语言总是按一定族类成员所能产生（在此可借用有

① 莫里斯：《指导·符号和行为》，上海人民出版社1989年版，第31页。

② 莫里斯：《指导·符号和行为》，上海人民出版社1989年版，第31～32页。

③ 莫里斯：《指导·符号和行为》，上海人民出版社1989年版，第44～45页。

些学者所使用的“集体无意识的”这个提法）的规则生成的，其语法、语义的约定俗成在更大程度上是自然产生，其能指、所指，既离不开比较稳定而共同接受的内容意谓也离不开比较稳定而共同接受的形式结构。

由于理论体系侧重于在思想体系中关于对应性机制的规定性，所以，理论体系的外现，固然也可以看作是什么东西的征兆、信号，但它并不只是征兆、信号；固然也可看作是对于什么的指号、符号，但它也并不只是指号、符号；这种外现主要在于向语言系统的投影。外现出来的东西即使是带有征兆、信号、指号、符号的性质，也是以语言来加以解释的，而且是由语言向符号等等范围扩大的。

理论体系向语言系统的投影有它与意识紧紧贴在一起的生成过程。

乔姆斯基的贡献很重要在于：他强调了人们形成语言表达，有一个从“深层结构”到“表层结构”的转化“派生”过程。乔姆斯基认为从深层结构到表层结构的“派生”是按照一定的规则进行的，这就是所谓“转换规则”(transformational rules)；而表层结构又可以再划分为两个层次，即“表层句法结构”和“表层语音结构”，从前者到后者的转换是按照“语音规则”(phonological rules）进行的。

莫里斯在其学说框架中，对指号学包括语形学、语义学和语用学三个部分以及各自应着重研究什么提出了自己的见解。他认为：语形学主要研究“指号之间的形式关系”；语义学主要研究“指号与它被运用其上的对象之间的关系”；语用学主要研究“指号与其解释者之间的关系”。

语形学主要与“深层结构”有关，这特别涉及着逻辑形式。语义学主要与“表层句法结构”有关，这特别涉及着事实意义内容。就“语用学”而言，这部分是转换生成的综合结构所必须考虑的部分，它反映出语言使用在特定的语境、为了特定交际目的而运用语言的情况。各部分有着依赖关系，总体上说都既与“深层结构”有关，也与“表层句法结构”有关，更与“表层语音结构”有关；句子结构和发音的选择，与意义的选择一样，都受着语用部分所规定的语境因素制约。

在我们塑造论哲学的框架中，从语言角度看过去，这三个方面恰恰与塑造论哲学强调的基本方面相对应。

第一，对于带有普遍必然性的逻辑形式（作为“深层结构”），并不是从感知中得出，而是在很大程度上得于人们行为语言结构的内化从而带有一种形式真。这是一个在无意识前提下所积淀的潜意识过程。这形成着一种似乎带有天赋性质的、非感知经验所达到的、先在的逻辑结构，这显现于语言或符号的语形形式关系上，正是语形学所要对待的。当然这里的语形问题应当从整个意识活动的研究范围来加以关注；既涉及理论的又涉及艺术的也涉及技术的还涉及道德的等等，但在这里我们强调的是从理论的逻辑形式方面来研究，即逻辑是可以投射到语言和符号系统之上的。

以乔姆斯基的语言生成学说来说，他曾经写道：“我所谓的生成语法只是一个规则系统，这个系统用某种清晰的、圆满的定义的方法从结构上对句子加以陈述，显然，一种语言的每一个言者都已经掌握了并消化了他对于这种语言的知识的生成语法。这并不是说，他已自觉到这种语法的规则，甚至也不是说，他能够自觉到它们，或者说，他对这种语言的直觉知识的描述一定是准确的。任何引起人的兴趣的生成语法大半是研究精神过程，这些精神过程是超出现实的、甚至是超出潜在意识的范围之外的”。①

乔姆斯基认为，生成语法是关于语言能力的理论，人们的语言能力可以由生成语法加以说明，但其根源则是先天获得的，也就是说同人的脑组织、人的思维心理结构有关。“总而言之，特殊的语言结构在很大程度上是由那样一些因素决定的。对这些因素，个人无法有意地控制，社会也没有选择的自由，根据现在所能运用的最好信息，似乎有理由认为，一个儿童不得不构造一种特殊的转换语法来解释表现他的材料，就像他无法控制他对于固体的对象的知觉和对线、角的注意力一样。于是，语言结构的一般特点并不反映个人的经验过程，而是反映个人获得知识能力的一般特性——在传统的意义下，即反映一个人的天赋观念和天赋原理。”②

乔姆斯基强调了语言结构“超出潜在意识的范围之外”（用本书的概念准确说应当是“潜于显意识”）的东西，强调了其“天赋”的性质，这就需要对此种“天赋”从何而来作出解释。

由我们的塑造论哲学体系来讲，十分强调基于行为内化的塑造，这成为对这所谓“天赋”从何而来的说明。

实际上，这种所谓“天赋”是贴在逻辑形式之上，随之生成而生成的。这是在无意识的自然对人塑造中和有意识的人对自然塑造中，基于人之行为及语言的内化而潜意识地形成的。而当这潜意识外化出来，逻辑意识的形式结构又被投射到语言结构之上，就理论思维所涉及的主体客体以及语言行为之间的关系说，它们之间应当是同构的。

---

① 乔姆斯基：《句法理论纲要》，载《当代美国资产阶级哲学资料》第 3 集，第 299～300 页。

② 乔姆斯基：《句法理论纲要》，载《当代美国资产阶级哲学资料》第 3 集，第 335 页。

第二，当人们以带有普遍性的逻辑结构去把握现象事实，在主体客体相互作用中始于感知返回感知即在抽象化具体化中形成作为理论具体的真实再现，这才形成带真理性的事实真。而这关于现象事实的内容，投射到语言符号系统中便成为语义。这就形成了语言符号与它被用于其上的对象之间的关系。这正是莫里斯所讲的那语义学必须对待的。

当然，这里的语义学也应当从整个意识活动的整个范围来关注，既包括理论的又包括艺术的也包括技术的还包括道德的等等，但在这里我们可以专门就理论所把握的现象事实即由理论事实真的方面来加以研究。理论事实在逻辑形式结构中与对象与语言有着同构性。

第三，当以逻辑形式把握了现象事实并在语言中表达出来，这就成为显意识的，就理论来说，这再现为显现出来的有丰富内容的理论体系。这里面的形式和内容都投影到表层句法结构之中，它们之间应当是同构的。

然而，由于作为“塑造之物”的语言有其特定的物在物成性质。潜意识有其向无意识发散的一面，意识中把握着的现象事实有其向整个自然世界的丰富性扩充的一面，这促使理论语言向着复杂性“发散生成”。但由于语言作为显意识的物在物成形态，在生成中又有其“生成收敛”的一面。这就形成了同理论语言发出者并与解释者有关的一系列难缠问题。这涉及到语用学。要探讨理论求真何以可能，不能不考虑这些问题。我们从塑造论哲学角度基于对以上关心的问题作出说明，以进一步对如何实现潜意识显意识关系的统一和谐，作出论证。

在理论意识范围内考察语言符号表达，有多种情况：一是把逻辑的形式化结构直接投射到语言符号上，使之比较纯粹地表达出来；二是把逻辑形式协带着现象事实的理论体系一起投射到语言符号上，这里面表达着逻辑形式，但它又总是粘联着现象事实的意义。

(3) 在此过程中，逻辑形式从简单到复杂，理论体系从抽象到具体，以体现生成结构的语言符号系统为基点，形成种种形态而互为辅助的表达方式。

①图形表达。

这带有很强的直观符号性质。例如，几条线、几个圈，构成“树”、构成“网络”等等可以非常直观地表达某种逻辑关系。再例如，形式逻辑常常使用的欧拉图、文恩图、哈斯图、哈密顿图等等。有的能直接表达基于外延而构成的传统逻辑种种的格和式；图与图之间能构成系列，随着一些逻辑系统的公理化，这些图也能从简单到复杂；当然由于其局限性，到很复杂时，人们并不主要去使用它，但这里的关系是逻辑的。而还有的图由于能表达出种种“图论”算法，人们往往用它作为建立和处理离散数学模型的重要工具。大量数学与图有着不解之缘，如欧氏几何、非欧几何、拓扑几何等等。图的解析在其中占有重要地位，这些体系可以用公理化形式展现出来的。以上所说情况中的形式系统，在一定意义上说它直接表达着逻辑，同时，用它来概括某些现象事实，这成为重要的形式工具，这在大量科学理论对其使用中，表现得非常明显。另外还有更直接地贴在现象事实上的图形，如化学结构图、基因结构图、力学结构图，以及种种表格等等，这成为在逻辑关系中构成的关于某些科学事实之理论的图形表达。当然，这些图、表等等作为某种理论的符号表达，离不开通过一定符码对之加以解析、离不开通过一定语言对之加以说明。它们综合地显现着逻辑形式协带现象事实的理论体系。

②符码表达。

这主要指人们用通常所说的人工语言、人工符号加以表达。从“人工的”即“人为的”意义上讲，人们所使用的一切语言、符号、图形都带有人工的性质。但需要作些区别的是，人们通常所讲的"自然语言"，它虽然是人为的，却并不明显地带有人工的性质，它是在人类集体的意识显意识运行中自然生成的。而"人工语言""人工符号"，则更强调了其强于自然语言产生那样的人工制造性质。

从发生史上说，人类语言的产生，特别是书面语言的产生原初总是从图形、符号代码中来的，对这一点，在象形文字中可以明显地看得出来。这往往通行于有些尚未形成规范化文字语言表达的少数部落或民族中。从这一角度，可以更明显地看出，图形、符码（符号）有原初自然生成性。而当规范化的语言文字产生后，文字语言就占据了主导地位；当然图形、符码仍在其能发挥作用的领域发挥着作用，特别在数学之中。可是，规范化的自然语言，由于其更直接地切入日常生活，每一个表达，其意义所指，总是不可分割地联带其上。因而人们往往遇到这样的问题：一是对自然语言所表达的往往也需一些符号对之表示，使之简明化；二是自然语言往往很难以形式化，逻辑的形式结构总被具体现象事实拖泥带水地黏连着。于是又造出一些图形，特别是造出一些符号代码，加以补充辅助。一部分人造出的符码，并不一定是在大多数人中间成为通用的。对其，要使别人看得懂，一定得用自然语言加以解释说明。它不像自然语言那样，使人在自然生活中一发出便在其族类中就成为通用的，所以带上了很明显的人工性质，所以称人工语言或人工符号。但同时，一旦在其体系中成为普遍接受的，由于它不受某族类的自然语言所限制，所以它又成为更加通用的。这突出表现在人们所进行的数学表达之中，数学是很典型的以符号代码为物质外壳来表达的人工符号系统。

数学与逻辑在形式化意义上讲可以放在同一系列上来加以考虑。但人们初始了解逻辑是从自然语言着手的，通常所说的传统逻辑即亚里士多德逻辑就是突出代表。由于亚氏逻辑主要是语词逻辑，语词中总拖泥带水地黏连着语言指谓现象事实的意义，所以在对之形式化过程中人们逐步对之广泛地使用类似数学的符号，以符码表达逻辑系统成了逻辑形式化的重要方式。

同时，因为逻辑是可以协带现象事实的，逻辑协带现象事实的理论结构总是能够外化投影到以符码表达的逻辑系统之中，所以逻辑生成的母结构到子结构与理论展开的抽象到具体是同构的，这在符码表达的系统即在人们通常说的符号系统之中得到了充分展现。

如前所说，皮亚杰曾在追溯逻辑结构的发生时，突出注意到在行为内化中所形成的最基本结构到复杂结构的发生过程。在此他举出过布尔巴基学派关于数学统一性的研究。而这里的数学又是以符码来加以表达的。布尔巴基学派在寻求数学统一的过程中把全部数学追溯到几个最普遍的结构“使各种不同门类的数学或成分，不问这些成分来自哪个领域，完全根本不管它们各自的特殊性质，都能服从于这些最普遍的结构”。这导致发现了三种“母结构”，它们被认为是其他结构的来源，而且它们之间被认为再也不能互相合并了。这种研究的一个突出特征就在于告诉人们，作为形式系统的数学有其从母体结构向复杂系统的展开系列。

A. 从中我们可以清楚地看到，逻辑形式外化到符号系统即符码系统上，充分体现着逻辑结构从简单到复杂的生成过程。

作为结构主义者的皮亚杰，还通过把人的行为结构和思维结构以及数学结构加以对照研究，认为在数学上被叫作克莱因群的“四变换群”结构可认作是一种能生成转换为种种人工符号逻辑结构的原型结构。对这“四变换群”，他用一个关于INRC关系的图形来表示。

这里，I 表示肯定或正面（Identity）、N 表示否定或逆反

(No)，R 表示相互或互反（Reciprocal），C 表示反射或对射(Correlation)。INRC 表示了四种组合变换：一是恒等变换；二是作为恒等变换否定的逆向变换；三是作为恒等变换之对称的互反变换；四是作为恒等变换之逆向再互反的对射变换。皮亚杰展示出，依四变换群，可以生成转换出种种逻辑关系模型。有此就能运用这形式运算结构来解决所面临的逻辑课题，诸如组合、包含、比例、排除、概率、因素分析等等。这个能展开种种逻辑形式的四变换群体现着逻辑关系中的调控系统。

对以上这四变换群的结构，皮亚杰总结道：“这个工具通过其自身的活动，使理性主义三个基本原理发挥了作用”：首先，“在转换关系的可逆性中体现了不矛盾原理”，[①] “（例如可逆性 $P \cdot P^{-1}=0$；无矛盾性的起点）”[②]。同时，皮亚杰在另一处还指出：这是一种“内在的控制手段，它能对行动的结果起预先矫正的作用，这些控制方法，如可逆性（举例如 $+n-n=0$），它就是矛盾原理的来源（如果 $+n-n\neq0$，那么 $n\neq n$）”[③]，在转换关系的可逆性中体现了不矛盾原理”；其次，“中性成份（即作为群的单位元‘I’，引者注）的恒定性保证了同一性原理”；最后“就是不受所经途径不同的影响而保持不变的原理”。[④]

可见，这种表达虽然描述的是形式结构，但从根本上说是体现着一种内调节机制。皮亚杰说，“正因为这样，群的结构就成了一个确实有严密逻辑联系的工具，这个工具因内部的调整或自身调节作用而具有自己的逻辑”。[⑤] 在这种与行为同构的调

① 皮亚杰：《结构主义》，商务印书馆 1984 年版，第 14 页。
② 皮亚杰：《发生认识论原理》，商务印书馆 1981 年版，第 82 页。
③ 皮亚杰：《结构主义》，商务印书馆 1984 年版，第 10 页。
④ 皮亚杰：《结构主义》，商务印书馆 1984 年版，第 14 页。
⑤ 皮亚杰：《结构主义》，商务印书馆 1984 年版，第 13～14 页。

整或调节中，不同的结构相互转换。“如果说被构成的这些整体性的性质是由于它们的组成规律而来的，那么这些规律从性质上来说就是起构造作用的。正是这种永恒的双重性，或更正确地说，这种总是而且同时是起着构造作用和被构成的这种两极性特征。首先说明了这个概念（即‘转换’——引者）能获得成功的道理”。[①] 这是“辩证态度所要求的构造”，“这种构造过程还假定有更多的东西，因为时常就是构造过程本身，在种种肯定结合起来时产生种种否定，接下去在共同的‘矛盾解决’中再得到它们之间的协调一致”。[②]

这四变换群同样表达着类属同构。因为作为类代数的布尔代数完全可以从此变换群生成转换出来。作为主要以自然语言表达的亚里士多德逻辑主要依赖于其中关于外延的关系来确立其逻辑系统，这里主要处理着类属包含的关系。莱布尼兹注重对亚里士多德逻辑进行改造，提出了许多很好的设想，但并没摆脱亚里士多德逻辑主要依托自然语词来表达逻辑所造成的束缚。哈米尔顿特别进行了对于“述语量化”的尝试。德莫干注重对于关系的符号表达，仍没跳出传统逻辑的圈子。布尔在年轻时就产生了用代数公式可表达逻辑的设想。在 1847 年，布尔的《逻辑的数学分析》得以出版，在此书中布尔指出，“熟悉符号代数理论的人，都清楚，分析过程的有效性并不依赖于对于所使用的符号所作的解释，而仅依赖于符号结合的规律”。基于这一点，他积极探究对日常思维运算的符号表述，指出，“所有作为推论工具的语言的运算，可以借一个由下列成分组成的符号体系而加以操作”。即：第一，文字符号。如 X、Y 等代表我们概念所代表的事项或事物。第二，运算符号。如＋、－、×，

① 皮亚杰：《结构主义》，商务印书馆 1984 年版，第 6 页。
② 皮亚杰：《结构主义》，商务印书馆 1984 年版，第 86 页。

代表思维的运算。借助这些运算，事物的概念被结合、分解，以形成新的包含这一同一成分的概念。第三，同一的符号“=”。

布尔构造了关于二值逻辑的代数系统。这是一种逻辑符号表述数学符号仅取值0和1二值时的逻辑代数。而在寻求这种解释时，布尔注意到普通代数的0和1满足于公式0Y=0和1Y=Y；而在逻辑代数中，可把0解释为“空类”，而把1解释作“全类”。由此1－X便代表除去X的论域，即X之补类。因为类1与1－X之间相互排斥，所以不矛盾律也可表述为X（1－X）=0。

按照布尔类代数的规定，亚里士多德逻辑的四个某本命题可表述如下：1. X（1－Y）=0（所有X是Y）；2. XY=0（没有X是Y）；3. XY≠0（某些X是Y）；4. X（1－Y）≠0（某些X不是Y）。显然，按照这样逻辑的表达方式，三段论各种格式的推理，可变得极其简明。

布尔逻辑体系属二值逻辑体系，而对于0与1二值的意义，布尔在其《逻辑的数学分析》一书中还明确提出：X=0表示命题X为假；而X=1则表示命题X为真。这就使布尔逻辑保持了代数的形式，又同时保持了布尔代数的逻辑含意。

布尔逻辑代数的显著特点是：他的基本逻辑方法完全基于概念的外延。这更有利于解决以前的逻辑由内涵的纠缠所带来的难以处置的问题。他的基本逻辑方法带有纯粹数学的特征。因此，布尔逻辑代数与其说是一种逻辑，不如说是一种特殊的代数。布尔的逻辑代数扩展了形式逻辑的范围，使得原来亚里士多德逻辑之主体的三段论，只不过成为类代数演算的一个部分。

B. 应当注意到的是，现代数理逻辑已经证明，由¬和∨或¬和∧都可以构成一个符号表达推理的完备集。

这样可以形成逻辑表达的公理系统。在这些公理系统所形成的一系列命题，只不过考虑更复杂的条件罢了，这在计算机逻辑当中得到了很好的应用。

当然这还仅是就二值逻辑而言，是就标准分析的逻辑而言。近代以来，多值逻辑、非标准分析的逻辑，在符号系统中也得到了充分的展现。

科学理论从简单到复杂，从抽象到具体的结构。也充分表现在由种种数学模型展开的符号系统中。大量科学研究可以表明，以符号化的数学模型展现理论体系，是与抽象上升到具体的道路贴在一起的。例如，在热力学中，常常把温度、密度或压强的复杂情况暂时撇开，对气体首先设定一定的理想状态，用状态方程描述其在热动平衡时的模型：当 n 克分子的气体，在绝对温度为 T（K）时，其体积 V 和压强 P 满足关系式 $PV=nRT$（其中 R 为普适气体常数）。但是在温度较低、密度或压强较高的情况下，实际气体分子间互相作用力就不能忽略不计了，此时仅用以上方程就不能精确描述。这样，可以由以上表现理想状态模型的公式，考虑进去复杂因素，便可以推出以下结果：$(p+a/v^2)(v-b)=nRT$。这就是荷兰物理学家范德瓦耳斯在考虑了气体分子间相互作用力和分子体积两个因素后，由修正理想气体状态方程而得到的较为具体的气体状态方程式。当这方程式中的常数 a 和 b 对于不同气体有不同数值时，便可以在种种具体实验中确定。

由数学模型展开的理论体系，由简单符号模型向复杂符号模型发展的过程，与概念由抽象上升到具体的过程是一致的。费多谢也夫在讲到抽象具体和理论模型的关系时说："作为由抽象上升到具体的过程的基础的初始模型，可表现为各种形式，可以包含或不包含数学描述，也可以要求或者不要求某种直观因素。但这是个模型的主要的确定特征，是各要素的一种明确规定的联系，是反映着现实的内在本质关系的一定结构。各种要素的这种结构联系。‘多样性的统一’用辩证法语言来说，就构成了理论的最初观念内容”。①

C. 对于表达由基本结构向复杂结构展开的符号系统，往往可以对之公理化。

公理化的方法产生于数学。古希腊数学家欧几里得在总结古代几何学知识时，运用了亚里士多德的逻辑方法（这是逻辑学中萌芽状态的公理方法）。这就是，首先选取少数原始概念和不加证明的几何命题，作为公理、公设，使它们成为全部几何学的逻辑起点，然后推出一系列几何定理，按照这种公理化结构，欧几里得撰写了著名的《几何原本》。到现代，希尔伯特又对几何基础做了大量研究工作，他在《几何基础》一书中对公理系统给出了一个比《几何原本》更为完善的论证。希尔伯特的工作并没局限在只对几何学这门数学理论加以公理化，而是把公理系统本身的逻辑问题作为研究对象，因此，他把公理化分为“具体公理化”和“形式公理化”两种。具体公理化可看作是以公理化方式处理具体学科的经验材料，这是构成严整理论体系的方法；形式公理化是以公理系统本身为研究对象的元逻辑或元数学的研究。

希尔伯特在形式公理化的研究中提出了公理系统的一般要求，这里重要的是他明确提出了，作为理论出发点的公理系统，必须满足三条要求：第一是完全性要求。这里强调，作为出发点的一组公理，对于刻划每一种关系来说，应是对基本关系的全面刻划，而不应漏掉什么。第二是独立性要求。就是说作为初始公理系统中所包含的公理不应该有多余的，即不应出现其

① 费多谢耶夫：《唯物辩证法理论概要》，第四章，第4节。

中一个公理可以由另一个公理推出的情况，如果出现了这种情况就要对公理系统中包含的公理加以简化。第三是相容性要求。“就是说，不可能从所提到的这些公理出发用逻辑推论得出和其中某条公理相矛盾的事实”。即如果在公理系统中有命题记为 a，它的否定记为 $\bar{a}$，不能在由此公理系统推演定理时，同时导出 a 和 $\bar{a}$。①

从希尔伯特的这些见解中可以看出，理论体系实现公理化，重要的是首先提取出作为出发点的公理系统。在具体公理化，即对某门具体学科加以公理化的过程中，这公理系统是可以完整地刻划表达对象的最初始模型的，而且可以认为这是对初始概念的定量描述。得到这样的公理系统是随着思维的抽象化过程实现的。这里的完全性要求和独立性要求，即公理系统中的公理既不能多也不能少，恰恰表现的是抽象化过程必须最大限度地并且是恰当地撇开种种复杂因素达到本质一般的要求，这是既不能抽象不足也不能抽象过限的要求。而相容性要求恰恰表现的是抽象上升到具体在本质的规定下保持自身同一的要求。

凡是能达到以公理化的方式表达的理论体系都是体现以上要求的。例如，现有公理化的量子力学体系，作为最初出发点的公理系统是由五条公理组成的：其一，态的叠加原理；其二，力学量的平均值的计算规则；其三，力学量算符的本征值；其四，薛定谔方程；其五，全同粒子原理。这五条是既不能再减少，也不能再增加了。有人曾因为从五条公理所展开的理论对粒子的描述是统计性的不是决定性的。总觉得抓住了五条规定性在理论上还不够理想，认为应该有个像隐变数这样的规定性把几条统起来。然而，冯·诺依曼（Jon von Neumann）从数学

---

① 参阅希尔伯特：《几何学基础》。

上证明量子力学在自身确定范围内不能引入隐变数。[①] 但也并不是说隐变数一定找不到，如果找到了它，那就是更深层次的抽象了，对这个更深层次，一些人称之为次量子（如玻姆）或超量子（如武谷三男）层次等等。另外，量子力学中的具体原理是很多的，如测不准原理，泡利不相容原理，定态薛定谔（Erwin Schrödinger）方程等等。而这些原理都是从最抽象的五条中推出来的，这些原理内在地体现着最基本的五条，然而里面已经加杂上了若干复杂的特殊规定性因素。它们不能作为公理成为初始的逻辑起点。所以只有基于那不少不多的五条，才能在保持自身同一的情况下，展开整个量子力学体系。

由公理系统展开的体系是带有形式化特征的。对于由公理系统向定理的推演，如果仅从形式上来看，它带有数学运算的演绎性质。而作为富有内容的科学理论体系，则是协带着现象事实演绎发展。可见，符号系统依公理化方法展开，与理论体系从抽象上升到具体的行程是相一致的。但是公理化体系的突出特征是以符号体系外现出来。

这正如费多谢耶夫在考察这一问题时指出的："理论体系在初始模型基础上的展开，即由抽象上升到具体，具有内容结构的性质。这种展开同理论的演绎公理具有某种相似，因为它们都具有以某种初始概念为基础的运动。但是建立理论的演绎公理的理想，就其实质而言，是说明已经模模糊糊地包含在公理中的内容，即分析过程。此时也像由抽象上升到具体那样，一定包括内容的丰富化、具体化的发展，即表现为复杂的辩证矛盾的分析综合过程。"[②] 这样的体系是可以外化到符号化形式系统之中的。

---

① 冯·诺依曼：《量子力学的数学基础》，美国，1932 年。

② 费多谢耶夫：《唯物辩证法理论概要》，第四章，第 4 节。

③语文表达。

这主要是指自然语言表达。在理论思维中每个思想单位都会凝结成一个概念，它的展开便是一个判断，判断的展开或联结便成为推理。通常，表达在语文系统中，概念是一个词，而判断是一个句子，推理可以由一系列句子构成。

对于这种情况，人们在对于已基本普及的传统逻辑即亚里士多德逻辑教科书的学习使用中已了解得十分充分。不少学者曾经揭示过亚里士多德逻辑成为公理系统的性质；也有不少学者特别对概念判断推理在抽象上升到具体的展开中作了充分研究。在自然语言的词、句子、句子群的结构中，的确外现着这样一种由基本细胞向丰富体系展开的结构。

这里面，基本的是一种主谓结构。作为一个句子 S，"主语（往往是一个名词或名词短语）＋谓语＋表语"这种结构，是一种基本句型。在一系列判断构成的推理中，体现着"一般－特殊－个别"的关系。此中实现着抽象化具体化的思维行程。[①]

（4）当理论体系投影到语言或符号上，既是外化出来的理论体系的生成，又是把潜意识向无意识的发散，还是把逻辑形式的协带着的感知现象事实的扩充，收敛于语言或符号的物质外壳上。

因为语言或符号作为物质外壳虽然意识已投射在上面但它是进入物在物成形而下的。它一生成外现出来，便带上了三个层面，一是质料面，二是形式面，三是内容面。意识的发出和接受，时时都离不开这三个层面。

质料面的发出和接受，表现为喉咙震颤空气和空气震颤耳膜，表现为书写的墨迹和墨迹的视觉，等等。形式面的发出和

① 参见，张全新：《塑造论哲学导引》，人民出版社 1993 年版，第 762～766 页。

接受，主要在于语言形式或符号形式上投影着逻辑形式，这主要表达于发出者和接受者在其中相互贯通的语法结构上。内容面的发出和接受，是出于逻辑形式所协带着的现象事实之内容都蕴含在里面。

语言和符号既然是处在发出和接受之中。所以带有语言间的性质。理论体系当其处在“语言间”（发出和接受的语言间），特别离不开质料面的发出和接受。没有这个层面，理论体系就不可能外化出来，成为真正显意识的东西。

一旦把向无意识发散的潜显意识形式，把逻辑意识协带着的感知现象事实，收敛于语言或符号的物质外壳上，这就把发散着的无限收敛于有限之上。特别是考虑到意识流被收敛于间断开的一个个字、符之上，这种情况就更加明显了。

（5）古希腊哲学家芝诺提出过一个悖论涉及到：善跑者阿基里斯实际上能追上乌龟，但在表达中却又永远追不上乌龟。这悖论很能显示语言收敛发散的关系。其实阿基里斯一下子就能越过乌龟，而就越的界限来讲，当以数学符号来表达，出现的是$\frac{1}{2}$，$\frac{1}{4}$，$\frac{1}{16}$，$\frac{1}{1056}$……这样一个趋于无限小但永远不是零的极限（$\lim\limits_{n\to\infty}\frac{1}{2^n}=0$）。

列宁曾就此指出“问题不在于有没有运动，而在于如何在概念的逻辑中表达它”。“‘理解就是用概念的形式来表达’。运动是时间和空间的本质。表达这个本质的基本概念有两个：无限的不间断性（Kontinuität）和‘点截性’（＝不间断性的否定，即间断性）。”①

① 列宁：《哲学笔记》，《列宁全集》第38卷，人民出版社1959年版，第281、283页。

这里与我们触及的问题是一致的。其实问题主要不在于概念本身，而在于语言表达。人们经常离开主体及语言的性质来谈有限无限。实际上没有主体也就没有被意识的有限无限，而出现有限无限的悖论则很大程度上是因为人们一旦把理解说出来或写出来就使之带上了有限性；是因为一旦把思想落在语言外壳之上就会收敛无限，就会把生长的东西凝固化，把连续的东西间断化，有着分割、孤立的作用。

不仅如此，语言起码有如下性质是不能忽略的：就语言的主要方面来讲，它或者表现为语音，这是以喉咙的颤动带起空气颤动而形成带时间延续性的听觉语言流，这是一维的；它或者表现为文字，这是把书写的墨迹留在纸面上而形成带空间并存性的视觉语言面，这是二维的。符号主要是后者，但也离不开用前者加以说明解释。当然还可以用图像表示出来，这已向关于形象的艺术表现延伸；亦可以由此做出模型，这已向技术表现延伸；还可表现于人的行为，体现着道德行为。而作为理论规定性的外化，都离不开以理论语言来解释。

于是，在发散性生成中的理论往往就被硬硬地压缩在语言流的隧道中，或压缩在语言面的模块中。

这样，就把多维的思维世界做了“维向”上的收敛压缩。如果说压缩到文字的语言面中是把多维世界收敛到了二维平面上，那么压缩到语音的语言流中则是把多维世界收敛到了一维流中。而且，由于人们在阅读文字语句时总是在视觉行行扫描中进入语言流，所以总是把多维压缩在一维之中。

这一来就出问题了：语言或符号对于理论体系来说，往往会使之丧失许多东西。这里暂不说，不同语言系统有其赋义和解释的不同；也暂不说语言中常有一词多义或多义一词的问题。固然对此可以用一些更详细的规定来加以解决，但确实也有语言怎么也达不到的情况。

(6) 最使人处于难堪境地的是那些被叫作"语义悖论"、"集合论悖论"的问题。研究语义悖论是哲学、逻辑学、语言学十分关注的课题。

对于这样的悖论，人们最常举出的例子是"说谎者悖论"。据历史记载，早在2500多年前，克里特哲学家欧布里德斯提就发现一个令人困惑的问题，有这样一个语句："一个克里特岛上的人说：'凡克里特岛上的人都是说谎者'"。如果这句话为真，则他自己（克里特岛人）便说谎，从而这句话为假；如果这句话为假，则克里特岛人不说谎，因而这句话可为真。人们认为，如果那个克里特岛人的话这样说："我现在所说的话都是假话"，那么问题就更明显了。这句话，如真，即假；如假，即真。

1908年格雷林（Ket Gilling）又揭示过一个悖论。他指出，有些词是可以用来描述它们自身的。例如英文中的"多音节"（polysy—llabic）这个词本身就是多音节的。有些词则不能描述自身，比如英文中的"单音节"（monosyllabic）这个词，其本身不是单音节的。可以把不能描述自身的词归一类，称它为"异己的"。现在问"异己的"本身是不是异己的？如果"异己的"是异己的，那它就成了非异己的；而如果说"异己的"是非异己的，那它就成了异己的。

在谓词演算中，以上情况会十分明显。设一个谓词X为变元。一般说来，变元X是可以用任何词代进去的，代入后就变成了一个语句。当用"异己的"代入X时，则出现了自相矛盾，形成悖论。

对于类似悖论的成因，许多学者曾在很宽泛的领域中作过大量的探讨，众说纷纭，莫衷一是。但有两点似乎是比较公认的：一是由于"自我涉及"，二是往往出在"带否定性"的语句上。

从我们的观点看来，问题是这样的：我们在使用语言时，大量词或语句是不涉及自身的。如“猫”、“这是白的”等等。当我们说“猫”时，它本身并不是“猫”；当我们说“这是白的”，它本身并不是白的。对这样的词或语句，通常被称作是“非自谓的”。同时，语言又常常是可以自我涉及的。例如：“这是可感知的”、“词”等等。当我们说“这是可感知的”时，它本身也是可感知的；当我们说“词”时，它本身也是词。对这样的词或语句，通常被称作是“自谓的”。

当一个语句产生自我涉及，或者说当它带有自谓性，就往往形成悖论。因为在我们说“我的话为假”时，从字面上可以理解这句话本身也是假的，它包括自身，显然这里出现自我涉及。这就出现了以上那样的语义悖论。那为什么语义悖论又往往产生在带有否定性的语句上呢？这是因为，一个语言单位一旦呈现，它是作为思维单位的表达而出现的。而当一语句表达一个带有否定性的思维单位时，语言呈现出来的是带有否定性的语句，当否定性涉及到自己，就出现了似乎他的真实表达也被否定的情况，因而真的又成了假的，形成了悖论。就好比，某演员扮演假的包公，他的表演是真实的。而当我们说，“这扮演是假的”，这里如果涉及扮演本身，也就成了他的表演不真实了。因而出现了“真实的扮演是假的”。这就出现了一个悖论性命题。

这里就显示出了语言表达思维时所带有的某种局限性，人们在此问题上往往是那么束手无策。

以往对语义悖论的研究，多从语言本身的要素和构成去考虑问题，其实，要真正认识语义悖论的实质，仅在语言自身上兜圈子是难得其解的，我们应当把眼界放宽些，放到语言和思维的关系，即从我们所说的显意识与潜意识的关系上来看待语言与思维的关系。

对于此问题，本人曾在以往发表过《语义悖论·语言分层·维向转换》一文，揭示过一个思维空间与语言空间的维向转换律。①

对这种维向转换关系，过去的论著似乎并不充分注意到。这里的要点是强调，思维通过语言表达以后出现了一种"空间"的转换。当然，这里的"空间"不是通常意义上的空间，而是指思维空间转换成语言空间。从这里谈论问题的角度来说，在思维向语言的投影中，维向的转换本身就带着一种维向的压缩和收敛。

潜意识本身应当是向无意识发散的，而且思维形式所协带的现象事实也具有发散性。当思维意识处理对象事实时，在抽象化具体化中形成着不同层次的蒸发。这就使思维空间带上了连续性跃迁的抽象层次。由此我们说，思维空间带有一种"抽象维"，的性质。也就是说，思维中的概念空间具有抽象层次的性质，它的维向不是一维的，也不是二维的，而是有多维的。

例如，我们在思维中有了关于对象集合 a 的概念、集合 b 的概念、集合 c 的概念……；同时又有在 a、b、c……基础上抽象蒸发出所有集合的集合 A 这一概念。这所有集合的集合 A，在思维空间中不是处在集合 a、集合 b、集合 c……同一层面并列的位置上，而是对 a、b、c 的抽象概括。

可是，当思维通过语言来表达时，思维空间的这个抽象维在直接可感知的语言质料面上却往往不能被直接感知接受到。

如前所说，当思想通过书写文字或符号落到纸上，仅就特质形态说，它便变成一个文字平面，这里充其量是二维的。而当思想通过口头言语表达时，便变成了借助空气震动形成的语言流。在语言流中出现一个词句，它便和另外的词句在时间上

① 见张全新：《语义悖论·语言分层·维向转换》，载《文史哲》，1987 年第 6 期。

有了排他性。这里只能依时间次序一一说出词语或语句的序列，这里又成了一维的。而且人们在使用语言时，是总要通过语言流来实现，书写时也是如此。因为虽然书写完成以后在纸平面上是二维的，但书写过程是有时间序列的。同样，人们在阅读书写的文字时也总要通过视觉对一个个词语进行扫描才能转换成思想。在扫描过程中也要出现语言流，这就成了一维的。如此可见，当思维空间转换成语言空间时，便出现了这样一种情况，即由带有抽象维的多维空间转换成了文字平面的二维空间甚至是语言流的一维空间。“戏法”正是变在这种带有维向变化的投影而带来的压缩、收敛当中。

如此维向的压缩、收敛带来的维数减少非同小可。由此会带来，在思维空间中处在抽象维不同层次上（不能在二维或一维空间中并列）的概念，当用词句表述出来的时候，会成为并列的。

正因为这样，人们在语言文字上往往可以把对集合 a、集合 b、集合 c……加以概括而形成的所有集合的集合 A 看成是与 a、b、c……并列的东西。这样就容易把维向上处在抽象维中的不同层次的概念混为一个层次。当人们把概括 a、b、c 的 A 又作为和 a、b、c 并列的成分看待，在 a、b、c 和 A 的并列中考虑 A，就形成了悖论。

例如，当我说“我在说谎”，这一定是对某个或某些有说谎性质的语句进行概括的结果。不能把这一概括自身同它所概括的语句事实作为并列因素，考虑其真假。也就是说，这一概括和它所能概括的其他语句是处在两个层次上的，前者概括后者，但不包括自身。

所以，解决问题的突破口说到底主要在于恢复语言表达思维时所丧失的思维空间的“抽象维”。即，必须把“所有 a、b、c……集合的集合 A 认作是思维对集合 a、集合 b、集合 c……加以概括后形成的语言单位；把"集合a"认作是思维对集合a′、集合b′、集合c′……加以概括后形成的语言单位；同理，"集合a′与集合a″、b″、c″……的关系也是如此。如此等等。这样"A"、"a"、"a′"、"a″"等等，各有自己概括的情况，关于它们的概念在思维抽象中有层次关系。固然它们被投影到语言空间以后会摆在一起被看成是并列关系，但我们的意识却要冲开这种空间转换中的压缩收敛，意识到这些语句之间带有层次关系。这样就不会形成语义悖论了。

D·霍夫斯塔德在他的《GEB——一条永恒的金带》一书中曾例举著名画家埃舍尔的画。画中画出了许多在三维空间不相互缠绕而在纸平面上（二维空间）变成自相缠绕的现象。埃舍尔自己就曾面对自己的画说，平面上表现空间总会出假象。"然而空间性的东西虽然是在平面上，也总是设想自己是三维的"。[①]我们可以用这些话作为对以上情况的一种形象说明。

由语言对思维的收敛性而带来的问题是很突出的，这不仅仅表现在"语义悖论"上。但我们可以由关于语义悖论的研究，看出解决问题的关键还是在于潜意识与显意识在内化外化中所出现的情况。

在对于语义悖论的研究中，人们直接关注的是语言层次化问题。罗素曾经指出："一切悖论……都有一个共同特征，我们可以称之为自我指称性或自返性"。[②]应当说明的是，罗素在作出以上结论时研究了以上我们所说的那种语义悖论，然而他却并不是仅就这种悖论而言，也就是说，它考虑了语义悖论的情况，以此为例，但作了更大范围的概括。他是考虑了所有的由

① 参阅，D·霍夫斯塔德：《GEA——一条永恒的金带》，四川人民出版社1984年，第120页。

② 怀特海、罗素：《数学原理》，英文版1935年版，1卷第61～62页。

因素组成的集合自身包含自己与不包含自己的情况，作出概括，以数学集合论的语言表达了这一问题。

人们常把罗素悖论称为集合论的悖论。罗素在《数学原理》中对他所揭示的集合论悖论是这样写的："假定 W 是所有不是自己的分子的那些类的类，则对任一类 X 来说，'W是X'与'W 不是 X'等值。因而以值 W 赋予 X，就有：'W 是 W'与'W 不是 W'等值"。后来罗素又将这一悖论作了这样略为通俗的表达：不是自己分子的类"似乎应当组成一个类。我自问：这个类是不是自己的分子呢？如果它是自己的分子，那么它就应具有给这个不是自己分子的类下定义的性质。如果它不是自己的分子，那么它就不应当具有给这个类下定义的性质，并因而也就应当是自己的分子。因此二者择之哪一个都会导致对立和引起矛盾"。罗素在解释集合论悖论对，常常把不是自己分子的类叫"平常集"，把是自己分子的类叫"非常集"。

由于罗素是立足于集合论来表达悖论，这与语义悖论显得不同，所以有的人，如罗素的学生兰姆赛作了一种区分（罗素当时并没明确区分这两类悖论）：像罗素所表达的那样悖论，联同他的诸如：布拉里－弗带悖论、康托悖论等被叫作逻辑悖论或集合论悖论，认为这样一些悖论涉及更广的集合论的性质；而象说谎者悖论以及瑞恰慈悖论、格雷林悖论等等都被称为语义悖论，认为这样一些悖论突出涉及的是真假语义问题。

这样一种区分当然是基于数学基础研究领域中的更多问题的考虑，这种区分对探索解决这些悖论的途径起了积极作用。

然而按照我们分析的考虑，对这些悖论可以进行一些统一理解。可以这样认为，罗素悖论是从数学集合论的角度，在更加一般的意义上，概括了要素集合以及集合的集合包含自身与不包含自身的情况；而语义悖论，是就语言现象考察语句涉及自身与不涉及自身的情况。这是一般和特殊的关系。作为证据之一，我们应看到，人们在解释罗素所区分的"平常集"和"非平常集"时，经常举的正是语言现象的特例。在这意义上，罗素所问的不包括自身在内的集合包括不包括自身，与格雷林悖论中问："'异己的'是否异己"，是等价的。

因为这样，应该认为罗素对集合论悖论的分析在更一般的意义上涉及到语义悖论的实质。它能对我们解决语义悖论的问题提供许多实质性的启示。

罗素曾指出："对于应该避免的那些悖论稍加分析，可知它们是由于某种恶性循环而来，这种恶性循环起源于这样的假定：对象的一个汇集可以包含不能通过这个汇集（作为一个总体）加以定义的那些分子。"① 罗素称这样的集合是"不合法的总体"。所以，为了避免"不合法的总体"，罗素提出了一个"非恶性循环原则"即："凡涉及到一个汇集的全体者，它本身不能是该汇集的一个分子；或者，反过来说，如果假定某一汇集有一个总体，它便将会有一些只能用这个总体来定义的分子，那么这个汇集就没有总体。"②

正因为如此，后来许多学者在建立能避免集合论悖论的公理化集合论时，很强调加进一个重要公理，即体现把自身和自身包含的元素区别开的公理。

例如，著名的集合论 ZF 公理系统（策麦罗首先提出，后经弗兰克尔和斯科伦改进而形成的系统），里面就包括一个正则公理（或叫基础公理）即

$\forall X[\exists Y(Y\in X)\rightarrow \exists Y(Y\in X)\wedge\wedge Z(Z\in Y\rightarrow\neg Z\in X)]$.

这条公理是说，一个集合的元素都有某种最小性质。这里的目的就在于排除具有 X∈X 这种性质的集合 X，强调集合和它

① 怀特海、罗素《数学原理》，1935 年英文版，1 卷，第 37 页。
② 怀特海、罗素：《数学原理》，1935 年英文版，1 卷，第 37 页。

的元素具有不可混淆的层次关系。

这个正则公理和其他公理配合，可以证明这样一个定理：任何一个集合 M 必有一子集合 M_β（X）不是 M 的元素。由此可以说明，之所以出现悖论，关键在于最初假设了 M_β（X）$\leftarrow$ M，现在证明了 M_β（X）不是 M 的元素，即 M_β（X）$\overline{\in}$ M，也就消除了悖论。依据于此，不仅罗素悖论可以消除，而且布拉里－弗蒂悖论、康托悖论等等都可以被消除。可见这里关键在于限制了“不合法的总体”。可以认为，按这个思想，对于罗素悖论来说是限制“所有非常集合的集合”，对于布拉里－弗蒂悖论来说是限制“所有序数集合的集合”，对于康托悖论来说是限制“所有基数集合的集合”……等等。这里的限制是指限制它们也作为其中被概括的对象放到所概括的总体之中。

罗素在解决自己提出的集合论悖论时，是紧紧依靠限制不合法的总体这一基本原则的。他的类型论就是依此而建立。

罗素的类型论最初提出的是简单类型论。简单类型论的中心思想就是把类或谓词分成不同的类型。他认为类型应分成这样一个系列：类型 0：个体；类型 1：个体的类；类型 2：个体类的类；等等。这里只能考虑类型 n＋1 的类的分子，而不能考虑某一类是否为其本身的分子。因为这样，罗素悖论得以消除，同样布拉里－罗蒂悖论、康托悖论等也可以消除。

以上我们就解决集合悖论的情况说明了，其中的重要思想在于限制不合法的总体。显然，如果就语义悖论来说，限制不合法的总体，应当表现为，限制把表达思维单位总体那个概念也包含在这个总体之内。因为这语句含义是由思维单位总体来规定的，如果把它也包括在这个总体之内，那么就形成了定义的恶性循环，只有把它们作为不同层次的东西来看待，才能表达一个合法的总体。

罗素的简单类型论可以在某种程度上解决类似集合论悖论

的问题，但对解决语义悖论来说，显得不十分切且。为此，罗素又提出了分支类型论。分支类型论，可以更好地消除语义悖论。

例如，“说谎者悖论”：“我在这里所说的一切都是假的”。对这个语句，悖论形成在于，这一陈述本身也包括在它陈述内容之内。从类型论的观点讲，以上的话可以为给出了这样的函项：“这里断定了一个语句P，并且语句P是假的”。根据类型论，如果P是一个第n阶命题的话，那么“这里断定了一个语句P并且语句P是假的”这一函项是第n+1阶的命题。这样，对于P来说有第n阶的真或假；对于整个函项来说则有n+1阶的真或假。在如此处理之后，悖论就会消除。因为如果我们断定整个语句的陈述是真的，那只意味着P是假的，绝不等于说上面的整个陈述是假的。不会推出陈述又真又假的结论。因而不会出现悖论。①

当然，分支类型论对于广泛的数学基础研究领域来说，它也有许多弊病。为了弥补这个缺陷，罗素增加了一条“可化归性公理”。

1926年，兰姆赛在将悖论区分为逻辑悖论和语义悖论以后，明确指出分支类型论的作用就是解决语义悖论。因此可以说，仅就语义悖论而言，通过分支类型论是可以解决的。

罗素提出类型论以后，对后来的哲学家影响很大，后来的塔尔斯基就顺着罗素的思路，对语义悖论作了更进一步的研究。认为要建立一种语言学理论来排除悖论。

这种语言学理论，实际上就是强调要对语言表达区分层次。塔尔斯基认为，语言充满着矛盾，不能用同一层次的语言表达

① 见，张全新：《逻辑哲学引论》，山东教育出版社1989年版，第215～216页。

自身，必须建立起一系列后设语言的层次。即，对象语言的概念必须在对象语言以外的“元语言”（“后设语言”）中予以表达，而元语言的概念又必须在元语言以外的元元语言（“后设后设语言”）中予以表达，……如此等等。按照这样的原则确定语义概念可以避免语义悖论的出现。

由以上可见，为解决语义悖论，明显地提出了一种语言层次化的要求。那么，怎样才能实现语言层次化呢？如果仅限于语言本身来考虑问题是不够的。美国学者D·霍夫斯塔德曾表示过这样一种看法，“把语言进行分级是十分荒唐的。当我们谈论各种事物时，是决不会使自己在不同层次之间上蹿下跳的”。[①]

的确，语言就其本身来说是无所谓分层的。因为高维空间一旦投影在低维空间上，在低维空间本身中想超脱自己的系统回到高维空间又是很困难的。特别是在语言表达中，一旦写出来或说出来，就成为感性的自然界，人们是通过重新感知这些感性自然界来理解思维。人们在使用和接受语言时，首先接触的是没有抽象维的二维或一维的语言空间，没有一定的思考力往往不容易从中理解到带有抽象维的思维空间。

然而，即使从语言空间回到思维空间是困难的，人们的思维能力也总是能做到这一点，而且始终是自觉不自觉地在作着这一点。中国古代的陆机在《文赋》中曾讲，一方面要“由文生义”，另一方面要“文能逮义”。也就是说，人们用语言来表达思维时，里面总包含着两个相互反转的过程：第一种情况就是所谓“投影”，第二种情况我们暂把它叫作“复维”。意识在处理语言和思维的关系时总是既有思维空间向语言空间投影的一面，又有从语言空间回到思维空间恢复维数的一面。这正是

① 参阅，D·霍夫斯塔德：《GEA——一条永恒的金带》，四川人民出版社1984年，第11页。

人的意识能动性的表现。

可是，讲"投影"和"复维"还是仅仅是从语言表达的视角看过去，是从文和义的关系来讲。中国古代的刘勰又曾讲到，要做到"文与心而徘徊"。这启示我们要从语言与思维、从显意识的"文"与潜意识的"心"的内化与外化的相互徘徊中来解决问题。

（7）在近现代的解释学当中，许多学者还揭示了一种"解释循环（the hermerneutic cirele)"。这主要是指在对语言本文加以理解和解释时所遇到的一种循环。当然这里不仅涉及理论方面的理解和解释，也涉及对于艺术作品等等诸方面的理解和解释。由对"解释循环"加以解决，出现了理解论的解释学、方法论的解释学、本体论的解释学等等。然而对解释循环的最初揭示很大程度上是在对语言本文理解解释时涉及到整体与细节问题而引起的。有的学者指出，"解释循环"一词的出现，笛尔塔相信是在施拉依马赫首次使用之后。但根据当代一位学者R·韦勒克（René Wellek）的研究，是康德最初使用了解释循环一词。[①] 通常认为，如果撇开考证问题不谈，单就提出解释循环问题自身而言，它的理论可认为最早提出于德国古典解释学中，由笛尔塔明确完整地表达出来："必须根据细节来理解整体，而又必须根据整体来理解细节"。[②]

这里涉及到的情况与我们所讲到的问题是相通的。人们发出和接受语言文本时，在语音中出现的是一个个词或句子组成的语言流，在文字中出现的是一个个词或句子出现的语言面，而且一书写、一阅读同样要变成一个个词或句子组成的语言流。人们总得从一个个词与句的细节入手来理解整体。这样，整体

① 韦勒克：《现代批评史：1750—1950》，1965，第332页。

② 《笛尔塔全集》，卷八，第196页。

的出现似乎就成为不可能的。

其实，应当正视：仅局限在词句本文中来讲，整体的确是很难以出现的。因为，由语言的收敛性，整体总是被细节、部分所间断，它相对于意识所把握的东西，总是缺失着什么；整体在于人的意识来把握，这是由潜意识的必然性来解决的。

但是，人们总是能够由对语词的理解来使潜意识中的整体出窍；这时又表现为由潜意识中的整体来理解语言细节。正因为这样，伽达默尔在论及理解过程中部分与整体的关系时说："理解永远是由整体理解（解释者的前理解），运动到部分（传统之一部分）又回到整体的理解（解释者所达到的新的理解）"。①

为此，不少学者后来认为，具有决定意义的不是摆脱这一循环，而是以适当的方式进入这一循环。

他们特别重视了关于"前理解"的问题。由此许多人进一步提出，进入解释学循环，是从解释者的"前理解"开始的。而这种前理解是一种"先见"。

从我们塑造论的观点看，"前理解"主要在于由行为内化而形成的潜意识结构。

可作为参考的，正如有的学者所讲："'前理解'心态才可能给出作品产生与可理解性的整体。相对被解释对象来说，解释循环是从解释者的整体'前理解'开始，向作为部分的解释对象作出一系列理解的尝试和扩张"。"由语言作为最广阔的理解的整体文化背景，再以解释者的'前理解'作为在这一文化背景之中使作品产生可理解性的基础，由最初尝试用'前理解'去理解作品，到不断与作品接纳'前理解'所扩展出去的理解

① 加达默尔：《真理与方法》，德文本第276页。英文本第259页。

最后形成'前理解'与对作品理解的相融合，产生完整的意义。从这样的角度去理解解释循环的问题，就发现解释是在三种相互渗透的关系中循环：解释首先要以语言形成的文化背景作为理解与意义得以发生的整体。相对于这个文化背景而言，解释者和被理解对象都是置身于其中的部分关系。尤其是这个语言中的文化背景，正是提供了解释者之所以具有理解能力的'前理解'的存在基础。而这个作为解释者和被理解对象的文化背景，是由解释者的'前理解'或'先见'来间接地作为理解发生的整体意义关系。这才是何以传统解释学一直对这种解释循环所必须卷入的关系视而不见的原因之一。现在，由于有了对前二种相对于作品（或其他被解释对象）而言是作为整体关系的认识，就不难再接受这样一个理解过程中必然要发生的事实：作品内部的整体与部分的关系，并不能独立地产生意义，也不是解释循环的真正问题所在。它们必须纳入到更广泛的关系中进行解释的循环，才有可能形成理解和意义。"①

可见，这里讲的与其说是"解释的循环"，不如说就是显意识与潜意识内化外化的循环。这正应着刘勰所讲的"文与心而徘徊"。

正是进入这样的一种循环，才能解决语言与思维之间、显意识与潜意识之间发散生成与生成收敛的矛盾，使二者达到统一，使显意识与潜意识达到统一和谐。

进入这样的循环，同时进入着文化人类和人类文化互为作用的大的循环。从一个层面上说，这里进入"文与心而徘徊"的循环，解决着思维中的概念理论与语言符号之间的矛盾；从再一个层面上说，这里又进人"具体－抽象－具体"的循环，

① 殷鼎：《理解的命运》，生活·读书·新知三联书店1988年版，第33～34页。

解决着逻辑形式与现象事实的矛盾；从又一个层面上说，这里还进入人们在行为实践中的内化与外化的循环，解决着主体与客体相互塑造的矛盾。这是自然塑造人与人塑造自然的循环。

只有在这种循环中才实现着理论求真的可能性。[①]

（二）韵律→艺术。

1．无意识前提。

人在自然界中生成，镶嵌在自然界中；为了使自身生存繁衍，必须合规律地进入自然界一定序参量所形成的某种序关系。如前所述，这里得有一种调节机制。进行这种调节除了有作为理论意识之前提的关于“对与不对”的对应性机制以外，还有一种作为艺术意识之前提的关于“适与不适”的取悦性机制。

这里所说的“适与不适”可以区别出一个概念系列：“适合不适合”、“适悦不适悦”等等。这种系列也是在大自然的塑造中形成的。

从非生命物质的“适与不适”说起，首先有个“适合不适合”的问题。这往往同“对头不对头”即“对与不对”难以区分。一定物体的生成与演化，总与其他物质发生相互作用，但简单物质自身并没有以保持原态为目的的刺激反应行为，所以只能是，天然适合就对应地有作用，不适合就显不出有对应关系。例如水往低处流，水加热变成气体，H_2O 的分解及与其他元素化合等等，这里只有个条件适合不适合的问题，而不存在自身适悦不适悦的问题。当从非生命发展到生命，就其理化过程来说也有个适合不适合的问题。例如，在 DNA 的复制过程中，受体的“抓取”。在此意义上“适合不适合”同“对与不对”的对应性机制显示不出多大区别。而到了真正意义上的生

① 见，张全新：《塑造论哲学导引》，人民出版社 1996 年版，第 766～780 页。

命体那里，与非生命体有一个重要不同就在于，它开始产生一种保持自身延续"舒适"生存的功能，由此，便开始有了一种"适悦不适悦"的取悦性倾向。

刺激感应是生命体最简单的反应活动，在此，是否适悦的问题已很明显。例如原生质中有一种还没发育出细胞膜的黏液菌，当遇到小物质时就能将其包围于体内，若可食便立即形成消化胞把它消化；若不可食便可借助原生质的运动把它排出体外。作为单细胞原生动物的草履虫，当它遇到盐便纷纷避开，因为不适悦；当它遇到氧气或弱酸则纷纷趋近，因为适悦。作为植物，在其生长中体现出的趋光性、趋水性等也可认为是同一类的表现。

对这种适悦趋向，已可认为有一有"趋向欲"，这是生命体出现保存自身延续生存之功能的"欲望"萌芽。然而，要讨论"欲望"又不能不涉及"目的"这个范畴。对于"目的"，如果作出真正意义的理解即狭义的理解，应肯定地说，唯出现有意识的人即出现有理论思维的模态之后，才会形成意识到的目的；但就其宽泛意义的理解即广义的理解，也可以说，生命的欲望本身就是带"目的性"的。这似乎是用了哲学史上有些学派所讲的"目的论"的概念；现在从自组织的意义上讲，整个自组织过程似乎也显示出自然的"目的性"。这里，我们是为了说明无意识前提，而把"目的"这个概念向前延伸，是从非严格意义上即从自组织意义上讲的"目的"说起，论及生命的"目的"。当然这里谈的暂时还没论到人的真正形成目的的意识因素，还没谈到作为有意识的目的的全部内容只是在自组织意义上，在序参量支配子系统的"行为"使之服从的意义上讲，说它似乎成为有一定"目的"的过程。

凡是稍微高级一点的生命物质在参与某序参量支配的组织过程时，由其保存自己的目的，使它具有了某种人们所称的

"本能"。"本能"指向序参量所规定的"目的"，然而在无意识过程中"本能"又不识"目的"。所以严格讲，这里的"目的"又不成其为目的，它是由自然界环境的某种序参量支配下而出现的一种"本能行为"。这样看来，这种"目的"与其说是生命个体的运动所要求的，不如说是大自然的序参量所给予的。这样，生命体为保持自身即保护生存、延续生存而具有的相应本能行为，至关重要。因而，本着生命"目的"的相应本能行为，就会出现两种情况：或者与大自然相一致，或者与大自然相冲突。生命体的原初"取悦倾向"正是这种本能的表现。这里最基本的在于追求"快感"和躲避"痛苦"，以达到自己生存的"目的"。由此又可以说，取悦倾向本身就体现着生命体内在的欲望尺度与大自然外在环境参量的一种关系。也就是说，快感是生命体内在欲望尺度在外在环境参量中得到实现，痛苦是生命体内在欲望尺度在外在环境参量中遇到障碍；环境对欲望满足就形成快感，环境对欲望破坏就形成痛苦；快感是欲望与环境的一致关系，痛苦是欲望与环境的冲突关系。

这其中有其大自然塑造的人体生理基础。有人曾以研究结果表明，在人的神经系统中有一种可称为"快乐的物质"的东西，即内腓肽的神经递质；也有一种可称为"痛苦的物质"的东西，即缓激肽系列的神经递质。由对此在神经系统分布的精细研究表明，这成为快乐与痛苦重要的生化生理基础。据文献介绍，20世纪80年代初，日本癌症研究中心的学者用音乐中的音符代表碱基排列顺序，将鸟嘌呤（G）和胞嘧啶（C）配成音符的2和3，将胸腺嘌呤（T）和腺嘌呤（A）配成音符的5和6，结果形成奇妙的"DNA音乐"。1984年7月12日，英国《自然》杂志上刊登了一篇关于DNA音乐的论文，轰动了生物界。在短短的三个月内，该刊又登载了美国和英国学者的此类文章，提出以高低音对称配音即用音阶中的1、3、5、7代替

A、C、G、T，由此"创作"了DNA的变奏曲。之后，美国加州霍普医学研究所特别研究员又对此进行了深入研究，结果形成很有艺味的音乐。例如，这里可以得出此构成与遗传基因碱基排列的相似性。如果写出肖邦《葬礼进行曲》第三乐章的中间部分，再写出人体胰岛受体β链具磷酸化酶活性部分作成的乐谱，两者之间音符的排列模式相似得简直令人难以置信。另一方面，如果能将《葬礼进行曲》翻译成碱基排列顺序，从而合成蛋白质，就会出现具有特殊功能的新颖蛋白质。再就是，由中国古代音乐的五声音阶（宫、商、角、徵、羽）来讲，据《黄帝内经》"素问""金匮真言论"篇、"六元正纪大论"篇、以及在"灵枢""五音五味"之中的阐发，这与人的"五脏"（脾、肺、肝、心、肾）相联系，还和"五志"（思、优、怒、喜、恐）相联系。这使由"宫、商、角、徵、羽"形成的音乐调式，在"五脏""五行"中，具有对应关系，有丰富复杂的"同态"的关系。

生命体总要服从大自然的序参量，为了生存它就得在大自然的塑造中改变自身，这就得在自然选择中把自己组织得更好。单细胞生命体发展成多细胞生命体并进而出现带有不同感应细胞而在各负其责中组成神经系统而形成的生命体。于是出现了新的高级的适悦层次。

能够逐步产生出神经系统，这是生命体沿着本能欲望而更主动地追求快感躲避痛苦从而在适悦方面向更高层次发展的关键一环。也就是说，有了神经系统以后取悦性机制才能真正上层次地开始发展。在刺激感应性的基础上，生物体出现神经细胞并逐步形成神经网；进而，动觉、触觉、视觉、听觉等器官的形成以及愈益细致的分工，带来在大脑发展中形成知觉、表象。这时生命体便有了感知级以至表象级的取悦性机制。在此过程中主体关于形色、音响的感知形态日益丰富。

视觉的产生是从对光的明亮和黑暗的感知开始的。在发展中分化出对不同频率光波进行不同方面感知的细胞，于是出现色彩感。同时视觉清晰感也在生命的进化中趋于完善，而空间感则于进化中在人身上达到了相当高的程度。根据考古化石复原的从鱼到人以及灵长动物颅骨的演化系列，可以看出：眼睛在进化中逐渐从头的两侧移到了脸前方的两只眼。这意味着视域从两眼各看到一部分景象到同时注视一个对象，这个过程既伴随着视象的逐步清晰化，更意味着物象的空间距离感、立体感、虚实感都在逐渐加强。这进一步发展着对于形色适与不适的取悦性机制。

听觉也是进化的产物。就生物体对声的感应来说，从无声的外部世界到成为有声的外部世界，从只有声波振动的外部世界到成为有音高、音质、音色的外部世界；而且出现了能自觉感受与自身生命律动节奏相互作用的音响世界。不同物种由于听觉系统和发声系统各不相同，形成了它们对音高、音质、音色的不同偏爱，形成了他们对不同声高节奏的不同反应。这便形成了对于音响是否有快感的取悦性机制。

在视觉中可归为空间层次的形色和在听觉中可归结为时间延续的音响，加上其他方面的感觉因素，到知觉表象可形成一种人们所称之为“格式塔”的东西。“格式塔”是德文字 Gestalt 的音译。英文往往译成 form（形式）shape（形状）。中文常常把格式塔意译为“完形”。这个词比较接近“格式塔”的原意。其实，“格式塔”主要是指在知觉表象中起作用的整体组织性。格式塔既然是一种组织或结构，不同的格式塔就有不同的组织水平。而不同组织水平的格式塔往往又伴随着不同的感受。这种感受是知觉器官对外界刺激进行了积极组织的结果。

这样，“格式塔”便带有一种“简约”和“整合”的效应。

“简约”这个词是从 pragnant 而来，其原意带“简约合宜”

的意思，这是一种直接给人以愉悦感受的格式塔效应，有人以这个词称谓"好的格式塔"。这是在某些特定条件中对于感性刺激状态一下子被组织得很好、很规则（对称、统一、和谐）和具有极大限度简单明了性的格式塔。这成为"格式塔"的简约性效应。

但是，在很多情况下，刺激状态本身并不是一下子被组织成一个"简约合宜"的格式塔，这时格式塔又会表现出一种改变或说改善对刺激物作用作出反映的强烈趋势：一方面会放大、扩展那些适宜的特征；另一方面又会取消或无视那些阻止或妨碍其成为一个好的格式塔的特征。例如，当"形色""音响"有缺口或中断，往往被自动地"补足"或"完结"，成为一个完整连续的整体；稍有一点不对称往往被视为趋向于对称等等。这就是"格式塔"的整合性效应。

"格式塔"的这种简约和整合，是基于一种由"需要"而产生的"组织"倾向。这种对格式塔的追求。往往被称之为"完形压强"。这就是说，每当出现不太完美，甚至有缺陷的时候，这种将其加以"组织"化的"需要"便大大增加；而当出现的对称、规则、完美时，这种需要便得到"满足"。此过程是在一种内在"需要"的驱使下进行的，可以说，只要这种"需要"得不到满足，便会持续进行下去。这种趋势表现着有机体的一种自我调节的冲动，即机体总是有最大限度地追求内在和谐的倾向。每当外部刺激出现时，特别是那些具有不和谐结构模式的刺激状态出现时，就会有一种极力迂回、改变刺激状态而使之与内部状态达到同一或同型的活动。

总之，人是在生物、动物的进化中才产生的。正是这种在进化中，简约性和整合性效应在人身上被积淀下来，成为人所具有的。人所感受的东西，在"简约""整合"效应中才成为人所面对的形象，即"审美对象"。不然的话，就无所谓审美对象。这一层次上讲的简约性和整合性效应，在无意识中并没成为被意识到的，只有在意识中才被意识到。在意识中它会在感受形象意蕴时起着作用，当受意识的调动，它便会涌现出来，从而加入有意识的表征和象征，并为表征和象征所统摄。作为潜意识的韵律形式是以此为前提才得以成为意识的。

2. 潜意识显意识。

(1) 人们在艺术研究中会涉及到韵律问题。韵律带有形式特征，由此人们常常提到形式美。在许多人看来，它似乎带有先验的性质。在回答艺术美何以可能的问题时，往往会遇到一系列难以解脱的难题。例如，康德曾提出过一个关于鉴赏的二律背反：正题——"鉴赏判断不是根据原则的"。因为每个人都有他自己的鉴赏，是不能让人由辩论即通过论证来决定的。反题——"鉴赏判断是根据原则的"。否则人们即使观点相异也不会为它而争辩，即要求别人对此判断同意。① 这里讲了，对同一命题的两种看法：有些人认为鉴赏判断是有标准可循的，有些人则认为鉴赏判断是无标准可循的。那关于艺术的美又是何以可能的呢？这里的重要问题在于，韵律形式的根据到底在哪里？塑造论哲学认为，这是在自然塑造人和人塑造自然的过程中，主要经过符号（工具＋行为）内化而成的。

如前所说，有意识主体的形成有其无意识前提。在无意识前提中，就产生着一种取悦性机制。韵律意识是取悦性机制发展的产物。

对于"韵律"这个词既可以在艺术活动的意义上使用，也可以在自然本身就有韵律的意义上使用。而我们所讲的真正意义上的韵律，是在主体与客体关系中体现同态取悦性意义上的

① 康德：《判断力批判》，载《康德哲学原著选读》，商务印书馆 1963 年版，第 301 页。

韵律。

(2) 我们知道，物质运动在振荡中是有频率的，各种物质的动静平衡是有节奏的，地球上的昼夜、四季是有周期的……这对于生命体来说，谁也摆脱不了。这种大自然的频率、节奏、周期成为在其中生存的生物体之生命频率、节奏、周期之序参量，这才出现了生物体自身发出的有一定频率的电磁波、声波、热辐射等，出现了心跳、呼吸、咀嚼及摄食、休息时的动静平衡的节奏，出现了诸如蜕皮、换角、活动和睡眠以及发情交配等生命活动的周期……这一切成为自然塑造给生物体的韵律。或者说这是一种大自然把自已的韵律给予生命的塑造，也把类似的韵律给予了人的塑造。

而同时，生命体使自己的韵律合于大自然才能生存，这便产生了适悦感的问题。生命体特别是人的动感就是这类情况之一。如人能感到自己的心跳和呼吸，当自己的运动节奏与之相合便舒服而有快感，与之不合则不舒服而失却快感；人在作出某种动作如走路跑步以及跳跃荡动时，当其节奏在一种使自身达到某种平衡的情况下进行，就感到愉快，否则就没有愉快。

这些过程作为人们感知的物的形态来说，总要表现出它的"形"或"色"。例如昼夜交替，使人感受到明亮和黑暗、日照和星月、温热和寒冷等等。生命体动静节奏充分表现在其肌肤、体态、姿色之上等等。当这其中的光、空气振动、温度以及物体之变化等作用于人之主体，它既可成为客体变化的一种征兆，又可成为客体激起主体变化的一种征候，也可以成为引导主体发生某种行为的信号，还可以成为对之以这个托于那个或以那个托于这个的带指喻性的符号。然而这里要特别强调着是，这符号不仅能够起指意作用，而且它本身就有着使主客体一起律动或带有动韵的韵律形式。也就是说，在这种情况下的符号本身就是有韵律的。

从广泛意义上说，人在行为中一切作为其物化形态的东西都可认为有这样的符号性质。

例如人在劳动中使用工具，美国人类学家匹尔比姆（D. Pibeam）指出："工具的出现，说明在制作和使用工具的过程中，必然要求手和眼作更精密的配合活动"。许多学者就此指出，对于作用于客体来说，工具有棱角；而对于主体持握来讲，工具需要圆润。这是工具的两大基本命脉。这是因为，有棱角才尖锐、锋利，人的工具一开始主要寻求的就是这一点，这是工具与自然关系决定的；圆润了把握起来才顺手，当猿的掌进化为人的手，当拇指逐渐后移而变成可以对握以后，对握起来的手就成为一种制约工具造型的尺度，这是人与工具的关系决定的。另外棱角往往是轴对称的，圆润又往往或者是轴对称或者是全对称；棱角与圆润又形成对比，既棱又圆是有节律的；如此等等；随着工具的多样性，一系列几何形状的对比在变化中愈益丰富多彩。

从劳动的工具光滑意义上考虑，圆是一种重要的韵律形式。然而这只是一个方面，当考虑到使用轮子，这曾成为人类劳动工具的一大突破。因为轮子能使得人的行为与工具的协调更有省力而愉悦的韵律。而圆是内在地服从圆周率的，在大自然的规律中圆周率又与三角形变化多端的性质相通。埃及人建造的多面三角的金字塔，体现着一种有韵律的建筑美。据说，在金字塔的结构中可以明显地测算出圆周率，由此有许多人作出这样说明：金字塔的建造早于圆周率的发现许多年，似乎设计建造金字塔的人早就知道并应用着圆周率，因此大惑不解。没有办法，甚至推测金字塔可能是高于地球人类智能的外星人所建。其实，金字塔建造史材料能证明，当时人们在建造工程中往往使用轮子进行丈量测算。轮子是圆的，就把圆周率内在地体现于金字塔的结构之中。这使得金字塔具有了与圆相通的韵律美结构。

由此也可以看出，不论是圆还是棱角，不仅形成对比结构而且其内在韵律是相通的，它体现于由自然塑造人和人塑造自然所积淀的人体生理结构中，也体现在人们的活动行为之中，体现在人们所制造的工具之中。这种韵律内化于人之主体便成为形成人们艺术韵律的基础。

黄金分割是非常稳定平衡的结构，大自然的许多结构服从着黄金分割。由于大自然的塑造，使人体的结构也基本服从黄金分割。但这还并不是足以形成人审美的韵律意识。人在劳动中制造出工具，服从黄金分割，便最有力量或最稳定；人建造的建筑服从黄金分割，会具有稳定牢固的力学结构；由此，服从或体现黄金分割之韵律的大量制造物便出现了。当这种有韵律的适悦形式作为审美形式内潜成人之审美的韵律意识，便又进一步体现在了工具、建筑以至雕塑、绘画以及音乐之中；并由此呈现出一些对比，以使人在对照中形成稳定与不稳定的冲突，形对比中的快感。

人类在早期制造中选料的标准是便于加工。那时还顾不到色彩。便于加工的石料如（燧石、砂岩等）刚巧都是素色的，因此早期石器往往都比较灰暗。随着对石器加工精度的提高，随着刮、削、切、割的程度的提高，硬石料越来越被起用。这意味着选料范围的扩大，这使一些色泽鲜亮，但难于加工，原来被抛弃的石料，越来越多地被加工成石器。这就给石器色泽造成了对比的机会。正是这种夺目的对比效果，才激起色彩感的更大兴奋；也正是这种世世代代不断重复的刺激，才进一步激活色彩感本能，并逐渐敏感化。当这种敏感发展到一定的程度，当夺目的色彩不仅使眼睛舒服而使心灵激动时，它就会成为一种相对独立的心理力量，从内部促使人们越来越有意识地选择夺目的石料。可见，作为自己生存竞争中的特殊力量，工具形式一开始就让主体关注，并作为自己本质力量的感性确证。工具形式一开始就让主体激动，有了这种深厚的心理积淀，夺目的色彩组合逐渐出现在自己的产品中时，主体才能为之兴奋，色彩感才被更加唤醒，并得到提升。这使人的眼睛成为“欣赏形式美的眼睛”。这个过程一旦得到实现，人们越来越能够主动地以欣赏色彩的眼睛，来欣赏自然界的红花、绿草、彩虹、蓝天。由以色彩韵律形式来感受自然的扩大，使艺术带形式美的自然人化过程日益扩大。

就工具的有效性而言，对称、色彩并非绝对必须。后来人们又逐步有意识地追求着超出功利需要的对称和色彩，并逐步成为一种相对独立的心理力量影响工具造型。创造的愉快不再只是官能性适悦的对比力量，相反，工具的形式韵律大大强化了创造的愉快。只有制作既好用又好看的工具，主体才能更充分地享受到本质力量得到物化确证的愉快。正像今天的建筑工人把墙垒得笔直才心满意足一样。

制造工具的这种手、眼以至整个机体高度配合的行为，经过千世万代的重复，才使官能的需要转化为整个机体的需要，才使直接功利性的适悦快感转向超越直接功利性而带有韵律意识的适悦快感即艺术美感。这种体现艺术美的创造物，开始曾用于人在求偶、征服时的炫耀，这同动物用自己的体态来对自己的情敌和异类进行炫耀相类似，但这里已在用人所制造出来的东西，如佩挂穿戴的装饰、纹身等等，把它作为证明自身魅力和力量的符号。另外，体现韵律的种种形式开始曾用于人对自然和对自己形体、人对社会不理解而产生的许多原始崇拜仪式中，这形成了许多祭祀形式。在种种作为原始崇拜物形象中的韵律形式对人的韵律意识形成也起着重要作用。这些物品中的韵律形式显然越来越加强着人的审美韵律意识。

人们感受韵律，开始是与自身生命直接联系的，这是陷于求生中的直接欲求，如摄食或求偶，带有很大的直接求生性。这里，作为人的劳动产生之根据的求食、设居等等最为直接，这种求生性对于人说，发展起来便是直接的功利性。但在发展中，当逐步扩展为离开这种直接生存性的状态，便出现了一些非功利性的行为。例如，当生物有足够的能量和精力使自身生存，便出现了一种既和直接生存性有关，又不为直接生存性（功利性）而发出行为。如可称为“游戏”的那样一些行为。游戏在初始虽然不直接指向外在求生性（功利性）却与运动系统和高级神经系统生命的内在求生性相一致。正如许多学者指出的，运动系统的新陈代谢和生长发育，从内部要求动物不断地运动，这就是一种在韵律中取悦的运动欲。这种欲望一般在物质追求的实际活动中得到满足，当实际的功利性活动暂时不能满足内在的运动欲时，动物就会自发地表现出一种运动。当功利性的活动过量时，机体则要求紧张后的松弛，于此动物也会表现出消闲式的运动，使机体得到调整和休息。游戏是带符号形式的，人们在游戏中取悦离不开从这些符号形式中获得韵律感，因而使人的韵律意识得到加强。这也成为艺术美感产生的一个重要来源。

总之，人由符号之上的韵律而获得的快感一旦冲脱动物的惰性，它就成为自由的；而这又反过来成为进一步唤醒本能的巨大力量。人类的一部分本质的优先解放，是推动人的本质力量全面解放的前提和先导。也正是在这个过程中，动物本能经过意识的呼唤才越来越成为人的本质力量。

（3）由以上可见，艺术韵律是由劳动、炫耀、祭祀、游戏中的一系列符号行为内化而成的。

一是劳动和炫耀。如前所述，从本质上说劳动是产生艺术功能符号的最基本的活动。而人类劳动重要的是社会的活动，要有社会的联结；这样，人类在处理相互关系时，在相互协同相互交往过程中，就会产生一种造成相互之间有协同行为的信号，鲁迅讲“哼哟哼哟派”则是肯定了劳动号子在韵律意识起源中的地位。同时又由于，劳动能力强的人在群体中易于取胜，劳动的强者易于胜出；这样，炫耀往往突出的又是劳动能力的炫耀。这既可以由此来显示自己的能力，来征得配偶和取得群体中的支配地位。又可以在炫耀过程中强化劳动能力，引申劳动产品的种类。这都同时内化着韵律意识。

二是劳动和祭祀。劳动本身就有仪式化的因素。作为艺术起源的仪式化行为许多是由劳动行为的演化而成。历史表明，艺术活动的产生又并不仅仅的生产劳动的结果，还与人们的原始崇拜有很大关系。图腾崇拜往往与人们追求一种人与自然的和谐有关。同时，祭祀行为又使劳动组织和社会组织巩固，使带韵律而协调的劳动行为得以总结并发生演变。这也内化着韵律意识。

三是劳动和游戏。劳动的动作本身是能量的发出，游戏是当劳动能量有剩余时的进一步发泄，以求得快感；同时远古时的游戏往往又是劳动动作的演化，而且游戏形式还是有韵律的劳动技能训练。这同样内化着韵律意识。

四是炫耀和祭祀。祭祀往往通过某种炫耀来进行。炫耀的东西往往又成为祭祀中所崇拜的东西。祭祀总有仪式的形式。这往往显示出巨大的力量。同时也内化着韵律意识。

五是炫耀和游戏。在一定意义上讲，炫耀本身就是一种游戏，起码炫耀本身也易变成游戏。因为游戏往往是人们在生产劳动之余精力过剩，为寻求娱乐快感而出现的一种活动。而这种活动同时又是展现自己，成为吸引征服别人特别是异性的一种表现，所以游戏之中往往就有炫耀的因素。韵律意识也在其中内化。

六是祭祀和游戏。游戏的仪式化往往成为祭祀的形式，祭祀逐渐失去它本来的意义时，往往又成为游戏的形式。这其中总表现出种种符号化的东西。韵律意识在这种过程中内化是很显然的。

总之，以上6种情况综合着起作用。成为有韵律的艺术功能符号内化为人的韵律意识的基础。

第一个系列：人们在劳动、炫耀、祭祀、游戏过程中，首先要表现出一些姿态。例如劳动中的身体姿势、面目表情以及手势等等。而这些姿势手势本身就可看作人体动作艺术符号，它内化于主体，又作为艺术表现出来，便成了舞蹈或表演。舞蹈和表演可看作是一种更带有艺术功能的高级姿势。人们认为舞蹈的产生直接和劳动有关，的确如此；同时它又不独由劳动过程产生。应当认为，这是由人的劳动与炫耀、祭祀、游戏活动综合起来，形成一系列姿势、手势才产生的。特别是，舞蹈、表演又是在图腾仪式中经常出现的，这是促进舞蹈、表演发展的重要方面。有了舞蹈必有韵律的哼哼声并敲击某种发音的东西，这内化于主体，再把意识了的韵律形式借此表现出来，便成了有一定旋律和节奏的音乐。

第二个系列：人们在劳动、炫耀、祭祀、游戏活动中，必定要形成一些留在固态实物上的痕迹。当人们在以上过程中学会自觉地以带有韵律的点和线、形和色或以雕琢等制造的实物表示以上过程，便形成了绘画或雕塑。其中包括岩壁绘画、某种造型的器皿、身体上的纹饰或装饰等等，这些东西还可以刻画在各种用具（如陶器）以及居所或墓葬（如石刻）之中，便形成了以体外固化的可感知的物质形态作为意识活动信息载体的艺术符号。人们通常认为，图腾艺术的产生是在祭祀活动中出现的，当然如此。但是，它又不独由祭祀活动产生，因为，如果没有绘画雕塑的发展，祭祀的图腾便形不成可感知的实物形态。应当认为，正是由于在劳动、炫耀、游戏活动中发展了绘画雕塑能力，才能在祭祀活动中画出、雕出“图腾”的作品，以作为“旗帜”、作为崇拜物，使大家都来崇拜，也才能形成许多人共同进行的带有仪式性的活动。同时人们在图腾仪式中往往要进行舞蹈或表演，这就要奏出、演出一些或神秘或振奋或优幽的音响，这促成了音乐韵律美的内化，同时又反过来促成或激起仪式化舞蹈中的韵律臻美和审美得以加强。

第三个系列：人们在劳动、炫耀、祭祀、游戏等活动中，要发出一些声响。这本身是能传递一定信息的，当以这种方式越来越不足以传递复杂的信号时，喉头便特别地发展起来，“到了不能不说的程度”，发音的言语活动便应运而生。这种语言的言语活动，是以喉头振动，推动空气产生不同频率振动，从而传递信息的方式。口头语言中的节奏和旋律又与音乐相联系。另外，人们的行为总要落在固态实物上出现痕迹，这就成为标示人们行为的信息载体，它一方面形成雕塑、绘画等，另一方面，当人们感到越来越不能表示一些意思时，手划符号的行为便应运而生，这便是书面语言的言语活动。这是用手落下不同形状的图形传递给对方引起视觉对不同图形进行感受的语言传递形式。而书面语言的形成，又和绘画、雕塑等等相联系。人体语言、口头语言、书面语言的发展，渗透在表演中便成为戏剧；用文字记录这种戏剧性的演化，便成了文学。

马克思曾经讲到，“眼睛对对象的感觉不同于耳朵，眼睛的对象不同于耳朵的对象。每一种本质力量的独特性，恰好就是这种本质力量的独特的本质，因而也是它的对象化的独特方式，它的对象性的、现实的、活生生的存在的独特方式”。“另一方面，即从主体方面来看：只有音乐才能激起人的音乐感；对于没有音乐感的耳朵说来，最美的音乐也毫无意义”。“只是由于人的本质的客观地展开的丰富性，主体的、人的感性的丰富性，如有音乐感的耳朵、能感受形式美的眼睛，总之，那些能成为人的享受的感觉，即确证自己是人的本质力量的感觉，才一部分发展起来，一部分产生出来”。“由于人化的自然界，才产生出来的”，“五官感觉的形成是以往全部世界历史的产物”。①

综上所述，我们涉及到以人体自身发出的可感知物在物成形态作为臻美审美载体的符号；以体外固化的可感知的物在物成形态作为臻美审美载体的符号；以体外流动的可感知的物在物成形态作为臻美审美载体的符号。这便形成了通常所说的人体活动的艺术符号、空间固化的艺术符号、时间流动的艺术符号三大类。这三大类艺术符号在形成过程中是带系列性的：

首先是以姿势、手势为代表的人体动作艺术符号，它进一步发展主要表现为舞蹈、表演等等；其次是以图形、色彩为代表的空间固化艺术符号，它进一步发展主要表现在雕塑或绘画上面；另外是以音响、言语为代表的时间流动艺术符号，它的进一步发展主要成为音乐和文学。

这里，人体活动符号因为它带有直接性，可认为是艺术功能符号产生的开始阶段，因为只要人体诞生它就发出着符号效应。空间固化符号可认为是艺术功能符号产生的其次阶段，因为它已物化成人体以外的物在物成形态。而时间流动符号则可以认为是人类在行为中产生艺术符号的高级阶段，因为它是伴随着语言和音乐这样的符号产生的。

从人体活动艺术符号，到空间固化艺术符号，到时间流动艺术符号，在这样的发展中，符号承担着韵律意识外化的作用，同时由它内化也形成并加强着韵律意识。

在内化中形成和加强着的韵律意识，这是潜意识的。在外化中韵律意识及其携带着形象意蕴表现并物化出来，这是显意

① 马克思：《1844年经济学哲学手稿》，《马克思恩格斯全集》第42卷，人民出版社1979年版，第125～126页。

识的。

(4) 总之，韵律在符号（工具＋行为）的内化中形成，从而形成韵律意识。

韵律体现着艺术的形式美，它在人的意识过程中有着向感受中的形象之内容拓展的涌动。由于韵律形式的作用，前面讲到的在无意识前提下形成的作为带简约性和整合性效应的感性形式，被调动起来并被包摄于其中，从而形成了臻美意识中的想象和喻示。

想象和喻示是取悦性机制的延伸，但已不仅仅处在感性的简约性整合性效应之中；而是对处在感性的简约性整合性效应的之中的形象意蕴，以韵律形式在简约中给出新的喻意，在整合中创出新的境象。从而臻得艺术的内容美。这扩大着虚构世界，形成着对形象意蕴的把握。

这是以韵律来意识，从而成为关于形象意蕴的臻美过程。这是以韵律来意识形象意蕴，并携带着感受中的形象意蕴，在想象和喻示中形成外化于符号或表现于行为的艺术体系。概言之，艺术潜意识外化为艺术显意识。

(5) 由潜意识作用中的显意识，以韵律形式去统摄形象意蕴，经历着两条交织进行的道路：充沛的情绪升华为典型的神定，典型的神定挥洒为具象（具体形象）的表现。这里第一条道路可认为是典型化过程，第二条道路可认为是具象化过程。上述两列过程连接起来，便是“具象－典型－具象”。这里不可能截断开分别进行，而是相互渗透地往复进行。艺术体系是在“具象－典型”、“典型－具象”的往复循环中日益多样并发展的。

这里成为生长细胞的是作为观念的意象。意象观念可认为是艺术体系的基本单位。它是在“典型化”和“具象化”道路上经过再现和表现所形成的艺术体系的凝结。意象观念既带表征性又带象征性。说它带表征性是指它再现着形象，说它带象征性是指它表现着情感的代表。所以它是典型和具象的统一。意象既是典型化的结果又是具象的，是具体的形象。这是以情感的代表神定着形象的展示，从而达到着艺术意蕴美的共鸣性。

这样，意象便形成了它自身内在矛盾的两个方面，即内蕴和外表。内蕴集中着情感的代表，外表涉及着形象的展示。体现情感的代表神定着形象展示，在意象中则是内蕴神定着整个外表。

意象在内蕴和外表的相辅相成中挥洒为展现了的演示。演示对于神定意象来说可以出现两种形式，即赋比和兴象。同时种种演示又挥洒为渲染，从而成为艺术体系。在此意义上讲，艺术体系也就是意象观念系统、演示系统、渲染系统。它展开着由韵律意识携带着种种形象意蕴的系统。其中可以形成种种艺术情态。并且，在艺术典型化具象化矛盾运动中形成着艺术体系的发展创新。

在艺术关于意蕴美的再现和表现中，具象化和典型化的矛盾不断出现并不断得到解决，这既是取悦性机制作用的结果，又是取悦性机制的进一步调动，同时不断解决着想象和喻示的矛盾。随着在取悦中不断地通过一定的想象达到一定的喻示，主体再现和表现的情调也随之丰富。

而随着自然塑造人和人塑造自然的发展，会不断有新的形象意蕴闯入艺术世界，这便使主体的艺术情调形成新的冲动，同时又带来具象化典型化矛盾的进一步发展。

面对新的形象意蕴，当意象观念的神定性神定不了新的形象意蕴，这便会引起神定性的转换，艺术体系在这种转换中不断地创新发展。

3. 韵律携带形象意蕴的艺术外现。

(1) 前面，研究分析了主体通过符号（工具+行为）把自身与外界客体相契合如何内化成韵律意识，回答韵律形式美的必然性何以可能。这是对艺术潜意识内化的论证，同时说明了这是向艺术显意识外化的必要条件。

进而，又概述了在主体客体相互作用中如何始于感受返回感受即在典型化和具象化中形成作为艺术具象的美之表现，回答韵律统摄形象意蕴内容美的共鸣性何以可能。这是阐述由潜意识作用而在显意识过程中所发生的运行，同时说明了在艺术方面心在心成形而上与物在物成形而下的关系，说明韵律形式如何把握形象意蕴而形成艺术体系。

这里，重在论述韵律携带着形象意蕴如何成为艺术外现。对于直接地落到“塑造之物”，要综合研究体现主客体移情关系的艺术体系如何外化于符号语言，同时符号和行为的内化又如何完善着确立主客体关系的情调修养，回答艺术臻美何以可能。这里要论到在潜意识显意识运行中艺术体系“发散生成”并“生成收敛”于“塑造之物”之上的情况，从中去看体现心在心成形而上与物在物成形而下与存在形而上相统一而成为艺术美，及其所实现的可能性。

（2）有人认为，艺术思维只是理论思维更丰富了的具体化，只是概念理论的形象化。也就是说，艺术中的典型形象，似乎只是对于对象在概念或理论把握后而进行的更加细致的再现。其实不然。这是因为，艺术作品不是概念的同构性表达，而是意象的同态性的表现；它主要不是再现主体认识中的对象的结构，追求的不是真与不真的问题，而是表现主体取悦中的对象的形态，追求的是美与不美的问题。这里面已把人的情感赋予了进去。有所谓“移情说”强调的就是这方面的问题。

如前所说，语言与符号，指号与信号、征兆等等，既有联系又有区别。可是任何符号都有其直观的形象性。然而，理论符号却不突出其形象性。艺术符号则特别突出其形象性。另外，如果说理论符号重于同构对应性，那么艺术符号则重于同态取悦性；如果说理论符号重于规定性，那么艺术符号则重于神定性；如果说理论符号重于知的性质，那么艺术符号则重于情的激荡。

固然可在讨论艺术史或艺术理论时，单独提出关于再现艺术、模仿艺术的学说，而在实际上并无纯粹的再现艺术、模仿艺术，在艺术中再现、模仿也表现着情感。差异不过在于表现情感的程度不同而已。说西方中世纪宗教艺术，不表现情感，显然是不符合实际的。问题在于是什么样的情感。

艺术中的线条、色彩以及乐音甚至语言中，都有着韵律上的情绪含义。因为，在艺术中的线条形式并不只涉及几何形状，它本身是意象符号，与一定的情绪情感相应。布鲁诺·赛维在《建筑空间论》中曾介绍了象征主义者所理解建筑艺术所使用的线条或形式符号的情感含义：水平线，与大地平行，它在人眼的高度上延伸，不会产生对其长度的幻觉，因而使人体验到一种内在感、一种合理性、一种理智。垂直线，使人中断他的正常观看方向而举目望天，它在空中无限延伸、长度莫测，因此象征崇高的事物和无限性以及狂喜、激情。直线与曲线：直线代表果断、坚定、有力；曲线代表踌躇、灵活，有装饰效果。螺旋线，象征升腾、超然、摆脱尘世俗务。立方体代表完整性、肯定感。圆给人以平衡感、控制力。球体代表完满、终局确定的规律性。各种几何形体的互相渗透，表现着有力和持续的运动。色彩作为意象符号表现人们在所看到的现实世界中所产生的情绪感受，黑夜使人感到低沉和恐怖，白天使人感到明朗和轻松；绿色的草原和森林使人感到舒适、和谐，万紫千红的花丛使人感到兴奋和热烈……。现代绘画大师康定斯基他在《论艺术里的精神》中认为，色彩先区分为两个系列：暖和冷，明和暗，因而每种色影都有四个效果层次——暖和明或暖和暗，冷和明或冷和暗。暖色向黄色靠近；冷色向蓝色靠近。明色趋向于白色，暗色趋向于黑色。这四种基本色的不同配合就产生各种颜色。每种颜色都有一定的情绪色彩。康定斯基指出，黄色是典型的现世色彩，具有刺激性；蓝色是典型的天堂色彩，引起宁静的感觉；白色是沉寂的和谐，用于象征欢快和纯洁；黑色是死亡的沉寂，用于象征悲痛和死亡。其他各种颜色由其内在构成，也各自具有特殊的情绪情感涵义。在音乐中，乐音的强弱高低、舒缓急促都引起一定的情绪反应。诗歌的韵律则是利用语调语气声音符号的表情功能。有所谓“平声平道莫低昂，上声高呼猛烈强，去声分明衰远道，入声短促急收藏”。中国古典诗词格律也是声音与情感对应关系的一定模式。

艺术体系由符号语言表达出来，既把韵律形式投射到符号语言上，从而造成平衡、对称、稳态以及黄金分割等等的格式塔完形，又配合于打破平衡、对称、稳态以及黄金分割，形成对比，造成格式塔的缺失，调动格式塔的压强，带来格式塔需要的冲动；同时协带着注入情感的形象意蕴内容，表达于各种艺术符号之上。

(3) 艺术体系向符号系统的投影，有个与意识紧紧贴在一起的生成过程。

依据乔姆斯基关于语法生成转换的框架，艺术语言也可总结出其生成转换的框架。艺术符号语言也有其从深层（即深层态式）到表层（即表层态式）的转化生成。也可认为从深层态式到表层态式的生成是按照一定的规则进行的，这里也有其转换规则；而表层态式又可以再划分为两个层次，即“表层符局态式”和“表层声像态式”。从前者到后者是按“声像规则”进行的。

类似于语形学、语义学、语用学的划分，也可对艺术符号的研究分成符形学、符义学和符用学三个部分。符形学主要涉及符号自身之间的深层形式关系，例如它自身的韵律问题。主要就上面说到的“深层态式”而言。符义学主要涉及符号与它被运用之上的形象意蕴之间的关系。主要就上面说到的“表层符局态式”而言。符用学则主要涉及符号与其解释者之间的关系。这是转换生成的综合态式所必须考虑的部分，它将反映出符号使用音在特定的符境中为了特定的交流目的而运用符号的情况。各部分的依赖关系，既与“深层态式”有关，也与“表层态式”有关，与“表层符局态式”有关，更与“表层声像态式”有关；这符局态式和出像出声的选择、与意蕴的选择一样，都要受到符用部分所规定的符境因素制约。

在我们的塑造论哲学的框架中，从符号学角度看过去，有三个方面。

第一，对于带有普遍公认性的韵律的形式（作为“深层态式”）并不是从感知中得出，而是在很大程度上得于人们行为符号态式的内化，从而带有一种形式美，形成此有一个在无意识前提下所积淀的潜意识过程。这形成着一种似乎带有天赋性质的、非感知经验所能达到的先在的韵律态式，这显现于符号或语言的符形态式上，正是符形学所要对待的。当然，这里的符形问题应当从整个意识活动的研究范围来加以关注，既包括理论的又包括艺术的也包括技术的还包括道德的等等，但在此部分论述中我们完全可以从艺术的韵律形式方面来研究，即韵律美是可以投射到符号和语言系统之上的。

我们同样应当正视，作为决定表层态式的深层态式，即韵律构成，有其潜于显意识的东西。这也似乎有其天赋的性质。

从我们塑造论哲学的体系来讲，前面所论述的关于由行为符号内化才形成韵律意识，就是对这种所谓“天赋”从何而来的说明。

实际上，这种所谓“天赋”是贴在韵律形式之上，随之生成而生成的它们贴在一起，是在无意识的自然对人塑造中和有意识的人对自然的塑造中，基于人之行为符号的内化而潜意识地形成的。而当这潜意识外化出来，韵律意识的形式态式又被投射到符号态式之上，就艺术意识所涉及的主体客体以及符号行为之间的关系说，它们之间应当是同态的。

第二，当人们以带有必然性的韵律态式去把握物在物成世界的形象意蕴，在主体客体相互作用中始于感受返回感受即在典型化具象化中形成作为艺术具象的美的表现，这才形成带共鸣性的意蕴美。而这关于形象意蕴的内容投射到符号语言系统中便成为符义。这就形成了符号语言与它被用于其上的对象之间的关系。这正是符义学所要对待的。

当然，这里的符义学也应当从意识活动的整个范围来关注，既包括理论的又包括艺术的也包括技术的还包括道德的等等，但在这里我们可以专门就艺术所把握的形象意蕴即由艺术意蕴美的方面来加以研究。艺术意蕴在韵律形式形态中与对象与语言有着同态性。

第三，当以韵律形式把握了形象意蕴并以符号表达出来，这就成为显意识的，就艺术来说，这表现为显现出来的内容纷呈的艺术体系。这里面的形式和内容都投影到表层声像态式中，它们之间应当是同态的。

然而，由于作为“塑造之物”的符号有其特定的物在物成的性质。潜意识有其向无意识发散的一面，意识中把握着的形象意蕴有其向整个自然世界的丰富性扩充的一面，这促使艺术符号向着多样性“发散生成”。但由于符号作为显意识的物在物成形态，在生成中又有其“生成收敛”的一面。这就形成了一系列同艺术符号发出者并与接受者有关的一系列难缠问题。这涉及到符用学。要探讨艺术臻美何以可能，不能不考虑这些问题。从塑造论哲学角度基于以上关心的问题作出说明，旨在进一步对如何实现潜意识显意识关系的统一和谐，作出论证。

在艺术意识范围内考察符号语言表达，有多种情况：一是把韵律的形式化态式直接投影到符号语言上，使之比较纯粹地表现出来；二是把韵律形式携带着形象意蕴的艺术体系一起投影到符号语言上，这里面表达着韵律形式，但又总是粘联着形象意蕴的意义。

(4) 在此过程中，韵律形式从简单到复杂，艺术体系由典型发展为丰富具象，以体现生成态势的符号语言系统为酵母，形成种种形态及互为辅助的表现方式。

①文学表现。

在讲到理论体系向符号语言的投影时，涉及到乔姆斯基的语言转换生成问题。艺术体系向语言符言投影，有其某种生成性，艺术作品同语句一样具有某种由深层到表层的转换过程。

弗莱曾把乔姆斯基揭示的语言生成转换加以引申，主要就文学艺术提出了他的原型置换原理。弗莱认为文学有一种由原型展开的话语发展。乔姆斯基认为语言的深层结构具有理性的普遍性，因为它直接根植于人类普遍的天赋语言能力，而表层结构是易变的和无限多样的。弗莱提出了与乔姆斯基不约而同的看法，他说："对于一部小说，一部戏剧中某一情节的原型分析将按照以下方式展开，即把这一情节当作某种普遍的、重复发生的或显示出与仪式相类似的传统行为"。[1] 原型就好比语言系统中的有限词汇，它们按照特定的组合规则便可生成无限多的话语。对于从深层结构到表层结构，乔姆斯基认为语言使用者所经历的是一个无意识的转换过程；与此类似，弗莱提出了文学发生的"置换"(displacement) 原理。

---

① 弗莱：《批判的解剖》，普林斯顿大学出版社 1957 年版，第 105 页。

19世纪俄国学者维塞洛夫斯基曾尝试对童话故事的类型作出概括，他按照主题和情况来区分童话的叙述类型，认为主题是可变项，它因情况（situation）的不同组合而变化。“情况”是首要的意义单位。“情况”是不可再分的基本叙述单位。普洛普提出，维塞洛夫斯基所说的“情况”还可以再区分为更基本的成分。他研究了一百个俄国童话，得出结论说，不同的情况可以描写相似的行动。人物地位、品质是可变项，这些人物所作出的行动却总是相似的，或可视为叙述的不变项，普洛普把这些相似的行动称为“行动中人物的功能”。

普洛普还规定了有限功能与有限人物之间的三种可能关系：其一，一种功能，多个人物；其二，一种功能，一个人物；其三，几种功能一个人物。由于功能、人物都是相对固定和有限数量的，于是各种各样的童话故事便可看作是“有限手段的无限运用”。在法国格雷马斯那里，则提出了描述作品转换生成规则的所谓“情节的语法”。格雷马斯还借用乔姆斯基的树形图对普洛普31个功能中主人公活动的生成规则加以简化和改造。他指出，在未分解的故事（récit）总体中有情况（situation）和“负情况”两个方面，它们二者构成叙述选择轴上的对立，这其中有正情况与负情况之间的转换过程（transformation）。格雷马斯还提出了“变换母题”这个概念。经过这样的形式化处理，叙述故事的情节组合成了像语句一样可以把握其生成规则的对象。

另一位语言学家桑代克（P. Thorndyke）从叙述文段组合结构角度引用乔姆斯基的转换生成语法，制订出更具普遍性的“故事语法规则”（Story grammar rules）：[①]

① 桑代克：《叙述话语的理解和记忆中的认知结构》，载《认知心理学杂志》，1977年第9期。

索绪尔曾提出语言的横向组合与纵向聚合这两个结构范畴。索绪尔认为，在语言当中，各个词由于是连接在一起的，彼此结成了以语言的线条特征为基础的关系，因而就排除了在一个时间单位内同时发出两个要素的可能性。所有的要素总是一个挨着一个地排列在言语的链条上。这些以长度为支柱的结合就是所谓横向组合结构。而纵向聚合关系，在索绪尔看来，这与其说是语言的一种结构，不如说是出现在语言结构中对于词汇生成的一种认定。词汇生成，即纵向聚合，按照索绪尔的说法，有四种线索：1. 语音的接近；2. 词头、词尾的接近（在汉语中是字形与笔画的接近）；3. 词意的接近；4. 词性的接近。从这四个方面来看，两个词之间有任何一种线索上的接近，便可形成一个聚合结构。而人在言语中使用一个词的时候，实际上是把这个词的纵向序列中的一个词提升出来。在语言教学中常见的“替换法”（Substitution），便是根据语言所固有这样一种结构而产生出来的。这两种关系，在索绪尔看来不是平行的，即不是同样反映语言结构的本质特征的。他认为：“在语言的组织中，头一件引目的是横向组合的连带关系：差不多语言中的一切单位都定于它们在语言链上的周围要素，或者构成它们本身的各个连续部分”。[①] 尽管在《普通语言学教程》中，索绪尔声称语言学是符号学的一部分，但上述揭示，他是严格地以语言为对象的。在索绪尔之后，美籍俄国语言学家雅克布逊又以换喻（metonymy）和隐喻（metaphor）进一步阐述了处于横、纵两轴上的语言符号结构。雅克布逊的贡献之一就在于：通过换喻和隐喻这两个概念的提出，他把这两个概念所代表的两种符号结构形态推广到诗、绘画以及电影艺术当中。换句话说，

① 索绪尔：《普通语言教程》，商务印书馆 1980 年版，第 177 页。

如果说索绪尔使用的“横向组合”仅仅是语言学的概念，那么，雅克布逊的“换喻”、“隐喻”则成为符号学的概念，尽管它们是来自修辞学。

荣格曾把神话视为集体无意识的载体形式——原型的显现，原型借神话与文学传统的力量世世代代流传下来，作家一旦在创作中有意或无意地涉及原型，就会获得不期而然的超越力量，“发出一千个人的声音”。例如，“火”这个意象由于和人类的生存、进化密切相关，所以成为纵贯文学史的最重要的原型之一。世界各地广泛流传的盗火神话，殊途同归地指向这个原型的为人所熟知的基本语义内涵：温暖光明。弗雷泽在《火的起源神话》一书中还揭示出这一原型的潜在语义：性爱。他认为原始人取火的主要方式钻木，是一种能引发快感的节奏活动，据此类比，这一活动在神话思维中可以作为性行为的象征，不少民族的火起源神话都有关于火最初藏在女阴中的记载，足以说明这种类比的普遍性。[①] 当代法国精神分析学者巴什拉（Gaston Bachelard）在《火的精神分析》一书中进一步指出：被“性化”的火是各种象征的联系中介，它把物质和精神、罪恶和德性联系起来。火既外在于我们的身体，又内在于我们的身体，既是可见的物质，又是不可捉摸的精神。[②] 火的二重性本身赋予了这一原型以独特的语义张力。唯其如此，火的古老神话才能借勃朗特之笔完成新的变奏。

雅克布逊曾讲到：“话语的进行会沿着两条不同的语义线发展：一个话题或者通过类似关系（similarity），或是通过邻接（contiguity）而导向另一个话题。前者可以用隐喻性方式，这个术语得到最恰当的概括，后者则相应地符合于换喻性方式。因

① 弗雷泽：《火的起源神话》，伦敦 1930 年版，第 23～49 页。

② 巴什拉：《火的精神分析》，波士顿，1964 年版，第 55 页。

为这两种情形分别在隐喻和换喻中找到了最集中的表现。……在一般的语言行为中，这两个过程都是持续发生作用的，但仔细地考察将表明，由于文化模式、个性和语言风格的影响，人们对这两种方式的运用是有所侧重的”。① 那么，具体地说各种侧重的表现是什么呢？雅克布逊进一步指出：“人们一再指出在浪漫主义和象征主义文学流派中隐喻的方式占有绝对优势，但是尚未得到充分认识的是：换喻的优势构成了所谓现实主义倾向的基础，而且实际上它也正是现实主义的先决条件。……这两种倾向的选择优势并不限于语言艺术。在语言以外的符号系统中也有同类现象。绘画史上一个无声的例子是立体派鲜明的换喻倾向，在该派作品中物体变形为一系列的换喻。超现实主义画家们则明显地表现出隐喻的偏好。在电影艺术里，自格里菲斯（D. W. Gariffith）以来，电影已经以其高度发展的角度变换、全景镜头和焦点镜头的技巧，打破了剧院传统，并带来空前多样的换喻性的‘特写镜头’和换喻性的‘场景镜头’。在卓别林和爱森斯坦等人的影片中，这些手法依次为一种新奇的隐喻性的‘蒙太奇’及其‘叠溶’所取代，也就是所谓‘电影的明喻’”。② 雅克布逊所提出的隐喻和换喻的双向结构，实际上是指出了换喻相对于日常概念语言，隐喻相对于艺术符号。

所谓“换喻”指的是表现为线性的横向组合结构。还有人把这种结构称之为叙述功能的结构。至于“隐喻”则是指，解释出词的字面之外的意义。这种意义不存在于诗的词序中，而存在于对某个词的记忆（联想）序列中。古代文论中把此称之为“隐”，是非常贴切的。《文心雕龙·谐隐》解“隐”为：“遁辞以隐意，谲譬以指事”。这同于索绪尔说的“不在现场”，大

① 雅克布逊：《语言的基本原理》，海牙、摩顿 1956 年版，第 90 页。

② 雅克布逊：《语言的基本原理》，海牙、摩顿 1956 年版，第 92 页。

同而小异。因为在诗中词意经字面隐将而去，在谈诗时，人们不得不“取譬引类，起发己心”，大大调动自己的联想，因此，“隐”的艺术表现方式，也就是比“兴”的方式。“兴”与“隐”都涉及到艺术符号的态式构成。这种构成的特点是，字面的语词排列是一种意思，而在这个语词序列之下还有一个平行、并列的意义结构。因此，有人把它叫作“垂直”的结构。这个结构的解析，主要依靠读者的联想来完成。①

另外，文学在语言中本身也是有其韵律的形式美的。文学中的语言很注重其中使人读起来的抑扬顿挫，不论哪种语种，其中的音调和节奏起伏，本身就直接体现着一种韵律美。对这种情况如果说在小说中还不十分突出，而在散文中则比较突出，当说到诗歌那就成为非有不可的了。诗歌除讲究音调的抑扬、节奏的起伏，又讲究句子长短、音节的错落有致，还讲究押韵，除此以外，在中文诗词中还讲究平仄等等。人们在艺术表现问题上，对各种语言的以上情况都有充分的研究。这种情况经过诗歌及散文诗到散文到小说等等促进着整个文学语言上直接体现韵律美；这还特别加入到戏剧之中，在语言、场景、形体、音响诸方面直接形成一种韵律，使人们在创作和欣赏中除表现和接受意蕴美，而且还力图直接表现形式美，由此探索了种种表现形式。

关于文学表达中的语言韵律问题，语言学家，艺术家有十分充分的研究，而语言韵律又是直接和音乐相通的。

②音乐表现。

音乐能够非常直接地表现韵律美。大自然本身就发出各种声响使人耳闻；人在自己的生命活动中也总是发出各种声响，

① 以上参阅俞建章、叶舒宪：《符号：语言与艺术》第五章，上海人民出版社1988年版。

作为主动发出，除用自己的喉头以外，还可以用肌体借助某些器具发出各种声响，这与自然声响融在一起，成为人所感受到的，共同表现着的韵律美。在人们的音乐创作和欣赏中，音调、旋律、和声、节奏等等，不管它是否携带有形象意蕴，其本身的形式美，就给人以充分的愉悦。

人以音乐去表现，去创作去欣赏，不论是音调、节奏，还是旋律、和声，人在使用它时总是带着情绪意义，总是能直接地移入情感。举个最简单的例子，大三和弦或者以大三和弦为主调的大调音乐，带有给人以激昂、振奋的效果；小三和弦或者以小三和弦为主调的小调音乐带有给人以优雅、缠绵的效果；如此等等；这都是在特定的韵律形式中表现人的情绪的例证。正因为这样，这其中总是能带上寄托人之情感的形象意蕴，尽管音乐表现中的形象意蕴因不同人的想象而不固定，但其中的情感意义却是共鸣的。

在音乐体系的构成中，艺术意识在典型化具象化的运动中，形成着由典型意象到具象体系的展开系列。

进行音乐创作，总冲动于一种由音乐的情绪素材而升华为带典型神定性的音乐意象观念。这就是在作曲学上通常所说的乐因或曲意。也就是说，凝缩着的艺术意象观念，表现在音乐中往往成为乐因。乐因是由乐素和旋律组成的。所谓乐素其一有节奏方面的因素，其二有音调方面的因素，包括音长、音高、音强。所谓旋律不仅指有一定节奏的音程进行，而且指音区、音色、力度、速度及其各种变化，也包括某种和声效果。

乐因（Motive）这个词和母题、画因是一个词。也有称之为“动机”或“音型”的。它是乐曲中的最小单位，它常由变格小节开始，时值通常为一小节，但长短并无一定，短则二三音，长则二三节。然而至少含有两个乐音，即至少包含一个强音和一个弱音。这最基本的乐音组合通过一定的音程和节奏，已能作出某种基本的表现，因而它成为乐曲之细胞，由它施以模仿对比变形等便能予以展开，形成乐曲。当强调这一意义时，有人认为乐音能成为乐曲主旨，故有时亦视为主题（Subject）。

乐因中的乐素组成的乐节，也有人称之为乐读或分句。乐节是乐素之初步扩充，通常包含二至四个小节，这时乐素中的音程、节奏会因运用某些手法而略加变化，但它还不是完整乐句，故其结尾常为半收束。再加扩充就是乐句（Sentence）。乐句已成为完整的句子，已能将乐因初步展开。它通常包含四至八个小节，通常约合两个乐节之长（也有例外），前半称前分句，后半称后分句；乐句类似文句，并无一定长短，但代表一个完整的思想，并在乐曲中有前后呼应作用。乐句既然代表完整的思想，故结尾为全收束。

由乐句便可展现出乐段。乐段表达着相对完整的乐思，形成一种短小而完整的音乐构成。乐段中一般至少包含两个乐句，这两个乐句的旋律基础相同，由基本的乐素、乐节的音程、节奏，构成一定的发展。第一句往往用半终止或不完全终止结束，造成乐思的不完整性和尚待继续发展的状况；第二句或说乐段结束时，通常是用完全终止即全收束，表示这一段的乐曲已经终了。

最匀称的乐段是由两个长短相同的乐句组成；在扩大的乐段中，在时值上第二句比第一句长。在调性上，不转调的乐段结束时所用的调与开始时所用的相同；在转调的乐段中第二乐句结束时所用的调和第一乐句所用的不同。

由乐段便可组成乐曲。由一个乐段构成的叫一段体。包括两个乐段的叫二段体，它是一种常用的乐曲结构。两段体中，第一部分之前可加序奏，第二部分之后可加结尾。常常在两个乐段的四个乐句中，第一、第二与第四个乐句的内容相似，而第三乐句则在主题和调性关系上与它们形成对比，这成为二段体中的所谓"中段"。

包括三个乐段的乐曲叫三段体。三段体的乐曲由三部分组成（在第一部分之前可以有一个序奏，第三部分之后还可以有一个结尾）。其中第三部分重复第一部分，而第二部分（即中间部分）与第一、第三部分截然不同，通常与它们形成对比。若考虑更复杂的发展，三段体又可分单三段体和复三段体两种。在单三段体中，每一部分只是一个乐段；中间部分可以只是第一部分到第三部分之间的一个过渡部分；当作为更大结构的一部分出现或在篇幅不大的乐曲中，这一部分通常较少用作独立的乐曲构成。在复三段体中，每一部分通常又可自成一个单二段体或单三段体。丰富完善了的三段体，可形成一种奏鸣曲式。

奏鸣曲式作为完善的三段体出现，往往由三部分组成。开始是呈式部。这是奏鸣曲式中的第一个主要部分，这部分通常是通过两个调（主调和属调），仿佛用两种形式陈述主题。呈示部中包括主部和副部两个部分。主部（用主调出现），包括过渡到副部的连接部在内。副部（用属调出现）又可以分为副部本身和结束段，这两个部分中间还可以有一个过渡部。主部和副部本身陈述的主题，作为后面乐曲的张本；连接部与副部中间的过渡部通常是把主题中的动机加以发展；结束段也可以建立在新的题材上，它有着独立的意义，也可用属调重复主部的主题。呈示部呈示了主题以后，便进入展开部。展开部是奏鸣曲式的中间部分。展开部从属调（即呈示部结束时的调）转到主调（即再现部开始的调，停留时间或长或短。展开部主要是把呈示部中陈述的主题，运用各种手法加以变奏和发展，可以把新的素材穿插进去，造成对比高潮。展开部的结构比较自由，篇幅长短不一，可划分为若干插部，但主题曲意和转调的方式是统一的，这往往是奏鸣曲式中最富有力度并产生变化和戏剧性的一个部分。最后是再现部。这跟随在展开部之后，是奏鸣曲式的最后一个部分。这里主要是进一步复示呈示部，但原为副部的属调，移为主调，以便归返原调而作结束。

把典型的奏鸣曲式加以变化，可形成许多变体。如省略奏鸣曲式、回旋奏鸣曲式等等。省略奏鸣曲式即省去展开部，仅用短句把呈示部与再现部连成一气。回旋奏鸣曲式是让主题在呈示部与再现部各出现两次，造成回旋的状态。也就是说，奏鸣曲式的呈示部和再现部均于结束时再现主部，这就成为回旋奏鸣曲式。

作为通常的回旋曲式（Rondoform），其特点是其中的主要部分在主调中至少出现三次，而且是与若干采用其他调子的次要部分交替出现。这里面反复出现的主要部分有时称叠部，次要部分称为插部。最常见的回旋曲为五段。在回旋曲中也可能有过渡部、序奏、结尾等。

另外还有一种变奏曲式。这种曲式根据某一主题为蓝本，运用各种不同方法陆续变化而奏出乐曲，所以也有人对此叫主题变奏曲。具体情况是这样：先奏出一个题，这个第一部分主题是全曲音乐形象的基础，然后以一系列的主题变化，经过许多不同的变奏而使得音乐形象得到多方面的发展。主题的每一次经过变化的重复称为一段变奏。变奏依次有第一变奏，第二变奏，第三变奏……一一奏完为止。变奏曲的段数并无一定，少者三五段，多则数十段。例如贝多芬的狄亚贝里变奏曲，包含33段之多。主题与变奏之间，因有密切关系，通过这样的变奏可以把一个形象的许多方面表现出来。或者说把不同的形象侧面贯穿起来。

变奏曲之变奏，大体有下列方法：A. 旋律变化，和声不变；B. 和声变化，旋律不变；C. 改变节奏，改变拍子；D. 大调改小调或小调改大调；E. 高音改低音或低音改高音；F. 和声改对位，或对位改和声。

变奏曲本身也有从简单到复杂的形态。在民间音乐中很早就用到过变奏曲式，后来专业音乐艺术家把它发展起来。在17—18世纪中，变奏曲的主题是十分完整的，通常采取乐段的形式并逐步做到，一方面每一段变奏严格保持完整的形式，保持主题的调性与和声基础，另一方面也把主题的构成按新的方式来加以发展，并加强技巧方面的因素。这种变奏曲总起来说还是比较简单的，往往借某乐曲的主题或是根据某一主题即兴而成。后来又有了另一种形式的变奏曲，在这种变奏曲里，为了使作品有统一的、不断发展的内容，在每一段变奏中使主题有了更大的变化，而一系列的变奏也得以在思想上统一起来，各段变奏之间就消除了明显的界线。这种变奏已逐步建立在篇幅较大、结构较复杂的主题上的。还有的出现了根据两个连续陈述的主题而写成的变奏曲，如复调变奏曲，其中每一段变奏采用不同的复调形式。

乐曲是一种富有丰富变化的艺术。多段体的乐曲，可以形成种种不同的曲式。曲式的各种变化取决于以下因素：主题素材的构成（互换和对比）和调性转调（调性的互换和对比）。这两个因素是统一的，既相互依靠又相互影响。

曲式还可分为主调的和复调的。关于主调音乐的曲式，尽管可以是一种多声部构成的音乐，而其中总有一个声部（通常是最高声部）最为重要，其余的则是用来陪衬这个声部的。其特点在于，所有声部中的终止和句逗、音节都同时发生。奏鸣曲式及其形成的种种变体，可认为是有代表性的主调曲式。关于复调音乐的曲式，其特征是，若干个同时出现的旋律结合在一起，其中每一个旋律都清晰可闻，而且各有其独立的表情意义。复调音乐虽把音调不同、节奏不同的一些声部结合起来，但这些声部中的强音、高潮、终止却不一定同时出现，而且这些声部均可被划分成长短不同的各个动机，各声部的力度和音色也不相同。然而这又要合乎每种风格所应有的多声部组合规律，它们是融合一起的。还可以随时对上述两种曲式联在一起，交互运用，加以综合发展，而形成主调复调混合的若干完整乐曲。

复调的曲式有代表性的是赋格，另外还有卡农以及其他一些多声部乐曲等。

赋格（fuga 即“追逸”、“遁走”）也叫遁走曲，在西方它来自十六世纪器乐中的利猜卡（Ricercar），更早可溯源于宗教声乐中的经文歌、众赞歌等。经文歌是一种多声部的无伴奏圣歌。众赞歌是宗教性赞美歌，古众赞歌的特点是依音拖曳，层次不明，旋律单调、节奏极少变化。天主教的赞美歌往往为单声部合唱，新教的赞美歌常为管风琴伴奏的多声部合唱。

12—14 世纪的多声部歌曲，特征是把若干独立的旋律同时结合起来，有时甚至把各种内容不同的歌词结合起来；形成各种复调结构的多声部乐曲，这对合声学的发展起到了重要作用。但那时还大部分设有乐器伴奏。16 世纪中叶欧洲出现的叫利猜卡（Ricercar 也有译为利车尔卡曲）的器乐曲，以不断的各种对位式的细致发展为基础，很像赋格，但还没像赋格那样丰富。到产生赋格，便出现了一种以很丰富的对位来作成的音乐。

赋格是用一个短而精的主题为基础，这个主题先由一声部单独唱出或奏出，然后主题其余各声部依一定的规则按对位方式轮流模仿之。也就是说，赋格曲的主要特征就在于，用复调形式发挥和确定乐曲开端处所陈述的和在主题中所要表现的主要乐思。

赋格的构成往往是这样的：赋格开始时，一个声部先单独演奏一个富有特征的短小旋律，这就是主题。接着，另一声部把主题移高五度或移低五度来模仿，好像主题的答句，叫作答题。这时原来演奏主题的声部，仍演奏着与答题相结合的对比旋律，此叫作对题。

赋格的声部是可多可少的，这样就有二重赋格曲，三重赋格曲等等。这种声部有时出现有七、八部甚至更多，但通常是二至三部或三至四部。

就整个乐曲构成来说，赋格曲一般包括三部分：呈示部、中间部和再现部。也有人把它叫作起段、中段和结段。其基本特点是：在呈示部中，所有声部都轮流把主题用主调和属调陈述一次，然后进入以主题和答题的个别音调发展而成的插部；其后主题和插部又在各个不同的新调上一再出现，形成展开性的中间部；最后又按主题再回到原调，这就是再现部。

在复调音乐中另应注意到的是，卡农（canon 原来的意思是“规则”）。这是一种复调音乐的写作技法。用卡农手法写成的乐曲叫作“卡农曲”。卡农于 13 世纪起于英国，文艺复兴时代，荷兰人加以种种变化，造成许多花样。此种曲式分二部、三部、四部以至更多部。其中所有声部都用同一旋律，但并非同时出现，往往是甲先进行两拍，正在向前进行之际，乙部用同样的旋律节奏从旁加入，乙部进行两拍之际，丙部又从旁加入……其他各部如法炮制。这里第一声部称为起句，也有谓之导句的；其余模仿起句的声部称为应句，也有谓之伴句的。这样互相模仿，后面的声部按一定的时间距离依次模仿前一声部的旋律，各个声部有规则地互相模仿，造成一种此起彼落、连续不断的效果。

由复调音乐的方式可形成复调变奏曲的种种情况，如恰空舞曲、帕萨卡里亚舞曲等等。以上种种乐曲可以分别形成，当综合起来，便可形成种种的大型乐曲体系。如奏鸣套曲、协奏曲、交响曲等等。

奏鸣套曲，这是一种包含四个独立乐章的器乐合奏套曲。第一乐章为快板，速度较快，具有戏剧的性质，通常用奏鸣曲式写作，有时还附有序奏。第二乐章为慢板，速度较慢（还常用“行板”这一名称），具有抒情和歌唱的性质，通常用三段式、变奏曲式或奏鸣曲式。第三乐章通常为中速的小步舞曲或快速的生动活泼或富于诙谐和谐谑情趣的乐曲，或一般舞曲性质的乐曲，多半用三段式写作，中间有一个对比性质的三声中部。第四乐章为急板，也即最后乐章，速度最快，往往带有节庆色彩，有时具有戏剧性，通常用急速的回旋曲式，间或也用变奏曲式或奏鸣曲式写作。以上之中，有时奏鸣套曲的第三乐章被省略，这时原来的第三乐章的带舞曲性质的乐曲可以并在最后乐章中表现。例如海顿与莫扎特二人的作品多半为三个乐章。奏鸣套曲因不同乐器的表现形式而区分出以下若干种类：由不同乐器分别演奏，有钢琴奏鸣曲、小提琴奏鸣曲、大提琴奏鸣曲等，还有多种乐器重奏的奏鸣曲；由重奏乐器多少，有二重奏、三重奏、四重奏等；由独奏乐器与管弦乐联合演奏时称协奏曲。

协奏曲亦称主奏曲式或竞奏曲，这是为有乐队伴奏的独奏乐器而写的技术水平很高的作品。这是独奏乐器与管弦乐队以平等地位联合演奏的器乐大曲。这种乐曲通常分为三个乐章。第一乐章主要是戏剧性的快板（快速度），用奏曲式写作；第二乐章是抒情歌唱性质的行板（慢速度），通常用三段式写作；第三乐章是节日欢庆性质的最后乐章，速度特别快，通常用回旋曲式写作。各乐章也可采用其他结构。

有为个别演奏者写的协奏曲，如钢琴担任独奏时称钢琴协奏曲，小提琴担任独奏时称小提琴协奏曲，大提琴担任独奏时称大提琴协奏曲等等。也有为二、三、或四个独奏者而写的协奏曲，两个独奏乐器与和弦乐队联合演奏时称复协奏曲，独奏乐器群与管弦乐队联合演奏时叫作大协奏曲，也有没有或不强调独奏者而专为乐队而写的交响乐协奏曲。

为乐队而写的奏鸣套曲可成为交响曲。交响曲来自希腊文(Symphonia——共同发声)。由于交响曲是由庞大乐队所演奏的乐曲，因而它比前面的混合曲式都更加复杂、丰富、完善。交响曲音色之复杂及鲜艳是前面任何一种曲式都无可比拟的。它是集弦乐器、木管乐器、铜管乐器、打击乐器等组乐器而成，而每组乐器均有特殊风格与情趣。它高可高至短笛的最高音，低可以低至低音大提琴的最低音；大可以大到金鼓齐鸣，众乐并奏，惊天动地，小则可以至剩一两声琴鸣。甚至有的交响乐还加上了大型声乐合唱。

现代交响曲的结构基本是对奏鸣曲结构的进一步丰富。通常是四个独乐章：第一乐章，快速度，富有戏剧性，用奏鸣曲式写成，前面可以加上一段缓慢的序奏；第二乐章，慢速度（也常称为行板乐章）具有抒情性和歌唱性，通常用三段式或奏鸣曲式或变奏曲式写成；第三乐章，速度轻快，节奏清晰，具有舞曲性质，（小步、谐谑），大都用三段式写成（中间有一个对比性的三声中部）；第四乐章即最后乐章，速度最快，通常是最愉快的，经常用的曲式是回旋曲式或变奏曲式，这两者之中变奏曲式较少用。交响曲通常四个乐章，但也不拘谨，也可减少，也可增加到五个、六个甚至七个。

交响曲有种种变化形式，如交响诗、交响音画等等。交响音画可以用某种固有的曲式（例如奏鸣曲式）来写作，但比较常用的是自由的结构。交响诗则是一种具有叙事性、抒情性或戏剧性的标题单乐章交响乐作品，是标题音乐中主要的一种，曲式通常是很自由的。另外还有比较大型的组曲、连章乐曲等等。

西方音乐有交响乐之大成，一个重要原因是得益于有以一定工业作为基础的管弦乐器得到发展，故和声学发展得十分充分。可见，音乐的发展离不开作为人为之物的乐器的发展。

在古典音乐中，音乐创作的形式逐渐形成了十分有规则的系统。而后来，特别是进入二十世纪，人们又逐渐突破这些形式，作出了更丰富的创新。如作为古典音乐向现代音乐过渡的浪漫派音乐、印象派音乐，进入现代后的表现主义、新巴洛克主义、新即物主义等等，另外更带有即兴性质的爵士音乐、摇滚乐等等。这些音乐的发展，大大丰富了音乐的表现方式，而且在直接倾泻人的情绪韵律方面更加有了新的突破。

20 世纪中叶以来，随着电子技术的发展，使音乐有了新的器乐方式。一些作曲家开始对新的音响手段和作曲方式加以实验和探索。其中较重要的，是微分音音乐和噪音音乐。

微分音音乐突破了钢琴一个八度所提供的十二个半音的范围，采用 1/4 音、1/6 音、1/8 音甚至更小比例的音。出现这种音细微差别的现象，原是中国、印度等地音乐的特征之一，在自然泛音列的高泛音中也存在。在西方，19 世纪末叶有的作曲家曾对此做过尝试，但形成一种体系则是在 20 世纪上半叶。美国的帕奇（Partch）提出一个八度内包含 43 个等分音程的理论。为了验证这个设想，他自己制造乐器、组织乐队，演奏获得新颖音响的作品。此外，艾夫斯的作品中也使用过微分音手法。梅西安对微分音乐也作出了重要贡献。随着电子技术的广泛应用，制造能演奏微分音乐器的困难迎刃而解，微分音音乐的探索在电子音乐中得到很大发展。

噪音音乐源于意大利未来派画家卢梭罗（Russolo）的美学思想。他认为噪音早已随十九世纪机器的产生而在世界上越来越多，应当利用噪音来扩大音响材料的来源，主张“跳出纯粹乐音这一狭小圈子，而征服噪音这一无限变化的王国”。他把生活环境中的噪音归为六大类。其中第二类如“哨子、汽笛声”中包括的嘶嘶声和喷气声；第六类“人和动物声”中，有呼喊、尖叫、呻吟、号叫、笑、喘息、哭泣等。在习惯于传统音乐的人看来，这些主张似乎近于胡闹和发疯。而正是这种理论，为20世纪的作曲家打开了一扇新奇音响的窗户。尽管卢梭罗的主张在当时得不到理解，他的乐谱也毁于战火，但实际上，汽车喇叭、飞机螺旋桨、汽笛、铁钻、打字机等机械噪音在20世纪上半叶的音乐作品中已被用作背景音响。卢梭罗的思想，给后人以启发。美籍法国作曲家瓦列兹（Varese）虽不属噪音音乐的派别，但也强调表现现代城市生活必须从平均律中解放出来，不能"只写那些已经听到过的声音"。他是一个为发挥打击乐丰富表现潜力而努力的探索者，也是第一个试图将现代科学技术与音乐结合起来的作曲家。传统的"协奏曲"、"交响曲"等名称，在瓦列兹这里成了《离子化》《密度21·5》……后来，他又首先把磁带音响、电声技术用于他的《沙漠（荒原）》（1954）、《电子的诗》（1958）等作品之中。这种视音响为创作的主要目的的倾向，后来在音乐界被接受，人们称瓦列兹是先锋派的先锋。

后来，一批被称为"先锋派"的作曲家们，抛弃了传统的创作观念与技法，以声音、音响、音色作为创作的中心，探索新的表现体系和音乐语言。为此，他们想尽办法挖掘新颖奇特的音响媒介，诸如传统乐器的新组合，演奏手法的新花样，寻找并采用罕见乐器，制造新的乐器等等，尝试层出不穷。随着科学技术的飞速发展使音乐和科学技术紧密联系起来，很多音乐家本身就是科学家。他们利用电声技术，进一步自由地选择和制造一些让他们感兴趣的音响，电子音乐因而得以普遍流传。电子音乐用电子机件编制"创作"，用正弦波造成无泛音的纯音，或用打击乐器、嘈音乐器发出杂音，也用人声和其他声响相结合，通过声音滤波器和反响设备，使之变形、复合组成作品。

与传统音乐的"人工性"针锋相对的还有一种"具体音

乐”，这种音乐用录音机将鸟鸣、风声、机器声、人声等各种原始声音采录下来进行加工、剪接、处理。直接进行现场表演的“电子合成器音乐”，又进一步简化了“具体音乐”制作时的复杂过程，并扩大了音响组合的可能性。

“计算机音乐”则完全依靠先进的计算机功能来进行创作、记谱或分析音响。各种形式电子音乐的出现，开拓了广阔的音响天地，扩大了音乐的表现手段和表现力，给音乐艺术的发展提供了新的可能。

“序列音乐”从威伯思创作中极为精密而又浓缩的十二音体系受到启发，把安排旋律音高的严格次序，扩展到音的长短、强弱、节奏、音色等其他因素中去，形成全部规范化的“整体序列”。这种音乐在创作时要求极精确的计算，演奏中又需要极清醒的控制。许多著名的序列音乐作曲家，同时又是数学家、建筑学家，他们对复杂计算的兴趣，远远超过了对现实中听众需求的注意，使序列音乐呈现出独特的风格。

与序列音乐全然相对的，是另一种新兴流派——“偶然音乐”。相对于序列音乐的种种新规则，它强调的是音乐的偶然性和不确定性，故意取消记谱的准确性，增加各种新符号、文字提示或图表，让演奏者随意处理某些段落和音响。偶然音乐作曲家受爵士乐等民间音乐的即兴创作及演奏方式的启发，放弃对作品的控制，让演奏者参与创作，形成一种“可动曲式”。美国的凯奇（Cage）曾是这个流派的代表，他的观念是：“生活就是音乐，音乐就是生活”。他的名作《4 分 33 秒》，让演奏者在钢琴旁静坐 4 分 33 秒，以“无声”诱导听众倾听周围环境中“可动”、“可变”的“生活”，可谓偶然音乐中最极端的情况。大部分作曲家只在作品中部分地采用偶然音乐的手法。

20 世纪下半叶还有一些很难简单归入哪一种派别的作曲家，但在追求特殊效果和新的音色上具有共同的趋势。潘德列茨基

(Penderecki) 是波兰的重要作曲家。他的《祭广岛罹难者的哀歌》采用了新颖多样的弦乐技术，演奏者靠近琴码或指板，在琴码与拉弦板之间或之上演奏，用弓背演奏或敲击，自由地在高音区奏出不限定的音，或以 1/4 的音差奏出慢颤音等等，造成刺耳、怪诞、令人不安的音响。尤为奇特的是，几个弦乐声部以相差半音或 1/4 音的距离，条带式地向上、向下或不动地齐奏出浓密而刺激的音响。人们称之为“音色音乐”或“织体音乐”，足见他创作个性的特殊。美国的克拉姆（Crumb）在组曲《孩子们的原始呼声》中，把“表面上不一致的东西并置起来”：“吉卜赛歌舞和巴洛克音乐的片断，对马勒的回忆和东方的气息”。为此，他使用了中国西藏和日本寺院的打击乐器、玩具钢琴、音乐锯、口琴以及故意改变音高和音色的钢琴、曼陀林及双簧管等。匈牙利作曲家利盖蒂（Ligeti）的单乐章管弦乐作品《气氛》，只强调音色而无其他。在近百人的乐队中，几乎每人奏一个由作曲家详细标明奏法的声部，造成极为复杂的音响。此外，还有利用演唱时队形的变换求得声音空间运动的作品；有使用最少限度材料的“简约音乐”；有使用类似科技符号乐谱的“图表音乐”，等等。

正如有人列举了以上种种情况后指出的，“当代音乐中千姿百态的大小流派，至今仍在自生自灭、此消彼长、变幻无定之中。这纷繁复杂的现代音乐潮流，固然要由时间的推移被历史筛选，但它确已同至今仍以优势占据着音乐会舞台的传统音乐，以及大量活跃于群众中的通俗、流行音乐并存于音乐世界，成为现代生活中不可或缺的部分”。①

③美术表现。

---

① 李应华：《西方音乐史略》，人民音乐出版社。

美术表现主要是指以点线形色作为符号语言而作出的艺术表现；作为创作的结果，例如绘画、剪纸、雕刻、雕塑、建筑等等；这渗透于生活的各个方面，例如种种装饰包括服饰、居住装饰、生活环境装饰等等；另外与文学、音乐等相配合，参与到舞蹈、影视等等的综合艺术之中。

人向大自然看过去，视觉中本身就能感受到带点线形色的各种景象；人可以用自己的创作以某种物作为承担者，使点线形色成为进行表现的符号语言，这本身就可成为带韵律美的直接印记。

如前所说，征兆是符号的向前追溯。对人来说，火红的太阳带来着温暖，这也就可成为暖的征兆，因而与此相接近的色彩也就可成为表现“暖”的符号。这符号表现出的“暖”便带上了情绪意义，因而有所谓“暖色调”等等。对人来说银灰的雪野带来着寒冷，这也就可成为冷的征兆，因而与此相接近的色彩也就可成为表现“冷”的符号，这符号表现出的“冷”便带上了情绪意义，因而有所谓“冷色调”等等。人的活动所留下的痕迹总是把情绪“印”在上面。平静、活跃，安祥、危机，等等都会使人表现出不同的“形”，其上“线”的轨迹便会有所不同，作为“点”也可能或孤静或群集，如此等等。当人们以此作为符号便形成了通常美术中的点线形色所表现的稳定感或动态感等等。体现韵律的美术符号，既可在其形式本身上作出韵律表现，由此作出仅关注到形式美的创作和欣赏；同时可粘联着有情绪意义的形象意蕴，由此作出关于意蕴美的创作和欣赏。

这样，在韵律形式作用下，意识由形象激发情感，经过典型化具象化所形成的由典型意象到具象体系的展开系列，也就体现于美术表现之中。当然美术与音乐不同，作为创作的结果和欣赏的作品，音乐主要带时间性，美术主要带空间性。但在艺术意识的表现过程上来说，都经由着从典型意象到展开了的具象体系，这是一致的。

进行美术创作，总冲动于一种由美术的情绪素材而升华为带典型神定性的美术意象观念。这就是通常所说的画因或画意。也就是说，凝缩着的艺术意象观念，表现在美术中往往成为画因。画因是由画素构成的，其一是点线面体的形，其二是丰富多彩的色。画因本身是个母题构成，从母题结构开始就以点线面体的形和丰富多彩的色来表现。并且可由带有韵律美的形式协带美的意蕴。

构图可把画因展现出来。对于构图，也有人叫作"经营位置"，在中国的美术理论中也被称作章法。构图涉及着透视或透视变形。因为在一个造型艺术作品中总要有视觉空间的表现，即把创作者的视觉透视或视觉变形投射到作品上以使观察者也作出相应的视觉透视和视觉变形。这里往往既有标准透视也有非标准透视。

关于标准透视，就是按照视觉中的实物或近似于照片形象的比例来确定形象的比例。这特别体现在一些雕塑品当中，这里从三维空间来确定这种比例，各维度往往都基本符合实物形象的比例。在绘画中是在二维平面上表现，这是把视觉形象投影到一个二维平面上。这种投影是按人的眼睛看过去的比例来确定的。从视觉的角度讲，人的眼睛从眼球是按照60度伸展出去的。因此同样的物体，距离我们近的在视角上所占的比例就大，距离远的在视角上所占的比例就小。这就造成了平面上近大远小的情况。要把形象再现出来必须首先确定以上这些透视规律。这要处理好视点、视平线、中心点的关系。视点是人看实物形象时眼睛的位置，视平线即与视者眼睛平行的水平线（地平线），中心点即视者眼睛正对着的视平线上的一点。因此，对于标准透视，细分起来可分为：A. 定点透视，即视点固定的透视；B. 中心透视，即当人的视点正对着视平线上的一个点，物体形象往往位于视平线中心且平行于视平线；C. 成角透视，即有固定的视点，却或高于、或低于、或左于、或右于视平线上的中心点。

关于非标准透视，人们常常提到的“散点透视”大体属于这种情况。其中有这样一些情况：A. 动点透视，即不限于固定视点或视点移动的透视。这已是一种透视变形。在这种情况下，可使创作者和欣赏者的视点不固定在某一处或某一个角度，而是移动的，像人进入游览一样。例如可把山上、山下、山前、山后、这山、那山的景物安排在同一画面上，使画面具有更大更丰富的表现力。如在有的中国画中将西湖、保俶塔与钱塘江、六和塔甚至距离更远的景物处理在同一画面上；把万里长江表现在一个长卷里。宋朝张择端的《清明上河图》用这种透视构图把北宋东京汴梁繁盛的风貌，从郊外到城里，从船只的往来到茶坊酒肆、行人车马等当时的生活场景，表现在一幅画面上。画卷从右向左展开，视点也是从右向左移动的，似乎使观者跟随着作者的创作，一路走一路看，好像是身入其境。再如袁耀的《观潮图》，近处的岩石山亭、左侧的楼台仙阁与远处的汹涌潮水，不是在同一视点上。这加强了此画的表现力。因为若视点不动，则远处的潮水在山岩底下，只能看到较狭窄的一条，无法表现出万马奔腾、汹涌澎湃的气势，就会使整幅画平淡，难以表现出激情，不会有集中的感染力。B. 乱点透视，即视点各处分布，似乎完全离开视觉透视规律，破坏了正常形象的透视。这与动点透视不同。动点透视，在整体上似乎视角不一致，但从局部看还是符合形体规律的；视点是动的，但动是随着人的观察视角的转换而动。而乱点透视则已打破了视点限制。在这些创作中，有的是只取拓扑关系，或拉长或缩短；有的则加以移位，甚至可以把两只耳朵画在脸的同一侧面上。西方有些现代派作品，这一点十分突出。有的直接追求一种形式美的韵律，有的则突出着一种强烈的意象冲击。中国绘画历来有打破透视规律来构图的传统，虽然构图的视点散乱，但仍大体遵循人所见到的视觉形象，然而却重在于形散而神不散，重在于气韵生动的形式韵律，强调形象要在似与不似之中。正如美术家黄宾虹所说，有法无法，乱而不乱，入乎规矩之中，超乎规矩之外。

在透视或透视变形之中，形成布局。布局是指对所表现的各种形象作出各种成分的安排。例如有：A. 横向式布局。通常表现着安闲、和平与宁静。水平的横向线又与垂直的竖向线相对比，所以为了突出直立的东西，也用常用这种构图。B. 斜线式布局。通常表现欲动的态势。正常情况下，风吹动平静的海面就产生斜线的波浪；直立的人动起来移动重心，会产生动的倾斜；房子斜了有将会倒塌之势。斜线的角度越大，动感也就越强烈；无规则的长斜线会使画面活跃，刚直的斜线会产生力量感。C. 塔式（金字塔式）布局。这给人以稳定与持久的感觉。它像座山，不会倾覆或滚动。在力学上讲，三角形是稳定结构。像山一样的三角形布局还用来表现人物的高大，歌颂自然的雄伟。D. V式布局。这往往用来表示不稳定和危险，也许是因伸长的双翼所形成的联想，或者是由于它像一个人向上斜举双臂做斗争和祈求，举起哀求的双臂也带来了某种危险感。很少有人会喜欢不安全而有些人又会在不安全中在冒险中寻求刺激。一种无法自我支撑的形状，像V字形那样，就造成了一种危险感觉。有时在两山、两房、两树之间经常出现V字形的缺口，它又像打开的窗口，透过这个窗口又会引起人们的联想，给人以神秘之感。E. S式布局。这种构图具有流动感，能使整个画面活跃起来，会给人以快意。还有一种曲线构图，是运用一条或几条曲线，在画面上由曲线把两旁的东西隔断开，就好像在繁忙中得到了喘息，在杂乱中找到了安静，犹如在干渴时遇到清泉一样。这种曲线往往给人以宽裕舒畅的感觉。F. 锯齿式布局。通常表现着紧张和痛苦。法国雕塑家罗丹的《思想者》的动态就是个“之”字的锯齿形，使这个沉思者富有了弹性和张力，显示着深沉的苦思冥想。G. X式布局。这把人的视线引向远方，深邃而长远。在风景画中常被采用，使人畅想。H. L式布局。L略显重量上不平衡，只要在L划出的空间加进少许东西，就会使画面产生很妙的情趣，而如果不画这小小的点赘之物，有时会引入暇想，有时会引人遐想，有时会给人以极枯燥之感。I. 圆形布局。一个圆状通常暗示着圆满和完美，同时与闲静、柔和相联系。因为，太阳、月亮以及大量的植物形状都是圆的，因此一个圆形会暗示出一种力量的充满。有时圆形的缺口处常被画家们用来突出自己所要表达的东西，这是借助“格式塔”追求圆满的需求。暂例举到此，因为布局方式还可一系列地举出很多。总之，于此美术意象在构图中赋比兴象形成展开了的演示。这表现着从典型意象到具象意象的挥洒，但要真正挥洒得充分，还必须通过煊染。

形中带色是重要的煊染方式。这里也经过着一种由单纯到丰满的发展过程。其中有先形后色、先色后形、形色交融等多种方式。

第一，先形后色。人们最初的符号表示总是以一些点和线构成一些图形，这成为先形后色的基础。此大概与陶器、青铜器上的线条图形的雕刻或浮雕有关。中国的绘画从有形无色到先形后色，这在许多崖画、壁画中表现出来。中国的工笔画一直广为流传，这基本上是以白描为骨架再以色渲染。西方的早期绘画也大体上也是先注意到以线形造型再加颜色。随着这种发展，人们在重于以形表现的基础上，对着色的技法有了许多方面的掌握。

在意大利文艺复兴的早期，画家从单纯地临摹圣像逐渐地开始了以“四固定”方式写生。由于这种写生的方法，画家自然而然地发现了焦点透视与明暗规律，同时也开始发现了关于条件色的一些规律，并且主要是受明暗法制约。后来画家除了绘制宗教的壁画之外，也开始了肖像写生，菩提彻利的《青年肖像》就是当时较优秀的一幅作品。这幅画是用蛋粉色画在涂有石膏的木板上，是在用严谨的线描基础上采取近乎平淡的方法着色的，因而用色较薄，一般看不出笔触的交错痕迹，却随不同的质地而变换着笔法。此幅肖像画中采用了线与明暗结合的方法，衣服与帽子的色彩是固有色，分明暗表现质感靠造型、结构、明暗和笔法，并不独立地强化色彩。虽然当时对条件色的理解较原始，掌握也不够全面，但是这些肖像却具有独特风格。而且，画面效果带有装饰味道。这对后世产生了一定的影响。

文艺复兴时期，除了为教堂服务的壁画外，肖像画与架上画（画幅较小的独幅绘画）越来越发展。适用于壁画的蛋粉色，逐渐为较牢固地适用于架上画的油画颜料所取代。油画技法也随之发展起来。然而这时油画的技法，仍主要是由壁画演化而来，所以还带有壁画方法的某些特色，是在浅色的涂有石膏的木板上或在涂有底色的麻布上先画出严格的轮廓或涂有明暗调子的素描，暗部用透明稀油色渲染，亮部用较干的油色描绘，用色较薄，笔触不明显，着色时受轮廓线和明暗界限严格约束，有时到完成时还留有轮廓的痕迹。总之这种技法是先严格地画出形而后着色的方法。这时基本上是在室内写生，以侧顶光为主，在室外的写生多是单色素描，对室外风景的色彩则主要靠记忆，所以作品的背景形体、明暗虽很准确，但缺乏外光写生色彩的生动性。达·芬奇的《蒙娜丽莎》也是先形后色的典型作品。再如拉菲尔的《西斯庭圣母像》，提香的《花神》等等，都是采用这种方法。这说明，先形后色的方法成为古典绘画的典型方法。自从文艺复兴盛期以来，这种画法理论逐渐充实完备，形成体系，这形成了意大利学院派的传统画法，以后又扩展到整个欧洲。19世纪初，法国的达维特·安格尔也是按照这种方法作画的。直至20世纪初，欧洲许多学院中还都用这种方法进行教学。

在先形后色的方法中，有些画家创造了透明画法，伦勃朗的作品最有代表性。它是在暗底色的画布上表现深色背景的肖像画和架上画，它虽然也是先“形”后“色”，但在着色时先以可塑性较强的白色把人像或物体的亮面堆积塑造出来，并用扁笔碾出明显的笔触，表现出肌肉的组合和器皿衣物的特点与纹理，待干固后又用透明色罩上，再擦去画面凸出部分的颜色，留下凹处的颜色便生动逼真地表现出肌肉皮肤衣着器皿的质感。如伦勃朗的《戴铜盔的人》就是这种透明画法最典型和最出色的作品，画面上铜盔表现得非常精致似乎可以敲出铮铮的响声，铜盔下是生有白色短须的作者的哥哥。暗部的面孔威严肃穆，虽暗但很透明，准确地表达了处于暗影下肌肉的丰富色彩。对暗部条件色彩的表现如此丰富细致，是前所未有的。

第二，先色后形。19世纪左右，市民中小型化和袖珍化和油画逐渐增多了。作为室内装饰品，肖像静物和风景比起大幅的宗教故事画更为适宜。因此，除肖像画外，风景、静物也从陪衬地位渐渐变成为独立的作品。随着科学上光学的发展影响到美术界，到18世纪末19世纪初，英国的画家泰勒和康斯坦勃尔开始利用最简便的绘画水彩进行室外风景写生，以及法国画家德拉克洛瓦和库尔贝也大量广泛地进行室外写生，在此过程中对于物象在室外光之下早晚四时的色彩变化，表现得更加充分了。库尔贝早期是用古典画法作画的，在他提出“走出画室”的口号后，在室外、在生活当中，画了大量的外光风景和人物画。画法上逐渐有了改变。如《海》中的云和天空就打破了生硬的边线束缚，画得非常生动。

这种画法与古典"先形后色"的画法不同，是在确定了大体比例、位置轮廓之后，先迅速用颜色铺上对象的大体色调，处理好黑、白、灰和冷暖的关系，然后在这种色彩关系基础上，用色彩进行形体的塑造。这就形成了"先色后形"的画法。

这种画法要求有高度熟练的造型基础。如果开始铺色时，谨小慎微不敢稍破轮廓界限，那就又很难获得色彩的生动效果只有在开始铺色时敢"破"，深入造型时善"塑"，即敢于破除次要的边线的束缚，并紧紧卡住关键部位，集中抓住大的色调关系，使画面色彩浑然一体，才能根据形体的变化用色彩的冷暖、深浅的变化精到地挥洒，使形色有机地结合起来。

关于这一点，中国画的大泼墨有其独到之处。这种还被称作大写意的绘画方法，更加强调着神似而形不一定似，正如齐白石所说"作画妙在似与不似之间"。但却是色中有形，形中有色；形在色中来烘染，色被形来托出；画中虽然涌动着骨和肉的力量，但却是笔中有骨以墨赋形；骨肉一体看不出哪是骨哪是肉，而是透出一种风骨。总之是一种形色一体的表现，其气韵就生动于这形色一体之中。

第三，形色交融。这是在再现和表现中更倾向于表现的形色表达。这更利于跳出再现的拘谨而强化情感表现。这更能造成渲染的气氛，把情感宣泄得具有冲击力。

美术是一种视觉艺术，形色交融，更加更利于呈现出对光的感受。没有光的折射就不可能有视觉，视觉对形的感受是离不开光的折射的。而光折射，必定要表现出生动的色彩。

实际上在中国画的大写意当中就已体现着这种形色交融。西方印象派艺术家对于不同光线照射下的色彩效果进行充分探索，把光学和色彩学运用于绘画，在形色交融方面作出了很大的突破。印象派这个名称是由克洛德·莫奈引起的。当时莫奈有一幅日出风景画，题为《印象》（Impression)，引起议论纷纷。从此人们就把一切手法大致与之相似的画家以及在广泛的意义上把所有与莫奈相关的独立派画家，称为“印象派”。

印象派关于色和形的关系，基于这样的见解：任何一种颜色都不是独立的。日光笼罩万物，使它们时刻呈现出新的染色。感觉中感知的颜色与光的波长有关，光谱上的七种颜色是由波长不同造成的。通常讲视觉印象可以区别两个概念——形和色，而实际上这两个概念不可分，我们只是人为地区别素描和色彩。光显示着形，它穿透繁密的树叶，戏耍在岩石的表面，贯穿于深远的气层，赋予它们以种种颜色。光一消失，形和色就随之不见。人们看见颜色，一切物体都有颜色；人们根据不同表面的不同颜色区别物体的形，此由这些不同的染色面分界。根据或暗或明的颜色，即绘画中所说的关系作用，便会产生距离感，从而透视与体积有关的问题。此关系就是使我们的眼睛可以区别物体距离及明暗强弱程度。因此，是颜色产生素描。法国文艺批评家加米尔·莫克莱在《印象主义》一书中还对印象派所持的观点作了如下概括：

第一，过去所谓的固有色，乃是一个谬误；叶子不是绿色的，树干不是褐色的，叶子的绿色和树干的褐色随着一天时间的不同，随着光线斜度（科学上叫作“投射角”）的大小而变化。所以，为了使人看画时能够回忆起这些物体的颜色，就必须研究这些物体同我们的眼睛相隔的氛围的状态。空气是画中唯一现实的题材，人们只能通过它来观看画中刻划的一切东西。

第二，阴影并不等于没有光，而只是另一种质量和强度的光。阴影不是自然中光不发生作用的地方，而是它从属于另外一个更强的光的地方。在阴影中，光谱的射线仍然以不同的速度颤动着。因此，绘画不应该用沥青那样的黑颜色调好的现成色调去画阴影，而要像在受光部分一样，从中发现阳光的闪动。

第三，阴影的色彩随着光线的折射而改变。例如，在一幅描写室内景物的画中，光源（窗户）不一定画出来，画中的光将是由看不见光源的光源反射组成的。受光的物体，即使是表面毛糙的物体，也会像镜子一样反射落在它们上面的光线，并且互相发生影响。一块红色的石头放在蓝色的地毯上，就会产生红蓝两色微妙而极其准确的交流。这种光波的交流，在这两种颜色之间形成一个由两种颜色组成的反射区。这种合成的反射，将会形成主色的补色的色阶。根据光学的原理，这种补色可以像数学一样精确地计算出来。例如，一个人头从一方受到桔黄色的日光，从另一方面受到蓝色的室内光，那么，在鼻子和脸的中央，必然会出现绿色的反射。如此等等。

第四，光谱颜色的划分是用平行分光法实现的。我们的肉眼通过晶体人为地把它们集合在一起。如果在我们的眼睛和光源之间放上一个双面凸透镜，暂时麻痹住眼睛的晶状体（它就是一个活的双面凸透镜）的作用，那么，双面凸透镜就会把晶状体所集合起来的颜色重新分割开来，让我们分别看到光谱的七种颜色。画家为了取得一定的颜色，同样是人为地在调色板上调混不同的颜色。用光谱颜色混合调成的某几种颜色，也是人为发明的，这是为了方便画家，使他们不必老是去用七种基本颜色来调颜色。但是，这些颜色是靠不住的，它们的缺点是色调过于浓重，因为色粉末和调色油的这种粗糙混合，不能完成像光那样把各色光波合为强烈的白光而又保持透明状态的作用。而在调色板上调出来的颜色，又带有一种污黑色调。一个画家如果力求尽可能接近迷人的自然的奇景，而手里却只有一些有限的手段，又该如何是好呢？画家只应该用光谱的七种颜色去画，而把所有其他颜色统统逐出调色板。克洛德·莫奈大胆地这么做了，他还加上了黑白两色。这里强调，画家不应在调色板上调合这些颜色，应该把这七种纯色的笔触画上画布，一笔挨着一笔地画下去，让各种颜色在观众眼睛里重新调和起来，也就是说，按照可见光本身所实现的那样办。

这就是印象派技法作为基本原理的色彩分解论。其最大优点是，由于消灭了各种混合色，从而使每一种颜色保持了它自己的力量，也就是说，保持了它的新鲜和光彩。在画家的眼睛中，光成为画中的唯一题材，对受光物体的兴趣变成了次要的东西。绘画，成为一种纯光学的艺术；因为这里只以寻求色彩和谐为目的，所以绘画就变成了一种不依素描为转移的诗。所以有评论家讲，似乎有必要给这种特殊的艺术另起一个名字，它太接近音乐了。克洛德·莫奈正是运用了这些原则从而形成了他自己的手法。他大量排列纯光谱色的色点，通过这些色点颤动的纹样画出物体的形。风景画，变成了一种类似交响乐的东西，它以一个主题（如一个最亮的点）为基础，然后在画布上不断发展这一主题的各种变奏。莫奈、雷诺阿和毕沙罗的油画，由于这种探求而具有一种完全独特的面貌，阴影成为用蓝、粉、绿各种色点拼凑起来的，没有单色和黑色，放眼看去一片色彩闪烁。这里，蓝色和桔黄色占了优势，原因很简单，因为这些习作大部分是在强烈阳光下画的，蓝色是桔黄色阳光的补色，它必然包含在阴影里。

美术中的印象派作为由古典绘画向现代派艺术的过渡环节，对现代美术中所产生的各方面创新产生了重大影响。其中，有的重视对自然光的观察，有时显得十分接近自然主义，对于现实主义的绘画来说也有借鉴意义；有的强调主观感受，与诸如巴黎画派（野兽主义）、表现主义等等有相通之处；有的注重写意的或变形的画法，对于后来的抽象艺术很有启发。这时出现了一系列诸如毕加索等等的美术大师。总起来说，现代派美术，一方面对于美术如何表达“形象意蕴”作出了大量新的探索，如现实主义、超现实主义；另一方面对于美术中的“韵律形式”方面也做了大量新的尝试，如种种形式主义的和抽象艺术等等。

(5) 艺术思维投射到符号语言上，是生成的艺术体系外化出来，在把携带着形象意蕴的潜意识韵律形式向无意识发散的同时，将其收敛于符号语言的物质外壳上。因为符号或语言作为物质外壳，意识已投放在上面，而且是进入物在物成形而下的。它一生成外现出来便带有质料面、形式面、内容面三个层面。艺术意识的发出和接受离不开这三个层面。不过，在艺术意义上讲的这三个层面，各有其自身特点。

质料面，除了语言中的语音以及文字、符号、图形的墨迹以外；还有像打击乐器、弦乐器、管乐器以及由电子乐器等等由敲打拨击、磨擦、吹动以及由电子振荡而产生的空气动荡；有绘画中的颜料；有以人体动作和表情和对之复制的摄影、摄像等等；有作为凝固了的雕塑、建筑、器具等等。形式面，除了体现于语言、符号及图形中的韵律形式，还有乐音加上节奏的韵律形式，有人体动作的韵律形式，以及建筑器具中的韵律形式等等。内容面，即其中的意义，但这里主要不是体现对应性、规定性的概念范畴，而是体现取悦性、神定性的意象观念。主要不是现象事实而是形象意蕴。

在艺术表现中，以上三个层面总起来说是交融于一起的；而当其处于不同的艺术门类中，又凸显出各自特点，如区分出文学的、音乐的、美术的等等。可有大量的艺术创造体现于人们的日常创造物，如体现于用具中、体现于建筑中等等；特别是建筑，这综地体现艺术韵律美，建筑可认为是造型艺术，其中既体现着美术韵律，也体现着音乐韵律，被称作凝固了的音乐。

不论何种情况，作为艺术表现，其艺术语言和符号是带有语言间性质的，所以才有发出和接受的问题。而艺术一旦作为语言和符号外化出来，艺术思维中的东西，经物质外壳的收敛，往往在以下意义上带有不足性：一是任何作者在其表现为符号系统的艺术作品中，都总是不能把作者要发出的表现透彻；二是任何接受者在表现为符号系统的艺术作品中，也总是不可能把要接受的领悟透彻。

在语言因素中，声音（包括元音和辅音的音调、音节的起伏和节奏组织），墨迹（包括笔画字母及其构成或联成的字词、句子等等）是当作符号来使用的，它们的作用是作为符号外壳，唤起语义，显示语法。语义是对思想观念、感觉知觉表象的概括或表达、表现，连最具体的语义也有起码的概括抽象性，所以语义总带概念性。符号外壳跟它所代表的语义之间，并不一定有必然联系；因为很显然，每个人如不按照社会公认的式样（词汇和语法）来构成和缀连音节、字群，便不能很好地互相交流。语言因素中处于发出和接受的表达手段，严格说不是声音墨迹而是概念和语法范畴。文字符号的欣赏并不仅仅在于声音墨迹所引起的感觉，还在于组织在语法关系中的概念或观念所唤起的表象，语音墨迹不过是把人领到这里的“桥”。欣赏中的自由想象离不开对特定概念的理解，没有此也谈不到联想。这样，一旦阅读文学作品就易陷在先要看懂的字词概念含义上，是唤起表象联想形象后才谈得上韵律，文学往往在很大程度上损伤韵律。而诗词在言语的语词发音中表现了突出的韵律，即通过押韵平仄、抑扬顿挫、轻重缓急、厉柔粗细来给人以韵律感；并且可把声音作为直接的表情因素来运用，如同音乐一样；书法特别是中国书法，则主要是依语言文字的墨迹飞舞形成韵律感来成为艺术作品，这在很大程度上带有美术造型的性质。但是，不论诗词还是书法，毕竟没离开用语言来表现，人们还是得有着对词义概念上的理解，这又限制着韵律形式的表现。

绘画中的色形线，作为艺术符号，不同于表达理论概念的文字点线形，它们本身就是塑造形象的艺术手段。这里，可以起两种的作用。一种作用是使人认知：通过色线形的结构，人们能看懂，这是"花"那是"叶"，这是"乌云"那是"木船"，这是"握拳的手"那是"怒目的脸"等等，这里提供了特定的形象意蕴。另一种作用是给人情调：凭着色的调子，线的神韵，形的错落，以及笔触、构图等各方面的表现手段来渲染，这给人以直接的韵律形式。而绘画和雕塑是擅长摹拟的，由其提供特定的形象而占据着主要地位，作者的情感主要透过所描幕事物的造型而表现出来。如果使人什么感受也没有，让人什么也认不出来，那对于表现形象意蕴来说便是难达意的。虽然直接渲染的因素在美术造型艺术里起的作用，比在语言艺术里要大得多。但总的说来，描摹仍是绘画以至雕塑的主要方面。这对于表现形象意蕴有很大的优越性，但对于充分地表现情感又受到限制。人们所称的抽象艺术，往往趋于完全以韵律线条和造型来进行艺术表现，但对于一些欣赏者来说却又被认为这是不知所云而无所激情的。可见，绘画以至诸多美术作品虽然擅长摹，拟形象及至表现其中的意蕴，但对于激发情感来讲往往显然逊于音乐。

音乐的特点是把艺术要表现的东西全都收敛于声音之中。有学者指出，自古以来，人们摹拟事物声音，例如口技，这种能力一点也不次于对事物色线形的描摹本领，但前者却始终未能像后者那样发展成独立的艺术。舞台配音效果从来只是从属于戏剧的辅助成分。摄影和录音技术的发明差不多是同时的，摄影能逐渐发展成一门艺术，录音却主要服务于讲话和音乐演奏的保存；讲话和音乐以外的声音记录，至多在电影、电视、广播剧和广播报导中起一些辅助作用。这是什么缘故呢？这是因为，声音这种现象，除非是人们有意识发出的，在它自然的形态中，所能报导的现实世界情况极其有限。在人类生活中，当声音一方面要像在语言中那样用作思想的外壳，一方面要像在表情音调（可以说是音乐表现要素的萌芽形态）中那样用作比拟的手段，这才能发挥它表现现实和情感的巨大作用；而在自然形态中，它对认知只能提供一些模糊片断的线索而已。这是因为，绝大多数事物在绝大多数状态下都不发出声波，但只要有光照，都反射光波。因此两者跟整个现实世界的关系大大不同。色线形跟世界的联系可极其多面，极其详细，凭它们的报导所得到的有可能相当完整，相当丰富，贴近于详细的直观形象。反之，一些声音，从人的角度说，跟丰富的世界的联系就极为片面，凭它们的报导所得到的也就不能不是十分零星，十分贫乏的，并不贴近丰满的直观形象，难于通过它们了解现实，① 难以由其直接感悟当下的现实。这样，音乐虽然擅长表现和激发情感，但对于表现形象意蕴方面又往往是十分含混和不确定的。

由以上可见，艺术不论是以美术造型的形式外化出来，还是以音乐声响的形式外化出来，还是以语言言语等等的形式外化出来，都会有其缺失的东西。

电影艺术，可以说是种种艺术表现形式的综合，但如果仅仅把它作为一种艺术的符号表现来看待，也会使人遇到种种问题。在艺术意识的范围中，携带形象意蕴的潜意识韵律形式是向无意识以至整个世界发散的，而外化到符号语言上却被收敛于某种物在物成的外壳之上。因而造成了表现的缺失或不足。要实现艺术符号、语言与它要表现的形象意蕴、韵律形式的统一，当然先应考虑到的是：如同陆机《文赋》中所讲的，这里有个既“由文生意”又“文能逮意”的问题，尽管在艺术中强

① 参见赵宋光：《论音乐的形象性》，载《美学》第1期，上海文艺出版社1979年版。

调的主要不是意而是情。可是，真正实现语言符号能言情、表情、激情，问题还不只在于符号本身。

作为综合性艺术的电影，可以说更能充分避免其他各种艺术符号的不足而使表现互补起来。而即便是这样，仅从符号的结构来说明问题也难以充分。法国著名的电影理论家让·米特里，曾在1983年的法国《电影艺术》杂志上发表过一篇题为《符号学的死胡同》的文章，就充分涉及了这个问题。让·米特里文中就电影的情况写道："正如人们所理解的那样，每个镜头都是一个分立的单位，它不相似也不等同于其他任何单位。固然画面可以通过物象传达概念，但是任何画面都不具有词汇的抽象性。词汇表示的是同一概念（椅子的概念）包含的一批事物（所有可能存在的或虚构的椅子）。镜头画面是不同事物或景象的画面；它仅仅涉及它所展示的内容，仅仅以转瞬即逝和偶然闪现的方式表达意义。"因为这样，对电影中的"蒙太奇"，这样一些方式，可以看成是一些符号的组合，因为它的确就是符号的组合。

因此有人"把构成每个镜头的各元素之间的关系（人、物、景）视为语言学中的分节"。电影理论家帕索里尼就说："我们可以与音素进行类比，把电影画面中所有现实的客体、形式及活动称为影素……正如词或词素是由音素组成的，并且这种结构形成语言的双重分节一样，电影的词素（镜头）是由影素组成的"。[①] 另一位电影理论家爱森斯坦则说，"我主张蒙太奇是冲突，两个元素发生冲突迸发出一种概念……，影片中两个片断的并列更像两者的乘积，而不像两者之和，因为这种并列的结

① 帕索里尼：《电影作为语言》。原载吉多·阿里斯塔戈：《论帕索里尼》，《电影研究》第112～114期。现代文学出版社1977年版。

果代表一种不属于其中任何一个单独存在的片断的质（或意义）”。[①]

所以有些人把此总结为，电影镜头也有一种句法规则，即A和B两个镜头建立联系，结果就会产生内涵C。但是，让·米特里却批评爱森斯坦陷入了一种“电影辩证法的谬误”。他以电影蒙太奇作为讨论的基础，讲到：“众所周知……实验可以表明，蒙太奇具有的功能效力不再仅仅被视为结构故事的手段或产生节奏的因素，而是被视为含义的创造者”。他在《蒙太奇与非蒙太奇》[②]一文中分析过一种叫作“库里肖夫实验”的效应。他指出：“当我们分析‘库里肖夫效应’时，就会发现促使观众理解的过程远非初看上去的电影性过程。例如，在‘莫兹尤辛的镜头与裸女的镜头’这对关系中，无论是前一个单独镜头还是后一个单独镜头都没有具体表现什么意义（没有什么内容能够与通过彼此陌生的两幅画面的简单并列而随意构成的这一关系直接相关），没有任何地方能够引起这个男人爱这个女人的联想，或者就是情欲的联想；也看不出女人因此而激动或感到快慰的迹象。只有‘男人看女人被看’这对关系令人联想到和表示出情欲的概念，从这一并列关系中产生出一种情感的反应，而每个人在这里都认识（或重新感受）到一种实际体验的意义。对性欲一无所知的孩子不可能理解这些画面的意义，而成年人则把自己的反应投射到这个男人的身上，一般来说，他会料到这个男人渴望得到他所注视的女人。换言之，上述关系只能引发出已经存在于每个人的意识中有关情爱之事的观念”。由此

① 爱森斯坦：《影片、形式及其意义》，克里斯蒂安·布尔热瓦出版社 1967 年版。

② 让·米特里：《蒙太奇与非蒙太奇》。《电影艺术》，第 86 期。可参阅《电影美学与心理学》第 1 卷，第 283～285、359～360 页。

让·米特里认为，“只有当‘看—被看’（更普遍的范畴是‘客体—主体’）这对关系落在具体事物上时，库里肖夫效应才真正成为电影化的。这时是情感提示概念，而不是概念诱发情感。概念与情感互相关联，所以我们希望特别强调，画面不应当是已经形成的概念的外射，而应当创造意义，激发出也许已经很熟悉的、但是可以按不同方式处理的概念。”通过一系列分析之后，让·米特里深刻指出，电影“内在蕴涵不是一个封闭的体系，而是始终能够接受各种可能性的一种生成功能”。[1]

实际上，让·米特里在《符号学的死胡同》中指出的问题，并不仅限于电影艺术。似乎对任何艺术符号的接受都有同样的问题。实际上，让·米特里所说的那种“生成功能”其根源在于，艺术的发出者和接受者，在共同进行着塑造。

在艺术的发出者那里，韵律意识携带着形象意蕴外化到语言符号上。艺术的接受者在接受时同样也有个以韵律意识去携带形象意蕴外化到符号上的过程。发出者外化的符号与接受者向符号的外化相碰撞，便会形成一种形式美、意蕴美，或者总的说是艺术美的共同创造和共同感受。可见，任何艺术符号对于接受者来说，实际上都在激发着一种与创作者同样的塑造生成。艺术的发出者（作者）和接受者（读者）都在进行着塑造。这是必须充分注意到的。

这样，由作者提供的作品就应当不被看作是一种固定的凝固的东西了，而是处在一个没有终点的生成过程之中。

这样，对于“作者”与“读者”的区分应该在新的意义上来加以说明，这就要改变仅以作者为主体而把读者仅放在被动地位的传统观点，应肯定读者的主动地位。

---

① 让·米特里：《符号学的死相同》，载《世界艺术与美学》，文化艺术出版社，第8辑第224页。

这样，如果再回过头来看待作品，其实语言符号说到底也无须毫无遗漏地去表现：既应当承认其表现有缺失的方面，也应当承认某些缺失恰恰给接受者以进一步创作的“引力”和“余地”，这也正合于“格式塔”缺失时而引起“完形”需求的道理。

正如有些学者指出的，突出读者的决定性作用，决不意味着在接受过程中丝毫不受作品的制约。但文学作品仅是一具骨架，并没有提供完整的东西。英伽登讲，“比如说，小说中写道：‘孩子们在踢球’。是一群十岁的孩子还是六岁的孩子？男孩还是女孩？红色的球还是白色的球？文字上都没有表达。因此，与实际生活中的情景比较起来，小说的形象就出现了很多‘空白’（Blanks 或 Gaps），需要读者自己去填补。英伽登把读者完成的‘填补’过程称为‘具体化’（conccetizatian）。”他指出，各人的具体化方式与内容是不一致的。假如一位瑞典读者看到上面那句子，大概会想象出一群金发碧眼的白种人孩子，非洲人则会不同。英伽登进一步推论：由于读者总是有个体差异，作品的具体化过程与内容也就是无穷无尽的。伊泽尔赞同英伽登的看法，肯定读者必须发挥创造性，去填补作品中的空白。为了避免完全抹杀文学作品对读者的制约作用，他又提出两个概念：作品的“呼唤结构”（Appellstruktur）和“隐含的读者”（The Implied Reader）。呼唤结构，指的是作品中的空白，吁求读者去完成作品的未尽之意；隐含的读者，是指能够把一部作品的潜能、特性在意识中去体会的读者。

当代解释学的许多理论家曾经对于读者与作者具有同样的主动地位作了大量论述。他们指出，艺术作品的构成过程必须借助于读者的阅读才能体现其内在的价值。在这种阅读行为中，读者并不是只对作品被动接受，而是主动参与作品的再创作。伽达默尔讲：“对读者来说，作品本身确实只不过是一系列的

'提示',是把一部分语言构成意思的邀请书。读者把文学作品'具体化'了,而文学作品本身只不过是书页上一连串有组织的黑色称号。如果没有读者这种连续的、积极的参与,那就根本不会有什么文学作品"。在这种参与中"不同的读者可以自由地以不同的方式使作品具体化,而且不存在任何唯一正确的、可以穷尽其语义潜力的解释"。[①] 因此,艺术本文是一种开放性的结构。"对一本文或一艺术品真义的发现是永无止境的;它事实上是一个无限的过程。不只是新的误解源泉不断被消除以致真义从那遮蔽它的所有事件中透露出来,而且新的理解源泉也在那里源源涌现,揭示了意想不到的意义因素。"[②]

总之,艺术的发出者和接受者或者说创作者和欣赏者、作者和读者,都在进行着塑造;由此,才能真正了解"艺术臻美是何以可能的"。这正是塑造论哲学所要强调的。[③]

(三)程序→技术。

1. 无意识前提。

在大自然的塑造中,人作为自然的精英脱颖而出,在大自然决定之下成为所能成为的那个样子。在其活动中除了有"对与不对"的对应性机制,"适与不适"的取悦性机制,还有一种"行与不行"的权变性机制。

"权变性"这个概念,其意义重在通过自身的活动使外界发生变化,并权衡外界变化使自身随机应变。"行与不行"涉及到"能行不能行"、"可行不可行"。这与"对与不对"和"适与不

① 伽达默尔:《真理与方法》,联邦德国图宾默尔(保罗·西布埃克)出版社1975年版,第200页。

② 伽达默尔:《真理与方法》,联邦德国图宾默尔(保罗·西布埃克)出版社1975版,第265~266页。

③ 见,张全新:《塑造论哲学导引》,人民出版社1996年版,第796~839页。

适”的意义既有联系也有区别。因为对了才行，适了才去行；但是对了、适了却不一定能行不一定可行。因此，对应性机制中有对与不对，取悦性机制中有适与不适，而就技术来说往往是形成某种权变性机制：凡是对于保持生存来说，非常显然地都得有个变得能行不能行或可行不可行的问题。

例如生物体对外界刺激作出反应：某些植物在趋光性之中改变自己的生长方向，昆虫为了隐避或摄食而改变着自身的颜色，动物为获取食物和躲避危难而变换自己的动作，等等。这一切从广义上说似乎都有个由自身的变而使外界变，即“权衡”外界的变化使自身随机应变的过程。

权变性机制是物种在自然选择中基于维护性效应和攻击性效应而发展起来的。对于维护性效应可在两种情况下加以研究。一是保护自身个体。二是保护物种群体以至“住所”环境（西文中“生态”一词就源于古希腊“住所”这个词）。对于攻击性效应也应从两个意义上加以研究。一是对同类进行的攻击，如：为抢食、为护巢、为占有领地、为争夺异性在同类个体间进行的攻击。二是对异类进行攻击，这里既包括对动物界异类的攻击，也包括对动物界之外的所有自然物进行的攻击，如：采集它、捕捉它、吃掉它，以及取材建筑等等，这都是攻击性的表现。

这种维护性和攻击性都使自身和外界发生着改变，实现着“塑造”。这是物种长期发展的结果。无生命之物中的相互影响、吸引和排斥、作用力和反作用力、振动或阻滞，以及在外力下改变了形状又在自身“记忆”中恢复原状（有所谓“记忆金属”“记忆物质”等等）……都可以认为有如此情况。当然这还谈不上真正旨在维持自身生存意义上的维护和攻击。关于有生命之物在新陈代谢中权变性机制生成，显然，生物摄食总带有维护自己而攻击对象的性质。而排泄之物在一定意义上也可看作是权变的杰作。奥地利动物学家,现代行为科学的创始人康罗·洛伦兹在其著作中有这样一个例子:"鹦鹉鱼生有硬凿牙齿,可以连同石灰质的骨架吃下整个珊瑚枝。假如你潜近在吃食的鱼,你可以听到咀嚼的破裂声和嘎吡声,好像一座小碎石厂正在做工一样。实际上,说碎石工厂也名符其实,因为当这种鱼排泄时,可以看到一小陈的白沙雨,形成珊瑚林中的小空地上覆盖着的雪白沙。这就是鹦鹉鱼的杰作"。这个意义上的权变杰作在生物界可谓比比皆是。

当然,对于权变性机制的结果,假如从广义上说,可涉及到所有生物体的所成之物,包括为维持自身生命的新陈代谢之物,也包括为延续物种的及繁育后代的所成之物。康罗·洛伦兹曾经专门对动物界的此类情况进行研究,寻找其与人之行为之间的联系。诚如他所说,"在自然界,斗争一直存在于活动过程之中,在自然选择而形成的淘汰压力下,由于护种的作用,它们的行为机构和武器是如此发达,不仅明显地出现,而且明显地被使用"。人们已充分注意到,"古生物学家已提出许多令人印象深刻的实例,来证实自卫武器和攻击武器之间的进化和竞争。""有一个正统的例子可以用来说明某一作用的自然淘汰压力会导致相当的适应,即肉食动物和它的捕获物互相影响彼此之间的进化。被追逐的蹄类动物,它们的敏捷迫使狡猾的追逐者发展强大的跳跃力和尖刻的锐趾"。"草食动物的牙齿已有愈来愈好的碾磨力,而与它们的进化平行的是,滋养植物也已发展了保护自己不被嚼食的方法,如矽酸盐的贮存和木质的硬刺。这种食者与被食者间的竞争,决不至于引起被食者的灭种"。洛伦兹还讲,"使一个物种消失或转变成另一种类的因素是有益的'发明',这种'发明'在永恒的遗传性突变的赌局中,偶然会落在同类个体中的一个或几个上。这些幸运者的后代渐超越其他个体,一直到这些特殊物种只包括那些拥有新

‘发明’的个体”。[①]

正是在这种进化中，以至发展到人能设计自己的工具并制作工具及种种器具用品。正是在这种权变性机制进化当中，产生了有语言、能使工具的人。

总之，人是在生物、动物进化中才产生的。正是在这种进化中，维护性和攻击性效应在人身上被积淀下来，成为人所具有的。人所体验的东西，在“维护”和“攻击”效应中才成为人所利用的备件，即“寻益对象”。不然的话，就所谓寻益对象。这一层次上讲的维护性和攻击性效应，在无意识中并没成为被意识到的，只有在意识中才被意识到。在意识中它会在体验备件材料时起着作用，当受意识的调动，它便会涌现出来，从而加入有意识的重组和役使，并为重组和役使所统摄。作为潜意识的程序形式是以此为前提才得以成为意识的。

2. 潜意识显意识。

(1) 人们在技术研究中常涉及到程序形式的问题。在回答技术益何以可能时，往往会遇到一系列难以解脱的难题。例如，柯塔宾斯曾阐述的“计划悖论”。柯塔宾斯讲，计划工作面临着一个两难困境。“如果要完全理性地接受某一计划的话，那么一切被此计划所预定的行动都应该在此计划接受之前就已被实施”；然而这一要求是不合理的，因为在没有接受一个计划之前就实施这个计划是盲目的。柯塔宾斯认为，“无论什么时候，无论我们计划任何时事，我们总是面临着计划可行性的这一实质性的悖论”。[②] 为了使技术获益，就得有计划，预则立不预则废；

---

① 康罗·洛伦兹：《攻击与人性》，中文译本，作家出版社1987年版，第29～30页。

② T. 柯塔宾斯：《一个好计划的性质》，Mothodoc，XIII，No. 51～52，PP. 189～201。

然而接受预先计划去实施却未必能有效地获益，甚至计划得越仔细，实施越不灵活，技术越难以达到获益的有效性。那技术获益又是何以可能的呢？这里的重要问题在于，程序形式的根据到底在哪里？塑造论哲学认为，这是在自然塑造人和人塑造自然的过程中，主要经过劳动（行为＋工具）内化而成的。

如前所说，有意识主体的形成有着无意识前提。在无意识前提中，就产生着一种权变性机制。程序是权变性机制发展的产物。这里讲的程序是在主体和客体关系中体现同规权变性意义的程序。

（2）在权变性机制中生物体总是为了从中“得益”。这离不开基于人之需要的“目的”，而且达到“目的”真正得益，是在“对与不对”的对应性机制、“适与不适”的取悦性机制和“行与不行”的权变性机制共同运作中实现的。

新陈代谢中的摄取与排泄，生物体的择偶与交配，动物的筑巢与取食等等，大自然本身就造成了其中的对应性机制、取悦性机制、权变性机制。然而在无意识情况下，“对与不对”只是直接的反应，“适与不适”也只是直接的反应，而“行与不行”也只是直接的反应，行的便成功地保存下来，不行的便被淘汰了。

这里面，从原生质到复杂生物，到高级些的植物或到高级些的动物等等，它们在大自然的变迁和自然选择中，从水生到陆生，使之离开水的束缚而以陆地支撑；到能上天能下地能爬树，从而摆脱地上的眼界达于空中、树上的视野；又到如古猿那样在一定自然变化中从树上走下来，在直立行走中使“手”变得可以更方便地操作，以至真正变成人的能使用工具的手，并形成着产生有语言的喉头。这伴随着形体结构的不断变化。

而手之所以能成为人能劳动的手，喉头之所以能成为人能使用语言的喉头，工具在这过程中起着决定性的作用。正如恩格斯所说，“在猿类中，手和脚是有不同用途的。手主要是用来摘取和拿住食物，就像比较低级的哺乳动物用前掌所作的那样。有些猿类用手在树林中筑巢，或者像黑猩猩一样在树枝间搭棚以避风雨。他们用手拿着木棒抵御敌人，或者以果实和石块向敌人投掷。他们在被捉住以后用手做出许多简单的模仿人的动作。但是，正是在这里我们看到：在甚至和人最相似的猿类的不发达的手和经过几十万年的劳动而高度完善化的人手之间，有多么巨大的差别。……没有一只猿手曾经制造过一把哪怕是最粗笨的石刀”。当人用手把一块石做成刀，“具有决定意义的一步完成了：手变得自由了，能够不断地获得新的技巧，而这样获得的较大灵活性便遗传下来，一代一代地增加着”。[①] 恩格斯在此还论述了使用工具的劳动与产生人的喉头并产生语言的联系。

从广义上说：人所使用的语言、符号也是一种工具；而工具也可认为是人所使用的一种符号及语言。因为人们完全可以用一种工具来表达什么，甚至每一种工具都是人之思维意识所落下的痕迹、征兆，或者说就是符号，它恰恰也是人的思维意识的一种表达。

然而工具的意义还不限于此，它是一种权变性机制的产物。它是人在维护和攻击中改变了对象而成的。

前面我们论述关于美的韵律意识时，已涉及了人之所以能按照美的规律去塑造，形式美产生的根据在很大程度上恰恰来自人制造工具的行为，这本身就与技术的产生有关。艺术活动中带有虚构世界的情态，本身就与技术创造的人为世界异曲同工。人们按韵律形式来臻美的取向本身也就体现着技术的取向。

① 恩格斯：《自然辩证法》，《马克思恩格斯选集》第4卷，人民出版社1972年版，第509页。

再往前我们论述关于真的逻辑意识时，涉及到在行为内化中产生的逻辑形式可构成带有可能世界的模态，由此才有所谓有目的选择。而这里实际上一点也离不开工具。要说明的是，在讲逻辑意识产生的根据时，我们特别是从行为角度讲过去的；其实，一讲人的行为，工具在很大程度上就是题中应有之义。因为人之行为总是对某对象的操作，操作往往离不开中介，这中介就是工具。从这里就可以引申出，如果模态不通过由带有符号性的东西设定而陈列在那里，也就不成其为模态；而一设定陈列出来，不是以作为工具的符号为载体就是以作为符号的工具为载体。没有带符号性的东西，逻辑模态是没有依托而成为陈列到那里的东西而被人意识的。反过来，（实际上也是对讲逻辑形式来源问题的补充），如果讲行为不把工具或作为工具的符号包括其中，那行为也就不成其为带有人之特点的行为。正是在这一点上不言自明的是，使用工具的劳动是真正能内化为逻辑意识的行为，它是真正能体现人之特点的行为。可见，没有工具或作为工具的符号也就不可能有逻辑意识，也就谈不上有带有可能世界的模态，不可能从中选择出意识到的目的。

更进一步的是，论证了逻辑形式所带来的模态世界所得以产生的根据，还并不足以证明技术可行而有效地获益是否可能。因为逻辑只涉及真的普遍必然的问题，而技术还要涉及获益可行有效的问题。可行有效就得有程序，这是只讲逻辑模态所解决不了的。因为若仅就模态来讲，它只提供有若干种可能性的框架，还不等于意识到主体实现"目的"的"程序"。

"程序"首先是"有序"，但光是讲有序还算不上是程序。在"序"字之前加上的那个"程"字，标示了它不是一般的有"序"。"程"即这个字，在中国文字的本义中带有这样的意思：

度量衡之总称，有所谓“程者物之准也”[①]；“器所容受之程限”，有所谓“按度程”[②]；“课其技能”，有所谓“程角觝之妙戏”[③]；以及路径、示见、成效等等。这里强调着是人向对象发出并在对象中所成的有序。

可见这“程序”，既不单纯属于客体，也不单纯属于主体，它处在主体客体之间，处于为达目的而趋向平衡的调控之中。

这样，如果说逻辑形式主要是出于行为向主体内化，那么程序形式则主要是出于劳动中使用工具（符号）而向主体内化。

因为工具是由人来使用的。使用它或造成它来获益是否可行有效，主要不在于从中选择目的，而在于让它本身就体现目的。工具的型态本身就已由目的来支配，并不是只把模态放在那里。而工具本身又是有自己结构的，这结构既是人之主体所发出的又是纳入自然客体的。当人适应改变对象而不停地改变工具结构，就既改变着客体又改变着主体。于是这结构的形成过程就成为过程的程序。体现于工具结构变化而展开的程序，在操作中内化于主体，主体全身心地与之协动，这就逐步形成了主体潜意识的程序形式。

（3）基于此也就有了关于在程序中达到有目的获益的手段。

黑格尔在其逻辑学体系的概念论中，在作为主观概念、客体、理念的过渡环节中，由机械性、化学性讲到目的性。他认为，目的性是机械性和化学性的扬弃。他写道：“通过对作为客体的概念所陷入的外在性和直接性的否定，于是概念得到解放，回复其独立性，并超出其外在性和直接性，因而被设定为目的

① 《荀子》，《致仕》。

② 《礼记》，《按程度》。

③ 《文选》，《张衡·西就赋》。

了。”[①]“目的虽说有它的自身同一性与它所包含的否定性和与客体相对立之间的矛盾，但它自身即是一种扬弃或主动的力量，它能够否定这种对立而赢得与它自身的统一，这就是目的的实现。”[②]“人们的需要和意欲可说是目的的最切近例子。它们是人的机体内：感觉到的矛盾，这矛盾发生于有生命的主体本身的内部，并引起一种否定性的活动”。[③]

黑格尔进一步论述道：“说到目的的活动，有一层还须注意，即在表示目的活动的推论里，目的通过实现的手段作为中介与其自身相结合”。[④]“一方面是合目的性的活动，一方面是被设定为直接从属于目的的客观性，即工具”。[⑤]“有生命的存在具有一个肉体；灵魂控制住肉体，并直接客观化其自身于肉体内。为了使它的肉体成为它的工具，人的灵魂有许多工作可做。人似乎首先就须占领或控制住他的肉体，从而他的肉体才可作为他灵魂的工具”。[⑥]“由于具有这种活动力量，客体才作为工具，直接与概念相结合，并从属于概念的活动力量”。[⑦]黑格尔强调，“既然目的自身直接与一个客体相关，并使它成为手段，而且通过手段来规定另一客体，这就可以看作是强力”。[⑧]

手段，从广义上说可以涉及到所有生物的维护和攻击过程。包括诸如个体释放出气味、变化着色彩、自身灵牙利爪以及用“棍棒”“石块”敲打等等，这是有明显实物型态的，这是硬件

① 黑格尔：《小逻辑》，商务印书馆 1980 年版，第 387 页。
② 黑格尔：《小逻辑》，商务印书馆 1980 年版，第 387 页。
③ 黑格尔：《小逻辑》，商务印书馆 1980 年版，第 389 页。
④ 黑格尔：《小逻辑》，商务印书馆 1980 年版，第 389 页。
⑤ 黑格尔：《小逻辑》，商务印书馆 1980 年版，第 391 页。
⑥ 黑格尔：《小逻辑》，商务印书馆 1980 年版，第 393 页。
⑦ 黑格尔：《小逻辑》，商务印书馆 1980 年版，第 393 页。
⑧ 黑格尔：《逻辑学》下卷，商务印书馆 1976 年版，第 437 页。

的。当然这还是无意识的，还不算上是真正意义上的有意识的手段。然而这种自身武器经过某些动物中产生着的萌芽性工具（如灵长类使用的棍棒、石块）发展到人所使用的工具（也包括武器）。这才成为有意识的手段。另外，这里也应包括软件的东西，如个体所使用的“谋略”、“策略”、“战略”、“诡计”（在西文中这属于一个词，其中没有褒贬的意义）。某些生物早就能通过色彩的、声音的以及自身运动的变化来伪装、隐蔽自已并引诱“别人”，在迂回“走迷宫”中学会脱离困境和防止被侵害的本事，等等。这虽然还算不上真正有意识的手段，然而这却是真正有意识“谋略”的前身。当人能够有意识地去设计谋略方案，那就有了很好的技术手段。

前已提到黑格尔在说到目的和手段时，使用过一个很特别的概念：“理性的机巧”（die List der Vernunft，也常常译为“理性的狡狯”或“理性的狡黠”）。他说，“理性是有机巧的，同时也是有威力的。理性的机巧，一般讲来表现在一种利用工具的活动里”。①

黑格尔使用的“List”这个词，既可当机巧、狡狯、狡黠、狡猾讲，又带有谋略、策略、巧计、诡计等等的含义。这显然是与理性的“逻辑”本身有区别的。在黑格尔看来，这是体现理性的必然性的，而它是和目的手段贴在一起的，但又可以形式地加以讨论。黑格尔讲，“由于有一个现成的当前的客体作为它（目的）实现的材料或外在条件”，“在这种情况下，它的自身决定性只是形式的”。② 黑格尔对此纳入了三段论推论的逻辑形式加以论证；“工具作为客体在这第二前提里是与三段式中的另一极端，即假定在先的客观性、材料有了直接的联系。这种

① 黑格尔：《小逻辑》，商务印书馆1980年版，第394页。
② 黑格尔：《小逻辑》，商务印书馆1980年版，第390页。

联系就是现在能服务于目的的机械性和化学性的范围，这个目的就是它们两者的真理性和自由的概念。这样，那作为支配机械和化学过程的力量的主观目的，在这些过程里让客观事物彼此互相消耗，互相扬弃，而它却超脱其自身于它们之外，但同时又保存其自身于它们之内。这就是理性的机巧"。①

我们从塑造论哲学的角度对黑格尔的这些思想加以吸收，对那种体现逻辑但又与逻辑不同，主要表现在利用工具的活动里，带有机巧、谋略、巧计意义的，那种在现代工程中特别予以重视，具有很强形式化性质的程序，特别提取出来作为技术领域必然性和有效性获益的根据加以论证，说明它是由工具劳动行为向主体内化中形成的。从而证明其必然性的根据，这是很有必要的。

当代许多学者的确对于体现权变性机制的，人的程序意识形式，作了许多总结，如系统分析、系统工程中体现的形式，如对策论即博弈论总结的形式系统等等。冯·诺依曼等人曾经对策略博弈中的一系列形式给出一个公理化系统，展开了从"零和二人博弈"，到"零和三人博弈"，到"零和 n 人博弈"，以及"一般非零和博弈"、"博弈的合成与分解"的形式化体系，并对"效用的公理化"提出了他们的形式化处理。博弈论在经济的、政治的、军事的以及各种竞赛竞争策略的技术方面产生了很大影响。这显示了人们对深入研究程序意识形式的重视。

应当认为，正是由于在工具的内化中产生着程序形式，才有成为意识到的技术模型，才能构成设备世界。

技术模型，不仅体现着理论真，而且体现着艺术美，更体现着作为"理性机巧"的程序益。

① 黑格尔：《小逻辑》，商务印书馆 1980 年版，第 394 页。

(4) 总之，程序在劳动（行为＋工具）的内化中形成，从而形成程序意识。

程序体现着技术的形式益，它在人的意识中有着向体验中的备件之内容拓展的涌动。由于程序形式的作用，前面讲到的在无意识前提下形成的作为带维护性和攻击性效应的感性形式，被调动起来并包摄于其中，从而形成了获益意识中的重组和役使。

重组和役使是权变性机制的延伸，但已不仅仅处在感性的维护性和攻击性效应之中；而是对处在感性的维护性和攻击性效应之中的备件材料，以程序形式在维护中做出新的组合，在攻击中做出新的使用。从而获得技术的内容益。这扩大着设备世界，形成着对于备件材料的把握。

这是以程序来意识，从而成为关于备件材料的获益过程。这是以程序来意识备件材料，并携带着体验中的备件材料，在重组和役使中形成外化到行为或体现于工具的技术体系。概言之，技术的潜意识外化为技术的显意识。

(5) 由潜意识作用中的显意识，以程序形式去统摄备件材料，经历着两条交织进行的道路：反复的摸索提升为优选的设定，优选的设定实施为具备（具体备件）的发明。这里第一条道路可认为是优选化过程，第二条道路可认为是具备化过程。上述两列过程连接起来，便是“具备－优选－具备”。这里不可能截断开分别进行，而是相互渗透地往复进行。技术体系是在“具备－优选”、“优选－具备”的往复循环中日益充分并发展的。

这里，成为生长细胞的是作为设计的方案。方案设计可认为是技术体系的基本单位。它是在“优选化”和“具备化”道路上经过发现和发明所形成的技术体系的凝结。方案既带满足性又带满意性。说它带满足性是指它发现着备件，说它带满意性是指它发明着良策的方略。所以它是优选和具备的统一。方案既是优选化的结果又成为具备的，是具备的备件。这是以良策的方略设定着备件的整体，从而达到着技术内容益的有效性。

这样，方案便形成了它自身内在矛盾的两个方面，即内选和外造。内选集中着良策的方略，外造涉及着备件的整体。体现良策的方略设定着备件整体，在方案中则是内选设定着整个外造。

方案在内选和外造的相辅相成中实施为展开了的规划。规划对于设定方案来说可以出现两种形式，即运筹和工艺。同时种种规划又实施为工程，从而形成技术体系。在此意义上讲，技术体系也就是方案设计系统、规划系统、工程系统。它展开着由程序意识协带着种种备件材料的系统。其中可以形成种种技术模型。并且，在优选和具备的矛盾运动中形成着技术体系的发展更替。

在技术关于材料益的发现和发明中，具备化和优选化的矛盾不断出现并不断得到解决，这既是权变性机制作用的结果，又是权变性机制的进一步调动，同时不断解决着重组与役使的矛盾。随着在权变中不断地通过一定的役使达到一定的重组，主体发现和发明的技术能力也随之提高。

而随着自然塑造人和人塑造自然的发展，会不断有新的备件材料闯入技术世界。这便向主体的技术能力提出新的挑战，同时又带来具备化优选化矛盾的进一步发展。

面对新的备件材料，当方案设计的设定性设定不了新的备件材料，这便会引起设定性的转换。技术体系在这种转换中向前更替发展着。

每一个成熟的技术体系都应当是自身完备的，这是具备和优选矛盾的统一。然而这种完备性总是就确定的序围而言。这种完备性离开确定序围就会表现出不完备。当发生了这样的情况，技术的发现和发明就得面对新的备件进行新的层次上的具备优选矛盾运动，优选出新的技术设定，再上升到具备，构成新的技术体系，这就形成了技术体系的更替。这样的情况在技术发展史上是大量可见的。

有不少学者对技术体系的发展规律作了深入研究。一些学者认为，每个技术体系，都有其作为技术体系应有的完整、自洽的结构，以完成社会性的技术功能。全部技术史是各个技术体系相继更迭的历史。而成长着的新技术体系取代衰亡着的旧技术体系，并逐渐在社会总体中占统治地位的历史过程，是技术体系的革命。技术体系革命是经过一系列技术部门的量变发展积累而实现的。技术的发展，一方面是人的塑造的对象化的不断扩展；另一方面是一种塑造技术导致相关塑造技术的不断革新。近百余年以来，可以认为发生过三次技术体系的更新：18 世纪末，纺织业迅速发展，要求强大的生产力能源，技术革新的重大成果是蒸汽机的诞生。蒸汽机的应用又掀起了产业革命的高潮，触发了各个行业的技术革新。19 世纪，纺织、采矿、冶金、机械加工、交通运输以及化工等各类技术都建立了自己的体系。这是第一次技术更新或技术革命。19 世纪末到 20 世纪初，直至 20 世纪中叶，生产高度发展，要求更为强大而又方便灵活的动力机器，蒸汽机被电动机所取代，机械化为中心的技术体系被以电器化为中心的技术体系所代替，这是第二次技术更新或技术革命。20 世纪 40 年代，产生了火箭技术、雷达技术、核技术和电子计算机技术。今天又有了生物工程技术、激光技术、材料技术、海洋技术、人工智能技术等等，呈现出第三次新技术革命的浪潮。①

① 参阅黄顺基、李庆臻主编：《大杠杆》，第十章，山东大学出版社 1985 年版。

当代，在20世纪后半叶，特别是进入21世纪，一门诞生时间并不长的年轻学科——人工智能，伴随着计算机技术的深入而广泛的发展，正以其特有的力量影响着世界。它已经从少数科学家实验室里的智力游戏，发展成为为人类服务的各色各样的智能产品。尽管这门学科的理论尚不十分成熟，应用也才开始不久，但它毫无疑问地开辟了一条人类开发自身智力的道路。这使人工智能的发展倍受世人的关注。这不仅是技术上的问题，更多的是牵扯到人对自己的认识：人的思维过程，认识方法，意识、理性与灵性，人性的本质等等。因此人工智能无论是作为人类智能化的产物，还是机器进化的新阶段，不但丰富了思维世界的内涵，而且为解决人类主体客体之间的关系，提出了新的问题，开辟了新的可能，更促使人类对诸如意识、理性、灵性、人性、存在、实在等这些问题在塑造论哲学角度上进行追问。①

3. 程序携带备件材料的技术外现。

（1）前面，研究分析了改变着主体与客体的劳动（行为＋工具）如何内化成程序意识，回答着程序形式的必然性何以可能。这是对技术潜意识内化的论证，同时说明了这是向技术显意识外化的必要条件。

进而，又概述了在主体客体相互作用中如何始于体验返回体验即在优选化和具备化中形成作为技术具备的有益发明，回答程序统摄备件材料内容益的有效性何以可能。这是阐述由潜意识作用而在显意识过程中所发生的运行，同时说明了在技术方面关于心在心成形而上与物在物成形而下的关系，说明程序形式如何把握备件材料而形成技术体系。

① 胡晓君、李岩、张鲁殷：《人工智能的塑造论哲学研究》，见张华主编、涂可国副主编：《走入哲学史的塑造论哲学》，齐鲁书社2010年版，第442～443页。

这里，重在论述程序携带着备件材料如何成为技术外现。对于直接地落到“塑造之物”，要综合研究体现主客体利用关系的技术体系如何外化于工具行为，同时工具和行为的内化又如何完善着确立主客体关系的能力技巧，回答技术获益何以可能。这里要论到在潜意识显意识运行中技术体系“发散生成”并“生成收敛”于“塑造之物”之上的情况，从中去看体现心在心成形而上与物在物成形而下与存在形而上相统一而成为技术益，及其所实现的可能性。

(2) 显现着的技术体系运作，往往离不开这样两种情况：一是变成符号语言编制成的规则指令，二是变成工具设备牵制着的操作规程。一旦形成符号语言的规则指令及工具设备的操作规程，对于技术生成过程的发散性带有很大的收敛性。发散性和收敛性都体现在技术生成过程中。

就个体某项技术来说，某个技术操作者真正熟练地掌握一门技术，应当使程序意识与所处理的备件材料非常协调，达到驾轻就熟，游刃自如，近乎自动化的程度。如庖丁解牛，也像一些杂技演员、运动员一样，再如骑自行车、驾驶汽车等等。到纯熟程度，就似乎根本不需要显意识的指令和规程支配，似乎闭着眼睛也照样操作得准确无误。动作与动作之间，无论何时，无论遇到什么情况，都是那样连贯，像流水，似飞云，没有中断，没有接不上茬的现象。也就是说，不论哪个环节都是发散连续的。各行各业的操作，只要真正熟练，都能达到这种境界。

但是，要能达到这种纯熟境界，技术操作者又必须首先了解操作规程、熟悉规则指令，一个环节一个环节地按指令、规程去练习。在这时，每一个环节成为间断的。发散连续的操作被收敛于一个个的指令、规程之中，只有经过十分艰苦的训练，才能逐步纯熟。

然而，达到了这种纯熟境界，那就几乎又把指令、规程忘却了，甚至是应当把它完全忘掉。爱因斯坦好像讲到过这样一个例子，一个登山运动员，固然对他的动作可以作出许多规范，但在登山时，如果他时时还得想着那四肢动作的力学结构，那肯定寸步难行。同样，一个工匠，如果在操作时，一举一动总在那里想着指令、规程是怎么规定的，肯定是个蹩脚的工匠。因为对于有效的技术操作来说，任何指令、规程由符号语言来编制，由工具设备来牵制，把生动的发散性收敛在了干枯的物质外壳之上，都有其生成性的缺失。成功的技术操作者，重要的在于，要调动自己在程序意识和备件材料关系中的内在生成。

(3) 就群体的大工程技术来说，整个工程运转与工程方案的关系，也有如此情况。

例如在系统方法中通常被人们总结的系统工程（SE）和系统分析（SA）。美国学者 Hall 1962 年提出，前者强调这样一些步骤：摆明问题、系统指标设计、系统综合、系统分析，最优化、决策、实施计划，后者强调的步骤是：明确目标、拟定备选方案、费用效果分析、建立模型、制定评价标准。这是符合优选化和具备化过程的。

SE 与 SA 产生于同一时代，它们是由工程师在工程领域中提出的。对于工程师而言他们的处境通常是假定：所要解决的问题是明确的，并且要求提出的目标也应当是明确的；系统工程及系统分析的人员的任务是研究出如何达到目标的各种方案，而且可进行各种方案的优劣比较，找出达到目标的最佳方案；选择到最优的或最满意的方案后，要做的就是在一定时间内以一定的投入实现目标。总之，基于此的 SE 和 SA 方法在处理现实的问题时是确信：问题的目前状态 S_0 及期望达到的未来状态是明确的或可确定的，工程人员所要做的工作就是选择合适的方案使目前状态 S_0 顺利转化为期望的未来状态 S_1 或 S_2……S_n

等等。在系统科学工作者中，往往称这为“硬系统”（System Thinking）方法。1955年到1976年之间几乎所有的有关系统理论及其应用的文献，基本是限于提出“硬系统”的问题以阐述“硬系统”方法。“硬系统”方法在解决工程领域的问题时起到了重要作用，成就是不可抹煞的。

但是人们很快发现，只以“硬系统”来描述技术工程问题有其因素上的缺失。其一，一个技术的或工程的系统是由各子系统组成的，但大系统的功效并不等于各子系统功效的机械加和。①其二，每个技术的或工程的系统与其作为环境因素的相关系统或更大系统来说，总是受其影响，这些因素是非常复杂的。在进行系统设计时，对这些相关因素当然在原则上也是要考虑到的，但毕竟只能寻找其主要因素加以考虑，在系统生成中所涉及到的大量因素是暂时不去考虑的。② 其三，实际上对以上复杂因素即便是注意去考虑，也是无法考虑完全的，而且有互为依赖的循环。对此萨多夫斯基曾揭示过一系列其所称的“系统思维悖论”，这种情况能非常深刻地说明这一点。③

正是以上面的思想为基础，同时更是面对技术上或工程上的问题，许多学者认为，在设计中真正的最优解往往是难以找到的。

1978年，美国卡内基－梅隆大学教授西蒙，因其成就获得诺贝尔奖。他在其成果中提出的重要看法便是认为：最优解只是在理论上或数学上存在，在错综复杂千变万化的现实中则应另当别论。他强调，规划当中的最优解往往在遇到具体问题时实际上只能是一个近似解或只能当成一个近似解。西蒙以线性

---

① 参阅：张全新：《系统方法概论》，黄河出版社1988年版。

② 参阅：张剑、张全新：《管理学概论》，中国人事出版社1993年版。

③ 参阅：张全新：《系统方法概论》，黄河出版社1998年版。

规划求最优解为例说明：在复杂的工程世界中很少能找到几个关系是线性关系，并且线性规划考虑到的约束条件，所取的值，总是有限的。所以当以线性规划方法找到了最优解之后，我们就会发现所找的最优解与现实工程所面临的最优解和最优决策是两码事，因为线性规划是把实际运行大大简化了。因此在许多情况下我们并不都是用线性规划来解决问题，还得用非线性规划来描述。而解决非线性问题往往也只能舍掉许多因素把问题化归于线性规划来解决；并且不论是线性规划还是非线性规划所取的约束条件总是有限的。

(4) 技术的程序意识作为潜意识的，应当是处在自组织系统之中。自组织系统应当是自身生成的，当显意识化了优选模式再加于行为，这是收敛的，总不能把种种复杂因素全部涉及到，总损失着什么，总出现着内生上的缺失。对此我们暂把它叫作"生成缺失"。

如何使这种"生成缺失"尽量"不缺失"？近些年来许多学者指出，那就得使硬系统中的硬规划处理成为软系统的软规划，应更多地采取诉诸于学习模式的规划。

对于这种情况，学者们后来提出了种种学说。例如英国兰卡斯特大学的杰克兰德（P. Checkland）教授在70年代中期，基于系统工程（SE）、系统分析（SA）方法，在大量实践的基础上开创了一种软系统（SSM）方法论。人们认为这是一个很大的更新和转折。

软系统思想，强调的主要不在于"优化"思想而是主要地在于一种"学习"思想，主要地不是寻找达到预定目标的最优方式，而是主要地立足于改善问题情境。

也就是说，软系统方法不像硬系统方法那样，主旨在于一开始就定下一个不变的目标，此后的工作主要集中于目标的实现。因为这会限制人的思想范围与方式，实际上失去了选择性。

“软系统”方法更加注重系统在人的行为中自身生成。

这样，软系统方法（SSM）所面对的不是已明确提出了的要解决的问题即非常明确而不变的目标，而是人们在行为之中的“问题情境”。问题情境不同于问题目标，“是什么”“边界如何”“结构和过程”往往都是不确定的。在应用SSM时，出现的往往是一种“很软的”系统。这是一个很宽泛的人类行为系统，它是人的一系列行为联系在一起联同环境因素构成的人有目的活动的集合。人类的行为系统有自己内在的生成，涉及信息通讯，或通讯控制的结构和功能，由自组织过程使其能在变化的环境中生成并被接受。软系统充分体现这种自组织行为的内生成性质。概括起来说，可认为软系统方法论形成了以下主要思路：

①进入非结构化的问题境况体验。这里的非结构化问题境况所强调的是：它不能像问题目标那样以结构化的形式确定下来，而是只感到有问题却不能对之确切定义或起码不急于以方案规划去定义某种环境。只是在找出一个难以定义的问题境况基础上期望改善之。由塑造论哲学来讲，进入这种问题境况是在直接的行为内化外化中，在对实际的体验中进行。这里得到的是问题境况的结构变量、过程变量及二者关系，而不是定义问题本身。

②通过相关系统根定义的交集形成问题境况的内核，并构成方案模型。这里的根定义并不回答“需要建立什么系统”，只是回答相关系统是分析的，是根据行为分析者的程序意识形成的相关系统的方案。这里讲相关系统的“根定义”，是强调对于同一个问题境况，不同的人可能给出不同的根定义。不同根定义的交集，将形成该问题境况的“内核”。软系统方法中的方案模型是根据根定义由有内在联系的动词构成，是描述根定义所涉及系统的最小活动集，它并不很顾及实际系统的构成，但模

型中包括的活动恰好构成根定义涉及的系统，是通过“做”才“说明系统”是什么。由此方案模型与当前系统进行着比较，目的是要发现两者之间的不同及其原因，以便改进。在比较中，往往不一定取得较一致的认识，往往出现的是一个为多数人接受的模型。一般说来，这吻合于方案模型的交集。由塑造论哲学来讲，这“交集”就是人与对象相互塑造而形成的“交集”。

③采取行动改善问题境况。操作方法的结果不在于形成硬系统的规划而在于给出新的改善问题境况的行动。尽管以上步骤依次陈述，但不是总按一定顺序进行。在进行中可能不断返回已进行过的工作，使问题境况得到改善，这是一个很明显的不断学习过程。这是一种内化，同时在外化；反复在行为中内化外化。正是在这种学习过程中方案系统形成，而且在这种学习过程的内化中又加强、丰富着人的程序意识、创造意识。由塑造论哲学来讲，这里强调的“学习”，是“学习型组织”“学习型社会”中所强调“学习”的实质性意义。总之如此在“学习”中不断循环才使技术在有效性中获益成为可能。这也可拓展于诸企业、诸组织乃至整个人类社会，使有效益地建设成为可能。

（四）伦理→道德。

1. 无意识前提。

如前所说，从人是自然界的产物来说，是服从大自然自组织过程的某种序参量的。人镶嵌在自然界中生存繁衍，为适应外界而在调节自身与外界关系中所逐步发达起来的“对与不对”的对应性机制，“适与不适”的取悦性机制，以及“行与不行”的权变性制等等都被积定下来。同时，还有一种“该与不该”的“共生性机制”也在选择性的基因遗传中被积淀下来。

关于“该与不该”即“应该不应该”的“共生性机制”，这里涉及到“生”，并且首先是个体自身的生。生命体既然要生存，就要有一种适应外界的行为。这里要通过对应性机制决出对与不对，对于对应性来说，“对”的当然就是该的；这里也要通过取悦性机制决出适与不适，对于取悦性来说，“适”的当然也就是该的；这里还要通过权变性机制决出行与不行，对于权变性来说，“行”的当然也就是该的。这些机制支配、制约、影响着生命体的取食活动、居住活动，其中也包括繁殖性活动。如果单纯以对与不对、适与不适、行与不行而分，这里首先有一种以是否有利于个体自立生存为标准的性质，对此可称之为“自立性效应”或叫“自利性效应”。

然而，“共生性机制”中还有个“共”字。也就是说，每个个体生存，都离不开同类的群体；真正的进化往往并不表现为个体进化，而是表现为群体进化，而且也不能离开与异类群体共同进化。对此种性质我们称之为“依他性效应”或“叫利他性效应”。

由于在共生性中既涉及到“自立性”又涉及到“依他性”，所以对“该与不该”就要在双重意义上加以说明了。

首先，对的、适的、行的就是该的，这都是为了自身生存，因为任何生物体都有利己的行为本能。然而，个体的生存、繁衍一定要与其他个体特别是和群体发生联系；甚至可以说，个体的生存及延续必须在群体生存下才能实现，繁衍只有在群体中才得以进行。这样，对某个个体来说是该的，而对于另外个体或对于群体来说却不一定是该的。

20世纪后半叶以来许多提出社会生物学的学者注意从生物水平乃至基因水平上加以考察，认为许多动物身上就有着为群体生存而牺牲自己的利他主义的基因。

正如美国生物学家威尔逊讲的：“从达尔文主义的意义上讲，有机体不是为了自己而活着。它的基本功能甚至不是繁殖另外的机体；它繁殖的基因，并且像一个昙花一现的运载体那样为基因服务。每个通过性生殖的有机体都是独特的，是组成物种的所有基因的偶然子集合。自然选择是一种过程，它凭借一定的基因在后代中表达来完成，这些获得表达的基因比位于染色体相同位置上的其他基因优越。当每一代生物产生新的性细胞时，优胜的基因都要被分离和重组，以便制造新的机体。一般来说，新的机体包含较高比率的同一基因。但是，有机体的个体仅仅是基因的运载工具，是在最小可能的生化扰动范围内保存和传播基因的那种精巧装置的组成部分。……有机体只是 DNA 制造更多的 DNA 的工具。更为重要的是，下丘脑和边缘系统的天职就是维持 DNA 的永存不朽”。因此，“在自然选择的过程中，任何能在后代中给一定基因以较高的比率的机制，将逐渐给物种赋予特征。一类这样的机制促进延长个体生存，另一类增进优势交配的实施以及对这种交配产生的后代的照料。由于有机体更加复杂的社会行为是复制自身进而增加基因的技巧，利他主义变得日益盛行，最终以愈常的形式出现”。①

于是，许多学者把“社会性”这个概念扩大了，从而创立了“社会生物学”的理论。至于对社会性这个概念能否扩大到整个生物界，另当别论。但这有利于考察人类社会性的生物前提，或者说无意识前提。

威尔逊写道：“物种当中，具有高度社会性的几千种之多。其中最高级的，我称之为在动物里形成了三个社会进化尖峰的有：（1）珊瑚类、苔藓虫类及其他会形成殖民区域的无脊椎动物；（2）社会性的昆虫，包括蜂类和蚁类；（3）社会性的鱼类、鸟类和哺乳动物。这三个可营社区生活的生物尖峰是社会生物

① E. O. 威尔逊：《基因的伦理学》，载《科学与哲学》1983 年第 3 期，第 12～13 页。

学这门新学科的主要研究对象”。[①] 另外，学者们还特别对离人类最近的黑猩猩的社会性进行了研究。基辛还曾特别考察了灵长目的社会组织。这里的大量事实似乎已为多数人所熟悉。

威尔逊考察了一系列事实。他在说明“社会组织的可塑性”方面，提出了许多新发现，认为人类社会组织的可塑性“代表着已经出现于狒狒、黑猩猩和其他一些有尾灵长类动物中的可变性倾向的延伸”。[②]

当然，此项研究是生物学、遗传学、生态学、社会学等部门学科以及它们的交叉综合学科所要研究的任务。而作为哲学的研究，主要则应指出：人类的社会性与猩猩、其他哺乳动物以及鸟类、鱼类、昆虫、苔藓虫、珊瑚类的所谓“社会性”是不可同日而语的。这些生物的“社会性”只能是演化到人类社会性的生物前身，是群体组织的一种形式，而不是真正意义上的社会性；如果着意研究这种组织的形式和人类社会组织的共同性，只能在加引号的意义上讲它带“社会性”，或者说是还没发展到真正人类意义上的社会性的“准社会性”，不能说准社会性就是社会性。但是，这起码能证明人类社会有其生物学发展的前提，有其生物乃至基因演化的基础。

这是因为，真正的人类是有意识的，人类社会是有文化的。而对这种有意识、有文化的社会性，可以在无意识的生物学层次上加以考察。

通过这种考察能使我们看到，在生物演化的历程中，就大自然的塑造而言，并没有泾渭分明而突然截断的界限。一个有机体不会没头没尾地突然出现，演化变迁是逐渐且连绵不断的，

① E. O. 威尔逊：《人类的本性》，福建人民出版社 1988 年版，第 15～16 页。

② E. O. 威尔逊：《人类：从社会生物岛社会学》，载《科学与哲学》，1983 年第 3 期，第 24 页。

尽管有基因突变，但体现在族群内却是带有统计频率的变迁，而不是骤然发生的模式。个体突变的特征是直接的，有就是有，没有就是没有，但突变可能促成较大的变迁，模式产生却是复杂的和逐渐的。

威尔逊说，我们如果讲没有文化的猿一下子生出了有文化的人，或者说它们在数代之内发生了转变，在生物学上都是站不住脚的。因此说，这种研究能给我们提供重要根据，即人类的社会性也是受自然界塑造支配和制约的。人类之所以能形成其社会性，也与它在自然界序参量支配下，为加入自然生态而由多年生物演化以至在基因遗传中选择积淀下来的性质有关。为此杜布赞斯基指出：固然"文化不是通过基因遗传的，它是通过从其他人那里学习而获得的……在某种意义上讲，在人类进化中人类的基因已经放弃它们的首席而让位于一种全新的、非生物学的或曰超机体的力量，这就是文化。然而不应该忘记，这种力量也取决于人类的基因型"。威尔逊在其著作中引用了这段话后指出，"尽管基因已经放弃了它们的大多数统治权，但是至少在潜在于文化差异之间的行为品质方面，可以看到其作用的一定影响"。①

总之，人是在生物、动物进化中才产生的。正是在这种进化中，自立性和依他性效应在人身上被积淀下来，成为人所具有的。人所经验的东西在"自立"和"依他"效应中才成为人所生成的性情，即"至善对象"。不然的话，就无所谓至善对象。这一层次上讲的自立性和依他性效应，在无意识中并没成为被意识到的，只有在意识中才被意识到。在意识中它会在经验性情欲求时起着作用，当受意识的调动，它便会涌现出来，

---

① E. O. 威尔逊：《人类：从社会生物岛社会学》，载《科学与哲学》，1983年第3期，第28～29页。

从而加入有意识的自律和他律，并为自律和他律所统摄。作为潜意识的伦理形式是以此为前提才得以成为意识的。

2. 潜意识显意识。

(1) 人们在道德研究中总涉及到伦理形式问题。在回答道德善何以可能的问题时，往往会遇到一系列难以解脱的难题。例如，康德曾揭示过关于幸福与德行的二律背反。康德讲，“要么是追求幸福的欲望是德行的准则之动机，要么是德行的准则必定是幸福的充分原因”。“前者是绝对不可能的；因为……把追求幸福的欲望作为意志的动机的那些准则，完全不是道德的，不可能是德行的基础。后者也是不可能的；因为在从意志的确定而来的事件之世界里面，因果的联系不是按照意志的道德倾向，而是依靠自然律，而且依靠为着某些目的而利用它们的物理力量”。① 人作为感性存在者要追求幸福，这是正当的；可是依靠自然律的幸福又达不到必然性的善。那道德善又是何以可能的呢？这里的重要问题在于，伦理形式的根据到底在哪里？塑造论哲学认为，这是在自然塑造人和人塑造自然的过程中，主要经过语言（符号＋工具）内化而成的。

(2) 如前所说，有意识主体的形成有其无意识前提。在无意识前提中，就产生着一种共生性机制。伦理是共生性机制发展的产物。这里所讲的伦理是在主体与客体关系中体现同律共生性意义的伦理。

康德曾经在《实践理性批判》第一卷的第一章中讲到，“实践原则这种命题含有意志的一般确定，其下面有种种不同的实践规则。如果主体把条件看为只对他自己一人的意志有效，则这些原则或准则就是主观的；如果看作是客观的，对每一个有

① 康德：《实践理性批判》，载《康德哲学原著选读》，商务印书馆 1963 年版，第 247～148 页。

理性的存在者都有效，则这些原则就是客观的，或称为实践规律”。①

康德把这种“实践规律”看成是一种“实践理性”，黑格尔则以“实践理念”涉及同样的问题。马克思主义讲实践是人的有意识的感性活动。如果不从康德的先验论体系以及黑格尔的思维与存在绝对同一的体系这样的情况来看，在有意识的感性活动中的“有意识”就带着体现实践规律的“理性”“理念”那样的普遍必然性的性质。

实践作为联系主体和客体的过程，由人的行为和工具表现为一种物在物成的结构。同时，如恩格斯所说，“语言是从劳动中并和劳动一起产生出来的”。一方面是由于劳动的作用：作为劳动产物的手日益演化成真正能劳动的器官，手变成自由的，同时由生长相关律，人的身体结构中的口部发音器官也发生着变化，成为能发出人的语言的喉头；另一方面也是由于劳动的作用：人在自然的生存斗争中，为了更有生存能力，在劳动中总是形成有分工、有协同的群体，这使得作为劳动的过程总是有其社会性，“劳动的进步必然促使社会成员更紧密地互相结合起来，因为它使相互帮助和共同协作的场合增多了，并且使每个单独的人都清楚地意识到这种共同协作的好处。一句话，正是在形成中的人，已经到了彼此之间有些什么非说不可的地步了。需要创造了它的器官：猿类不发达的喉头，由于音调的抑扬顿挫的不断加多，缓慢地然而肯定地得到了改造，而口部的器官也逐渐学会了发出一个一个清晰的音节”。②

---

① 康德：《实践理性批判》，载《康德哲学原著选读》，商务印书馆1963年版，第221页。

② 恩格斯：《自然辩证法》，《马克思恩格斯全集》第20卷，人民出版社1971年版，第512页。

人是处在“语言间”的，语言必定带有人与人之间的语言间的性质。这样，人在语言间中协同的劳动、实践，就摆脱了那种一般动物主要是发生于个体的那种维护和攻击的应变行为，也摆脱了那种一般动物主要是处于直接反应层次的自立和依他的共生性行为，而是既由工具的发展把人与人联结在一起，又由语言的发展把人与人联结在一起。所以说劳动、实践一出现就指向着社会性，这使人越来越带有不可能去掉的社会性。因此说人在实践中的行为、语言是一定带社会性的，在语言行为中的人也就一定是带社会性的。在马克思看来，“语言本身是作为社会的产品给予我的”。[①] 语言、工具和劳动是同生的；人在生产劳动中结成生产关系；马克思强调，“人的本质不是单个人所固有的抽象物。在其现实性上，它是一切社会关系的总和”。[②]这是非常重要的思想。

在塑造论哲学说来，每个人都能造成“我塑造之物”，而“我塑造之物”总是加入“塑造之物间”因而成为“人我塑造之物”，“人我塑造之物”总地构成“社会塑造之物”；这样在“塑造之物”，上确证的人，必定是社会的人。而作为社会关系总和的人，作为社会人的实践，总是离不开“语言间”的性质；同时，当人形成既有普遍必然性又有直接的现实性的实践时，其社会性，其不仅要对自己个体成立又对他人成立的“实践理性”（我们暂借用这个词），总是落在人塑造出来的物在物成之上；既总是落于人之行为，也总是落于人的语言。

如同马克思所说，“人实际上把自己的类的力量统统发挥出

① 马克思：《1844年经济学哲学手稿》，《马克思恩格斯全集》第42卷，人民出版社1979年版，第122页。

② 马克思：《关于费尔巴哈的论纲》，《马克思恩格斯选集》第1卷，人民出版社1995年版，第56页。

来","这又是只有通过人类的全部活动、只有作为历史的结果才有可能"。[①] 人之当下如此的行为随着个体人的死亡而成为不在后人眼前的，但人的语言却总是积淀流传下来，总能在人的使用中呈现在后人面前。这上面印记着自然塑造成的人而在长期历史中去有意识塑造的"实践理性"。这里面体现着人的行为结构，体现着人在"语言间"协调着的行为结构，记录着人在世界中生存发展的因长期选择而集中了、积淀了的种种社会行为规范以及经济的政治的典章法规制度的保留因素。总之它印记着人在社会中所塑造出来的种种文化形态。

当个体的人一旦被塑造出来出现就必定使自己逐步加入"语言"。这就使语言中体现的带必然性的"实践理性"左右自己的行为，而且在语言行为的内化中，使这种既对自己又对他人的必然性与在无意识前提下生成的生理心理结构共同生长并内化于潜意识之中，这既使自己形成自我意识，成为能把自己与外界区别开来而确立起自我意识的主体，又形成着似乎带有先在性的伦理意识。

(3) 对于这个问题的研究，法国心理学家拉康（Lacan）由其所讲的语言映象作用即"镜子"作用的实验而展开的论证，是有启发意义的。拉康描述道，个体的产生作为胎儿时原并没脱离母体。而出生则使婴儿与母亲中断了肉体上的联系。然而这还不意味着婴儿完全脱离了母体，而是通过一种特定的生物本能与母亲联系在一起。这时对于婴儿来说，他所面对的世界，包括面对的母亲被分割成零碎的小块。例如婴儿认准的母体往往在很大程度上就是母亲的乳房，哺乳使婴儿把此即当作母亲整体的映象而使其和母亲仍紧密联系在一起。把一个小块当成

① 马克思：《1844年经济学哲学手稿》，《马克思恩格斯全集》第42卷，人民出版社1979年版，第163页。

一个整体的映象，在非人的动物那里就有这种情况。例如，雏鸥会把母鸥缘上的红色尖形末端当作妈妈。在此情况下，雏鸥还会把别的普通木棒的红色尖形末端当作母鸥。此仿制品所能起的作用，就在于映象的存在。

由此拉康分析了映象在婴儿自我形成中的作用。他认为，处在这时的婴儿还没有自我意识，把母亲当作自己，母亲的映象也就是自己。拉康很早（1936 年）就注意到一项他称之为“镜子阶段”的实验事实。这是一种在 6 至 18 个月婴儿身上很容易观察到的现象。这一时期，在婴儿的生命中所发生的一件决定性的事情是：婴儿能在镜子上认出自己。这时他已不会像之前小时候那样总想看看是不是有谁藏在镜子后面，而是把镜子中的映象和自己视为同一体。

拉康认为，正是这一“特有的幼稚”成为婴儿文化发展的潜在原因。他认为其中的语言促进正是由镜子阶段为其开端的。这是因为，婴儿在他还不会说话时之所以能从镜子里认出自己，是由于他此时已逐步开始构成一个趋于成熟的映象，这是一个如同在镜子面前抱着他的那个人一样，他将长大成人的映象，一个会说话的人的映象。

拉康在其著作《镜子阶段》中写道：“这一发展是作为给予整个的个体形成史以不可磨灭的影响的时间辩证法而经历着的。镜子阶段就像是一幕戏剧，其内部剧情资料要到自身的准备反应尚不完善的不适应性中去开掘。在由于空间的同体观而陷入错误认识的主体那里，这幕戏剧会引起一系列互相更替的幻想：从关于人体各个个别部分的观念，经过我们称之为‘矫形的’完整的映象，直到最后获得自己的与成人映象相同的认识。尽管同时对这一映象还有疏远感，但这种认识将一直影响着主体以后的全部心理发展。”①

法国学者C. 克莱芒（C. Clement）在对这一段话进行若干解释时写道：这里的“戏剧，在古希腊的理解中是动作，而不是那种可能有时从镜子中感知的映象那样凝固了的图像。尚不完善，指的是人的机体尚不完善，人的神经系统的结构到出生时尚未完成。准备反应，也就是对自己的（最后的）、在某些方面和成人状态相同的认识，尽管同时（暂时）对这一状态还有疏远感。空间的同体观——认出人的映象。矫形的，就是校正后的、完整的映象的映象，它代替个别的、零碎的观念：关于母体胸脯、指尖、脸部的观念。最后，时间辩证法——它同不完全的现在和完全的将来之间的联系有关，也就是同不完善到准备反应的过渡有关。因此，镜子阶段就像是一种符号纸版，‘自我’即以其最初形状集中到这一版上。其时，它尚未在与‘另一个人，视为同体的辩证法基础上客观化，同时它在世界上作用由于言语之故尚无可能’”。② 按克莱芒在解释拉康的观点时所说，所谓“符号性的东西”，“就是语言的良序性，更准确地说，是序列本身”。③ 正是由此，主体的结构形成了符号性的东西，因而成为现实的东西。这成为镜子阶段的几级发展。这是主体赖以发展的重要因素。

克莱芒进而又由“想象性的东西”作了深入的解析。他说，“想象性的东西；这个术语在历史上是直接同幻象、同活动映象相联系的，而在拉康的表述中则是指幻想逻辑而言。如果说符

① 拉康：《镜子阶段》，《选集》第97页（Lacan J. Le stade miroir，E'crits，p. 97.）

② C. 克莱芒：《弗洛伊德学说的起源和心理分析的发展》，载《马克思主义对心理学说的批评》，商务印书馆1985年版，第97页。

③ C. 克莱芒：《弗洛伊德学说的起源和心理分析的发展》，载《马克思主义对心理学说的批评》，商务印书馆1985年版，第98页。

号性的东西就是序列，那么，想象的东西就是序列范围内可能产生的变化”。[①] 而“这一幻想状态的基础是在镜子阶段奠定的：正是在这一时期，主体身上在言语能力逐渐提高的条件下开始形成关于自己本身的观念、他的映象以及想象的东西。这是他自身的映象、是由他在世界上的自身状态所决定的。这也是一种符号性的东西，因为这一映象形成是同语言的形成不可分地联系着的，而没有语言的人在世界上的存在是不可想象的”。[②] 所谓现实的东西，则“是一种处在知的彼岸的、在心理分析谈话中也是几乎觉察不到的东西”。按拉康认为的，它“永远是‘幻想演员的工作’”，“处在镜中映象的范围之外”，“然而，它是永远地在场的，它‘已在此地’了”。[③] “由于符号性的东西和想象性的东西相互作用的结果，这就在主体和现实之间出现一个屏幕”。“这个屏幕”“也可称之为幻象”。“这是一种固定的结构，主体就是在这种结构的基础上同它的处在固定情境中的愿望客体相联系的”。[④] 克莱芒强调，这“愿望客体”是现实的东西产生的。“在这个客体作为一个现实因素尚不能接近以前，就已存在对它的需要了；而当这种需要得到满足时，愿望也就消失了”。[⑤] 这样，现实可以自己对自己说话，现实可以在完全孤独中发号施令，并成为一切行动的原因。

---

① C. 克莱芒：《弗洛伊德学说的起源和心理分析的发展》，载《马克思主义对心理学说的批评》，商务印书馆 1985 年版，第 99 页。

② C. 克莱芒：《弗洛伊德学说的起源和心理分析的发展》，载《马克思主义对心理学说的批评》，商务印书馆 1985 年版，第 100 页。

③ C. 克莱芒：《弗洛伊德学说的起源和心理分析的发展》，载《马克思主义对心理学说的批评》，商务印书馆 1985 年版，第 102 页。

④ C. 克莱芒：《弗洛伊德学说的起源和心理分析的发展》，载《马克思主义对心理学说的批评》，商务印书馆 1985 年版，第 102～103 页。

⑤ C. 克莱芒：《弗洛伊德学说的起源和心理分析的发展》，载《马克思主义对心理学说的批评》，商务印书馆 1985 年版，第 103 页。

基于“语言符号”，还有许多近现代的伦理学家特别是语言的、逻辑的伦理学家，对于善的形式关系作了许多研究。如：在艾耶尔之后的查尔斯·L. 斯蒂文森在《伦理学和语言》一书中所作的研究；在维持根施坦“语言游戏说”之后，图尔闵关于伦理学充分理由的研究。以及R. M. 黑尔提出的作为规定的道德语言研究等等。

黑尔充分研究了语言中“正当”与“应当”的功能。黑尔认为，“我应当作X（某事）”这种形式的陈述常常是三种完全不同判断的混合表达。一旦我们面临这样的语句时，区分三种不同判断就变得至关重要了：(1) 为了符合一个人们普遍接受的标准，“X是我应当的”；(2)“我应当作X”；(3)“我感到我应当作X”。

以上三个判断，实际上有以下情况：“X是我应当的”。这“应当”是潜意识内在要求的。但是如果没有如前所说的语言镜像作用，把自我确立起来，也就谈不上有“我应当做X”，的自我意识。“我感到我应当作X”，这里也可能是我内在感到即自我意识到我应当的，也可能是迫于外在的要求感到应当的。前者是出自潜意识的，后者则是来自显意识的。“为了符合一个人们普遍接受的标准，X是我应当的”。这里显然是把区分出了的自我又纳入了与自我与非自我联系之中。这是外在显意识要求的“应当”，而这又是与潜意识“应当”的要求相联结的。

黑尔说：“事实在于（道德）原则毫无疑问地被人们所公认……然而，在我表示赞同这个原则的这个当儿，并非在作事实的陈述而是作出一项道德决定。即使我口是心非——表面上接受实际上并不承认这些从小就灌输给我的道德标准——但重要的是，我自己仍然在对这个标准尽责”。[①]

(4) 历史上的思想家、哲学家，一直没忽略对于一种体现必然性的伦理形而上进行追问。

康德认为伦理学必须从具有普遍性和必然性的道德律出发，这是整个伦理学的基础和前提。这种普遍道德律应当排除一切经验的内容，并且是不受经验制约的。把道德中的具体内容彻底清除，只剩下形式本身。这就是康德强调的先验的普遍道德律。

在康德说来，先验的普遍道德律排除了一切经验内容，出于纯粹理性自身，所以它是普遍的、必然的。康德称它是适用于一切人的绝对命令，人们无条件地遵守。康德对此列了三条：第一条律令：“不论做什么，总应该作到使你的意志所遵循的准则永远同时能够成为一条普遍的立法原理”。换一种说法，“这个原则就是：我一定要这样行为，使得我能够立定意志要我行为的标准成个普遍规律”。第二条律令：“你须要这样行为，做到无论是你自己或别的什么人，你始终把人当目的，总不把他只当作手段”。第三条律令：“意志的第三个实践原则就是：‘个个有理性者的意志都是颁定普遍律的意志’——这个原则就是使意志与普遍的实践理性相调和的最高条件”。这就是所谓“意志自律”。这样，康德通过意志自律把第一律令和第二律令统一了起来。康德一再强调人的价值就在于人的意志自律。它使人自由、伟大和有尊严。这样的人组成一个系统，康德叫作“目的国”，它不同于自然的必然王国，而是一个自由王国。康德说：“这是一切有理性者都服从的规律。这样由共同的客观规律的关系就产生个由一切有理性者组成的系统。这个系统可以叫

① R. M. 黑尔：《道德语言》，牛津大学1952年版，第196页。

作目的国"。[1]

康德认为，人作为道德的主体，纯粹理性表现为实践理性，康德说："我们如果假定，纯粹理性在其自身就能包含一个实践的、即足以决定意志的动机，那末就算有了实践法则的存在了；否则一切实践原理就都将成为单纯准则"。这里的意思是说，纯粹理性在道德世界中，有不依赖于经验而自己决定自己意志的能力。这种意志自律或意志自决的能力，就是实践理性，道德法则是从中而来的。康德认为这是不需证明，也无法用经验证明的。他说："道德法则是作为我们所先天意识到而又必然确实的一个纯粹理性事实给与我们的……"。[2] 所以康德时常在"形式道德"意义上，谈论那种先验的普遍道德律。

这里作为形式的"道德律"，与他以先天综合判断来提出问题的关于逻辑形式的性质，可在相应系列中加以考察。康德在追问形而上的必然性何以可能时，提出的道德律或道德形式，对应于塑造论哲学来讲，准确说应称之为伦理律或伦理形式。如同逻辑形式与理论的关系，在此应当以伦理形式与道德的关系来解析和表达。

（5）在中文中，"伦理"一词似乎更有表征带必然性的形而上性质。伦理的"伦"字，《说文解字》解："伦，辈也，从人仑声"。《礼记·曲礼下》有："儗人必辨于其伦"，有注曰："伦犹类也"。《礼记·文王世子》有："如其伦之丧"、《中庸》有："毛犹有伦"；谓顺序、亲疏之比。《孟子·离娄下》有："察於人伦"。所谓人伦、伦常是经常的用法。可见，"伦"字本身来

---

① 康德：《道德的形而上基础》，参阅《康德哲学原著选读》，商务印书馆1963年版，第206～213页。

② 康德：《实践理性批判》，载《康德哲学原著选读》，商务印书馆1963年版，第17页、47页。

自对辈、对类、对亲疏的区分以及由此形成的顺序，这显然与这样的情况有关：在自然对人塑造中，在文化人类的进化中，人一方面把自身与其他动物区别开来，而成为意识到的“类”；另一方面在自身内部有辈分的区别，因而形成父母与其后代之间及兄妹之间不能有性关系等等的伦常。这对人的确立和人类的遗传进化来说，既是自然形成的，也是必须的。进一步发展，人们把人之间的长幼地位区别和亲疏关系都叫作人伦，这成为与人的确立和进化密切相关的种种规范。在中国的传统思想中“伦”本身就带有与“理”与“道”相通的意思，这显示着人们意识到，“人伦”是必然如此而不能不遵循的。“伦”和“理”合起来称为“伦理”。这个词很重地带上了人伦之理的必然性，这是指向形而上的。

在伦理学研究中，与“伦理”经常交叉使用的一个重要概念是“道德”。“道”在中国概念中带有很强的形而上性质。这是众所周知的，而且本书在前面已有大量论述，在此无须多论。关于“德”字，《广雅·释诂三》说：“德，得也”；《释言·释言语》讲，“德，得也，得事宜也”。显然这是指向形而下的。“道德”一词的本意带有对道能得到的意思，强调着形而上规范形而下。有人说老子书《道德经》，其实讲的是“德道”，即“得道”。（人们在马王堆出土的帛书中发现，似乎在原来就是“德经”在前“道经”在后。假如真是这样，“道德经”就似乎应当叫“德道经”了，那“道德”便可称“德道”）事实上，对“德”一词的解释，后来基本是：“修养而有得放心也”，“修养后既成之性也”等等。道德基本是指人们“得”到“道”才有的，之后才有德行，谓人之才艺善行也。老子书中有，“道生之，德畜之”；王弼对此注曰“道者物之所由，德者物之所德也”。故曰“得道”。去“得道”才达到“道得”即“道德”，这里重于指以形而上的道来统摄性情，这是指向形而下的。

这样，在我们的体系里如果把"伦理"和"道德"两个词规范一下使用的话，"伦理"一词，与"逻辑"一词同一系列，它偏重于指向形式的，即作为潜意识必然性的形式，这是指向形而上的；而"道德"一词，与"理论"一词同一系列，这偏重于指体现必然性的潜意识形式统摄形而下，在伦理道德中便是以"伦理"统摄"道德"，即去统摄在显意识中感性的性情欲求，这是潜意识功能显示出来、是伦理形式协带着性情欲求外显出来、是指向显意识、指向形而下的。

如果说逻辑学主要的应是研究逻辑形式，涉及到逻辑形式统摄现象事实，才谈得上理论；那么就应该说，伦理学主要的应是研究伦理形式，涉及到伦理形式统摄性情欲求，才谈得上道德。

(6) 康德在力求确证"道德律"的形式和必然性时，还提出了"良心能教吗?"这个问题。康德认为，良心是作为理性存在的人本来就具有的，是天赋的、绝对的，良心体现于善良意志、义务意识、内心法则，是对普遍"道德律"的绝对尊重，因此普遍的"道德法则"就处于更优先的地位。后来叔本华讲，良心是"道德的自我决定"。黑格尔则专门谈到过良心作为抽象的内心形式的无内容性质，他曾讲到："良心作为自己同自己相处的这种最深奥的内部孤独，在其中一切外在的东西和限制都消失了，它彻头彻尾地隐遁在自身之中。人作为良心，已不再受特殊的目的的束缚"。①

显然，就如同逻辑形式与公理、公设成为同一系列的概念相仿佛，伦理形式与律令、良心也成为同一系列的概念。

在中文"良心"一词中的"良"字，本作"㝵""㠯"。《说

① 黑格尔：《法哲学原理》，商务印书馆1961年版，第139页。

文解字》解："叵，善也"。《尚书》中的良字，多是在"善"的意义上使用，如《尚书·益稷》有"股肱良哉"，疏：良，善。后来"良"字被广泛使用，带有贤、吉、甚、佳品等等含义。良与心一起使用为"良心"，《孟子·告子上》有"其放其良心者，亦犹斧斤之于木也，旦旦而伐之，可以为美乎"。《集注》曰"良心者，本然之善心"。所以人们常称良心谓"人之所具天赋之善心也"。

在中国哲学史上，主要的视角多是从伦理必然性的追问来实现对形而上的追问。从"仁""义""道"到"诚"，后来直接指向"心"的形而上。一系列所谓的体悟，以及静观、反观、大其心、诚敬、主敬等等的说法都是指向对这种体现伦理必然性的心在心成形而上的追问。理学中的"理"实质上也指向着这种追问，心学中直接讲"心"更是直接实现这种追问。体现心学成就的王阳明，提出了一个重要概念"致良知"，这"良知"与西方哲学中后被中文译成良心的词更为接近。

在现代几种主要的西方语言中，与汉语"良心"相对应，可以用来互译的词，在英文中是"conscience"，在德文中是"Gewissen"，在法文中是"conscience"，或再加个形容词"conscience morale"。这些词有一个共同的特点，即它们都是合成词，由一个前缀加上后面的词干组成。它们的前缀（英文con—，德文Ge—，法文con—）的意思都是"共同""一起""同一"之意，接近英文介词"with"，德文"mit"的意思，而后半部分的词干（英法文同为－science，德文－wissen）都是"知""知识"的意思，把它们合起来从字面上解就是"同知""共知""和（别人）一起知"之意。而这"同知""共知"在中文的用法中接近于"良知"即"良心"。从这种"共""同"与"良"的联系中，我们已经可以看到一种对普遍必然性的暗示。

有人基于以上情况加以追溯，考证道：从表面的字形字义看，上述表示“良心”的词都可以说渊源于拉丁词“conscientia”（con—“共同、同一”之义，加上—scientia，“知”，即为“共知”、“同知”、“良知”）。这个拉丁词虽有“良知”的意思，但是，在中世纪，基督教哲学家常常把“conscientia”仅用于较低层次的“决疑论”（casuistry）中，用于处理具体情况，指在特殊场合中辨别善恶是非的“良知”。至于更高的普遍意义的“良知”，他们使用了另一个源自古希腊的词“synderesis”。这种带普遍意义的“良知”（synderesis）才是不会出错的，明白无误的，它是上帝赋予人的、先天即存在于每个人心中的，无需经过后来经验就能得到；而具体应用的“良知”（conscientia）则可能出错，需要通过后天的学习、训练和培养，才能使之趋于健全和正确。由是之故，拉丁语中才会有“错误的良心”（conscientia mala）这样似乎自相矛盾的概念。另外还有“怀疑的良心”（conscientia dubia），“粗糙的良心”（conscientia alxa），“偏狭的良心”（conscientia angusta），“疑惧的良心”（conscientia scrupulosa）等等。当然“conscientia”一词仅在中世纪是这样的用法。自近代以来，尤其在18世纪英国宗教伦理学家约瑟夫·巴特勒（Joseph Bulter）之后，“consceentia”渐渐获得了作为普遍道德原则规范的意义，而不重在指决疑论层次的原则、重在特殊情况中的应用了。“synderesis”也就渐渐废用，决疑论也同样从历史上消失。

西方中世纪之前，古希腊有若干词汇与“良心”相关。

先要说到的是，古希腊指谓普遍意义的天赋良心的“synderedsis”。此词被中世纪的圣杰罗米（Jcrome）所使用。它来自古希腊词“syneidesis”。这个古希腊词也是“同知”“共知”的意思，它在一个时期里等同于“意识”，即英文consciousness之意，而法文的“conscience”一词仍然保留“意识”之义作为其主要含义，所以用来作“良心”解时常常要在后面加上

"morale"，组成"道德意识"这一词组。在圣杰罗米把"syneidesis"（知识、意识）改造为"synderesis"（良知、良心）使用时，赋予了这个词以一种特殊的伦理含义。"synderesis"不再是一种一般意义上的知识，而是指一种特殊的知识，即一种对于道德是非正当与否的知识。

在古希腊的哲学语汇中，接近于后来所谓的"良心"概念的还有亚里士多德《伦理学》中所说的"明智"、"审慎"（在英文中通常被译为"prudence"），但它和我们现在所理解的"明智"、"审慎"有些不同，在亚里士多德的体系中，它实际上更接近于"moral sight"（道德直觉、道德感知力）的意思。

再往前，苏格拉底在法庭上为自己申辩时讲到自己心中有一种"灵异"，即心里有一种神的声音告诉他应该怎么做，比方说，这种声音劝告他勿涉足公共生活，勿参与政治，但这种声音看来更像是现代人所理解的"明智"。在苏格拉底那里，更接近于我们所说的"良知"的是他在判死刑后心里出现的"法律的声音"。人们认为，《克里同篇》所展示的苏格拉底临刑前的心理活动可被认为是一种典型的良心活动。在我国有学者强调，在肯定这种意识具有某种直觉性，或者说在奇异的直觉性意义上，苏格拉底的此意识与中国讲究心性的一系列儒家学者颇有相似之处；而在苏格拉底那里强调，这种意识与神、与法律有一种联系。另外，苏格拉底虽然在这种意识的本源问题上，在解释它为什么会发生在自己的心里的问题上，有一种直觉的肯定和把握，但他对这一意识的运用还是很理性的，用弗兰克纳（W. D. Frendena）的话来说，这提供了一个在特殊情况下诉诸普遍道德原则的典型范例。[①]

① 见何怀宏：《良心论》，三联书店上海分店1994年版，第5页。

总而言之，良心这个词是与良知很接近的。但是作为伦理学中所讲的"良心"，主要不在于"知"而在于体现一种伦理必然性的心在心成形而上。它是体现伦理形式的，成为一种带必然性的潜意识结构。

由于伦理形式或伦理良心带有这样的性质，历史上经常有人把它说成是完全天赋的，认为它是先验的。这有必要对之基于塑造论哲学作出澄清。

实际上应当这样看，在自然塑造人的过程中，本身形成着一种自立性和依他性相辅相成的共生性机制，这起于人们伦理意识的无意识前提。这种机制在一般动物那里并没成为意识的。由于人能在塑造自然过程中，在人的塑造之物中，例如在语言中，把自身与外界区分开，确立起自我意识；同时把自身与外界相契合，形成人我意识；这时在共生性机制中，作为无意识前提中的自立性效应，成为基于潜意识必然性而有自我意识的自律，即在自身活动和塑造中能动地保持自身，这是把自己看成是与他物不同的独立存在，并在确证自身本质中维护自己。同时，在共生性机制中，作为无意识前提中的依他性效应，当成为基于潜意识必然性的人我意识或社会意识的他律，即在自身活动和塑造中能动地把自己与外界相联系；这是把自己看成是与他物一起的共同存在，而成为的在确证自身本质中确立自己的他律。

人确立自我意识与人我意识的伦理形式，并不是无缘产生的，这是主体基于带社会性质的人类塑造之物的内化外化，在发出和接受诸如语言以及种种工具行为中产生和生长的。

这里当然应涉及到种种的内化过程，这里有着与作为人塑造之物的整个文化形态的关系。对此由于人们就某些方面已作过的许多研究说明，作为进入语言可发生的内化，有着不可忽略的作用。

人总是在语言中存在着。语言保存着历史积淀。伽达默尔曾借用德国哲学家海德格尔之比喻，说语言是储存历史和传统的水库。每一代人，每个人同历史建立联系，都离不开负载历史而由长期积淀的语言内化。对语言的学习和使用，并不单纯是一种技巧性的权宜活动。而是由语言进入潜意识。对语言的使用，实际上是一种每代人都不得不从事着的与历史建立联系的活动。掌握语言、理解语言同时也就是进入历史，进入文化并创造历史，创造文化。在语言中，活跃着一个民族历史积淀。没有这种作为语言积淀的历史文化，任何理解和创造的可能性都消失殆尽。

对于伦理意识和道德体系向人的行为的外化。必须与“语言间”的性质同时考虑。这引起一些学者从元伦理学的角度进行了许多研究。查尔斯·L·斯蒂文森特别重视从行为对语言的反应中进行伦理学研究。斯蒂文森由行为主义心理学的论证认为，一个生活在某种社会环境中的人，总会受到该社会的舆论和别人评价的影响，从而在“善”这类道德术语与其个人心理、行为之间产生一种较稳定的联系。他指出，“符号的心理相关物可以是刺激，也可以是反应，但还须记住这些相关物与符号的联系常常是相互的”。[①] 因此斯蒂文森强调，如果把语言的意义仅仅规定为它所指称的对象，这是不够的。因为人们在能动地使用词语时，能起到沟通感情的作用。言语的意义还应该到人在行为中的心理刺激或人对词语的反应中去找。他说，“情感意义是这样一种意义，在这种意义上”，行为的“反应（从听者观点看来）或刺激（从说者观点看来）都是一种情感联系”。[②]

而实质性在于，人能够成为社会的人，思想的人，理解的

① 斯蒂文森：《伦理学与语言》，中国社会科学出版社 1991 年版，第 67 页。

② 斯蒂文森：《伦理学与语言》，中国社会科学出版社 1991 年版，第 69 页。

人，赖于他承接了前人的语言。语言在长期历史的提纯中，形成着一种必然性的结构，“语言间”的性质也就是人我关系的表现。所以每代人无法拒绝历史，就在于他不能没有语言，而只要他拥有语言，他就接受了历史向自身的积淀。

这种联系从每个人在某一历史时刻降生于某一特定文化传统之中，便开始形成，并再也无法割断。他进入语言环境，他也就参与到语言之中并且也就加入到了一定历史必然性之中，当这种历史积淀内化到潜意识之中，便构成着自我意识和人我意识，形成着一种体现必然性善的伦理良心形式。

(7) 正因为在这种情况下的一系列内化中形成着伦理良心形式，才会出现有意识的道德姿态，并且构成着人我世界。人我世界是一种凝缩着的社会世界。在此意义上，正如马克思所说，人是社会关系的总和。由此主体也就有着基于良心善的价值调控。

价值是对与不对、适与不适、行与不行以及该与不该的综合评价，是真、美、益与善的统一。概括起来说，人们在对应性中求真，在取悦性中求美，在权变性中求益，在共生性中求善。但一般来讲，善的包含着益、包含着美、包含着真；但真的不一定美、美的不一定益、益的不一定善。如果把这四个方面不作为一个整体系统，那可能只“对”而不“适”，只“适”而不“行”，只“行”而不“该”，等等。离开综合评价，固然可使其中某个方面成立，但不可能真正实现“价值”。

通常说“价值的一般本质在于它是现实的人同满足其某种需要的客体之间的一种关系”也就是说，满足了需要才有价值，不满足需要就没价值。然而人的需要是分层次的。各层次有其在此层次上所强调的价值。而如果对满足需要作出综合的考虑。在种种需要中，从哲学上概括，根本在于满足对人的本质加以确证的需要。

价值调控的意义就在于：从横向说，要使“对、适、行、该”这几个方面协调起来确证自己的本质；从纵向说，主体在塑造之物中完善着自我、完善着人我、完善着社会，这满足着人的需要，并按是否能确证自己的需要，调整着自己的塑造；分层说，要在内化外化，抽象化具体化、典型化具象化、优选化具备化、理想化具在化，以及发散收敛中使意识的理论、艺术、技术、道德活动达到真、美、益、善的统一。这是一个由一系列反馈控制系统构成的大的反馈调控系统。

由此我们说，真正现实的人是存在于人有意识塑造的，“塑造之物”既确证着人使其意识自身，也使人“能动地现实地复现自己”而成为真正的人。

人在“塑造之物”中实现着对象化，又在对象化中实现着价值追求。价值的实现存在并有成于对人的本质的确证之中。人所进行的理论、艺术、技术、道德的塑造，就实现着这种价值追求。恰恰是由于在对象化中确证着人的本质，它才有价值。

例如，单讲理论真，它无所谓价值，但理论真对于确证着人的本质来说，有价值。单讲艺术美，也无所谓价值，但艺术美对于确证着人的本质来说，就有价值。技术益，本身就有价值。一方面是因为它基于科学真实地把握客观规律，基于按美的规律来制造，这本身确证着理论、艺术的价值，才使技术益得以实现；同时另一方面，技术上获益意味着在成果中得到使用价值并占有着可以用来进行生产交换的劳动价值和效用价值；在使用中确证着人的消费、生产能力，在交换中确证着人不仅需要某种塑造之物而且需要其他方面的塑造之物来实现自己。伦理善，本身有综合的价值。真、美、益统一于善，体现着人的本质的全面确证。同时更体现着人在与他人、与社会的关系中确证自己，从而实现自己、实现社会。实现真、美、益、善的统一，才意味着全面地实现人生价值。马克思曾反复提出

"现实的人"这个概念，从塑造论哲学观点来讲，"现实的人"必须是实现着由"塑造之物"内化外化的人，是实现着对象性而在物化中得到扩展并受其制约的人。

在社会现实中，实现真美益善的统一，是个重大的艰巨课题。当代，随着人类实践的发展，人们塑造自然的能力大大提高，新出现十分严峻的问题，如生态问题、生命问题、人工智能问题等等。与此伴随，出现了生态伦理学、基因伦理学、克隆技术伦理学、人工智能伦理学等等。生态伦理学由社会伦理涉及对自然及环境的利用和保护问题。基因伦理学更有许多问题。如试管婴儿，通过基因的人工选择决定人的特征，诸如性别等等；人的生育有自然选择的作用，这服从达尔文生物进化的理论，主要受支配于自然塑造人的作用；而基因技术更凸显人的选择强加于自然，这带有自然被人选择的特性，人塑造自然的作用更加突出。于此人的道德意识的良性与非良性作用的问题便突出起来。克隆技术的问题，也有类似的情况。人工智能的问题，则涉及到人与机器人的关系。可以认为，机器人是机器，本来在人与机器的关系中，机器是人的肌体的延长，而机器人更加包括人的智慧的放大和精细，但随着发展会出现是否会造出高于人的智慧及高于人的能力的机器人、对其如何控制、能否出现人完全受制于机器人等等的问题。

(8) 于是形成了人在发展中，生动开发和规范节制的冲突。

在这种冲突中，有意识与无意识的约束与挣脱随之发生冲撞。这带来，有意识的规范性和无意识的生动性处在一种难以彼此相安的状态当中。因为要生动就得挣脱，要规范就得约束；约束在节制中约束，挣脱在开发中挣脱；而同时节制又意味着压抑，开发又意味着破坏。

当压抑体现着生动性和规范性的统一，这种约束就应当保持；当压抑不体现生动性和规范性的统一，就得从这种约束中解放出来。当破坏体现着生动性和规范性的统一，这种开发就应当进行；当破坏不体现生动性和规范性的统一，就得把这种开发节制起来。

以上情况显示了人既在对象化中扩展自己又在对象化中束缚自己。这种情况外化到语言及行为上，同样体现着发散生成与生成收敛的关系。然而，力求与生动开发相统一的规范节制，是一定要固化到语言上并体现于行为中的。表现在行为上语言上的伦理道德指令和规矩。何以才能使固化的道德规范与生动开发相统一从而实现道德善？这引起许多学者从元伦理学的角度进行了许多研究。

(9) 对此要从主体的心在心成形而上何以可能即主体带有普遍必然性的伦理形式何以可能，从伦理形式何以才能携带着人的性情欲求达到伦理形式与道德内容的统一，来说明问题。这就不仅要从道德体系如何外化到行为及语言来说明问题，而且要从人在语言和行为的内化和外化中，相辅相成地说明问题。

伦理意识体现于人类社会各个层面上。既体现于人类日常生活，也体现于经济关系，又体现于政治的法规，以及社会的制度，总之体现于多样的文化之中。这一切离不开以行为语言表达、记录，并劝导、使人们进入一定规范。这形成着一种文化指令。

当只是从显意识对潜意识收敛的意义上讲，伦理意识统摄的道德体系往往被物化的外壳收缩得干瘪起来。干瘪的外壳对于血肉之躯，对于基于大自然无意识前提生长起来的潜意识，对于潜意识所携带的人之性情欲求来说，总有一种不由自身生成的异己之感，即似乎有一种不是自己本应如此的外在约束之感。

特别是当个体的人没能确立起带必然性的伦理意识，不能以伦理形式统摄性情欲求，而只是被迫地去服从某项道德语句，当作外在“指令”“命令”，这就把服从完全当成了一种外在的要求，这就使其道德行为只成为“他律”的。而如果能确立起带必然性的伦理意识，能够以此种伦理形式统摄性情欲求，达到道德语句与意志自觉统一，这就把道德语句变成了体现必然性的内在要求，那就会使道德行为成为“自律”的。

自律（autonomy）这个词，在其最古老的意义上，是指“自己的规律”，即古希腊语中 autos（自己）和 nomos（规律）两词的合成。道德自律性指的是一种意志自觉。从我们的观点来看，这主要是就伦理意识与性情欲求本身体现着协调统一而言。这是自身生成的，而不是外面强加给的。与“自律”相对的是“他律”。他律（heteronomy）一词最早源于古希腊文 heteros（其他的）和 nomos（规律）。其本义是人之外的规律。他律用于道德领域，成为道德他律性，其直接涵义是指人或道德主体赖以行动的道德标准或动机，要受制于外面，受外在的根据支配和节制。这些外力或外在的根据，往往是超出道德自身之外的。停留于他律的道德规范，无论人们怎样尽职地去遵循它，它终究是一种外在于道德主体的“异己”的力量；只要主体自己尚未将伦理必然性实现在自己的意识之中，那么伦理道德的必然性就没变成自身的必然性。道德的他律性，如果不转换为道德主体自己的道德律，那么对道德主体是没有合理性道德意义可言的。因此，他律性的道德规范，转换为自律性的道德规范，才有道德必然性的善。

道德的自律他律恰恰显示着潜意识与显意识的运行。而道德他律向自律转换正是在内化外化中形成的。在“他律”中，作为被“他”所作用、所施加的，这是被动的一方；作为去作用、去施加的，这是主动的一方。主动的一方对于被动的一方，往往有引导和改变的作用，即塑造的作用。这是把一方的意识施加出去而为另一方所接受。在人与人之间的关系中，互相把自身意识作用施加于另一方，往往是互为“他律”的，是互相塑造的。这里面如果往走向互为协调方面说，有着一种互相使自身生命必然性激活对方必然性生命的过程。

古希腊神话中有个皮格马利翁国王，他爱上了无生命的少女塑像，爱的虔诚与执著，化为神奇，塑像变成了真人，他们成了夫妻。后来人们曾用这个传说故事比喻一种互为期待效应称作“皮格马利翁效应”。这就是一种一方把期待、影响施加于另一方的塑造效应。例如在一个家庭中，父母与子女、夫与妻之间，有这种情况是很明显的。在夫妻生活中，每一方把愿望寄托、施加于对方身上，并时时给以鼓励、提醒、教育，一方真诚的愿望和美好的期待，会化作对另一方的引导和激励，从而激发其开掘自身潜力，做得更好。这种相互影响有相互适应或服从的情况，也有潜移默化的情况，总之是不可避免的。在这种“皮格马利翁效应”中，夫妻间彼此树立自信，互相给以信任与期待，使彼此人格得到升华，使夫妻塑造和各自自我塑造更为完善，从而带来和谐、美满、幸福。推广一下，在不同集体、不同民族、不同国度之间的相互塑造中也有如此情况。

然而，要真正达到体现必然性的和谐、协调，每一方接受另一方的施加和施加给另一方，都离不开与自身在社会文化中内化而形成的意识必然性相融合，这才能与各自的“自律”相吻合。

从个体发生的角度，可以看出道德他律性向自律性转换的过程。在幼儿还没能由语言承载着的长期历史文化积淀的伦理必然性内化成主体伦理意识之前，道德行为主要是他律的，主要是听从于父母和师长等等引导和约束。而随着其在语言、行为中，也可以说是在社会实践的内化和外化中，形成伦理意识，道德才逐步带上自律性。从群体发生说，每一个带必然性的伦理规范，都是在历史的长河中经反复冲刷、反复筛选，才成为一种定型的理性形式，积淀于人们的心中。

道德规范他律性向自律性过渡过程的完成，伴随着道德社会化过程的完成，标志着个体道德主体在道德人格上的成熟，即成长为一个适合过正常的社会生活的有道德的人；反之，个体道德主体则与社会的道德规范格格不入，既无法过正常的社会生活，又会成为“不道德”的人。如果道德规范的他律向自律的过渡是不成熟的，即个体道德主体仅仅在口头上或公开场合表现出与社会道德规范一致，而在内心深处或在背地里并不愿受这种道德规范的制约，那么，这样的道德主体就既会在内心深处产生一种道德“焦虑”感，又会在行为中表现出两面性，即道德“虚伪”。道德焦虑产生于个体道德主体认定的道德价值体系与社会认可的道德价值体系的严重冲突。这表现为个体是社会所不允许的；而社会要求个人遵循的道德规范准则，又是个体道德主体不愿遵循的，却又不得不遵循这种矛盾的道德心理，如果不得到解决，就会在个体道德主体身上，通过道德心理的彷徨、苦闷、冷漠等方式表现出来。

道德规范的他律性转换为自律性的最重要特征，表现为道德主体自身的行为动因由原来的外在约束，转换为内在意志自觉，即转换为主体自身的意志自治。由此，内在的自生和外在教育的结合是非常重要的。这一直是诸哲学家、教育理论家所关注的命题。①

（10）总之，伦理良心的形成离不开语言（工具＋行为）的内化，这形成着伦理意识。

伦理良心体现着道德的形式善，它在人的意识中有着向经验中的性情之内容拓展的涌动。由于伦理形式的作用，前面讲

① 参阅，张全新：《二十世纪西方教育哲学》，泰山出版社2004年版。

到的在无意识前提下形成的作为带自立性和依他性效应的感性形式，被调动起来并包摄于其中，从而形成了至善意识中的自律和他律。

自律和他律是共生性机制的延伸，但已不仅仅处在感性的自立性和依他性效应之中；而是对处在感性的自立性和依他性效应之中的性情欲求，以伦理形式在自立中确立新的自律，在依他中承担新的他律。从而达到道德的内容善。这扩大着社会世界，形成着对于性情欲求的把握。

这是以伦理来意识，从而成为关于性情欲求的至善过程。这是以伦理来意识性情欲求，并携带着经验中的性情欲求，在自律和他律中并形成外化到行为并体现于语言的道德体系。概言之，伦理的潜意识外化为道德的显意识。

（11）由潜意识作用中的显意识，以伦理形式去统摄性情欲求，经历着两条交织进行的道路：丰富的素质陶冶为理想的引定，理想的引定贯彻为具在（具体诚在）的发扬。这里第一条道路可认为是理想化过程，第二条道路被认为是具在化过程。上述两列过程如果连接起来，便是“具在－理想－具在”。这里不可能截断开分别进行，而是相互渗透地往复进行。道德体系是在“具在－理想”、“理想－具在”的往复循环中日益全面并发展的。

这里成为生长细胞的是作为人格的个性。个性人格可认为是道德体系的基本单位。它是在“理想化”和“具在化”道路上经过觉悟和发扬所形成的道德体系的凝结。人格既带平凡性又带高尚性。说它带平凡性是指它觉悟着性情，说它带高尚性是指它发扬着崇高的德操。所以它是理想和具在的统一。个性既是理想化的结果又成为具在的，是具体的人在人成。这是以崇高的德操引定着性情的总和，从而达到着道德欲求善的合理性。

这样，个性便形成了它自身内在矛盾的两个方面，即内圣和外凡。内圣集中着崇高的德操，外凡涉及着性情的总合。体现崇高的德操引定着性情总和，在人格中则是内圣引定着全部外凡。

个性在内圣和外凡的相辅相成中贯彻为展开了的祈使。祈使对于引定个性来说可以形成两种形式，即当然和应当。同时种种祈使又贯彻为践履，从而成为道德体系。在此意义上讲，道德体系也就是个性人格系统、祈使系统、践履系统。它展开着由伦理意识协带着种种性情欲求的系统。其中可以形成种种道德姿态。并且，在理想化和具在化矛盾运动中形成着道德体系的发展更新。

在道德关于欲求善的觉悟和发扬中，理想化和具在化的矛盾不断出现并不断得到解决，这既是共生性机制作用的结果，又是共生性机制的进一步调动，同时不断解决着自律和他律的矛盾。随着在共生中不断地通过一定的自律达到一定的他律，主体觉悟和发扬的道德意志也随之加强。

而随着自然塑造人和人塑造自然的发展，会不断有新的性情欲求闯入道德世界，这便对主体的道德意志造成新的冲击，同时又带来理想化具在化矛盾的进一步发展。

面对新的性情欲求，当个性人格的引定性引定不了新的性情欲求这便会引起引定性的转换，道德体系在这种转换中不断地更新发展。

3. 伦理携带性情欲求的道德外现。

(1) 前面，研究分析了主体通过语言（符号＋言语）把自身与外界客体相沟通如何内化成伦理意识，回答伦理形式善的必然性何以可能。这是对伦理潜意识内化的论证，同时说明了这是向道德显意识外化的必要条件。

进而，又概述了在主体客体相互作用中如何始于经验返回经验即在理想化和具在化中形成作为道德具在的善之发扬，回答伦理统摄性情欲求内容善的合理性何以可能。这是阐述由潜意识作用而在显意识过程中所发生的运行。同时说明了在道德方面心在心成形而上与物在物成形而下的关系，说明伦理形式如何把握性情欲求而形成道德体系

这里，重在论述伦理携带着性情欲求如何成为道德外现。对于直接地落到“塑造之物”，要综合研究体现主客体人伦关系的伦理体系如何外化于行为语言，外化于人的塑造之物，外化于整个文化形态，同时由其内化又完善着确立主客体关系的意志自觉，回答道德至善何以可能。这里要论到在潜意识显意识运行中道德体系“发散生成”并“生成收敛”于“塑造之物”之上的情况，从中去看体现心在心成形而上与物在物成形而下与存在形而上相统一而成为道德善，及其所实现的可能性。

(2) 马克思曾特别讲到人的对象化问题，他把“对象性的人”，理解为“现实的因而是真正的人”，而这是“他自己的劳动的结果”。

对于马克思的见解，我们应充分注意到“对象性的人”这个提法。由此我们可列出这样几个命题：没有对象性，人不成其为人；没有对象性，人不可能确证为人；没有对象性，人不可能实现对人之必然性的追问。从哲学上说，没有对象性就不可能实现对于人的心在心成形而上的追问，不可能实现对于自然的存在形而上的追问。

所以我们的塑造论哲学先关心哲学追问的对象性问题。对于“对象”的问题，在部门科学学科中似乎是不难说明白的问题，而从哲学本身的方法上讲，却是最困难的。因为这里面对着“至大无外”，因为这“至大无外”也包括“思考者自身”，因为镜不能自鉴，人要意识自己就要解决对象化问题。

马克思在肯定黑格尔《现象学》的伟大之处时写道，“黑格

尔的《现象学》及其后果……的伟大之处首先在于，黑格尔把人的自我看作一个过程，把对象化看作失去对象，看作外化和这种外化的扬弃；因而，他抓住了劳动的本质，把对象性的人、现实的因而是真正的人理解为他自己的劳动的结果"。马克思同时论述道："人同作为类存在物的自身发生现实的、能动的关系，或者说，人使自身作为现实的类存在物即作为人的存在物实际表现出来，只有通过下述途径才是可能的：人实际上把自己的类的力量统统发挥出来（这又是只有通过人类的全部活动、只有作为历史的结果才有可能），并且把这些力量当作对象来对待，而这首先又是只有通过异化的形式才有可能"。①

对此由塑造论哲学来解读，这"人类的全部活动""作为历史的结果"的东西就是我们所讲的在人的"塑造"中形成"塑造之物"这个系列上的显意识结果。这是"作为人的存在物实际表现出来"的与劳动行为同生的语言符号以及工具器具等等。总之包括文化人类所创造的整个人类文化。有此作为镜子就能照出人的本质，人的必然性。

而人的本质、人之必然性只能在这种塑造之物之中才能实现，从而确证人自己真正是人。正如马克思所说："通过实践创造对象世界，即改造无机界，证明了人是有意识的类存在物，也就是这样一种存在物，它把类看作自己的本质，或者说把自身看作类存在物。诚然，动物也生产。它也为自己营造巢穴或住所，如蜜蜂、海狸、蚂蚁等。但是动物只生产它自己或它的幼仔所直接需要的东西；动物的生产是片面的；而人的生产是全面的；动物只是在直接肉体需要的支配下生产，而人甚至不受肉体需要的支配也进行生产，并且只有不受这种需要的支配

① 马克思：《1844年经济学哲学手稿》，《马克思恩格斯全集》第42卷，人民出版社1979年版，第163页。

时才进行真正的生产；动物只生产自身，而人再生产整个自然界；动物的产品直接同它的肉体相联系，而人则自由地对待自己的产品。动物只是按照它所属的那个尺度和需要来建造，而人却懂得按照任何一个种的尺度来进行生产，并且懂得怎样处处都把内在的尺度运用到对象上去；因此人也按照美的规律来建造（原版本曾译为‘塑造’——引者注）。”“因此正是在改造对象世界中，人才真正地证明自己是类存在物。这种生产是人的能动的类生活。通过这种生产，自然界才表现为他的作品和他的现实。因此，劳动的对象是人的类生活的对象化；人不仅像在意识中那样理智地复现自己；而且能动地、现实地复现自己，从而在他所创造的世界中直观自身。”[①]

在马克思那里，基于以上论述，《德意志意识形态》等著作曾经对“现实的人”作出过充分论述。在《德意志意识形态》中马克思、恩格斯关于“现实的人”有这样一些提法：“现实的个人”[②]，“现实的从事活动的人们”[③]，“现实的历史的人”，“处在一定条件下进行现实的，可以通过经验观察到的发展过程中的人”[④] 等等。

对于这种“现实的人”马克思指出，“这是一些现实的个人，是他们的活动和他们的物质生活条件，包括他们得到的现成的和他们自己的活动所创造出来的物质生活条件”。马克思论

① 马克思：《1844年经济学哲学手稿》，《马克思恩格斯全集》第42卷，人民出版社1979年版，第96～97页。

② 马克思：《德意志意识形态》，《马克思恩格斯全集》第3卷，人民出版社1960年版，第23页。

③ 马克思：《德意志意识形态》，《马克思恩格斯全集》第3卷，人民出版社1960年版，第29页。

④ 马克思：《德意志意识形态》，《马克思恩格斯全集》第3卷，人民出版社1960年版，第48页。

述说，“任何人类历史的第一个前提无疑是生命的个人存在”[1]，然而仅仅根据这一点还不能把人和动物区别开来。应当说，人和动物的区别是多方面的，例如，可以根据意识现象、思维、语言、宗教活动和别的什么来区别人和动物，但是，真正能够把人和动物完全区别开来的活动乃是物质生产活动。“一当人们自己开始生产他们所必须的生活资料的时候（这一步是由他的肉体组织所决定的），他们就开始把自己和动物区别开来”，因此，作为人“他们是什么样的，这同他们的生产是一致的——既和他们生产什么一致，又和他们怎样生产一致”。[2] 接着马克思指出，生产本身又以个人之间的交往活动为前提，并由生产决定这种交往。因而出现了分工发展的各个不同阶段，出现了种种所有制形式，又产生社会结构和国家。总之，“事情是这样的：以一定的方式进行生产活动的一定的个人，发生一定的社会关系和政治关系”。[3] 由此马克思对“现实的人”做了一个明确的规定：“这里所说的人们是现实的，从事活动的人们，他们受着自己生产力的一定发展以及与这种发展相适应的交往（直到它的最遥远的形式）的制约”。[4] 正是由此，马克思在《关于费尔巴哈的提纲》中关于人的本质这样写道：“人的本质并不是单个人所固有的抽象物，在其规定性上，它是一切社会关系的

① 马克思：《德意志意识形态》，《马克思恩格斯全集》第3卷，人民出版社1960年版，第23页。

② 马克思：《德意志意识形态》，《马克思恩格斯全集》第3卷，人民出版社1960年版，第24页。

③ 马克思：《德意志意识形态》，《马克思恩格斯全集》第3卷，人民出版社1960年版，第28页。

④ 马克思：《德意志意识形态》，《马克思恩格斯全集》第3卷，人民出版社1960年版，第29页。

总和”。①

由塑造论哲学来看马克思讲的“现实的人”，这里强调着人离不开人的“塑造之物”。人有“我塑造之物”，才使人有理论真、艺术美、技术益、道德善的实现；这使人的认知、情调、能力、意志在“我塑造之物”上得以确证。人有“人我塑造之物”，才使人在理论真、艺术美、技术益、道德善的实现中，处在人与人之间的交往之中；这使人的认知、情调、能力、意志在“人我塑造之物”上得以确证。人有“社会塑造之物”，才使人在实现理论真、艺术美、技术益、道德善时，使处在交往之中的社会构成起来；这使人的认知、情调、能力、意志在“社会塑造之物”中得以确证。

正如马克思所说，“任何人类历史的第一个前提无疑是生命的个人存在”、“现实的个人是他们的活动和他们的物质生活条件”，作为人“他们是什么样的，这同他们的生产是一致的——既和他们生产什么一致，又和他们怎样生产一致”。对“生产什么”加以考虑，在马克思的用语中，这涉及“生产力”；对“怎样生产”加以考虑，就牵扯到“与这种发展相适应的交往”，马克思就此提出“生产关系”；对“生产什么”和“怎样生产”一起加以考虑，就形成了“以一定的方式进行生产活动的一定的个人发生一定的社会关系和政治关系”，对此马克思用“经济基础”和“上层建筑”、“社会存在”和“社会意识”的概念加以概括。而“怎样生产”与“塑造过程”相对应，“生产什么”与“塑造之物”相对应。

马克思阐述“现实的人”旨在论证人的解放，在这个问题上他强调“人的全面发展”。

① 马克思：《关于费尔巴哈的提纲》，《马克思恩格斯选集》第1卷，人民出版社1995年版，第56页。

关于人的发展，在西方思想史上，许多人就此发表过见解。暂不谈渊源关系而随便往前追溯，我们知道古罗马时期的西塞罗曾经用 humanitas 一词来指称使个人能最大限度发展的一系列教育。16 世纪的拉伯雷在批判经院主义的教育时指出，要从智育、德育、体育、美育和劳动教育去发展人的人性。18 世纪瑞士教育家裴斯泰洛齐则明确说："除了体力与智力的和谐发展以外，教育没有其他的目的"。[①] 如此等等，以及后来的许多思想家发表过许多见解，而他们在谈论这个问题时显然忽略了"人的全面发展"是"现实的人"的全面发展。

马克思讲人的全面发展，牢牢把握"现实的人"来立论。而人之成为现实的人，就在于他是处在劳动、生产、现实活动之中的人。而且在马克思看来，人的全面发展是在劳动、生产、现实社会活动中人的个性的全面发展。在马克思的视野中，他所提出的共产主义，正是以"每个人的全面而自由的发展为基本原则的社会形式"。应当注意到，关于人的全面发展马克思有这样一些提法："建立在个人全面发展和他们共同的社会生产能力成为他们的社会财富这一基础上的自由个性"。[②] 以及"个人的全面发展，只有到了外部世界对个人才能的实际发展所起的推动作用为个人所驾驭的时候，才不再是理想、职责等等，这也正是共产主义者所向往的"。[③] 这是一个"个人的独创的和自由的发展不再是一句空话的唯一的社会"。[④] 这"将是一个以各

① 转引自袁贵仁主编：《人的哲学》，工人出版社 1988 年版，第 550 页。

② 马克思：《政治经济学批判》，《马克思恩格斯全集》第 46 卷（上），人民出版社 1979 年版，第 104 页。

③ 马克思、恩格斯：《德意志意识形态》，《马克思恩格斯全集》第 3 卷，人民出版社 1960 年版，第 330 页。

④ 马克思，恩格斯：《德意志意识形态》，《马克思恩格斯全集》第 3 卷，人民出版社 1960 年版，第 516 页。

个人自由发展为一切人自由发展的条件的联合体”。[①] 可见，马克思讲人的解放，讲人的全面发展，突出地涉及到“个性”这个概念。

（3）关于“个性”，在我们塑造论的阐述中，它与“人格”属同一系列的概念，就如同讲理论体系时“概念”和“范畴”，属同一系列的概念类似。

实际上，个性和人格在中文中可以作为两个词被写出来，而在西文当中与这对应的是一个词，如英文中的 personality。这个词来自拉丁语中的 persona 一词，原意指古希腊罗马时代戏剧演员在舞台上戴的面具，代表剧中人的身份。心理学曾大体沿用这个含义，把一个人在人生舞台上所扮演角色的种种心理活动的总体看成是个性。personality 在法文中相应的词是 personaaité，在俄文中相应的词是 личность。苏联心理学家鲁宾斯坦在其著作《心理学的原则和发展道路》中认为 личность 一词也源于 persona。personality 或 личность 在使用上含义比较宽泛，除个性、人格外，还与“性格”、“品格”、“人物”、“人”相接近。

伦理形式统摄性情欲求，是经过理想化过程，形成个性人格，才有理想所引定的具体人在。这是伦理形式协带着性情欲求的道德体系。个性人格是道德体系的基本单位，是理想和具体人在的统一。既是理想化的结果又成为具在的，是具体的人在人成，并且是以崇高的道德引定着性情的总和，从而达到道德的合理性。也就是说，个性人格是理想崇高和平凡世俗的统一，由此才能展开关于具体人在人成的道德体系。可见个性总是具体的。不仅仅是理想化的，而是具在化的，它不是抽象的

---

① 马克思，恩格斯：《德意志意识形态》，《马克思恩格斯全集》第 3 卷，人民出版社 1958 年版，第 491 页。

而是具体的。人的个性人格外化出来，离不开“塑造之物”。personality所来自的persona一词，本指演员在舞台上戴的“面具”，这很有寓意。从一定意义上说，“塑造之物”就是外化着的人的“面具”，不然就显示不出其角色。当然，在此只是作为一个寓言式的比喻说到这一点。问题的实质是：在自然塑造人与人塑造自然之中，形成文化人类塑造人类文化的历史。这历史在塑造之物中实现，塑造之物标志着历史；人既在塑造之物上既得到扩展，又在塑造之物上受到限制；塑造之物既发展着人又制约着人。

这样，我们对于现实的人何以在伦理形式统摄性情欲求过程中经过理想化具在化达到个性全面发展从而实现至善的可能性，就会有进一步的理解。这里理想化具在化统一，统一地外现于社会的文化形态，即在内化外化中统一于主体客体在劳动行为（实践）以及语言符号（工具）之中。这才能实现人的个性全面发展，才能有道德至善的合理性。也就是说：一、人的塑造之物应当是理论的、艺术的、技术的、道德的意识之综合显现；二、人的个性全面发展，是在理论的、艺术的、技术的、道德的各个方面的“塑造之物”上来确证实现人的价值；三、只有这各个方面得到综合发展，才能使其个性得到充分发展，才能实现人的个性真正自由而全面发展。

(4)个性发展在塑造之物上所能扩展到何等程度，所受限制到何种程度，这是与被自然塑造的人去塑造自然所能达到的水平紧紧联系在一起的。马克思在论述社会史时充分涉及到这个问题。从社会群体上说，这与文化人类塑造人类文化的整体水平有关。而从社会个体上说，这与文化个人塑造个人文化的成熟情况有关。

关于人的个性全面发展的程度与文化人类塑造人类文化的整体水平有关：

马克思在《政治经济学批判》中曾将人类和社会划分为三大形态。他写道“人的依赖关系（起初完全是自然发生的），是最初的社会形态，在这种形态下人的生产能力只是在狭窄的范围内和孤立的地点上发展着。以物的依赖性为基础的人的独立性，是第二大形态，在这种形态下，才形成普遍的社会物质变换，全面的关系，多方面的需求以及全面的能力的体系。建立在个人全面发展和他们共同的社会生产能力成为他们的社会财富这一基础上的自由个性，是第三个阶段。第二个阶段为第三个阶段创造条件。”①

在“最初的社会形态”里，由于人的生产能力只是在狭窄的范围内和孤立的地点上进行。人的“塑造之物”，远远没能展开其丰富性；人进行塑造的劳动，作为体现“我塑造之物”以及“人我塑造之物”的工具十分简单，“一切劳动首先而且最初是以占有和生产食物为目的”②；作为“社会塑造之物”，由于人们之间的交往只进行于单个共同体的狭小疆域，所以还形不成超越特定共同体的特定文明系统。这样的塑造之物所能联结的只能是起初自然发生的以血缘关系为基础的“人的依赖关系”。这时主要是自然经济。在经济关系上，要么是原始社会那样，工具主要是对自然提供的东西稍作加工而直接与人结合；要么是奴隶社会那样劳动者本身同劳动资料一样，只“是作为生产的无机条件与其他自然物同属一类的，是与牲畜并列的，或者是土地的附属物”③；要么是封建社会如在中世纪的行会里，劳

① 马克思：《政治经济学批判》，《马克思恩格斯全集》第 46 卷（上），人民出版社 1979 年版，第 104 页。

② 马克思：《资本论》第 3 卷，《马克思恩格斯全集》第 25 卷，人民出版社 1974 年版，第 713 页。

③ 马克思：《经济学手稿》，《政治经济学批判》，《马克思恩格斯全集》第 46 卷（上），人民出版社 1979 年版，第 488 页。

动者"和他的生产资料还是互相结合的，就像蜗牛和它的甲壳互相结合一样"[①]。在政治关系上，要么是一种狭小血缘共同体的绝对服从，要么是一种奴隶主义，要么是一种封建专制主义。而这种联结很大程度上由这样的情况来维系：对当时的人来说，自己的塑造之物的性质似乎是神秘的、望而生畏的，这些塑造之物有的成为（或与之相联系）图腾或禁忌的符号，有的给以人格神的意义，社会塑造之物异化为与人疏远的超人力量，崇拜偶像与服从权威同被纳入受人格神的支配。对人的依赖，与其说是依赖的是人，不如说是依赖的是作为人显意识塑造之物的偶像或神。个人完全或基本上由这种依赖性而生活在社会群体中，割断了这种依赖关系，就很难想象这个人是否还能生存。在这种情况下个人是没有独立性的，不可能有自己独特个性的发展。这种情况一直延续至中世纪专制社会之中："人都是互相依赖的：农奴和领主，陪臣和诸侯，俗人和牧师物质生产的社会关系以及建立在这种生产基础上的生活领域，都是以人身依附为特征的"。[②] 这时的战争也是以占有这种人身依附或确立新的人身依附为焦点。

在"第二大社会形态"里，由于"塑造之物"的日益丰富性和多样性，一方面不能不带来分工有很大发展，另一方面发展了交换。在交换中，一方面形成着以物的依赖性为基础的人的独立性，另一方面在普遍的交换中形成着"多方面的需求以及全面的能力的体系"。这过程中，从劳动产品间的物与物交换，到产生出能够承担使交换相对等的等价物，以至出现可称

① 马克思：《资本论》第1卷，《马克思恩格斯全集》第23卷，人民出版社1972年版，第397页。

② 马克思：《资本论》第1卷，《马克思恩格斯全集》第23卷，人民出版社1972年版，第94页。

得上是符号化了的金钱、货币等等。马克思曾在《资本论》中详细分析了这种情况的演化，这表明在这种塑造之物上所形成的人与人之间新的关系马克思讲，这时“钱蔑视人所崇拜的一切神并把一切神都变成商品。钱是一切事物的普通价值，是一种独立的东西……钱是从人异化出来的人的劳动和存在的本质；这个外在本质却统治了人，人却向它膜拜”。[①] 这形成了商品拜物教形成了货币拜物教。正是在这种塑造之物中，体现着人的关系、人的社会关系。马克思对此作了充分强调，他的《资本论》，他的整个学说就正是在这种物的关系中来分析人的关系，来透视人发展的历史必然性，来揭示社会的必然规律。历史表明，在这种物的关系中：一方面“广大居民群众的经常流动，摧毁了氏族、家庭和地域性公社自古以来的束缚，造成了西方现代史中起着巨大作用的发展的多样性，‘才能的多祥和社会关系的丰富性’”[②]；用列宁的话说，这带来了“人格的普遍提高”。[③]另一方面，由于商品拜物教、货币拜物教的作用，“个人只有作为交换价值的生产者才能存在，而这种情况就已经包含着对个人的自然存在的完全否定”[④]；因为这可把人与人的一切关系变成货币之间的关系，金钱升值，人被贬值，在商品货币的价值追求中，占有生产资料的人成为资本的人格，而失掉生产资料的人连自身也成为商品而加入资本。这使在人塑造自然

① 马克思：《论犹太人问题》，《马克思恩格斯全集》第 1 卷，人民出版社 1956 年版，第 448 页。

② 列宁：《民粹主义的经济内容及其在司徒卢威先生的书中受到的批评》，《列宁全集》第 1 卷，人民出版社 1984 年版，第 375 页。

③ 列宁：《民粹主义的经济内容及其在司徒卢威先生的书中受到的批评》，《列宁全集》第 1 卷，人民出版社 1984 年版，第 376 页。

④ 马克思：《经济学手稿》《政治经济学批判》，《马克思恩格斯全集》第 46 卷（上），人民出版社 1979 年版，第 200 页。

中因不断丰富和多样而产生的大机器劳动方式，也资本化了。这带来人显意识外化了的塑造之物的异化越来越加强，机器工具本来应成为劳动者自身的延长和支持，现在却成了统治人的东西，人成了由机器工具运转而迫使自己不得不随之运转的零件，而且工人生产得越多自己受到的压迫越大。马克思非常深刻地论述道："工人在劳动中耗费的力量越多，他亲手创造出来反对自身的、异己的对象世界的力量就越强大，他本身、他的内部世界就越贫乏，归他所有的东西就越少。……工人在他的产品中的外化，不仅意味着他的劳动成为对象，成为外部的存在，而且意味着他的劳动作为一种异己的东西不依赖于他而在他之外存在，并成为同他对立的独立力量；意味着他给予对象的生命作为敌对的和异己的东西同他相对抗"。[①] 这"把工人变成畸形物，它压抑工人的多种多样的生产志趣和生产才能，人为他培植工人片面的技巧，这正像在拉普拉塔各州人们为了得到牲畜的皮或油而屠宰整只牲畜一样"。[②]"他的片面性甚至缺陷就成了他的优点"。[③]

马克思所讲的"第三个阶段"社会形态，就是他所设想的社会主义或共产主义社会。马克思对此论述道："私有财产的运动——生产和消费——是以往全部生产的运动的感性表现，也就是说，是人的实现或现实。……因此，私有财产的积极的扬弃，作为对人的生命的占有，是一切异化的积极的扬弃，从而

① 马克思：《1844年经济学哲学手稿》，《马克思恩格斯全集》第42卷，人民出版社1979年版，第91～92页。

② 马克思：《资本论》第1卷，《马克思恩格斯全集》第23卷，人民出版社1972年版，第399页。

③ 马克思：《资本论》第1卷，《马克思恩格斯全集》第23卷，人民出版社1972年版，第387页。

是人从宗教、家庭、国家等等向自己的人的即社会的存在的复归。”①“共产主义是私有财产即人的自我异化的积极的扬弃，因而是通过人并且为了人而对人的本质的真正占有；因此，他是人向自身、向社会的（即人的）人的复归，这种复归是完全的、自觉的而且保存了以往发展的全部财富的。这种共产主义，作为完成了的自然主义，等于人道主义，而作为完成了的人道主义，等于自然主义，它是人和自然之间、人和人之间的矛盾的真正解决，是存在和本质、对象化和自我确证、自由和必然、个体和类之间的斗争的真正解决。它是历史之谜的解答，而且知道自己就是这种解答。”②

在马克思看来，到这种社会形态，人们的生产工具更进一步发展，产品得到极大丰富。这就是说人对自然的塑造得到充分发展。这时社会不仅可在工具、机器的塑造中生产丰富的产品，而且可依新的工具“有计划地分配劳动于不同的生产部门”。围绕于此，马克思在《政治经济学批判》中使用了“社会簿记”这个词。“社会簿记”既是符号化了的计划，又是人制造出来的高速统计运算工具。

对这种人之“塑造之物”，实际上可看作就是我们今天所称的计算机，或形成网络了的电脑，或者诸如以此构成的“信息高速公路”之类的东西，以及将来充分发展起来的人工智能，等等。当人们有了这种塑造之物，把它纳入组织社会生产之中，就使社会生产发生了重大变化。这又引起社会关系、社会构成的重大变革，马克思认为这要通过社会革命来实现，由此建立

① 马克思：《1844 年经济学哲学手稿》，《马克思恩格斯全集》第 42 卷，人民出版社 1979 年版，第 121 页。

② 马克思：《1844 年经济学哲学手稿》，《马克思恩格斯全集》第 42 卷，人民出版社 1979 年版，第 120 页。

起一个新型的社会。这时的劳动组织，正如马克思、恩格斯在《共产党宣言》中讲到的，“将是这样一个联合体，在那里，每个人的自由发展是一切人的自由发展的条件”。[①] 在马克思看来，这时解决了劳动者与生产资料相分离的状况，而实现了在这种联合体中的真正结合，所以改变了生产工具被劳动者创造出来却与劳动者疏远化异己化而成为统治劳动者的资本的情况。同时与此相适应的是政治制度上劳动者真正成为社会的主人。在马克思看来，这时，旧式分工对人全面发展的影响逐步被消除。他设想，这时由于全社会只要花费较小的力量，就创造出能够满足社会全体成员物质需要的产品，这就“给所有的人腾出了时间和创造了手段”，使他们能够从事多种最能体现人的本性的创造性活动。“任何人都没有特定的活动范围，每个人都可以在任何部门内发展，社会调节着整个生产，因而使我有可能随我自己的心愿今天干这事，明天干那事，上午打猎，下午捕鱼，傍晚从事畜牧，晚饭后从事批判，但并不因此就使我成为一个猎人、渔夫、牧人或者批判者”。[②]

当然，马克思的这段话，只是对摆脱了旧式分工后，人的活动的一种描述。关于这种情况的实现涉及到一系列复杂问题，在此暂不加以讨论。实质性的问题在于，人在某种条件下能全面地确证自身本质。其真实含义是指每个社会成员都能在人类物质和精神文化的全部成果中，自由地选择它们，占有它们，在最符合个体本身的兴趣、爱好的各种社会活动中，最大限度发挥自己的聪明才智和操作技能，以使自己的个性得到自由、

① 马克思、恩格斯：《共产党宣言》，《马克思恩格斯选集》第1卷，人民出版社1995年版，第294页。

② 马克思、恩格斯：《德意志意识形态》，《马克思恩格斯全集》第3卷，人民出版社1960年版，第37页。

全面的发展。在扬弃了生产资料被少数私人占有而归社会所有因而能与劳动者结合的联合体中，集体的发展为每个社会成员的个性发展提供越来越多的条件，个人的发展为集体的发展建立越来越坚实的基础，“每个人的自由发展是一切人的自由发展的条件”。正如马克思所说，只有当“社会化的人，联合起来的生产者，将合理地调节他们和自然之间的物质变换，把它置于他们的共同控制之下，而不让它作为盲目的力量来统治自己；靠消耗最小的力量，在最无愧于和最适合于他们的人类本性的条件下来进行这种物质变换”[①] 的时候，“在这个必然王国的彼岸，作为目的本身的人类能力的发展，真正的自由王国，就开始了”。[②]

关于人的个性全面发展的程度与文化个人塑造个人文化的成熟情况有关：

马克思曾讲，“人以一种全面的方式，也就是说，作为一个完整的人，占有自己的全面的本质。人同世界的任何一种人的关系——视觉、听觉、嗅觉、味觉、触觉、思维、直观、感觉、愿望、活动、爱，——总之，他的个体的一切器官，正像在形式上直接是社会的器官的那些器官一样，通过自己的对象性关系，即通过自己同对象的关系而占有对象。对人的现实性的占有，它同对象的关系，是人的现实性的实现”。马克思写到这里还特别对此加注脚说，“因此，正像人的本质规定和活动是多种多样的一样，人的现实性也是多种多样的”。[③] 马克思在此涉及

---

① 马克思：《资本论》第 3 卷，《马克思恩格斯全集》第 25 卷，人民出版社 1974 年版，第 927 页。

② 马克思：《资本论》第 3 卷，《马克思恩格斯全集》第 25 卷，人民出版社 1974 年版，第 926～927 页。

③ 马克思：《1844 年经济学哲学手稿》，《马克思恩格斯全集》第 42 卷，人民出版社 1979 年版，第 123～124 页。

到个性人格中的理论、艺术、技术、道德意识对象化的各个方面。马克思说，"感觉通过自己的实践直接变成了理论家。感觉为了物而同物发生关系，但物本身却是对自身和对人的一种对象性的、人的关系"。[①]"只有音乐才能激起人的音乐感；对于没有音乐感的耳朵来说，最美的音乐也毫无意义"。[②]"不言而喻，人的眼睛和原始的、非人的眼睛得到的享受不同，人的耳朵和原始的耳朵得到的享受不同，如此等等"。[③]"艺术和文学等等，理解为人的本质力量的现实性和人的类活动"。[④]"对象性的本质在我身上的统治，我的本质活动的感性的爆发，在这里是一种成为我的本质的活动的激情"。[⑤]"工业的历史和工业的已经产生的对象性的存在，是一本打开了的关于人的本质力量的书，是感性地摆在我们面前的人的心理学"[⑥]，"自然科学却通过工业日益在实践上进入人的生活，改造人的生活，并为人们解放作准备"，"工业是自然界同人之间，因而也是自然科学同人之间的现实的历史关系。因此，如果把工业看成人的本质力量的公开的展示，那么自然界的人的本质，或者人的自然的本质，也就

① 马克思：《1844年经济学哲学手稿》，《马克思恩格斯全集》第42卷，人民出版社1979年版，第124页。

② 马克思：《1844年经济学哲学手稿》，《马克思恩格斯全集》第42卷，人民出版社1979年版，第125～126页。

③ 马克思：《1844年经济学哲学手稿》，《马克思恩格斯全集》第42卷，人民出版社1979年版，第125页。

④ 马克思：《1844年经济学哲学手稿》，《马克思恩格斯全集》第42卷，人民出版社1979年版，第127页。

⑤ 马克思：《1844年经济学哲学手稿》，《马克思恩格斯全集》第42卷，人民出版社1979年版，第129页。

⑥ 马克思：《1844年经济学哲学手稿》，《马克思恩格斯全集》第42卷，人民出版社1979年版，第127页。

可以理解了”。[①]

人对自然的塑造是在自然对人塑造的基础上进行，是在社会活动中进行。在自然对人塑造过程中，作为无意识前提就积淀着对应性机制、取悦性机制、权变性机制、共生性机制。这是通过社会才实现的。这种机制在人的发展中，随着人对自然的塑造，这里应强调的是随着社会的人对融于社会机制中的自然进行塑造，才在行为、语言、劳动处理、工具器具、符号的内化中形成了作为潜意识的逻辑意识、韵律意识、程序意识、伦理意识形式，当以这些意识形式去统摄现象事实、形象意蕴、备件材料、性情欲求，便实现着理论意识的建构预设、艺术意识的想象喻示、技术意识的重组役使、道德意识的自律他律，这形成着理论的、艺术的、技术的、道德的体系，外化到塑造之物上成为显意识的。此时的塑造之物准确说是社会塑造之物。在此过程中理论的、艺术的、技术的、道德的体系，在主体与客体达到同构、同态、同规、同律方面，体现出一种逐步成熟的过程。同时，理论、艺术、技术、道德相互之间也有个达到相互融洽和谐统一的过程，和谐的便成为成熟的，其价值得到充分实现；不和谐的便成为不成熟的，其价值便得不到充分实现。此价值是只能在社会中才能实现的价值。正如马克思所说：“因为我是作为人活动的。不仅我的活动所需的材料，甚至思想家用来进行活动的语言本身，都是作为社会的产品给予我的，而且我本身的存在就是社会的活动；因此，我从自身所做出的东西，是我从自身为社会做出的，并且意识到我自己是社会的

① 马克思：《1844年经济学哲学手稿》，《马克思恩格斯全集》第42卷，人民出版社1979年版，第128页。

存在物"。①

(5) 在走向人的个性全面发展中，就处理好规范节制与生动开发的关系来说，就价值实现的主要取向来说，理论主要偏向规范性一极，艺术主要偏向生动性一极、技术主要偏向开发性一极、伦理主要偏向节制性一极。就四极的集化情况来说，可归结为两个偏向：一是规范节制性，一是生动开发性。

规范节制性直接靠近于显意识的规范力量，而生动性开发性则又直接衔接于无意识的生动活力。而这又集中在潜意识与显意识之间的发散生成与生成收敛的冲突与协调之上。这体现着带有自然本质的人与带有人的本质的自然之间的交互作用。而这是在社会中，特别体现着社会伦理进行的。

例如，人的理论意识是带规范性的，随着人的理论意识的不断提高，人们越来越能在意识中对理论意识的规范加以细致总结，以保持理论意识的确定性、精确性。可是后来又往往出现这样的情况，人们越总结出这些规范由此去从事理论活动，就越受到约束，而对付不了理论把握现象所必定面对的模糊性和不确定性。于是出现了：人们又总是力求找回不确定性和模糊性，甚至提出科学理论研究中的"无政府主义"纲领，以及强调"多元化"、"非理性主义"等等。然而，就是对于"不确定性"或"模糊性"，也总是力求对之加以总结，这实质上仍是要对之找到规范；虽讲"无政府"也得"有头有脑"，虽讲"多元化"也得有理论"一贯"，虽讲"非理性"却总离不开"理性"。其实，还是马克思说得好，"理论的对立本身的解决，只有通过实践方式，只有借助于人的实践力量，才是可能的；因此，这种对立的解决决不只是认识的任务，而是一个现实生活

① 马克思：《1844年经济学哲学手稿》，《马克思恩格斯全集》第42卷，人民出版社1979年版，第122页。

的任务”。①

再例如，关于艺术的规范。开始的诗歌多是来自民间的象“诗经”“乐府”等等，尚无固定的规范；后来有了格律，形成非常严格的诗律词牌，平仄押韵规定得相当仔细、严格；后来感到束缚在创作中直抒胸臆故强调自由诗，无固定格式和格律，打破了格律规范。西方也出现过“三一律”等等的创作规范，后又打破这些规范。在音乐中，开始是自然抒发，直抒胸臆；后来，形成规范的作曲法则；近代的浪漫派、印象派开始突破这些规范到，现代派则似乎又完全在打破这些古典音乐的作曲规范。绘画也是这样，从无程式到有画论规定，现代派、后现代派又着力打破这些规定。整个艺术似乎走着从无规则到有规则到反规则的道路；而任何似乎是无规则的艺术创作过程又总在那里总结其规则。

艺术活动离不开取悦性，所以带娱乐性。可是艺术总伴随着某些技能而产生，要学习艺术创作就得学习艺术规范。这往往又会压抑娱乐性。艺术家创造艺术要经过很多的教化训练，学绘画、雕塑，练器乐、声乐，掌握文学创作方法，这都成为很艰苦的事情，使艺术活动丧失了娱乐性。顾拜旦早就有把体育和艺术结合的理想。在一定意义上说。体育就是一项艺术，而且体育的娱乐性是很强的。但是进行任何一门体育训练，又是非常艰难而且枯燥的，是令人痛苦的。艺术的生动性和规范性、教化性和娱乐性里面，体现着一种随意和规则的冲突。美国学者非利浦·劳顿在其《生存的哲学》一书中对于娱乐游戏提出了三个二律背反：娱乐是滑稽好玩的呢还是庄重严肃的？娱乐世界是幻想的呢还是真实的？娱乐是自由的还是必然的？

① 马克思：《1844年经济学哲学手稿》，《马克思恩格斯全集》第42卷，人民出版社1979年版，第127页。

这里都渗透着同样的问题，即娱乐固然好玩，但要有必须遵循的规则；固然是幻想的，但其程序要支配人的行为；固然是自由自在，但又得服从一定的规矩。这就与技术活动中既须有指令，又要激发自动相通了。

又例如，技术活动离不开规范性。这体现于技术中必须按一定规程来支配人的行为，以在最具有效性的情况下进行技术工程，这就形成了支配人的指令。没有这种指令，技术是无法实现的。但是，指令又往往影响技能的自动化。爱因斯坦好像说过，一个登山运动员其行为有力学结构但如果始终以力学为指令来支配，肯定寸步难行。显然一个人爬山时并不去专门考虑其脚和手的力学结构方程。一个工匠在做工时所用的方法，固然可对其操作加以总结分析。但如果工匠老想着力学公式来指令行为，肯定是个蹩脚的工匠。看来，要成为技能就要使行为在规则指令下实现自动化，而规则指令又往往压抑自动性。

技术的取向是效率。就个体来说，实现技术的效率是技术获益或讲技术价值实现的追求。而本世纪中叶，李特尔等人经过仔细研究，证明了在社会发展中，仅仅依靠效率标准是不够的，至少因为，仅仅坚持这一标准，在一些情况下，会得出自相矛盾的判断。因为有两种相反情况都可以被看成是符合标准。为了克服这种“悖论”困局，李特尔在其著作《福利经济学》中指出，除效率标准，还得引入关于收入公平的标准，这一标准与效率标准是不能彼此代替的。旧福利经济学的代表、英国经济学家庇古提出，效率与公平二者都重要，所以主张争取最优的资源配置，既要追求最好的效率，又要争取最优的收入分配，即追求最大的公平。后来福利经济学派中的英国经济学家卡尔多和英国经济学家希克斯认为，福利经济学只应研究资源配置，不应研究收入分配，也就是说，只应研究效率、不应研究公平。他们反对以庇古为代表的旧福利经济学把收入分配均等化作为社会福利最大化的一个条件。以后，美国经济学家伯格森和萨缪尔森提出了社会福利函数论。这一理论不是回避收入分配问题，而是强调要根据一定的价值判断来决定收入分配问题。伯格森认为，社会福利函数是社会所有个人的效用水平的函数。实现社会福利函数最大化的必要条件是社会福利增加到了不能再增加的地步，而充分条件是实现理想的收入分配，理想收入分配的确定则取决于价值判断。

西方福利经济学实际上大都是以“帕累托最优”作为逻辑出发点的。它基本的含义是指商品使用价值对每个使用者达到最大。从而在全社会层面上也形成最优。此亦即所谓“资源配置优化”。他们的立足点在于，个人利益的简单加和即构成社会利益的实体。但是，许多学者发觉，情况并不如此简单。例如，资源配置的优化往往伴随着分配很不公，人们并不感到幸福。甚至感到这种“优化”还不如当年的“不优化”。这也就从理论上涉及了要深入研究个人利益与社会利益关系的课题。

阿罗是1972年诺贝尔经济学奖金获得者。他获奖的主要成果，是揭示了“不可能性定理”。后人俗称为“阿罗定理”。这条定理的最大学术特点，是用数理逻辑求解个人利益与社会整体利益的关系。阿罗提出，社会选择应当满足个人自由的“完备性”和“传递性”公理的要求。具体而言，应当满足如下五个“自然条件”：1. 人个人选择的自由；2. 社会选择正相关于个人的价值选择；3. 不相关的选择方案具有独立性；4. 社会选择顺序不能强加；5. 选择的规则不能由独裁给出。阿罗运用数理逻辑的方法进行推导，他证明，没有任何一种能使问题得到解决的社会选择方法能同时满足以上五个条件。这也就是说，人们根本不可能得到一个绝对让每个人满意的合乎自由民主要求的规则，从而由个人的偏好顺序出发，推导出简单的社会选择顺序。这也就意味着，人们在设计一个集体选择过程时，不管怎么办，都一定得违背这五个条件中的一个或多个，从而会形成对个人自由的某种侵犯，或形成某种强加。另一位诺贝尔经济学奖金的获得者萨缪尔森对之提出了诘难：阿罗定理似乎与规范经济学无关。阿罗本人吸取并进一步思考了批评意见中的合理成分，精化和深化了自己的数理逻辑证明。从而进一步凸现出对于社会选择而言，纯粹的民主及自由是行不通的；为了维护社会的价值选择或利益，在一定程度上要把集中强加给人们，看来是不可免的。

与此相关，自由与法规的关系、自由与责任的关系也是如此。的确，一个个的个体的人在局部领域内按照科学理论来认识，按照艺术美的规律来制造，在技术中实现对自然的改造从而获益，而一涉及社会利益，就有个按公平原则来加以规范的问题。公平原则有时会提高效率，有时也会约束效率，然而公平原则又是必然的，因为只讲效率不讲公平规范往往又会影响社会稳定，社会失去稳定，这又从总体上影响效率。

效率的取向往往与劳动生产率与"生产力"这样的概念相联系，而人们对此又往往以人改造自然的能力大小和人创造物质财富的多少来衡量。然而单纯把此作为价值判断的标准是有问题的。传统上人们曾把人多力量大，开发资源越多越好作为肯定的价值判断，这在局部上的确能够获得认可，但这往往又形成只注重外延上扩大再生产而忽略内涵上扩大再生产。人们对这一点的意识使人们注意对此加以纠正。然而还应从生动开发与规范节制的关系方面更广泛地来了解这一问题。人口的自身生长的确是生动不已的，人对资源的利用的确显示着开发的力量。但一个简单的事实是，物种进化史说明：由于个体剧烈膨胀会有导致自己整个物种灭亡的危险。人类对自己人口的急剧增长感到的压力和在未来这对人类造成的危险的意识，迫使人们必须对人口的生育进行规范节制，加以约束。另一个严峻的事实是，人类对资源的开发，人类对自己生存环境的破坏，现在到了如不规范节制不加以限制，已直接危及人类生存的地步。

马克思曾讲："人靠自然界生活"。每个人为实现自己个性全面发展，都力求更大程度地占有和改变自然。借助于技术手段的巨大进步，人们一方面大大改善了自己的文明发展条件和作为智能人这样一个物种的发展条件。另一方面正是在"征服"自然的同时，人在很大程度上破坏了自己生命活力的自然基础。当我们研究当代的资源问题、能源问题、环境问题、人口问题时，表明生态破坏的数据和例子可以信手拈来。

而科学技术进步以及它的运用所产生的所有消极后果，都受人和集团的目的、行为所制约，与具体的社会系统密切相关。所以要考虑自然资源的消耗、环境污染的加剧以及人口爆炸这些问题，非得考虑在什么样的社会体制和制度下才能有效地加以解决。可见，讨论"人与自然"的问题，就一定要谈到"人与社会"的问题。也就是说，"人与自然"和"人与社会"实质上又是"社会与自然"，由此再来考虑个性全面发展和社会全面发展的问题，便会有进一步的认识。对此简要的结论应当是：满足个性全面发展的社会与大自然不应当是相悖的，而应当是相成的。

还例如，从道德建设来说，人在社会生活中总是追求自由、幸福，但时时也不能离开规范、约束。上街想怎么走就怎么走，这似乎有了自由；但如果都横冲直闯发生交通事故，这就毁坏了人的自由；因此必须有交通规则，这限制着人，这管制着人只能这样走而不能那样走，看起来这是限制了自由；可在这种限制中形成各个人有条不紊的行走，又保证了自由。推而广之，这就是自由和纪律的关系。为了有自由就必须有纪律，纪律为了人有自由却又反过来限制自由，人既要制定符号化的纪律，又要充分发展自由。民主和集中也是这个关系，民主既是人的一种权利，同时又作为一种参与的方式，有着提高决策科学化、高效化的作用。可是各个人的民主得不到集中，都按自己的要求各行其事，民主的权利又难以得到实现。这样，每个人为实现自己的权利又都得承担义务。有民主的集中和有集中的民主，二者统一，才能形成规范的集中和生动的民主。这形成了个人和集体的关系：首先，个性的发展不能离开集体，因为只有借助集体的力量，个人才能全面占有社会的财富，才能获得全面占有对象世界的条件；其次，集体的发展以个性的发展为基础，因为集体由个人组成，其中每一个性都是独一无二、不可重复的，都是一个独特的世界，所以集中独特的个性越多，集体以致社会就越丰富，也越富有生机。正如马克思所讲的，应当是“这样一个联合体，在那里，每个人的自由发展是一切人的自由发展的条件”。[①] 在这样一种联合中：集体的发展为每个社会成员的个性发展提供着越来越多的有利条件；个人的发展又为集体的巩固和发展建立着越来越丰富的基础；个人和集体的发展表现为一个相互依存、共同增进的过程。个人与集体既有冲突又能协调，用我们现在的话讲就是，必须处理好个人、集体、国家以及整个人类的关系。

由以上可见，从人的个性自由而全面发展看过去，生动开发和规范节制的冲突总是存在着。如前所说，在这种冲突中，有意识与无意识的约束与挣脱也随之发生冲撞。这带来，有意识的规范性和无意识的生动性处在一种难以彼此相安的状态当中。因为，要生动就得挣脱，要规范就得约束；约束在节制中均束，挣脱在开发中挣脱；而同时，节制又意味着压抑，开发

① 马克思、恩格斯：《共产党宣言》，《马克思恩格斯选集》，第1卷，《马克思恩格斯选集》1995年版，第294页。

又意味着破坏。

当压抑体现着生动性和规范性的统一，这种约束就应当保持；当压抑不体现生动性和规范性的统一，就得从这种约束中解放出来。当破坏体现着生动性和规范性的统一，这种开发就应当进行；当破坏不体现生动性和规范性的统一，就得把这种开发节制起来。

这才能真正实现人的个性自由而全面发展。

(6) 联系前面所论，道德规范的他律性转换为自律性的最重要特征，表现为道德主体自身的行为动因只由原来的外在约束，转换为更重视内在意志自觉，即转换为主体自身的意志自治。总之是“自律”“他律”实现统一。为此要进一步强调的是：

第一，道德主体自身的意志“自治”，表现为自己为自己“立法”。道德的立法，就社会意义而言，首先表现为在社会关系中产生出来的种种道德规范，因而也具有外在于人的性质；但是就个人而言，个体道德自己为自己立法，则已经使这种外在的道德要求，与内化为心中的伦理意识以及由伦理意识统摄了的个人性情欲求相统一。意志的自律，在这里就表现为个人的道德行为准则，既是由自己根据社会道德规范而形成的，又是自己对这些准则的自觉。换言之，道德主体自己所立的法，一方面把基础建立在对社会道德规范他律性的认同上面，另一方面又是对认同的进一步发展。康德在其义务论伦理学中，就把他所设定的著名的三条律令，称为普遍的法则或绝对命令；又强调要靠意志来服从这些律令；从而由此构成道德的目的王国。人在此“目的国”中，既是臣民，又是立法者，遵循他律性和自律性在道德上的统一。

第二，道德主体自身的意志自治，表现为伦理形式对性情和欲求的把握。如前所说，每个人都有自己的性情欲求。从个人与集体的关系来看，个人总有自由发展的意向。个人利益，正是个人性情欲求在某一方面的具体表现。个人的爱好和欲望是多种多样的，花鸟鱼虫、饮食男女、功名利禄，不一而足。个人利益与集体利益或他人利益的差异性，使个人往往或多或少地要把利益实现的途径，转变到有利于自己一方来。但是一个社会或一个集体在一个特定的时期，并不完全能满足一切成员的一切性情欲求的需要。这就使个人的需要，与社会或集体的对其满足产生冲突。与个人的性情欲求相对应，当意志表现为社会的意志，换言之，表现为社会的理性。理性就其社会性而言，是社会的共同要求，这种共同要求是社会发展的必要条件。从一般情况看，共同的要求与个人的欲望，既相一致又相区别。一致的，就可能在共同要求的实现过程中得到同步实现；而不一致的，则可能在共同要求的实现过程中得不到实现，可能受到共同要求的抑制、节制。要有他律性的节制，更要有在自律意义上的节制。这是以体现伦理必然性来统摄性情欲求的伦理道德节制。这里的伦理道德，既具有社会的特征，也具有个人的特征，是个体化了的社会道德伦理。

第三，道德主体自身的意志自治，表现为道德主体实现了伦理形式与性情欲求的统一。这里已把社会的客观道德要求，等同于主体自身的道德需要。心理学家马斯洛在具体描述人所获得的那种自我实现的高峰体验时，曾描述过所感受到的强烈的认同体验。这体验的共同点，就是“我”与“对象”的同一，“对象”已成为“我”的生命的一部分，“我”在行动时，一反过去那种拘谨、重负、苦不堪言、无自由等等状态，而变得轻松自如、意志自由、得心应手。在中国古代思想史上有所谓“诚自成，不诚无物”之说。这指向有“浩然之气”的“万物皆备于我”的境界。是“民胞物与”“无我而后大，后大而无我”的境界。这只有把自己献给全人类，以真诚地为人民服务为最大幸福，把自己当作历史，在解放全人类中解放自己，达到个性全面发展和社会全面发展和谐统一才能真正实现。[①]

三、成为人这一过程现实部分的“实在”“成就”

塑造论哲学区分了两阶形而上、两阶形而下。两阶形而上：一是形而上的“心在”“心成”，二是形而上的“存在”“至诚”；两阶形而下：一是形而下的“身在”“身成”，二是形而下的“物在”“物成”。在这里，“成诚”依赖于形而下的“身在”“身成”，“诚成”依赖于形而上的“心在”“心成”；“在是”依赖于形而下的“物在”“物成”，“是在”依赖于形而上的“存在”“至诚”。讲到有“物在”“物成”才有的谓“在是”；有所谓“是在”才能讲到“存在”“至诚”。讲到有“身在”“身成”才有所谓“成诚”；有所谓“诚成”才能讲到“心成”“心在”。塑造论哲学强调，存在至诚形而上由心在心成形而上来把握，心成心在形而上有存在至诚形而上涉于其中。而这一切都离不开“人在”“成人”（“人成”）、“物在”“物成”（“成物”）。“实在”成为人这一过程的现实部分，“成就”使这一现实部分得以成立。

（一）关于“实在”。

1.“实在”（Reality）是一个经常被人使用而又被认为是含义模糊的术语。由“实在”引出“实在论”的争论。在某些哲学那里，有时，“实在”指“存在之所是”，与“现象”相对。有时，“实在”被用作“世界”的同义语，或指一切存在的总体。学界更多人往往认为，实在论（Realism）是一个家族相似的观念，指承认种种对象和属性的客观存在的各种理论。这些

① 参见：张全新：《塑造论哲学导引》，人民出版社 1996 年版，第 923～925 页。

对象和属性包括外在世界、数学对象、共相、理论实体，以及因果关系、道德与美学属性、他人的心等；这些学者认为，实在论的中心思想是，实在独立于我们的心灵，且不论我们是否知道或相信它们存在。实在论与反实在论相对立。一般而言，反实在论是另一个家族相似的观念。例如表现为唯名论。唯名论在共相问题上对立于唯实论或称实在论。唯名论认为共相只是一个共名。另外还有实证论和语义学意义上的反实在论。在不同领域，实在论与反实在论的对立表现为不同的形式。

有关共相的本体论地位的问题，实在论认为，共相是真实的存在，是知识的对象。这种实在论主要有两种类型。例如，柏拉图在实在论意义上认为，共相存在于自身的领域之中。它们比可感对象更真实，但又不会在日常经验中得到充分展现。亚里士多德则在实在论意义上认为，共相不是与自己分离的存在，而是呈现于物中的共相。

在西方哲学史上，洛克讲到“实在的本质”（Real essence），这是与“名义的本质”相对的。洛克讲，“实在的本质”是每一事物的实在本然而未知的结构，是构成世界的各种特殊物的全部特性的基础；当对象不再存在，或者发生了根本的改变时，实在的本质便消逝了。与此不同，“名义的本质”是一组性质，这来自从每种已观察到的现存性质，或者是在一个观念或名称之下收集来的；名义的本质实际是根据对一类事物共同特征的描述作出的名义定义。名义的本质依赖于实在的本质。实在的本质使特殊的事物“个体化”，名义的本质将那些特殊的事物归集成“类”。例如，金子的名义本质是“黄金”一词所代表的复杂的观念，它包括这样一些特征：它是一物体，它是黄色的，有一定重量，可以在锤打中延展等等。而其实在的本质是那个物体在直接感知中各不可感部分的结构，金子的那些性质以及其他一切性质依赖于这个结构。在洛克那里，这种区分被认为避免了亚里士多德将一个表达式的意义同这个表达式所刻划的对象性质混淆起来的错误。这一区分在近代哲学史上很有影响，因为它导致了放弃未知本质的现象论，还导致了后来哲学所特有的对意义研究的重视。洛克在《人类理智论》第三卷第六章第2节中论述道："虽然我们所知道的、或者借以将各种自然实体区分为各个类的，都是自然实体的本质，但我仍用一个特殊的名称'名义的本质'称呼它，以便将它同实体的实在结构区分开来；名义的本质和那类实体的全部性质都依靠于实在的结构；因此，如前所说，可以将实在的结构称作实在的本质。"

再后来的笛卡尔强调过"实在的区别"（Real distinction）。在科庭汉等编译的笛卡尔《哲学著作集》第二卷中有这样的话："当两个实体中的一个可以离开另一个实体而存在，我们就说这两个实体有实在的区别"。笛卡尔声称这样的区别存在于"心"和"身"之间，因为怀疑揭示出，一方面我有一个清楚明晰的自我观念，这个自我纯粹是思想而非广延的东西；另一个方面，我有一个清楚明晰的我的身体的观念，这个身体是广延的而非思想的东西。因此，我的心灵确实与我的身体截然不同，它们可以各自不需对方而存在。这一"实在的区别"是笛卡尔《沉思》一书所证明的主要之点。实在的区别与样式的区别相对照，后者存在于实体和它的样式之间，物体和它的大小之间的区别即是其例。物体的大小不能离开相关的物体而存在。

处于19世纪到20世纪之交的英国新黑格尔主义者布拉德雷（Francis Herberel Bradley，1846—1924），在其《现象与实在》一书中，对实在的概念作了详细的阐述。他认为，一、"实在是一种经验，在实在中我们所能发现的，无非是情感、思想、意志、情绪或诸如此类的东西"。布拉德雷在这里把经验当作判断实在的最高标准。他说，"实在的意思就是与知觉不可分地混为一体","直觉经验就是实在,凡不是知觉经验的,就不是实在"。二、"实在是精神性的","精神之外,没有也不可能有任何实在,而且,任何东西其精神越多,它就越是真正的实在"。实在具有等级(degree),实在的最高等级离物质的东西极远。最高的实在,也就是包容一切的普遍精神——绝对。三、"实在具有一种不包含冲突的积极性质,在这个意义上,实在是一"。实在是单一的和谐整体,"凡是相矛盾的东西都不会是实在的"。可见,布拉德雷虽在一定意义上继承和利用了黑格尔的思想方法,把实在看作是精神性的东西;但他却追求一种无矛盾的统一,他把知觉经验,实际上也就是主观感觉,作为判断实在的标准。以后的新黑格尔主义者,如鲍桑葵、罗伊斯等人,在继承和发展关于"实在"的理论方面,也提供了他们的论述。

穆尔(George Edward Moore, 1873—1958)被认为是在英国首先举起新实在主义旗帜的人。他早年曾受英国新黑格尔主义者布拉德雷等人的影响。作为新实在主义者的穆尔在他得著作中用大量篇幅对实在(reality)加以讨论,但是他的实在观前后并不一致。他在其著作《伦理学原理》中,讲"实在"(Reality)就是"实存"(existence);在1910年至1911年的讲演中,他有时把"实在"(Reality)与"存在"(being)等量齐观,有时却又说实在是一种属性(property);而在1917年发表的《实在概念》(The Conception of Reality)一文中,他又否定"实在"是属性的说法。穆尔反对布拉德雷把实在分为等级(degree)。穆尔认为实在并不分等级。

美国实用主义哲学家刘易斯(Clarence Lrving Lewis, 1883—1964)在讲实在(reality)这个概念时,对其规定是:"实在是范畴化的经验"。他认为,人们在具体经验中所感知到的是对象的感觉性质,而这个作为给与者的对象就是实在。实在对象是既在经验之外又给具体经验以内容的东西,但它并非是完全独立而自在的客观存在物，乃是某种被概念、范畴建立在经验之上的构造。刘易斯并没有把实在归为个人意识的产物，而是强调它是由社会意识约定俗成的创造物。这表现在：（1）“实在”指给予者的所与性，实在作为给与者在经验中的给予，不受知者限制。（2）“实在”指那些“如果——那么”型假言命题的真理，此类判断有赖于与之相关事实的存在。（3）“实在”指超出知者现有认识以外的自在的事实。刘易斯提出这种实在观主要是为了强调：离开人的认识便无所谓对象，“实在”是因人的主观努力而呈现并被规定的。

另外，维特根斯坦（Ludwig Wittgenstein，1889－1951）则大体是将“实在”用作“世界”的同义语，用以指一切存在的总体；他在这个意义上断言，世界是事实的世界，而不是事物的世界。

还有哲学家主张把我们的语言所指涉的客观实在与意指我们的语言或思想模式的形式实在区别开来。有时，一些哲学家也用“实在”指独立于我们的意识和意志的客观存在。在各种各样的实在论说中，出现了许多关于实在问题的解释。伯格和卢克曼在《实在的社会建构》一书中讲：“就我们的目的而言，把‘实在’界定为与现象相关的一种性质就足够了，我们承认它独立存在于我们自己的意志之外（我们不能‘希望它们走掉’）。”

以上情况，对中国当代哲学家或多或少地产生了影响。例如在作为现代新儒学的哲学家中，受其影响是很明显的，同时也产生了一些概念上的混乱。

2. 应当强调，“实在”不同于“实体”或“本体”。在我的塑造论哲学看来，“实在”是与“存在”相区别的概念，并就此进行了论证。塑造论哲学认为，是“人在”及在此意义下的“物在”，共同构成了自然界作为人这一过程现实部分的“实在”

(reality)。这是形而下的。因此，对"实在"可规定为："实在"是作为自然界成为人这一过程"现实"部分的"存在"（这里的"存在"，可考虑 being 并联系与 existence 来加以解析）。当考虑"存在"是在本体论上作为本体（substance）的"存在"，"实在"是"存在"但又不等于"存在"。"存在"是形而上的，"实在"是形而下的。"实在"，一定是"自然界成为人这一过程的一个现实部分"的实在，是人实实在在地参与了宇宙的实在。这是由"存在形而上"、"心在形而上"统摄的，作为人"身在身成"形而下、自然"物成物在"形而下的实在。这就是笔者在《塑造论哲学导引》中，由塑造论哲学原理，对于何为"实在"和何为"存在"这样一些概念范畴加以辨析所给出的特有规定性，从而澄清以往哲学在这方面的混淆以及由此而引起的一些在哲学原理方面的混乱。①

塑造论哲学认为，人面对自然有着不断向着自然界进行探索的过程；同时也认为，这是人不断延长自身而"使自然界成为人这一过程的一个现实部分"的发展过程。在自然塑造的人去塑造自然的过程中，才使"存在"落实为"实在"，把"自在之物"变成"人为之物"，这"人为之物"也就是"为人之物"。这样，以塑造论哲学的观点来讲：由大自然对人的塑造中衍生出文化人类，这就把必然性积淀于人；文化人类在实践中塑造着自然，形成人类文化，这是一种目标在于主客体达到统一，从而使自然衍生的人在实践中使自然缔成自身的过程。这要体现必然性，又正是在这一过程中确证着作为实在的人与作为实在的自然的必然性。②

① 张全新：《现代物理学中的"实在"与"时间"问题》，山东科学技术出版社 2003 年版，第 249 页。

② 参阅，张全新：《塑造论哲学导引》，人民出版社 1996 年版，第 665 页。

讲到形而上落实于实在，在理论上往往会遇到许多困难。因为这样，塑造论哲学强调，哲学要把人的塑造之物当作首先的实在，把此当作通向整个实在的入口处。这大门口是朝向整个的自然界的。哲学的追问总是以关于感性自然界的科学作为支持，而且哲学要统摄各个学科的部门科学。

马克思曾讲，“人——就是自然界、感性；而那些特殊的人的感性的本质力量，正如它们只有在自然对象中才能得到客观的实现一样，只有在关于自然本质的科学中才能获得它们的自我认识”。① 关于人的本质的科学，其实也就是人以自身本质去研究自然的科学。人在塑造之物中确证着人的本质，这对人可以有其必然性，进行着确证。这样，得到证实的人的必然性，以自身本质与感性自然相对待，形成与感性的反思；这样，去研究感性自然，其必然性也就有了根据。由此也就证明了，经过这样的研究而掌握的规律其必然性是可以成立的；并且，在这种研究中支持着哲学关于形而上的追问。其实，人的塑造之物一旦塑造出来，同样是以感性材料构成的，它作为能体现存在形而上并内在“心在”形而上的超意识的东西镶嵌在自然之中、融合在自然之中；这里面体现着人给它的形式，这是人与自然相互映照的形式，必定服从大自然的规律。哲学追问由它上手，需得把其剥离出来，即把体现存在形而上并由心在形而上印于其上的形式剥离出来，而这离不开与自然界同时考虑。正因为这样，显意识与潜意识映照。当以显意识影映潜意识，那“影”是印在人所看过去、所把握、意识所投射于自然之物之上的；当由显意识窥察潜意识；恰恰就是从投射之影中来透视；当实现了显意识与潜意识相互映照，实际上也就是心在形

① 马克思：《1844年经济学哲学手稿》，《马克思恩格斯全集》第42卷，人民出版社1979年版，第129页。

而上与实在形而下，以及其中体现的实在形而下与存在形而上，相互映照。

意识投射过去的科学形成着一个有必然性的关于自然实在构成的框架。在哲学关于显意识与潜意识的映照中，人们对于理性由所能达到的普遍必然性而越来越获得确证着的信念。这带来着人们通常所说的"科学理性"或"实践理性"越来越显示出突出的作用。这使得哲学统摄下的科学学科越来越走向大范围的理论总结，并愈益在人的实践中得到广泛应用。可见，哲学的发展历程是与科学的发展历程相互影随的。正如一个寓言中讲的那样，想割掉影子是一种荒唐事情，想把哲学与科学其中的某一方面从另一方面身旁割掉也是荒唐的。自然科学方法总受哲学方法的引导，科学方法又成为哲学方法的内容或内容补充。正如马克思所说，"感性……必须是一切科学的基础。科学只有从感性意识和感性需要这两种形式的感性出发，因而，只有从自然界出发，才是现实的科学。全部历史是为了使'人'成为感性意识的对象和使'人作为人'的需要成为［自然的、感性的］需要而作准备的发展史。历史本身是自然史的即自然界成为人这一过程的一个现实部分。自然科学往后将包括关于人的科学，正像关于人的科学包括自然科学一样：这是一门科学"。[①]

塑造论哲学认为，"实在"，总是人所看过去、所把握的，是意识所投射的实在，这是人参与了的实在，而且人本身也是实在的。当人去研究这"实在"，就会出现"自我相关""自相缠绕"。塑造论哲学特别重视这种情况。以此种视角来看自然科学，可以看到，当科学，例如物理学指向微观世界和指向宇观世界，特别是指向至大无垠又细微无比的宇宙，由于更加指向终极追问，特

① 马克思：《1844年经济学哲学手稿》，《马克思恩格斯全集》第42卷，人民出版社1979年版，第128页。

别涉及到自我相关、自相缠绕。例如，观察的手段或方式与观察的中介和对象自我相关、自相缠绕，考察的主体与考察的客体对象自相缠绕、自我相关。这往往把人弄得十分难堪。

3. 我们知道，人们直观的经验世界，是处于人体自身的感知器官所能直接感知到的宏观世界这一层面上。人们对此层次的探索，可以凭借直接的感知器官，这感知器官可以延长，可以凭借人们能直接感知到的观测仪器所标示的状态来进行。当物理学指向微观世界或指向宇观世界，情况凸显出重要的特点。指向这一层次的探索，直接的感知器官已显得无能为力，以至必须依靠仪器才能奏效，甚至到了用以考察的手段和被考察的对象处于同一层次的境地。因而人们开始碰到一系列难以解脱的“怪圈”。

作为极端情况，很显然，观测微观运动的仪器是宏观的，而宏观仪器也是内含着微观运动的，这表现为一个怪圈。人们通过仪器在测量着原子、电子以至更深层次的微观客体等等，而仪器又是由原子、电子并包含着更深层次的微观客体构成的；通俗地讲，此时观察者是要通过“光”来看“光”，这显然是个怪圈。惠勒曾以令人惊讶而又富有智慧的方式改进并引述杨氏的双缝实验，表明了一个自观察系统。他描述道，人作为观察者可以在意识支配下对宇宙的早期进行观察，使宇宙的早期升格为具体的实在，这又似乎在“创造”遥远过去的实在；而观察者及其意识本身却又是依赖着这宇宙生成的实在。这出现了怪圈。

用通俗语言也就是说，进人微观世界，人们是以光子“看”光子，是以自身“看”自身；进入宇观世界，人们是处在“至大无外”之中去看“至大无外”，是在人本来参与的宇宙中去看似乎是人之外的宇宙。总之，这是以自然塑造的人去“看”自然的塑造，是在人塑造自然当中“看”自然对人的塑造。这样，自我相关、自相缠绕的“自观测”情况就显得十分严重了。

塑造论哲学强调，作为实在的自然界成为人这一过程的一个现实部分，是人参与其中的、是人看过去的“实在”。塑造论哲学认为，人所塑造的是塑造出了人类的宇宙，人观察的宇宙是塑造出了能被人去观察的宇宙。这体现出与物理学中“人择原理”相仿佛的精神。本着这样的精神来把自然科学理解为自然塑造人和人塑造自然贯彻其中的科学，才能对“自我相关”“自相缠绕”的难题作出理解。对人择原理（anthropic principle）人们又通常称之为人的宇宙原理：可以设想有许多体现不同物理参数和初始条件的宇宙，但只是在宇宙中的物理参数和初始条件有特定值的情况下才能演化出人类。我们看到的是一种允许人类存在的宇宙，此外别无选择。同时也是在说，宇宙之所以是这样，是因为，如果不是这样，就不可能由自然产生人类，即不可能在自然中塑造出人；没有自然塑造出的人，就不可能有人去认识的自然，即不可能有能够塑造自然的人来研究宇宙。

物理学史通常记载，人择原理的基本思想是由美国科学家R. H. 迪克首先提出的。20世纪60年代初，他在论及人类非中心的观念时认为，虽然我们在宇宙中的位置，并不是中心，但我们作为观测者存在需要特定的物理、化学环境，在这方面即具有某种程度的优越地位。迪克还分析了哈勃年龄的值与人类生存条件之间的联系，并且指出，P. A. M. 狄拉克等人所揭示的一系列物理常数和宇宙学量之间令人惊讶的数值关系，之所以只适用于物理学家今天所观测到的宇宙，而不适用于任一可能演化中的宇宙，原因在于观测到的宇宙允许人类存在。他还研究了自然界某些基本常数变化可能造成的后果，认为万有引力常数的变化要比狄拉克所主张的缓慢得多，因而日地距离的改变所引起的地表温度的变化不会严重影响生物的进化。围绕这些讨论，先要涉及的是作为有意识的生命在宇宙时空中的定位，并且以这种论证来解释，现在地球上的条件为何刚好适合于地球上智慧生命的存在；以此表明，如果条件不是“刚好”，我们就不会发现自己现在所处的这个地方。英国科学家B.卡特把这里体现的看法称为“弱人择原理”。1970年，卡特在推广迪克理论的同时，提出了“强人择原理”，认为宇宙及其所依赖的基本参数必须容许在某一阶段产生出作为观察者存在的有机生命。他不仅阐述了人择原理的概念，而且进一步把它与量子力学的多世界解释结合起来，认为根据H.埃弗雷特的无限多世界的系综，只有能够造成可称为观测者有机体存在的那些世界才是真实的世界。强人择原理涉及的范围更广，在这种情况下，不仅关心人自身在自己这个宇宙中的定位，也关心在无限个可能宇宙中的定位。后来，B. J. 卡尔和M. J. 里斯等人，还继之具体分析了自然界各种“惊人的巧合”，对人择原理做了进一步的阐述。

其实，由塑造论哲学来对“人择原理”作出考察，应当注意到的是：主体所认识和把握的宇宙，是人要去知道的宇宙，故这宇宙是人择的宇宙；宇宙被主体所认识和把握，是宇宙能为人知道，而这人是宇宙择人的结果。有“人择”是因为有自然“择人”：自然塑造人，择人的宇宙，择人。有“择人”是因为有“人择”自然：人择，人择的宇宙，人塑造自然。何以知道择人？是因为，自然是这样来择定人的。何以知道人择？是因为，人是这样去择定自然的。“人塑造自然与自然塑造人”——“人择的宇宙与宇宙的择人”，是统一的。何以知道自然是这样的？是因为，人是这样的。何以知道人是这样的？是因为，自然是这样的。所以塑造论哲学提出了这样的“第一立论”或称“第一原理”“我塑故我塑之物和我‘在’‘成’”，“塑我故我和塑我之物‘成’‘在’”。自然塑造的能塑造自然的人，本身就是这样的。由宇宙把人造成这样的，才能知道宇宙是这样的。人就是包含了无限的有限，人本身就包含着硕大宇宙的种种因素。人是宇宙的组成部分，人又全息着整个宇宙。由此，人的意识投射过去的自然科学形成着关于自然界的带必然性的理解框架。这个关于自然界的带必然性的理解框架，支持着人对于在与成的普遍必然性的哲学追问，这之间交相辉映。在这种交互映照当中，科学的无尽探索和哲学的终极追问，实现于科学对于哲学的证实和哲学对于科学的证明。

显然，物理规律是人在研究宇宙现象过程中逐步建立的，因此物理规律必具有人可理解这一性质；而能被人所理解的规律应当是合乎逻辑的。因为人要以逻辑的形式进行理解。而逻辑或逻辑的形式又体现着在自然塑造人和人塑造自然之中积淀于人的必然性。所以“合乎逻辑”这一要求，对规律的形式要求应当说是相当强的，也就是说，并不是随意去构造就能符合“合乎逻辑”这一要求。爱因斯坦曾说：“我真正关心的是，是否上帝能以不同方式建造出这个世界，就是说逻辑简单性这一要求是否还留下任何一点什么自由”。这里包含了如此的意思，即，满足“人可理解”这一要求的基本规律可能是没有太多自由选择的余地的。这是由自然塑造人和人塑造自然的必然性决定的。

所以，对于物理规律的“人择”，可以概括出以下的命题：为什么物理规律是这样的，或许由于只有人依照这样形式的规律去理解，才是可理解的。更详细一点就是：物理规律是在“人去理解”中实现“人可理解的”；“人去理解”中的“人可理解”的规律应当是合乎逻辑的；合乎逻辑就不能是任所欲为；因此，物理规律是受“人去理解”中的“人可理解”这一条件制约的。而“人去理解”时的“人可理解”，又是由于自然界在塑造人时把自然规律的逻辑必然性积淀于人了。

爱因斯坦还曾引用康德的话说，“世界的永恒秘密是它的可理解性”，并补充说，世界可理解这一事实“是个奇迹”。一些科学家还这样来理解“理解性”：宇宙间最不可理解的事情是宇宙是可以理解的。现在我们可以回答说，“宇宙的可理解性”并非由于其他，而正在于存在着大自然塑造的具有对宇宙“去理解”的能力的人，在塑造自然中去能动地理解之。因为，宇宙能演化出具理解能力的人，有了这种人，在塑造自然中，宇宙就必定是可以理解的。否则，宇宙若是不可理解的，也就谈不上存在具有理解能力的人能成，也就不会提问“宇宙为何可以理解”了。人的“在”与“成”，就决定人只能存在于可理解的宇宙中；只有“可理解”的东西，才是可以在“去理解”中成为“被理解”的。这似乎是同义反复，但却是有重要意义的自足论断。

总而言之，“当人”或“当我”去理解，人的存在即“人在”或“我在”，“人成”或“我成”，这是既定的前题。用中国传统语言讲，这是面对“无常”的“有常”。“人在”“人成”的“有常”便成为所有关系中的“常项”。人是常项，人体现主客体必然性所造的仪器也成为常项。这里还关涉到了通常所谓的“常数”。在此很能说明问题的是，科学中的常项或物理学中的常数，是以人成为大自然中的存在为前提的。也就是说，由“人在”“人成”推及“人在人成的必要条件”，即“人择”；或者说，是由“人择原理”决定着科学中的常项或物理学中的常数。“常项”、“常数”是“当下”如此的，而且是“必定”如此、或“必然”如此的。基于这必定如此、必然如此的“有常”，才能去理解、去把握那在经验中一时达不到或证明不了必然性的“无常”，使不能理解的终究成为可理解的。对不能理解的总使之能理解，人的成在是首先的必要条件，甚至可以说这是由“人在”“人成”而去“人择”的常项、常数决定的，是由人的生命形式、人的思维结构、人的意识构成来把握的。由这些形式、结构、构成，人之生命的意识便印在了人的对象之上，即自然塑造于人的意识必然性加入到了人所塑造的自然所体现的必然性之中。这样，人所观察的现象，人所进行的实验，人所制做的仪器、器具，人所创造的物品，都成为被自然所塑造的人的塑造之物。这样，在人把握的规律中已渗透进了人在大自然中存在、生成和生存所既定的"常数"、"常项"，人才去选择了人所塑造之物，人才择定了人所表达或表现了的规律及其解释，人才能去把握体现了世界必然性的物理实在（physical reality）。

可见，了解物理学面对的"实在"，一定不能忘记宇宙或物理世界是人参与了的宇宙或物理世界；是人看过去，宇宙或物理世界才是这样的。这似乎是带上了主观主义的色彩，至少有人会认为这与主观主义划不清界限。然而，参与了宇宙或物理世界、去看宇宙或物理世界的人，又是宇宙或物理世界所造成的，上面积淀着宇宙或物理世界给了他们的必然性，这又是客观的。当从人来讲，看起来人所看到和理解出"宇宙或物理世界是怎样的"是由人或实验观测者断定的，人成了主导方面；其实，这是宇宙或物理世界、是大自然自身来通过人或观测者实现意识自身，是大自然既决定了观察者又决定了观察者参与。基于此，我们肯定了宇宙或物理世界是客观实在的。是作为客观实在的宇宙或物理世界造成了带客观实在性的人；这才能去看宇宙或物理世界，去认识或意识作为物理世界的宇宙，才知道宇宙或物理世界是"哪个样子"或"这个样子"的，是"这样而成"或"那样而成"的。从这个意义上理解物理实在，恰恰是坚持了客观精神，这就与纯粹的主观主义划清了界限，同时又是强调了人的主体性或主体能动性的客观精神。这正是塑造论哲学面对一系列哲学难题所给以充分哲学说明的。

正如塑造论哲学强调的，人面对自然有着不断向着自然进行探索的过程；这是人不断延长自身而"使自然界成为人这一过程现实部分"不断发展的过程。在自然塑造的人去塑造自然的过程中，才使"存在"落实为"实在"，才使"成"落实为"成就"，把自在之物变成人为之物，这"人为之物"同时是

“为人之物”。这是一种目标在于主客体达到统一，从而使自然衍生的人在实践中使自然飨成自身的过程。这要体现必然性，又正是在这一过程中确证着人与自然的必然性。①

由科学技术的巨大进展，我们可以十分清楚地看到，在自然塑造的人去塑造自然的过程中，自然界作为人这一过程的现实部分，人们在实践中越来越能够把原先并不明确的必然性，在实践中确证其必然性，人们在实实在在的制造中，把确证着的主客体必然性，越来越在“塑造之物”中明明白白地建构起来，实实在在地放在那里了。总之，这是把“存在”落实为“实在”的过程，又正是在这一过程中“文化人类”创造着“人类文化”，这不断确证着必然性；这使自然飨成于人类，又使人类成就着自然，自然成就着人类。

（二）关于“成就”。

自然塑造的人在塑造自然中，成就着自然，同时成就着人。《说文解字》讲，“成，就也”；“成立”，本身即指成就。对于“成就”这个词，中文古今文献中带有成为、完成、造就、成全、成材、成功、业绩等等的含义。在《论语·量知》里有“人之学问，知能成就，犹骨，象玉石切磋琢磨也”。与此相关的概念特别有“成人”“成德”“成性”“成身”“成物”等等。在中国思想史上，思想家们往往把“成人”“成德”“成身”“成物”等密切联系起来讲“成就”。

对于“成人”，《论语·宪问》里记有“子路问成人。子曰；‘若臧武仲之知，公绰之不欲，卞庄子之勇，冉求之艺，文之以礼乐，亦可以为成人矣。’曰：‘今之成人者何必然，见利思义，见危受命，久要不忘平生之言，亦可以为成人矣。’”朱熹在《四书

① 参阅，张全新：《塑造论哲学导引》，人民出版社1996年版，第665～676页。

集注》中写道:"成人,犹言全人"。对于"成人"荀子又说,"德操然后能定,能定然后能应,能定能应,夫是之谓成人。"①

《易·乾》讲:"君子以成德为行"。汉王充《论衡·量知》有,"尽材成德也"。宋王安石的《枢密使张昇父惠赠太师可赠中书令制》有,"积仁之庆,实在其子,终有成德"。明王守仁的《传习录·卷上》有,"惟以成德为事"。王夫之特别由"成德"讲"德成",他说,"知有诸内者之形诸外,则知潜虽伏尔孔昭,内省无恶,而不可及之德成也。……先儒谓诚意为'玉钥匙',盖本于此。诸说唯何潜斋得之,惜于'知远之近'句未与贴明。何意盖疑'奏假无言'一段为成德之效,非入德之事。不知知德之所成,则知所以入之功效,原相准也。"②

对于"成德",王夫之在对《论语》《雍也篇》的评述中特别展开写道:"若以深言之,则不伐之成德,……在功德已盛之后,以自极于高明广大之至,而即以移风易俗"③。王夫之评述了,从《论语》的开始《学而篇》,就基于"内从安其心""外以成其身"说到"成其德";他讲到,"斯圣功之极至,成德之终事,圣人于下梢处,一倍精神,欲成一切,而此物之成,不能速成彼物,故理自相同,而功无偏废。"王夫之又讲,"志道笃则德成于心,据德熟则仁显于性。"④这就涉及到"显于兴"及"成性""性成"。

《尚书·太甲》中有"习与性成"之说。王夫之在讲有关天人之德性养成的基本主张时,对此加以发挥道,"习与性成者,

① 《荀子·劝学》。

② 王夫之:《读四书大全说》卷三《中庸·第三十三章》,中华书局 1975 年版,第 188~189 页。

③ 王夫之:《读四书大全说》卷五《论语》,中华书局 1975 年版,第 289 页。

④ 王夫之:《读四书大全说》卷五《论语》,中华书局 1975 年版,第 308 页。

习成而性与成也"[1]。他称："性者天道，习者人道"，以此论"性成"，认为"性者生理也，日生则日成"。王夫之继承和发展了前人关于"性"之善恶皆出于"习"的观点，认为"学成于聚"，"学、虑，习也"，强调"教修而性显"。王夫之论"知行有别"，"行先知后"，"行可兼知，而知不可兼行"；他对此归于"革"与"用"，讲"未成可成，已成可革"，"能自取而自用也"；于是，"明诚合一，则其知焉者即行矣"，"全体明而大用行也"。王夫之继承发挥张载"君子之道，成身成性以为功者"的论点，针对程朱"存天理灭人欲"，论证"饮食男女之欲，人之大共也"，"理寓于欲"，"于人欲见天理""天理""必寓于人欲以见"，"养其生理自然之文，而修饰之以成乎用者，礼也"；认为人之性，既"有仁义礼智以正其德"，又"有声色臭味以厚其身"，两者不相悖害"而互为体也"；他强调应合理地满足人的欲望，人之性不能离开人的合理欲望的满足，这才能"成身"，即在"成身"中"成性"。

对于"成身"，《吕氏春秋·尊师》中说："知之盛者莫大于成身"。《礼记·哀公问》载孔子答复哀公问："古之为政，爱人为大；不能爱人，不能有其身，不能安土，不能乐天，不能成身。"孔颖达疏："不能乐天者，身既失，业不知已过所招，乃更怨天，是不能受乐于天也。""不知乐天，不自知其罪，将谓天之滥罚罪恶之事，无所不为，是不能成身。"北宋张载讲，"君子之道，成身成性以为功者"。王夫之讲，"大达于天，则成性成身矣"[2]。颜元在充分论"践形"之中讲"尽性"，从而发挥"成性""成身"的思想。颜元说："践其形则践其性矣"[3]。他主

① 王夫之：《尚书引义·太甲二》。

② 王夫之：《张子正蒙注》卷五，中华书局1975年版，第167～191页。

③ 颜元：《存学编》。

张"见之事"、"征诸物"。颜元讲,"德行艺总名曰物"①,认为"艺精则行实,行实则德成"②,"所行能斡旋乾坤、利济苍生之所行,才能实现"正谊谋利,明道计功"。颜元由其"践形论",讲"成人""成性""成德",注重"习形""习事"以致"习动""习行",由尚"事功",提出了一套经世的思想。在颜元思想中很重视,"人之形官器利用大远乎物";强调"践形之于尽性、尽其才,其义一也。"③

对于"成物",《礼记·哀公问》记有:"公曰:'敢问何谓成身?'孔子对曰:'不过乎物。'"《孔子家语·大昏解》还讲,"不过乎物,合天道也","行已不过乎物,谓之成身"。"成物"亦即"物成",指,成就于物。《礼记·中庸》论述道:"诚者,非自成己而成己也,所以成物也。成己,仁也;成物,知也。性之德也,合内外之道也。"孔颖达疏:"言人有至诚,非但自成就己身而已,又能成就外物。"明刘若愚《酌中志·内臣职掌纪略》讲:"盖治世法舆出世法,即儒门成己成物,用舍藏之道。"明末清初黄道周在《榕檀问业》中则讲:"继天成性,包裹天下,共明共性,不说物不得"。"继之成之,诚之明之,择之执之,都是此物指明出来,则直曰性,细点出来,则为心为意,为才为情"。"当身显现","如此才要诚","自一物看到百千万物,现来承受","知至便是明诚"。"个箇贯得","在在会心,便是绝大成就"。④

在中国诸多思想家看来,"成身""诚身"与"成物",是与

① 李塨:《颜习斋先生年谱》卷下,《颜元年谱》,中华书局1992年版,第96页。

② 颜元:《四书正误》卷三,《论语上·述而》,《颜元集》,中华书局1987年版,第194页。

③ 戴震:《孟子字义疏证》。

④ 《诸儒学案下四·榕壇问业》,《明儒学案》卷五十六,中华书局1985年版,第1334～1351页。

"成就"联系在一起的。张载讲"诚明"，论证"已诚而明"，他指出"诚有是物"。王夫之在《读四书大全说·孟子·尽心上篇》里特别论证了"反身而诚"才有"于吾性中成物之德"。王夫之讲，"'至诚'者极至其笃实充满之大用，所谓'诚身'也。""《章句》云'此自诚而明之事'，则尽人物之性，赞化育，参天地，皆以极明之用也。""'处无不当'，则是诚以成物，而亦为明之效者，明之所至，诚用皆达也。尽人物之性"[①]。所以说，"自，则摄物归己"，"兼物力言""物之成也"。因而，"诚丽乎物以见功，物得夫诚以为幹。万物皆备之诚心乃万物大成之终始。诚不至而物不备于我，物不备则无物矣。"[②]"我可以自成其心而始可有夫物也。……故'诚'之为言，兼乎物之理，而'自成'则专乎己之功。诚者，己之所成，物之所成；而成之者，己固自我成之，物亦自我成之也。""'诚者物之始终'，不择于我之能有是物与否而皆故然，则可下洎于鸟兽草木而为言；若夫'不诚无物'，固已捨草木鸟兽而专言人事矣。""顾此'无物'字，则犹兼己而言，而不如下'成物''物'字之与'己'为对设之词。盖'无物'之物，大要作'事'字解。……有始有终，共成一物"[③]。"成者，见于事物而各成其也"[④]。

与关于"成就"相关，中国思想史上有一系列范畴。这里要说到，如："成事"，指成就事情，《史记》上记有对"多大言，少成事"的批评。"成功"，《尚书·禹贡》记有"禹锡玄

① 王夫之：《读四书大全说》卷三《中庸·第二十二章》，中华书局1975年版，第148～149页。

② 王夫之：《读四书大全说》卷三《中庸·第二十五章》，中华书局1975年版，第162～163页。

③ 王夫之：《读四书大全说》卷三《中庸·第二十五章》，中华书局1975年版，第164～165页。

④ 王夫之：《张子正蒙注》卷五，中华书局1975年版，第191页。

圭，告厥成功"，《尚书·大禹谟》上有"成允成功"。"成务"，指成就事业，《易·系辞上》写有："能成天下之务"；子曰："夫易何为者也，夫易开物成务"。"成化"，指成就德化也。"成器"，成就器具，《易·系辞下》中有，"是以出而有获，语成器而勋者也"，《礼记·学记》中有，"玉不琢，不成器"，这又犹云"成才"。"成材"，即成就人才。"成济"，指"成全""周济"，本身就指"成就"。"成果"，指"成全""成立"的成就。另有："成造"，指造就；"成体"，指构成形体；"成毕"，指事功完成；"成效"，指成就的效果；"成利"，指成功之利；"成绩"，指成功业绩；"成勋"，指成就之勋业；"成务"、"成业"、"成烈"，都指成就事业，如此等等。可以说在"成物"的延伸意义上，中文的"成"字可以与诸多词汇搭配，形成对各种情况下各个领域"成就"的表述。

（三）"成就""实在"，"实在""成就"。

在西方思想史上，诸多思想家十分重视巴门尼德所讲的estin eina（"是某个东西是"）；在他讲来，存在唯在于其存在，别无其他概念能对之规定。笛卡尔则讲Cogito，ergo sum［"我思故我在（是）"］。而马克思强调，"自然界成为人这一过程的一个现实部分"。人"正如它们在自然对象中才能得到客观的实现一样，只有在关于自然本质的科学中才能获得它们的自我认识"。这里的"现实部分"是指向形而下的，这是由形而上指向形而下；实现于此，才能把握住实在，实现作为主体的人与作为客体的实在的统一。

在中国思想史上，诸多思想家十分重视《中庸》里所讲的，"诚者，自成"。子思又讲"诚者，物之始终，不诚无物"。所以他强调"诚者，非自成己而已也，所以成物也"。实现于此，才能达到"民胞物与"，以致"万物皆备于我"。这里的"万物"是形而下的，这是由形而上指向形而下的；成于此，才能达于成就，达到人之心与成身成物之成就的统一。

由塑造论哲学来讲，一方面要有形而上追问，一方面要有形而下的落实：关于“是在”，潜在的“是”显成“实在”，这时已由可能的“在”达到现实的“在”；关于“诚成”，潜在的“诚”显成“成就”，这时已由可能的“成”达到诚至的“成”。

四、塑造论哲学关于经济学政治学及社会学的延伸论证

（一）塑造论哲学论述了基于形而下的形而上设置，在此对比了原始崇拜的形而上设置、宗教信仰的形而上设置和哲学思想的形而上设置；论述了关于形而上与形而下的中介，在此讲到了延异与到得、时间和空间、塑造单子及单子群；论述了达于形而下的形而上落实，阐述了逻辑→理论、韵律→艺术、程序→技术、伦理→道德，进而指向实在成就为人这一过程的现实部分，并延伸于经济、政治以至社会的论证，强调“是在”“诚成”实现于“价值”，“是在”“诚成”实现于“文明”；这统一于社会存在，统一于社会生成；这体现于经济人、政治人、社会人，体现于经济政治及社会各个领域。

塑造论哲学从自然对人塑造所产生的“文化人类”和人对自然塑造所产生的“人类文化”二者交织的意义上，重视揭示人的实践与人的衍生的关系，指出基于自然塑造人和人塑造自然，在衍生中才有实践的人，在实践中才有人的衍生，在衍生中才有人的实践，在实践中才有衍生的人。用中国的传统哲学语言来讲，这里体现着“生成之道，和合之妙”。《塑造论哲学导引》在阐述这一问题时，由“自然的熵减”和“自然的熵增”等概念，提出了“人为熵减”、“人为熵增”，“自然熵减的良性无意识”、“自然熵增的恶性无意识”、“人为熵减的良性有意识”、“人为熵增的恶性有意识”，论述了无意识的冲动性、有意识的规范性及有意识与无意识的束缚和挣脱关系，潜意识的生

成性、显意识的成就性及潜意识和显意识之间的发散与收敛的关系等等。

《塑造论哲学导引》这样论述到：每当“我塑之物”成为“我上手的感性之物”，立刻基于我的感知、感受、体验和经验而意识到：对于处在世界中的我（在自然、人我、社会中的“我”）来说，对象及环境或者有成于“我”、“人我”、“社会”，或者无成于“我”“人我”、“社会”。有成于的便成为有序的，无成于的便成为无序的。有序的与熵减之箭同一方向，信息量增加，从而得到与自己相合的生命力，离自己越来越近，并显示自己，成为“养料”，这是走向再生的。无序的便与熵增之箭同一方向，信息量减少，从而失去与自己相合的生命力，离自己越来越远，不显示自己，成为“垃圾”，这是走向毁灭的。作为主体的人的“塑造之物”，不论是理论的、艺术的、技术的、道德的，还是经济的、政治的及整个社会的，总是或造成着人为熵减或造成着人为熵增，这决定着人们由其自身生存发展而对它或肯定取纳或否定抛弃。

（二）由塑造论哲学原理来讲，“塑造”与“文化”属同一系列的范畴，这使“价值”成为直接相关的范畴。

1. 我们前面已经反复论述，对于“塑造”，这里总起来讲关注“自然塑造人形成文化人类”“人塑造自然形成人类文化”。自然塑造人形成文化人类这是走向有序；而人塑造自然形成人类文化，既可能产生有价值的文化，也可能产生无价值的文化。

这样，对于“价值”，塑造论哲学提出，应当由“负熵价值论”来统一整个的价值概念。这里强调，在揭示什么是价值时，应注重考虑与“信息”的关系，也意味着注重考虑人处于有序度之中的关系。“负熵”与“信息量”是等价的，可基于$H(x)=-K\sum_{i=1}^{i=\alpha}P(x_i)\log P(x_i)$这一“信息熵”的公式来刻划；“熵”与“负熵”成为判定一个系统是失去还是获得了“信息”或“有序度”的量度；这里“熵减”“有序化”和“熵增”“无序化”，互为负值。这里的价值含义突出体现着：“是在”“诚成”中，人行为注入负熵的飨成是形成良性的有序系统，人的实践和衍生活动终究要相随于社会协调、持续而全面的发展进步，在这过程中确证和实现着人与自然、人与社会、自然与社会的必然性。

从经济价值来讲，塑造论哲学特别论证了，劳动价值论和效用价值论应当归结为一个统一的价值理论。依照以上的见解，对这种价值论可称作“劳动和效用的负熵价值论”。在此，以劳动分配和效用配置是否为生产和消费、为社会经济、为人类发展给出负熵为理论基点，来解释劳动价值的更深刻意义，来解释效用价值的更深刻意义。也就是说，在“劳动价值”与“效用价值”中应引入负熵的参量，在其中特别注意考虑“劳动时间和边际效用”及其与负熵的关系。基于这样一些因素来把劳动价值与效用价值统一起来加以判定和计量，再考虑市场经济的均衡，考虑国民经济的平衡；同时可综合起来以关于耗散结构的理论考虑均衡系统和非平衡系统的经济模型，等等。而这是通过“看不见的手”与“看得见的手”来实现的。总之，这里价值的含义突出体现着：由经济行为注入负熵的飨成，而形成良性的有序系统，实践和衍生中的经济活动终究相随于社会协调持续而全面的发展进步，在这过程中经济关系确证和实现着人与自然、人与社会、自然与社会的必然性。与此相反，那便是无价值的。①

对于政治价值，塑造论哲学专门论证了，应考虑到自然法

① 参阅张全新：《关于劳动价值论和效用价值论的协调性问题》，《理论学习》2001 年第 3 期；张全新：《劳动和效用价值的负熵价值论》，《新华文摘》2001 年第 8 期。

与人为法的统一。依照这一见解，可以对这种价值论以"自然生成的法"和"人为制定的法"是否为占有和管理、为社会政治、为人类发展给出负熵为理论基点，来解释自然法价值的更深刻意义，来解释人为法价值的更深刻意义。也就是说，应在"自然法价值"与"人为法价值"中引人负熵的参量，在其中特别注意考虑"自然成法和人为立法"及其与"负熵"的关系。基于这样一些因素来把自然成法的价值与人为立法的价值统一起来加以认识和把握，再考虑法制中的政治均衡，考虑法治中的政治平衡；同时可综合起来以关于耗散结构的理论考虑均衡系统和非平衡系统的政治模型，等等。而这是通过"自然法"与"人为法"来"法""看得见的手"和"看不见的手"而实现的。总之，这里价值的含义突出体现着：由政治行为注入负熵的飨成，而形成良性的有序系统，实践和衍生中的政治活动终究要相随于社会协调持续而全面的发展进步，在这过程中政治关系确证和实现着人与自然、人与社会、自然与社会的必然性。与此相反，那便无价值的。

塑造论哲学展开论证了，对于社会价值，要考虑"社会存在""社会生成"建构与发展的统一。依此见解，塑造论哲学由其"价值论"认为，要以对交往、对整个社会、对人类发展给出"负熵"为理论基点，来解释"社会存在""社会生成""建构"与"发展"的更深刻意义。也就是说，在"社会存在""社会生成"的统一中，引入负熵参量，在其中特别注意考虑社会存在社会生成与负熵的关系，基于这样一些因素来把社会存在和社会生成在价值基础上统一起来加以认识和把握，再考虑社会民间、民俗的存在生成，社会群体、社团的存在生成，考虑社会在改革与稳定中实现和谐社会的持续发展，综合起来以耗散结构的理论考虑均衡系统和非平衡系统的和谐社会模型，等等。[①] 而这是通过自然历史过程和人为建设过程来实现的。总起来说，这里“价值”的含义突出体现着：由社会行为注入负熵的飨成而形成良性的有序系统，实践和衍生中的社会活动终究相随于社会协调持续而全面的发展进步，在这过程中社会价值确证和实现着自然与社会的必然性。与此相反，那便是失掉价值的。

关于此，塑造论哲学的著作中从不同角度反复论述到，对于“价值”，应当针对诸学说、各领域对之有各种各样而并不统一的规定性，由“负熵价值论”来整合，以统一整个的价值概念。这里强调，在揭示什么是价值时，应注重考虑其与“序”、与“信息”的关系，这意味着注重考虑人处于有序度之中的关系。“熵”与“负熵”可成为判定一个系统是失去还是获得了“信息”或“有序度”的量度；这里“熵减”“有序化”和“熵增”“无序化”，互为负值。由此，价值的含义应突出体现着：人之行为注入负熵的飨成才形成良性的有序系统，人的实践和衍生由此确证和实现着人与自然、人与社会、自然与社会的必然性。取得负熵就有“价值”，失掉负熵就无“价值”。[②]

这里显然有着如此的概念联系：“负熵－有序”－“序”的“正值”；“正熵－无序”－“序”的“负值”。而“序”与“程序”是相通的。可见“值”“值得”“值当”、“法”“法度”“法规”与“序”“程序”是相通的。“价值”与“序”“程序”

① 参阅，张全新：《“耗散结构”与“非平衡系统经济学”》，载《中央党校论坛》，1995 年第 1 期。

② 参阅张全新：《关于劳动价值论和效用价值论的协调性问题》，载《理论学习》2001 年第 3 期；张全新：《劳动和效用的负熵价值论》，《新华文摘》2001 年第 8 期。

同样是相通的。这从对于"价值"以及"价"与"值"的词义辨析中可以看得出来，很有意味的是，在中文里"价""值"这两个字以及"价值"这个词，在使用上本身就体现出这些意思。

塑造论哲学认为，价值是关于对与不对、适与不适、行与不行以及该与不该的综合评价，是真、美、益、善的统一。概括起来说，人们在对应性中求真，在取悦性中求美，在权变性中求益，在共生性中求善。但一般来讲，善的包含着益、包含着美、包含着真；但真的不一定美、美的不一定益、益的不一定善。显然，逻辑真有关于美、益、善的判断，美有自然美、人性美、社会美、生态美，技术益内在着逻辑真、表现着美、体现着美，善体现着真、美、益，有个人善、社会善。如果对真美益善这若干方面不作为一个整体系统来看待，那可能只"对"而不"适"，只"适"而不"行"，只"行"而不"该"，等等。离开综合评价，固然可使其中某个方面成立，但不可能真正实现"价值"。真美益善综合地现实于人满足其某种需要，才有价值，不满足需要就没价值。然而人的需要是分层次的。这就要对满足需要作出逐个层次的考虑。在种种需要中，从哲学上概括，根本在于满足对人的本质加以确证的需要。

按照"真美益善"的"法则"，使"对、适、行、该"这几个方面协调起来，体现确证人自身本质的价值，这实现着，主体在塑造之物中，完善主体，完善自我、完善人我、完善社会、完善客体，在满足人的需要中，按是否能确证自己，调整着自己的塑造；这是在内化外化，在抽象化具体化、典型化具象化、优选化具备化、理想化具在化，以及在发散收敛中、在生动开发并规范节制中，使有意识的理论、艺术、技术、道德活动达到的真美益善统一，形成并拓展于一系列反馈控制系统构成的经济政治及社会的大的反馈调控系统。

作为经济政治及社会的价值调控，以真美益善为底衬，形成程序伦理、伦理程序的架构形式。基于此，特别是基于由技术益、道德善形成的程序伦理、伦理程序架构形式，形成体现社会关系总和的经济人、政治人、社会人的行为及其悖论。这其中体现出："程序"与"伦理"，"法"与"值"或"法度""法规"与"值得""值当"，"法·法度、法规"与"法律"，"值·值得、值当"与"价值"，"法律"与"价值"，它们之间有着一种微妙贯通性。这内在着从无意识到有意识，及潜意识与显意识，从超意识到有意识，内在着显意识潜意识的科学与哲学相互映照过程。

当说到从"无意识"到"有意识"，就"经济""政治"及"社会"来说，有着一种从形成一般的"值"（"值得""值当"）再向"价值"的演化过程。在此要讲到的是，由关于"程序""伦理"的"一般"到"经济""政治"及"社会"的"程序伦理""伦理程序"，这就生成了涉及形式"义利（经济利益义善）""正义（政治正当道义）""在成（社会的存在生成）""诚是"的"值（值得、值当）价值"，而这种作为"值（值得、值当）价值"的"程序伦理""伦理程序"，是在社会行为符号的内化中形成的。是伴随着从无意识到有意识及能有潜意识显意识的人的发展，涉及到社会关系，才形成了人类社会的"社会潜意识"和"社会显意识"。要强调的是，这不是在"抽象人"意义上的"意识"而是在社会的"具体人"意义上的意识，是社会人的意识，是社会意识。也就是说，这是人在潜意识生成中及人类在社会潜意识生长中而形成的关于经济政治的社会潜意识；这是人在潜意识向显意识外化中及人类在社会潜意识外化于社会显意识中而形成的关于经济政治及社会的社会显意识。就"经济"而言，从无意识的没分化，到分化成社会的"经济潜意识""经济显意识"，再到其在统一中成为同一而实现超越；这正是从"值"（"值得""值当"）到"价值"再回归到（"值当""值得")"值"的历程，这正是社会从没分化出商品到出现商品再回归于无所谓商品的历程，其中包括着社会产品从谈不上商品价值到有所谓商品价值再到脱掉商品价值而回归于社会化生产的、直接称作产品的历程。这指向着：从直觉的自生即从自生的"值"（自生地内在"值得"），到自发的"值"（自发地体现"值当"）而形成"价值"，经过自觉的"值"（自觉地意识到"值得""值当"）进入直觉的"值"（直觉地体现"值得""值当"）而实现超越。这里历经"自生一（自发一自觉）一直觉"而走向的超越，是社会在发展中各因素愈益走向和谐统一的超越。这走向着统一于"负熵"或"信息"的"有序"而不断焕发有机活力的超越，是使社会不断显示出生命生机的超越。就"政治"而言，从无意识的没分化，到分化成社会的"政治潜意识""政治显意识"，再到其在统一中成为同一而实现超越；这正是从"法"（"法则"、法规）到"法律"再回归到（法规"法则"）"法"的历程，这正是社会从没分化出政治到出现政治再回归于无所谓政治的历程，其中包括着从社会没产生国家到有国家再到国家消亡而回归于社会的历程。这指向着：从直觉的自生即从自生的"法"（自生地内在"法则"），到自发的"法"（自发地突现"法则""法规"）而形成"法律"，经过自觉的"法"（自觉地意识到"法则"法规）进入直觉的"法"（直觉地体现"法规""法则"）而实现超越。这里历经"自生一（自发一自觉）一直觉"而走向的超越，是社会在发展中各因素愈益走向和谐统一的超越。这走向着统一于"负熵"或"信息"的"有序"而不断焕发有机活力的超越，是使社会不断显示出生命生机的超越。

2．塑造论哲学由此对"文明"作了规定。也就是说，在上述情况中应当重视出现"人为熵减良性有意识"与"人为熵增恶性有意识"的情况。因为，在大自然的发展中塑造着文化人类。这一过程是从无序到有序的熵减过程。这是作为开放系统耗散结构的自组织过程，在此自组织过程中由无意识形成的潜意识，由潜意识到与之一致的显意识，这是有意识的人把自然进化造成的有序结构加以延伸，这里形成着人类文化。在此过程中，人按照自己的序参量塑造着自然。这样，塑造论哲学由此对于“文明”与“文化”作出区别。塑造论哲学强调，文明与文化是有区别的。由于文明是人类社会发展所呈现出的社会状态，标志着人类的进步程度，所以，文明总是同人类历史活动的积极成果直接相联。而文化却并不只限于此，表现为各种各样人类创造物的具体存在形式。显然，并非任何文化现象都可归于文明的范畴。在此过程中，应意识到会有不良的以致反动的“文化”，却不能讲会有不良的以致反动的“文明”。

所以说，在塑造论哲学中当对于社会的“文明”与“文化”作出定义上的区别，应当是这样的：如果人类文化成为一种飨成于人之有序必然性而有成于自然有序性的开发，就带来人为熵减，这与自然熵减之箭形成同一方向，从而形成文明文化。因为走向文明文化的过程与自然熵减之箭同一方向，这是走向有序的过程。由于这种有意识的人为熵减对人类来说是良性的，可称之为人为熵减的良性有意识。如果人类文化是一种不飨成于人之有序必然性并无成于自然有序性的破坏，就带来人为熵增，这与自然熵增之箭形成同一方向，从而形成非文明文化。因为走向非文明文化的过程与自然熵增之箭同一方向，这是走向无序的过程。由于这种有意识的人为熵增对人类来说是恶性的，可称之为人为熵增恶性有意识。这种对文化中文明和非文明的区分和阐释，对于澄清这方面的种种混乱具有很强的针对性。这可以真正立足于哲学史并科学地回答经济政治乃至社会的文明何以可能的问题。

重要在于，由塑造论哲学原理来讲，如果说“塑造”与“文化”属同一系列的范畴，那么“价值”与“文明”便成为直接相关的范畴。我们前面作为塑造论哲学原理已经反复论述，对于“塑造”，这里总起来讲关注“自然塑造人形成文化人类”“人塑造自然形成人类文化”。自然塑造人形成文化人类这是走向有序而抵御无序；而人塑造自然形成人类文化，则既可能产生文明的文化也可能产生非文明的文化。这样，对于文明，塑造论哲学由“负熵价值论”来统一整个的价值概念，也由此对“文明”这一概念作出规定。这里，十分注重考虑人处于有序度之中的关系。既然“负熵”与“信息量”是等价的，便可基于$H(x)=-K\sum_{i=1}^{i=\alpha}P(x_i)\log P(x_i)$这一“信息熵”的公式来刻划文明；既然“熵”与“负熵”成为判定一个系统是失去还是获得了“信息”或“有序度”的量度，这里“熵减”“有序化”与“熵增”“无序化”，互为负值。这里的文明含义突出体现着：人之行为注人负熵的飨成是形成良性的有序系统，人的实践和衍生活动终究要相随于社会协调、持续而全面的发展进步，在这过程中确证和实现着人与自然、人与社会、自然与社会的必然性。

此为：“是在”“诚成”统一于价值而形成的“文明”，文明才被用来指人类社会历史发展中与蒙昧、野蛮状态相对而言的进步和开化状态，这是人们顺应和改造自然、社会和自己主观世界的成果。

3．综合《塑造论哲学之经济学哲学论证》与《塑造论哲学之政治学哲学论证》与《塑造论哲学之社会学哲学论证》的内容，由塑造单子图式，在经济与政治的比照当中，在关于社会的整体中，形成这样一系列具体展开了的关系框架：

社会

（人口）繁衍（活动行为）—交往—（工具符号）生存（发展）

价值（看不见的手、看得见的手）（法度、法规）法
（财富）生产—（交换—流通）—消费（生活）
投入与产出　供给与需求　分配与所有
价值（市场—计划）配置
义利

文明　　文明

正义
效率、自由 ＞生动开发—规范节制＜ 公平、平等
法规（法治—法制）法律
权利与义务　权威与权力　民主与集中
占有—（统治—治理）—管理
（自然法、人定法）法律与值（值得、值当）

（人口）繁衍（活动行为）—交往—（工具符号）生存（发展）

社会

综合而论，我们要由经济价值说开的经济循法运行体现的经济文明（现在人们常表述为物质文明）、由政治依法运行说开的政治价值体现的政治文明（现在人们常主要说到制度文明），镜像对称地合在一起，为进一步论证具有社会（文化）价值的社会文明（现在人们常由此讲到所包括的精神文明）何以可能，以塑造论哲学体系给出证明和证实。

总之塑造论哲学强调：作为映照于科学方法的哲学方法，实现于“超意识—显意识—潜意识—无意识”的系列之中；而作为与哲学方法相映照的科学方法，实现于“无意识—潜意识—显意识—超意识”的系列之中。由此，整个体系在哲学方法与科学方法的相辅相成中，形成一个首尾相接的循环圈，而

且两个系列各阶映照，成阶梯推进，两个系列之间的诸多因素也形成相互映照，从而形成证明和证实。由此，不断展开其内容丰富的塑造论哲学体系及其统摄下的科学系统，实现着形而上与形而下的统一。这指向着超越。

（三）塑造论哲学著作各卷正是在此种系列的展开中，对于人与社会的必然性何以可能，对于经济学政治学及社会学揭示其必然性何以可能，给出拓展论证。同时各作为《塑造论哲学全书》的组成部分，与其他关于各个领域的论证一起，共同构成塑造论哲学的严整体系。这体现于塑造论哲学，其认为：哲学体系应能展开对所有部门学科加以论证。基于此，塑造论哲学体系拓展到了关于经济学、政治学、社会学各领域的论证。

1. 《塑造论哲学之经济学哲学论证》这一卷，首先从"塑造论哲学对哲学何以可能的回答"论述起，把经济学涉及的主要方面纳入"塑造单子的基本解析图式"，形成关于经济的"（财富）生产－交换流通－消费（生活）"这样一个解析图式。这是绪论部分的主要内容。然后，沿着"无意识－潜意识－显意识－超意识"分一、二、三篇。第一篇把"无意识"前提作为"前阶"，由此说起。第二篇论述作为"枢纽"的"经济潜意识－经济显意识"关系，就此展开。先由"社会潜意识"层面，就作为经济的"'程序伦理'之'值'的（形式）公设"，或体现"值（值得、值当）"的原初（经济）状态，论述了"经济义利（经济利益义善）的必然性形式是何以成为可能的"；再由"社会潜意识和社会显意识"的关系，解析了经济人悖论，之后就作为经济之"值（值得、值当）"体现于"民生世事"的"义利"，论述了"经济义利的普遍性统摄是何以成为可能的"；又在"社会显意识"层面上，就经济"'值'体现于'民生世事'"而指向"经世济民"所显现出来的经济体系，论述了经济何以获"益"至"善"，论述"经济义利（效率公平）的绩效性显现是何以成为可能的”。这里，“看不见的手”和“看得见的手”实现着对于“值（值得、值当）价值”的调节。第三篇关于向“超意识”状态升华，指向着超越。由值（价值）与法（法律）的关系，通过解析“看不见的手”和“看得见的手”及其学说构建史，阐述了“潜意识－显意识”经“对立统一”走向“同一”，从而实现经济发展中的一级级文明，走向和谐与超越。这一系列论证，归结到回答“经济必然性是何以成为可能的”并且是“经济学所描述和论证的经济必然性是何以成为可能的”，从而对经济学意义的形而下支持哲学意义的形而上是何以成为可能的，作出结论。[①]

2.《塑造论哲学之政治学哲学论证》这一卷与《塑造论哲学之经济学哲学论证》相对称，首先从“塑造论哲学对哲学何以可能的回答”论述起，把政治学涉及的主要方面纳入“塑造单子的基本解析图式”，形成关于“政治”的“占有－统治治理－管理”这样一个解析图式。这是绪论部分的主要内容。然后，沿着“无意识－潜意识－显意识－超意识”分一、二、三篇。第一篇把“无意识”前提作为“前阶”，由此说起。第二篇论述作为“枢纽”的“政治潜意识－政治显意识”关系，就此展开。先由“社会潜意识”层面，就作为政治的“‘伦理程序’之‘法’的（形式）公设”，或就体现“法（法规、法度）”的“原初（政治）状态”，论述了“政治正义（政治正当道义）的必然性形式是何以成为可能的”；再由“社会潜意识”和“社会显意识”的关系，解析了政治人悖论，之后就作为政治之“‘法’（法规、法度）”体现于“世情民事”的“正义”，论述了“政治正义的普遍性统摄是何以成为可能的”；又在“社会显意识”层

① 参见，张全新：《塑造论哲学之经济学哲学论证》（上下卷），齐鲁书社2006年版。

面上，就政治"'法'体现于'世情民事'"而指向"布政治世"所显现出来的政治体系，论述了政治何以至"善"获"益"，论述"政治正义（自由平等）的合法性显现是何以成为可能的"。这里，"自然法"和"人为法"实现着对于"法（法度、法规）法律"的调节。第三篇关于向"超意识"状态升华，指向着超越。由法（法律）与值（价值）的关系，通过解析"自然法"和"人为法"及其学说建构史，阐述了"潜意识—显意识"经"对立统一"走向"同一"，从而实现政治发展中的一级级文明，走向和谐与超越。这一系列论证，归结到回答"政治必然性是何以成为可能的"并且是"政治学所描述和论证的政治必然性是何以成为可能的"，从而对政治学意义的形而下支持哲学意义的形而上是何以成为可能的，作出结论。[①]

3.《塑造论哲学之社会学哲学论证》体现了进一步的综合。这里，首先从"塑造论哲学对哲学何以可能的回答"论述起，把社会学涉及的主要方面纳入"塑造单子的基本解析图式"，形成关于"社会"的"（人口）繁衍（活动行为）—交往沟通—（工具符号）生存（演化）"这样一个解析图式。这是绪论部分的主要内容。然后，沿着"无意识—潜意识—显意识—超意识"分一、二、三篇。第一篇把"无意识"前提作为"前阶"，由此说起。第二篇论述作为"枢纽"的"社会潜意识—社会显意识"关系，就此展开。先由"社会潜意识"层面，就作为社会的"'真美益善'之'性'的（形式）公设"，或体现"性（人性、社会性）"的"原初（社会）状态"，论述了"社会在成（社会存在生成）的必然性形式是何以成为可能的"；再由"社会潜意识和社会显意识"的关系，解析了社会人悖论，之后就作为社

① 参见，张全新：《塑造论哲学之政治学哲学论证》，山东人民出版社 2005 年版。

会之“性（人性、社会性）”体现于“社情民俗”的“存在”“生成”，论述了“社会存在社会生成的普遍性统摄是何以成为可能的”；又在“社会显意识”层面上，就社会“‘性’体现于‘社情民俗’”而指向“社缘会通”所显现出来的社会体系，论述了社会何以达到“真美益善”统一，论述了“社会存在社会生成（社会实在成就）的和谐性显现是何以成为可能的”。这里，“人塑造（自然）社会”和“社会（自然）塑造人”实现着对于“性（人性、社会性）”的调节。第三篇关于向“超意识”状态升华，指向着超越。由值（价值）法（法律）与性（人性、社会性）的关系，通过解析“人塑造（自然）社会”和“社会（自然）塑造人”及其学说建构史，阐述了“社会潜意识一社会显意识”经“对立统一”走向“同一”，从而实现社会发展中的一级级文明，走向和谐与超越。这一系列论证，归结到回答“社会必然性是何以成为可能的”并且是“社会学所描述和论证的社会必然性是何以成为可能的”，从而对社会学意义的形而下支持哲学意义的形而上的必然性是何以成为可能的，作出结论。